자르는 선
KB039428
미니완자로
오삼~

자율학습시 비상구 미니완자로 53

중등 사회 2

01 인권 보장과 기본권

1 인권과 헌법

(1) **인권**: 인간이 인간답게 살아가기 위해 마땅히 누려야 할 기본적인 권리

(2) **인권의 특징**

천부 인권	인간이 태어나면서부터 당연히 가지는 권리
자연권	국가에서 법이나 제도로 보장하기 이전에 자연적으로 주어진 권리
보편적 권리	피부색, 성별 등에 상관없이 모든 사람이 동등하게 누릴 수 있는 권리
불가침의 권리	국가나 다른 사람이 함부로 침해할 수 없는 권리

(3) **인권과 헌법의 관계**: 오늘날 대부분의 국가에서는 한 나라의 최고 법인 헌법에 기본적 인권을 규정함으로써 국가의 부당한 간섭이나 침해로부터 국민의 인권을 보장하고 있음

2 기본권의 의미와 종류

시험 꿀팁! 제시된 헌법 조항에서 규정하고 있는 기본권의 종류를 묻는 문제가 자주 출제돼.

(1) **기본권**: 헌법에 보장된 기본적 인권 → 인간의 존엄과 가치 및 행복 추구권을 최고의 가치로 함

(2) **기본권의 종류**

자유권	국가 권력의 간섭을 받지 않고 자유롭게 생활할 수 있는 권리
평등권	성별, 종교, 사회적 신분 등에 의해 차별을 받지 않고 동등하게 대우받을 권리
참정권	국가 기관의 형성과 국가의 정치적 의사 형성 과정에 참여할 수 있는 권리
사회권	국가에 인간다운 생활의 보장을 요구할 수 있는 권리
청구권	국가에 대하여 일정한 행위를 요구할 수 있는 권리

3 기본권 제한의 내용과 한계

(1) **기본권 제한의 내용**: 국가 안전 보장, 질서 유지, 공공복리를 위하여 필요한 경우에 한하여 기본권을 제한할 수 있음

(2) **기본권 제한의 한계**: 국회에서 만든 법률로써만 기본권을 제한할 수 있음, 기본권을 제한하더라도 자유와 권리의 본질적인 내용을 침해해서는 안 됨

시험에 꼭 나와!

1 (　　　　)은 인간이 누려야 할 기본적인 권리로, 한 나라의 최고 법인 (　　　　)을 통해 보장된다.

2 기본권 중 (　　　　)은 성별, 종교 등에 의해 차별을 받지 않고 동등하게 대우받을 권리를 말한다.

3 국민의 기본권은 국회에서 만든 (　　　　)로써만 제한할 수 있다.

답 1 인권, 헌법 2 평등권 3 법률

02 인권의 침해 및 구제

1 일상생활에서의 인권 침해

(1) **인권 침해**: 다른 사람이나 단체 또는 국가 기관에 의하여 개인이 가지는 인권이 존중받지 못하고 침해되는 것 ⓔ 차별, 집단 따돌림, 사생활 침해 등

(2) **인권 침해의 원인**: 사회 구성원의 고정 관념이나 편견, 사회의 잘못된 관습이나 관행, 국가의 불합리한 법과 제도 등

(3) **인권 보장을 위한 노력**: 자신뿐만 아니라 다른 사람의 인권 침해 상황에도 관심을 두고 민감하게 반응, 인권 침해를 당한 경우 적극적으로 대응 및 국가 기관에 구제 요청 등

2 국가 기관을 통한 인권 침해의 구제

각 국가 기관에서 담당하는 인권 침해 시 구제 방법을 구분하는 문제가 자주 출제돼.

(1) **법원을 통한 인권 구제**

법원	분쟁이나 범죄 발생 시 사법권을 행사하여 국민의 권리를 보호하는 국가 기관
인권 구제 방법	타인이나 국가 기관에 의해 권리를 침해당한 사람이 소를 제기하면 재판을 통해 침해된 권리를 구제함

(2) **헌법 재판소를 통한 인권 구제**

헌법 재판소	헌법 질서를 수호하고 국민의 기본권을 보장하는 국가 기관
인권 구제 방법	공권력에 의해 기본권이 침해된 국민이 헌법 소원을 제기하면 헌법 소원 심판을 통해 권리를 구제함

(3) **국가 인권 위원회를 통한 인권 구제**

국가 인권 위원회	인권 보호를 위한 전반적인 업무를 수행하는 독립된 국가 기관
인권 구제 방법	차별 등 인권 침해를 당한 사람이 진정을 내면 이를 조사하여 구제함

(4) **기타**: 국민 권익 위원회에 고충 민원이나 행정 심판 제기, 수사 기관에 고소 등

시험에 꼭 나와!

1 다른 사람이나 단체 또는 국가 기관에 의하여 개인의 인권이 존중받지 못하고 침해되는 것을 (　　　　) 라고 한다.

2 법원은 권리를 침해당한 사람이 소를 제기하면 (　　　　)을 통해 침해된 권리를 구제한다.

3 (　　　　)는 공권력에 의해 기본권이 침해된 국민이 헌법 소원을 제기하면 헌법 소원 심판을 통해 권리를 구제해 준다.

답 1 인권 침해 2 재판 3 헌법 재판소

03 근로자의 권리와 노동권 침해 및 구제

1 헌법에 보장된 근로자의 권리

(1) **근로자**: 임금을 받기 위해 사용자에게 근로를 제공하는 사람

(2) **근로자의 권리**

① 근로의 권리: 일할 의사와 능력을 가진 사람이 국가에 일할 기회를 요구할 권리

② 노동 삼권

단결권	근로자가 근로 조건을 유지·개선하고 경제적 지위를 향상하기 위해 노동조합을 만들고, 이에 가입하여 활동할 수 있는 권리
단체 교섭권	근로자가 노동조합을 통해 사용자와 근로 조건에 관하여 협의할 수 있는 권리
단체 행동권	단체 교섭이 원만하게 이루어지지 않을 경우 일정한 절차를 거쳐 쟁의 행위를 할 수 있는 권리

③ 최소한의 근로 조건 보장: 최저 임금 보장, 근로 조건의 최저 기준 규정 등

2 노동권 침해 사례 및 구제 방법

시험 꿀팁! 구체적인 사례에 나타난 노동권 침해의 유형을 구분하고, 그 구제 방법을 묻는 문제가 자주 출제돼.

(1) **노동권 침해 사례**

부당 해고	정당한 이유 없이 근로자를 해고하거나 해고의 조건을 갖추지 않은 것 예 결혼이나 출산, 육아 휴직을 이유로 해고하는 것 등
부당 노동 행위	사용자가 근로자의 노동 삼권을 침해하는 행위 예 노동조합의 조직이나 가입 등을 이유로 불이익을 주는 것 등
기타	임금 미지급, 최저 임금 미준수, 근로 계약서 미작성, 근로 조건 위반 등

(2) **노동권 침해 시의 구제 방법**

부당 해고 및 부당 노동 행위 시	노동 위원회에 구제 신청, 법원에 소 제기
임금 미지급 시	고용 노동부에 진정, 법원에 소 제기

시험에 꼭 나와!

1 (　　　　)는 임금을 받기 위해 사용자에게 근로를 제공하는 사람이다.

2 노동 삼권 중 (　　　　)은 근로자가 근로 조건을 유지·개선하고 경제적 지위를 향상할 목적으로 노동조합을 만들고, 이에 가입하여 활동할 수 있는 권리를 말한다.

3 사용자가 근로자의 노동 삼권을 침해하는 행위를 (　　　　)라고 한다.

4 부당 해고를 당한 경우에는 (　　　　)에 소를 제기함으로써 권리의 구제를 요청할 수 있다.

답 1 근로자 2 단결권 3 부당 노동 행위 4 법원

01 국회

1 국회의 위상

(1) **대의 민주 정치의 실시**: 대부분의 국가에서 선거를 통해 대표자를 선출하고, 그들이 모인 의회에서 법을 만들거나 국가의 중요한 일을 결정함

(2) **국회(입법부)의 의미와 위상**

의미	국민이 선거를 통해 선출한 대표로 구성된 국가 기관
위상	국민의 대표 기관, 입법 기관, 국가 권력의 견제 기관

2 국회의 구성과 조직

(1) **국회의 구성**: 국민이 뽑은 지역구 국회 의원과 비례 대표 국회 의원으로 구성됨 → 국회 의장 1인과 국회 부의장 2인을 선출함

지역구 국회 의원	투표를 통해 각 지역구에서 가장 많은 표를 얻어 선출된 국회 의원
비례 대표 국회 의원	정당별 득표율에 비례하여 선출된 국회 의원

(2) **국회의 조직**

본회의	국회의 의사를 최종적으로 결정하는 회의 → 정기회와 임시회로 구분
상임 위원회	본회의에서 결정할 안건을 미리 조사하고 심의하는 기관
교섭 단체	국회 의원들의 의사를 사전에 통합하고 조정하는 역할을 담당하는 단체

3 국회의 기능

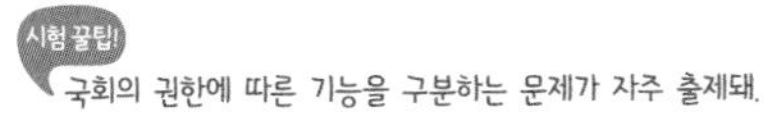

입법에 관한 기능	법률 제정 및 개정, 헌법 개정안 제안 및 의결, 조약 체결 동의 등
재정에 관한 기능	예산안 심의 및 확정, 결산 심사 등
일반 국정에 관한 기능	국정 감사 및 국정 조사, 중요 공무원의 임명 동의, 탄핵 소추 의결 등

시험에 꼭 나와!

1 ( )는 국민이 선거를 통해 선출한 대표로 구성된 국가 기관으로, 입법 기관의 위상을 지닌다.

2 국회는 각 지역구에서 가장 많은 표를 얻어 선출된 ( ) 국회 의원과 정당별 득표율에 비례하여 선출된 ( ) 국회 의원으로 구성된다.

3 ( )는 법률안, 예산안 등 국회의 의사를 최종적으로 결정하는 회의를 말한다.

4 법률 제정 및 개정, 헌법 개정안 제안 및 의결 등은 국회의 ( )에 관한 기능에 해당한다.

답 1 국회(입법부) 2 지역구, 비례 대표 3 본회의 4 입법

02 행정부와 대통령

1 행정과 행정부의 의미

행정	• 국회에서 만든 법률을 집행하는 활동 • 공익을 실현할 목적으로 정책을 수립하여 실행하는 국가 작용
행정부	행정을 담당하는 국가 기관 → 현대 복지 국가에서 역할이 더욱 커지고 있음

2 행정부의 조직과 기능

대통령	행정부의 최고 책임자 → 행정부의 일을 최종적으로 결정함
국무총리	대통령을 도와 행정 각부를 관리하고 감독함
행정 각부	구체적인 행정 사무를 처리함 → 행정 각부의 장은 담당 부서의 업무를 지휘함
국무 회의	대통령, 국무총리, 국무 위원으로 구성되는 행정부의 최고 심의 기관 → 정부의 권한에 속하는 주요 정책을 심의함
감사원	행정부의 최고 감사 기관 → 세금이 제대로 쓰이는지 조사함, 행정 기관과 공무원의 직무를 감찰함

3 대통령의 지위와 권한

시험 꿀팁! 대통령의 지위에 따른 권한을 구분하는 문제가 자주 출제돼.

(1) **대통령의 지위**: 우리나라 대통령은 국가 원수와 행정부 수반의 지위를 동시에 지님 → 국민의 직접 선거로 선출됨, 임기는 5년이며 중임할 수 없음

(2) **대통령의 권한**

국가 원수로서의 권한	조약 체결을 비롯한 외교에 관한 권한 행사, 헌법 기관 구성, 국민 투표 시행, 긴급 명령권 행사, 계엄 선포 등
행정부 수반으로서의 권한	행정부 지휘 및 감독, 국군 지휘 및 통솔, 행정부의 고위 공무원 임면, 대통령령 제정, 법률안 거부권 행사 등

시험에 꼭 나와!

1 국회에서 만든 법률을 집행하는 활동을 (   )이라고 한다.

2 행정부의 최고 책임자인 (   )을 비롯하여 국무총리, 국무 위원으로 구성되는 (   )는 행정부의 최고 심의 기관이다.

3 우리나라 대통령은 국가 원수와 (   )의 지위를 동시에 지닌다.

4 (   )로서 대통령은 조약 체결, 헌법 기관 구성, 국민 투표 시행 등의 권한을 행사할 수 있다.

답 1 행정 2 대통령, 국무 회의 3 행정부 수반 4 국가 원수

3 법원과 헌법 재판소

1 사법의 의미

(1) **사법**: 법을 적용하여 판단하는 국가 작용
(2) **법원(사법부)**: 사법을 담당하는 국가 기관 → 분쟁 해결 및 사회 질서 유지
(3) **사법권의 독립**: 재판이 외부의 간섭 없이 독립적으로 이루어지는 것

2 법원의 조직과 기능

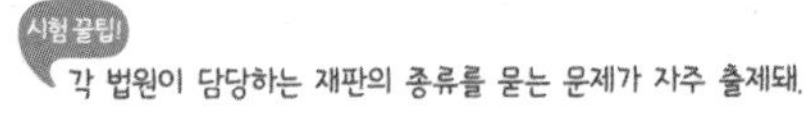

(1) **법원의 조직**: 사법부의 최고 법원인 대법원과 각급 법원으로 조직됨

대법원	고등 법원의 판결에 불복하여 상고한 사건과 특허 법원의 판결에 불복하여 상고한 사건을 재판함 → 모든 사건의 최종적인 재판을 담당하는 법원
고등 법원	지방 법원, 가정 법원, 행정 법원의 1심 판결에 대한 항소 사건을 재판하는 법원
지방 법원	민사 재판이나 형사 재판의 1심 판결을 주로 담당하는 법원

(2) **법원의 기능**: 재판, 위헌 법률 심판 제청 등

3 헌법 재판소의 위상과 역할

(1) **헌법 재판소**: 헌법 재판을 담당하는 독립된 국가 기관 → 9명의 재판관으로 구성됨
(2) **헌법 재판소의 위상**: 헌법 수호 기관, 기본권 보장 기관
(3) **헌법 재판소의 역할**

위헌 법률 심판	법원이 제청한 경우 재판의 전제가 된 법률이 헌법에 위반되는지 여부 심판
헌법 소원 심판	기본권을 침해당한 국민이 직접 구제를 요청한 경우 법률이나 국가 권력이 국민의 기본권을 침해하였는지를 심판
탄핵 심판	탄핵 소추 의결 시 헌법이나 법률을 어긴 고위직 공무원의 파면 여부 심판
정당 해산 심판	목적이나 활동이 민주적 기본 질서에 어긋나는 정당의 해산 여부 심판
권한 쟁의 심판	국가 기관 간에 권한에 대한 다툼이 발생했을 때 이를 심판

시험에 꼭 나와!

1 ( ) 은 법을 적용하여 판단하는 국가 작용으로, 우리나라에서는 법원이 담당한다.

2 사법부의 최고 법원으로, 모든 사건의 최종적인 재판을 담당하는 법원은 ( ) 이다.

3 헌법 재판을 담당하는 독립된 국가 기관인 ( ) 는 법원이 제청한 경우 재판의 전제가 된 법률이 헌법에 위반되는지 여부를 심판하는 ( ) 을 담당한다.

답 1 사법 2 대법원 3 헌법 재판소, 위헌 법률 심판

01 경제생활과 경제 문제

1 경제 활동의 의미와 종류

(1) **경제 활동**: 사람이 생존에 필요한 재화나 서비스를 생산, 분배, 소비하는 모든 활동

(2) **경제 활동의 종류**

생산	재화와 서비스를 만들어 내거나 그 가치를 증대하는 활동
분배	생산 과정에 참여한 대가를 나누어 가지는 것
소비	재화나 서비스를 구입하여 사용하는 활동

2 경제생활에서의 합리적 선택

(1) **자원의 희소성**: 인간의 욕구는 무한한 데 비해 이를 충족해 줄 자원이 상대적으로 부족한 현상
→ 자원의 희소성 때문에 개인과 사회는 경제 활동을 할 때 선택의 문제에 직면함

(2) **기회비용**: 어떤 것을 선택함으로써 포기하는 여러 대안이 갖는 가치 중 가장 큰 것

(3) **합리적 선택**: 가장 적은 비용으로 가장 큰 편익을 얻을 수 있는 선택

3 경제 문제와 경제 체제

시험 꿀팁!
시장 경제 체제와 계획 경제 체제의 의미와 장단점을 비교하는 문제가 자주 출제돼.

(1) **기본적인 경제 문제**: '무엇을 얼마나 생산할 것인가?', '어떻게 생산할 것인가?', '누구를 위하여 생산할 것인가?(누구에게 분배할 것인가?)'

(2) **경제 체제**: 기본적인 경제 문제를 해결하는 방식이 제도적으로 정착된 것 → 오늘날 대부분의 국가는 시장 경제 체제와 계획 경제 체제의 요소가 섞인 혼합 경제 체제를 채택하고 있음

구분	시장 경제 체제	계획 경제 체제
의미	시장 가격에 기초하여 경제 문제를 해결하는 경제 체제 → 개인의 자유로운 이익 추구 인정 및 경제 활동 보장 등	국가의 계획과 명령을 통해 경제 문제를 해결하는 경제 체제 → 개인의 경제 활동 제한, 국가가 대부분의 생산 수단 소유 등
장점	개인의 창의성 발휘 가능, 희소한 자원의 효율적 사용 가능 → 사회의 생산성 증대	국가가 채택한 주요 목적의 신속한 달성 가능
단점	빈부 격차 발생, 환경 오염 심화 등	적절한 공급 곤란, 효율성 저하 등

시험에 꼭 나와!

1 (   )은 사람이 생존에 필요한 재화나 서비스를 생산, 분배, 소비하는 모든 활동을 말한다.

2 인간의 욕구는 무한한 데 비해 이를 충족해 줄 자원이 상대적으로 부족한 현상을 (   )이라고 한다.

3 경제 체제 중 (   )는 시장 가격에 기초하여 경제 문제를 해결한다.

답 1 경제 활동 2 자원의 희소성 3 시장 경제 체제

02 기업의 역할과 사회적 책임

시험 꿀팁! 시장 경제 체제에서 기업이 담당하는 역할을 묻는 문제가 자주 출제돼.

1 기업의 의미와 역할

(1) **기업**: 생산 활동을 담당하는 경제 주체 → 이윤의 극대화를 추구함

(2) **기업의 역할**

상품 생산	생산 요소를 투입하여 재화나 서비스를 만들고 이를 판매함
고용과 소득 창출	생산 활동을 위해 근로자를 고용하여 가계에 일자리를 제공하고, 생산 요소를 제공한 사람들에게 임금, 지대, 이자 등을 지급하여 가계의 소득을 창출함
세금 납부	벌어들인 수입 중 일부를 국가에 세금으로 납부함으로써 국가의 재정에 기여함

2 기업의 사회적 책임과 기업가 정신

(1) **기업의 사회적 책임**

의미	기업이 이윤을 추구하는 활동 이외에 법령과 윤리를 준수하고, 기업의 유지 기반이 되는 소비자, 주주, 지역 사회 등에 대한 역할을 다하는 것
수행 노력	투명 경영, 합법적인 경제 활동, 소비자와 근로자의 권익 보호, 환경 보호, 장애인과 여성의 고용 확대, 공정 거래, 사회 공헌 활동 참여, 교육 및 복지 지원 등

(2) **기업가 정신**

의미	불확실성과 위험을 무릅쓰고 혁신과 창의성을 바탕으로 한 생산 활동을 통해 이윤을 창출하여 기업을 성장시키려는 기업가의 도전 정신
발휘 사례	새로운 상품 개발, 새로운 시장 개척, 새로운 생산 방법 도입, 새로운 경영 조직 구성, 품질 개선이나 기술 개발, 새로운 자원 활용 등
의의	소비자의 삶을 더욱 풍요롭게 함, 새로운 가치 창출에 이바지하여 경제 발전의 원동력이 되기도 함

시험에 꼭 나와!

1 (　　　　) 은 생산 활동을 담당하는 경제 주체로, 생산 활동을 통해 (　　　　) 의 극대화를 추구한다.

2 기업은 생산 요소를 제공한 사람들에게 임금, 지대, 이자 등을 지급하여 가계의 (　　　　) 을 창출한다.

3 기업이 이윤을 추구하는 활동 이외에 법령과 윤리를 준수하고, 기업의 유지 기반이 되는 소비자, 주주, 지역 사회 등에 대한 역할을 다하는 것을 기업의 (　　　　) 이라고 한다.

4 (　　　　) 은 불확실성과 위험을 무릅쓰고 혁신과 창의성을 바탕으로 한 생산 활동을 통해 이윤을 창출하여 기업을 성장시키려는 기업가의 도전 정신을 말한다.

답 1 기업, 이윤 2 소득 3 사회적 책임 4 기업가 정신

03 금융 생활의 중요성

1 생애 주기에 따른 일반적인 경제생활

구분	내용
유소년기	주로 부모의 소득에 의존하여 소비 생활을 함
청년기	본격적으로 생산 활동에 참여하여 소득이 발생함, 소득과 소비가 모두 적은 편임
중장년기	소득이 크게 증가하지만, 자녀 출산 및 양육 등으로 소비도 집중적으로 증가함
노년기	은퇴 후 소득이 크게 줄어들거나 없어짐 → 노후 대비 자금이나 연금으로 생활함

2 지속 가능한 경제생활을 위한 자산 관리

시험 꿀팁! 자산 관리가 필요한 이유를 묻는 문제가 자주 출제돼.

(1) **자산 관리**: 자신의 소득으로 어떻게 자산을 모으고 불릴지에 대한 계획을 세우고 실천하는 것

(2) **자산 관리의 필요성**: 한정된 소득으로 지속 가능한 경제생활 유지, 고령화 사회 대비 등

(3) **합리적인 자산 관리 방법**: 안전성, 수익성, 유동성 고려, 다양한 유형의 자산에 분산 투자 등

구분	내용
안전성(↔ 위험성)	투자한 원금이 손실되지 않는 정도
수익성	투자를 통해 이익을 얻을 수 있는 정도
유동성	필요할 때 쉽게 현금으로 바꿀 수 있는 정도

(4) **자산 관리에 활용되는 주요 자산**

구분	내용
예금, 적금	이자 등을 목적으로 금융 기관에 맡긴 자산 → 안전성 ↑, 수익성 ↓
주식	주식회사가 투자자에게서 돈을 받고 발행하는 증서 → 수익성 ↑, 안전성 ↓
기타	채권, 보험(질병이나 사고 등의 위험 대비), 연금(노후 대비), 부동산 등

3 지속 가능한 경제생활을 위한 신용 관리

구분		내용
신용		나중에 대가를 지불할 것을 약속하고 현재 상품을 이용하거나 돈을 빌릴 수 있는 능력
신용 관리	중요성	신용이 낮아지면 높은 이자 지불, 취업 제한 등의 불이익을 받을 수 있음
	방법	자신의 소득과 지불 능력을 고려하여 신용 이용, 상환 기한 준수 등

시험에 꼭 나와!

1 (　　　　)는 자신의 소득으로 어떻게 자산을 모으고 불릴지에 대한 계획을 세우고 실천하는 것이다.

2 자산 관리 시 고려해야 할 요인 중 (　　　　)은 필요할 때 쉽게 현금으로 바꿀 수 있는 정도를 말한다.

3 (　　　　)은 나중에 대가를 지불할 것을 약속하고 현재 상품을 이용하거나 돈을 빌릴 수 있는 능력이다.

답 1 자산 관리 2 유동성 3 신용

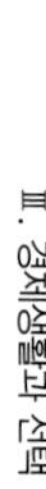

01 시장의 의미와 종류

1 시장의 의미와 기능

(1) 시장: 재화나 서비스를 팔려는 사람과 사려는 사람이 만나서 거래하는 곳 → 구체적인 장소를 포함하여 거래 활동 자체를 의미함

(2) 시장의 기능

① **거래 비용 감소**: 상품을 거래할 상대방을 찾는 데 드는 시간과 비용을 줄여 줌

② **상품에 관한 정보 제공**: 상품의 종류와 가격, 특징 등 상품에 관한 정보를 쉽게 얻을 수 있게 됨 → 다양한 상품의 소비 기회가 확대됨

③ **분업 촉진에 따른 생산성 증대**: 분업을 촉진하여 특정 분야를 전문적으로 생산하도록 함으로써 질 좋은 제품의 효율적 생산과 사회 전체의 생산량 증대에 기여함

2 시장의 종류

시험 꿀팁! 시장의 사례를 제시하고 어떤 종류의 시장에 해당하는지 묻는 문제가 자주 출제돼.

(1) 거래하는 모습이 보이는지 여부에 따른 구분

보이는 시장	거래하는 모습이 구체적으로 드러나는 시장 예 재래시장, 대형 할인점, 백화점 등
보이지 않는 시장	거래하는 모습이 구체적으로 드러나지 않는 시장 예 주식 시장, 외환 시장, 전자 상거래 등

(2) 거래되는 상품의 종류에 따른 구분

생산물 시장	생활에 필요한 재화나 서비스가 거래되는 시장 예 농수산물 시장, 꽃 시장, 가구 시장, 문구점, 영화관, 공연장 등
생산 요소 시장	상품을 생산하는 과정에서 필요한 토지, 노동, 자본 등의 생산 요소가 거래되는 시장 예 부동산 시장, 노동 시장 등

(3) 시장을 구분하는 그 밖의 기준: 개설 주기, 판매 대상 등

시험에 꼭 나와!

1 (   )은 재화나 서비스를 팔려는 사람과 사려는 사람이 만나 거래가 이루어지는 장소를 말한다.

2 시장의 등장은 (   )을 촉진하여 특정 분야를 전문적으로 생산하도록 함으로써 사회 전체의 생산량 증대에 기여하였다.

3 시장은 거래되는 상품의 종류에 따라 재화나 서비스가 거래되는 (   ) 시장과 상품을 생산하는 과정에서 필요한 토지, 노동, 자본 등이 거래되는 (   ) 시장으로 구분된다.

답 1 시장 2 분업 3 생산물, 생산 요소

02 시장 가격의 결정

1 수요 법칙과 공급 법칙

(1) 수요와 수요 법칙

수요	일정 가격에 어떤 상품을 구매하고자 하는 욕구
수요량	일정 가격에 구매하고자 하는 상품의 양
수요 법칙	상품의 가격이 상승하면 수요량이 감소하고, 가격이 하락하면 수요량이 증가함 → 상품의 가격과 수요량은 음(−)의 관계에 있음
수요 곡선	수요 법칙을 나타낸 그래프 → 우하향 곡선

(2) 공급과 공급 법칙

공급	일정 가격에 어떤 상품을 판매하고자 하는 욕구
공급량	일정 가격에 판매하고자 하는 상품의 양
공급 법칙	상품의 가격이 상승하면 공급량이 증가하고, 가격이 하락하면 공급량이 감소함 → 상품의 가격과 공급량은 양(+)의 관계에 있음
공급 곡선	공급 법칙을 나타낸 그래프 → 우상향 곡선

2 시장 가격의 결정

시험 꿀팁! 초과 수요와 초과 공급 상태의 특징을 묻는 문제가 자주 출제돼.

(1) 균형 가격(시장 가격): 수요량과 공급량이 일치하는 지점에서 시장 가격이 형성됨

균형 가격	수요 곡선과 공급 곡선이 만나는 지점의 가격
균형 거래량	균형 가격에서의 거래량

(2) 초과 수요와 초과 공급

초과 수요	수요량이 공급량보다 많은 상태 → 수요자 간 경쟁 발생 → 상품 가격 상승
초과 공급	공급량이 수요량보다 많은 상태 → 공급자 간 경쟁 발생 → 상품 가격 하락

시험에 꼭 나와!

1 상품의 가격이 상승하면 수요량이 (　　　　)하고, 가격이 하락하면 수요량이 (　　　　)한다.

2 (　　　　)은 일정 가격에 판매하고자 하는 상품의 양이다.

3 시장에서 수요량과 공급량이 일치하는 지점에서 형성되는 가격을 (　　　　)이라고 한다.

4 (　　　　) 상태에서는 수요량이 공급량보다 많아 수요자 간 경쟁이 발생한다.

답 1 감소, 증가 2 공급량 3 균형 가격(시장 가격) 4 초과 수요

3 시장 가격의 변동

1 수요와 공급의 변동 요인

시험 꿀팁! 수요·공급의 변동 요인을 제시하고 이에 따른 균형 가격과 균형 거래량의 변동 모습을 묻는 문제가 자주 출제돼.

수요의 변동 요인	소득의 변화, 관련 상품의 가격 변화, 소비자의 기호 변화, 미래 가격에 대한 예상, 인구수의 변화 등
공급의 변동 요인	생산 요소의 가격 변화, 생산 기술의 발달, 공급자 수의 변화, 미래 가격에 대한 예상 등

2 수요·공급 변동에 따른 가격 변동

(1) 수요 변동에 따른 가격 변동

구분	수요 증가	수요 감소
변동 요인	소득 증가, 대체재 가격 상승, 보완재 가격 하락, 기호 상승, 미래 가격 상승 예상, 인구 증가 등	소득 감소, 대체재 가격 하락, 보완재 가격 상승, 기호 하락, 미래 가격 하락 예상, 인구 감소 등
변동 모습	균형 가격 상승, 균형 거래량 증가	균형 가격 하락, 균형 거래량 감소

(2) 공급 변동에 따른 가격 변동

구분	공급 증가	공급 감소
변동 요인	생산 요소 가격 하락, 생산 기술 발달, 공급자 수 증가, 미래 가격 하락 예상 등	생산 요소 가격 상승, 공급자 수 감소, 미래 가격 상승 예상 등
변동 모습	균형 가격 하락, 균형 거래량 증가	균형 가격 상승, 균형 거래량 감소

3 시장 가격의 기능

(1) **시장 경제의 신호등 기능**: 시장 가격은 소비자와 생산자에게 경제 활동을 어떻게 조절한 것인지 알려 줌

(2) **자원의 효율적 배분 기능**: 시장 가격은 그 사회에 필요한 적당한 양의 상품을 가장 효율적인 방법으로 생산하게 하고, 이를 효율적으로 배분하는 기능을 함

시험에 꼭 나와!

1 관련 상품의 가격 변화는 (   )의 변동 요인에 해당한다.

2 공급이 증가하면 균형 가격은 (   )하고, 균형 거래량은 (   )한다.

3 (   )은 소비자와 생산자에게 경제 활동을 어떻게 조절할 것인지 알려 주는 시장 경제의 신호등과 같은 기능을 한다.

답 1 수요 2 하락, 증가 3 시장 가격

01 국내 총생산과 경제 성장

1 국내 총생산

시험 꿀팁! 제시된 사례 중 국내 총생산(GDP)에 포함되는 것을 묻는 문제가 자주 출제돼.

(1) **국내 총생산(GDP)**: 일정 기간 동안 한 나라 안에서 새롭게 생산된 최종 생산물의 시장 가치를 모두 합한 것 → 한 나라의 경제 활동 규모를 파악할 수 있는 국민 경제 지표

일정 기간 동안	보통 1년 동안 생산된 것만 포함함
한 나라 안에서	생산자의 국적과 관계없이 그 나라 국경 안에서 생산된 것만 포함함
새롭게 생산된	그해에 새롭게 생산된 것만 포함함 → 중고품은 포함되지 않음
최종 생산물의 시장 가치를 모두 합한 것	중간 생산물의 가치는 제외하고 시장에서 거래되는 최종 생산물의 가치만을 계산함

(2) **국내 총생산의 한계**: 시장에서 거래되지 않는 경제 활동은 포함하지 않음, 국민의 삶의 질 수준이나 소득 분배 수준, 빈부 격차의 정도를 정확하게 파악하기 어려움

2 경제 성장

(1) **경제 성장**: 한 나라의 생산 능력과 경제 규모가 커지는 것 → 국내 총생산이 증가하는 것

(2) **경제 성장률**: 물가의 변동을 제거한 실질 국내 총생산의 증가율 → 경제 성장의 정도를 보여 주는 지표

(3) **경제 성장이 우리 생활에 미치는 영향**

긍정적 측면	• 일자리 및 국민 소득의 증가로 물질적으로 풍요로워짐 • 질 높은 교육과 의료 혜택을 제공받을 수 있으며 다양한 문화생활을 할 수 있게 됨 → 사회적·문화적 욕구 충족으로 삶의 질이 향상됨
부정적 측면	• 경제 성장 과정에서 자원 고갈 및 환경 오염이 심화될 수 있음 • 경제 성장의 혜택이 편중될 경우 빈부 격차가 커져 계층 간 갈등이 나타날 수 있음

시험에 꼭 나와!

1 ( )은 일정 기간 동안 한 나라 안에서 새롭게 생산된 최종 생산물의 시장 가치를 모두 합한 것이다.

2 국내 총생산은 가사 노동과 같이 ( )에서 거래되지 않는 경제 활동은 포함하지 않는다.

3 ( )이란 한 나라의 생산 능력과 경제 규모가 커지는 것을 의미한다.

4 경제 성장의 혜택이 편중될 경우 ( )가 커져 계층 간 갈등이 나타날 수 있다.

답 1 국내 총생산(GDP) 2 시장 3 경제 성장 4 빈부 격차

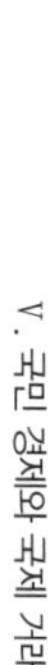

02 물가와 실업

1 물가

(1) 물가의 의미와 물가 상승의 원인

① **물가**: 시장에서 거래되는 여러 상품의 가격을 종합하여 평균한 것

② **물가 상승의 원인**: 총수요 〉 총공급, 생산비의 상승, 통화량의 증가 등

(2) 인플레이션: 물가가 지속적으로 오르는 현상

인플레이션의 영향을 묻는 문제가 자주 출제돼.

(3) 인플레이션의 영향

상품 구매력 하락	화폐의 가치가 하락하여 상품 구매 능력이 감소함
부와 소득의 불공정한 재분배	• 유리한 사람: 실물 자산을 보유한 사람, 돈을 빌린 사람, 수입업자 등 • 불리한 사람: 봉급·연금 생활자, 돈을 빌려준 사람, 수출업자 등
무역 불균형 발생	수출이 감소하고 수입이 증가하여 무역 불균형이 발생함

(4) 물가 안정을 위한 경제 주체의 노력: 정부의 과도한 재정 지출 축소 및 조세 인상, 중앙은행의 통화량 감축, 기업과 근로자의 생산성 향상, 소비자의 합리적 소비 등

2 실업

(1) 실업: 일할 능력과 의사가 있는데도 일자리를 구하지 못하는 상태

(2) 실업의 유형

경기적 실업	경기가 침체되어 기업이 고용을 줄이는 경우 발생
구조적 실업	자동화나 산업 구조의 변화 등으로 관련 일자리가 사라지는 경우 발생
계절적 실업	계절의 변화에 따라 고용 기회가 줄어드는 경우 발생
마찰적 실업	이직을 위해 현재의 직장을 그만두는 경우 일시적으로 발생

(3) 실업의 영향

① **개인적 측면**: 생계유지 곤란, 자아실현의 기회 박탈, 자아 존중감 상실 등

② **사회적 측면**: 인적 자원의 낭비, 생계형 범죄의 증가로 사회 불안 초래 등

(4) 고용 안정을 위한 경제 주체의 노력: 정부의 재정 지출 확대 및 일자리 창출, 기업의 일자리 창출을 위한 경영 방안 모색, 근로자의 업무 처리 능력 향상 등

시험에 꼭 나와!

1 시장에서 거래되는 상품의 가격을 종합하여 평균한 것을 (　　　　)라고 한다.

2 (　　　　)은 물가가 지속적으로 오르는 현상이다.

3 일할 능력과 의사가 있음에도 불구하고 일자리를 구하지 못하는 상태를 (　　　　)이라고 한다.

답 1 물가 2 인플레이션 3 실업

03 국제 거래와 환율

1 국제 거래

(1) **국제 거래**: 생산물이나 생산 요소가 국경을 넘어 거래되는 것

(2) **국제 거래의 특징**: 관세 부과, 환율 적용, 상품 이동의 제약 등

(3) **국제 거래의 필요성**: 국가 간 생산 여건의 차이로 인해 생산비의 차이가 발생함 → 각국이 생산에 유리한 품목을 특화하여 수출하고, 생산에 불리한 품목을 수입하면 서로에게 이익이 됨

(4) **국제 거래의 양상**

국제 거래의 확대 배경	세계화와 개방화 추세, 세계 무역 기구(WTO)의 출범 등 → 세계 각국의 경제적 상호 의존과 협력 확대
국제적 차원의 경제 협력	지리적으로 가깝고 경제적으로 상호 의존도가 높은 국가 간 지역 경제 협력체 구성, 개별 국가 간 자유 무역 협정(FTA) 체결 등

2 환율

시험 꿀팁! 환율 변동으로 인해 유리해지는 사람과 불리해지는 사람을 구분하는 문제가 자주 출제돼.

(1) **환율**: 자국 화폐와 외국 화폐의 교환 비율 → 외화에 대한 수요와 공급에 의해 결정됨

(2) **환율의 변동**

외화의 수요	외국 상품의 수입, 해외 투자와 유학 등으로 외화의 수요 증가 → 환율 상승
외화의 공급	우리나라 상품의 수출, 외국인의 국내 투자 등으로 공급 증가 → 환율 하락

(3) **환율 변동이 국내 경제에 미치는 영향**

구분	환율 상승	환율 하락
수출 및 수입	수출은 증가하고 수입은 감소함	수출은 감소하고 수입은 증가함
국내 물가	수입 원자재의 가격이 오르면 국내 물가가 상승함	수입 원자재의 가격이 내리면 국내 물가가 안정됨
외채 상환 부담	외화로 빚을 진 경우에 갚아야 할 금액이 늘어남	외화로 빚을 진 경우에 갚아야 할 금액이 줄어듦

시험에 꼭 나와!

1 (   )는 생산물이나 생산 요소가 국경을 넘어 거래되는 것이다.

2 자국 화폐와 외국 화폐의 교환 비율을 (   )이라고 한다.

3 우리나라 상품의 수출이 증가할 경우 외화에 대한 (   )이 증가하므로 환율이 (   )한다.

4 환율이 상승할 경우 수입 원자재의 가격이 올라 국내 물가가 (   )한다.

답 1 국제 거래 2 환율 3 공급, 하락 4 상승

01 국제 사회의 이해

1 국제 사회의 의미와 특성

(1) **국제 사회**: 세계 여러 나라가 서로 교류하고 의존하면서 공존하는 사회

(2) **국제 사회의 특성**

① **자국의 이익 추구**: 각국은 자국의 이익을 우선적으로 추구함

② **힘의 논리 적용**: 각국은 원칙적으로 평등한 주권을 지니지만, 실제로는 군사력과 경제력이 큰 강대국이 약소국보다 더 많은 영향력을 행사함

③ **중앙 정부의 부재**: 개별 국가를 강제할 권위와 힘을 가진 중앙 정부가 존재하지 않음 → 국가 간 분쟁이 일어날 경우 조정이나 해결이 어려움

④ **국제 협력의 강화**: 국가 간 상호 의존성이 깊어지고, 국제 사회의 문제에 대해 공동으로 대처해야 할 필요성이 커지면서 국제 협력의 필요성이 강화되고 있음

2 국제 관계에 영향을 미치는 행위 주체

시험 꿀팁! 국제 사회의 행위 주체별 특징을 묻는 문제가 자주 출제돼.

국가	• 의미: 국제 사회의 가장 기본적이고 전통적인 행위 주체 → 일정한 영토와 국민을 바탕으로 하여 주권을 가짐 • 역할: 국제법에 따라 독립적인 지위를 가지고 외교 활동을 함, 여러 국제기구에 가입하여 회원국으로서 활동함
국제기구	• 의미: 국제적인 목적이나 활동을 위해 조직된 행위 주체 • 종류: 각국 정부를 회원으로 하는 정부 간 국제기구와 개인이나 민간단체를 회원으로 하는 국제 비정부 기구로 구분됨
다국적 기업	• 의미: 한 나라에 본사를 두고, 여러 나라에 자회사와 공장을 설립하여 국제적 규모로 상품을 생산하고 판매하는 기업 • 영향: 국경을 초월한 경영 활동을 바탕으로 국제 관계나 개별 국가의 정책 등에 영향력을 행사함
기타	국제적으로 영향력이 있는 개인, 국가 내 지방 정부나 소수 민족 등

시험에 꼭 나와!

1 세계 여러 나라가 서로 교류하고 의존하면서 공존하는 사회를 (　　　　)라고 한다.

2 국제 사회에는 (　　　　)가 존재하지 않아 국가 간 분쟁이 일어날 경우 조정이나 해결이 어렵다.

3 국제기구는 크게 각국 정부를 회원으로 하는 정부 간 국제기구와 개인이나 민간단체를 회원으로 하는 (　　　　)로 구분된다.

4 (　　　　)은 국제적 규모로 상품을 생산하고 판매하는 기업이다.

답 1 국제 사회 2 중앙 정부 3 국제 비정부 기구 4 다국적 기업

02 국제 사회의 모습과 공존 노력

1 국제 사회의 모습

시험 꿀팁! 국제 사회의 경쟁과 갈등이 발생하는 원인과 양상을 묻는 문제가 자주 출제돼.

(1) 국제 사회의 경쟁과 갈등

국제 사회의 경쟁	• 원인: 각국이 자국의 이익을 우선적으로 추구함 • 특징: 세계화로 국가 간 경쟁이 심화 및 확대되고 있음
국제 사회의 갈등	• 특징: 여러 행위 주체의 이해관계를 둘러싸고 다양한 양상으로 나타남 • 문제점: 평화적으로 해결하지 못할 경우 전쟁이 발생하기도 함

(2) 국제 사회의 협력

① **국제 협력의 필요성**: 국제 사회의 문제는 국경을 초월하여 발생하며, 전 세계에 걸쳐 영향을 미치므로 해당 지역의 노력만으로는 해결하기 어려움 → 국제 협력을 통해 해결해야 함

② **국제 사회의 협력 사례**: 주요 결의안 채택, 공적 개발 원조(ODA), 지역 간 경제 협력 등

2 국제 사회의 외교

(1) 외교와 외교 정책의 의미

외교	한 국가가 국제 사회에서 자국의 이익을 평화적으로 달성하려는 활동
외교 정책	외교를 통해 자국의 이익을 보호하고 증진할 목적으로 수립하는 정책

(2) 외교의 중요성: 자국의 정치적·경제적 이익 실현, 자국의 위상 강화, 국가 간 분쟁 해결 및 예방 등을 위해 외교의 중요성이 커지고 있음

(3) 외교 활동의 변화

① **전통적인 외교**: 외교관 파견, 정상 회담 등 정부 간 활동을 중심으로 이루어짐

② **오늘날의 외교**: 정부 간 활동을 포함하여 민간 차원의 외교 활동도 활발하게 이루어짐

3 국제 사회의 공존을 위한 노력

(1) 국제 사회의 노력: 국제법 준수, 국제기구 참여, 민간단체를 통한 국제 협력 등

(2) 세계 시민 의식 함양: 공동체 의식을 바탕으로 국제 사회 문제에 관심을 두고 이를 해결하기 위해 적극적으로 행동하는 참여 의식과 책임 의식을 가져야 함

시험에 꼭 나와!

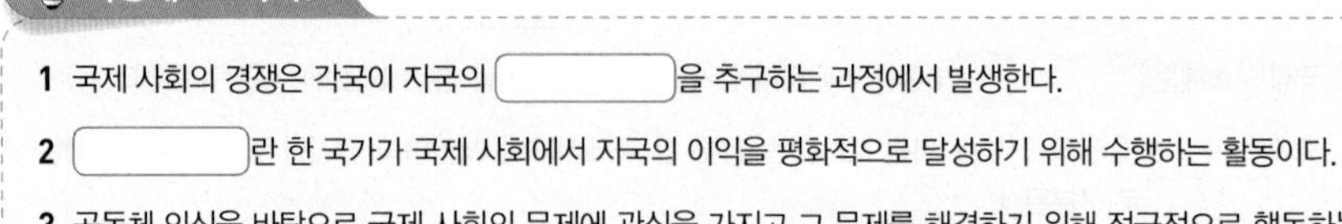

1 국제 사회의 경쟁은 각국이 자국의 (　　　　)을 추구하는 과정에서 발생한다.

2 (　　　　)란 한 국가가 국제 사회에서 자국의 이익을 평화적으로 달성하기 위해 수행하는 활동이다.

3 공동체 의식을 바탕으로 국제 사회의 문제에 관심을 가지고 그 문제를 해결하기 위해 적극적으로 행동하는 참여 의식과 책임 의식을 (　　　　)이라고 한다.

답 1 이익 2 외교 3 세계 시민 의식

3 우리나라의 국가 간 갈등 문제

1 우리나라가 직면한 국가 간 갈등

(1) 우리나라와 일본의 갈등

일본의 독도 영유권 주장	• 독도: 역사적, 지리적, 국제법적으로 명백한 우리의 고유 영토임 → 현재 우리나라가 확고한 주권을 행사하고 있음 • 일본의 주장: 독도의 경제적·군사적 가치를 선점하기 위해 독도 영유권을 주장함 → 독도를 영토 분쟁 지역으로 만들고자 국제 사법 재판소에 제소함
일본의 역사 교과서 왜곡	일본 교과서에 독도 영유권 주장을 강화하고, 일본군 '위안부'와 관련된 기술을 삭제하거나 강제 동원 사실을 숨기는 등 역사적 사실을 왜곡함

(2) 우리나라와 중국의 갈등

중국의 동북 공정	• 내용: 고조선, 고구려, 발해를 중국 고대의 지방 정권으로 왜곡함 • 목적: 한반도 통일 이후 발생할 수 있는 영토 분쟁과 중국 내 소수 민족의 독립을 방지 → 현재 영토를 확고히 하기 위함
중국의 불법 조업	중국 어선이 우리나라의 배타적 경제 수역을 침범하여 불법적으로 어업 활동을 함 → 해양 자원을 둘러싼 중국과의 갈등이 증가함

2 우리나라가 직면한 국가 간 갈등의 해결 노력

> 시험꿀팁! 우리나라의 국가 간 갈등 사례를 제시하고 이를 해결하기 위한 정부와 시민 사회의 활동을 묻는 문제가 자주 출제돼.

(1) 국가 간 갈등 해결을 위한 정부의 활동

① **적극적인 외교 활동**: 국가 간 갈등 문제를 평화적으로 해결하기 위한 외교 정책을 추진하고 국제 사회에 우리의 입장을 알림

② **전문 기관의 운영**: 관련 자료를 수집하고 연구할 수 있는 전문 기관을 운영하고, 축적한 자료들을 국내외에 홍보하고 교육할 수 있는 여건을 마련하고자 노력함

(2) 국가 간 갈등 해결을 위한 시민 사회의 활동

① **민간 외교 강화**: 조직적인 국제 활동을 통해 국가 간 갈등 문제를 전 세계에 알림

② **공동 연구**: 학자들의 국가 간 공동 연구를 통해 갈등 상황의 사실 관계를 밝히기 위해 노력함

③ **시민 단체 활동**: 홍보와 교육을 통해 국민들이 우리나라가 직면한 갈등을 바로 알 수 있도록 함

시험에 꼭 나와!

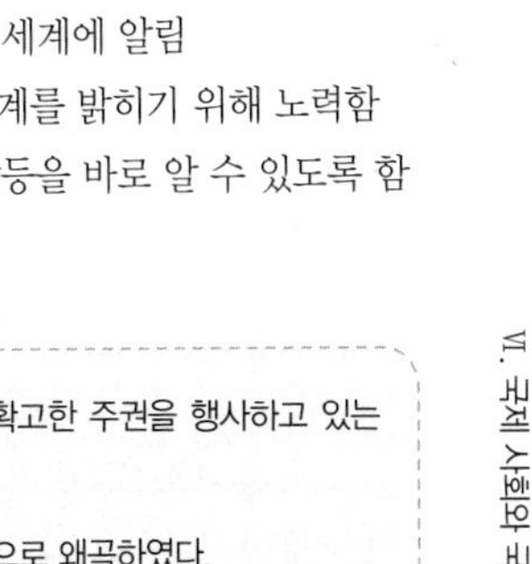

1 역사적, 지리적, 국제법적으로 명백한 우리의 고유한 영토로서 우리나라가 확고한 주권을 행사하고 있는 (　　　　)에 대해 일본이 영유권을 주장하면서 갈등을 빚고 있다.

2 중국은 (　　　　)을 통해 고조선, 고구려, 발해를 중국 고대의 지방 정권으로 왜곡하였다.

3 국가 간 갈등 해결을 위해서는 국가 간 (　　　　) 연구를 통해 갈등 상황의 사실 관계를 밝혀야 한다.

답 1 독도 2 동북 공정 3 공동

01 인구 분포

1 세계의 인구 분포

(1) **세계의 인구 분포:** 공간상에 고르게 분포하지 않고 특정 지역에 집중하여 분포함

(2) **인구 분포에 영향을 미치는 요인**

구분	자연적 요인	인문·사회적 요인
종류	기후, 지형, 식생 등	경제, 교통, 산업 등
인구 밀집 지역	기후가 온화하고 물이 풍부하며, 토양이 비옥한 평야 지역 예 동아시아와 남아시아의 벼농사 지역	산업이 발달하고 일자리가 풍부하고, 생활 환경이 좋은 지역 예 서부 유럽, 미국 북동부 대서양 연안
인구 희박 지역	• 매우 춥거나 더운 지역, 건조한 지역 예 아마존강 유역, 시베리아 지역, 사하라 사막 • 험준한 산지 지역 예 히말라야산맥	교통이 불편한 지역, 각종 산업 시설과 일자리가 부족한 지역, 전쟁과 분쟁이 자주 발생하는 지역

2 우리나라의 인구 분포

시험 꿀팁! 우리나라 산업화 이전의 인구 분포와 산업화 이후의 인구 분포를 비교하는 문제가 자주 출제돼.

(1) **산업화 이전:** 농업에 적합한 기후, 지형과 같은 자연적 요인의 영향을 많이 받음

인구 밀집 지역	평야가 넓고 기후가 온화하여 벼농사에 유리한 남서부 지역
인구 희박 지역	산지나 고원이 많고 기온이 낮은 북동부 지역

(2) **산업화 이후:** 인문·사회적 요인의 영향을 많이 받음 → 이촌 향도 현상

인구 밀집 지역	수도권, 대도시, 남동 임해 공업 지역
인구 희박 지역	태백산맥과 소백산맥 일대의 산지 지역과 농어촌 지역

시험에 꼭 나와!

1 세계 인구는 공간상에 (   ) 분포하지 않는다.

2 세계 인구의 90%는 육지 면적이 넓은 (   )에 살고 있다.

3 세계의 인구 분포는 과거에는 기후, 지형, 식생 등의 (   ) 요인의 영향을 많이 받았으나, 최근에는 경제, 교통, 산업 등의 (   ) 요인의 영향력이 커지고 있다.

4 동아시아와 남아시아에 이르는 지역은 계절풍 기후가 나타나 (   )와 인간 생활에 유리하다.

5 우리나라는 산업화 이후 이촌 향도 현상으로 서울을 비롯한 (   )에 인구가 집중되었다.

답 1 고르게 2 북반구 3 자연적, 인문·사회적 4 벼농사 5 수도권

2 인구 이동

1 인구 이동의 요인

배출 요인	인구를 다른 지역으로 밀어내는 부정적 요인 예 낮은 임금, 열악한 주거 환경 등
흡인 요인	인구를 끌어들여 머무르게 하는 긍정적 요인 예 높은 임금, 풍부한 일자리 등

2 오늘날 세계의 인구 이동

국제 이동	• 경제적 이동: 개발 도상국에서 일자리를 찾아 선진국으로 이동 • 정치적 이동: 내전, 분쟁 등에 의한 난민의 이동
국내 이동	• 개발 도상국: 일자리를 찾아 촌락 인구가 도시로 이동 → 이촌 향도 현상 • 선진국: 쾌적한 환경을 찾아 도시 인구가 농촌으로 이동 → 역도시화 현상

3 인구 이동이 지역에 미치는 영향

시험 꿀팁! 인구 유입 지역과 인구 유출 지역의 특징과 문제점을 묻는 문제가 자주 출제돼.

구분	인구 유입 지역	인구 유출 지역
긍정적 영향	풍부한 노동력 유입으로 경제 활성화 및 문화적 다양성 증가	이주자들이 본국으로 송금하는 외화 증가로 인한 경제 활성화
부정적 영향	이주민과 현지인 간의 일자리 경쟁 및 문화적 차이로 인한 갈등 발생	청장년층 노동력의 해외 유출로 경제 성장 둔화 및 노동력 부족 문제 발생

4 우리나라 인구의 국내 이동

일제 강점기	일자리를 찾아 광공업이 발달한 북부 지방으로 인구 이동
6·25 전쟁	월남한 동포들이 남부 지방으로 피난
1960~80년대	이촌 향도 현상으로 수도권과 대도시 등으로 인구 집중
1990년대 이후	대도시의 일부 인구가 주변 지역으로 이동

시험에 꼭 나와!

1 인구 이동의 요인에는 인구를 끌어들이는 (   )과 인구를 밀어내는 (   )이 있다.

2 선진국에서는 쾌적한 환경을 찾아 도시의 인구가 농촌으로 이동하는 (   )이 나타난다.

3 우리나라에서는 1960~80년대 (   ) 현상으로 많은 사람들이 수도권과 대도시 등으로 이동하였다.

답 1 흡인 요인, 배출 요인 2 역도시화 현상 3 이촌 향도

03 인구 문제

1 세계 인구의 성장

산업 혁명 이후	의료 기술 및 생활 수준의 향상 → 평균 수명의 연장, 영아 사망률 감소로 인구 급증
오늘날	• 선진국: 출생률과 사망률 모두 낮음 → 인구 증가 속도가 느리거나 정체 • 개발 도상국: 제2차 세계 대전 이후 사망률은 낮아졌지만, 출생률이 높음 → 인구 증가 속도가 빠름

2 개발 도상국의 인구 문제

시험 꿀팁! 경제 발전 정도에 따라 다르게 나타나는 인구 문제를 비교하는 문제가 자주 출제돼.

인구 부양력 부족	• 원인: 인구 부양 능력이 인구 증가 속도를 따라가지 못함 • 대책: 출산 억제 정책, 경제 성장과 식량 증산 정책 추진 등
도시 문제	• 원인: 농촌 인구의 도시 집중과 도시 자체의 인구 성장 • 대책: 농촌 지역의 개발로 이촌 향도 현상 약화 등
출생 성비 불균형	• 원인: 일부 아시아 국가의 남아 선호 사상 등 • 대책: 남아 선호 사상 타파, 양성평등 문화 정착 등

3 선진국과 우리나라의 인구 문제

구분	저출산	고령화
원인	여성의 사회 참여 증가, 결혼 연령 상승, 결혼 및 가족에 대한 가치관 변화 등	생활 수준의 향상과 의료 기술의 발달로 평균 수명 증가
문제	청장년층의 노년층 부양 부담 증가, 생산 가능 인구의 감소로 경제 성장 둔화	
대책	출산 장려 정책 시행, 영·유아 보육 시설 확충, 청년층의 고용 안정 등	노인 직업 훈련 기회 및 일자리 제공, 연금 제도와 사회 보장 제도 정비 등

시험에 꼭 나와!

1 세계의 인구는 (   ) 이후 의료 기술 및 생활 수준의 향상으로 빠르게 증가하기 시작하였다.

2 선진국과 우리나라에서는 평균 수명이 늘어나 노인 인구 비중이 높아지는 (   ) 현상이 나타나고 있다.

3 오늘날 우리나라는 저출산 현상을 해결하기 위해 (   ) 정책을 펴고 있다.

답 1 산업 혁명 2 고령화 3 출산 장려

01 도시의 위치와 특징

1 도시의 의미와 형성

(1) **도시:** 인구가 밀집한 곳으로 사회적·경제적·정치적 활동의 중심지

(2) **도시의 특징:** 높은 인구 밀도, 집약적 토지 이용, 2·3차 산업 종사자 비율이 높음, 중심지 역할

(3) **도시의 형성과 발달**

역사상 최초의 도시	농업에 유리한 조건을 갖춘 문명의 발상지에서 발달
중세	교역과 교환이 활발한 시장을 중심으로 상업 도시 발달
근대	18세기 후반 산업 혁명 이후 석탄 산지를 중심으로 공업 도시 발달
20세기 이후	첨단 산업, 서비스업 등 다양한 기능을 수행하는 도시 발달

2 세계의 주요 도시

시험 꿀팁! 세계 주요 도시의 경관과 특징을 통해 어떤 도시인지 파악하고 위치를 찾는 문제가 자주 출제돼.

(1) **세계 주요 도시의 기능적 구분**

국제 금융·업무 도시	금융 시장을 기반으로 국제 자본의 연결망을 가진 도시 예 미국 뉴욕, 영국 런던, 일본 도쿄 등
산업·물류 도시	각종 공업이 발달해 있거나 항만과 같은 물류 기능이 발달한 도시 예 중국 상하이, 네덜란드 로테르담 등
환경·생태 도시	자연과 인간이 공존하는 도시 예 독일 프라이부르크, 브라질 쿠리치바
역사·문화 도시	오랜 시간에 걸쳐 형성되어 역사 유적이 많고 문화가 발달한 도시 예 이탈리아 로마, 그리스 아테네, 튀르키예 이스탄불, 중국 시안
관광 도시	매력적인 경관이 많아 관광 산업이 발달한 도시 예 프랑스 파리, 오스트레일리아 시드니, 에콰도르 키토

(2) **세계 도시:** 세계 경제, 문화, 정치의 중심지로 세계적 영향력을 가진 금융 기관, 다국적 기업 본사가 위치하고 각종 국제기구의 활동이 활발한 도시 예 미국 뉴욕, 영국 런던, 일본 도쿄

시험에 꼭 나와!

1 (　　　) 는 인구가 밀집한 곳으로 사회적·경제적·정치적 활동의 중심지이다.

2 18세기 후반 산업 혁명 이후 석탄 산지를 중심으로 (　　　) 가 발달하였다.

3 독일 프라이부르크와 브라질 (　　　) 는 자연과 인간이 공존하는 환경·생태 도시로 유명하다.

4 세계 경제, 문화, 정치의 중심지로 세계적 영향력을 가진 금융 기관, 다국적 기업의 본사가 위치하고 각종 국제기구의 활동이 활발히 이루어지는 도시를 (　　　) 라고 한다.

답 1 도시 2 공업 도시 3 쿠리치바 4 세계 도시

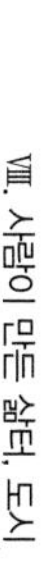

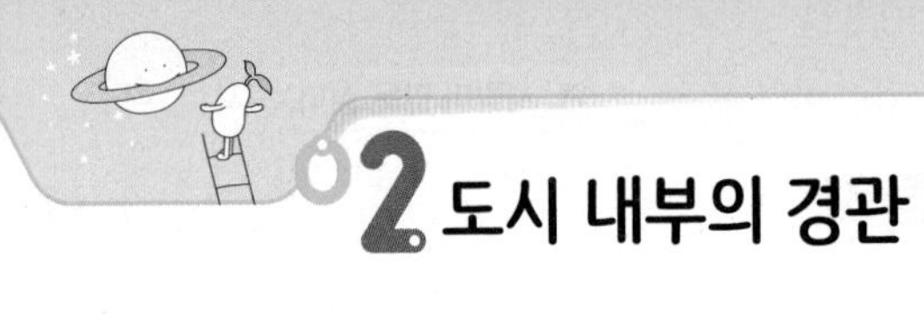

02 도시 내부의 경관

1 도시 내부의 지역 분화

(1) **원인**: 도시 내부 지역별 접근성과 지가(땅값)의 차이

(2) **과정**: 집심 현상과 이심 현상으로 도시 내부 지역이 분화됨

집심 현상	비싼 땅값을 지급하고도 이익을 낼 수 있는 중심 업무 기능이나 상업 기능이 도시 중심부로 집중되는 현상
이심 현상	비싼 땅값을 지급할 수 없는 주택이나 학교, 넓은 건물 터가 필요한 공장 등이 외곽으로 빠져나가는 현상

2 도시 내부의 경관

시험 꿀팁! 도시 내부의 지역 분화에 따라 나타나는 각 지역의 위치와 특징, 기능을 묻는 문제가 자주 출제돼.

도심	• 위치: 접근성이 높은 도시의 중심부 • 중심 업무 지구 형성: 행정·금융 기관, 백화점, 대기업의 본사가 모여 있음 • 인구 공동화 현상: 주간에는 유동 인구가 많지만, 야간에는 유동 인구가 주거 지역으로 빠져나감
부도심	• 위치: 도심과 주변 지역을 연결하는 교통의 요지에 형성됨 • 도심에 집중된 상업·서비스 기능을 분담하여 도심의 교통 혼잡을 완화함
중간 지역	• 위치: 도심과 주변 지역 사이 • 오래된 주택, 상가, 공장의 혼재
주변 지역	• 위치: 접근성이 낮은 도시 외곽 지역 • 땅값이 저렴해 대규모 아파트 단지, 학교, 공업 지역 등이 조성됨
개발 제한 구역	일부 대도시에서 도시의 무질서한 팽창을 막고 녹지 공간을 확보하기 위해 지정함
위성 도시	교통이 편리한 대도시 인근에 있으면서 주거, 공업, 행정 등 대도시의 일부 기능을 분담하는 도시

시험에 꼭 나와!

1 도시 내부의 지역 분화는 도시 내부 지역별 (   )과 지가의 차이 때문에 나타난다.

2 (   )에는 행정·금융 기관, 백화점, 대기업의 본사가 모여 있어 중심 업무 지구를 형성한다.

3 도심과 주변 지역을 연결하는 교통의 요지에는 (   )이 형성되어 도심에 집중된 기능을 분담한다.

4 도심에서는 주간에는 유동 인구가 많지만 야간에는 유동 인구가 주거 지역으로 빠져나가는 (   ) 현상이 나타난다.

답 1 접근성 2 도심 3 부도심 4 인구 공동화

3 도시화와 도시 문제

1 도시화의 의미와 과정

(1) **도시화**: 도시에 인구가 집중하면서 전체 인구에서 도시 인구가 차지하는 비율이 높아지고, 도시적 생활 양식이 보편화되는 과정

(2) **도시화 과정**

초기 단계	대부분의 인구가 촌락에 분포, 도시화율이 매우 낮고 완만한 상승을 보임
가속화 단계	산업화가 진행되고, 이촌 향도 현상과 함께 도시화율이 급격히 상승함
종착 단계	도시화율이 80%를 넘음, 도시의 성장 속도가 느려짐

2 선진국과 개발 도상국의 도시화

시험 꿀팁! 선진국과 개발 도상국의 도시화 과정을 비교하여 묻는 문제가 자주 출제돼.

선진국	개발 도상국
• 18세기 산업 혁명 이후 점진적으로 진행 → 20세기 중반 이후 종착 단계 • 도시화의 정체 또는 역도시화 현상이 나타나고 있음	• 20세기 중반 이후 단기간에 매우 급속하게 진행 → 현재 가속화 단계 • 자연적 증가도 급속하게 이루어짐, 수위 도시로 인구 집중, 과도시화 현상

3 선진국과 개발 도상국의 도시 문제

도시 문제	선진국	도시 활력 감소, 도심에 불량 주거 지역(슬럼) 형성, 주거 비용 상승, 범죄 문제, 노숙자 문제 발생
	개발 도상국	도시 기반 시설 부족, 무허가 주택과 빈민촌 형성, 교통 혼잡, 환경 문제, 실업, 범죄 문제 발생
해결 노력	선진국	도시 재개발 사업, 낙후된 주거 환경 개선, 일자리 창출 등
	개발 도상국	주거 환경 개선, 부족한 도시 기반 시설 확충 등

시험에 꼭 나와!

1 도시화의 (　　　　) 단계에는 산업화가 진행되고, 이촌 향도 현상과 함께 도시화율이 급격히 상승한다.

2 선진국은 현재 도시화의 종착 단계에 도달하여 도시화의 정체 또는 (　　　　) 현상이 나타나고 있다.

3 (　　　　)의 도시화는 20세기 중반 이후 단기간에 급속하게 진행되어 현재 가속화 단계에 있다.

4 선진국은 도시의 역사가 오래되면서 도심에 불량 주거 지역인 (　　　　)이 형성되어 여러 가지 도시 문제가 나타난다.

답 1 가속화 2 역도시화 3 개발 도상국 4 슬럼

4 살기 좋은 도시

1 살기 좋은 도시의 조건

(1) 살기 좋은 도시: 거주민의 삶의 질이 높은 도시

(2) 살기 좋은 도시가 갖추어야 할 조건

> 시험 꿀팁!
> 여러 지역의 사례를 통해 살기 좋은 도시의 조건을 묻는 문제가 자주 출제돼.

조건	내용
쾌적한 생활 환경	적정 규모의 인구가 거주, 깨끗한 자연환경
높은 경제 수준	경제가 발달하여 다양한 경제 활동이 이루어짐
정치·사회적 안정	정치적 안정과 낮은 범죄율 → 높은 사회적 안정성
풍부한 문화 및 편의 시설	교육, 의료, 보건, 문화, 행정 서비스가 잘 갖추어짐

2 살기 좋은 도시를 만들기 위한 노력

노력	내용
경제 발전	경제 발전을 통해 도시의 자립성을 갖추어야 함, 많은 사람들이 지속적으로 생산 활동에 참여할 수 있어야 함
사회적·문화적 다양성 인정	경제적 수준, 성별, 연령, 인종, 종교와 상관없이 도시가 제공하는 혜택을 누릴 수 있어야 함
생태적 안정 추구	녹지 공간을 늘리고 깨끗한 환경을 유지해야 함

3 살기 좋은 도시를 만들기 위해 노력한 사례

사례	내용
브라질 쿠리치바	교통 혼잡 문제를 해결하기 위해 굴절 버스, 원통형 버스 정류장 등을 도입하여 시민들의 대중교통 이용률을 높임
대한민국 울산	환경 오염이 심각했던 태화강을 정비하여 수질을 개선하고, 강 주변에 생태 공원을 조성하여 태화강을 시민들의 휴식 공간으로 변화시킴
에스파냐 빌바오	공업의 쇠퇴로 지역 경제가 어려워졌으나 조선소를 미술관으로 바꾸는 등 도시를 살리기 위해 노력하여 세계적인 문화 관광 도시로 변화함

시험에 꼭 나와!

1 살기 좋은 도시는 거주민의 (　　　　)이 높은 도시라고 볼 수 있다.

2 살기 좋은 도시는 쾌적한 생활 환경과 높은 (　　　　) 및 정치·사회적 안정성을 갖춘 도시를 말한다.

3 에스파냐의 (　　　　)는 공업의 쇠퇴로 지역 경제가 어려워졌으나, 조선소를 미술관으로 바꾸는 등 도시를 살리기 위해 노력하여 세계적인 문화 관광 도시로 변화하였다.

정답 1 삶의 질 2 경제 수준 3 빌바오

01 농업 생산의 기업화와 세계화

1 세계화와 농업 생산의 변화

(1) 농업 생산의 변화

과거	곡물을 소규모로 재배하여 농가에서 직접 소비하는 자급적 농업
현재	시장에 판매할 목적으로 작물을 재배하는 상업적 농업

(2) **농업의 세계화**: 지역 간 교류 증가, 생활 수준 향상 → 전 세계를 대상으로 농작물 생산·판매

2 농업 생산의 기업화

농업의 기계화	대형 농기계와 화학 비료 사용, 품종 개량 등을 통해 생산량 증대
세계 시장을 대상으로 활동	다국적 농업 기업이 농작물을 대량 생산하여 전 세계에 판매→ 세계 농작물의 생산과 소비에 큰 영향을 끼침
농업 생산의 전문화·기업화	다국적 농업 기업이 농작물의 생산·가공·상품화의 전 과정을 담당하는 경우가 많음

3 농업 생산의 기업화와 세계화에 따른 지역 변화

시험 꿀팁! 농업의 기업화와 세계화가 농산물의 생산 및 소비에 미친 영향을 묻는 문제가 자주 출제돼.

(1) 농업 생산 구조와 농작물 소비 특성 변화

농업 생산 구조의 변화	농업 경쟁력을 높이기 위한 상품 작물 재배 증가, 육류 소비가 증가함에 따라 가축의 사료 작물 재배를 위한 목초지 확대
농작물 소비 특성의 변화	생활 수준의 향상으로 채소, 과일, 육류 및 기호 작물의 소비 증가, 식량 작물인 쌀의 소비 비중 감소

(2) 농업의 세계화가 지역에 미친 영향

긍정적 영향	세계의 다양한 농산물을 쉽게 구할 수 있게 됨
부정적 영향	농산물 수입 증가로 식량 자급률 감소, 경쟁에서 밀린 국내산 농산물 수요 감소

시험에 꼭 나와!

1 시장에 판매할 목적으로 작물을 재배하는 농업 방식을 (   )이라고 한다.

2 지역 간 교류가 증가하면서 전 세계를 대상으로 농작물이 생산·판매되는 (   )가 진행되고 있다.

3 농업 생산의 기업화에 따라 (   )이 농작물을 대량 생산하여 전 세계에 판매하고 있다.

4 생활 수준의 향상으로 채소, 과일, 육류의 소비는 (   )하고, 쌀의 소비는 (   )하고 있다.

1 상업적 농업 2 농업의 세계화 3 다국적 농업 기업 4 증가, 감소

2 다국적 기업과 생산 공간 변화

1 경제 활동의 세계화와 다국적 기업

(1) **경제 활동의 세계화**: 교통·통신의 발달, 세계 무역 기구 출범, 자유 무역 협정 확대 → 경제 활동의 세계화 진행, 지역 간 경제적 상호 의존도가 높아짐

(2) **다국적 기업**: 해외 여러 국가에 판매 지사, 생산 공장 등을 운영하면서 전 세계를 대상으로 생산과 판매 활동을 하는 기업

(3) **다국적 기업의 공간적 분업**: 경영의 효율성을 높이고 이윤을 극대화하기 위해 기업의 기획 및 관리·연구·생산·판매 기능을 각각 적합한 지역에 분리하여 배치하는 것

본사	다양한 정보와 자본 확보에 유리한 선진국의 대도시에 주로 입지
연구소	우수한 교육 시설과 고급 인력이 풍부한 선진국에 주로 입지
생산 공장	지가가 낮고 저렴한 노동력이 풍부한 개발 도상국에 주로 입지, 시장을 확대하고 무역 장벽을 피하기 위해 선진국에 입지하기도 함

2 다국적 기업 진출에 따른 지역 변화

시험 꿀팁! 다국적 기업의 공간적 분업 체계와 각 기능에 따른 입지 요인을 묻는 문제가 자주 출제돼.

(1) **다국적 기업의 생산 공장이 들어선 지역**

긍정적 변화	• 새로운 산업 단지 조성, 일자리 확대, 관련 산업 발달 • 해당 산업과 관련된 선진국의 기술 습득 가능
부정적 변화	• 유사한 제품을 생산하는 국내 기업이 어려워질 수 있음 • 이윤의 대부분이 다국적 기업의 본사로 흡수되면 경제 발전을 기대하기 어려움 • 생산 공장에서 배출되는 유해 물질로 인한 환경 오염 문제 발생

(2) **다국적 기업의 생산 공장이 빠져나간 지역**: 산업 공동화 현상이 나타나 실업자가 증가하고 산업의 기반을 잃어 지역 경제가 침체되기도 함

시험에 꼭 나와!

1 (　　　)은 해외 여러 국가에 판매 지사, 생산 공장 등을 운영하면서 전 세계를 대상으로 생산과 판매 활동을 하는 기업이다.

2 다국적 기업이 경영의 효율성을 높이고 이윤을 극대화하기 위해 기업의 기획 및 관리·연구·생산·판매 기능을 각각 적합한 지역에 분리하여 배치하는 것을 (　　　)이라고 한다.

3 다국적 기업의 생산 공장은 지가가 낮고 저렴한 노동력이 풍부한 (　　　)에 주로 입지한다.

4 다국적 기업의 생산 공장이 빠져나간 지역에서는 (　　　) 현상이 나타나 실업자가 증가하고 지역 경제가 침체되기도 한다.

답 1 다국적 기업 2 공간적 분업 3 개발 도상국 4 산업 공동화

3 세계화에 따른 서비스업의 변화

1 서비스업의 입지 변화

(1) **배경**: 정보 통신 기술의 발달로 시·공간 제약 완화, 다국적 기업의 활동 확대

(2) **선진국과 개발 도상국의 분업**: 선진국의 기업들이 비용 절감과 업무 효율성 향상을 위해 업무의 일부를 개발 도상국으로 분산하여 운영함

2 유통의 세계화

(1) **배경**: 정보 통신 기술의 발달, 전자 상거래 확대 → 유통 분야의 세계화가 가속화함

(2) **전자 상거래**: 인터넷 통신망을 이용하여 물건을 사고파는 행위

전자 상거래의 특징	• 시간과 공간의 제약 완화로 소비자가 어디서나 원하는 물건을 구매할 수 있음 • 온라인 해외 상점 접속이 가능 → 소비 활동의 범위가 전 세계로 확대
전자 상거래 발달에 따른 변화	택배업 등 유통 산업 성장, 운송이 유리한 지역에 물류 창고 발달, 오프라인 상점 쇠퇴, 배달 위주의 매장 발달

시험 꿀팁! 전자 상거래의 발달로 우리의 생활 모습이 어떻게 변화했는지 묻는 문제가 자주 출제돼.

3 관광의 세계화

(1) **배경**: 교통과 통신의 발달, 소득 수준 향상과 여가 증대 → 관광에 대한 관심 증가

(2) **관광 산업의 효과**

긍정적 효과	부정적 효과
• 지역 주민의 일자리 창출 및 소득 증가 • 지역 이미지 개선 및 홍보 효과	• 관광 시설 건설에 따른 자연환경 파괴 • 지나친 상업화로 고유문화 쇠퇴 우려

시험에 꼭 나와!

1 시·공간의 제약이 완화되고 (   )의 활동이 확대되면서 세계의 서비스업이 공간적으로 분산되고 있다.

2 인터넷 통신망을 이용해 물건을 사고파는 (   )를 통해 온라인 해외 상점에 쉽게 접속할 수 있게 되면서 소비 활동의 범위가 전 세계로 확대되었다.

3 전자 상거래의 발달로 택배업 등의 (   )이 성장하고, 운송이 유리한 지역에 물류 창고가 발달하였다.

4 관광 산업의 발달은 지역 주민의 일자리를 창출하고 (   )를 개선하는 효과가 있지만, 지나친 상업화로 인해 (   )가 쇠퇴하여 문제가 되기도 한다.

답 1 다국적 기업 2 전자 상거래 3 유통 산업 4 지역 이미지, 고유문화

01 전 지구적 차원의 기후 변화

1 기후 변화의 의미와 요인

(1) **기후 변화**: 일정한 지역에서 장기간에 걸쳐서 나타나는 기후의 평균적인 상태가 변화하는 것 → 홍수, 가뭄, 폭염 등과 같은 비정상적인 기상을 일으킴

(2) **기후 변화의 요인**

자연적 요인	화산 분화, 태양의 활동 변화, 태양과 지구의 상대적 위치 변화 등
인위적 요인	공장과 가정에서 석탄, 석유 등 화석 연료 사용에 따른 온실가스 배출, 도시화, 무분별한 토지 및 삼림 개발 등

(3) **지구 온난화**: 대기 중에 온실가스의 양이 증가하여 지구의 에너지 균형이 무너지면서 지구의 평균 기온이 높아지는 현상

2 기후 변화의 영향

시험 꿀팁! 기후 변화가 우리 생활에 미친 영향을 다양한 사례를 통해 파악하는 문제가 자주 출제돼.

빙하 감소와 해수면 상승	지구 온난화의 영향으로 빙하가 감소하고, 빙하가 녹은 물이 바다로 흘러들어 해수면이 상승함 → 해안 저지대 국가와 일부 섬나라 침수 위기
기상 이변 증가	지구 기온 상승, 해류의 변화 → 태풍, 홍수, 폭우, 가뭄, 폭설 등의 기상 이변 및 폭염과 열대야 같은 여름철 고온 현상 증가
생태계 변화	• 바닷물 온도 상승으로 물고기들이 죽거나 수온이 낮은 지역으로 이동함 • 고산 식물의 분포 범위 축소, 식물의 개화 시기가 빨라짐 • 모기, 파리 등 전염병을 옮기는 매개체가 증가하여 질병이 확산

3 기후 변화 해결을 위한 노력

국제적 노력	교토 의정서(1997), 파리 협정(2015) 등 기후 변화 협약 체결
우리나라의 노력	환경 오염 최소화 정책 추진, 국가 기후 변화 적응 대책 수립 등

시험에 꼭 나와!

1 석탄, 석유 등 화석 연료 사용에 따른 (   ) 배출량이 늘면서 지구의 기후가 변화하기도 한다.

2 대기 중에 온실가스의 양이 증가하여 지구의 에너지 균형이 무너지면서 지구의 평균 기온이 높아지는 현상을 (   )라고 한다.

3 지구의 기온 상승으로 빙하가 감소하고 해수면이 (   )하고 있다.

4 국제 사회는 2015년에 기후 변화 문제에 대한 국제적 공동 대응을 위해 (   )을 체결하였다.

답 1 온실가스 2 지구 온난화 3 상승 4 파리 협정

2 환경 문제 유발 산업의 이동

1 유해 폐기물의 국제적 이동

(1) **전자 쓰레기**: 신제품의 등장으로 더 이상 가치가 없게 되어 버려지는 전자 제품

국제적 이동	선진국	환경 규제를 피하고 경제적 부담을 줄이기 위해 개발 도상국으로 전자 쓰레기 이전
	개발 도상국	전자 쓰레기를 분해해 금속 자원을 채취할 수 있기 때문에 경제적 이익을 얻을 수 있다는 점에서 선진국의 전자 쓰레기 수입
이동에 따른 문제	전자 쓰레기를 수입한 개발 도상국에서는 유해 물질 배출에 따른 환경 오염과 생태계 파괴가 심각함	

(2) **유해 폐기물의 국제적 이동을 막기 위한 노력**: 국제 사회에서 유해 화학 물질과 산업 폐기물의 유통을 규제하기 위한 협약 체결(바젤 협약)

2 환경 문제 유발 산업의 국제적 이동

환경 문제 유발 산업의 국제적 이동 경향과 그에 따른 지역 변화를 묻는 문제가 자주 출제돼.

구분	선진국	개발 도상국
특징	• 개발보다 환경 중시 • 환경과 인체에 해를 끼치는 물질을 배출하는 공장에 대해 엄격한 규제를 적용함	• 빠른 산업화를 통한 경제 성장이 우선 • 환경 문제 유발 산업을 규제하는 법적인 장치를 제대로 갖추지 못한 경우가 많음
이동 양상	선진국에서 환경 문제를 일으키는 오래된 공장 및 농장이 개발 도상국으로 이전함	선진국의 환경 문제 유발 산업을 가리지 않고 유치함
영향	저임금 노동력을 활용하고, 환경 문제를 해결함	경제적 효과를 얻는 대신 심각한 환경 오염 발생

시험에 꼭 나와!

1 (　　　) 는 새로운 전자 제품이 등장하면서 더 이상 가치가 없게 되어 버려지는 전자 제품을 말한다.

2 국제 사회에서는 유해 화학 물질과 산업 폐기물의 국제적 이동을 규제하기 위해 (　　　) 을 체결하였다.

3 (　　　) 은 환경 규제를 피하고 경제적 부담을 줄이기 위해 (　　　) 으로 전자 쓰레기를 이전하고 있다.

4 개발 도상국은 선진국의 환경 문제 유발 산업을 가리지 않고 유치하여 경제적 효과를 얻는 대신 심각한 (　　　) 이 발생하였다.

답 1 전자 쓰레기 2 바젤 협약 3 선진국, 개발 도상국 4 환경 오염

3 생활 속의 환경 이슈

1 환경 이슈의 의미와 종류

(1) **환경 이슈**: 환경 문제 중에서 발생 원인과 해결 방안이 입장에 따라 서로 다른 것

(2) **환경 이슈의 종류**: 세계적 규모의 기후 변화, 사막화, 아마존 열대 우림 개발 등의 쟁점에서부터 지역적 규모의 원자력 발전소·쓰레기 매립지 건설, 갯벌 간척까지 다양하게 나타남

2 생활 속의 주요 환경 이슈

시험 꿀팁! 생활 속의 환경 이슈 사례를 제시하고, 이를 둘러싼 다양한 입장을 파악하는 문제가 자주 출제돼.

(1) **미세 먼지**: 우리 눈에 보이지 않을 정도로 작은 먼지

발생 원인	흙먼지, 식물 꽃가루 등 자연적 요인과 매연, 자동차 배기가스 등 인위적 요인
피해	호흡기 질환, 심혈관 질환, 안구 질환, 피부 질환 등 질병 유발, 정밀 산업의 불량률 증가, 가시거리를 떨어뜨려 비행기나 여객선 운항에 지장을 줌

(2) **쓰레기 문제**: 자원 소비량 증가, 일회용품 사용 증가 → 쓰레기 처리를 둘러싼 갈등 발생

(3) **유전자 변형(재조합) 식품(GMO)**: 본래의 유전자를 변형시켜 기존 번식 방법으로는 나타날 수 없는 새로운 성질의 유전자를 지니도록 개발된 식품

긍정적 입장	부정적 입장
• 농작물의 장기 보관 및 대량 생산이 쉬워져 세계 식량 부족 문제 해결에 기여함 • 해충과 잡초에 강한 품종 개발이 가능함	• 인체 유해성이 충분히 검증되지 않았음 • 새로운 생물체를 인위적으로 만들어 생물 다양성을 위협할 수 있음

(4) **로컬 푸드 운동**: 지역에서 생산된 농산물을 지역에서 소비하자는 운동

배경	수입 식품의 안전성 우려, 장거리 운송에 따른 화석 연료 사용 증가
효과	소비자는 신선하고 안전한 먹을거리를 제공받고, 농민은 안정적인 소득을 보장받을 수 있음, 온실가스 배출을 줄여 저탄소 녹색 환경 조성 가능

시험에 꼭 나와!

1 환경 문제 중에서 발생 원인과 해결 방안이 입장에 따라 서로 다른 것을 (   )라고 한다.

2 매연, 자동차 배기가스 등에 의해 발생하는 (   )는 호흡기 질환 등의 질병을 유발한다.

3 (   )은 대량 생산으로 세계 식량 부족 문제를 해결할 수 있지만, 인체 유해성이 충분히 검증되지 않아 안전하지 않다는 문제점도 있다.

4 지역에서 생산된 농산물을 지역에서 소비하자는 (   ) 운동을 통해 소비자는 신선하고 안전한 먹을거리를 제공받을 수 있다.

답 1 환경 이슈 2 미세 먼지 3 유전자 변형(재조합) 식품(GMO) 4 로컬 푸드

01 우리나라의 영역과 독도

1 우리나라의 영역

(1) 영역: 한 국가의 주권이 미치는 범위

(2) 영역의 구성

영토	한 국가에 속한 육지의 범위
영해	영토 주변의 바다 → 영해 기선에서부터 12해리까지를 영해로 설정함
영공	영토와 영해의 수직 상공 → 일반적으로 대기권에 한정됨

(3) 우리나라의 영역

영토	한반도와 부속 도서로 구성, 총 면적은 약 22.3만 ㎢, 남한 면적은 약 10만 ㎢
영해	• 동해안, 제주도, 울릉도, 독도 등 → 통상 기선에서부터 12해리까지 • 서해안, 남해안 → 직선 기선에서부터 12해리까지 • 대한 해협 → 직선 기선에서부터 3해리까지
영공	영토와 영해의 수직 상공, 최근 항공 교통과 우주 산업의 발달로 중요성이 커지고 있음

(3) 배타적 경제 수역

① 의미: 영해 기선에서부터 200해리에 이르는 수역 중에서 영해를 제외한 바다

② 특징: 연안국은 어업 활동과 천연자원의 탐사 및 개발 등에 관한 경제적 권리가 보장됨

2 독도

(1) 독도의 특성

독도의 위치와 다양한 가치를 묻는 문제가 자주 출제돼.

① 위치: 동도와 서도, 89개의 부속 도서로 구성, 우리나라 영토 중 가장 동쪽에 위치함

② 자연환경: 해저에서 분출한 용암이 굳어져 형성된 화산섬, 해양성 기후가 나타남

(2) 독도의 가치

① 영역적 가치: 배타적 경제 수역 설정의 기준점, 군사적 요충지 등

② 경제적 가치: 수산 자원이 풍부하며, 해양 심층수와 메탄 하이드레이트가 있음

③ 환경 및 생태적 가치: 다양한 동식물이 서식하여 섬 전체가 천연 보호 구역으로 지정됨

시험에 꼭 나와!

1 영역은 한 국가의 주권이 미치는 범위로 영토, (　　　　), 영공으로 이루어져 있다.

2 영해 기선에서부터 200해리에 이르는 수역 중에서 영해를 제외한 바다를 (　　　　)이라고 한다.

3 독도는 우리나라 영토 중에서 가장 (　　　　)에 위치해 있다.

답 1 영해 2 배타적 경제 수역 3 동쪽

2 우리나라 여러 지역의 경쟁력

1 세계화 시대의 지역 경쟁력

(1) **세계화 시대의 지역성**: 국경을 초월한 경제 활동과 사람들 간 교류가 증가하면서 지역 간 경쟁이 치열해짐 → 각 지역은 차별화된 지역성을 발굴하여 지역 경쟁력을 높이기 위해 노력함

(2) **지역 경쟁력을 높이기 위한 노력**: 다른 지역과 차별화할 수 있는 지역 이미지를 구축함, 환경친화적인 지역 개발 및 독특한 자연환경을 이용하여 새로운 이미지를 창출함

2 다양한 지역화 전략

(1) **지역화 전략**: 지역의 경쟁력을 높이기 위해 경제적·문화적 측면에서 다른 지역과 차별화할 수 있는 계획을 마련하는 것

시험 꿀팁! 다양한 지역화 전략의 의미와 특징을 묻는 문제가 자주 출제돼.

(2) **지역 브랜드**

의미	지역 그 자체 또는 지역의 상품과 서비스 등을 소비자에게 특별한 브랜드로 인식시키는 것 ⓔ 뉴욕의 'I♥NY', 평창의 'HAPPY 700' 등
특징	지역 브랜드의 가치가 높아지면 그 지명을 붙인 상품의 판매량이 증가하고 서비스에 대한 신뢰도가 높아짐, 지역 이미지가 향상되고 지역 경제가 활성화됨

(3) **장소 마케팅**

의미	특정 장소가 가지고 있는 자연환경이나 역사적·문화적 특성을 드러내어 장소를 매력적인 상품으로 만들어 이를 판매하려는 활동
특징	관광객이나 투자자를 유치하여 지역 경제를 활성화하고, 지역 주민들의 소속감과 자긍심을 높일 수 있음

(4) **지리적 표시제**

의미	상품의 품질, 명성, 특성 등이 근본적으로 해당 지역에서 비롯한 경우 지역 생산품임을 증명하고 표시하는 제도 ⓔ 보성 녹차, 이천 쌀, 횡성 한우 등
특징	다른 곳에서 임의로 상표권을 이용하지 못하도록 하는 법적 권리가 주어짐, 소비자에게 품질에 대한 신뢰감을 줄 수 있음

시험에 꼭 나와!

1 특정 장소가 가지고 있는 자연환경이나 역사적·문화적 특성을 드러내어 장소를 매력적인 상품으로 만들어 이를 판매하려는 활동을 (　　　　)이라고 한다.

2 상품의 품질, 명성, 특성 등이 근본적으로 해당 지역에서 비롯한 경우 지역 생산품임을 증명하고 표시하는 제도를 (　　　　)라고 하며, 우리나라에서는 보성 녹차가 최초로 등록되었다.

답 1 장소 마케팅 2 지리적 표시제

03 국토 통일과 통일 한국의 미래

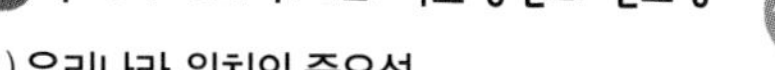

1 우리나라의 위치와 국토 통일의 필요성

시험 꿀팁! 국토 통일이 필요한 이유를 묻는 문제가 자주 출제돼.

(1) 우리나라 위치의 중요성

① 대륙과 해양을 이어 주는 반도국: 유라시아 대륙과 태평양을 연결하는 지리적 요충지

② 동아시아 교통의 요지: 동아시아 지역에서 중심 역할을 할 수 있는 곳에 자리함

(2) 국토 통일의 필요성

국토 분단으로 인한 문제	• 균형 있는 국토 발전이 어려워짐, 과도한 군사비 지출 • 군사적 긴장 상태가 지속되어 국제 사회에서 한반도의 위상 약화 • 이산가족과 실향민 발생, 남북 문화의 이질화와 민족의 동질성 약화
국토 통일이 필요한 이유	• 국토의 균형 있는 발전, 분단 비용 절감 • 한반도의 위상 강화, 세계 평화와 문화 교류에 이바지할 수 있음 • 이산가족과 실향민의 아픔 치유, 민족의 동질성 회복 등

2 통일 한국의 미래

(1) 국토 공간의 변화

① **매력적인 국토 공간 조성**: 비무장 지대 등의 생태 지역, 남북한의 역사 문화유산 등이 결합된 국토 공간을 만들 수 있음

② **국토 공간의 균형적 개발**: 남한의 자본과 기술, 북한의 지하자원과 노동력이 결합하여 국토의 효율적인 이용이 가능함, 끊겼던 교통망이 연결되면 물류의 중심지로 성장할 수 있음

(2) 생활 모습의 변화

① **분단 시대의 이념과 갈등에 따른 긴장 완화**: 자유 민주주의적 이념 확대로 개인의 생각과 가치를 존중받을 수 있음

② **경제 발전**: 생활 공간의 확대로 새로운 직업과 일자리가 증가함, 분단 비용이 경제 개발과 복지 분야에 투입되면 삶의 질이 향상될 수 있음

시험에 꼭 나와!

1 우리나라는 (　　　　) 대륙과 태평양을 연결하는 지리적 요충지이다.

2 국토 분단이 지속됨에 따라 과도한 (　　　　)가 지출되고 있으며, 균형 있는 국토 발전이 어려워지고, (　　　　)과 실향민이 발생하고 있다.

3 (　　　　)의 자본과 기술, (　　　　)의 지하자원과 노동력이 결합하면 국토를 효율적으로 이용할 수 있다.

답 1 반도국이 2 군사비, 이산가족 3 남한, 북한

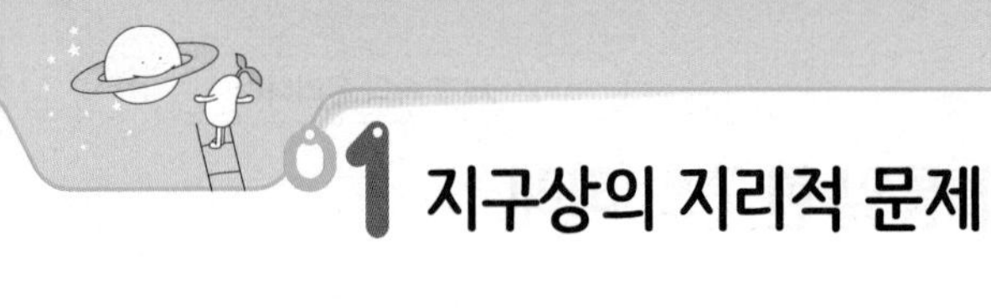

01 지구상의 지리적 문제

시험 꿀팁! 기아가 발생하는 다양한 원인을 묻는 문제가 자주 출제돼.

1 기아 문제

(1) **기아**: 인간이 생존하는 데 필요한 물과 영양소를 충분히 섭취하지 못하는 상태

(2) **발생 원인**

자연적 요인	가뭄, 홍수, 폭염 등의 자연재해 및 농작물 병충해 등으로 식량 생산 감소
인위적 요인	• 개발 도상국의 인구 급증에 따른 곡물 수요 증가, 식량 부족 • 잦은 분쟁으로 식량 생산 및 공급 차질 발생 • 국제 곡물 가격의 상승, 전 세계적으로 불공평한 식량 분배 • 식량 작물이 가축 사료, 바이오 에너지 원료로 사용되면서 가격 상승

2 생물 다양성 감소

(1) **발생 원인**: 기후 변화, 열대 우림의 파괴, 농경지의 확대, 동식물 서식지 파괴, 무분별한 남획, 환경 오염, 외래종의 침입 등

(2) **영향**: 인간이 이용 가능한 생물 자원의 수 감소, 먹이 사슬의 단절로 생태계 파괴 등

3 영역을 둘러싼 갈등

팔레스타인 지역	이슬람교를 믿는 지역이었으나 제2차 세계 대전 이후 유대교를 믿는 이스라엘이 건국하면서 기존에 살고 있던 팔레스타인 사람들을 내보냄
카슈미르 지역	이슬람교도가 많은 카슈미르 지역이 인도에 속하게 되면서 이슬람교를 믿는 파키스탄과 힌두교를 믿는 인도 간의 갈등이 발생함
난사 군도	주변 바다에 석유와 천연가스가 매장되어 있어 중국, 필리핀, 말레이시아, 베트남, 브루나이 등이 영유권을 주장함
센카쿠 열도	석유, 천연가스 등을 확보하기 위해 일본과 중국, 타이완이 영유권을 주장함
쿠릴 열도	구소련이 최남단 4도를 불법 점유했기 때문에 일본으로 반환되어야 한다고 주장함

시험에 꼭 나와!

1 자연재해, 잦은 분쟁으로 인한 식량 생산 및 공급 차질, 전 세계적으로 불공평한 식량 분배 등은 인간이 생존하기 위해 필요한 물과 영양소가 결핍되는 (   ) 문제의 주요 원인이다.

2 석유가 매장되어 있어 중국, 필리핀, 말레이시아, 베트남 등 주변 국가가 영유권을 주장하고 있는 지역은 (   )이다.

답 1 기아 2 난사 군도

02 저개발 지역의 발전을 위한 노력

1 발전 수준의 지역 차

(1) **지역별 발전 수준의 차이 발생**: 자연환경, 자원의 보유량, 기술, 자본, 토지, 인구 및 학력 수준의 차이 등 경제 환경에 영향을 주는 다양한 요소가 지역마다 다르기 때문

(2) **지역별 발전 수준을 보여 주는 다양한 지표**: 1인당 국내 총생산(GDP), 인간 개발 지수, 행복 지수, 교육의 기회, 보건 및 의료 수준, 남녀 간의 성평등 지표 등

1인당 국내 총생산(GDP)	일정 기간 동안 한 국가 안에서 새롭게 생산된 최종 생산물의 시장 가치의 합인 국내 총생산을 총인구로 나눈 값
인간 개발 지수 (HDI)	국제 연합 개발 계획(UNDP)에서는 매년 각국의 1인당 국민 총소득, 기대 수명, 교육 수준 등을 기준으로 하여 국가별로 국민의 삶의 질을 평가함
행복 지수	국내 총생산, 기대 수명, 사회적 자본, 부패 지수, 관용 등 총 다섯 개의 지표를 종합하여 평가함

2 저개발 지역의 빈곤 해결을 위한 노력

시험 꿀팁! 저개발 지역에서 빈곤 문제를 해결하기 위한 다양한 노력을 묻는 문제가 자주 출제돼.

(1) **빈곤 문제 해결을 위한 저개발 국가들의 노력**

① 식량 생산량 증대: 관개 시설을 확충하고 수확량이 많은 품종을 개발함

② 사회 기반 시설 투자: 도로, 항만, 전력망 구축을 통해 지역의 경제 발전을 위한 기반을 강화함

③ 공공 교육 서비스 강화: 여성과 아동의 문맹률을 낮춰 인적 자원을 개발함

④ 국외의 자본과 기술 투자 유치: 국내 산업 부분에서의 생산성을 향상함

(2) **빈곤 문제 해결을 위한 자체적인 노력의 한계**: 저개발 국가는 정치적으로 불안정하고 인구 부양력과 기술 수준이 낮음

시험에 꼭 나와!

1 자연환경, 자원의 보유량, 기술, 자본, 토지, 인구 및 학력 수준의 차이 등 경제 환경에 영향을 주는 다양한 요소가 지역마다 다르기 때문에 지역별 (   )의 차이가 발생한다.

2 국제 연합 개발 계획(UNDP)에서는 매년 각국의 1인당 국민 총소득, 기대 수명, 교육 수준 등을 기준으로 하여 국가별로 국민의 삶의 질을 평가한 (   )를 발표한다.

3 저개발 국가는 빈곤 문제를 해결하기 위해 (   )인 도로, 항만, 전력망을 구축하여 지역의 경제 발전을 위한 기반을 강화해야 한다.

4 저개발 국가는 정치적으로 불안정하고 (   )과 기술 수준이 낮기 때문에 국제 협력과 지원이 필요하다.

답 1 발전 수준 2 인간 개발 지수 3 사회 기반 시설 4 인구 부양력

03 지역 간 불평등 완화를 위한 노력

1 지역 간 불평등 완화를 위한 국제기구의 노력

(1) **국제 연합(UN)**: 국제 평화와 안전의 유지, 인권 및 자유 확보를 위해 노력하는 대표적인 국제기구

기구	활동
국제 연합 평화 유지군(PKF)	분쟁 지역에 파견되어 질서 유지 및 안전 보장 활동
국제 연합 난민 기구(UNHCR)	난민 보호 및 난민 문제 해결을 위한 활동
세계 식량 계획(WFP)	세계의 기아와 빈곤으로 고통받는 지역에 식량 지원 활동
국제 연합 아동 기금(UNICEF)	아동 구호와 아동 복지 향상을 위한 활동
세계 보건 기구(WHO)	세계의 질병 및 보건 위생 문제 해결을 위한 활동

(2) **공적 개발 원조**: 선진국의 정부 또는 국제기구가 개발 도상국의 경제 발전과 복지 증진을 목적으로 재정 및 기술, 물자 등을 지원하는 제도

2 지역 간 불평등 완화를 위한 민간 차원의 노력

> 시험 꿀팁! 지역 간 불평등 완화를 위한 민간 차원의 노력을 묻는 문제가 자주 출제돼.

(1) **국제 비정부 기구(NGO)**

① 의미: 범세계적인 문제를 해결하기 위해 활동하는 민간단체 ㉠ 환경 보호 단체인 그린피스, 의료 구호 조직인 국경 없는 의사회 등

② 특징: 국가 간의 이해관계를 넘어 인도주의적 차원에서 활동함, 국제 연합(UN)의 공식적 활동을 보조하기도 함

(2) **공정 무역**

① 의미: 선진국과 저개발 국가 사이의 불공정한 무역을 개선하여 저개발 국가의 생산자에게 정당한 가격을 지급하는 무역 방식

② 효과: 저개발 국가의 생산자의 경제적 자립을 돕고, 안전하고 친환경적인 방식으로 상품을 생산하여 소비자에게 공급함

(3) **적정 기술**: 지역의 문화적, 경제적, 환경적 조건을 고려하여 해당 지역에서 지속해서 생산, 소비할 수 있도록 만들어진 기술 ㉠ 큐 드럼(Q drum), 라이프 스트로 등

시험에 꼭 나와!

1 환경 보호 단체인 그린피스, 의료 구호 조직인 국경 없는 의사회 등과 같이 범세계적인 문제를 해결하기 위해 활동하는 조직된 자발적인 민간단체를 (   )라고 한다.

2 선진국과 저개발 국가 사이의 불공정한 무역을 개선하여 저개발 국가의 생산자에게 정당한 가격을 지급하는 무역 방식을 (   )이라고 한다.

답 1 국제 비정부 기구(NGO) 2 공정 무역

Memo

Memo

완자네 새주소

자율학습시 비상구 미니완자로 53

중등 사회 2

visang

세상이 변해도 배움의 즐거움은 변함없도록

시대는 빠르게 변해도
배움의 즐거움은
변함없어야 하기에

어제의 비상은
남다른 교재부터
결이 다른 콘텐츠
전에 없던 교육 플랫폼까지

변함없는 혁신으로
교육 문화 환경의 새로운 전형을
실현해왔습니다.

비상은 오늘, 다시 한번
새로운 교육 문화 환경을 실현하기 위한
또 하나의 혁신을 시작합니다.

오늘의 내가 어제의 나를 초월하고
오늘의 교육이 어제의 교육을 초월하여
배움의 즐거움을 지속하는 혁신,

바로, 메타인지 기반 완전 학습을.

상상을 실현하는 교육 문화 기업 비상

메타인지 기반 완전 학습

초월을 뜻하는 meta와 생각을 뜻하는 인지가 결합한 메타인지는
자신이 알고 모르는 것을 스스로 구분하고 학습계획을 세우도록 하는
궁극의 학습 능력입니다. 비상의 메타인지 기반 완전 학습 시스템은
잠들어 있는 메타인지를 깨워 공부를 100% 내 것으로 만들도록 합니다.

· 완벽한 자율학습서 ·

자율학습시 비상구 완자로 53

중등 사회 2

구성과 특징

"내용이 너무 간략해서 이해가 잘 안 돼요."
"내용이 너무 많아서 뭐가 중요한지 모르겠어요~"

사회가 어려운 학생들은 완자 사회로 공부해요!
완자 사회는 복잡한 내용을 개념 카드로 세분화하고, 풍부한 시각 자료와 함께 구성했어요.
짧은 시간에 개념을 이해하고, 오래 기억할 수 있어요.
선생님 강의처럼 상세한 설명이 주석으로 달려 있어서 선생님이 옆에 계신 듯 혼자서도 쉽게 공부할 수 있어요.
완자 사회는 '내 옆의 선생님'이에요.

내 옆의 선생님 완자

- 교과 내용을 세분화한 개념 카드
- '개념 카드 + 확인 문제' 세트 구성
- 자세한 문제 해설

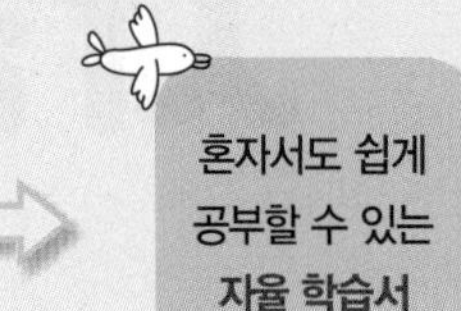

혼자서도 쉽게 공부할 수 있는 자율 학습서

1 '개념 카드 + 확인 문제' 세트 구성

개념 이해는 공부의 첫걸음! 개념 카드를 공부하고, 문제로 바로 확인하면 한 번에 빠르게 이해할 수 있습니다.

- 복잡한 내용을 개념 카드로 세분화
- 그림과 도표로 시각화
- 한눈에 보이는 핵심과 친절한 설명
- 개념을 바로바로 확인하는 시스템

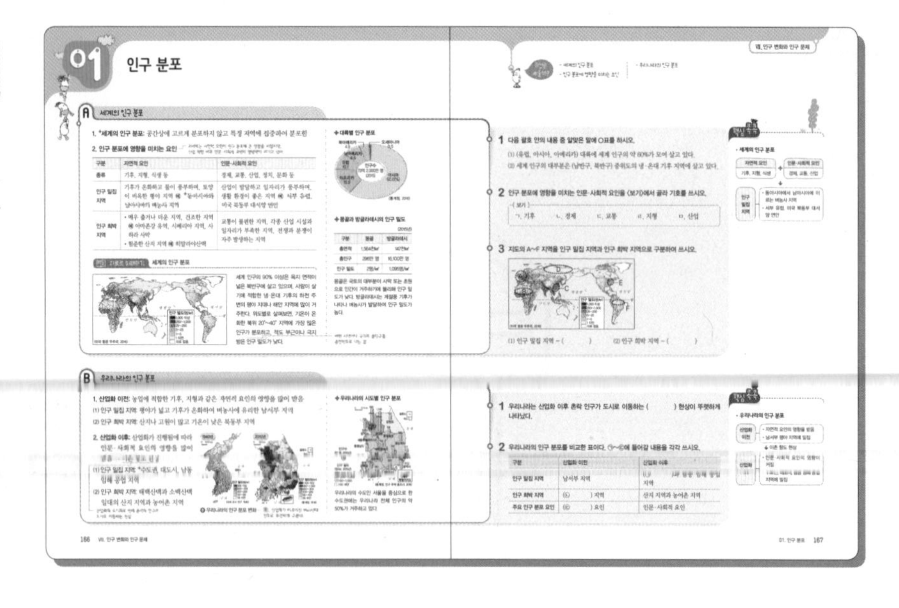

2 실력 향상을 위한 다양한 문제 풀이

문제로 실력 점검! 기출 문제를 분석하여 뽑아낸 다양한 유형의 문제를 풀어 보면서 시험에 대비할 수 있습니다.

- 실력 탄탄 핵심 문제
- 서술형 문제
- 시험 적중 마무리 문제

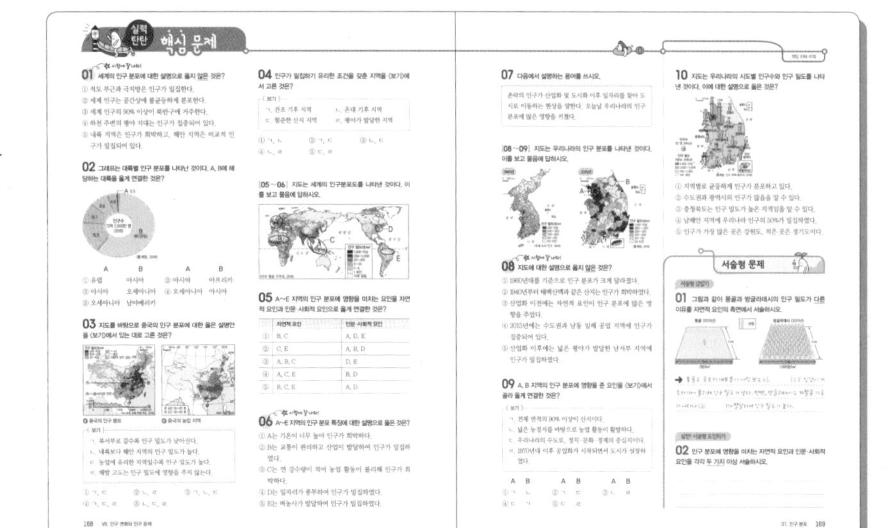

3 또 한 권의 책 '정답친해'

더 이상 모르는 문제는 없다! 가려운 곳을 콕 짚어 자세하게 설명했으므로 문제를 완벽하게 이해할 수 있습니다.

- 정확한 답과 친절한 해설
- 중요한 자료는 입체적으로 해설
- 상세한 오답 풀이

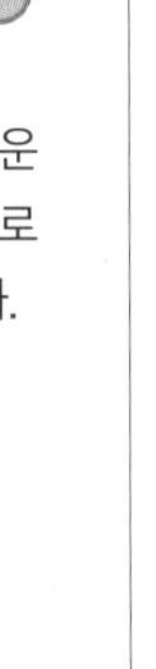

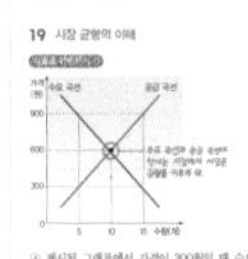

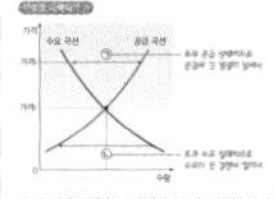

완자와 내 교과서 단원 비교하기

단원	소단원	완자	비상교육	미래엔	천재교육	천재교과서	동아	지학사	금성	박영사
Ⅰ 인권과 헌법	01 인권 보장과 기본권	10~17	10~15	12~16	12~17	12~15	12~15	12~17	12~17	10~13
	02 인권의 침해 및 구제	18~21	16~19	17~21	18~23	16~21	16~21	18~21	18~21	14~18
	03 근로자의 권리와 노동권 침해 및 구제	22~25	20~23	22~25	24~27	22~25	22~25	22~25	22~25	19~23
Ⅱ 헌법과 국가 기관	01 국회	34~41	28~31	30~33	32~35	30~35	30~33	32~35	30~33	28~31
	02 행정부와 대통령	42~49	32~35	34~37	36~39	36~39	34~37	36~39	34~37	32~36
	03 법원과 헌법 재판소	50~57	36~40	38~41	40~45	40~45	38~41	40~45	38~43	37~41
Ⅲ 경제 생활과 선택	01 경제생활과 경제 문제	66~73	46~51	48~53	50~57	50~53	46~53	50~55	48~53	46~50
	02 기업의 역할과 사회적 책임	74~77	52~55	54~57	58~61	54~57	54~57	56~59	54~57	51~54
	03 금융 생활의 중요성	78~83	56~61	58~61	62~67	58~63	58~61	60~65	58~61	55~59
Ⅳ 시장 경제와 가격	01 시장의 의미와 종류 ~ 02 시장 가격의 결정	92~99	66~73	66~73	72~81	68~77	66~73	70~79	66~75	64~71
	03 시장 가격의 변동	100~107	74~79	74~77	82~87	78~81	74~79	80~83	76~79	72~77
Ⅴ 국민 경제와 국제 거래	01 국내 총생산과 경제 성장	116~119	84~87	84~87	92~95	86~89	84~87	88~91	84~87	82~85
	02 물가와 실업	120~127	88~93	88~91	96~101	90~93	88~91	92~97	88~93	86~90
	03 국제 거래와 환율	128~135	94~99	92~95	102~107	94~97	92~97	98~101	94~97	91~97
Ⅵ 국제 사회와 국제 정치	01 국제 사회의 이해 ~ 02 국제 사회의 모습과 공존 노력	144~153	104~113	102~109	112~119	106~117	102~111	106~113	102~111	102~110
	03 우리나라의 국가 간 갈등 문제	154~157	114~117	110~115	120~123	118~121	112~115	114~119	112~115	111~115

단원	주제	완자	비상교육	미래엔	천재교육	천재교과서	동아	지학사	금성	박영사
VII 인구 변화와 인구 문제	01 인구 분포	166~169	122~125	120~124	128~131	126~129	120~123	124~127	120~123	120~123
	02 인구 이동	170~177	126~131	125~129	132~135	130~135	124~129	128~131	124~129	124~129
	03 인구 문제	178~185	132~137	130~134	136~141	136~139	130~133	132~137	130~133	130~133
VIII 사람이 만든 삶터, 도시	01 도시의 위치와 특징	194~197	142~145	140~143	146~149	144~149	138~141	142~145	138~143	138~141
	02 도시 내부의 경관	198~205	146~149	144~147	150~153	150~153	142~147	146~149	144~147	142~145
	03 도시화와 도시 문제 ~ 04 살기 좋은 도시	206~213	150~157	148~156	154~161	154~161	148~155	150~157	148~155	146~153
IX 글로벌 경제 활동과 지역 변화	01 농업 생산의 기업화와 세계화	222~227	162~165	162~165	168~171	168~173	160~165	162~167	160~163	158~163
	02 다국적 기업과 생산 공간 변화 ~ 03 세계화에 따른 서비스업의 변화	228~235	166~173	166~173	172~179	174~181	166~173	168~175	164~171	164~171
X 환경 문제와 지속 가능한 환경	01 전 지구적 차원의 기후 변화	244~251	178~183	180~183	184~187	186~189	178~181	182~187	178~183	176~179
	02 환경 문제 유발 산업의 이동	252~255	184~187	184~187	188~191	190~193	182~185	188~191	184~187	180~183
	03 생활 속의 환경 이슈	256~261	188~193	188~191	192~195	194~197	186~191	192~195	188~191	184~187
XI 세계 속의 우리나라	01 우리나라의 영역과 독도	270~277	198~203	198~203	200~205	204~209	196~199	202~207	196~201	194~198
	02 우리나라 여러 지역의 경쟁력	278~281	204~207	204~209	206~209	210~213	200~203	208~211	202~205	199~203
	03 국토 통일과 통일 한국의 미래	282~285	208~211	210~213	210~213	214~219	204~209	212~215	206~209	204~207
XII 더불어 사는 세계	01 지구상의 지리적 문제	294~299	216~219	218~222	218~223	224~227	214~217	222~227	214~217	212~216
	02 저개발 지역의 발전을 위한 노력 ~ 03 지역 간 불평등 완화를 위한 노력	300~305	220~227	223~230	224~231	228~235	218~227	228~235	218~227	217~225

차례

인권과 헌법

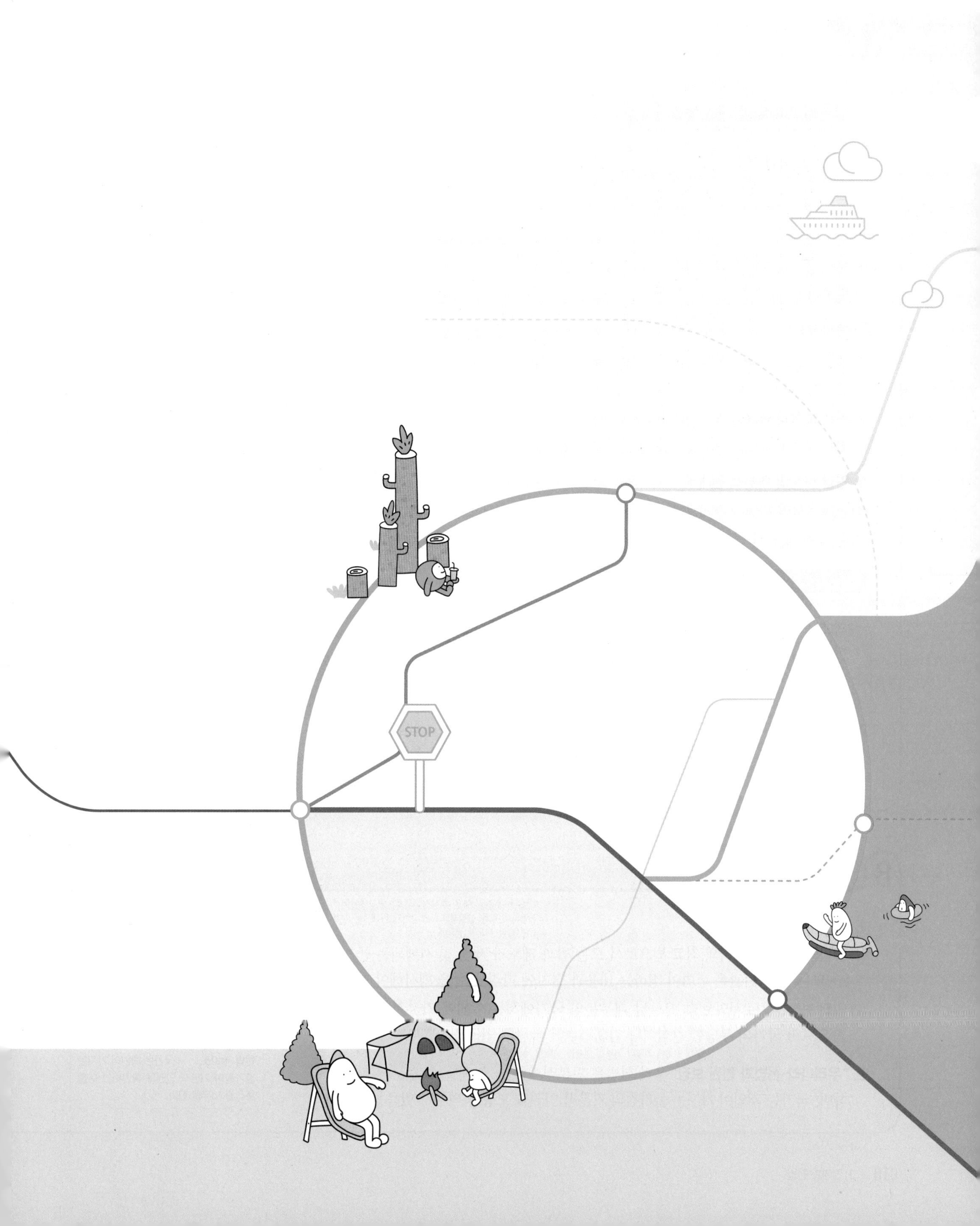
STOP

01 인권 보장과 기본권

A 인권의 의미와 인권 보장의 중요성

1. 인권의 의미와 특징

꼭 인간은 단지 인간이라는 이유만으로 누구나 똑같이 존중받으며 인권을 누릴 수 있지.

(1) 인권: 인간이 인간답게 살아가기 위해 마땅히 누려야 할 기본적인 권리

(2) 인권의 특징

+천부 인권	인간이 태어나면서부터 당연히 가지는 권리
자연권	국가에서 법이나 제도로 보장하기 이전에 자연적으로 주어진 권리
보편적 권리	피부색, 성별, 나이, 사회적 신분 등에 상관없이 모든 사람이 동등하게 누릴 수 있는 권리 (인권은 모든 사람에게 차별 없이 부여되는 권리야.)
불가침의 권리	국가나 다른 사람이 함부로 침해할 수 없는 권리

2. 인권 보장의 중요성: 인권이 제대로 보장될 때 인간이 인격적 존재로 존중받으며 최소한의 인간다운 삶을 살 수 있음 → +인간의 존엄성을 실현하는 바탕이 됨

3. 인권 보장의 역사적 전개

(1) 근대: +시민 혁명의 결과로 시민의 자유와 평등이 제도적으로 보장되기 시작하였음

(2) 현대: 세계 인권 선언에 모든 사람이 보편적으로 누려야 할 인권의 기준이 제시되었음

자료로 이해하기 세계 인권 선언

- 제1조 모든 사람은 태어날 때부터 자유롭고 존엄하며 평등하다. 모든 사람은 이성과 양심을 가지고 있으므로 서로에게 형제애의 정신으로 대해야 한다.
- 제2조 모든 사람은 인종, 피부색, 성별, 언어, 종교 등 어떤 이유로도 차별받지 않으며, 이 선언에 나와 있는 모든 권리와 자유를 누릴 자격이 있다.

자유와 평등 중심의 인권 사상이 반영되어 있어.

1948년 국제 연합(UN) 총회에서 세계 인권 선언이 채택됨으로써 인권 보장이 인류가 보편적으로 추구해야 할 가치임이 선포되었다. 세계 인권 선언은 국제 인권법의 토대로서 수많은 국제 조약과 국제 선언의 바탕이 되고 있으며, 그 이념과 내용이 오늘날 여러 나라의 헌법과 법률에 반영되어 있다.

+ 천부 인권
인권은 하늘(天)이 인간에게 준 권리. 즉 천부 인권의 성격을 띠기 때문에 다른 사람이 빼앗을 수도 없고, 다른 사람에게 넘겨 줄 수도 없다.

+ 인간의 존엄성
모든 인간은 그 자체로 존중받을 자격이 있다는 것

+ 시민 혁명
계몽사상의 영향을 받은 시민들이 절대 군주의 억압에 맞서 인권 보장을 위해 투쟁한 혁명. 시민 혁명의 결과로 인권 보장에 관한 문서들이 등장하면서 인권 사상이 성장하였다.

B 인권과 헌법

1. 인권과 +헌법의 관계

헌법의 내용은 매우 추상적이므로, 일상생활에서 개인의 인권을 실질적으로 보장하기 위해서는 구체적인 법과 제도가 필요해.

(1) 헌법의 의의: 한 나라의 최고 법으로서 모든 법과 제도가 제정 및 시행되는 근거가 됨 → 모든 국가 기관은 헌법이 정하는 내용과 절차에 따라 권한을 행사해야 함

(2) 인권 보장 장치로서의 헌법: 오늘날 대부분의 국가에서는 헌법에 기본적 인권을 규정함으로써 국가의 부당한 간섭이나 침해로부터 국민의 인권을 보장하고 있음

국가 권력이 개인의 기본적 인권을 침해할 수 없도록 하는 법적 장치를 마련한 것이야.

2. +우리나라 헌법과 인권 보장: 우리 헌법은 기본적 인권을 침해할 수 없는 권리로 규정하며, 국가는 개인이 가지는 불가침의 기본적 인권을 보장할 의무가 있음을 명시함

+ 헌법
국민의 기본적인 인권을 규정하고, 국가 기관을 어떻게 조직하고 운영할 것인지를 정하는 법

+ 인권 보장과 관련한 우리 헌법 조항
헌법 제10조 …… 국가는 개인이 가지는 불가침의 기본적 인권을 확인하고 이를 보장할 의무를 진다.

- 인권의 의미와 인권 보장의 중요성
- 인권과 헌법의 관계
- 기본권의 의미와 종류
- 기본권 제한의 내용과 한계

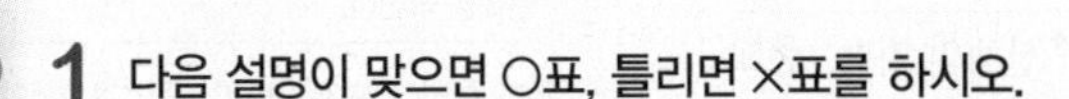

1 다음 설명이 맞으면 ○표, 틀리면 ×표를 하시오.

(1) 인간이 인간답게 살아가기 위해 마땅히 누려야 할 기본적인 권리를 인권이라고 한다. ( )

(2) 인권은 피부색, 성별, 나이, 사회적 신분 등에 따라 차등적으로 누리게 되는 권리를 의미한다. ( )

(3) 인권이 제대로 보장될 때 인간이 인격적 존재로 존중받으며 최소한의 인간다운 삶을 살 수 있다. ( )

2 인권의 특성과 그 내용을 옳게 연결하시오.

(1) 자연권 •　　• ㉠ 태어나면서부터 당연히 가지는 권리

(2) 천부 인권 •　　• ㉡ 모든 사람이 동등하게 누릴 수 있는 권리

(3) 보편적 권리 •　　• ㉢ 법이나 제도로 보장하기 이전에 주어진 권리

(4) 불가침의 권리 •　　• ㉣ 국가나 다른 사람이 함부로 침해할 수 없는 권리

3 ㉠, ㉡에 들어갈 내용을 각각 쓰시오.

> 근대에 전개된 (㉠)의 결과 시민의 자유와 평등이 제도적으로 보장되기 시작하였다. 나아가 국제 연합에서 채택된 (㉡)에는 모든 사람이 보편적으로 누려야 할 인권의 기준이 제시되었다.

핵심 콕콕

• 인권의 의미와 인권 보장의 중요성

인권
인간이 마땅히 누려야 할 기본적인 권리

↓

인권의 특징
• 천부 인권　• 자연권
• 보편적 권리　• 불가침의 권리

↓

인권이 보장될 때 인간의 존엄성이 실현될 수 있음

1 오늘날 대부분의 국가에서는 한 나라의 최고 법인 ( )에 기본적 인권을 규정하고 있다.

2 다음 설명이 맞으면 ○표, 틀리면 ×표를 하시오.

(1) 헌법은 국가의 부당한 간섭으로부터 국민의 인권을 보호하는 장치이다. ( )

(2) 우리 헌법은 국민의 기본적 인권을 침해할 수 있는 권리로 규정하고 있다. ( )

핵심 콕콕

• 인권과 헌법의 관계

헌법
모든 법의 근거가 되는 한 나라의 최고 법

↓

인권 보장 장치로서의 헌법
헌법에 기본적 인권을 규정함으로써 국가 권력으로부터 국민의 인권을 보장함

C 기본권의 의미와 종류

1. **기본권:** 헌법에 보장된 기본적 인권 → 우리 헌법은 모든 기본권이 추구하는 최고의 가치인 +인간의 존엄과 가치 및 행복 추구권을 토대로 국민의 기본권을 보장함

└ 물질적 풍요뿐만 아니라 정신적 만족을 동시에 충족할 수 있는 포괄적 권리를 의미하지.

2. **기본권의 종류**

자유권	국가 권력의 간섭을 받지 않고 자유롭게 생활할 수 있는 권리 예 +신체의 자유, 종교의 자유, 언론·출판의 자유, 직업 선택의 자유, 거주 이전의 자유 등
평등권	생활의 모든 영역에서 성별, 종교, 사회적 신분, 인종, 장애 등에 의해 부당한 차별을 받지 않고 동등하게 대우받을 권리 → 모든 국민은 법 앞에서 평등함
참정권	국가 기관의 형성과 국가의 정치적 의사 형성 과정에 참여할 수 있는 권리 → 국민 주권주의를 실현하는 수단 예 선거권, +공무 담임권, +국민 투표권 등
사회권	국가에 인간다운 생활의 보장을 요구할 수 있는 권리 → 적극적 성격을 띰 예 교육을 받을 권리, 근로의 권리, 인간다운 생활을 할 권리, 쾌적한 환경에서 살 권리 등
청구권	국가에 대하여 일정한 행위를 요구할 수 있는 권리 → 다른 기본권을 보장하기 위한 수단적 성격을 띰 예 +청원권, 재판 청구권, +국가 배상 청구권 등

└ 다른 기본권이 침해되거나 침해될 우려가 있을 때 이에 대한 구제를 요구할 수 있어.

자료로 이해하기 우리 헌법에 보장된 국민의 기본권

- 헌법 제11조 ① 모든 국민은 법 앞에 평등하다. 누구든지 성별·종교 또는 사회적 신분에 의하여 …… 차별을 받지 아니한다. – 평등권
- 헌법 제15조 모든 국민은 직업 선택의 자유를 가진다. – 자유권
- 헌법 제24조 모든 국민은 법률이 정하는 바에 의하여 선거권을 가진다. – 참정권
- 헌법 제26조 ① 모든 국민은 법률이 정하는 바에 의하여 국가 기관에 문서로 청원할 권리를 가진다. – 청구권
- 헌법 제34조 ① 모든 국민은 인간다운 생활을 할 권리를 가진다. – 사회권

우리 헌법은 인간의 존엄과 가치 및 행복 추구권을 기초로 하여 자유권, 평등권, 참정권, 사회권, 청구권 등을 기본권으로 규정하고 있다. 이 밖에도 인간의 존엄과 가치를 실현하는 데 필요한 기본적인 권리라면 헌법에 명시되지 않아도 보장된다.

+ 우리 헌법에 나타난 인간의 존엄과 가치 및 행복 추구권

헌법 제10조 모든 국민은 인간으로서의 존엄과 가치를 가지며, 행복을 추구할 권리를 가진다. …….

우리 헌법은 모든 국민이 존엄과 가치를 지닌 인격적 존재임을 규정하고 있으며, 개인의 행복을 추구할 권리를 보장하고 있다.

+ 신체의 자유

법률에 의하지 않고는 체포, 압수 등의 구속이나 수색을 받지 않을 권리

+ 공무 담임권

국민이 국가나 지방 자치 단체에서 공직을 맡을 수 있는 권리

+ 국민 투표권

국가의 중요한 정책을 국민이 직접 결정할 수 있는 권리

+ 청원권

국민이 국가 기관에 대해 자신의 의견이나 희망을 문서로 제출할 수 있는 권리

+ 국가 배상 청구권

공무원의 직무상 불법 행위로 손해를 입은 국민이 국가 또는 공공 단체에 정당한 배상을 청구할 수 있는 권리

D 기본권 제한의 내용과 한계

1. **+기본권 제한의 내용:** 국가 안전 보장, 질서 유지, 공공복리를 위하여 필요한 경우에 한하여 기본권을 제한할 수 있음

└ 사회 구성원 전체에 공통되는 이익이나 복지를 말해.

└ 왜? 개인이 기본권을 행사하는 과정에서 다른 사람의 기본권을 침해하거나 사회 질서 또는 공동체의 이익을 해치는 행위를 막아 모든 국민이 동등하게 기본권을 누릴 수 있도록 하기 위해서야.

2. **기본권 제한의 한계**

(1) 기본권 제한의 한계

① 국회에서 만든 법률로써만 기본권을 제한할 수 있음

② 기본권을 제한하더라도 자유와 권리의 본질적인 내용을 침해해서는 안 됨

└ 예 집회를 할 때 과도한 소음이 발생하지 않도록 제한할 수는 있지만, 집회 자체를 금지할 수는 없지.

(2) 기본권 제한의 한계를 명확하게 정한 이유: 국가 권력의 남용을 방지함으로써 국민의 기본권을 최대한 보장하기 위함

+ 기본권 제한의 사례

목적	기본권 제한 사례
국가 안전 보장	군사 시설 보호 구역에서 촬영을 제한하는 것
질서 유지	교통질서 유지를 위해 과속 운전을 제한하는 것
공공복리	공익을 위해 개발 제한 구역에서 개인의 토지 이용을 일부 제한하는 것

1 다음 빈칸에 들어갈 내용을 쓰시오.

(1) 헌법에 보장된 기본적 인권을 (   )이라고 한다.

(2) 우리 헌법은 모든 기본권이 추구하는 최고의 가치이자 포괄적 권리인 인간의 존엄과 가치 및 (   )을 토대로 국민의 기본권을 보장한다.

2 다음 헌법 조항과 관련 있는 기본권을 쓰시오.

> 헌법 제11조 ① …… 누구든지 성별·종교 또는 사회적 신분에 의하여 …… 차별을 받지 아니한다.

3 사회권에 해당하는 권리를 〈보기〉에서 골라 기호를 쓰시오.

보기

ㄱ. 선거권　　　　ㄴ. 근로의 권리

ㄷ. 거주 이전의 자유　　　　ㄹ. 교육을 받을 권리

4 다음 괄호 안의 내용 중 알맞은 말에 ○표를 하시오.

(1) (자유권, 청구권)은 다른 기본권을 보장하기 위한 수단적 성격의 기본권이다.

(2) 사회권은 국가에 인간다운 생활의 보장을 요구할 수 있는 (소극적, 적극적)인 성격을 띤다.

(3) (참정권, 평등권)은 국가 기관의 형성과 국가의 정치적 의사 형성 과정에 참여할 수 있는 권리이다.

핵심 콕콕

• 기본권의 종류

인간의 존엄과 가치 및 행복 추구권	모든 기본권이 추구하는 최고의 가치
자유권	국가 권력의 간섭 없이 자유롭게 생활할 수 있는 권리
평등권	부당한 차별을 받지 않고 동등하게 대우받을 권리
참정권	국가의 정치적 의사 형성 과정에 참여할 수 있는 권리
사회권	국가에 인간다운 생활의 보장을 요구할 수 있는 권리
청구권	국가에 대하여 일정한 행위를 요구할 수 있는 권리

1 다음 설명이 맞으면 ○표, 틀리면 ×표를 하시오.

(1) 국가는 공공복리를 위해 필요한 경우 국민의 기본권을 제한할 수 있다. (　　)

(2) 국가는 국민의 기본권을 제한할 때 자유와 권리의 본질적인 내용까지도 침해할 수 있다. (　　)

2 국민의 기본권은 필요한 경우에 한하여 국회에서 만든 (   )로써만 제한할 수 있다.

핵심 콕콕

• 기본권 제한의 내용과 한계

내용	국가 안전 보장, 질서 유지, 공공복리를 위하여 필요한 경우에 한하여 제한할 수 있음
한계	• 법률로써만 제한할 수 있음 • 자유와 권리의 본질적인 내용은 침해할 수 없음

시험에 잘 나와!

01 ㉠에 들어갈 용어에 대한 설명으로 옳지 않은 것은?

> 사람들의 모습이나 생각은 서로 다르지만, 인간이라는 이유만으로 누구나 똑같이 존중받으며 살아갈 권리가 있다. 이처럼 인간이 인간답게 살아가기 위해 마땅히 누려야 할 기본적인 권리를 (㉠)(이)라고 한다.

① 모든 사람에게 차별 없이 부여된다.
② 태어날 때부터 본래 지닌 권리이다.
③ 국가 권력이 함부로 침해할 수 없다.
④ 다른 사람에게 넘겨 줄 수 없는 권리이다.
⑤ 국가에서 법으로 보장해야만 주어지는 권리이다.

02 밑줄 친 ㉠, ㉡에 해당하는 인권의 특징을 옳게 연결한 것은?

> 인권은 ㉠ 인간이 태어나면서 하늘로부터 부여받은 권리인 동시에 피부색, 성별, 나이, 사회적 신분 등을 초월하여 ㉡ 모든 사람이 동등하게 누릴 수 있는 권리이다.

	㉠	㉡
①	천부 인권	자연권
②	천부 인권	보편적 권리
③	보편적 권리	천부 인권
④	보편적 권리	불가침의 권리
⑤	불가침의 권리	자연권

03 다음 글의 주제로 가장 적절한 것은?

> 자기 생각에 따라 자유롭게 살지 못하고 다른 사람들에게서 소중하게 대우받지 못한다면 인간은 행복하게 살 수 없다. 따라서 모든 인간이 인격적 존재로 존중받으며 최소한의 인간다운 삶을 살기 위해서는 인권을 제대로 누릴 수 있도록 하는 것이 무엇보다 중요하다.

① 인권 보장의 중요성
② 인권의 자연권적 특성
③ 인권 제한의 기본 요건
④ 보편적 권리로서의 인권
⑤ 인권 보장의 역사적 전개

04 (가)에 들어갈 내용으로 적절한 것은?

> 계몽사상과 사회 계약설의 영향을 받은 사람들이 절대 군주의 억압에 맞서 인권 보장을 위하여 투쟁하는 과정에서 시민 혁명이 발발하였다. 이러한 시민 혁명의 결과로 ______(가)______

① 인권 사상이 쇠퇴하였다.
② 세계 인권 선언이 채택되었다.
③ 국제 인권법의 토대가 마련되었다.
④ 시민의 자유와 평등이 제도적으로 보장되기 시작하였다.
⑤ 권력을 가진 개인이 법에 근거하여 다른 사람의 인권을 침해할 수 있게 되었다.

05 다음 내용에서 설명하는 용어로 옳은 것은?

> • 한 나라의 최고 법이다.
> • 모든 법과 제도가 제정되고 시행되는 근거가 된다.

① 규칙 ② 법률 ③ 인권
④ 조례 ⑤ 헌법

시험에 잘 나와!

06 헌법에 대한 옳은 설명을 〈보기〉에서 고른 것은?

> 보기
> ㄱ. 국민의 기본적 인권을 규정하는 법이다.
> ㄴ. 국가 기관이 권한을 행사하는 근거가 된다.
> ㄷ. 국가 권력이 부당하게 국민의 인권을 침해할 수 있는 근거가 된다.
> ㄹ. 내용이 매우 구체적으로 제시되어 있어 별도의 제도를 필요로 하지 않는다.

① ㄱ, ㄴ ② ㄱ, ㄷ ③ ㄴ, ㄷ
④ ㄴ, ㄹ ⑤ ㄷ, ㄹ

정답 친해 2쪽

07 다음 헌법 조항을 통해 알 수 있는 내용으로 적절한 것은?

헌법 제10조 …… 국가는 개인이 가지는 불가침의 기본적 인권을 확인하고 이를 보장할 의무를 진다.

① 인권은 헌법이 인간에게 부여한 권리이다.
② 국가는 개인의 인권을 보호할 의무가 없다.
③ 개인은 헌법에 명시된 기본적 인권만을 누릴 수 있다.
④ 헌법은 개인의 기본적 인권을 보장하는 법적 장치이다.
⑤ 인권은 특정 계층에 속한 사람만이 누릴 수 있는 권리이다.

08 ㉠에 들어갈 용어로 옳은 것은?

(㉠)은 헌법으로 보장되는 기본적 인권으로, 자유권, 평등권, 참정권, 사회권, 청구권 등이 이에 해당한다.

① 주권 ② 자연권
③ 기본권 ④ 천부 인권
⑤ 행복 추구권

09 밑줄 친 권리에 대한 옳은 설명을 〈보기〉에서 고른 것은?

우리 헌법 제10조는 모든 국민은 인간으로서의 존엄과 가치를 가지며, 행복을 추구할 권리를 가진다고 명시하고 있다.

보기
ㄱ. 헌법에 보장된 기본권들의 토대가 된다.
ㄴ. 모든 기본권이 추구하는 최고의 가치이다.
ㄷ. 정신적 만족은 충족할 수 없다는 한계를 지닌다.
ㄹ. 다른 기본권이 침해되었을 때 이에 대한 구제를 요구할 수 있는 기본권이다.

① ㄱ, ㄴ ② ㄱ, ㄷ ③ ㄴ, ㄷ
④ ㄴ, ㄹ ⑤ ㄷ, ㄹ

10 다음 기본권들에 대한 설명으로 옳은 것은?

• 종교의 자유 • 언론·출판의 자유

① 적극적인 성격을 띠는 기본권이다.
② 국민 주권주의를 실현하는 수단이다.
③ 개인의 생활에 국가의 간섭을 받지 않을 권리이다.
④ 국가 배상 청구권과 같은 유형의 기본권에 속한다.
⑤ 국민이 생활의 모든 영역에서 동등하게 대우받을 권리이다.

시험에 잘 나와!

11 다음 사례들에서 공통으로 실현된 기본권으로 옳은 것은?

• 수능 시험을 보는 장애인 응시생들의 편의가 확대됨에 따라 이들이 겪었던 차별이 개선되었다.
• ○○ 미용 고등학교의 입학 조건에서 성별 제한이 없어짐에 따라 남성도 ○○ 미용 고등학교에 입학할 수 있게 되었다.

① 자유권 ② 평등권 ③ 참정권
④ 사회권 ⑤ 청구권

12 다음에서 설명하는 기본권에 해당하는 것을 〈보기〉에서 고른 것은?

국가 기관의 형성과 국가의 정치적 의사 형성 과정에 참여할 수 있는 권리이다.

보기
ㄱ. 선거권 ㄴ. 청원권
ㄷ. 국민 투표권 ㄹ. 신체의 자유

① ㄱ, ㄴ ② ㄱ, ㄷ ③ ㄴ, ㄷ
④ ㄴ, ㄹ ⑤ ㄷ, ㄹ

13 다음은 한 기본권에 대해 정리한 내용이다. (가)에 들어갈 권리로 적절하지 않은 것은?

- 의미: 국가에 인간다운 생활의 보장을 요구할 수 있는 권리 → 적극적인 성격을 띰
- 종류: ______(가)______

① 근로의 권리
② 교육을 받을 권리
③ 재판을 청구할 권리
④ 인간다운 생활을 할 권리
⑤ 쾌적한 환경에서 살 권리

14 다음 헌법 조항들과 관련 있는 기본권으로 옳은 것은?

- 헌법 제26조 ① 모든 국민은 법률이 정하는 바에 의하여 국가 기관에 문서로 청원할 권리를 가진다.
- 헌법 제28조 형사 피의자 또는 형사 피고인으로서 구금되었던 자가 법률이 정하는 불기소 처분을 받거나 무죄 판결을 받은 때에는 법률이 정하는 바에 의하여 국가에 정당한 보상을 청구할 수 있다.

① 자유권 ② 평등권 ③ 참정권
④ 사회권 ⑤ 청구권

15 (가), (나)에 대한 옳은 설명을 〈보기〉에서 고른 것은?

(가) 청구권 (나) 평등권

〈보기〉
ㄱ. (가)는 다른 기본권을 보장하기 위한 수단적 성격을 띤다.
ㄴ. (가)는 국가에 대하여 일정한 행위를 요구할 수 있는 권리이다.
ㄷ. 거주 이전의 자유를 보장하는 것은 (나)를 실현하기 위한 노력에 해당한다.
ㄹ. (나)는 (가)와 달리 헌법에서 보장하지 않는 인권이다.

① ㄱ, ㄴ ② ㄱ, ㄷ ③ ㄴ, ㄷ
④ ㄴ, ㄹ ⑤ ㄷ, ㄹ

★ 시험에 잘 나와!

16 (가)~(다)에 제시된 헌법 조항과 관련 있는 기본권을 옳게 연결한 것은?

(가) 모든 국민은 직업 선택의 자유를 가진다.
(나) 모든 국민은 인간다운 생활을 할 권리를 가진다.
(다) 모든 국민은 법률이 정하는 바에 의하여 선거권을 가진다.

① (가) – 사회권 ② (가) – 참정권 ③ (나) – 사회권
④ (나) – 자유권 ⑤ (다) – 자유권

17 다음 대화를 통해 알 수 있는 내용으로 적절한 것은?

- 가을: 헌법에 따라 모든 국민에게는 경제 활동의 자유가 보장되고 있어.
- 나을: 하지만, 유해한 환경에서부터 청소년을 보호할 목적으로 청소년이 야간에 찜질방이나 게임방 등에 출입하는 것을 원칙적으로 제한하기도 해.

① 기본권은 무제한적으로 보장된다.
② 청소년에게는 기본권이 보장되지 않는다.
③ 국가는 개인의 기본권 행사에 관여해서는 안 된다.
④ 공공복리를 위해 필요한 경우 기본권을 제한할 수 있다.
⑤ 자신의 기본권을 행사할 때에는 다른 사람의 기본권을 침해하는 것이 허용된다.

18 ㉠에 들어갈 내용으로 옳은 것만을 〈보기〉에서 있는 대로 고른 것은?

개인이 다른 사람의 기본권을 침해하거나 사회 질서 또는 공동체의 이익에 해를 끼칠 경우 모든 국민이 동등하게 기본권을 누리기 어려워질 수 있다. 그래서 우리 헌법은 (㉠)을/를 위하여 필요한 경우에 한하여 국민의 기본권을 제한할 수 있도록 규정하고 있다.

〈보기〉
ㄱ. 공공복리 ㄴ. 질서 유지
ㄷ. 국가 안전 보장 ㄹ. 신속한 정책 결정

① ㄱ, ㄴ ② ㄴ, ㄷ ③ ㄷ, ㄹ
④ ㄱ, ㄴ, ㄷ ⑤ ㄴ, ㄷ, ㄹ

시험에 잘 나와!

19 그림에서 갑에게 제한된 기본권과 그 제한 사유를 옳게 연결한 것은?

	제한된 기본권	기본권 제한 사유
①	자유권	질서 유지를 위하여
②	자유권	국가 안전 보장을 위하여
③	참정권	공공복리를 위하여
④	참정권	국가 안전 보장을 위하여
⑤	청구권	질서 유지를 위하여

[20~21] 다음 글을 읽고 물음에 답하시오.

> 우리 헌법은 국회에서 만든 (㉠)(으)로써만 국민의 기본권을 제한할 수 있음을 규정하고 있으며, 기본권을 제한하더라도 자유와 권리의 본질적인 내용을 침해할 수 없다고 명시하고 있다.

20 ㉠에 들어갈 용어를 쓰시오.

21 우리 헌법에서 밑줄 친 부분을 명시한 이유로 가장 적절한 것은?

① 국민의 기본권을 최대한 보장하기 위해서이다.
② 헌법에 명시된 기본권만을 제한하기 위해서이다.
③ 개인이 공익에 해를 끼치는 것을 방지하기 위해서이다.
④ 민간단체가 다른 사람의 기본권을 침해하는 것을 방지하기 위해서
⑤ 국민의 기본권을 보장할 목적으로 국가 권력의 남용을 합법화하는 근거를 마련하기 위해서이다.

서술형 문제

서술형 감잡기

01 다음은 수업 시간의 모습을 나타낸 것이다. 이를 보고 물음에 답하시오.

> 수업 주제: (㉠)의 의미와 보장
> (1) 의미: 인간이 마땅히 누려야 할 기본적 권리
> (2) 보장의 중요성: 인간의 존엄성을 실현하는 바탕이 됨

(1) ㉠에 들어갈 용어를 쓰시오.

(2) (1)의 특징에 대해 서술하시오.

➜ 인간이 태어나면서부터 당연히 가지는 (①)이며, 국가에서 법이나 제도로 보장하기 이전에 (②)적으로 주어진 권리이다. 모든 사람이 동등하게 누릴 수 있는 (③) 권리이며, 국가나 다른 사람이 함부로 침해할 수 없는 (④)의 권리이다.

실전! 서술형 도전하기

02 다음 사례와 관련 있는 기본권을 쓰고, 그 의미를 서술하시오.

> 다솔 씨는 국회 의원이 되어 정치에 참여하고자 국회 의원 선거에 후보자로 등록하였다.

03 밑줄 친 부분에 해당하는 내용을 서술하시오.

> 우리 헌법은 국민의 기본권을 제한할 경우의 한계를 명확히 규정하고 있다.

인권의 침해 및 구제

A 일상생활에서의 인권 침해

1. 인권 침해

오늘날 대부분의 민주 국가에서 법과 제도를 통해 인권을 보장하고 있지만, 여전히 인간으로서 가진 권리 혹은 기본권을 존중받지 못하는 경우도 있어.

(1) 인권 침해: 다른 사람이나 단체 또는 국가 기관에 의하여 개인이 가지는 인권이 존중받지 못하고 침해되는 것 예 +차별, 집단 따돌림, 사생활 침해, 폭행이나 학대 등

(2) 인권 침해의 원인: 사회 구성원의 고정 관념이나 편견, 사회의 잘못된 관습이나 관행, 국가의 불합리한 법과 제도 등

꼭 인권 침해는 특정인에게만 나타나는 것이 아니라, 누구에게나 일어날 수 있는 현상이야.

(3) 인권 침해의 특징: 오늘날 일상생활 전반에 걸쳐 다양한 형태로 나타남

인권 감수성을 키워 어떠한 인권 침해가 발생하는지 주의 깊게 살피는 노력이 필요해.

2. 인권 보장을 위한 노력: 자신뿐만 아니라 다른 사람의 인권 침해 상황에도 관심을 두고 민감하게 반응, 인권 침해를 당한 경우 적극적으로 대응 및 국가 기관에 구제 요청 등

인권 침해 시의 구제 방법과 절차를 알고 있어야 해.

+ 인권 침해의 유형별 사례

차별	• 나이가 많다는 이유로 입사를 제한하는 것 • 성별이나 출신 지역을 이유로 불이익을 주는 것 • 장애인의 이동권을 제대로 보장하지 않는 것
사생활 침해	다른 사람의 개인 정보나 사진을 동의 없이 공개하는 것
기타	일조권(햇볕을 쬘 권리) 침해 등

B 국가 기관을 통한 인권 침해의 구제

1. 법원을 통한 +인권 구제

(1) 법원: 분쟁이나 범죄 발생 시 사법권을 행사하여 국민의 권리를 보호하는 국가 기관

(2) 인권 침해 시 구제 방법: 타인이나 국가 기관에 의해 권리를 침해당한 사람이 소를 제기하면 재판을 통해 침해된 권리를 구제함

비교 타인에 의해 권리를 침해당한 경우 민사 소송을, 행정 기관의 잘못으로 권리를 침해당한 경우 행정 소송을 제기할 수 있지.

2. 헌법 재판소를 통한 인권 구제

(1) 헌법 재판소: 헌법 질서를 수호하고 국민의 기본권을 보장하는 국가 기관

(2) 인권 침해 시 구제 방법: +공권력에 의해 기본권이 침해된 국민이 +헌법 소원을 제기하면 헌법 소원 심판을 통해 권리를 구제함

헌법 재판소는 법률의 위헌 여부를 판단하는 위헌 법률 재판을 통해 국민의 인권을 구제하기도 해.

3. 국가 인권 위원회를 통한 인권 구제

인권 침해의 우려가 있는 법이나 제도의 문제점을 찾고, 인권 침해나 차별 행위를 조사하여 시정이나 개선 등을 권고하지.

(1) 국가 인권 위원회: 인권 보호를 위한 전반적인 업무를 수행하는 독립된 국가 기관

(2) 인권 침해 시 구제 방법 : 국가 기관에 의해 인권을 침해당하거나 회사 또는 단체 등에 의해 차별 등 인권 침해를 당한 사람이 +진정을 내면 이를 조사하여 권리를 구제함

4. 기타: +국민 권익 위원회에 고충 민원이나 +행정 심판 제기, 수사 기관에 고소 등

잘못된 언론 보도로 피해를 본 경우 언론 중재 위원회, 소비자의 권리가 침해된 경우 한국 소비자원의 도움을 받을 수 있지.

자료로 이해하기 헌법 재판소를 통한 인권 구제 사례

A 씨는 주민 등록 번호가 불법으로 유출되었어도 현행 「주민 등록법」에 따라 주민 등록 번호를 변경하는 것이 허용되지 않는다며, 헌법 재판소에 헌법 소원을 제기하였다. 헌법 재판소는 "현행 「주민 등록법」이 개인의 기본권을 과도하게 침해하는 것이므로, 헌법에 어긋난다."라고 결정하였고, 이에 따라 법이 개정되었다.

법률이나 공권력에 의해 기본권을 침해당한 국민은 헌법 소원을 제기할 수 있다. 헌법 재판소의 심판에 따라 법률이나 공권력의 행사 또는 불행사가 헌법에 위배된다고 결정되면 침해된 인권을 구제받을 수 있다.

+ 인권 침해 주체별 인권 구제 방법

국가 기관에 의한 인권 침해	• 헌법 소원 제기 • 위헌 법률 심판 제청 • 행정 심판·행정 소송 제기 • 입법 청원, 상소 등
개인, 단체에 의한 인권 침해	• 민사 소송 제기 • 국가 인권 위원회에 진정 • 수사 기관에 고소, 고발 등

+ 공권력

국가 또는 공공 단체가 국민을 대상으로 행사하는 강제적인 권력이나 명령

+ 헌법 소원

공권력에 의해 기본권이 침해된 국민이 헌법 재판소에 권리 구제를 요청하는 것

+ 진정

국가 기관에 자신의 사정을 알리고 어떤 조치를 취해 줄 것을 희망하는 일

+ 국민 권익 위원회

국민의 권리 보호와 구제, 부패 방지 등을 목적으로 설립된 국가 기관

+ 행정 심판

잘못된 행정으로 이익을 침해받은 국민이 행정 기관에 제기하는 권리 구제 절차

- 인권 침해의 의미와 사례
- 인권 보장을 위한 노력
- 국가 기관을 통한 인권 침해의 구제

1 다른 사람이나 단체 또는 국가 기관에 의하여 개인의 인권이 존중받지 못하고 침해되는 것을 (　　　　　)라고 한다.

2 인권 침해에 대한 설명이 맞으면 ○표, 틀리면 ×표를 하시오.

(1) 국가의 불합리한 법과 제도에 의해 발생하기도 한다. (　　　)

(2) 성별을 이유로 채용 시 불이익을 주는 것은 해당하지 않는다. (　　　)

(3) 인권 침해 상황이 발생하더라도 국가 기관에 구제를 요청해서는 안 된다. (　　　)

• 인권 침해의 의미와 원인

의미	개인의 인권이 존중받지 못하고 침해되는 것
원인	사회 구성원의 고정 관념이나 편견, 사회의 잘못된 관습, 국가의 불합리한 법과 제도 등

1 ㉠, ㉡에 들어갈 용어를 각각 쓰시오.

> 법원은 타인이나 국가 기관에 의해 권리를 침해당한 사람이 (㉠　　　　)를 제기하면 (㉡　　　　)을 통해 침해된 권리를 구제해 준다.

2 다음 괄호 안의 내용 중 알맞은 말에 ○표를 하시오.

(1) (법원, 국민 권익 위원회)은/는 분쟁이나 범죄 발생 시 사법권을 행사하여 국민의 권리를 보호해 준다.

(2) 헌법 재판소는 (민사 재판, 헌법 소원 심판)을 통해 공권력에 의해 기본권이 침해된 국민의 권리를 구제해 준다.

(3) (국가 인권 위원회, 언론 중재 위원회)는 회사 또는 단체 등에 의해 차별당한 사람이 진정을 내면 이를 조사하여 구제해 준다.

3 국민 권익 위원회에 인권 구제를 요청하는 방법으로 적절한 것을 〈보기〉에서 골라 기호를 쓰시오.

> 보기
>
> ㄱ. 고소 또는 고발　　　ㄴ. 고충 민원 제기
>
> ㄷ. 행정 소송 제기　　　ㄹ. 행정 심판 제기

• 침해된 인권을 구제해 주는 국가 기관

법원	권리를 침해당한 사람이 소 제기 → 재판을 통해 권리 구제
헌법 재판소	공권력에 의해 기본권이 침해된 국민이 헌법 소원 제기 → 헌법 소원 심판을 통해 권리 구제
국가 인권 위원회	일상생활에서 인권을 침해당한 사람이 진정 제기 → 조사 등을 통해 권리 구제

시험에 잘 나와!

01 인권 침해에 대한 옳은 설명을 〈보기〉에서 고른 것은?

보기
ㄱ. 국가 기관에 의해서 발생하기도 한다.
ㄴ. 대표적인 사례에는 폭행, 사생활 침해 등이 있다.
ㄷ. 인간으로서 가진 권리가 존중받는 것을 의미한다.
ㄹ. 사회 제도와 무관하게 개인의 고정 관념과 편견에 의해서만 발생한다.

① ㄱ, ㄴ ② ㄱ, ㄷ ③ ㄴ, ㄷ
④ ㄴ, ㄹ ⑤ ㄷ, ㄹ

02 다음 사례들에서 공통으로 침해된 권리로 옳은 것은?

• 가영 씨는 나이가 많다는 이유만으로 신입 사원 채용에서 탈락하였다.
• 나혁 씨는 간호학과를 나와 병원에서 일하려는데, 병원에서 남자 간호사는 뽑지 않는다고 하여 일을 못 하고 있다.

① 사회권 ② 자유권 ③ 참정권
④ 청구권 ⑤ 평등권

03 다음 글을 통해 알 수 있는 내용으로 적절한 것은?

가정에서는 노인과 아동이 무관심 속에서 방치되어 피해를 보기도 하고, 학교에서는 외모나 피부색이 다르다는 이유로 일부 학생이 따돌림을 당하기도 한다. 직장에서는 출신 지역이나 출신 학교가 다르다는 이유로 채용과 임금 등에서 차별 대우를 받기도 한다.

① 인권 침해는 특정인에게만 나타난다.
② 인권 침해는 일상생활 전반에 걸쳐 나타난다.
③ 오늘날 개인이나 단체에 의한 인권 침해는 찾아보기 어렵다.
④ 모든 개인은 동등한 인격체로서 정당한 대우를 받으며 살아간다.
⑤ 오늘날 대부분의 민주 국가에는 인권을 보장하기 위한 법과 제도가 마련되어 있다.

04 교사의 질문에 대해 잘못 대답한 학생은?

① 가희: 인권 침해 문제에 민감하게 반응해야 해요.
② 나희: 인권 침해 상황에 항상 관심을 가져야 해요.
③ 다희: 인권 침해 시의 구제 방법과 절차를 미리 알고 있어야 해요.
④ 라희: 다른 사람의 인권 침해 문제에는 관여하지 않도록 주의해야 해요.
⑤ 마희: 인권이 침해되었을 때는 이를 구제받기 위해 적극적으로 노력해야 해요.

05 다음 내용에서 설명하는 국가 기관으로 옳은 것은?

• 사법권을 행사하여 국민의 권리를 보호하는 국가 기관이다.
• 타인이나 국가 기관에 의해 권리를 침해당한 사람이 소를 제기하면 재판을 통해 침해된 권리를 구제한다.

① 법원 ② 헌법 재판소
③ 국가 인권 위원회 ④ 국민 권익 위원회
⑤ 언론 중재 위원회

06 헌법 재판소에 대한 설명으로 옳은 것은?

① 민사 재판을 통해 분쟁을 해결한다.
② 개인에 의해 침해된 인권을 구제해 준다.
③ 국민의 기본권이 충실히 보장되도록 한다.
④ 공권력의 불행사에 의해 침해된 기본권은 구제하지 못한다.
⑤ 인권 침해의 우려가 있는 법이나 제도의 문제점을 찾아 개선을 권고한다.

시험에 잘 나와!

07 ㉠에 들어갈 내용으로 옳은 것은?

A 씨는 주민 등록 번호가 불법으로 유출되었어도 현행 「주민 등록법」에 따라 주민 등록 번호를 변경하는 것이 허용되지 않는다며, 헌법 재판소에 (㉠)을 제기하였다. 헌법 재판소는 "현행 「주민 등록법」이 개인의 기본권을 과도하게 침해하는 것이므로, 헌법에 어긋난다."라고 결정하였고, 이에 따라 법이 개정되었다.

① 진정 ② 민사 소송 ③ 행정 소송
④ 행정 심판 ⑤ 헌법 소원

08 밑줄 친 '이 국가 기관'에 대한 옳은 설명을 〈보기〉에서 고른 것은?

이 국가 기관은 국민이 진정한 내용을 토대로 교통 도우미 채용 시 나이를 제한한 차별 행위를 조사한 후, 해당 기관에 이를 시정할 것을 권고하였다.

〈보기〉
ㄱ. 행정부에 속한 국가 기관이다.
ㄴ. 불합리한 차별 행위를 조사하여 구제해 준다.
ㄷ. 인권 보호를 위한 전반적인 업무를 수행한다.
ㄹ. 범죄가 발생한 경우 사법권을 행사하여 국민의 권리를 보호해 준다.

① ㄱ, ㄴ ② ㄱ, ㄷ ③ ㄴ, ㄷ
④ ㄴ, ㄹ ⑤ ㄷ, ㄹ

09 ㉠에 들어갈 국가 기관으로 옳은 것은?

▶ 질문 집 주변을 지나가는 철도 구간에서 큰 소음이 발생하여 일상생활에 피해를 입고 있어요.

▶ 답변 국가 기관의 잘못된 행정으로 피해를 본 경우, (㉠)에 행정 심판을 제기하면 피해를 구제받을 수 있도록 도와준답니다.

① 법원 ② 수사 기관
③ 한국 소비자원 ④ 국민 권익 위원회
⑤ 국가 인권 위원회

10 표는 인권 침해 주체별 인권 구제 방법을 구분한 것이다. (가), (나)에 들어갈 내용을 옳게 연결한 것은?

인권 침해 주체	구제 방법
국가 기관	(가)
개인이나 단체	(나)

① (가) – 고소 ② (가) – 행정 소송 제기
③ (가) – 민사 소송 제기 ④ (나) – 입법 청원
⑤ (나) – 행정 심판 제기

서술형 문제

서술형 감잡기

01 다음 내용을 읽고 물음에 답하시오.

- 다른 사람이나 단체 또는 국가 기관에 의하여 개인의 인권이 존중받지 못하고 침해되는 것을 의미한다.
- 차별, 집단 따돌림, 사생활 침해, 폭행이나 학대 등이 이에 해당한다.

(1) 위 내용에서 설명하는 용어를 쓰시오.

(2) (1)의 발생 원인을 서술하시오.

➜ 사회 구성원의 (①)이나 편견, 사회나 집단의 잘못된 (②)이나 관행, 국가의 불합리한 법과 (③) 등의 영향을 받아 발생한다.

실전! 서술형 도전하기

02 법원을 통한 인권 구제 방법을 제시된 단어를 모두 사용하여 서술하시오.

• 소 • 재판

03 근로자의 권리와 노동권 침해 및 구제

A 헌법에 보장된 근로자의 권리

1. 근로자: 임금을 받기 위해 +사용자에게 근로를 제공하는 사람

비교 직업의 종류나 근무 기간에 상관없이 사용자에게 임금을 받고 일하는 사람은 근로자이지만, 스스로 사업을 하는 자영업자는 근로자가 아니지.

2. +근로자의 권리

(1) 근로의 권리: 일할 의사와 능력을 가진 사람이 국가에 일할 기회를 요구할 권리

(2) 노동 삼권 — 꼭 우리 헌법은 경제적 약자의 위치에 있는 근로자가 사용자와 대등한 위치에서 근로 조건을 협의하고 결정할 수 있도록 노동 삼권을 보장하고 있어.

단결권	근로자가 +근로 조건을 유지·개선하고 경제적 지위를 향상하기 위해 +노동조합을 만들고, 이에 가입하여 활동할 수 있는 권리
단체 교섭권	근로자가 노동조합을 통해 사용자와 근로 조건에 관하여 협의할 수 있는 권리
단체 행동권	단체 교섭이 원만하게 이루어지지 않을 경우 일정한 절차를 거쳐 +쟁의 행위를 할 수 있는 권리

(3) 최소한의 근로 조건 보장: 최저 임금 보장, 근로 조건의 최저 기준 규정 등

자료로 이해하기 법률로 정해진 근로 조건의 기준

청소년은 원칙적으로 1일 7시간 이상 일할 수 없어.

- 근로 시간: 원칙적으로 휴식 시간을 제외하고 1일 8시간, 1주 40시간을 초과할 수 없다.
- 휴식 시간: 원칙적으로 근로 시간이 4시간이면 30분 이상, 8시간이면 1시간 이상의 휴식 시간을 일하는 도중에 주어야 한다.
- 임금: 원칙적으로 매달 1회 이상 일정한 날짜에 본인에게 직접 통화로 전액을 지급해야 하며, 반드시 최저 임금 이상 주어야 한다. ─ 청소년도 성인과 같은 최저 임금을 적용받지.

우리 헌법은 최저 임금제를 시행하여 최소한의 임금을 보장할 것을 규정하고 있으며, 근로자의 인간의 존엄성 보장을 위해 근로 조건의 기준을 법률로 정하도록 하고 있다. 근로자와 사용자는 근로 조건에 관해 근로 계약서를 써야 하며, 계약상의 근로 조건은 법률이 정한 기준보다 낮아서는 안 된다.

우리나라에서는 근로 기준법에 따라 근로 조건의 최저 기준을 정하고 있어.

+ 사용자
근로자를 채용하거나 해고하고, 근로에 대해 지휘·감독할 책임을 지는 사람

+ 헌법에 보장된 근로자의 권리

- 헌법 제32조 ① 모든 국민은 근로의 권리를 가진다. …….
- 헌법 제33조 ① 근로자는 근로 조건의 향상을 위하여 자주적인 단결권, 단체 교섭권 및 단체 행동권을 가진다.

+ 근로 조건
임금, 근로 시간, 휴가 등 근로자가 노동력을 제공하는 조건

+ 노동조합
근로 조건의 유지·개선, 근로자의 지위 향상 등을 목적으로 근로자들이 조직한 단체

+ 쟁의 행위
단체 교섭이 잘 이루어지지 않을 경우 파업, 태업 등과 같은 행위를 하는 것

B 노동권 침해 사례 및 구제 방법

1. 노동권 침해 사례

사용자는 적어도 30일 전에 근로자에게 해고 계획을 알려야 하며, 문서를 통해 해고 사유와 시기를 알려야 해.

부당 해고	정당한 이유 없이 근로자를 해고하거나 해고의 조건을 갖추지 않은 것 예 결혼이나 출산, 육아 휴직을 이유로 해고하는 것 등
부당 노동 행위	사용자가 근로자의 노동 삼권을 침해하는 행위 예 노동조합의 조직이나 가입 등을 이유로 불이익을 주는 것, 노동조합과의 단체 교섭을 거부하는 것 등
기타	임금 미지급, 최저 임금 미준수, 근로 계약서 미작성, 근로 조건 위반 등

2. 노동권 침해 시의 구제 방법

노사 문제를 공정하고 신속하게 처리할 목적으로 만들어진 행정 기관이야.

(1) +부당 해고 및 부당 노동 행위 시 구제 방법: 노동 위원회에 구제 신청, 법원에 소 제기

(2) 임금 미지급 시 구제 방법: 고용 노동부에 진정, 법원에 소 제기

+ 부당 해고와 부당 노동 행위에 대한 노동 위원회의 구제 절차

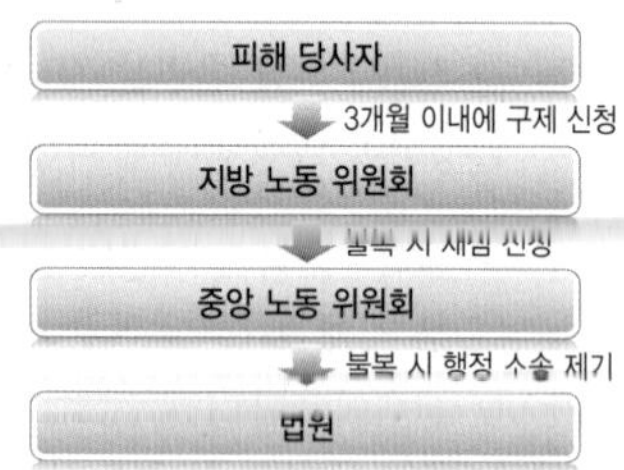

- 근로자의 의미
- 근로자의 권리
- 노동권 침해 사례
- 노동권 침해 시의 구제 방법

1 다음 설명이 맞으면 ○표, 틀리면 ×표를 하시오.

(1) 근로자는 사용자에게서 근로를 제공받는 사람을 말한다. (　　)

(2) 일할 의사와 능력을 가진 사람이 국가에 일할 기회를 요구할 권리를 근로의 권리라고 한다. (　　)

(3) 우리 헌법은 근로자의 근로 조건을 유지 및 개선하고 경제적 지위를 향상할 목적으로 단결권을 보장하고 있다. (　　)

2 노동 삼권의 종류와 그 의미를 옳게 연결하시오.

(1) 단결권 •　　　• ㉠ 노동조합에 가입하여 활동할 수 있는 권리

(2) 단체 교섭권 •　　　• ㉡ 사용자와 근로 조건을 협의할 수 있는 권리

(3) 단체 행동권 •　　　• ㉢ 일정한 절차를 거쳐 쟁의 행위를 할 수 있는 권리

3 다음 빈칸에 들어갈 내용을 쓰시오.

(1) 우리 헌법은 (　　　　)를 시행하여 최소한의 임금을 보장할 것을 규정하고 있다.

(2) 우리 헌법은 근로자의 인간의 존엄성을 보장하기 위해 (　　　　)의 기준을 법률로 정하도록 하고 있다.

• **근로자의 권리**

근로의 권리
일할 의사와 능력을 가진 사람이 국가에 일할 기회를 요구할 권리

노동 삼권
• 단결권: 노동조합에 가입하여 활동할 권리 • 단체 교섭권: 사용자와 근로 조건에 관하여 협의할 권리 • 단체 행동권: 일정한 절차를 거쳐 쟁의 행위를 할 권리

+

최저 임금 보장, 근로 조건의 최저 기준 규정

1 부당 노동 행위에 해당하는 것을 〈보기〉에서 골라 기호를 쓰시오.

〈보기〉
ㄱ. 임금을 제때 모두 주지 않는 것
ㄴ. 노동조합과의 단체 교섭을 거부하는 것
ㄷ. 정당한 이유 없이 근로자를 해고하는 것
ㄹ. 노동조합에 가입했다는 이유로 불이익을 주는 것

2 부당 해고를 당한 경우 (　　　　)에 구제를 요청할 수 있고, 이에 불복할 경우 법원에 소를 제기할 수 있다.

• **노동권 침해 시의 구제 방법**

유형	구제 방법
부당 해고 및 부당 노동 행위	• 노동 위원회에 구제 신청 • 법원에 소 제기
임금 미지급	• 고용 노동부에 진정 • 법원에 소 제기

01 ㉠에 해당하는 사람으로 볼 수 없는 것은?

> (㉠)은/는 임금을 받기 위해 사용자에게 근로를 제공하는 사람을 말한다.

① 직원을 고용하여 일하는 자영업자
② 회사에서 임금을 받고 일하는 직장인
③ 일정 기간 고용되어 일하는 공장 직원
④ 시급을 받고 편의점에서 일하는 대학생
⑤ 국가 기관에서 월급을 받고 일하는 공무원

02 다음은 우리나라 헌법의 일부 조항이다. 이를 통해 알 수 있는 내용으로 적절한 것을 〈보기〉에서 고른 것은?

> • 헌법 제32조 ① 모든 국민은 근로의 권리를 가진다.
> • 헌법 제33조 ① 근로자는 근로 조건의 향상을 위하여 자주적인 단결권, 단체 교섭권 및 단체 행동권을 가진다.

〈보기〉
ㄱ. 근로자에게는 노동 삼권이 보장되지 않는다.
ㄴ. 근로자는 사용자와 대등한 위치에서 근로 조건을 협의할 수 있다.
ㄷ. 일할 의사와 능력을 가진 사람이라도 국가에 일할 기회를 요구할 수는 없다.
ㄹ. 근로자들은 단체 교섭이 원만하게 이루어지지 않을 때 쟁의 행위를 할 수 있다.

① ㄱ, ㄴ ② ㄱ, ㄷ ③ ㄴ, ㄷ
④ ㄴ, ㄹ ⑤ ㄷ, ㄹ

03 다음에서 설명하는 근로자의 권리로 옳은 것은?

> 근로자가 노동조합을 만들고, 이에 가입하여 활동할 수 있는 권리이다.

① 단결권 ② 근로의 권리
③ 단체 교섭권 ④ 단체 행동권
⑤ 인간다운 생활을 할 권리

시험에 잘 나와!

04 (가), (나) 사례와 관련 있는 근로자의 권리를 옳게 연결한 것은?

> (가) ○○ 회사의 직원들은 회사 경영진과의 임금 인상안 협상이 결렬됨에 따라 파업에 돌입하였다.
> (나) □□ 회사의 노동조합은 직원들의 근무 조건 개선 요구를 수렴한 후 회사 경영진과 의견을 절충하였다.

	(가)	(나)
①	단결권	단체 교섭권
②	단체 교섭권	단결권
③	단체 교섭권	단체 행동권
④	단체 행동권	단결권
⑤	단체 행동권	단체 교섭권

05 (가)에 들어갈 내용으로 옳지 않은 것은?

> 우리 헌법은 인간의 존엄성을 보장하기 위해 근로 조건의 기준을 법률로 정하도록 하고 있다. 이에 따라 원칙적으로 ______(가)______

① 임금은 반드시 최저 임금 이상 주어야 한다.
② 본인에게 직접 통화로 임금을 지급해야 한다.
③ 임금은 매달 1회 이상 일정한 날짜에 지급해야 한다.
④ 근로 시간은 휴식 시간을 제외하고 1일 12시간을 초과할 수 없다.
⑤ 8시간 동안 근무한 경우 1시간 이상의 휴식 시간을 일하는 도중에 주어야 한다.

06 노동권 침해에 해당하는 사례를 〈보기〉에서 고른 것은?

〈보기〉
ㄱ. 육아 휴직을 이유로 해고당한 경우
ㄴ. 임금을 최저 임금 이상으로 받은 경우
ㄷ. 4시간 이상 일하면서 휴식 시간을 받지 못한 경우
ㄹ. 근로 계약을 맺을 때 근로 계약서를 작성하도록 한 경우

① ㄱ, ㄴ ② ㄱ, ㄷ ③ ㄴ, ㄷ
④ ㄴ, ㄹ ⑤ ㄷ, ㄹ

07 다음은 해고에 대한 설명이다. 밑줄 친 ㉠~㉤ 중 옳지 않은 것은?

> 우리나라에서는 사용자가 ㉠ 정당한 이유 없이 근로자를 해고할 수 없다. 해고가 불가피한 경우 사용자는 적어도 ㉡ 30일 전에 해고 계획을 알려야 하고 ㉢ 문서를 통해 해고 사유와 시기를 알려야 하는데, 이러한 조건을 갖추지 않은 때는 ㉣ 부당 해고가 된다. 그 대표적인 예로는 사용자가 ㉤ 별다른 이유 없이 노동조합과의 단체 교섭을 거부하는 것을 들 수 있다.

① ㉠ ② ㉡ ③ ㉢ ④ ㉣ ⑤ ㉤

시험에 잘 나와!

08 그림을 통해 알 수 있는 노동권 침해의 유형으로 옳은 것은?

① 부당 해고 ② 임금 미지급
③ 부당 노동 행위 ④ 근로 조건 위반
⑤ 최저 임금 미준수

09 그림은 노동권 구제 절차를 나타낸 것이다. ㉠에 들어갈 국가 기관으로 옳은 것은?

① 국회 ② 법원
③ 지방 의회 ④ 고용 노동부
⑤ 국가 인권 위원회

10 밑줄 친 ㉠~㉢에 대한 옳은 설명을 〈보기〉에서 고른 것은?

> 직장인인 가진 씨는 ㉠ 이유 없이 두 달째 월급을 받지 못하고 있다. 더욱이 동료인 나희 씨는 ㉡ 결혼을 이유로 퇴직을 강요당하고 있다. 이에 가진 씨는 근로 조건의 향상을 위해 ㉢ 노동조합에 가입하여 활동하고자 한다.

보기
ㄱ. ㉠은 고용 노동부에 진정을 냄으로써 해결할 수 있다.
ㄴ. ㉢은 단체 행동권을 행사하는 것이다.
ㄷ. 사용자가 근로자의 ㉢과 같은 활동을 방해하는 것은 노동권 침해 사례로 보기 어렵다.
ㄹ. ㉠은 임금 미지급, ㉡은 부당 해고에 해당한다.

① ㄱ, ㄴ ② ㄱ, ㄹ ③ ㄴ, ㄷ
④ ㄴ, ㄹ ⑤ ㄷ, ㄹ

서술형 문제

서술형 감잡기

01 다음 사례에서 행사된 근로자의 권리를 서술하시오.

> △△ 회사의 직원들은 고용 안정과 임금 보장을 위해 최근에 노동조합을 결성하였다.

➜ 노동 삼권 중 근로자가 (①)을 개선하기 위해 노동 조합에 가입하여 활동할 수 있는 권리인 (②)을 행사한 것이다.

실전! 서술형 도전하기

02 다음 내용에 공통으로 해당하는 노동권 침해의 유형을 쓰고, 그 구제 방법을 두 가지 이상 서술하시오.

> • 해고의 조건을 갖추지 않은 것
> • 정당한 이유 없이 근로자를 해고하는 것

한눈에 보는 대단원

☑ 핵심 선택지 다시보기

1 인권은 국가에서 법으로 보장해야만 주어지는 권리이다. ( )

2 헌법은 개인의 기본적 인권을 보장하는 법적 장치이다. ( )

3 인간의 존엄과 가치 및 행복 추구권은 헌법에 보장된 기본권들의 토대가 된다. ( )

4 자유권은 생활의 모든 영역에서 동등하게 대우받을 권리이다. ( )

5 공공복리를 위해 필요한 경우 기본권을 제한할 수 있다. ( )

답 1 × 2 ○ 3 ○ 4 × 5 ○

01 인권 보장과 기본권

(1) 인권

의미	인간이 인간답게 살아가기 위해 마땅히 누려야 할 기본적인 권리	
특징	천부 인권	인간이 태어나면서부터 당연히 가지는 권리
	자연권	국가에서 법이나 제도로 보장하기 이전에 자연적으로 주어진 권리
	보편적 권리	모든 사람이 동등하게 누릴 수 있는 권리
	불가침의 권리	국가나 다른 사람이 함부로 침해할 수 없는 권리

(2) 인권 보장의 중요성과 역사적 전개

인권 보장의 중요성	인권이 제대로 보장될 때 인간이 인격적 존재로 존중받으며 최소한의 인간다운 삶을 살 수 있음 → 인간의 존엄성을 실현하는 바탕이 됨
인권 보장의 역사적 전개	• 시민 혁명의 결과 시민의 자유와 평등이 제도적으로 보장되기 시작하였음 • 세계 인권 선언에 모두가 보편적으로 누려야 할 인권의 기준이 제시되었음

(3) 인권과 헌법의 관계

헌법의 의의	한 나라의 최고 법 → 모든 법과 제도가 제정 및 시행되는 근거가 됨
인권 보장 장치로서의 헌법	우리나라를 비롯한 대부분의 국가에서는 헌법에 기본적 인권을 규정하고 있음 → 국가의 부당한 간섭이나 침해로부터 국민의 인권을 보장함

(4) 기본권의 의미와 종류

의미	헌법에 보장된 기본적 인권 → 인간의 존엄과 가치 및 행복 추구권을 최고 가치로 함	
종류	자유권	국가 권력의 간섭을 받지 않고 자유롭게 생활할 수 있는 권리 예 신체의 자유, 종교의 자유, 언론·출판의 자유, 직업 선택의 자유 등
	평등권	생활의 모든 영역에서 성별, 종교, 사회적 신분, 인종 등에 의해 부당한 차별을 받지 않고 동등하게 대우받을 권리
	참정권	국가 기관의 형성과 국가의 정치적 의사 형성 과정에 참여할 수 있는 권리 예 선거권, 공무 담임권, 국민 투표권 등
	사회권	국가에 인간다운 생활의 보장을 요구할 수 있는 권리 예 교육을 받을 권리, 근로의 권리, 인간다운 생활을 할 권리 등
	청구권	국가에 대하여 일정한 행위를 요구할 수 있는 권리 예 청원권, 재판 청구권, 국가 배상 청구권 등

(5) 기본권의 제한

내용	국가 안전 보장, 질서 유지, 공공복리를 위하여 필요한 경우에 한하여 기본권을 제한할 수 있음
한계	국회에서 만든 법률로써만 기본권을 제한할 수 있음, 기본권을 제한하더라도 자유와 권리의 본질적인 내용을 침해해서는 안 됨
한계 규정 이유	국가 권력의 남용을 방지하여 국민의 기본권을 최대한 보장하기 위함

02 인권의 침해 및 구제

(1) 일상생활에서의 인권 침해

구분		내용
인권 침해	의미	다른 사람이나 단체 또는 국가 기관에 의하여 개인의 인권이 존중받지 못하고 침해되는 것 예 차별, 집단 따돌림, 사생활 침해 등
	원인	사람들의 고정 관념이나 편견, 잘못된 관습, 불합리한 법과 제도 등
인권 보장을 위한 노력		자신뿐만 아니라 다른 사람의 인권 침해 상황에도 관심을 두고 민감하게 반응, 인권 침해를 당한 경우 적극적으로 대응 및 국가 기관에 구제 요청 등

(2) 국가 기관을 통한 인권 침해의 구제

기관	내용
법원	분쟁이나 범죄 발생 시 사법권을 행사하여 국민의 권리를 보호하는 국가 기관 → 권리를 침해당한 사람이 소를 제기하면 재판을 통해 권리를 구제함
헌법 재판소	헌법 질서를 수호하고 국민의 기본권을 보장하는 국가 기관 → 공권력에 의해 기본권이 침해된 국민이 헌법 소원을 제기하면 헌법 소원 심판을 통해 권리를 구제함
국가 인권 위원회	인권 보호를 위한 전반적인 업무를 수행하는 독립된 국가 기관 → 국가 기관에 의해 인권을 침해당하거나 회사 또는 단체 등에 의해 차별당한 사람이 진정을 내면 이를 조사하여 권리를 구제함
기타	국민 권익 위원회에 고충 민원이나 행정 심판 제기, 수사 기관에 고소 등

☑ 핵심 선택지 다시보기

1 인권 침해는 인간으로서 가진 권리가 존중되는 것을 의미한다. ( )

2 인권 침해는 일상생활 전반에 걸쳐 나타난다. ( )

3 헌법 재판소는 민사 재판을 통해 분쟁을 해결하는 역할을 한다. ( )

4 국가 인권 위원회는 인권 보호를 위한 전반적인 업무를 수행한다. ( )

5 국가 기관에 의한 인권 침해 시 행정 소송을 통해 권리를 구제받을 수 있다. ( )

답 1 × 2 ○ 3 × 4 ○ 5 ○

03 근로자의 권리와 노동권 침해 및 구제

(1) 근로자의 권리

구분		내용
근로의 권리		일할 의사와 능력을 가진 사람이 국가에 일할 기회를 요구할 권리
노동 삼권	단결권	노동조합을 만들고, 이에 가입하여 활동할 수 있는 권리
	단체 교섭권	노동조합을 통해 사용자와 근로 조건을 협의할 수 있는 권리
	단체 행동권	단체 교섭이 원만하게 이루어지지 않을 경우 일정한 절차를 거쳐 쟁의 행위를 할 수 있는 권리
근로 조건 보장		최저 임금 보장, 근로 조건의 최저 기준 규정 등

(2) 노동권 침해 사례

구분	내용
부당 해고	정당한 이유 없이 근로자를 해고하는 것 예 결혼을 이유로 해고하는 것 등
부당 노동 행위	사용자가 근로자의 노동 삼권을 침해하는 행위 예 단체 교섭 거부 등
기타	임금 미지급, 최저 임금 미준수, 근로 계약서 미작성, 근로 시간 위반 등

(3) 노동권 침해 시의 구제 방법

구분	구제 방법
부당 해고 및 부당 노동 행위 시	노동 위원회에 구제 신청, 법원에 소 제기
임금 미지급 시	고용 노동부에 진정, 법원에 소 제기

☑ 핵심 선택지 다시보기

1 자영업자는 근로자에 해당한다. ( )

2 우리나라 근로자에게는 노동 삼권이 보장되지 않는다. ( )

3 임금은 반드시 최저 임금 이상 주어야 한다. ( )

4 근로 계약 시 근로 계약서를 작성하는 것은 노동권 침해에 해당한다. ( )

5 임금 미지급 시 고용 노동부에 진정을 냄으로써 해결할 수 있다 ( )

답 1 × 2 × 3 ○ 4 × 5 ○

☑ 핵심 선택지 다시보기의 정답을 맞힌 개수만큼 아래 표에 색칠해 보자. 많이 틀린 단원은 되돌아가 복습해 보자.

01 인권 보장과 기본권 10쪽
02 인권의 침해 및 구제 18쪽
03 근로자의 권리와 노동권 침해 및 구제 22쪽

시험 적중 마무리 문제

01 인권 보장과 기본권

01 인권에 대한 옳은 설명을 <보기>에서 고른 것은?

보기
ㄱ. 일정 나이가 되어야 주어지는 권리이다.
ㄴ. 인간이 마땅히 누려야 할 기본적인 권리이다.
ㄷ. 사회적 신분에 따라 차등적으로 부여되는 권리이다.
ㄹ. 인간의 존엄을 지키기 위해 보장되어야 할 권리이다.

① ㄱ, ㄴ ② ㄱ, ㄷ ③ ㄴ, ㄷ
④ ㄴ, ㄹ ⑤ ㄷ, ㄹ

02 다음 선언에 대한 설명으로 옳지 않은 것은?

- 제1조 모든 사람은 태어날 때부터 자유롭고 존엄하며 평등하다. 모든 사람은 이성과 양심을 가지고 있으므로 서로에게 형제애의 정신으로 대해야 한다.
- 제2조 모든 사람은 인종, 피부색, 성별, 언어, 종교 등 어떤 이유로도 차별받지 않으며, 이 선언에 나와 있는 모든 권리와 자유를 누릴 자격이 있다.

① 국제 연합(UN)에서 채택한 선언이다.
② 자유와 평등 중심의 인권 사상을 강조하였다.
③ 인권 보장이 개인 차원의 문제임을 선포하였다.
④ 보편적으로 누려야 할 인권의 기준을 제시하였다.
⑤ 주요 이념이 오늘날 여러 나라의 헌법에 반영되어 있다.

03 인권과 헌법에 대해 옳게 설명한 학생을 고른 것은?

① 가현, 나현 ② 가현, 라현 ③ 나현, 다현
④ 나현, 라현 ⑤ 다현, 라현

04 다음 내용에서 설명하는 권리로 옳은 것은?

- 모든 기본권이 추구하는 최고의 가치이다.
- 물질적 풍요뿐만 아니라 정신적 만족을 동시에 충족할 수 있는 포괄적 권리이다.

① 사회권 ② 자유권
③ 청구권 ④ 평등권
⑤ 인간의 존엄과 가치 및 행복 추구권

05 ㉠에 들어갈 기본권을 규정하고 있는 헌법 조항의 내용으로 옳은 것은?

(㉠)은 국가 권력의 간섭을 받지 않고 자유롭게 생활할 수 있는 권리를 말한다.

① 모든 국민은 법 앞에 평등하다.
② 모든 국민은 언론·출판의 자유와 집회·결사의 자유를 가진다.
③ 모든 국민은 능력에 따라 균등하게 교육을 받을 권리를 가진다.
④ 모든 국민은 법률이 정하는 바에 의하여 공무 담임권을 가진다.
⑤ 모든 국민은 헌법과 법률이 정한 법관에 의하여 법률에 의한 재판을 받을 권리를 가진다.

06 평등권에 대한 설명으로 옳은 것은?

① 신체의 자유, 거주 이전의 자유 등을 포함한다.
② 경제적 영역에서의 차별은 예외적으로 인정한다.
③ 정치적 의사 형성 과정에 참여할 수 있는 권리이다.
④ 침해된 기본권의 구제를 요구할 수 있는 기본권이다.
⑤ 성별, 종교, 사회적 신분, 인종 등을 이유로 부당한 대우를 받지 않을 권리이다.

07 다음 권리들을 포함하는 기본권으로 옳은 것은?

- 대표를 뽑을 수 있는 선거권
- 중요한 국가 정책을 국민이 직접 결정할 수 있는 국민 투표권

① 참정권 ② 평등권 ③ 자유권
④ 사회권 ⑤ 청구권

08 (가), (나)에서 설명하는 기본권을 옳게 연결한 것은?

(가) 국가에 일정한 행위를 요구할 수 있는 권리이다.
(나) 국가에 인간다운 생활의 보장을 요구할 수 있는 권리이다.

	(가)	(나)		(가)	(나)
①	사회권	청구권	②	자유권	사회권
③	참정권	자유권	④	청구권	사회권
⑤	청구권	참정권			

+ 창의·융합

09 다음은 영상을 제작하기 위해 만든 스토리보드의 일부이다. 그 내용이 옳은 장면을 고른 것은?

주제: 일상생활에서 실현된 기본권

구분	기본권	주요 대사
장면 1	청구권	누구나 자신이 원하는 직업을 가질 수 있어요.
장면 2	평등권	성별에 상관없이 승진할 수 있는 기회가 똑같이 주어져요.
장면 3	참정권	파손된 도로를 정비해 달라고 국가 기관에 민원을 제기했어요.
장면 4	사회권	생활이 어려워 국가로부터 기본적인 생활비를 지급받고 있어요.

① 장면 1, 장면 2 ② 장면 1, 장면 3
③ 장면 2, 장면 3 ④ 장면 2, 장면 4
⑤ 장면 3, 장면 4

10 (가), (나) 사례에서 기본권을 제한한 목적을 옳게 연결한 것은?

(가) 차도에서는 무단 횡단, 신호 위반, 과속 등의 행위가 금지된다.
(나) 개발 제한 구역에서는 집을 짓거나 토지를 이용할 때 토지 소유자의 권리가 일부 제한된다.

① (가) – 국가 안전을 보장하기 위해
② (가) – 국가 기관의 권력 남용을 방지하기 위해
③ (나) – 공공복리를 증진하기 위해
④ (나) – 국가 안전을 보장하기 위해
⑤ (나) – 사회 질서를 유지하기 위해

11 다음 글을 통해 알 수 있는 내용으로 가장 적절한 것은?

집회와 시위를 할 때 과도한 소음이 생기지 않도록 장소와 시간에 제한을 둘 수는 있지만, 집회와 시위 자체를 전면적으로 금지할 수는 없다.

① 개인은 국가의 행위를 통제할 수 있다.
② 기본권을 제한할 때는 최대한으로 제한해야 한다.
③ 국가는 특별한 조건 없이 개인의 기본권을 제한할 수 있다.
④ 국가는 개인의 기본권 행사가 공익에 어긋나더라도 이를 제한할 수 없다.
⑤ 국가는 기본권을 제한하더라도 자유와 권리의 본질적인 내용은 침해해서는 안 된다.

12 우리나라에서의 기본권 제한에 대한 옳은 설명을 〈보기〉에서 고른 것은?

보기
ㄱ. 법률로써만 기본권을 제한할 수 있다.
ㄴ. 기본권 제한의 한계를 명확히 정하고 있다.
ㄷ. 행정부의 편의를 위해 기본권을 제한할 수 있다.
ㄹ. 자유와 권리의 본질적인 내용까지도 침해할 수 있다.

① ㄱ, ㄴ ② ㄱ, ㄷ ③ ㄴ, ㄷ
④ ㄴ, ㄹ ⑤ ㄷ, ㄹ

02 인권의 침해 및 구제

13 다음 내용에서 설명하는 용어를 쓰시오.

- 개인이 인간으로서 가진 권리나 기본권이 존중받지 못하고 침해되는 현상이다.
- 사람들의 고정 관념과 편견, 그 사회의 잘못된 관습 등의 영향을 받아 발생한다.

14 인권이 침해된 사례로 볼 수 없는 것은?

① 버스에 장애인을 위한 승하차 시설을 마련하지 않은 것
② 키의 차이를 고려하여 지하철의 손잡이를 다양한 높이로 설치한 것
③ 맞은편에 지나치게 높은 빌딩이 지어져 자신의 집에 햇빛이 전혀 들지 않는 것
④ 친한 친구가 자신의 사진을 동의 없이 다른 사람이 볼 수 있는 블로그에 공개한 것
⑤ 신도시에 학교를 만들지 않아 일부 학생이 다른 도시에 있는 학교에 가야 하는 것

+ 창의·융합

15 ㉠에 들어갈 국가 기관의 역할로 옳은 것은?

체험 학습 신청서

성명	김○○
기간	20XX년 XX월 XX일
장소	(㉠)
학습 계획	공권력에 의해 기본권을 침해당한 국민이 헌법 소원을 제기하면 권리를 구제해 주는 국가 기관을 방문한다.

위와 같이 체험 학습을 신청하오니 허락하여 주시기 바랍니다.

① 고충 민원을 처리한다.
② 행정 재판을 담당한다.
③ 헌법 소원 심판을 담당한다.
④ 차별 행위를 조사하여 시정을 권고한다.
⑤ 인권 침해의 소지가 있는 제도의 문제점을 찾는다.

16 밑줄 친 ㉠, ㉡에 해당하는 내용을 옳게 연결한 것은?

○○ 대학원에 다니는 A 씨는 임신하여 휴학을 신청하였지만, ○○ 대학원에는 임신·출산과 관련한 휴학 제도가 없어 A 씨는 육아 때문에 학업을 포기해야 했다. 이로 인해 ㉠ 기본권을 침해당했다고 생각한 A 씨는 ㉡ 국가 기관에 차별을 바로잡아 달라고 진정서를 냈다.

	㉠	㉡
①	자유권	법원
②	자유권	헌법 재판소
③	참정권	국가 인권 위원회
④	평등권	헌법 재판소
⑤	평등권	국가 인권 위원회

17 국가 기관에 의한 인권 침해 시의 구제 방법으로 적절한 것을 <보기>에서 고른 것은?

보기
ㄱ. 고소　　ㄴ. 민사 소송 제기
ㄷ. 행정 심판 제기　　ㄹ. 헌법 소원 제기

① ㄱ, ㄴ　② ㄱ, ㄷ　③ ㄴ, ㄷ
④ ㄴ, ㄹ　⑤ ㄷ, ㄹ

18 다음은 한 학생이 작성한 형성 평가지의 답안이다. 이 학생이 얻을 총 점수로 옳은 것은?

형성 평가

인권에 대한 설명이 옳으면 ○표, 틀리면 ×표를 하시오.

문항	내용	답안
1	위헌 법률 심판은 국민 권익 위원회에서 담당하는 인권 구제 방법이다.	×
2	인권을 침해당했을 때는 국가 기관이 도움을 받지 않도록 주의해야 한다.	○
3	출신 지역이 다르다는 이유로 임금에 차이를 두는 것은 인권 침해가 아니다.	×
4	타인에 의해 권리를 침해받은 사람은 권리를 구제받기 위해 법원에 소를 제기할 수 있다.	○

(각 1점씩)

① 0점　② 1점　③ 2점　④ 3점　⑤ 4점

03 근로자의 권리와 노동권 침해 및 구제

19 근로자에 대한 옳은 설명을 〈보기〉에서 고른 것은?

보기
ㄱ. 최소한의 근로 조건을 법으로 보장받는다.
ㄴ. 일정 기간만 일하는 사람은 해당하지 않는다.
ㄷ. 근로의 권리는 가지지만, 단결권은 가지지 못한다.
ㄹ. 임금을 목적으로 사용자에게 근로를 제공하는 사람이다.

① ㄱ, ㄴ ② ㄱ, ㄹ ③ ㄴ, ㄷ
④ ㄴ, ㄹ ⑤ ㄷ, ㄹ

[20~21] 다음 내용을 읽고 물음에 답하시오.

(가) 근로자는 노동조합을 결성할 수 있다.
(나) 근로자는 사용자와의 단체 교섭에 실패할 경우 쟁의 행위를 할 수 있다.
(다) 근로자는 노동조합을 통해 사용자와 근로 조건에 관하여 협의할 수 있다.

20 (가)~(다)에 해당하는 권리에 대한 설명으로 옳지 않은 것은?

① (가)는 근로 조건의 개선을 위하여 행사하는 권리이다.
② (나)는 일정한 절차를 필요로 한다.
③ (다)는 근로의 권리이다.
④ 사용자가 (다)의 행사를 방해하는 것은 부당 노동 행위에 해당한다.
⑤ (가) ~ (다)를 일컬어 노동 삼권이라고 한다.

21 우리 헌법에서 (가)~(다)에 해당하는 권리들을 보장하는 목적으로 적절한 것은?

① 근로자의 경제적 지위를 낮추기 위해
② 최저 임금제를 효율적으로 운영하기 위해
③ 경제적 약자인 사용자의 지위를 강화하기 위해
④ 근로 조건을 법률로 정한 기준보다 낮게 유지하기 위해
⑤ 근로자가 사용자와 대등한 위치에서 근로 조건을 협의할 수 있도록 하기 위해

22 다음은 청소년의 노동 실태를 조사한 것이다. A~E 중 노동권을 침해받은 사람이 아닌 것은?

- 임금을 할인 쿠폰으로 받은 A
- 최저 임금에 못 미치는 임금을 받은 B
- 매달 일정한 날짜에 임금을 전부 받은 C
- 별도의 협의 없이 하루에 8시간을 근무한 D
- 근로 계약서를 작성하지 않은 채 일하고 있는 E

① A ② B ③ C ④ D ⑤ E

23 다음 상황에서 가람 씨가 침해된 노동권을 구제받기 위한 방법으로 가장 적절한 것은?

- 가람: 사장님, 저 한 달 후에 결혼합니다.
- 사장: 결혼을 할거면 회사는 그만두세요. 우리 회사는 결혼한 여성이 사무직으로 근무한 적이 없어요.

① 법원에 소를 제기한다.
② 상급 법원에 상소한다.
③ 고용 노동부에 신고한다.
④ 헌법 재판소에 헌법 소원을 제기한다.
⑤ 국민 권익 위원회에 고충 민원을 제기한다.

24 부당 노동 행위에 대한 옳은 설명을 〈보기〉에서 고른 것은?

보기
ㄱ. 사용자가 근로자의 노동 삼권을 보장하는 행위이다.
ㄴ. 노동조합에 가입했다는 이유로 승진에서 누락시킨 것을 사례로 들 수 있다.
ㄷ. 사용자가 근로자에게 문서를 통해 해고 사유와 시기를 알리지 않은 행위를 포함한다.
ㄹ. 부당 노동 행위로 피해를 입은 당사자는 노동 위원회에 구제를 신청하여 권리를 구제받을 수 있다.

① ㄱ, ㄴ ② ㄱ, ㄷ ③ ㄴ, ㄷ
④ ㄴ, ㄹ ⑤ ㄷ, ㄹ

헌법과 국가 기관

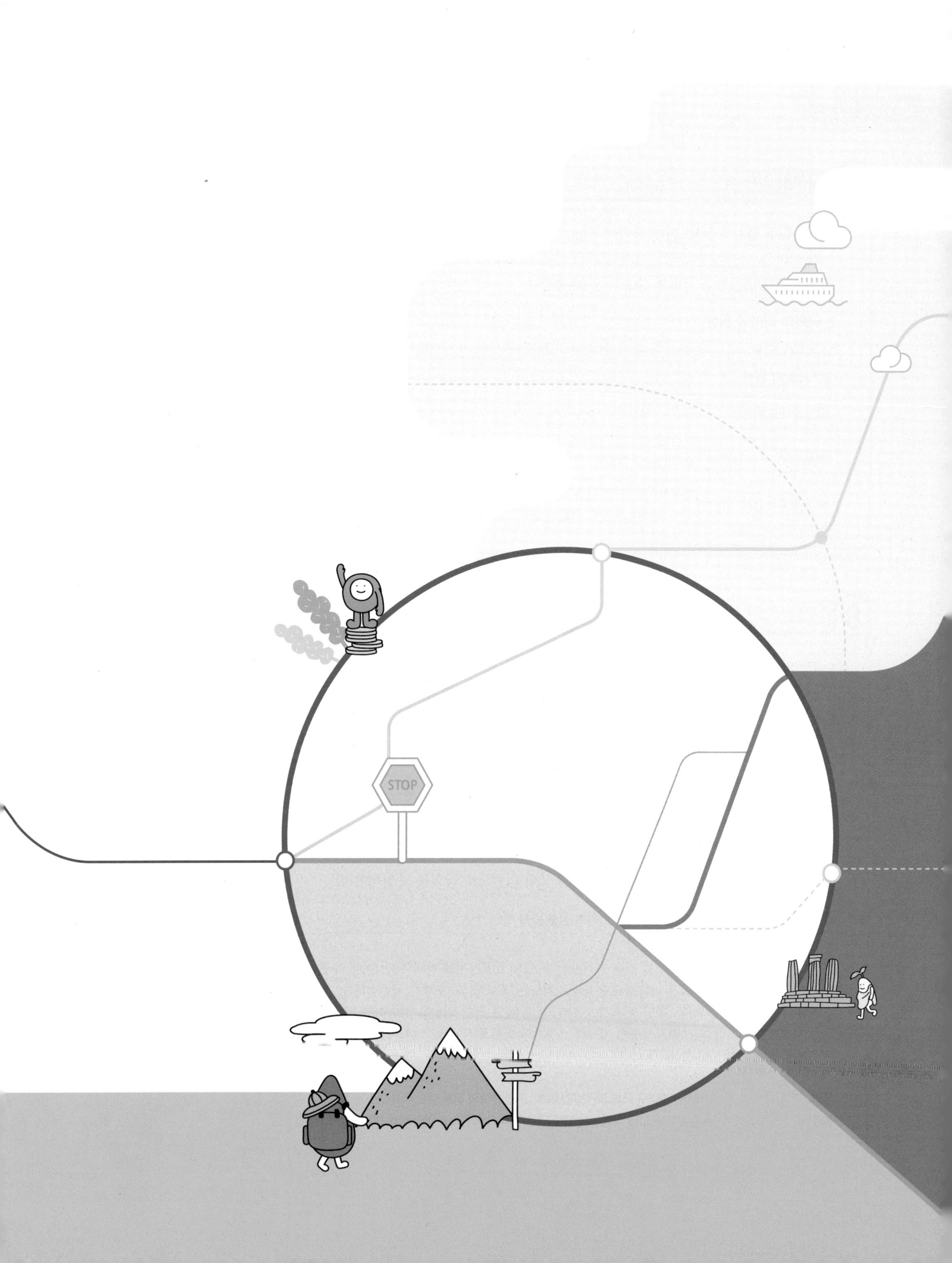
STOP

국회

A 국회의 위상

1. 대의 민주 정치의 실시: 현대 국가에서는 모든 국민이 모여 직접 국가의 일을 결정하기 어려움 → 대부분의 국가에서 선거를 통해 대표자를 선출하고, 그들이 모인 의회에서 법을 만들거나 국가의 중요한 일을 결정함

왜? 현대 국가는 영토가 넓고 인구가 많기 때문이야.

우리나라에서는 의회를 국회라고 부르지.

2. 국회의 의미와 위상

(1) 국회(입법부): 국민이 선거를 통해 선출한 대표로 구성된 국가 기관

(2) ⁺국회의 위상

국민의 대표 기관	국민이 직접 뽑은 대표들로 구성되며, 국민의 다양한 의사를 대변함
입법 기관	국민의 의사를 반영하여 국가의 조직과 통치의 기초가 되는 법률을 제정하거나 개정함
국가 권력의 견제 기관	행정부, 법원 등 다른 국가 기관들을 견제하고 국정을 감시함으로써 국가 권력의 남용을 막고 국민의 기본권을 보장함

✚ 우리 헌법에 나타난 국회의 위상

- **헌법 제40조** 입법권은 국회에 속한다.
- **헌법 제41조** ① 국회는 국민의 보통·평등·직접·비밀 선거에 의하여 선출된 국회 의원으로 구성한다.

우리 헌법은 법을 만드는 국가 작용인 입법이 국회의 권한임을 명시함으로써 국회가 입법 기관임을 규정하고 있으며, 국회가 국민이 선거로 뽑은 대표인 국회 의원들로 구성된 국민의 대표 기관임을 밝히고 있다.

B 국회의 구성

1. 국회의 구성 방식: 국민이 뽑은 ⁺지역구 국회 의원과 비례 대표 국회 의원으로 구성됨 → 국회가 구성되면 국회 의원 중에서 ⁺국회 의장 1인과 국회 부의장 2인을 선출함

지역구 국회 의원	투표를 통해 각 지역구의 후보자 중에서 가장 많은 표를 얻어 선출된 국회 의원
비례 대표 국회 의원	정당별 득표율에 비례하여 선출된 국회 의원

2. 국회 의원의 특징

국회 의원은 국회에서 직무상 행한 발언과 표결에 관하여 국회 밖에서 책임을 지지 않아.

(1) 국회 의원의 임기: 4년

(2) 국회 의원의 수: 헌법에 따라 200명 이상의 국회 의원으로 국회를 구성해야 함

우리 헌법은 국회 의원의 수를 법률로 정하도록 규정하고 있어.

자료로 이해하기 우리나라 국회 의원의 선출 방식

국회 의원 선거를 위해 투표소를 찾은 유권자는 두 장의 투표용지를 받게 된다. 이때 유권자는 지역구 국회 의원을 뽑기 위한 투표용지에 지지하는 '후보'를, 비례 대표 국회 의원을 뽑기 위한 투표용지에 지지하는 '정당'을 찍으면 된다. 비례 대표 국회 의원을 선출하면 당선되지 않은 후보를 지지한 유권자나 정당을 지지한 유권자의 의사를 존중하고 여론을 공정하게 반영할 수 있다는 장점이 있다.

– 「경향신문」, 2015. 8. 3.

우리나라의 국회 의원 선거에서는 지역구 국회 의원을 선출하기 위한 투표와 비례 대표 국회 의원을 선출하기 위한 정당 투표가 동시에 이루어진다. 제20대 국회는 253명의 지역구 국회 의원과 47명의 비례 대표 국회 의원, 총 300명의 국회 의원으로 구성되었다.

✚ 지역구

일정한 지역을 한 단위로 하여 설정된 선거구

✚ 국회 의장의 역할과 선출 방식

국회 의장은 국회의 대표로서 회의장의 질서를 유지하고 본회의를 원활하게 진행하는 역할을 한다. 국회 의장은 재적 의원 과반수의 표를 얻어 선출된다.

- 국회의 의미와 위상
- 국회의 구성과 국회 의원의 특징
- 국회의 조직
- 국회의 기능

1 ㉠에 들어갈 용어를 쓰시오.

> 오늘날 대부분의 국가에서는 국민이 선거를 통해 대표자를 선출하고, 그들이 모인 (㉠)에서 법을 만들거나 국가의 중요한 일을 결정하고 있다.

2 다음 괄호 안의 내용 중 알맞은 말에 ○표를 하시오.

(1) (국회, 법원)은/는 국민이 선거를 통해 선출한 대표로 구성된 국가 기관이다.

(2) 국회는 법률을 제정하거나 개정하는 (입법, 국가 권력의 견제) 기관으로서의 위상을 지닌다.

• 국회의 의미와 위상

국회
국민이 선거를 통해 선출한 대표로 구성된 국가 기관

↓

국회의 위상
• 국민의 대표 기관 • 입법 기관 • 국가 권력의 견제 기관

1 국회 의원의 유형별 특징을 옳게 연결하시오.

(1) 지역구 국회 의원 • • ㉠ 정당별 득표율에 비례하여 선출됨

(2) 비례 대표 국회 의원 • • ㉡ 각 지역의 선거구에서 가장 많은 표를 얻어 선출됨

2 국회가 구성되면 국회 의원 중에서 국회의 대표로서 본회의를 원활하게 진행하는 역할을 담당하는 ( ) 1인을 선출한다.

3 다음 설명이 맞으면 ○표, 틀리면 ×표를 하시오.

(1) 국회 의원의 임기는 4년이다. ( )

(2) 국회는 지역구 국회 의원만으로 구성된다. ( )

(3) 헌법 규정에 따라 400명 이상의 국회 의원으로 국회를 구성해야 한다. ( )

• 국회의 구성

지역구 국회 의원		비례 대표 국회 의원
각 지역구의 후보자 중에서 선출된 국회 의원	+	정당별 득표율에 비례하여 선출된 국회 의원

C 국회의 조직

1. 본회의

국회 재적 의원 전원으로 구성돼.

각 상임 위원회에서 심사한 법률안, 예산안, 청원 등을 최종적으로 의결하지.

의미	국회의 의사를 최종적으로 결정하는 회의 → ⁺정기회와 ⁺임시회로 구분됨
특징	원칙적으로 재적 의원 과반수의 출석과 출석 의원 과반수의 찬성으로 의사 결정이 이루어짐, 국회의 회의는 공개하는 것을 원칙으로 함

왜? 본회의에서 모든 안건을 처리하기는 힘들기 때문이야.

2. ⁺상임 위원회: 효율적인 의사 진행을 위해 본회의에서 결정할 안건을 미리 조사하고 심의하는 기관 → 전문 분야별로 조직, 각 분야에 전문성을 가진 국회 의원들로 구성

3. 교섭 단체: 일정 수 이상의 국회 의원으로 구성되는 단체 → 원활한 국회 운영을 위해 국회 의원들의 의사를 사전에 통합하고 조정함

우리나라에서는 20인 이상의 국회 의원으로 구성되지.

+ 정기회와 임시회

정기회	매년 1회 정기적으로 열리는 회의
임시회	수시로 열리는 회의

+ 위원회의 구분

위원회는 국방, 외교 등 각 분야를 전담하기 위해 항상 활동하는 상임 위원회와 특별한 안건을 처리하기 위해 일시적으로 활동하는 특별 위원회로 구분할 수 있다.

D 국회의 기능

1. 입법에 관한 기능: 국회의 가장 대표적인 기능

꼭 외국과 맺은 조약은 국회의 동의를 얻으면 법률과 동일한 효력을 가지게 되지.

법률 제정 및 개정	모든 국가 작용의 근거가 되는 법률을 제정하고 개정함
헌법 개정안 제안 및 의결	헌법의 개정안을 제안하고 의결할 권한을 가짐
⁺조약 체결 동의	대통령이 외국과 체결한 조약에 대한 동의권을 행사함

2. ⁺재정에 관한 기능

(1) ⁺예산안 심의 및 확정: 정부가 제출한 예산안을 심의하여 우선순위와 내용을 확정함

(2) 결산 심사: 정부가 예산을 제대로 집행하였는지 심사함

왜? 국민의 의사를 반영하고 국민의 재산과 권리를 보호하기 위해서야.

3. ⁺일반 국정에 관한 기능

꼭 국회는 일반 국정에 관한 다양한 권한을 행사함으로써 국정을 감시하고 견제하지.

(1) ⁺국정 감사 및 ⁺국정 조사: 국정 감사나 국정 조사를 통해 국정의 잘못된 부분을 찾아내어 바로잡도록 함 → 행정부 견제

이 과정에서 국회는 인사 청문회를 통해 후보자의 능력과 도덕성을 검증하지.

(2) 중요 공무원의 임명 동의: 대통령이 국무총리, 대법원장, 헌법 재판소장 등 중요 공무원을 임명할 때 동의권을 행사함 → 대통령의 임명 권한 견제

(3) 탄핵 소추 의결: 대통령, 국무총리, 행정 각부의 장(장관) 등 고위 공무원이 헌법이나 법률을 위반한 경우 ⁺탄핵 소추를 의결할 수 있음

자료로 이해하기 우리나라의 법률 제정 및 개정 절차

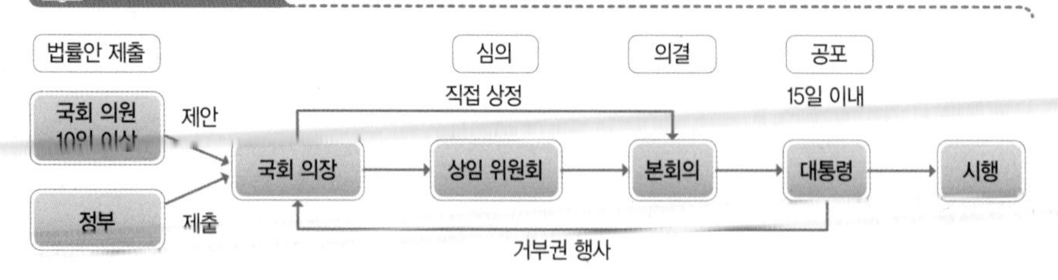

우리나라에서 법률의 제정이나 개정은 국회 의원이 제안하거나 정부가 제출한 법률안을 해당 상임 위원회에서 먼저 심사한 후 본회의에서 표결로 결정한다. 의결된 법률안은 대통령이 공포하는데, 대통령은 법률안에 이의가 있을 때 거부권을 행사할 수 있다.

법률 등을 국민에게 널리 알리는 일을 말해.

+ 조약

국가 간에 문서로서 약속한 합의

+ 재정

국가가 행정 활동을 위해 필요한 재산을 조달하며, 관리·사용하는 모든 경제 활동

+ 예산

1년간의 국가 수입과 지출에 대한 계획

+ 일반 국정에 관한 국회의 권한

- 대통령의 선전 포고, 국군의 해외 파병에 대한 동의권 행사
- 헌법 재판소 재판관과 중앙 선거 관리 위원회 위원 중 3인 선출
- 대통령에게 국무총리 또는 국무 위원의 해임 건의

+ 국정 감사와 국정 조사

국정 감사	매년 정기적으로 국정 전반을 감사하는 것
국정 조사	필요한 경우에 특정한 사안을 조사하는 것

+ 탄핵 소추

법률이 정한 공무원이 직무를 수행하는 과정에서 헌법이나 법률을 위반한 경우 해당 직무를 그만두게 하는 심판을 헌법 재판소에 요구하는 것

1 (   )는 국회의 의사를 최종적으로 결정하는 회의로, 크게 정기회와 임시회로 구분할 수 있다.

2 다음 괄호 안의 내용 중 알맞은 말에 ○표를 하시오.

(1) 국회의 회의는 (공개, 비공개)하는 것을 원칙으로 한다.

(2) (교섭 단체, 상임 위원회)은/는 법률안 등을 미리 조사하고 심의하는 기관이다.

(3) 국회는 원활한 국회 운영을 위해 (본회의, 교섭 단체)를 두어 국회 의원들의 의사를 사전에 통합하고 조정한다.

핵심 콕콕

• 국회의 조직

본회의	국회의 의사를 최종적으로 결정하는 회의
상임 위원회	본회의에서 결정할 안건을 미리 조사하고 심의하는 기관
교섭 단체	국회 의원들의 의사를 사전에 통합하고 조정하는 단체

1 다음 빈칸에 들어갈 용어를 쓰시오.

(1) 국회는 대통령이 외국과 체결한 (   )에 대한 동의권을 행사한다.

(2) 국회는 모든 국가 작용의 근거가 되는 (   )을 제정하고 개정하는 기능을 한다.

2 국회의 기능에 대한 설명이 맞으면 ○표, 틀리면 ×표를 하시오.

(1) 정부가 예산을 제대로 집행하였는지 심사한다. (   )

(2) 대통령이 국무총리를 임명할 때 동의권을 행사한다. (   )

(3) 정부에 예산안을 제출하여 전문적인 심의를 받는다. (   )

3 입법, 재정, 일반 국정에 관한 국회의 기능에 해당하는 것을 〈보기〉에서 골라 기호를 쓰시오.

보기

ㄱ. 결산 심사 ㄴ. 탄핵 소추 의결

ㄷ. 법률 제정 및 개정 ㄹ. 예산안 심의 및 확정

ㅁ. 국정 감사 및 국정 조사 ㅂ. 헌법 개정안 제안 및 의결

(1) 입법에 관한 기능 – (   )

(2) 재정에 관한 기능 – (   )

(3) 일반 국정에 관한 기능 – (   )

핵심 콕콕

• 국회의 기능

입법에 관한 기능	• 법률 제정 및 개정 • 헌법 개정안 제안 및 의결 • 조약 체결 동의 등
재정에 관한 기능	• 예산안 심의 및 확정 • 결산 심사 등
일반 국정에 관한 기능	• 국정 감사 및 국정 조사 • 중요 공무원의 임명 동의 • 탄핵 소추 의결 등

01 (가)에 들어갈 내용으로 적절한 것은?

> 영토가 넓고 인구가 많은 현대 국가에서는 모든 국민이 모여서 직접 국가의 일을 결정하는 것이 어렵다. 그래서 오늘날 대부분의 국가에서는 ______(가)______ 하고 있다.

① 대의 민주 정치를 채택
② 국민의 정치 참여를 배제
③ 입법의 권한을 행정부에 부여
④ 국민의 대표 기관인 법원을 운영
⑤ 대통령이 선출한 대표들을 중심으로 의회를 운영

[02~03] 다음은 우리나라 헌법 조항의 일부이다. 이를 읽고 물음에 답하시오.

> • 헌법 제40조 입법권은 (㉠)에 속한다.
> • 헌법 제41조 ① (㉠)은/는 국민의 보통·평등·직접·비밀 선거에 의하여 선출된 국회 의원으로 구성한다.

02 ㉠에 들어갈 국가 기관으로 옳은 것은?

① 국회 ② 법원 ③ 행정부
④ 헌법 재판소 ⑤ 지방 자치 단체

시험에 잘 나와!

03 ㉠에 대한 설명으로 옳지 않은 것은?

① 국민의 의사를 대변한다.
② 법을 만드는 국가 작용을 담당한다.
③ 국민이 직접 뽑은 대표들로 구성된다.
④ 국민의 의사를 반영하여 법률을 만들거나 고친다.
⑤ 국가 권력의 남용을 방지하기 위해 다른 국가 기관에 대한 견제를 하지 않는다.

04 (가), (나)와 관련 있는 국회의 위상을 옳게 연결한 것은?

> (가) 국회는 다른 국가 기관을 통제하고 감시한다.
> (나) 국회는 통치의 기초가 되는 법률을 제정하거나 개정한다.

① (가) – 입법 기관 ② (가) – 국민의 대표 기관
③ (나) – 사법 기관 ④ (나) – 입법 기관
⑤ (나) – 국가 권력의 견제 기관

05 다음은 국회의 구성에 대한 설명이다. 밑줄 친 ㉠~㉤ 중 옳지 않은 것은?

> 국회는 ㉠ 지역구 국회 의원과 비례 대표 국회 의원으로 구성된다. 국회가 구성되면 ㉡ 국회 의장 1인과 국회 부의장 2인을 선출하는데, 국회 의장은 ㉢ 사법부에 속하는 공무원 중에서 선출한다. 국회 의장은 ㉣ 국회의 대표로서 ㉤ 회의장의 질서를 유지하는 등의 역할을 한다.

① ㉠ ② ㉡ ③ ㉢ ④ ㉣ ⑤ ㉤

시험에 잘 나와!

06 밑줄 친 ㉠, ㉡에 대한 옳은 설명을 〈보기〉에서 고른 것은?

> 국회 의원 선거를 위해 투표소를 찾으면 두 장의 투표용지를 받게 된다. 유권자는 ㉠ 지역구 국회 의원을 뽑기 위한 투표용지에 지지하는 '후보'를, ㉡ 비례 대표 국회 의원을 뽑기 위한 투표용지에 지지하는 '정당'을 찍으면 된다.
> –「경향신문」, 2015. 8. 3.

〈보기〉
ㄱ. ㉠은 각 선거구에서 가장 많은 표를 얻어 선출된다.
ㄴ. 국회는 ㉡으로만 구성된다.
ㄷ. ㉡은 국민의 직접 선거를 통해 지역별로 선출된다.
ㄹ. 우리나라에서는 ㉠을 선출하기 위한 투표와 ㉡을 선출하기 위한 투표가 동시에 이루어진다.

① ㄱ, ㄴ ② ㄱ, ㄹ ③ ㄴ, ㄷ
④ ㄴ, ㄹ ⑤ ㄷ, ㄹ

07 국회 의원에 대한 설명으로 옳은 것은?

① 국회 의원의 임기는 5년이다.
② 국회 의원은 국회 의장이 지명하여 임명한다.
③ 우리 헌법은 국회 의원의 수를 법원에서 정하도록 규정하고 있다.
④ 헌법 규정에 따라 200명 이상의 국회 의원으로 국회를 구성해야 한다.
⑤ 국회 의원은 국회에서 직무상 행한 발언에 관하여 국회 밖에서도 책임을 져야 한다.

08 다음 내용에서 설명하는 국회의 조직으로 옳은 것은?

- 국회 재적 의원 전원으로 구성된다.
- 국회에 제출되는 법률안, 예산안 등을 최종적으로 결정한다.

① 본회의　② 교섭 단체
③ 상임 위원회　④ 인사 청문회
⑤ 특별 위원회

09 본회의에 대한 옳은 설명을 〈보기〉에서 고른 것은?

보기

ㄱ. 매년 1회만 열린다.
ㄴ. 정기회와 임시회로 구분할 수 있다.
ㄷ. 회의는 공개하는 것을 원칙으로 한다.
ㄹ. 원칙적으로 재적 의원 2/3의 출석과 출석 의원 1/3의 찬성으로 의사 결정이 이루어진다.

① ㄱ, ㄴ　② ㄱ, ㄷ　③ ㄴ, ㄷ
④ ㄴ, ㄹ　⑤ ㄷ, ㄹ

시험에 잘 나와!

10 다음과 같은 국회의 조직을 운영하는 이유로 적절한 것은?

본회의에서 결정할 안건을 미리 조사하고 심의하는 기관으로, 각 분야에 전문성과 관심을 가진 국회 의원들로 구성된다.

① 효율적인 의사 진행을 위해서이다.
② 예산안을 미리 수립하기 위해서이다.
③ 국가 권력의 남용을 방지하기 위해서이다.
④ 법률안을 최종적으로 결정하기 위해서이다.
⑤ 직접 민주 정치의 요소를 강화하기 위해서이다.

11 ㉠, ㉡에 들어갈 내용을 옳게 연결한 것은?

위원회는 각 분야를 전담하기 위해 전문 분야별로 조직되어 항상 활동하는 (㉠) 위원회와 특별한 안건을 처리할 목적으로 일시적으로 활동하는 (㉡) 위원회로 구분할 수 있다.

	㉠	㉡		㉠	㉡
①	교섭	상임	②	상임	교섭
③	상임	특별	④	특별	교섭
⑤	특별	상임			

12 밑줄 친 '이 조직'의 명칭을 쓰시오.

국회의 이 조직은 일정한 수 이상의 국회 의원으로 구성됩니다. 국회의 원활한 운영을 위하여 국회 의원들의 의사를 사전에 통합하고 조정하는 역할을 담당하는 이 조직은 무엇일까요?

13 다음 내용과 관련 있는 국회의 기능으로 옳은 것을 〈보기〉에서 고른 것은?

> 우리 헌법은 입법에 관한 일이 국회의 고유한 권한임을 밝히고 있다.

〈보기〉

ㄱ. 결산 심사　　ㄴ. 헌법 개정안 의결
ㄷ. 법률 제정 및 개정　　ㄹ. 국정 감사 및 국정 조사

① ㄱ, ㄴ　② ㄱ, ㄷ　③ ㄴ, ㄷ
④ ㄴ, ㄹ　⑤ ㄷ, ㄹ

14 다음 사례에서 알 수 있는 국회의 기능으로 적절한 것은?

> 국회는 본회의를 열어 주민 등록 번호의 유출로 막대한 피해가 우려되는 경우에 주민 등록 번호를 변경할 수 있도록 한 「주민 등록법」 개정안을 의결하였다.

① 헌법의 개정을 제안한다.
② 대통령의 임명 권한을 견제한다.
③ 정부의 살림살이를 감시하고 통제한다.
④ 모든 국가 작용의 근거가 되는 법률을 개정한다.
⑤ 대통령이 외국과 체결한 조약에 대해 최종적으로 확인하고 동의한다.

시험에 잘 나와!

15 그림은 우리나라의 법률 제정 및 개정 절차를 나타낸 것이다. 밑줄 친 ㉠, ㉡의 주체를 옳게 연결한 것은?

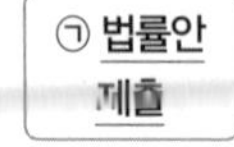

㉠ 법률안 제출 → 법률안 심의 → 법률안 의결 → ㉡ 법률안 공포

① ㉠ – 법원
② ㉠ – 정부
③ ㉠ – 국회 의원 5인 이상
④ ㉡ – 대법원장
⑤ ㉡ – 국회 의장

16 (가)~(라)는 '학교 밖 청소년 지원에 관한 법률'의 제정 과정을 나타낸 것이다. 이를 법률 제정 절차에 따라 순서대로 나열한 것은?

> (가) 국회에서 이송된 법률안을 대통령이 공포하였다.
> (나) 임시회가 개최되어 본회의에 상정된 법률안이 통과되었다.
> (다) 상임 위원회 중 여성 가족 위원회에서 법률안을 심의하였다.
> (라) 학교에 다니지 않는 청소년들을 지원하기 위해 국회 의원들이 법률안을 제안하였다.

① (가) – (나) – (다) – (라)　② (나) – (가) – (라) – (다)
③ (나) – (라) – (가) – (다)　④ (라) – (가) – (다) – (나)
⑤ (라) – (다) – (나) – (가)

17 (가)에 들어갈 내용으로 가장 적절한 것은?

> 정부의 한 해 살림살이에 필요한 수입은 대부분 국민이 낸 세금으로 충당된다. 따라서 국회는 국민의 의사를 더욱 충실히 반영하고 국민의 재산과 권리를 보호하기 위하여 ＿＿＿＿(가)＿＿＿＿

① 예산안을 심의하고 확정한다.
② 선전 포고에 대한 동의권을 행사한다.
③ 헌법 재판소 재판관 중 3인을 선출한다.
④ 중요 공무원 임명 시 인사 청문회를 실시한다.
⑤ 대통령이 중요 공무원을 임명할 때 동의권을 행사한다.

18 다음과 같은 국회의 기능에 대한 설명으로 옳은 것은?

> • 매년 정기적으로 국정 전반을 감사한다.
> • 필요한 경우 특정 사안에 대해 국정 조사를 실시한다.

① 입법과 관련한 기능이다.
② 사법부를 견제하는 기능이다.
③ 국회의 가장 대표적인 기능이다.
④ 국정을 감시하고 통제하는 기능이다.
⑤ 결산 심사와 같은 유형에 속하는 기능이다.

19 밑줄 친 부분에 해당하는 국회의 기능이 아닌 것은?

> 국회는 국민의 대표 기관으로서 국정을 감시하고 견제하는 기능을 한다.

① 매년 국정 감사를 실시한다.
② 헌법 개정안을 제안하고 의결한다.
③ 특정한 사안에 대하여 국정 조사를 실시한다.
④ 대통령에게 국무총리나 국무 위원의 해임을 건의한다.
⑤ 고위 공무원이 법률이나 헌법을 위반한 경우 탄핵 소추를 의결한다.

시험에 잘 나와!

20 (가), (나)에 해당하는 국회의 기능을 옳게 연결한 것은?

> (가) ○○○ 대법원장 후보자 임명 동의안이 국회 본회의에서 의결되었다.
> (나) 386조 원 규모의 예산안이 국회를 통과하였다. 이는 정부가 제출한 안보다 3,062억 원이 줄어든 규모이다.

	(가)	(나)
①	입법에 관한 기능	재정에 관한 기능
②	재정에 관한 기능	입법에 관한 기능
③	재정에 관한 기능	일반 국정에 관한 기능
④	일반 국정에 관한 기능	입법에 관한 기능
⑤	일반 국정에 관한 기능	재정에 관한 기능

21 다음은 한 학생이 작성한 수행 평가 답안지이다. 옳게 연결한 문항을 고른 것은?

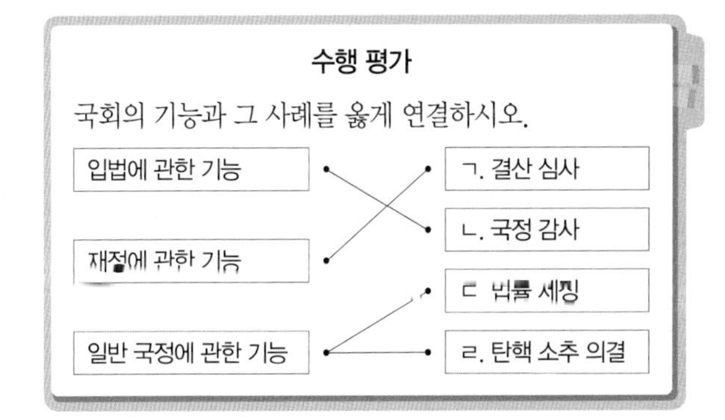

① ㄱ, ㄴ ② ㄱ, ㄹ ③ ㄴ, ㄷ
④ ㄴ, ㄹ ⑤ ㄷ, ㄹ

서술형 문제

서술형 감잡기

01 다음 글을 읽고 물음에 답하시오.

> 오늘날 대부분의 국가에서는 선거를 통해 선출한 대표들로 구성된 국가 기관에서 법을 만들거나 국가의 중요한 일을 결정하도록 하는데, 우리나라에서는 이러한 국가 기관을 (㉠)(이)라고 한다.

(1) ㉠에 들어갈 국가 기관을 쓰시오.

(2) (1)의 위상에 대해 서술하시오.

➜ 국민이 직접 뽑은 대표들로 구성된 국민의 (①) 기관이며, 법률을 제정하고 개정하는 (②) 기관이다. 또한, 다른 국가기관을 견제하고 (③)을 감시하는 기관이다.

실전! 서술형 도전하기

02 ㉠에 들어갈 국회의 조직을 쓰고, ㉠의 일반적인 의사 결정 방식을 서술하시오.

> 각 상임 위원회에서 심사한 법률안, 예산안, 청원 등은 (㉠)에서 최종적으로 의결된다.

03 교사의 질문에 대한 답을 세 가지 이상 서술하시오.

> • 교사: 국회가 담당하는 일반 국정에 관한 기능에 대해 말해 볼까요?

행정부와 대통령

A 행정과 행정부의 의미

1. **행정:** 국회에서 만든 법률을 집행하고, 공익을 실현할 목적으로 정책을 수립하여 실행하는 국가 작용 예 도로 건설, 국방, 교통정리, 민원 업무 처리 등
   - 행정 작용은 국민의 대표 기관인 국회가 제정한 법률의 범위 안에서 이루어져야 해.

2. **⁺행정부**
   (1) 행정부: 행정을 담당하는 국가 기관 → 사회 질서 유지, 국민 보호, 국민 생활의 편의 도모, 국민의 복지 증진 등을 목적으로 다양한 행정 활동을 함
   - 오늘날 복지 국가 사상이 강조되면서 행정 기능이 더욱 강화되고 있어.

   (2) 행정부의 특징: 현대 복지 국가에서는 행정부의 업무가 광범위해지고 전문화되고 있으며, 행정부의 역할이 더욱 커지고 있음
   - 왜? 사회 복지, 교육 등과 관련한 국민의 요구가 늘고 있기 때문이야.

+ 정부와 행정부

넓은 의미의 정부	입법부, 행정부, 사법부를 포괄하는 통치 기구 전체
좁은 의미의 정부	행정부

좁은 의미의 정부를 의미하는 행정부는 국방이나 치안뿐만 아니라 교육, 보건, 환경 등 다양한 분야에서 활동한다.

B 행정부의 조직과 기능

1. **대통령:** 행정부의 최고 책임자 → 행정부의 일을 최종적으로 결정함

2. **⁺국무총리:** 대통령을 도와 행정 각부를 관리하고 감독하며, 대통령의 자리가 공석일 경우 대통령의 권한을 대행함
   - 국무총리는 대통령의 명을 받아 행정 각부를 총괄하지.

3. **행정 각부**
   (1) 행정 각부: 구체적인 행정 사무를 처리함 → 업무 성격에 따라 여러 부서로 나뉨
   - 교육, 경제, 외교, 국방, 통일 등으로 국가 행정을 나누어 맡아 전문적으로 처리하지.

   (2) ⁺행정 각부의 장(장관): 자신이 맡은 부서의 업무를 지휘하며, 국무 위원으로서 국무 회의에 참석하여 국정 전반에 관한 의견을 제시함

4. **국무 회의**
   (1) 의미: 행정부의 최고 ⁺심의 기관 → 대통령, 국무총리, 국무 위원으로 구성됨
   (2) 기능: 정부의 권한에 속하는 주요 정책을 심의함
   - 예 법률안, 예산안, 외교와 군사에 관한 중요 사항, 중요 공무원 임명 처리 등

5. **감사원**
   (1) 의미: 행정부의 최고 감사 기관 → 대통령 직속 기관으로 독립적인 지위를 가짐
   - 감사원은 조직상으로는 대통령에 소속되어 있지만, 업무상으로는 독립적인 지위를 가지지.

   (2) 기능: 세금이 제대로 쓰이는지 조사하고, 행정 기관과 공무원의 직무를 ⁺감찰함
   - 국가의 세입과 세출의 결산을 검사함으로써 세금이 제대로 사용되었는지 확인하는 것이야.

자료로 이해하기 우리나라의 정부 조직

우리나라 행정부는 대통령을 중심으로 국무총리, 행정 각부, 국무 회의, 감사원 등으로 구성된다.

우리나라 정부 조직도(2018)

+ 행정부 주요 공무원의 임명 방식

국무총리, 감사원장	국회의 동의를 얻어 대통령이 임명
행정 각부의 장	국무 위원 중에서 국무총리의 제청을 받아 대통령이 임명

+ 심의
어떤 안건이나 일에 대해 자세히 조사하고 논의하여 결정하는 것

+ 감찰
공무원의 위법 행위를 조사하여 징계를 내리거나 수사 기관에 고발하는 것

- 행정과 행정부의 의미
- 행정부의 조직과 기능
- 대통령의 지위
- 대통령의 권한

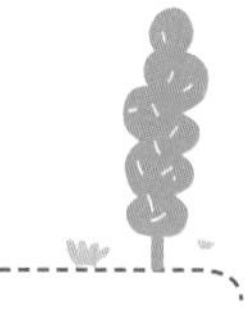

1 공익을 실현할 목적으로 정책을 수립하여 실행하는 국가 작용을 (　　　　)이라고 한다.

2 다음 괄호 안의 내용 중 알맞은 말에 ○표를 하시오.

(1) (국회, 행정부)는 법률을 집행하는 국가 기관이다.

(2) 현대 복지 국가에서는 행정부의 역할이 더욱 (커, 작아)지고 있다.

핵심 콕콕

• 행정과 행정부의 의미

행정	• 법률을 집행하는 활동 • 정책을 수립 및 실행하는 국가 작용
행정부	행정을 담당하는 국가 기관

1 우리나라 행정부는 최고 책임자인 (　　　　)을 중심으로 국무총리, 행정 각부, 국무 회의, 감사원 등으로 구성된다.

2 다음과 같은 기능을 담당하는 행정부의 조직을 〈보기〉에서 골라 기호를 쓰시오.

보기		
ㄱ. 감사원	ㄴ. 국무총리	ㄷ. 행정 각부

(1) 구체적인 행정 사무를 처리한다. (　　)

(2) 행정 기관과 공무원의 직무를 감찰한다. (　　)

(3) 대통령의 자리가 공석일 경우 대통령의 권한을 대행한다. (　　)

3 다음 설명이 맞으면 ○표, 틀리면 ×표를 하시오.

(1) 국무총리는 행정부의 일을 최종적으로 결정한다. (　　)

(2) 국무 회의는 대통령, 국무총리, 국무 위원으로 구성된다. (　　)

(3) 감사원은 대통령 직속 기관으로 독립적인 지위를 가진다. (　　)

4 행정부의 조직과 그 지위를 옳게 연결하시오.

(1) 감사원 •　　　　• ㉠ 행정부의 최고 감사 기관

(2) 국무 회의 •　　　　• ㉡ 행정부의 최고 심의 기관

핵심 콕콕

• 행정부의 조직과 기능

대통령	행정부의 일을 최종 결정
국무총리	대통령을 도와 행정 각부 총괄
행정 각부	구체적인 행정 사무 처리
국무 회의	정부의 주요 정책 심의
감사원	행정 기관과 공무원의 직무 감찰

C 대통령의 지위

1. 우리나라 대통령의 선출 방식과 임기

(1) 선출 방식: 국민의 직접 선거로 선출됨

(2) 임기: 임기는 5년이며 중임할 수 없음 — 우리나라 대통령은 한 번의 임기 동안만 직무를 수행할 수 있어.

(3) 임기 제한 이유: 장기 집권에 따른 독재 방지 → 국민의 자유와 권리 보장

2. +대통령의 지위

국가 원수	국가의 최고 지도자이며, 외국에 대하여 국가를 대표할 자격을 지님
행정부 수반	행정부의 최고 책임자이며, 행정 작용에 대한 최종적인 권한과 책임을 지님

행정부 수반: 행정부의 가장 높은 자리에 있는 사람을 말해.

+ 우리 헌법에 나타난 대통령의 지위

헌법 제66조
① 대통령은 국가의 원수이며, 외국에 대하여 국가를 대표한다.
④ 행정권은 대통령을 수반으로 하는 정부에 속한다.

우리 헌법은 대통령이 국가 원수인 동시에 행정부 수반임을 명시하고 있다.

D 대통령의 권한

1. 국가 원수로서의 권한

우리나라 대통령은 국가 원수로서 국정 조정, 법률안 공포, 헌법 개정안 발의 등의 권한도 가져.

외교에 관한 권한 행사	• 외국과 조약을 체결하고, +외교 사절을 보내거나 맞이할 수 있음 • 외국에 전쟁을 선포하거나 +강화를 할 수 있음
+헌법 기관 구성	국회의 동의를 얻어 대법원장, 대법관, 헌법 재판소장, 감사원장 등을 임명하여 헌법 기관을 구성할 수 있음
국민 투표 시행	헌법을 개정하거나 외교, 국방 등에 관한 국가의 중요 정책을 결정할 때 국민에게 직접 의견을 묻는 국민 투표를 시행할 수 있음
+긴급 명령권 행사 및 +계엄 선포	국가에 긴급한 일이 발생했을 때 긴급 명령권을 행사할 수 있고, 국가 비상사태가 발생했을 때 계엄을 선포할 수 있음

2. 행정부 수반으로서의 권한

우리나라 대통령은 행정부의 대표로서 국회에 법률안을 제출할 수도 있어.

행정부 지휘 및 감독	행정부를 지휘하고 감독하며, 국무 회의의 의장으로서 국가의 중요한 정책을 심의하고 최종적으로 결정함
국군 지휘 및 통솔	국군의 최고 사령관으로서 국군을 지휘하고 통솔할 수 있음
행정부의 고위 공무원 +임면	국무총리, 국무 위원, 행정 각부의 장 등 행정부의 고위 공무원을 임명하거나 해임할 수 있음
+대통령령 제정	법률에서 위임받은 사항과 법률을 집행하는 데 필요한 사항에 대하여 대통령령을 만들 수 있음
+법률안 거부권 행사	국회에서 의결된 법률안에 이의가 있을 때 법률안을 거부할 수 있음

행정부의 고위 공무원을 임명: 행정부를 구성하는 권한이야.

꼭 대통령은 법률안 거부권을 행사함으로써 국회를 견제할 수 있지.

자료로 이해하기 대통령의 활동

(가) A국을 방문하여 정상회담에 참석하였다.
(나) 국회의 동의를 얻어 대법원장을 임명하였다.
(다) 국무 회의에서 아동 학대 문제의 대책을 심의하였다.
(라) 국회에서 의결된 ○○○법 개정안에 대해 거부권을 행사하였다.

(가)는 외교, (나)는 헌법 기관 구성과 관련한 활동으로, 대통령의 국가 원수로서의 권한에 해당한다. (다)는 정책 심의, (라)는 법률안 거부와 관련한 활동으로, 대통령의 행정부 수반으로서의 권한에 해당한다.

+ 외교 사절
외교관과 같이 국가 간 외교 교섭을 위해 파견되는 국가의 대표자

+ 강화
싸우던 두 편이 싸움을 그치고 평화로운 상태가 되는 것

+ 헌법 기관
헌법에 따라 설치된 국가 기관

+ 긴급 명령
천재지변 등과 같이 국가에 긴급한 일이 발생했을 때 긴급하게 조치를 취하기 위해 내리는 법률적 효력을 가진 명령

+ 계엄
전쟁 등의 비상사태가 발생했을 때 사회 질서를 유지하기 위해 군대가 행정 및 사법 기능을 맡아 다스리는 일

+ 임면
공무원을 임명하고 물러나게 하는 것

+ 대통령령
대통령이 제정하여 공포하는 명령

+ 법률안 거부권
법률안의 심사와 의결을 다시 할 것을 요구할 수 있는 권리

1 다음 괄호 안의 내용 중 알맞은 말에 ○표 하시오.

(1) 우리나라 대통령의 임기는 (4년, 5년)이다.

(2) 우리나라 대통령은 중임할 수 (있다, 없다).

(3) 우리나라 대통령은 국민의 (간접, 직접) 선거로 선출된다.

2 우리나라 대통령은 국가의 최고 지도자로서 (㉠)의 지위를 지니며, 행정부의 최고 책임자로서 (㉡)의 지위를 지닌다.

핵심 콕콕

• 대통령의 지위

국가 원수	+	행정부 수반
국가의 최고 지도자		행정부의 최고 책임자

1 다음 빈칸에 들어갈 내용을 쓰시오.

(1) 대통령은 ( )의 동의를 얻어 대법원장, 대법관, 헌법 재판소장, 감사원장 등을 임명할 수 있다.

(2) 대통령은 헌법을 개정하거나 국가의 중요 정책을 결정할 때 국민에게 직접 의견을 묻는 ( )를 시행할 수 있다.

2 대통령의 권한에 대한 설명이 맞으면 ○표, 틀리면 ×표를 하시오.

(1) 행정부를 지휘하고 감독한다. ( )

(2) 행정부의 고위 공무원을 해임할 권한은 없다. ( )

(3) 국회에서 의결된 법률안에 대해 거부권을 행사할 수 있다. ( )

3 대통령은 법률에서 위임받은 사항과 법률 집행에 필요한 사항에 대하여 ( )을 만들 수 있다.

4 대통령의 국가 원수로서의 권한에 해당하면 '국', 행정부 수반으로서의 권한에 해당하면 '행'이라고 쓰시오.

(1) 외국과 조약을 체결할 수 있다. ( )

(2) 국군의 최고 사령관으로서 국군을 지휘하고 통솔할 수 있다. ( )

(3) 국가에 긴급한 일이 발생했을 때 긴급 명령권을 행사할 수 있다. ( )

(4) 국무 회의의 의장으로서 국가의 중요한 정책을 심의하고 최종적으로 결정할 수 있다. ( )

핵심 콕콕

• 대통령의 지위에 따른 권한

지위	권한
국가 원수	• 외교에 관한 권한 행사 • 헌법 기관 구성 • 국민 투표 시행 • 긴급 명령권 행사 • 계엄 선포 등
행정부 수반	• 행정부 지휘 및 감독 • 국군 지휘 및 통솔 • 행정부의 고위 공무원 임면 • 대통령령 제정 • 법률안 거부권 행사 등

01 ㉠, ㉡에 들어갈 용어를 옳게 연결한 것은?

> 국민을 위한 법률이 만들어지면 현실에서는 이를 구체화하여 실현해야 한다. 이때 법률을 실행에 옮기는 활동을 (㉠)이라고 하고, 이를 담당하는 국가 기관을 (㉡)(이)라고 한다.

	㉠	㉡		㉠	㉡
①	입법	국회	②	입법	행정부
③	행정	국회	④	행정	법원
⑤	행정	행정부			

02 행정에 대한 옳은 설명을 〈보기〉에서 고른 것은?

〈보기〉
ㄱ. 법률을 집행하는 활동을 말한다.
ㄴ. 특정 집단의 이익 실현을 목적으로 한다.
ㄷ. 원칙적으로 법률의 범위 밖에서 이루어져야 한다.
ㄹ. 다양한 정책을 수립하여 실행에 옮기는 국가 작용을 포함한다.

① ㄱ, ㄴ ② ㄱ, ㄹ ③ ㄴ, ㄷ
④ ㄴ, ㄹ ⑤ ㄷ, ㄹ

03 다음 과제를 잘못 수행한 모둠은?

과제: 행정의 사례 조사

모둠	조사 내용
1 모둠	군인이 나라를 지키는 것
2 모둠	국회 의원이 법률을 만드는 것
3 모둠	경찰이 교통질서를 유지하는 것
4 모둠	구청에서 민원 업무를 처리하는 것
5 모둠	행정 기관에서 도로를 건설하는 것

① 1 모둠 ② 2 모둠 ③ 3 모둠
④ 4 모둠 ⑤ 5 모둠

시험에 잘 나와!

04 밑줄 친 '이 국가 기관'에 대한 설명으로 옳지 않은 것은?

> 「학교 폭력 예방 및 대책에 관한 법률」이 만들어짐에 따라 이 국가 기관은 학교에 배움터 지킴이를 배치하고, 학교 주변에 CCTV를 설치하는 등 법률을 실행에 옮겼다.

① 좁은 의미의 정부를 뜻한다.
② 국민의 복지 증진에 기여한다.
③ 행정 작용을 담당하는 국가 기관이다.
④ 치안과 관련한 분야에 한정하여 활동한다.
⑤ 사회 질서 유지를 위해 정책을 수립하여 집행한다.

05 (가)에 들어갈 내용으로 적절한 것을 〈보기〉에서 고른 것은?

> 근대 국가는 주로 사회 질서를 유지하는 기능을 수행하였지만, 현대 복지 국가는 이를 넘어 국민의 실질적인 자유와 평등을 보장하기 위하여 노력하고 있다. 따라서 현대 국가에서는 ______(가)______

〈보기〉
ㄱ. 행정 기능이 약화되고 있다.
ㄴ. 행정부의 역할이 더욱 커지고 있다.
ㄷ. 행정부의 업무가 광범위해지고 있다.
ㄹ. 행정부의 전문성이 점차 낮아지고 있다.

① ㄱ, ㄴ ② ㄱ, ㄷ ③ ㄴ, ㄷ
④ ㄴ, ㄹ ⑤ ㄷ, ㄹ

06 다음 내용에서 설명하는 행정부의 조직으로 옳은 것은?

> • 행정부의 최고 책임자이다.
> • 행정부의 일을 최종적으로 결정한다.

① 대통령 ② 감사원장
③ 국무총리 ④ 국회 의원
⑤ 행정 각부의 장

정답 친해 11쪽

시험에 잘 나와!

07 ㉠에 들어갈 행정부의 조직에 대한 설명으로 옳은 것은?

> 대통령의 명을 받아 행정 각부를 총괄하는 (㉠)은/는 국회의 동의를 얻어 대통령이 임명한다.

① 구체적인 행정 사무를 처리한다.
② 국무 회의에는 참여하지 못한다.
③ 행정 작용에 대한 최종적인 책임을 지닌다.
④ 대통령의 자리가 공석일 경우 권한을 대행한다.
⑤ 국가 원수와 행정부 수반의 지위를 동시에 지닌다.

08 다음은 행정 각부에 대한 설명이다. 밑줄 친 ㉠~㉤ 중 옳지 않은 것은?

> 행정 각부는 ㉠ 국가의 행정을 나누어 맡아 전문적으로 처리하는 행정부의 조직으로, ㉡ 업무 성격에 따라 여러 부서로 나뉜다. 행정 각부의 책임자인 행정 각부의 장은 ㉢ 국무총리가 임명한다. 행정 각부의 장은 ㉣ 자신이 맡은 부서의 업무를 지휘하며, ㉤ 국무 회의에 참석하여 국정 전반에 관한 의견을 제시한다.

① ㉠ ② ㉡ ③ ㉢ ④ ㉣ ⑤ ㉤

09 다음에서 설명하는 행정부 조직의 구성원만을 〈보기〉에서 있는 대로 고른 것은?

> • 행정부의 최고 심의 기관이다.
> • 법률안, 예산안, 외교와 군사에 관한 중요 사항, 중요 공무원의 임명 처리 등을 처리한다.

〈보기〉
ㄱ. 대법관　ㄴ. 대통령
ㄷ. 국무총리　ㄹ. 국무 위원

① ㄱ, ㄴ ② ㄴ, ㄷ ③ ㄷ, ㄹ
④ ㄱ, ㄴ, ㄹ ⑤ ㄴ, ㄷ, ㄹ

10 ㉠에 들어갈 행정부의 조직으로 옳은 것은?

> (㉠)은/는 공무원의 비리 행위를 조사할 목적으로 77개 기관에 대한 직무 관련 업무를 파악하였다. (㉠)은/는 부정부패를 척결할 목적으로 앞으로 행정 기관과 공무원의 직무에 대한 감찰을 강화해 나갈 방침이라고 밝혔다.
> – 「한국일보」, 2015. 12. 24.

① 감사원 ② 법무부 ③ 국무총리
④ 국무 회의 ⑤ 행정 각부

시험에 잘 나와!

11 다음은 수업 시간의 한 장면이다. 선생님의 질문에 옳게 답변한 학생을 고른 것은?

① 가현, 나현 ② 가현, 라현 ③ 나현, 다현
④ 나현, 라현 ⑤ 다현, 라현

12 행정부의 조직과 그에 대한 설명을 옳게 연결한 것은?

① 국무 회의 – 정부의 주요 정책을 심의한다.
② 행정 각부 – 행정부의 최고 감사 기관이다.
③ 감사원 – 대통령, 국무총리, 국무 위원으로 구성된다.
④ 국무총리 – 국회의 동의를 얻어 감사원장을 임명한다.
⑤ 대통령 – 자신이 맡은 행정 각부의 업무를 지휘하고 감독한다.

13 우리나라 대통령에 대한 설명으로 옳은 것은?

① 임기는 6년이다.
② 장기 집권에 따른 독재가 허용된다.
③ 두 차례에 한하여 직무를 수행할 수 있다.
④ 국회 재적 의원 과반수의 찬성으로 선출된다.
⑤ 외국에 대하여 국가를 대표할 자격을 지닌다.

시험에 잘 나와!

14 ㉠에 해당하는 내용으로 적절한 것을 <보기>에서 고른 것은?

> 우리 헌법은 우리나라의 대통령이 (㉠)(으)로서의 지위를 갖는다고 밝히고 있다.

보기
ㄱ. 국가 원수　　ㄴ. 국회의 대표
ㄷ. 행정부 수반　　ㄹ. 헌법 재판소장

① ㄱ, ㄴ　② ㄱ, ㄷ　③ ㄴ, ㄷ
④ ㄴ, ㄹ　⑤ ㄷ, ㄹ

15 다음 헌법 조항에서 알 수 있는 대통령의 지위에 따른 권한으로 적절한 것은?

> 헌법 제66조 ① 대통령은 국가의 원수이며, 외국에 대하여 국가를 대표한다.

① 대통령령을 제정한다.
② 국군을 지휘하고 통솔한다.
③ 법률안 거부권을 행사한다.
④ 행정부를 지휘하고 감독한다.
⑤ 국가 비상사태가 발생한 경우 계엄을 선포한다.

16 다음 내용과 관계 깊은 대통령의 권한으로 가장 적절한 것은?

> • 대통령은 외국과 조약을 체결할 수 있다.
> • 대통령은 외국에 대하여 전쟁을 선포할 수 있다.

① 국민 투표를 시행할 수 있다.
② 헌법 기관을 구성할 수 있다.
③ 긴급 명령권을 행사할 수 있다.
④ 외교에 관한 권한을 행사할 수 있다.
⑤ 행정부의 고위 공무원을 임명할 수 있다.

17 ㉠, ㉡에 들어갈 용어를 옳게 연결한 것은?

> 우리나라 대통령은 (㉠)의 동의를 얻어 대법관, 헌법 재판소장, 감사원장 등을 임명하여 (㉡)을 구성할 수 있다.

	㉠	㉡
①	국회	헌법 기관
②	국회	행정 기관
③	법원	입법 기관
④	법원	헌법 기관
⑤	법원	행정 기관

18 다음 글에서 설명하는 대통령의 지위에 따른 권한으로 적절한 것을 <보기>에서 고른 것은?

> 우리나라의 대통령은 행정부의 최고 책임자로서, 행정 작용에 대한 최종적인 권한과 책임을 지닌다.

보기
ㄱ. 조약 체결　　ㄴ. 대통령령 제정
ㄷ. 국무 위원 해임　　ㄹ. 국민 투표 시행

① ㄱ, ㄴ　② ㄱ, ㄹ　③ ㄴ, ㄷ
④ ㄴ, ㄹ　⑤ ㄷ, ㄹ

19 다음 사례에 대한 분석으로 적절한 것은?

> 대통령은 국무 회의를 열어 아동 학대 문제를 해결하기 위한 대책을 심의하고, 심의한 내용을 토대로 아동 학대 근절 정책을 최종적으로 결정하였다.

① 대통령이 국가 원수로서의 권한을 행사한 것이다.
② 대통령이 행정부의 대표로서 법률안을 제출한 것이다.
③ 대통령이 행정부를 지휘하고 감독하는 권한을 행사한 것이다.
④ 대통령이 법률을 집행하는 데 필요한 사항에 대하여 명령을 만든 것이다.
⑤ 대통령이 국가의 중요 정책을 결정하기 위해 국민에게 직접 의견을 물은 것이다.

20 ㉠에 해당하는 대통령의 권한으로 적절한 것은?

> 행정부의 수반인 대통령은 (㉠)을 행사함으로써 국회를 견제할 수 있다.

① 계엄 선포권 ② 국군 통솔권
③ 긴급 명령권 ④ 조약 체결권
⑤ 법률안 거부권

시험에 잘 나와!

21 (가)~(다)는 우리나라 대통령의 가상 활동을 나타낸 것이다. 이를 국가 원수로서의 권한과 행정부 수반으로서의 권한으로 옳게 구분한 것은?

> (가) A국을 방문하여 정상회담에 참석하였다.
> (나) 국회의 동의를 얻어 대법원장을 임명하였다.
> (다) 국회에서 의결된 ○○○법 개정안에 대해 거부권을 행사하였다.

	국가 원수로서의 권한	행정부 수반으로서의 권한
①	(가)	(나), (다)
②	(나)	(가), (다)
③	(다)	(가), (나)
④	(가), (나)	(다)
⑤	(나), (다)	(가)

서술형 문제

서술형 감잡기

01 다음 내용을 읽고 물음에 답하시오.

> • 국방 • 교통정리
> • 도로 정비 • 여권 발급

(1) 위와 같은 업무를 담당하는 국가 기관을 쓰시오.

(2) (1)의 특징과 역할을 서술하시오.

➜ 법률을 집행하는 국가 작용인 (①)을 담당하는 국가 기관으로, (②)을 실현하기 위해 다양한 (③)을 세우고 실행에 옮긴다.

실전! 서술형 도전하기

02 ㉠에 들어갈 행정부의 조직을 쓰고, 그 기능을 두 가지 이상 서술하시오.

> (㉠)은/는 행정부의 최고 감사 기관으로 조직상으로는 대통령에 소속되어 있지만, 업무상으로는 독립적인 지위를 가진다.

03 다음 헌법 조항에서 알 수 있는 대통령의 지위를 쓰고, 그 지위에 따른 권한을 두 가지 이상 서술하시오.

> 헌법 제66조 ④ 행정권은 대통령을 수반으로 하는 정부에 속한다.

03 법원과 헌법 재판소

A 사법의 의미

1. 사법과 법원의 의미

사람들 사이에 다툼이 있거나 법을 위반하여 사회 질서를 어지럽히는 일이 생겼을 때 법을 해석하고 구체적 사건에 적용하여 판결을 내리는 것이지.

(1) 사법(司法): 법을 적용하여 판단하는 국가 작용 → 재판을 통해 이루어짐

(2) 법원(사법부): 사법을 담당하는 국가 기관 → 법에 따라 판결하여 분쟁을 해결하고 사회 질서를 유지함으로써 국민의 권리를 보호함

2. ⁺사법권의 독립: 재판이 외부의 간섭 없이 독립적으로 이루어지는 것 → 공정한 재판이 실현되어야 국민의 기본권을 보호하고 사회 질서를 유지할 수 있음

법원의 독립	법원이 조직이나 운영에서 입법부와 행정부 등 외부의 영향을 받지 않는 것
⁺법관의 독립	법관이 헌법과 법률에 의하여 양심에 따라 독립하여 심판할 수 있는 것

자료로 이해하기 우리 헌법에 보장된 사법권의 독립

- 헌법 제101조 ① 사법권은 법관으로 구성된 법원에 속한다.
- 헌법 제103조 법관은 헌법과 법률에 의하여 그 양심에 따라 독립하여 심판한다.

헌법 제101조 ①은 법원의 독립을, 제103조는 법관의 독립을 보장하는 조항이다. 우리 헌법은 공정한 재판을 보장하기 위해 사법권의 독립을 규정하고 있다.

+ 국가 기관의 권력 분립

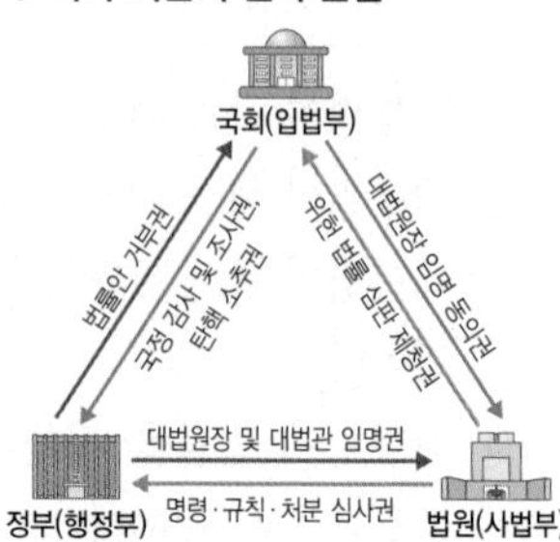

입법부, 행정부, 사법부가 국가 권력을 나누어 맡고 서로 견제와 균형을 이룸으로써 국가 권력의 남용을 막고, 국민의 기본권을 보장할 수 있다.

+ 법관

소송 사건을 심리하고, 분쟁이나 이해의 대립을 법률적으로 해결하고 조정하는 권한을 가진 사람

B 법원의 조직과 기능

1. ⁺법원의 조직: 사법부의 최고 법원인 대법원과 각급 법원으로 조직됨

(1) 대법원

꼭 대법원은 명령, 규칙, 행정 처분이 헌법이나 법률을 위반하는지 여부가 재판의 전제가 될 경우 이를 최종적으로 심사하지.

기능	고등 법원의 판결에 불복하여 상고한 사건을 재판(3심)하고, 특허 법원의 판결에 불복하여 상고한 사건을 재판함 → 모든 사건의 최종적인 재판을 담당함
구성	대법원장과 대법관으로 구성됨 – 대법원장과 대법관은 국회의 동의를 얻어 대통령이 임명하지.

(2) 고등 법원: 지방 법원, 가정 법원, 행정 법원의 1심 판결에 불복하여 항소한 사건을 재판(2심)하는 법원

비교 민사 재판은 개인 간의 다툼을 해결하고, 형사 재판은 범죄의 유무를 결정하지.

(3) 지방 법원: 민사 재판이나 형사 재판의 1심 판결을 주로 담당하는 법원

(4) 특수 법원

특허 법원	특허 업무와 관련된 사건을 담당하는 법원
가정 법원	이혼, 양자, 상속 등의 가사 사건과 소년 보호 사건을 담당하는 법원
행정 법원	행정과 관련된 사건을 담당하는 법원

꼭 재판을 통해 법적 분쟁을 해결하는 것은 법원의 가장 중요한 기능이야.

2. 법원의 기능: 재판, ⁺위헌 법률 심판 제청, 등기나 가족 관계 등록 업무 처리 등

+ 우리나라 법원의 조직

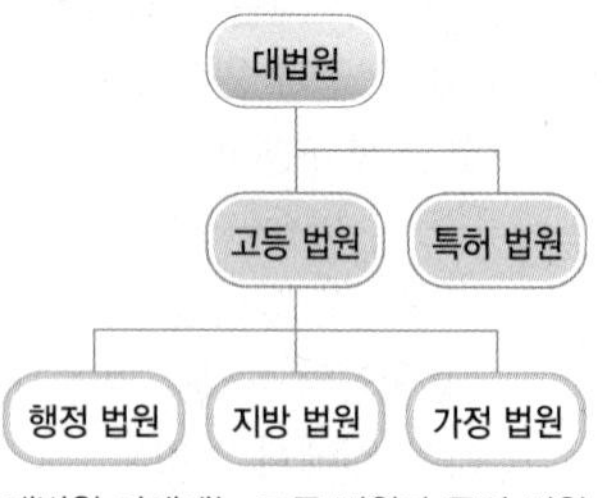

대법원 아래에는 고등 법원과 특허 법원이 있고, 고등 법원 아래에는 지방 법원, 가정 법원, 행정 법원이 있다. 특허 법원은 고등 법원과 동급이고, 가정 법원과 행정 법원은 지방 법원과 동급이다.

+ 위헌 법률 심판 제청

재판의 전제가 된 법률이 헌법에 위반되는지가 문제가 될 경우 헌법 재판소에 심사를 제청하는 것

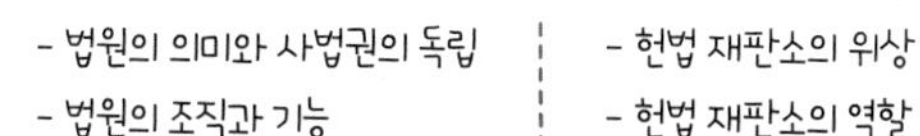

1 다음 설명이 맞으면 ○표, 틀리면 ×표를 하시오.

(1) 법을 적용하여 판단하는 국가 작용을 행정이라고 한다. (　　)

(2) 우리나라에서 사법 작용을 담당하는 국가 기관은 국회이다. (　　)

(3) 법원은 법에 따라 분쟁을 해결하고 사회 질서를 유지하는 역할을 한다. (　　)

2 우리 헌법은 공정한 재판을 위해 재판이 외부의 간섭 없이 독립적으로 이루어지도록 (　　　　)을 보장하고 있다.

3 표는 사법권의 독립을 보장하기 위한 전제 조건을 정리한 것이다. ㉠, ㉡에 해당하는 내용을 각각 쓰시오.

전제 조건	내용
(㉠　　　)	법원이 조직이나 운영에서 외부의 영향을 받지 않는 것
(㉡　　　)	법관이 헌법과 법률에 의하여 양심에 따라 독립하여 심판할 수 있는 것

• **법원의 의미와 사법권의 독립**

사법 ― 법을 적용하여 판단하는 국가 작용

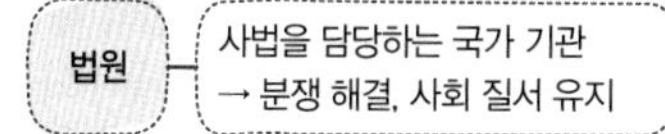

법원 ― 사법을 담당하는 국가 기관 → 분쟁 해결, 사회 질서 유지

↓

사법권의 독립

재판이 외부의 간섭 없이 독립적으로 이루어지는 것

↓

공정한 재판

1 법원의 조직과 그 기능을 옳게 연결하시오.

(1) 대법원 • 　　　　• ㉠ 민사 재판의 1심 판결을 담당함

(2) 고등 법원 • 　　　　• ㉡ 모든 사건의 최종적인 재판을 담당함

(3) 지방 법원 • 　　　　• ㉢ 행정 법원의 1심 판결에 대한 항소 사건을 재판함

2 다음 괄호 안의 내용 중 알맞은 말에 ○표 하시오.

(1) 우리나라의 최고 법원은 (대법원, 고등 법원)이다.

(2) (가정 법원, 행정 법원)은 가사 사건과 소년 보호 사건을 담당하는 법원이다.

3 법원의 기능에 해당하는 것을 〈보기〉에서 골라 기호를 쓰시오.

〈보기〉
ㄱ. 재판　　ㄴ. 법률 제정　　ㄷ. 정책 수립　　ㄹ. 위헌 법률 심판 제청

• **법원의 조직**

대법원

모든 사건의 최종적인 재판 담당
→ 사법부의 최고 법원

↑

고등 법원

지방 법원, 가정 법원, 행정 법원의 1심 판결에 대한 항소 사건을 재판하는 법원

↑

지방 법원

주로 1심 판결을 담당하는 법원

C 헌법 재판소의 의미와 위상

1. 헌법 재판과 헌법 재판소의 의미

꼭 입법, 행정을 비롯한 모든 국가 작용은 최고 법인 헌법에 어긋나서는 안 돼.

(1) 헌법 재판: 국회에서 만든 법률이나 국가 기관의 권력 행사가 헌법에 어긋나거나 국민의 기본권을 침해한 경우 이를 해결하기 위한 재판

(2) 헌법 재판소

비교 법원의 재판 결과는 재판을 받은 당사자에게만 효력을 미치지만, 헌법 재판의 결과는 당사자뿐 아니라 모든 국가 기관이 따라야 하지.

① 의미: 헌법 재판을 담당하는 독립된 국가 기관

② 구성: 법관의 자격을 가진 +9명의 재판관으로 구성됨

└ 임기는 6년이며, 연임할 수 있어.

2. 헌법 재판소의 위상

헌법 수호 기관	헌법의 해석과 관련된 다툼이 발생했을 때 헌법을 기준으로 최종적인 판단을 내려 이를 해결함으로써 헌법 질서를 보호함
기본권 보장 기관	헌법에 위반되는 법률이나 국가 기관의 권력 행사에 의해 침해당한 국민의 기본권을 구제해 줌

+ 헌법 재판관의 임명

헌법 재판소의 재판관은 모두 대통령이 임명하는데 이 중 3명은 국회에서 선출하고, 3명은 대법원장이 지명한다. 헌법 재판소장은 대통령이 국회의 동의를 얻어 헌법 재판소의 재판관 중에서 임명한다.

D 헌법 재판소의 역할

1. **+위헌 법률 심판:** 재판의 전제가 된 법률의 위헌 여부를 판단해 달라고 법원이 제청한 경우 해당 법률이 헌법에 위반되는지 여부를 심판하는 것

   └ 해당 법률이 헌법에 위반된다고 결정한 경우 그 법률은 효력을 잃게 되지.

2. **+헌법 소원 심판:** 법률이나 국가 권력에 의해 기본권을 침해당한 국민이 직접 구제를 요청한 경우 법률이나 국가 권력이 국민의 기본권을 침해하였는지를 심판하는 것

   └ 국가 권력의 행사 또는 불행사의 위헌 여부를 판단하는 것이야.

3. **+탄핵 심판:** 대통령을 포함한 고위직 공무원이 헌법이나 법률을 위반하여 국회에서 탄핵 소추를 의결한 경우 해당 공무원의 +파면 여부를 심판하는 것

4. **+정당 해산 심판:** 정당의 목적이나 활동이 헌법에서 정한 민주적 기본 질서에 어긋날 때 정부의 청구에 따라 해당 정당의 해산 여부를 심판하는 것

5. **권한 쟁의 심판:** 국가 기관 간, 국가 기관과 지방 자치 단체 간, 지방 자치 단체 간에 권한에 대한 다툼이 발생했을 때 이를 심판하는 것

자료로 이해하기 위헌 법률 심판과 헌법 소원 심판의 사례

(가) 재혼 등으로 가족 관계가 바뀌었음에도 자녀가 성을 바꾸지 못하도록 하는 법률의 위헌 여부가 재판의 전제가 되자, 법원은 헌법 재판소에 해당 법률의 위헌 여부를 심판해 달라고 제청하였다. 이에 헌법 재판소는 해당 법률이 헌법에 맞지 않는다는 결정을 내렸다.

(나) A 씨는 인터넷 실명제(본인 인증을 해야만 인터넷 게시판에 댓글을 쓸 수 있도록 하는 제도)가 표현의 자유를 침해한다며 헌법 재판소에 구제를 요청하였다. 이에 헌법 재판소는 인터넷 실명제가 표현의 자유를 과도하게 침해한다며 관련 법 조항에 대해 위헌 결정을 내렸다.

┌ 기본권이 침해된 국민이 직접 헌법 재판소에 요청하지.

(가)는 위헌 법률 심판, (나)는 헌법 소원 심판의 사례이다. 위헌 법률 심판과 헌법 소원 심판은 헌법 재판의 대부분을 차지하며, 국민의 기본권을 보호하는 중요한 역할을 한다.

+ 헌법 재판소의 결정

법률의 위헌 결정, 헌법 소원을 받아들이는 결정, 탄핵의 결정, 정당 해산의 결정을 할 때는 재판관 6명 이상의 찬성이 있어야 한다.

+ 파면

잘못을 저지른 사람을 그만두게 하는 것

1 **다음 괄호 안의 내용 중 알맞은 말에 ○표 하시오.**

(1) 법률이 헌법에 위반된 경우 (민사, 헌법) 재판을 통해 해결할 수 있다.
(2) (법원, 헌법 재판소)은/는 헌법 재판을 담당하는 독립된 국가 기관이다.
(3) 헌법 재판소는 (법관, 국회 의원)의 자격을 가진 9명의 재판관으로 구성된다.

2 **㉠, ㉡에 들어갈 용어를 각각 쓰시오.**

> 헌법 재판소는 헌법의 해석과 관련된 다툼을 해결함으로써 헌법 질서를 보호하는 (㉠) 수호 기관이자, 헌법에 위반되는 법률이나 국가 권력에 의해 침해된 국민의 기본권을 구제해 주는 (㉡) 보장 기관으로서의 위상을 지닌다.

- **헌법 재판소의 의미와 위상**

헌법 재판소
헌법 재판을 담당하는 국가 기관
↓ 헌법 수호 기관 ↓ 기본권 보장 기관

핵심 콕콕

1 **위헌 법률 심판에 대한 설명이 맞으면 ○표, 틀리면 ×표를 하시오.**

(1) 행정부가 청구한 경우에 진행된다. ( )
(2) 재판의 전제가 된 법률의 위헌 여부를 심판하는 것이다. ( )

2 **법률이나 국가 권력에 의해 기본권을 침해당한 국민이 직접 헌법 재판소에 구제를 요청한 경우 법률이나 국가 권력이 국민의 기본권을 침해하였는지를 심판하는 것을 ( )이라고 한다.**

3 **다음 내용에서 설명하는 헌법 재판소의 역할을 〈보기〉에서 골라 기호를 쓰시오.**

보기
ㄱ. 탄핵 심판　　ㄴ. 권한 쟁의 심판　　ㄷ. 정당 해산 심판

(1) 정당의 목적이나 활동이 민주적 기본 질서에 어긋나는 정당의 해산 여부를 심판하는 것 ( )
(2) 국가 기관 간, 국가 기관과 지방 자치 단체 간, 지방 자치 단체 간에 권한에 대한 다툼이 발생했을 때 이를 심판하는 것 ( )
(3) 고위직 공무원이 헌법이나 법률을 위반하여 국회에서 탄핵 소추를 의결했을 때 해당 공무원의 파면 여부를 심판하는 것 ( )

- **헌법 재판소의 역할**

역할	내용
위헌 법률 심판	재판의 전제가 되는 법률이 헌법에 위반되는지 여부를 심판
헌법 소원 심판	법률이나 국가 권력이 국민의 기본권을 침해하였는지 심판
탄핵 심판	헌법이나 법률을 어긴 고위 공무원의 파면 여부 심판
정당 해산 심판	목적이나 활동이 헌법상의 민주적 기본 질서에 어긋나는 정당의 해산 여부 심판
권한 쟁의 심판	국가 기관 간의 권한을 둘러싼 다툼 심판

01 ㉠에 들어갈 용어로 옳은 것은?

> 사람들 사이에 다툼이 있거나 범죄가 발생했을 때 국가는 분쟁을 해결하고 사회 질서를 유지할 목적으로 법을 해석하고 구체적 사건에 적용하는데, 이러한 국가 작용을 (㉠)(이)라고 한다.

① 항소 ② 상고 ③ 입법
④ 사법 ⑤ 행정

02 법원에 대한 설명으로 옳지 않은 것은?

① 입법을 담당하는 국가 기관이다.
② 우리나라에서는 사법부라고도 한다.
③ 다른 국가 기관을 견제할 권한을 가진다.
④ 법에 따른 판결을 통해 분쟁을 해결한다.
⑤ 법을 적용하여 판단함으로써 사회 질서를 유지한다.

03 (가)에 들어갈 내용으로 적절한 것을 〈보기〉에서 고른 것은?

> **사법권의 독립**
> (1) 의미: 재판이 독립적으로 이루어지는 것
> (2) 전제 조건: ______(가)______

〈보기〉
ㄱ. 행정부의 지시 사항을 반영하여 법원을 운영할 수 있어야 한다.
ㄴ. 법관이 헌법과 법률에 의하여 양심에 따라 심판할 수 있어야 한다.
ㄷ. 법원의 조직을 외부의 간섭 없이 독자적으로 구성할 수 있어야 한다.
ㄹ. 법관이 다른 국가 기관의 의견을 적극적으로 수렴하여 재판을 할 수 있어야 한다.

① ㄱ, ㄴ ② ㄱ, ㄷ ③ ㄴ, ㄷ
④ ㄴ, ㄹ ⑤ ㄷ, ㄹ

시험에 잘 나와!

04 다음 헌법 조항들을 규정하고 있는 목적으로 가장 적절한 것은?

> • 헌법 제101조 ① 사법권은 법관으로 구성된 법원에 속한다.
> • 헌법 제103조 법관은 헌법과 법률에 의하여 그 양심에 따라 독립하여 심판한다.

① 법관의 역할을 제한하기 위해
② 공정한 위치에서 재판하기 위해
③ 법률을 효율적으로 집행하기 위해
④ 법원의 입법 활동을 강화하기 위해
⑤ 국가 권력을 사법부에 집중시키기 위해

05 ㉠, ㉡에 들어갈 권한을 옳게 연결한 것은?

> 오늘날 대부분의 국가에서는 입법부, 행정부, 사법부가 국가 권력을 나누어 맡고, 서로 견제와 균형을 이루고 있다. 이에 따라 우리나라의 사법부는 (㉠)을 행사하여 입법부를 견제할 수 있고, (㉡)을 행사하여 행정부를 견제할 수 있다.

① ㉠ – 국정 감사 및 조사권
② ㉠ – 대법원장 임명 동의권
③ ㉡ – 법률안 거부권
④ ㉡ – 위헌 법률 심판 제청권
⑤ ㉡ – 명령·규칙·처분 심사권

06 ㉠에 들어갈 법원으로 옳은 것은?

> 우리나라의 법원은 최고 법원인 (㉠)과 각급 법원으로 조직된다.

① 대법원 ② 가정 법원
③ 고등 법원 ④ 지방 법원
⑤ 행정 법원

07 ㉠~㉤에 들어갈 내용을 옳게 연결한 것은?

대법원은 (㉠)의 판결에 불복하여 상고한 사건의 재판과 특허 법원의 판결에 불복하여 (㉡)한 사건의 재판을 담당한다. 또한 (㉢)이/가 헌법이나 법률을 위반하는지 여부가 재판의 전제가 될 경우 이를 최종적으로 심사한다. 대법원은 (㉣)의 동의를 얻어 대통령이 임명하는 (㉤)(으)로 구성된다.

① ㉠ – 행정 법원　② ㉡ – 항소
③ ㉢ – 명령　④ ㉣ – 감사원
⑤ ㉤ – 국무 위원

08 다음에서 설명하는 법원에 대한 옳은 설명을 〈보기〉에서 고른 것은?

행정 법원의 1심 판결에 불복하여 항소한 사건을 담당하는 법원이다.

보기
ㄱ. 특허 법원과 같은 급의 법원이다.
ㄴ. 민사 재판이 처음으로 시작되는 법원이다.
ㄷ. 형사 재판의 3심 판결을 담당하는 법원이다.
ㄹ. 가정 법원의 1심 판결에 대한 항소 사건을 재판한다.

① ㄱ, ㄴ　② ㄱ, ㄹ　③ ㄴ, ㄷ
④ ㄴ, ㄹ　⑤ ㄷ, ㄹ

시험에 잘 나와!

09 (가), (나) 사건을 담당하는 법원을 옳게 연결한 것은?

(가) 부부인 A 씨와 B 씨는 계속되는 다툼과 성격 차이 때문에 이혼을 하고자 재판을 청구하였다.
(나) C 씨는 D 씨에게 돈을 빌려주었는데, D 씨가 돈을 갚지 않자 돈을 돌려받기 위해 재판을 청구하였다.

	(가)	(나)
①	가정 법원	지방 법원
②	가정 법원	행정 법원
③	지방 법원	가정 법원
④	지방 법원	특허 법원
⑤	행정 법원	특허 법원

[10~11] 그림은 우리나라 법원의 조직을 나타낸 것이다. 이를 보고 물음에 답하시오.

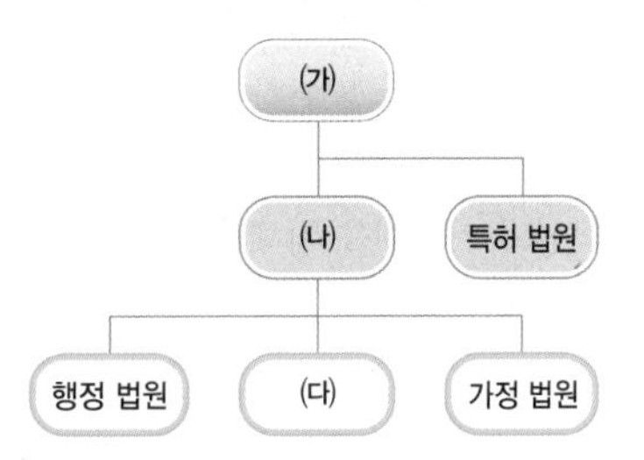

시험에 잘 나와!

10 (가)~(다)에 대한 설명으로 옳은 것은?

① (가)는 행정 법원의 1심 판결에 대한 항소 사건을 재판한다.
② (나)는 모든 사건의 최종적인 재판을 담당한다.
③ (다)는 사법부의 최고 법원이다.
④ (가)와 달리 (나)는 민사 재판의 1심 판결을 담당한다.
⑤ (나)는 (다)의 판결에 대한 항소 사건을 재판한다.

11 (다)에서 다루는 사건으로 적절한 것은?

① 가사 사건
② 형사 사건
③ 소년 보호 사건
④ 법률의 위헌 사건
⑤ 잘못된 행정 작용에 대한 소송 사건

12 ㉠에 들어갈 내용으로 가장 적절한 것은?

법원의 가장 중요한 기능은 (㉠)을/를 통해 법률을 해석하고 적용함으로써 분쟁을 해결하는 것이다.

① 재판
② 등기 업무 처리
③ 위헌 법률 심판 제청
④ 위헌 행정 처분 심사
⑤ 가족 관계 등록 업무 처리

13 (가)에 들어갈 재판의 종류를 쓰시오.

> (가)
>
> 국가 권력이 헌법과 다르게 행사되거나 국회에서 만든 법률이 헌법에 어긋나 국민의 기본권을 침해할 경우 이를 해결하기 위해 진행되는 재판을 말한다.

시험에 잘 나와!

14 ㉠에 들어갈 국가 기관에 대한 설명으로 옳은 것은?

> (㉠)은/는 헌법 재판을 담당하는 독립된 국가 기관이다.

보기
ㄱ. 헌법 수호 기관으로서의 위상을 지닌다.
ㄴ. 재판의 결과는 당사자에게만 효력을 미친다.
ㄷ. 국민이 선거로 직접 뽑은 재판관으로 구성된다.
ㄹ. 국가 기관의 권력 행사에 의해 침해된 국민의 기본권을 구제해 준다.

① ㄱ, ㄴ ② ㄱ, ㄹ ③ ㄴ, ㄷ
④ ㄴ, ㄹ ⑤ ㄷ, ㄹ

15 다음은 헌법 재판소의 구성에 대한 설명이다. ㉠~㉢에 들어갈 내용을 옳게 연결한 것은?

> 헌법 재판소는 법관의 자격을 가진 (㉠)의 재판관으로 구성된다. 재판관은 모두 (㉡)이 임명하는데 이 중 3명은 국회에서 선출하고, 3명은 (㉢)이 지명한다.

	㉠	㉡	㉢
①	7명	대통령	대법원장
②	7명	국회 의장	헌법 재판소장
③	9명	대통령	감사원장
④	9명	대통령	대법원장
⑤	9명	국회 의장	헌법 재판소장

16 (가)에 들어갈 내용으로 적절하지 않은 것은?

> 헌법 재판소는 주로 헌법의 위반과 관련한 사건을 심판하는 국가 기관으로, ______(가)______ 하는 역할을 담당한다.

① 국가 기관 간에 발생한 권한의 다툼을 해결
② 재판의 전제가 되는 법률의 위헌 여부를 심판
③ 국가 권력이 국민의 기본권을 침해하였는지 심판
④ 국회가 고위 공직자의 탄핵을 의결한 경우 그 정당성을 심판
⑤ 고등 법원의 판결에 불복하여 상고한 사건의 최종적인 재판을 담당

[17~18] 다음 사례를 읽고 물음에 답하시오.

> 재혼 등으로 가족 관계가 바뀌었음에도 자녀가 성을 바꾸지 못하도록 하는 법률의 위헌 여부가 재판의 전제가 되자, (㉠)은/는 헌법 재판소에 해당 법률의 위헌 여부를 심판해 달라고 제청하였다. 이에 헌법 재판소는 해당 법률이 헌법에 맞지 않는다는 결정을 내렸다.

시험에 잘 나와!

17 위 사례와 관련 있는 헌법 재판소의 역할로 옳은 것은?

① 탄핵 심판 ② 권한 쟁의 심판
③ 위헌 법률 심판 ④ 정당 해산 심판
⑤ 헌법 소원 심판

18 ㉠에 들어갈 주체로 가장 적절한 것은?

① 국민 ② 국회 ③ 법원
④ 정부 ⑤ 지방 자치 단체

19 다음 사례에 대한 옳은 분석을 〈보기〉에서 고른 것은?

> A 씨는 인터넷 실명제가 표현의 자유를 침해한다며 헌법 재판소에 구제를 요청하였다. 이에 헌법 재판소는 인터넷 실명제가 표현의 자유를 과도하게 침해한다며 관련 법 조항에 대해 위헌 결정을 내렸다.

〈보기〉
ㄱ. 국민이 직접 기본권의 구제를 요청한 것이다.
ㄴ. 법률에 의한 기본권의 침해가 있었을 것이다.
ㄷ. 국회에서 탄핵 소추 의결이 진행되었을 것이다.
ㄹ. 헌법 재판소는 재판관 5명의 찬성으로 결정을 내렸을 것이다.

① ㄱ, ㄴ　② ㄱ, ㄷ　③ ㄴ, ㄷ
④ ㄴ, ㄹ　⑤ ㄷ, ㄹ

20 (가), (나)에서 설명하는 헌법 재판소의 역할을 옳게 연결한 것은?

> (가) 목적이나 활동이 민주적 기본 질서에 어긋난 정당의 해산 여부를 심판한다.
> (나) 고위직 공무원이 헌법이나 법률을 위반하는 행위를 한 경우 해당 공무원의 파면 여부를 심판한다.

	(가)	(나)
①	탄핵 심판	위헌 법률 심판
②	탄핵 심판	정당 해산 심판
③	위헌 법률 심판	헌법 소원 심판
④	정당 해산 심판	탄핵 심판
⑤	정당 해산 심판	헌법 소원 심판

21 다음 사례에 나타난 헌법 재판소의 역할로 옳은 것은?

> ○○도가 △△시의 자치권을 침해하였는지 여부가 문제가 되자 헌법 재판소는 ○○도가 권한을 침해한 것으로 볼 수 없다고 결정하였다.

① 탄핵 심판　② 위헌 법률 심판
③ 정당 해산 심판　④ 헌법 소원 심판
⑤ 권한 쟁의 심판

서술형 문제

서술형 감잡기

01 다음 글을 읽고 물음에 답하시오.

> (㉠)을/를 이루기 위해서는 법원의 독립과 법관의 독립이 전제되어야 한다.

(1) ㉠에 들어갈 용어를 쓰시오.

(2) (1)의 의미를 서술하시오.

➔ (①　　　)이 외부의 간섭 없이 (②　　　)적으로 이루어지는 것이다.

실전! 서술형 도전하기

02 밑줄 친 '이 법원'을 쓰고, 그 기능을 두 가지 이상 서술하시오.

> 전기밥솥을 만드는 □□ 회사와 ○○ 회사는 압력밥솥 안전 기술과 관련한 특허를 두고 몇 년째 소송을 이어가고 있다. 최근 특허 법원의 판결에서 패소한 ○○ 회사는 이번 소송의 결과를 인정할 수 없다며 이 법원에 상고하려고 한다.

03 다음 역할들을 담당하는 국가 기관을 쓰고, 그 위상을 서술하시오.

> • 탄핵 심판　• 위헌 법률 심판
> • 정당 해산 심판　• 헌법 소원 심판

한눈에 보는 대단원

01 국회

(1) 국회의 의미와 위상

의미	국민이 선거를 통해 선출한 대표로 구성된 국가 기관	
위상	국민의 대표 기관	국민이 직접 뽑은 대표들로 구성되며, 국민의 의사를 대변함
	입법 기관	국민의 의사를 반영하여 법률을 제정하거나 개정함
	국가 권력의 견제 기관	행정부, 법원 등 다른 국가 기관을 견제하고 국정을 감시함

(2) 국회의 구성과 조직

구성	각 지역구에서 선출된 지역구 국회 의원과 정당별 득표율에 비례하여 선출된 비례 대표 국회 의원으로 구성됨 → 국회 의장 1인과 국회 부의장 2인 선출	
조직	본회의	국회의 의사를 최종적으로 결정하는 회의
	상임 위원회	효율적인 의사 진행을 위해 본회의에서 결정할 안건을 미리 조사하고 심의하는 기관
	교섭 단체	국회 의원들의 의사를 사전에 통합하고 조정하기 위해 구성되는 단체

(3) 국회의 기능

구분	내용
입법에 관한 기능	법률 제정 및 개정, 헌법 개정안 제안 및 의결, 조약 체결 동의 등
재정에 관한 기능	예산안 심의 및 확정, 결산 심사 등
일반 국정에 관한 기능	국정 감사 및 국정 조사, 중요 공무원의 임명 동의, 탄핵 소추 의결 등

핵심 선택지 다시보기

1 국회는 국민이 직접 뽑은 대표들로 구성된다. ( )

2 국회는 지역구 국회 의원만으로 구성된다. ( )

3 국회 본회의에서는 원칙적으로 재적 의원 2/3의 출석과 출석 의원 1/3의 찬성으로 의사 결정이 이루어진다. ( )

4 법률 제정 및 개정 권한은 국회의 일반 국정에 관한 기능에 속한다. ( )

5 국회는 중요 공무원이 법률이나 헌법을 위반한 경우 탄핵 소추를 의결할 수 있다. ( )

답 1 ○ 2 × 3 × 4 × 5 ○

02 행정부와 대통령

(1) 행정과 행정부

구분	내용
행정	• 국회에서 만든 법률을 집행하는 활동 • 공익을 실현할 목적으로 정책을 수립하여 실행하는 국가 작용
행정부	행정을 담당하는 국가 기관 → 현대 복지 국가에서 역할이 더욱 커지고 있음

(2) 행정부의 조직과 기능

구분	내용
대통령	행정부의 최고 책임자 → 행정부의 일을 최종적으로 결정함
국무총리	대통령을 보좌하고 행정 각부를 관리하고 감독함
행정 각부	구체적인 행정 사무를 처리함 → 행정 각부의 장은 자신이 맡은 부서의 업무를 지휘함
국무 회의	대통령, 국무총리, 국무 위원으로 구성되는 행정부의 최고 심의 기관 → 정부의 주요 정책을 심의함
감사원	독립적인 지위를 가지는 행정부의 최고 감사 기관 → 세금이 제대로 쓰이는지 조사함, 행정 기관과 공무원의 직무를 감찰함

핵심 선택지 다시보기

1 현대 사회에서는 행정부의 역할이 더욱 커지고 있다. ( )

2 행정부의 최고 책임자는 국무총리이다. ( )

3 감사원은 국무총리에 소속된 행정부의 최고 심의 기관이다. ( )

4 대통령은 국가 원수로서 국가 비상사태가 발생한 경우 계엄을 선포할 수 있다. ( )

5 대통령은 행정부 수반으로서 법률안 거부권을 행사하여 국회를 견제할 수 있다. ( )

답 1 ○ 2 × 3 × 4 ○ 5 ○

(3) 대통령의 지위와 권한

구분		내용
지위		우리나라 대통령은 국가 원수와 행정부 수반의 지위를 동시에 지님 → 국민의 직접 선거로 선출함, 임기는 5년이며 중임할 수 없음
권한	국가 원수로서의 권한	조약 체결 등 외교에 관한 권한 행사, 헌법 기관 구성, 국민 투표 시행, 긴급 명령권 행사 및 계엄 선포 등
	행정부 수반으로서의 권한	행정부 지휘 및 감독, 국군 지휘 및 통솔, 행정부의 고위 공무원 임면, 대통령령 제정, 법률안 거부권 행사 등

03 법원과 헌법 재판소

(1) 사법과 법원

구분	내용
사법	법을 적용하여 판단하는 국가 작용
법원	사법을 담당하는 국가 기관 → 분쟁 해결, 사회 질서 유지
사법권의 독립	재판이 외부의 간섭 없이 독립적으로 이루어지는 것 → 공정한 재판이 실현되어야 국민의 기본권을 보호하고 사회 질서를 유지할 수 있음

(2) 법원의 조직

구분	내용
대법원	모든 사건의 최종적인 재판을 담당하는 법원 → 사법부의 최고 법원
고등 법원	지방 법원, 가정 법원, 행정 법원의 1심 판결에 대한 항소 사건을 재판하는 법원
지방 법원	민사 재판이나 형사 재판의 1심 판결을 주로 담당하는 법원
특허 법원	특허 업무와 관련된 사건을 담당하는 법원
가정 법원	가사 사건과 소년 보호 사건을 담당하는 법원
행정 법원	행정과 관련한 사건을 담당하는 법원

(3) 헌법 재판소의 의미와 위상

구분	내용
의미	헌법 재판을 담당하는 독립된 국가 기관 → 법관의 자격을 가진 9명의 재판관으로 구성
위상	헌법 수호 기관, 기본권 보장 기관

(4) 헌법 재판소의 역할

구분	내용
위헌 법률 심판	법원의 제청이 있을 경우 재판의 전제가 된 법률의 위헌 여부를 심판하는 것
헌법 소원 심판	법률이나 국가 권력에 의해 기본권을 침해당한 국민이 직접 구제를 요청한 경우 법률이나 국가 권력이 국민의 기본권을 침해하였는지를 심판하는 것
탄핵 심판	국회에서 고위 공무원에 대한 탄핵 소추를 의결한 경우 해당 공무원의 파면 여부를 심판하는 것
정당 해산 심판	정당의 목적이나 활동이 민주적 기본 질서에 어긋날 때 정부의 청구에 따라 해당 정당의 해산 여부를 심판하는 것
권한 쟁의 심판	국가 기관 사이에 권한에 대한 다툼이 발생했을 때 이를 심판하는 것

☑ 핵심 선택지 다시보기

1 법원은 입법 작용을 담당하는 국가 기관이다. ( )

2 우리나라에서는 공정한 재판을 위해 사법권의 독립을 보장하고 있다. ( )

3 고등 법원은 모든 사건의 최종 재판을 담당한다. ( )

4 헌법 재판소의 재판관은 국회 의장이 임명한다. ( )

5 헌법 재판소는 재판의 전제가 된 법률이 헌법에 위반되는지 여부를 심판한다. ( )

답 1 × 2 ○ 3 × 4 × 5 ○

☑ 핵심 선택지 다시보기의 정답을 맞힌 개수만큼 아래 표에 색칠해 보자. 많이 틀린 단원은 되돌아가 복습해 보자.

시험 적중 마무리 문제

01 국회

[01 ~ 02] 다음 글을 읽고 물음에 답하시오.

대부분의 민주 국가에서는 국민이 선거로 선출한 대표들이 모인 의회에서 법률을 만들도록 한다. 우리나라에서는 의회를 (㉠)(이)라고 부르며, 이를 구성하는 사람들을 (㉡)(이)라고 한다.

01 ㉠의 위상에 대한 옳은 설명을 〈보기〉에서 고른 것은?

보기
ㄱ. 정책을 수립하여 실행하는 행정 기관이다.
ㄴ. 법률을 제정하거나 개정하는 입법 기관이다.
ㄷ. 국민의 의사를 대변하는 국민의 대표 기관이다.
ㄹ. 법을 적용하여 분쟁을 해결하는 사법 기관이다.

① ㄱ, ㄴ ② ㄱ, ㄷ ③ ㄴ, ㄷ
④ ㄴ, ㄹ ⑤ ㄷ, ㄹ

02 ㉡에 대한 설명으로 옳지 않은 것은?

① 임기는 4년이다.
② 상임 위원회에 소속되어 활동하기도 한다.
③ 정당별 득표율에 비례하여 선출되기도 한다.
④ 20인 이상이 모여야만 법률안을 발의할 수 있다.
⑤ 국회에서의 표결에 관하여 국회 밖에서 책임을 지지 않는다.

03 ㉠, ㉡에 들어갈 내용을 옳게 연결한 것은?

본회의에서는 원칙적으로 재적 의원 (㉠)의 출석과 출석 의원 (㉡)의 찬성으로 의사를 결정한다.

	㉠	㉡		㉠	㉡
①	1/3	1/3	②	1/3	과반수
③	전원	1/3	④	과반수	전원
⑤	과반수	과반수			

04 (가), (나)에 해당하는 국회의 조직에 대한 설명으로 옳은 것은?

(가) 본회의에서 결정할 안건을 미리 조사하고 심의하기 위해 항상 활동하는 기관
(나) 일정 수 이상의 국회 의원으로 구성되며, 국회 의원들의 의사를 사전에 통합 및 조정하는 역할을 맡는 단체

① (가)는 전문 분야별로 조직된다.
② 예산안에 대한 최종적인 의결은 (가)에서 이루어진다.
③ 우리나라에서 (나)는 30인 이상의 국회 의원으로 구성된다.
④ (가)와 달리 (나)는 국회의 효율적인 의사 진행을 저해한다는 한계를 지닌다.
⑤ (가)는 교섭 단체, (나)는 상임 위원회이다.

05 다음 헌법 조항에서 알 수 있는 국회의 기능으로 적절한 것은?

헌법 제40조 입법권은 국회에 속한다.

① 중앙 선거 관리 위원회 위원 중 3인을 선출한다.
② 대통령에게 국무총리나 국무 위원의 해임을 건의한다.
③ 정부가 제출한 예산안의 우선순위와 내용을 확정한다.
④ 대통령이 외국과 맺은 조약에 대해 동의권을 행사한다.
⑤ 헌법이나 법률을 위반한 고위 공무원에 대한 탄핵 소추를 의결한다.

06 ㉠에 들어갈 용어로 옳은 것은?

국회는 매년 정기적으로 국정 전반을 살펴보고, 국정의 잘못된 부분을 찾아내 바로잡는 (㉠)을/를 통해 국정을 감시한다.

① 결산 심사 ② 국정 감사
③ 국정 조사 ④ 탄핵 소추
⑤ 인사 청문회

07 표는 국회의 기능을 정리한 것이다. ㉠, ㉡에 들어갈 내용을 옳게 연결한 것은?

(㉠)에 관한 기능	• 국정 조사 • 탄핵 소추 의결
(㉡)에 관한 기능	• 결산 심사 • 예산안 심의 및 확정

	㉠	㉡		㉠	㉡
①	입법	재정	②	입법	일반 국정
③	재정	일반 국정	④	일반 국정	입법
⑤	일반 국정	재정			

08 다음은 한 학생이 작성한 국회 견학 보고서이다. 밑줄 친 ㉠~㉤ 중 옳은 것은?

+ 창의·융합

국회 견학 보고서

오늘은 ㉠ 헌법 재판을 담당하는 국가 기관인 국회를 방문하였다. ㉡ 국회 의원 중에서 선출되는 국회 의장의 집무실을 살펴본 후, ㉢ 대통령을 비롯한 국무 위원으로 구성되는 본회의를 견학하였다. 본회의에서는 ㉣ 교섭 단체의 심사를 거친 법률안의 의결을 위한 투표가 진행되고 있었는데, 내 짝인 가희는 국회가 ㉤ 재정에 관한 권한을 행사한 것이라고 설명해 주었다.

① ㉠ ② ㉡ ③ ㉢ ④ ㉣ ⑤ ㉤

02 행정부와 대통령

09 다음 내용에서 설명하는 국가 작용으로 옳은 것은?

• 국회에서 만든 법률을 집행하는 활동이다.
• 공익을 적극적으로 실현할 목적으로 정책을 수립하여 실행하는 국가 작용이다.

① 사법 ② 입법 ③ 행정
④ 재판 ⑤ 탄핵

10 ㉠에 대한 옳은 설명을 〈보기〉에서 고른 것은?

(㉠)은/는 국민 보호, 국민의 복지 증진 등을 목적으로 정책을 세우고 실행에 옮기는 국가 기관이다.

〈보기〉
ㄱ. 역할이 점차 줄어들고 있다.
ㄴ. 넓은 의미의 정부를 가리킨다.
ㄷ. 업무가 점차 전문화되고 있다.
ㄹ. 행정 작용을 담당하는 국가 기관이다.

① ㄱ, ㄴ ② ㄱ, ㄷ ③ ㄴ, ㄷ
④ ㄴ, ㄹ ⑤ ㄷ, ㄹ

[11~12] 그림은 우리나라의 정부 조직도이다. 이를 보고 물음에 답하시오.

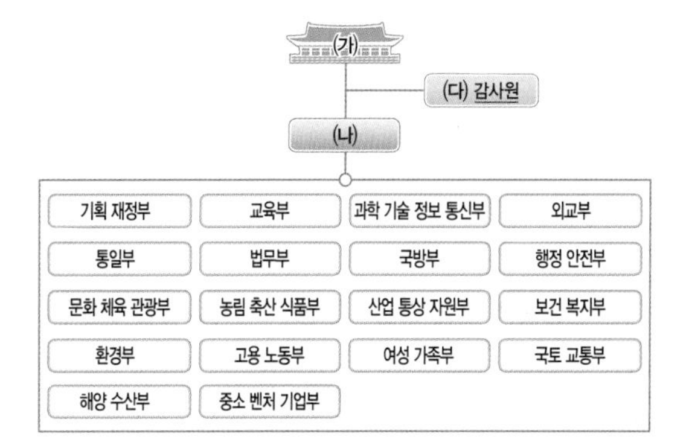

11 (가), (나)에 대한 설명으로 옳지 않은 것은?

① (가)는 행정부의 최고 책임자이다.
② (나)는 자신이 맡은 부서의 구체적인 업무를 지휘한다.
③ (가)는 국회의 동의를 얻어 (나)를 임명한다.
④ (가)는 (나)의 제청을 받아 행정 각부의 장을 임명한다.
⑤ (나)는 (가)의 자리가 공석일 경우 권한을 대행한다.

12 밑줄 친 (다)의 기능에 대해 옳게 설명한 사람은?

① 가영: 헌법 개정안을 의결하지.
② 나영: 정부의 주요 정책을 심의해.
③ 다영: 구체적인 행정 사무를 처리하지.
④ 라영: 행정 기관과 공무원의 직무를 감찰해.
⑤ 마영: 대통령의 국정 운영을 보좌하는 역할을 맡지.

13 다음은 우리나라 헌법 조항의 일부이다. ㉠에 들어갈 국가 기관에 대한 옳은 설명을 〈보기〉에서 고른 것은?

> 헌법 제66조
> ① (㉠)은/는 국가의 원수이며, 외국에 대하여 국가를 대표한다.
> ④ 행정권은 (㉠)을/를 수반으로 하는 정부에 속한다.

〈보기〉
ㄱ. 국무 회의에는 참여할 수 없다.
ㄴ. 임기는 5년이며, 중임할 수 없다.
ㄷ. 국민이 선거를 통해 직접 선출한다.
ㄹ. 국가의 최고 지도자이지만, 행정부의 최고 책임자는 아니다.

① ㄱ, ㄴ ② ㄱ, ㄷ ③ ㄴ, ㄷ
④ ㄴ, ㄹ ⑤ ㄷ, ㄹ

14 다음 권한들과 관련 있는 대통령의 지위로 옳은 것은?

> • 계엄 선포권 • 긴급 명령권

① 국가 원수 ② 국회 의장
③ 행정부 수반 ④ 국군 최고 사령관
⑤ 국무 회의의 의장

15 행정부 수반으로서의 대통령의 권한으로 적절한 것은?

① 대통령령을 제정할 수 있다.
② 국민 투표를 시행할 수 있다.
③ 외국과 조약을 체결할 수 있다.
④ 헌법 개정안을 발의할 수 있다.
⑤ 위헌 법률 심판을 제청할 수 있다.

16 다음은 우리나라 대통령의 권한에 대한 설명이다. 밑줄 친 ㉠~㉣에 대한 옳은 설명을 〈보기〉에서 고른 것은?

> 우리나라의 대통령은 ㉠ 외국과 조약을 체결할 수 있고, ㉡ 헌법 재판소장을 임명할 수 있다. 또한 ㉢ 국가의 주요 정책을 심의하고 이를 결정할 수 있으며, 국회에서 의결된 ㉣ 법률안에 대해 거부권을 행사할 수 있다.

〈보기〉
ㄱ. ㉡은 법원의 동의를 필요로 한다.
ㄴ. ㉢은 행정 작용에 대한 최종 권한을 행사한 것이다.
ㄷ. ㉣은 권력 분립의 원리를 약화하는 기능을 한다.
ㄹ. ㉠, ㉡은 국가 원수, ㉢, ㉣은 행정부 수반으로서의 대통령의 권한에 해당한다.

① ㄱ, ㄴ ② ㄱ, ㄷ ③ ㄴ, ㄷ
④ ㄴ, ㄹ ⑤ ㄷ, ㄹ

03 법원과 헌법 재판소

17 다음은 한 학생이 작성한 수행 평가지의 답안이다. 학생이 얻을 총 점수로 옳은 것은?

수행 평가

사법에 대한 설명이 옳으면 ○표, 틀리면 ×표를 하시오.

문항	내용	답안
1	재판을 통해 이루어진다.	○
2	국회를 통해 실현할 수 있다.	×
3	법률을 집행하는 국가 작용이다.	○
4	사회 질서를 유지하는 기능을 한다.	×

(각 1점씩)

① 0점 ② 1점 ③ 2점 ④ 3점 ⑤ 4점

18 ㉠, ㉡에 들어갈 용어를 각각 쓰시오.

> 사법권의 독립을 이루기 위해서는 (㉠)의 조직이나 운영에서 외부의 영향을 받지 않아야 할 뿐만 아니라, (㉡)이/가 양심에 따라 독립하여 심판할 수 있어야 한다.

19 + 창의·융합 다음은 동화의 내용을 각색한 것이다. ㉠, ㉡에 들어갈 법원에 대한 설명으로 옳지 않은 것은?

> • 흥부는 형인 놀부가 부모님의 재산을 모두 상속받아 유산을 받지 못하였다. 흥부는 형에게만 재산이 상속된 것이 억울하여 (㉠)에 재판을 청구하였다.
> • 해님이와 달님이는 자신들을 속이고 위협한 호랑이를 경찰에 신고하였다. 증거 불충분으로 호랑이가 2심에서도 무죄로 판결되자 검사는 (㉡)에 다시 재판을 청구하였다.

① ㉠은 가정 법원에 해당한다.
② ㉡은 사법부의 최고 법원이다.
③ ㉡은 특허 법원의 판결에 불복하여 상고한 사건을 재판한다.
④ ㉡은 대법원장과 대법관으로 구성된다.
⑤ ㉠의 1심 판결에 대한 항소 사건은 ㉡에서 재판한다.

20 법원의 조직과 그 기능을 옳게 연결한 것은?

① 고등 법원 – 최종적인 재판 담당
② 특허 법원 – 소년 보호 사건 담당
③ 가정 법원 – 행정과 관련한 사건 담당
④ 지방 법원 – 민사 재판의 1심 판결 담당
⑤ 대법원 – 지방 법원의 1심 판결에 대한 항소 사건 담당

21 다음 권한들을 각 국가 기관에 부여하는 공통적인 목적으로 적절한 것을 〈보기〉에서 고른 것은?

> • 국정 감사 및 조사권
> • 위헌 법률 심판 제청권
> • 대법원장 및 대법관 임명권

〈보기〉
ㄱ. 국민의 기본권 보장　ㄴ. 사법권의 독립 보장
ㄷ. 행정부의 권한 강화　ㄹ. 국가 권력의 남용 방지

① ㄱ, ㄴ　② ㄱ, ㄹ　③ ㄴ, ㄷ
④ ㄴ, ㄹ　⑤ ㄷ, ㄹ

22 다음은 스무고개 대화 내용을 나타낸 것이다. 스무고개의 정답에 해당하는 국가 기관으로 옳은 것은?

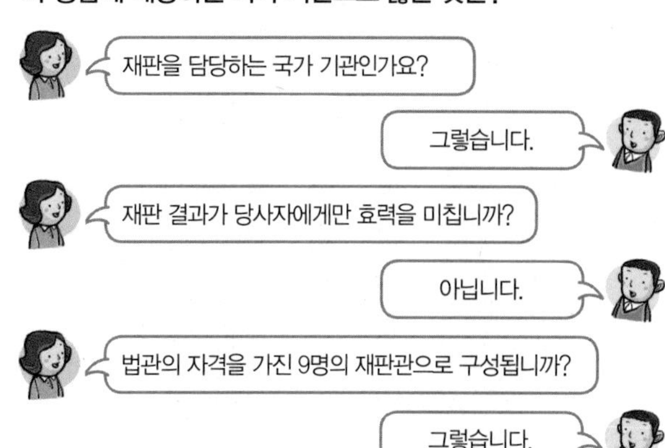

① 국회　② 법원　③ 감사원
④ 행정부　⑤ 헌법 재판소

23 헌법 재판소의 위상으로 적절한 것을 〈보기〉에서 고른 것은?

〈보기〉
ㄱ. 입법 기관　ㄴ. 행정 기관
ㄷ. 헌법 수호 기관　ㄹ. 기본권 보장 기관

① ㄱ, ㄴ　② ㄱ, ㄷ　③ ㄴ, ㄷ
④ ㄴ, ㄹ　⑤ ㄷ, ㄹ

24 표는 헌법 재판소의 역할을 정리한 것이다. ㉠~㉤에 들어갈 내용을 잘못 연결한 것은?

(㉠) 소원 심판	법률이나 국가 권력이 국민의 기본권을 침해하였는지를 심판하는 것
위헌 법률 심판	(㉡)의 전제가 된 법률의 위헌 여부를 심판하는 것
(㉢) 심판	고위 공직자가 헌법을 위반한 경우 파면 여부를 심판하는 것
정당 해산 심판	(㉣)의 청구에 따라 민주적 기본 질서를 어긴 정당의 해산 여부를 심판하는 것
권한 쟁의 심판	(㉤) 간에 권한에 대한 다툼이 발생했을 때 이를 심판하는 것

① ㉠ – 명령　② ㉡ – 재판　③ ㉢ – 탄핵
④ ㉣ – 정부　⑤ ㉤ – 국가 기관

경제생활과 선택

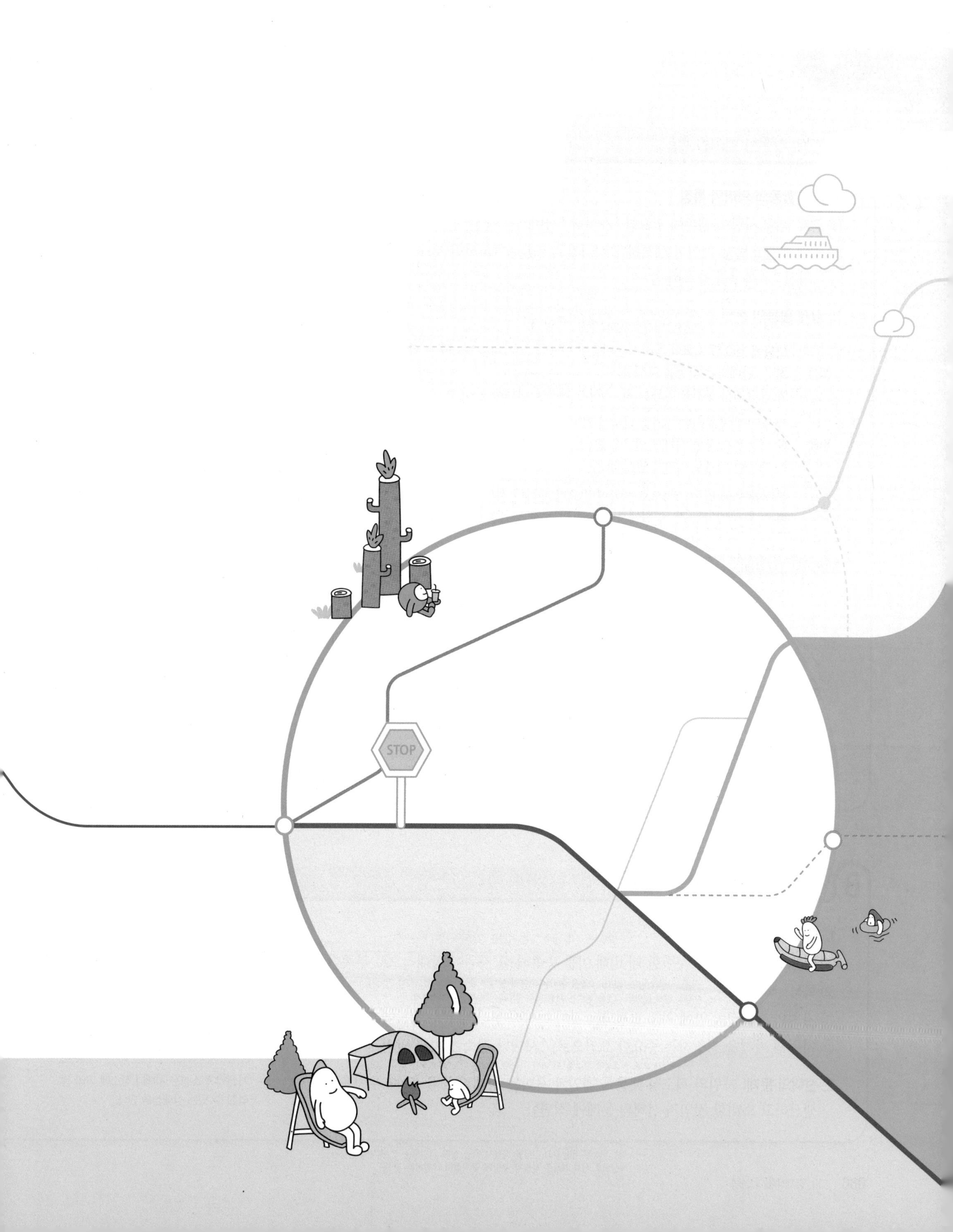
STOP

01 경제생활과 경제 문제

A 경제 활동의 의미와 종류

1. 경제 활동의 의미와 특징

합쳐서 상품이라고 해.

(1) 경제 활동: 사람이 생존에 필요한 ⁺재화나 ⁺서비스를 생산, 분배, 소비하는 모든 활동

(2) 경제 활동의 특징: 개인이 행복하게 살아갈 수 있는 기본적인 토대로, ⁺필요와 물질적·정신적 ⁺욕구를 충족해 줌

2. 경제 활동의 종류

꼭 생산, 분배, 소비 활동은 서로 긴밀히 연결되어 순환하고 있지.

생산	생활에 필요한 재화와 서비스를 만들어 내거나 그 가치를 증대하는 활동 → 상품을 운반, 저장, 판매하는 활동을 포함함 예 공장에서 물건을 만드는 것, 의사가 환자를 진료하는 것 등
분배	생산 과정에 참여한 대가를 나누어 가지는 것 (노동, 토지, 자본 등의 생산 요소를 제공한 대가를 받는 것이지.) 예 노동을 제공한 대가로 임금을 받는 것, 토지를 제공한 대가로 ⁺지대를 받는 것, 자본을 제공한 대가로 이자를 받는 것 등
소비	분배를 통해 얻은 소득으로 생활에 필요한 재화나 서비스를 구입하여 사용하는 활동 예 옷을 구매하는 것, 병원에서 진료를 받는 것 등

자료로 이해하기 경제 주체 간의 상호 작용

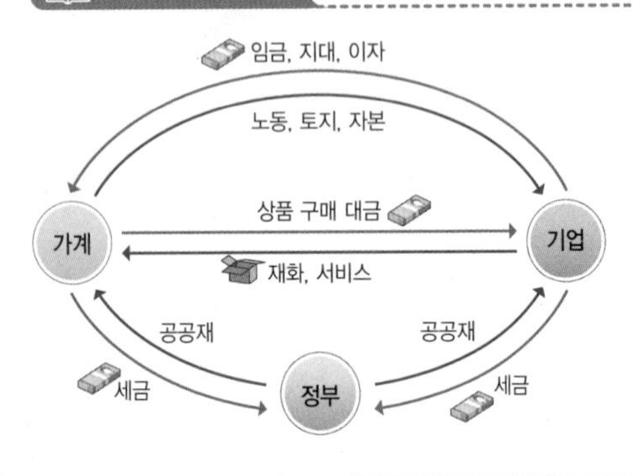

경제 활동에 참여하는 개인 또는 집단을 경제 주체라고 하는데, 경제 주체에는 가계, 기업, 정부 등이 있다. 가계는 욕구 충족을 위해 소비 활동을 하며, 소득을 얻기 위해 기업에 생산 요소를 제공한다. 기업은 가계로부터 제공받은 생산 요소를 이용하여 상품을 생산한다. 정부는 가계와 기업이 낸 세금으로 공공재를 생산하거나 기업이 생산한 재화와 서비스를 소비한다.

(공공재: 국방 서비스나 도로 등 대가를 내지 않아도 모든 사람이 함께 소비할 수 있는 재화나 서비스를 말해.)

+ 재화와 서비스

재화	구체적인 형태가 있는 물건 예 옷, 음식, 집 등
서비스	구체적인 형태는 없지만, 생활에 도움을 주는 인간의 가치 있는 행위 예 의사의 진료, 교사의 수업, 물건 배달 등

+ 필요
인간의 생존을 위해 반드시 충족되어야 하는 것

+ 욕구
인간의 생존을 위해 반드시 필요하지는 않지만, 보다 나은 삶을 위해 충족되기를 원하는 것

+ 지대
생산을 위해 토지와 같은 자연 자원을 사용한 대가로 그 소유자에게 지불하는 비용

B 자원의 희소성과 선택의 문제

1. 자원의 희소성

(1) 의미: 인간의 욕구는 무한한 데 비해 이를 충족해 줄 자원이 상대적으로 부족한 현상

왜? 돈, 시간 등과 같은 자원은 한정되어 있기 때문이야.

(2) 특징

비교 자원의 양이 적어도 그것을 원하는 사람이 없다면 그 자원은 희소하지 않지만, 자원의 양이 많아도 그것을 원하는 사람이 더 많다면 그 자원은 희소하지.

① 자원의 절대적인 양에 의해 결정되는 것이 아니라 인간의 욕구 정도에 따라 달라짐

② 자원의 가격을 결정하는 중요한 요인으로, ⁺시대나 장소에 따라 달라지기도 함

일반적으로 희소성이 클수록 더 비싼 가격에 거래될 가능성이 크지.

2. 선택의 문제: 자원의 희소성 때문에 개인과 사회는 경제 활동을 할 때 무엇을 얼마나 생산하고 소비할 것인지 선택의 문제에 직면함

예 한정된 용돈으로 간식을 먹을지 책을 살지 고민하는 것, 정부가 한정된 예산으로 사회 보장을 늘릴지 국방에 투자할지 고민하는 것 등

+ 자원의 희소성이 갖는 상대성

- 과거와 달리 오늘날 깨끗한 물은 그 가치가 높아지면서 희소성이 커지고 있다.
- 열대 지방에서는 에어컨이 희소성을 띠지만, 극지방에서는 에어컨이 희소성을 띠지 않는다.

자원의 희소성은 시대나 장소에 따라 달라질 수 있는 상대성을 띤다.

- 경제 활동의 의미와 종류
- 자원의 희소성과 선택의 문제
- 기회비용과 합리적 선택
- 경제 문제와 경제 체제

1 사람이 생존에 필요한 재화나 서비스를 생산, 분배, 소비하는 모든 활동을 (　　　　) 이라고 한다.

2 경제 활동의 종류와 그 의미를 옳게 연결하시오.

(1) 생산 •　　　• ㉠ 재화나 서비스를 구입하여 사용하는 활동
(2) 분배 •　　　• ㉡ 생산 과정에 참여한 대가를 나누어 가지는 것
(3) 소비 •　　　• ㉢ 재화와 서비스를 만들어 내거나 그 가치를 증대하는 활동

3 경제 활동 중 생산에 해당하는 사례를 〈보기〉에서 골라 기호를 쓰시오.

보기
ㄱ. 옷을 구매하는 것
ㄴ. 공장에서 물건을 만드는 것
ㄷ. 의사가 환자를 진료하는 것
ㄹ. 노동을 제공한 대가로 임금을 받는 것

4 다음 설명이 맞으면 ○표, 틀리면 ×표를 하시오.

(1) 개인은 경제 활동을 통해 정신적 욕구를 충족하지는 못한다. (　　)
(2) 경제 활동은 개인이 행복하게 살아갈 수 있는 기본적인 토대이다. (　　)
(3) 상품을 운반, 저장, 판매하는 활동은 경제 활동 중 분배에 포함된다. (　　)

• 경제 활동의 종류

생산	재화와 서비스를 만들어 내거나 그 가치를 증대하는 활동
분배	생산 과정에 참여한 대가를 나누어 가지는 것
소비	재화나 서비스를 구입하여 사용하는 활동

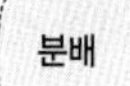

1 자원의 (　　　　)은 인간의 욕구는 무한한 데 비해 이를 충족해 줄 자원이 상대적으로 부족한 현상을 말한다.

2 다음 설명이 맞으면 ○표, 틀리면 ×표를 하시오.

(1) 자원의 희소성은 자원의 절대적인 양에 의해서만 결정된다. (　　)
(2) 개인과 사회는 자원의 희소성 때문에 선택의 문제에 직면하게 된다. (　　)

• 자원의 희소성과 선택의 문제

자원의 희소성
자원의 양 < 인간의 욕구
↓
선택의 문제 발생

C 기회비용과 합리적 선택

1. 기회비용: 어떤 것을 선택함으로써 포기하는 여러 대안이 갖는 가치 중 가장 큰 것
→ 모든 선택에는 기회비용이 따름 ― 사람마다 필요와 선호도가 다르기 때문에 같은 선택을 하더라도 기회비용은 다를 수 있어.

2. ⁺합리적 선택

(1) 합리적 선택: 가장 적은 비용으로 가장 큰 편익을 얻을 수 있는 선택

비용	선택으로 치르는 대가 ― 경제적 의사 결정 상황에서의 비용은 기회비용을 의미해.
편익	선택으로 얻게 되는 이익이나 만족감

(2) 합리적 선택의 방법: 같은 비용이 든다면 편익이 가장 큰 것을, 같은 편익을 얻는다면 비용이 가장 적은 것을 선택하는 것이 합리적임 ― 꼭 합리적인 선택을 하기 위해서는 편익이 기회비용보다 크도록 해야 하지.

✚ 합리적 의사 결정 과정

> 문제 인식 → 대안 탐색 → 비용과 편익을 고려한 대안 평가 → 대안 선택 및 실행 → 대안 평가 및 반성

합리적 의사 결정 과정에 따라 선택할 경우 한정된 자원을 효율적으로 활용할 수 있게 되어 선택으로 인한 후회를 줄일 수 있다.

D 경제 문제와 경제 체제

1. 기본적인 경제 문제 ― 자원의 희소성 때문에 모든 사회는 경제 활동 과정에서 공통으로 해결해야 하는 세 가지 기본적인 경제 문제를 겪게 되지.

무엇을 얼마나 생산할 것인가?	생산물의 종류와 수량을 결정하는 문제
어떻게 생산할 것인가?	생산 방법을 결정하는 문제
누구를 위하여 생산할 것인가? (누구에게 분배할 것인가?)	생산물을 누구에게 얼마나 지급할 것인가를 결정하는 문제 → 분배의 문제

2. 경제 체제

(1) 경제 체제: 기본적인 경제 문제를 해결하는 방식이 제도적으로 정착된 것

(2) 경제 체제의 종류 ― 기본적인 경제 문제를 해결하는 방식에 따라 경제 체제를 크게 시장 경제 체제와 계획 경제 체제로 구분할 수 있지.

① 시장 경제 체제와 계획 경제 체제

구분	시장 경제 체제	계획 경제 체제
의미	개인과 기업이 시장 가격에 기초하여 자율적으로 의사 결정을 함으로써 경제 문제를 해결하는 경제 체제	국가가 경제 활동에 대한 계획을 세우고 개인과 기업에 명령함으로써 경제 문제를 해결하는 경제 체제
특징	• 개인의 자유로운 이익 추구가 인정됨 • 개인의 자유로운 경제 활동이 보장됨 • ⁺사유 재산이 인정됨	• 분배의 평등을 추구함 ― 개인은 사회의 공동 목표를 추구하기 위해 경제 활동을 하지. • 개인의 경제 활동이 제한됨 • 일반적으로 국가가 생산 수단을 소유함
장점	개인의 창의성이 최대한 발휘될 수 있음, 희소한 자원을 효율적으로 사용할 수 있음 → 사회 전체의 생산성이 높아짐	국가가 채택한 주요 목적을 신속히 달성할 수 있음
단점	빈부 격차가 발생할 수 있음, 환경 오염이 심해질 수 있음, 개인의 이익 추구 과정에서 공동체의 이익이 침해될 수 있음	국민에게 필요한 것을 적절하게 공급하기 어려움, 근로 의욕이 저하됨, 경제적 효율성이 떨어짐

Q? 국가가 사람들의 다양한 욕구를 모두 파악하여 생산량과 소비량을 결정하는 것은 현실적으로 불가능하기 때문이야.

Q? 일한 만큼 분배받는 것이 아니므로 이윤을 추구하려는 동기가 부족하기 때문이야.

② 혼합 경제 체제: 시장 경제 체제와 계획 경제 체제의 요소가 섞인 경제 체제 → 오늘날 ⁺우리나라를 비롯한 대부분의 국가는 혼합 경제 체제를 채택하고 있음
시장 경제 체제의 요소와 계획 경제 체제의 요소가 혼합된 정도는 국가마다 차이가 있지.

✚ 사유 재산

개인의 의사에 따라 소유, 사용, 처분이 자유로운 재산

✚ 헌법에 나타난 우리나라의 경제 체제

> 제119조
> ① 대한민국의 경제 질서는 개인과 기업의 경제상의 자유와 창의를 존중함을 기본으로 한다.
> ② 국가는 균형 있는 국민 경제의 성장 및 안정과 적정한 소득의 분배를 유지하고, 시장의 지배와 경제력의 남용을 방지하며, 경제 주체 간의 조화를 통한 경제의 민주화를 위하여 경제에 관한 규제와 조정을 할 수 있다.

우리 헌법 제119조 ①은 경제 활동의 자유를 인정하고 있으며, 제119조 ②는 필요한 경우 정부가 경제에 개입하여 규제와 조정을 할 수 있도록 규정하고 있다. 이를 통해 우리나라는 시장 경제 체제를 중심으로 계획 경제 체제의 일부 요소를 받아들인 혼합 경제 체제를 채택하고 있음을 알 수 있다.

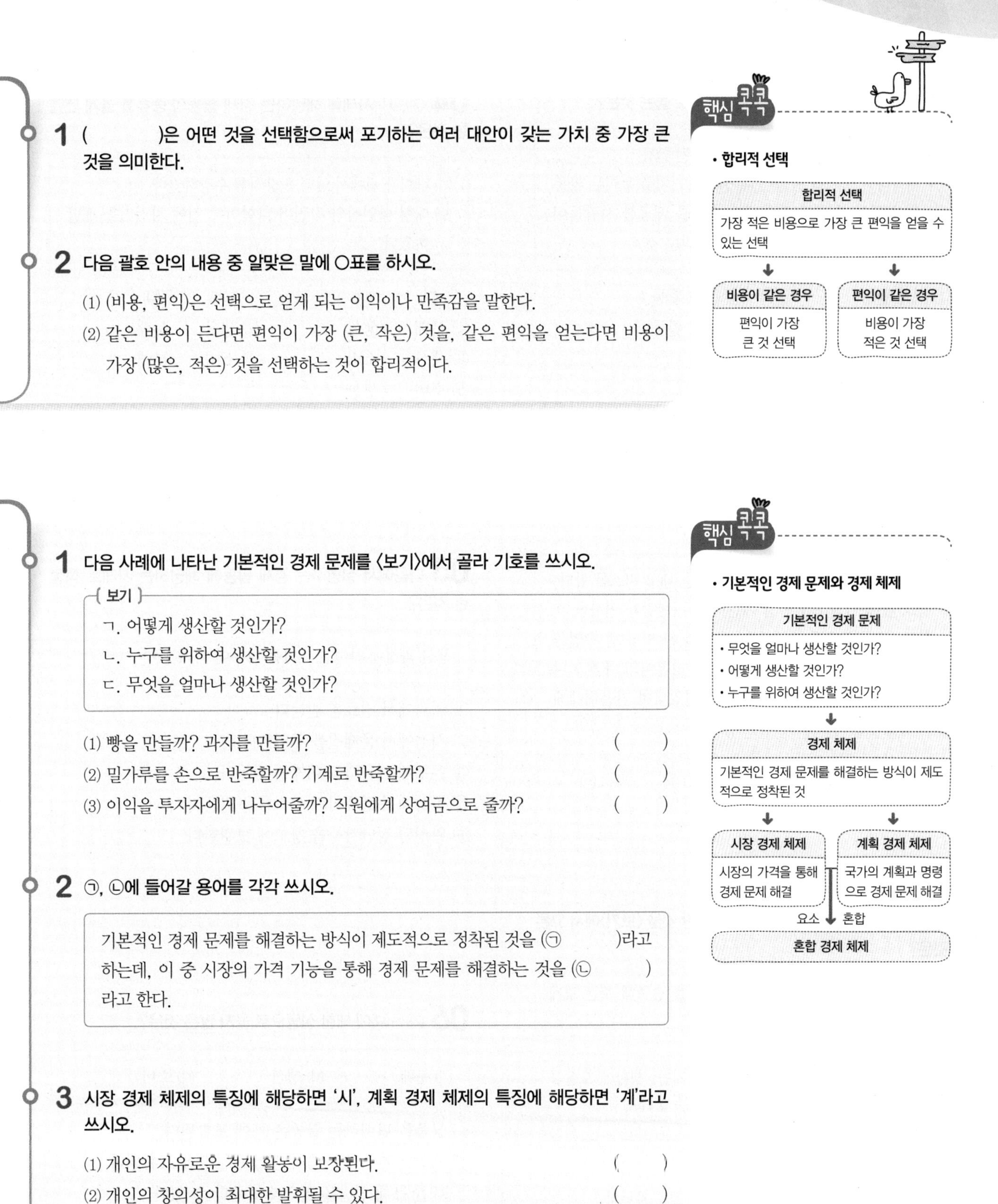

1 (　　　　)은 어떤 것을 선택함으로써 포기하는 여러 대안이 갖는 가치 중 가장 큰 것을 의미한다.

2 다음 괄호 안의 내용 중 알맞은 말에 ○표를 하시오.

(1) (비용, 편익)은 선택으로 얻게 되는 이익이나 만족감을 말한다.

(2) 같은 비용이 든다면 편익이 가장 (큰, 작은) 것을, 같은 편익을 얻는다면 비용이 가장 (많은, 적은) 것을 선택하는 것이 합리적이다.

핵심 콕콕

• 합리적 선택

합리적 선택
가장 적은 비용으로 가장 큰 편익을 얻을 수 있는 선택

비용이 같은 경우	편익이 같은 경우
편익이 가장 큰 것 선택	비용이 가장 적은 것 선택

1 다음 사례에 나타난 기본적인 경제 문제를 〈보기〉에서 골라 기호를 쓰시오.

〈보기〉
ㄱ. 어떻게 생산할 것인가?
ㄴ. 누구를 위하여 생산할 것인가?
ㄷ. 무엇을 얼마나 생산할 것인가?

(1) 빵을 만들까? 과자를 만들까? (　　)

(2) 밀가루를 손으로 반죽할까? 기계로 반죽할까? (　　)

(3) 이익을 투자자에게 나누어줄까? 직원에게 상여금으로 줄까? (　　)

2 ㉠, ㉡에 들어갈 용어를 각각 쓰시오.

기본적인 경제 문제를 해결하는 방식이 제도적으로 정착된 것을 (㉠　　　)라고 하는데, 이 중 시장의 가격 기능을 통해 경제 문제를 해결하는 것을 (㉡　　　)라고 한다.

3 시장 경제 체제의 특징에 해당하면 '시', 계획 경제 체제의 특징에 해당하면 '계'라고 쓰시오.

(1) 개인의 자유로운 경제 활동이 보장된다. (　　)

(2) 개인의 창의성이 최대한 발휘될 수 있다. (　　)

(3) 국민에게 필요한 것을 적절하게 공급하기 어렵다. (　　)

(4) 국가의 명령과 통제에 따라 경제 문제가 해결된다. (　　)

핵심 콕콕

• 기본적인 경제 문제와 경제 체제

기본적인 경제 문제
• 무엇을 얼마나 생산할 것인가?
• 어떻게 생산할 것인가?
• 누구를 위하여 생산할 것인가?

↓

경제 체제
기본적인 경제 문제를 해결하는 방식이 제도적으로 정착된 것

시장 경제 체제	계획 경제 체제
시장의 가격을 통해 경제 문제 해결	국가의 계획과 명령으로 경제 문제 해결

요소 ↓ 혼합

혼합 경제 체제

01 다음 내용을 모두 포함하는 용어로 옳은 것은?

- 재화나 서비스를 구입하여 사용하는 활동
- 재화나 서비스를 만들어 내거나 그 가치를 높이는 활동
- 생산 활동에 참여하여 생산 요소를 제공한 사람들이 그 대가로 임금, 지대, 이자 등을 받는 것

① 경제 활동　② 문화 활동
③ 소비 활동　④ 정치 활동
⑤ 제조 활동

★ 시험에 잘 나와!

02 다음은 가은이의 하루를 나타낸 것이다. 밑줄 친 ㉠~㉤ 중 경제 활동의 사례로 볼 수 없는 것은?

가은이는 학교에 가기 위해 ㉠ 요금을 내고 버스를 탔다. 학교 앞에서 친구를 만난 가은이는 ㉡ 반갑게 인사한 후 학교 앞 가게에 들러 ㉢ 빵과 우유를 사 먹었다. 수업을 마친 후에는 사촌 언니를 만났는데, 가은이의 사촌 언니는 ㉣ 아르바이트를 해서 월급을 받았다며 가은이에게 ㉤ 맛있는 돈가스를 사 주었다.

① ㉠　② ㉡　③ ㉢　④ ㉣　⑤ ㉤

03 다음에서 설명하는 사례로 적절한 것을 〈보기〉에서 고른 것은?

1단계 힌트	인간의 필요와 욕구를 충족해 주는 경제 활동의 대상이다.
2단계 힌트	구체적인 형태는 없지만, 생활에 도움을 주는 인간의 가치 있는 행위이다.

〈보기〉
ㄱ. 옷　ㄴ. 집　ㄷ. 공연
ㄹ. 배달　ㅁ. 수업　ㅂ. 자동차

① ㄱ, ㄴ, ㄹ　② ㄱ, ㄴ, ㅂ　③ ㄴ, ㄷ, ㅁ
④ ㄷ, ㄹ, ㅁ　⑤ ㄹ, ㅁ, ㅂ

04 (가), (나) 사례에 해당하는 경제 활동의 종류를 옳게 연결한 것은?

(가) 나희가 집에서 인터넷 강의를 수강하였다.
(나) 대형 할인점의 직원이 다혁이네 집에 자전거를 배달하였다.

	(가)	(나)
①	분배	생산
②	생산	분배
③	생산	소비
④	소비	분배
⑤	소비	생산

05 다음에서 설명하는 경제 활동에 해당하는 사례로 적절한 것은?

생산 과정에 참여한 대가를 나누어 가지는 것

① 치과에서 진료를 받는다.
② 서점에서 문제집을 구입한다.
③ 은행에 예금하고 이자를 받는다.
④ 공장에서 컴퓨터의 부속품을 만든다.
⑤ 완성된 장난감들을 창고에 보관한다.

06 (가)~(다)에 대한 설명으로 옳지 않은 것은?

(가) 분배　(나) 생산　(다) 소비

① 상품을 판매하는 활동은 (가)에 포함된다.
② 재화의 가치를 증대하는 활동은 (나)에 포함된다.
③ (다)를 통해 인간은 필요를 충족할 수 있다.
④ (가)를 통해 얻은 소득은 (다)의 기반이 된다.
⑤ (가)~(다)는 개인이 행복하게 살아갈 수 있는 기본적인 토대가 된다.

07 그림은 경제 주체 간의 상호 작용을 나타낸 것이다. (가)~(다)에 해당하는 경제 주체를 옳게 연결한 것은?

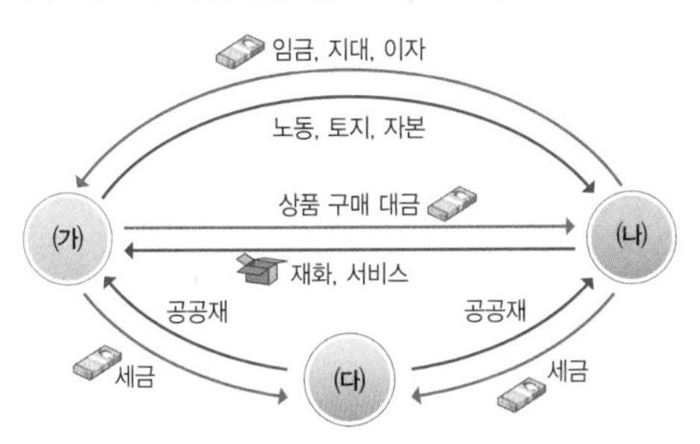

	(가)	(나)	(다)
①	가계	기업	정부
②	가계	정부	기업
③	기업	가계	정부
④	기업	정부	가계
⑤	정부	기업	가계

08 자원의 희소성에 대한 설명으로 옳지 않은 것은?

① 선택의 문제가 발생하는 원인이다.
② 인간의 욕구 정도에 따라 달라진다.
③ 자원의 가격을 결정하는 중요한 요인이다.
④ 자원의 양이 절대적으로 부족한 경우에만 나타난다.
⑤ 자원의 양이 매우 적더라도 이를 원하는 사람이 없다면 그 자원은 희소성을 띠지 않는다.

시험에 잘 나와!

09 다음 사례들을 종합하여 자원의 희소성에 대해 내린 결론으로 가장 적절한 것은?

- 열대 지방에서는 에어컨을 원하는 사람이 많지만, 극 지방에서는 에어컨을 원하는 사람이 거의 없다.
- 과거에는 깨끗한 물을 쉽게 구할 수 있었지만, 오늘날에는 깨끗한 물의 가치가 높아져 대가를 지불해야 얻을 수 있게 되었다.

① 항상 일정하게 유지된다.
② 시대와 장소에 따라 달라진다.
③ 인간의 욕구와 관계없이 결정된다.
④ 양이 적을수록 높은 가격에 거래된다.
⑤ 인간의 욕구와 자원이 모두 유한하기 때문에 나타난다.

10 다음과 같은 상황이 나타나는 근본적인 원인으로 적절한 것은?

개인은 한정된 용돈으로 간식을 먹을지 책을 살지 선택해야 하며, 정부는 한정된 예산으로 사회 보장을 늘릴지 국방에 투자할지 선택해야 한다.

① 자원이 무한하기 때문이다.
② 자원이 희소성을 띠기 때문이다.
③ 다양한 선택이 항상 보장되기 때문이다.
④ 인간의 욕구가 한정되어 있기 때문이다.
⑤ 인간의 욕구를 충족해 줄 자원이 충분하기 때문이다.

11 기회비용에 대해 옳게 설명한 학생을 고른 것은?

① 가현, 나현　② 가현, 다현　③ 나현, 다현
④ 나현, 라현　⑤ 다현, 라현

12 표는 라준이가 활동에 따라 얻을 수 있는 만족감을 나타낸 것이다. 캠핑을 선택할 경우의 기회비용으로 옳은 것은?

활동	만족감
캠핑	60
공원 산책	80
영화 관람	100
자전거 타기	70

① 캠핑으로 얻을 수 있는 만족감 60
② 자전거 타기로 얻을 수 있는 만족감 70
③ 영화 관람으로 얻을 수 있는 만족감 100
④ 캠핑과 영화 관람으로 얻을 수 있는 만족감 160
⑤ 캠핑을 제외한 활동들로 얻을 수 있는 만족감 250

13 합리적 선택을 위한 방안으로 적절하지 <u>않은</u> 것은?

① 편익이 기회비용보다 큰 것을 선택한다.
② 합리적 의사 결정 과정에 따라 선택한다.
③ 최소 비용으로 최대 편익을 얻을 수 있도록 선택한다.
④ 같은 비용이 들 경우 편익이 가장 작은 것을 선택한다.
⑤ 선택으로 얻게 되는 이익과 만족을 고려하여 선택한다.

시험에 잘 나와!

14 다음 상황을 분석한 내용으로 옳은 것은?

> 마은이는 배가 고파 분식집에 들어갔다. 세 가지 메뉴 중 한 가지를 선택하려고 하는데, 선택했을 때의 만족감은 떡볶이가 가장 크고, 다음으로 순대, 김밥의 순서였다. 이때 떡볶이, 순대, 김밥의 가격은 모두 같았다.

① 순대를 선택하는 것이 가장 합리적이다.
② 떡볶이를 선택할 때 기회비용이 가장 크다.
③ 순대를 선택할 때의 기회비용은 김밥을 먹을 때의 만족감이다.
④ 합리적 선택을 했을 때의 기회비용은 떡볶이를 먹을 때의 만족감이다.
⑤ 순대를 선택할 때의 기회비용은 김밥을 선택할 때의 기회비용과 같다.

15 (가)~(다)에 대한 옳은 설명을 〈보기〉에서 고른 것은?

> (가) 어떻게 생산할 것인가?
> (나) 누구를 위하여 생산할 것인가?
> (다) 무엇을 얼마나 생산할 것인가?

〈보기〉
ㄱ. (가)는 생산물의 분배에 관련된 문제이다.
ㄴ. (나)는 생산 방법을 결정하는 문제이다.
ㄷ. (다)는 생산물의 종류와 수량을 결정하는 문제이다.
ㄹ. (가) ~ (다)는 기본적인 경제 문제에 해당한다.

① ㄱ, ㄴ ② ㄱ, ㄷ ③ ㄴ, ㄷ
④ ㄴ, ㄹ ⑤ ㄷ, ㄹ

16 다음 사례에 나타난 기본적인 경제 문제로 적절한 것은?

> 자동차 회사를 운영하는 바혁 씨는 생산량을 늘리기 위해 일할 직원을 더 뽑아야 할지, 생산 설비를 더 늘려야 할지 고민하고 있다.

① 생산 방법을 결정하는 문제
② 생산 시기를 결정하는 문제
③ 생산물의 양을 결정하는 문제
④ 생산물의 종류를 결정하는 문제
⑤ 생산물의 분배 방식을 결정하는 문제

17 (가), (나)에서 설명하는 경제 체제를 옳게 연결한 것은?

> (가) 시장 가격에 기초하여 경제 문제를 해결한다.
> (나) 국가의 계획과 명령에 따라 경제 문제를 해결한다.

	(가)	(나)
①	계획 경제 체제	시장 경제 체제
②	계획 경제 체제	혼합 경제 체제
③	시장 경제 체제	계획 경제 체제
④	시장 경제 체제	혼합 경제 체제
⑤	혼합 경제 체제	시장 경제 체제

18 다음과 같은 모습이 나타나는 경제 체제에 대한 설명으로 옳지 <u>않은</u> 것은?

> • 기업: 우리 기업의 제품을 찾는 사람이 늘었으니 생산량을 늘려야지.
> • 농부: 고구마의 가격이 올랐으니 올해는 내 땅에 감자 대신 고구마를 심어야지.

① 사유 재산이 인정된다.
② 빈부 격차가 발생할 수 있다.
③ 개인의 경제 활동이 제한된다.
④ 개인의 자유로운 이익 추구가 보장된다.
⑤ 경제 문제가 시장 가격을 통해 해결된다.

19 다음과 같은 특징을 지닌 경제 체제에 대한 옳은 설명을 〈보기〉에서 고른 것은?

> • 경제 활동에 대한 계획을 국가가 세운다.
> • 개인은 사회의 공동 목표를 추구하기 위해 경제 활동을 한다.

〈보기〉
ㄱ. 국가가 대부분의 생산 수단을 소유한다.
ㄴ. 분배의 평등보다 경제적 효율을 우선시한다.
ㄷ. 국가가 국민이 원하는 것을 적절히 공급하기 쉽다.
ㄹ. 국가가 채택한 주요 목적을 신속히 달성할 수 있다.

① ㄱ, ㄴ ② ㄱ, ㄹ ③ ㄴ, ㄷ
④ ㄴ, ㄹ ⑤ ㄷ, ㄹ

시험에 잘 나와!
20 표는 시장 경제 체제와 계획 경제 체제의 장단점을 비교한 것이다. ㉠~㉣에 들어갈 내용을 옳게 연결한 것은?

구분	시장 경제 체제	계획 경제 체제
장점	㉠	㉡
단점	㉢	㉣

① ㉠ – 사회 전체의 생산성 증대
② ㉡ – 근로 의욕 향상
③ ㉡ – 개인의 창의성 발휘 가능
④ ㉢ – 경제적 효율성 저하
⑤ ㉣ – 개인의 이익 추구 과정에서 사회 전체의 이익 침해 우려

21 밑줄 친 '이 경제 체제'가 무엇인지 쓰시오.

> 오늘날 시장 경제 체제를 기본으로 하는 국가에서 빈부 격차와 같은 문제를 해결하기 위해 정부가 시장에 개입하기도 하고, 계획 경제 체제를 기본으로 하는 국가에서 생산성 하락과 같은 문제를 해결하기 위해 시장 경제 체제의 요소를 도입하기도 한다. 이처럼 오늘날 대부분의 국가는 시장 경제 체제와 계획 경제 체제의 요소가 섞인 이 경제 체제를 채택하고 있다.

서술형 문제

서술형 감잡기

01 다음 글을 읽고 물음에 답하시오.

> 만약 우리가 무인도에 표류했다면 살아남기 위해 음식을 구하고 집을 지어야 할 것이다. 이처럼 사람이 생존에 필요한 재화나 서비스를 만들어 내고 나누고 사용하는 활동을 (㉠)(이)라고 한다.

(1) ㉠에 들어갈 용어를 쓰시오.

(2) (1)의 종류에 대해 서술하시오.

➜ (①)은 재화와 서비스를 만들어 내거나 그 가치를 높이는 활동, (②)는 생산 과정에 참여한 대가를 나누어 가지는 활동, (③)는 재화나 서비스를 구입하여 사용하는 활동이다.

실전! 서술형 도전하기

02 (가), (나)에 해당하는 용어를 각각 쓰고, 그 용어들을 사용하여 합리적 선택의 의미를 서술하시오.

> (가) 선택으로 치르는 대가
> (나) 선택으로 얻게 되는 이익이나 만족감

03 A국에서 채택하고 있는 경제 체제를 쓰고, 그 단점을 두 가지 이상 서술하시오.

> A국 정부는 국가 계획을 달성하기 위해 기업에 생산량을 늘릴 것을 명령하였다.

기업의 역할과 사회적 책임

A 기업의 의미와 역할

1. 기업: 생산 활동을 담당하는 경제 주체 → 시장 경제에서 기업은 생산 활동을 통해 +이윤의 극대화를 추구함

└ 시장 경제 체제에서 기업은 무엇을, 어떻게, 얼마나 생산할지를 직접 결정하지.

2. 기업의 역할

상품 생산	생산 요소를 투입하여 재화나 서비스를 만들고 이를 판매함 → 기업이 이윤을 늘리기 위해 기술을 발달시키고 새로운 상품을 개발하고자 노력하는 과정에서 소비자의 만족감과 삶의 질이 향상됨
고용과 소득 창출	생산 활동을 위해 근로자를 고용하여 가계에 일자리를 제공하고, 생산 요소를 제공한 사람들에게 임금, 지대, 이자 등을 지급하여 가계의 소득을 창출함
세금 납부	벌어들인 수입 중 일부를 국가에 세금으로 납부함으로써 국가의 +재정에 기여함

기업의 생산 활동이 활발해질수록 사회 전체의 고용과 소득이 늘어 경제가 활성화되고 국민의 생활 수준이 높아질 수 있지.

+ 이윤
기업이 재화와 서비스를 팔아 생긴 수입에서 만드는 데 들어간 비용을 뺀 것

+ 재정
국가 또는 지방 자치 단체가 행정 활동이나 공공 정책을 시행하기 위하여 자금을 만들어 관리하고 이용하는 경제 활동

B 기업의 사회적 책임과 기업가 정신

1. 기업의 사회적 책임

오늘날 기업의 활동이 사회적으로 큰 영향을 미침에 따라 기업에 요구되는 사회적 책임도 강조되고 있어.

(1) 의미: 기업이 이윤을 추구하는 활동 이외에 법령과 윤리를 준수하고, 기업의 유지 기반이 되는 소비자, 주주, 지역 사회 등에 대한 역할을 다하는 것

(2) 수행 노력: 투명 경영, 합법적인 경제 활동, 소비자와 근로자의 권익 보호, 환경 보호, 장애인과 여성의 고용 확대, 공정 거래, 사회 공헌 활동 참여, 교육 및 복지 지원 등

└ 기업에 대한 이미지를 좋게 하여 장기적으로 기업의 발전에 도움을 주지.

2. +기업가 정신

(1) 의미: 불확실성과 위험을 무릅쓰고 +혁신과 창의성을 바탕으로 한 생산 활동을 통해 이윤을 창출하여 기업을 성장시키려는 기업가의 도전 정신

(2) 발휘 사례: 새로운 상품 개발, 새로운 시장 개척, 새로운 생산 방법 도입, 새로운 경영 조직 구성, 품질 개선이나 기술 개발, 새로운 자원 활용 등

└ 기존 제품의 생산량을 늘리는 것은 기업가 정신을 발휘한 사례로 보기 어려워.

(3) 의의: 소비자의 삶을 더욱 풍요롭게 함, 새로운 가치 창출에 이바지하여 경제 발전의 원동력이 되기도 함

└ 기업의 혁신 과정에서 소비자가 우수한 제품을 보다 싼 가격으로 구입할 수 있게 되며, 기존에 없었던 편리한 상품을 접할 수 있게 되지.

자료로 이해하기 기업의 사회적 책임과 기업가 정신의 실현 사례

(가) △△ 기업은 소비자가 신발 한 켤레를 구매하면 아프리카 어린이에게 신발 한 켤레를 기부하는 방식으로 소비자의 착한 소비를 이끌어 내고 있다.
(나) A 씨는 자녀의 알림장을 스마트폰을 통해 쉽고 빠르게 확인할 수 있는 서비스를 개발하여 이른바 스마트 알림장이라는 새로운 시장을 개척하였다.

(가)에서 △△ 기업은 기부 활동을 통해 사회에 공헌함으로써 사회 전체의 복지 증진에 기여해야 한다는 기업의 사회적 책임을 다하고 있다. (나)에서 A 씨는 혁신을 통해 새로운 기술을 개발하고 기존에 없던 시장을 개척함으로써 기업가 정신을 발휘하고 있다.

+ 기업가
기업의 경영을 담당하는 사람

+ 기업가 정신과 관련된 격언

- 기술 혁신을 통해 새로운 것을 만들어 내는 '창조적 파괴'가 기업가 정신의 핵심이다. – 슘페터
- 변화를 탐구하고, 변화에 대응하며, 변화를 기회로 이용하는 것이 기업가 정신이다. – 드러커, 피터 퍼디낸드

기업가는 빠르게 변화하는 사회 환경에 유연하고 신속하게 대처할 수 있는 능력을 갖추어야 한다.

+ 혁신
기존에 없었던 방식을 도입하여 관습, 조직 등을 새롭게 하는 창조적 과정

- 기업의 역할
- 기업의 사회적 책임
- 기업가 정신

1 **다음 괄호 안의 내용 중 알맞은 말에 ○표를 하시오.**

(1) 기업은 (생산, 소비) 활동을 담당하는 경제 주체이다.

(2) 시장 경제 체제에서 기업은 (이윤, 편익)을 얻기 위해 생산 활동을 한다.

(3) 기업은 생산 요소를 제공한 대가로 임금, 지대, 이자 등을 지급하여 (가계, 정부)의 소득 창출에 기여한다.

2 **기업은 생산 활동으로 벌어들인 수입 중 일부를 국가에 (　　　　　)으로 납부함으로써 국가의 재정에 기여한다.**

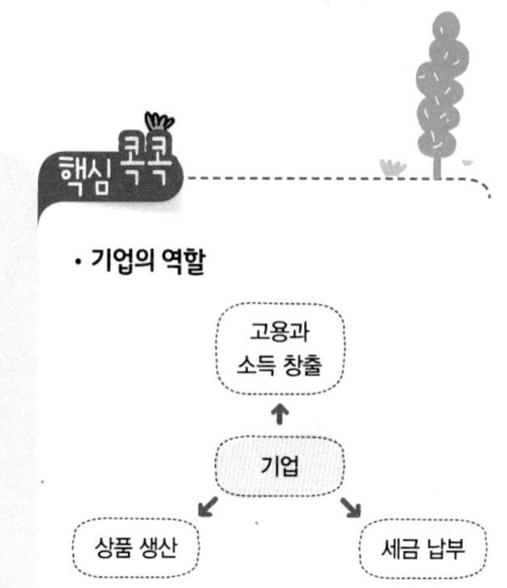

1 **다음 설명이 맞으면 ○표, 틀리면 ×표를 하시오.**

(1) 기업의 사회적 책임은 기업이 이윤을 추구하는 활동에만 집중해야 한다는 것을 뜻한다. (　　)

(2) 기업은 사회적 책임을 다하기 위해 법령과 윤리를 준수하여 경제 활동을 해 나가야 한다. (　　)

(3) 기업이 사회 공헌 활동에 적극적으로 참여하는 것은 사회적 책임을 다하기 위한 노력으로 보기 어렵다. (　　)

2 **㉠에 들어갈 용어를 쓰시오.**

> 미래의 불확실성과 위험을 무릅쓰고 혁신과 창의성을 바탕으로 한 생산 활동을 통해 이윤을 창출하여 기업을 성장시키려는 기업가의 도전 정신을 (㉠　　　　) 이라고 한다.

3 **기업가 정신이 발휘된 사례를 〈보기〉에서 골라 기호를 쓰시오.**

〈보기〉

ㄱ. 품질 개선　　　　ㄴ. 새로운 시장 개척
ㄷ. 기존 상품의 가격 인상　　　　ㄹ. 현재의 경영 조직 유지

• **기업의 사회적 책임과 기업가 정신**

기업의 사회적 책임	기업이 이윤을 추구하는 활동 외에 법령과 윤리를 준수하고 사회에 대한 역할을 다하는 것
기업가 정신	불확실성과 위험을 무릅쓰고 혁신을 통해 이윤을 창출하려는 기업가의 도전 정신

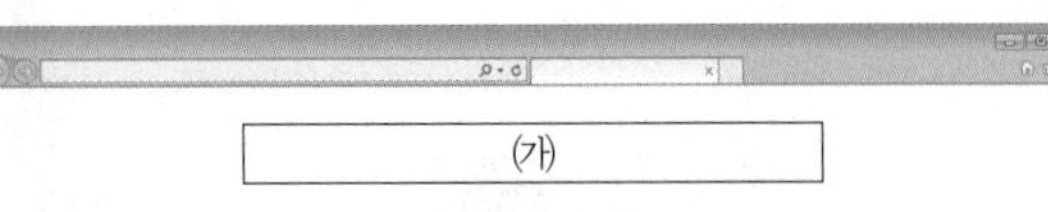

01 (가)에 들어갈 경제 주체로 옳은 것은?

> (가)
>
> 무엇을, 어떻게, 얼마나 생산할지를 결정하는 경제 주체이다. 생산 활동의 주체로서 노동, 토지, 자본 등의 생산 요소를 투입하여 재화나 서비스를 만들고 이를 판매하는 역할을 담당한다.

① 가계 ② 기업 ③ 외국
④ 정부 ⑤ 소비자

02 (가)에 들어갈 내용으로 적절한 것은?

> 시장 경제 체제에서 기업은 적극적인 생산 활동을 통해 ____(가)____를 추구한다.

① 복지의 극대화 ② 비용의 극대화
③ 수입의 최소화 ④ 이윤의 극대화
⑤ 편익의 최소화

03 기업의 역할에 대한 옳은 설명만을 〈보기〉에서 있는 대로 고른 것은?

〈보기〉

ㄱ. 가계에 일자리를 제공한다.
ㄴ. 이윤을 얻기 위해 상품을 생산한다.
ㄷ. 세금을 납부하여 국가의 재정에 기여한다.
ㄹ. 가계에 노동과 자본을 제공하여 생산 활동에 이바지한다.

① ㄱ, ㄴ ② ㄴ, ㄷ ③ ㄷ, ㄹ
④ ㄱ, ㄴ, ㄷ ⑤ ㄴ, ㄷ, ㄹ

04 다음 사례에서 강조하고 있는 기업의 역할로 가장 적절한 것은?

> 세계적으로 컴퓨터 시장이 커짐에 따라 기업들은 더욱 효율이 좋은 컴퓨터를 생산하기 위해 경쟁하기 시작하였다. 이 과정에서 컴퓨터의 기능이 비약적으로 향상되었으며, 가격이 이전에 비해 낮아졌다.

① 가계의 소득을 감소시킨다.
② 국가의 경제 발전을 저해한다.
③ 소비자의 만족감을 향상시킨다.
④ 국가의 재정 활동에 도움을 준다.
⑤ 생산을 통해 고용 창출에 기여한다.

시험에 잘 나와!

05 다음 내용에서 설명하는 용어를 쓰시오.

> • 기업이 이윤을 추구하는 활동 이외에 법령과 윤리를 준수하고 기업의 유지 기반이 되는 소비자, 주주, 지역 사회 등에 대한 역할을 다하는 것을 말한다.
> • 기업이 환경 보호에 힘쓰고, 기부 활동을 하는 것 등을 예로 들 수 있다.

06 밑줄 친 부분을 고려한 기업의 활동으로 적절하지 않은 것은?

> 오늘날 기업의 활동이 국가 경제 전반에 미치는 영향이 커짐에 따라 사회 구성원으로서 기업의 사회적 책임이 강조되고 있다.

① 경영의 투명성을 높인다.
② 장애인과 여성의 고용을 확대한다.
③ 소비자를 위해 안전한 제품을 생산한다.
④ 관련 법령에 근거하여 경제 활동을 한다.
⑤ 이윤을 극대화하기 위해 근로자에게 적정 수준보다 낮은 임금을 지급한다.

07 다음 사례들을 활용하여 작성한 보고서의 제목으로 적절한 것은?

- ○○ 기업은 관련 법령에 따라 투명하게 세금을 납부하였으며, 이러한 공을 인정받아 모범 납세자상을 받았다.
- △△ 기업은 소비자가 신발 한 켤레를 구매하면 아프리카 어린이에게 신발 한 켤레를 기부하는 방식으로 소비자의 착한 소비를 이끌어 내고 있다.

① 효율성을 중시하는 기업
② 불확실성에 도전하는 기업
③ 기술 혁신에 앞장서는 기업
④ 사회적 책임을 다하는 기업
⑤ 비용 최소화를 추구하는 기업

[08~09] 다음은 경제학자들의 격언을 나타낸 것이다. 읽고 물음에 답하시오.

- 기술 혁신을 통해 새로운 것을 만들어 내는 창조적 파괴가 (㉠)의 핵심이다. – 슘페터
- 변화를 탐구하고, 변화에 대응하며, 변화를 기회로 이용하는 것이 (㉠)이다. – 드러커, 피터 퍼디낸드

08 ㉠에 들어갈 용어로 가장 적절한 것은?

① 생산 요소
② 투명 경영
③ 기업가 정신
④ 사회 공헌 활동
⑤ 기업의 사회적 책임

09 ㉠에 대한 옳은 설명을 〈보기〉에서 고른 것은?

〈보기〉

ㄱ. 소비자의 삶을 풍요롭게 할 수 있다.
ㄴ. 경제를 발전시키는 원동력이 되기도 한다.
ㄷ. 현재의 이윤을 안정적으로 유지하려는 자세이다.
ㄹ. 빠르게 변화하는 사회에서 중요성이 작아지고 있다.

① ㄱ, ㄴ ② ㄱ, ㄷ ③ ㄴ, ㄷ
④ ㄴ, ㄹ ⑤ ㄷ, ㄹ

시험에 잘 나와!

10 다음 내용을 고려한 기업가의 결정으로 적절하지 않은 것은?

기업가는 미래의 불확실성 속에서도 장래를 예측하고 변화를 모색해야 하며, 남과는 다른 시각에서 혁신적인 사고를 할 수 있어야 한다.

① 새로운 시장을 개척한다.
② 기존 제품의 생산량을 늘린다.
③ 새로운 생산 방법을 도입한다.
④ 기존의 생산 기술을 더욱 발전시킨다.
⑤ 시장 변화에 대처할 수 있는 새로운 경영 조직을 만든다.

서술형 문제

서술형 감잡기

01 그림을 보고 물음에 답하시오.

가계 → 노동, 토지, 자본 → (가)
(가) → 임금, 지대, 이자 → 가계

(1) (가)에 들어갈 경제 주체를 쓰시오.

(2) (1)의 역할을 서술하시오.

➜ 이윤을 얻기 위해 재화와 서비스를 (①)하고, 임금, 이자 등을 지급하여 가계의 (②)을 창출한다. 또한 국가에 (③)을 납부함으로써 국가의 재정에 기여한다.

실전! 서술형 도전하기

02 기업가 정신의 의미를 제시된 단어를 모두 사용하여 서술하시오.

• 이윤 • 혁신 • 불확실성

03 금융 생활의 중요성

A 일생 동안의 경제생활

1. **평생 이루어지는 경제생활:** 경제생활은 태어나면서부터 평생에 걸쳐 이루어짐 → 경제 활동을 하는 동안 소득과 소비는 ⁺생애 주기의 시기별로 다르게 나타남

2. **생애 주기에 따른 일반적인 경제생활**

유소년기	생산 활동보다 소비 활동이 많이 이루어지며, 주로 부모의 소득에 의존하여 소비 생활을 함 → 바람직한 경제생활 태도를 형성하는 것이 중요함
청년기	취업을 통해 본격적으로 생산 활동에 참여하여 소득이 발생하며, 소득과 소비가 모두 적은 편임 → ⁺저축을 통해 결혼과 자녀 출산 등에 대비해야 함
중장년기	소득이 크게 증가하지만, 자녀 출산 및 양육, 주택 마련 등으로 소비도 집중적으로 증가함 → 은퇴 이후의 삶을 준비해야 함
노년기	직장에서 은퇴한 후 소득이 크게 줄어들거나 없어져 모아 둔 노후 대비 자금이나 연금으로 생활함 → 고령화 시대에 접어들면서 노년기의 중요성이 커지고 있음

└ 소득이 가장 많은 시기야.

자료로 이해하기 생애 주기에 따른 소득과 소비

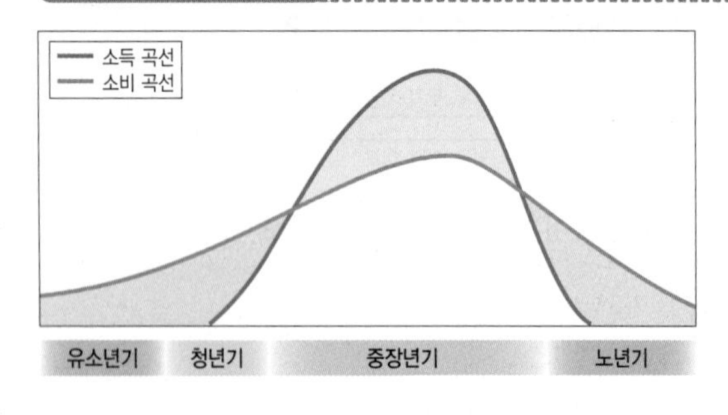

생애 주기를 살펴보면 소득이 소비보다 많은 시기가 있고, 소비가 소득보다 많은 시기도 있다. 따라서 지속 가능한 경제생활을 하기 위해서는 장기적인 관점에서 경제생활 계획을 수립하고 실천해야 하며, 자산 관리와 신용 관리에 힘써야 한다.

+ 생애 주기
시간의 흐름에 따라 개인이나 가족의 삶이 어떻게 변화하는지를 몇 단계로 나타낸 것

+ 저축
소득 가운데 소비하지 않고 남긴 부분

B 지속 가능한 경제생활을 위한 자산 관리

1. **⁺자산:** 자신이 소유하고 있는 것 중에서 경제적 가치를 지닌 것
   └ 현금화할 수 있는 것을 의미해.

2. **⁺자산 관리**

(1) 자산 관리: 자신이 벌어들인 소득으로 언제, 얼마만큼 소비할지, 어떻게 자산을 모으고 불릴지에 대한 계획을 세우고 실천하는 것

(2) 자산 관리의 필요성

① 지속 가능한 경제생활 유지: 소비 생활은 평생 지속되지만, 소득을 얻는 기간은 한정되어 있음 → 일생 동안의 소득과 소비를 고려하여 자산을 확보하고 운영해야 함

② 고령화 사회 대비: 평균 수명이 연장되면서 은퇴 이후의 생활 기간이 점점 늘어남 → 안정적인 노후 생활을 위해 자산을 관리해야 할 필요성이 더욱 커지고 있음

③ 불확실한 상황 대비: 사고, 질병, 자연재해 등에 따른 갑작스러운 지출에도 대비해야 함

+ 자산의 종류

금융 자산	예금, 주식, 채권 등
실물 자산	자동차, 부동산, 귀금속 등

+ 자산 관리 과정
목표 결정 → 자산 파악 → 자금 마련 계획 수립 → 실행 → 김도와 평가

- 생애 주기에 따른 경제생활
- 자산 관리의 의미와 필요성
- 합리적인 자산 관리 방법
- 신용의 의미와 신용 관리

1 다음 설명이 맞으면 ○표, 틀리면 ×표를 하시오.

(1) 경제생활은 청년기 이후부터 이루어진다. ( )

(2) 소득과 소비의 수준은 생애 주기에 따라 다르게 나타난다. ( )

2 다음에서 설명하는 경제생활의 모습이 나타나는 생애 주기의 단계를 〈보기〉에서 골라 기호를 쓰시오.

보기
ㄱ. 유소년기　ㄴ. 청년기　ㄷ. 중장년기　ㄹ. 노년기

(1) 취업을 통해 본격적으로 생산 활동에 참여한다. ( )

(2) 주로 부모의 소득에 의존하여 소비 생활을 한다. ( )

(3) 직장에서 은퇴하여 소득이 크게 줄어들거나 없어진다. ( )

(4) 자녀 출산 및 양육, 주택 마련 등으로 소비가 집중적으로 증가한다. ( )

3 다음 괄호 안의 내용 중 알맞은 말에 ○표를 하시오.

(1) (소득, 소비)은/는 청년기에 발생하여 중장년기에 크게 증가한다.

(2) (유소년기, 중장년기)에는 생산 활동보다 소비 활동이 많이 이루어진다.

핵심 콕콕

• 생애 주기에 따른 경제생활

단계	경제생활
유소년기	부모의 소득에 의존하여 소비 생활 영위
청년기	본격적으로 생산 활동에 참여 → 소득 발생
중장년기	소득과 소비가 모두 크게 증가, 노후 준비 필요
노년기	은퇴로 소득 감소 → 노후 대비 자금이나 연금으로 생활

1 자신이 벌어들인 소득으로 언제, 얼마만큼 소비할지, 어떻게 자산을 모으고 불릴지에 대한 계획을 세우고 실천하는 것을 ( )라고 한다.

2 다음 설명이 맞으면 ○표, 틀리면 ×표를 하시오.

(1) 자산은 자신이 소유하고 있는 것 중 경제적 가치를 지닌 것을 뜻한다. ( )

(2) 생애 주기 가운데 중장년기의 소득과 소비만을 고려하여 자산을 확보하고 운영해야 한다. ( )

(3) 고령화 사회로 접어들면서 안정적인 노후 생활을 위해 자산을 관리해야 할 필요성이 줄어들고 있다. ( )

• 자산 관리의 의미와 필요성

자산 관리: 소득을 바탕으로 자산 확보 및 운영 계획을 세우고 실천하는 것

필요성 → 지속 가능한 경제생활 유지 / 고령화 사회 대비

C 합리적인 자산 관리

1. 합리적인 자산 관리 방법

자산을 합리적으로 관리하기 위해서는 자산의 특성을 이해하고, 불필요한 지출을 줄이려는 노력이 뒷받침되어야 해.

(1) 자신의 상황과 자산의 특성 고려: 자산 관리의 목적과 기간, 소득과 소비, 미래 계획 등에 맞게 안전성, 수익성, 유동성을 고려하여 자산 관리 방법을 선택해야 함

안전성(↔ 위험성)	+투자한 원금이 손실되지 않는 정도
수익성	투자를 통해 이익을 얻을 수 있는 정도
유동성	필요할 때 쉽게 현금으로 바꿀 수 있는 정도

(2) +분산 투자: 다양한 유형의 자산에 분산하여 투자함으로써 적정한 이익을 얻는 동시에 위험을 줄여 나가야 함

"달걀을 한 바구니에 담지 마라."라는 격언은 분산 투자의 원리를 잘 표현하고 있지.

2. 자산 관리에 활용되는 주요 자산

예금, +적금	이자 등을 목적으로 은행과 같은 금융 기관에 맡긴 자산 → 원금이 손실될 우려가 적어 안전성은 높은 데 비해 수익성이 낮음
주식	주식회사가 자본금을 마련하기 위해 투자자에게서 돈을 받고 발행하는 증서 → 수익성은 높은 데 비해 원금이 손실될 우려가 커 안전성이 낮음
채권	정부, 공공 기관, 기업 등이 일정한 이자를 지급할 것을 약속하고 돈을 빌리면서 발행하는 증서
보험	질병이나 사고 등 예기치 못한 위험에 대비하기 위해 미리 보험료를 내고, 사고가 나면 일정액을 받는 금융 상품
연금	노후 대비를 위해 미리 일정액을 낸 후 노후에 매달 일정액을 받는 금융 상품
부동산	토지나 건물 등과 같이 옮길 수 없는 자산

+ 투자

저축한 자금의 미래 가치를 높이기 위해 자산을 구입하여 운영하는 것

전문 운용 기관이 투자받은 자금을 주식 등에 투자한 후, 수익을 투자자에게 돌려주는 금융 상품

+ 자산별 수익과 위험 간의 관계

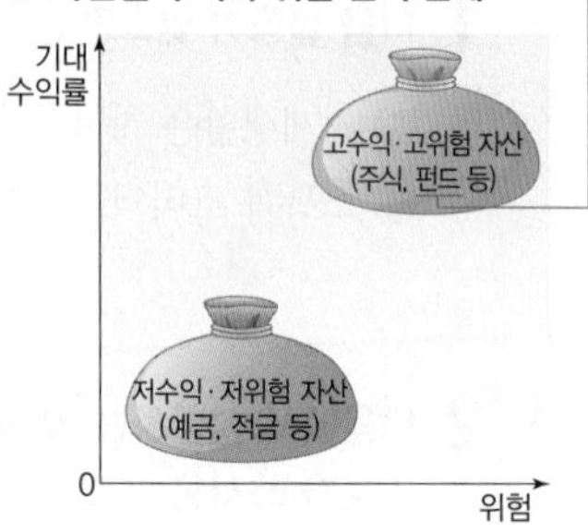

일반적으로 수익성이 높으면 원금이 손실될 위험이 커 안전성이 낮고, 안전성이 높으면 수익성이 낮아 큰 이익을 얻기 어렵다. 따라서 합리적인 투자자라면 다양한 자산에 적절하게 분산하여 투자하는 것이 좋다.

+ 적금

금융 기관에 일정 금액을 일정 기간 넣은 후 찾는 예금

D 지속 가능한 경제생활을 위한 신용 관리

현대 사회에서는 신용을 바탕으로 한 경제 활동이 활발하게 이루어지고 있어.

1. 신용: 나중에 대가를 지불할 것을 약속하고 현재 상품을 이용하거나 돈을 빌릴 수 있는 능력 → 개인의 지불 능력에 관한 사회적 평가

2. +신용 거래의 장단점

예 할부 거래, 신용 카드 사용, 은행 대출, 휴대 전화 서비스 이용 등

장점	당장 현금이 없더라도 물건을 구매하거나 각종 서비스를 제공받을 수 있음, 현재의 소득보다 더 많은 소비를 할 수 있음
단점	미래에 갚아야 할 빚이 늘어남, 충동구매와 과소비를 할 우려가 있음

왜? 미래의 소득을 앞당겨서 활용할 수 있기 때문이야.

3. 신용 관리

(1) 신용 관리의 중요성: 신용이 낮아지면 높은 이자 지불, 신용 카드 발급 제한, 대출 거절, 취업 제한 등의 불이익을 받을 수 있음 – 이는 개인의 경제생활에 지장을 초래할 뿐만 아니라, 국가의 경제 성장에 장애 요인으로 작용할 우려가 있어.

(2) 올바른 신용 관리 방법: 자신의 소득과 지불 능력을 고려하여 신용 이용, 돈을 갚기로 하거나 상품 대금을 지불하기로 한 약속 준수, 높은 신용도를 유지하도록 꾸준히 관리, 소득을 초과하는 소비 자제 등

상환 기한을 지키지 않고 연체할 경우 신용도가 낮아질 수 있으므로, 연체하지 않도록 주의해야 해.

+ 신용 거래

신용을 바탕으로 돈을 빌리고 갚는 행위

1 합리적인 자산 관리 방법에 대한 설명이 맞으면 ○표, 틀리면 ×표를 하시오.

(1) 자산 관리의 목적과 기간을 고려하여 자산을 관리해야 한다. (　　)

(2) 투자에 따른 위험을 줄이기 위해 하나의 자산에 집중하여 투자해야 한다. (　　)

2 자산 관리 시 고려해야 할 요인과 그 의미를 옳게 연결하시오.

(1) 안전성 • 　　• ㉠ 필요할 때 현금화할 수 있는 정도

(2) 수익성 • 　　• ㉡ 투자한 원금이 손실되지 않는 정도

(3) 유동성 • 　　• ㉢ 투자를 통해 이익을 얻을 수 있는 정도

3 다음 괄호 안의 내용 중 알맞은 말에 ○표를 하시오.

(1) 예금은 비교적 (안전성, 수익성)은 높지만, (안전성, 수익성)은 낮은 편이다.

(2) (주식, 채권)은 정부, 공공 기관, 기업 등이 일정한 이자를 지급할 것을 약속하고 돈을 빌리면서 발행한 증서이다.

4 다음에서 설명하는 자산의 종류를 쓰시오.

> • 예기치 못한 위험을 대비하는 데 적합하다.
> • 질병이나 사고 등이 발생한 경우 일정 금액을 받는 금융 상품이다.

핵심 콕콕

• **합리적인 자산 관리**

합리적인 자산 관리 방법

↓ 자신의 상황과 안정성, 수익성, 유동성 등 자산의 특성을 고려

↓ 다양한 유형의 자산에 분산 투자

1 ㉠, ㉡에 들어갈 용어를 각각 쓰시오.

> 나중에 대가를 지불할 것을 약속하고 현재 상품을 이용하거나 돈을 빌릴 수 있는 능력을 (㉠　　　)이라고 하는데, 이를 이용하여 할부 거래, 은행 대출, 휴대 전화 서비스 이용 등과 같은 (㉡　　　)를 할 수 있다.

2 다음 설명이 맞으면 ○표, 틀리면 ×표를 하시오.

(1) 신용을 이용하더라도 현재의 소득보다 많이 소비할 수는 없다. (　　)

(2) 신용도가 낮으면 신용 이용 시 다른 사람보다 높은 이자를 내야 한다. (　　)

(3) 지속 가능한 경제생활을 위해 자신이 갚을 수 있는 범위 안에서 신용을 이용해야 한다. (　　)

핵심 콕콕

• **신용과 신용 관리**

신용

개인의 지불 능력에 관한 사회적 평가

↓

신용도가 낮아지면 대출 거절, 취업 제한 등의 불이익을 받을 수 있음

↓

올바른 신용 관리 방법

소득과 지불 능력을 고려한 신용 이용, 상환 기한 준수, 높은 신용도 유지 등

01 (가), (나) 내용과 관련 깊은 시기를 옳게 연결한 것은?

> (가) 소득이 발생하기 시작하며, 소득과 소비가 모두 적은 편이다.
> (나) 소득이 크게 줄어들거나 없어져 모아 둔 노후 대비 자금이나 연금으로 생활한다.

	(가)	(나)
①	청년기	노년기
②	청년기	중장년기
③	노년기	청년기
④	노년기	유소년기
⑤	중장년기	청년기

02 ㉠에 해당하는 시기에 대한 설명으로 옳은 것은?

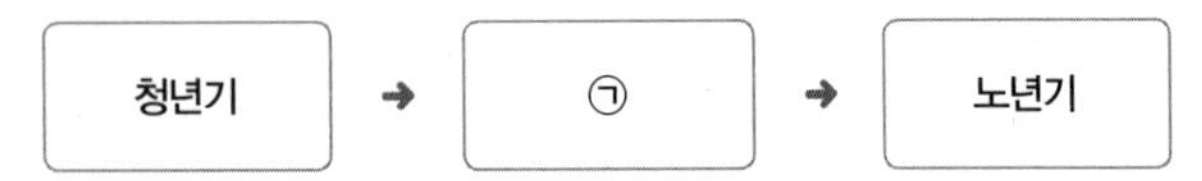

① 저축이 불가능한 시기이다.
② 생애 주기 중 소득이 가장 적은 시기이다.
③ 본격적으로 생산 활동에 참여하는 시기이다.
④ 소득과 소비가 모두 크게 증가하는 시기이다.
⑤ 은퇴 이후의 삶을 준비하기에는 이른 시기이다.

시험에 잘 나와!
03 그래프는 생애 주기 곡선을 나타낸 것이다. 이를 분석한 내용으로 적절한 것은?

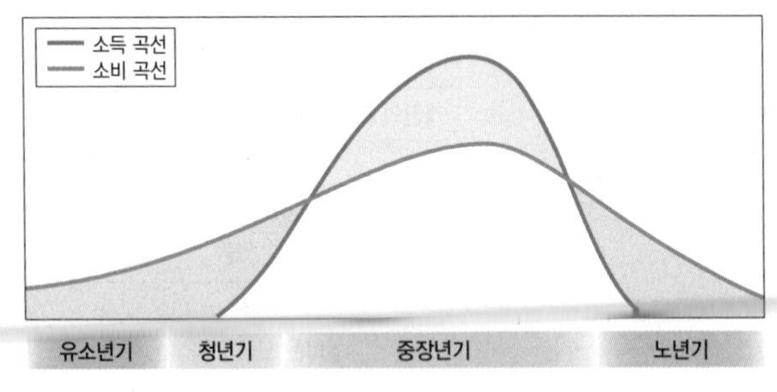

① 소득은 전 생애에 걸쳐 얻을 수 있다.
② 일생 동안 소득은 소비보다 항상 많다.
③ 소비 생활은 일정 기간에만 이루어진다.
④ 노년기의 소비에 대한 대비는 불필요하다.
⑤ 장기적인 관점에서 경제생활 계획을 세워야 한다.

04 (가)에 들어갈 내용으로 적절한 것을 〈보기〉에서 고른 것은?

> 자신이 소유하고 있는 것 중에서 예금, 자동차 등과 같이 경제적 가치를 지닌 것을 자산이라고 한다. 오늘날에는 자산을 관리해야 할 필요성이 커지고 있는데, 그 이유는 ______(가)______ 때문이다.

보기
ㄱ. 은퇴 이후의 생활 기간이 점점 줄어들고 있기
ㄴ. 한정된 소득으로 지속적인 소비 생활을 해야 하기
ㄷ. 사고나 질병 등에 따른 지출에 대비해야 할 필요성이 줄어들고 있기
ㄹ. 안정적인 노후 생활을 위해 자산을 확보해야 할 필요성이 커지고 있기

① ㄱ, ㄴ ② ㄱ, ㄷ ③ ㄴ, ㄷ
④ ㄴ, ㄹ ⑤ ㄷ, ㄹ

05 합리적인 자산 관리 방법에 대해 잘못 설명한 학생은?

① 가림: 자산 관리의 목적과 기간을 살펴봐야 해.
② 나림: 여러 자산의 특성을 이해하도록 노력해야 하지.
③ 다림: 자산을 관리할 때 유동성을 고려하지 않도록 주의해야 해.
④ 라림: 소득과 소비를 고려하여 자신의 상황에 맞는 자산 관리 방법을 선택해야 하지.
⑤ 마림: 지출을 체계적으로 관리하여 불필요한 지출을 최소화하려는 노력이 필요해.

06 자산 관리와 관련하여 다음 격언이 강조하는 내용으로 가장 적절한 것은?

> 달걀을 한 바구니에 담지 마라. – 제임스 토빈

① 투자에 따른 수익을 최소화해야 한다.
② 여러 유형의 자산에 나누어 투자해야 한다.
③ 안정성이 높은 자산에 집중적으로 투자해야 한다.
④ 위험성보다는 수익성을 우선적으로 고려해야 한다.
⑤ 원금 손실의 위험이 있는 자산에는 절대 투자해서는 안 된다.

정답 친해 22쪽

07 자산의 종류와 그에 대한 설명을 옳게 연결한 것은?

① 주식 – 토지나 건물 등과 같이 옮길 수 없는 자산
② 예금 – 이자 등을 목적으로 금융 기관에 맡긴 자산
③ 채권 – 미리 일정액을 낸 후 노후에 매달 일정액을 받는 금융 상품
④ 연금 – 정부, 기업 등이 일정한 이자 지급을 약속하고 돈을 빌리면서 발행하는 증서
⑤ 부동산 – 주식회사가 자본금을 마련하기 위해 투자자에게서 돈을 받고 발행하는 증서

시험에 잘 나와!

08 그래프는 자산의 기대 수익률과 위험 간의 관계를 나타낸 것이다. (가), (나)에 해당하는 자산을 옳게 연결한 것은?

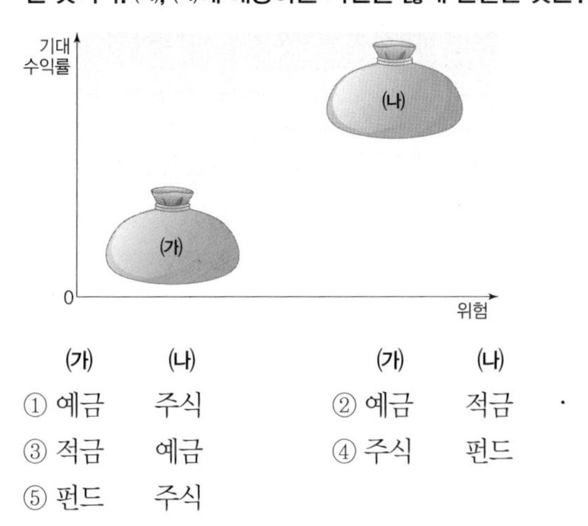

	(가)	(나)		(가)	(나)
①	예금	주식	②	예금	적금
③	적금	예금	④	주식	펀드
⑤	펀드	주식			

09 밑줄 친 '이것'에 대한 설명으로 옳지 <u>않은</u> 것은?

> <u>이것</u>은 개인의 지불 능력에 대한 사회적 평가로, 현대 사회에서는 <u>이것</u>을 바탕으로 한 경제 활동이 활발하게 이루어지고 있다.

① 이용 사례로 상품의 할부 거래를 들 수 있다.
② 당장 현금이 없어도 물건을 살 수 있게 해 준다.
③ 많이 이용할수록 미래에 갚아야 할 빚이 줄어든다.
④ 현재의 소득보다 더 많은 소비를 할 수 있도록 해 준다.
⑤ 나중에 대가를 지불할 것을 약속하고 현재 상품을 이용하거나 돈을 빌릴 수 있는 능력이다.

10 신용 관리를 위한 올바른 자세로 볼 수 <u>없는</u> 것은?

① 소득을 초과하는 소비를 자제한다.
② 평소에 신용도를 꾸준히 관리한다.
③ 돈을 갚기로 한 약속은 반드시 지킨다.
④ 휴대 전화 요금은 되도록 늦게 지불한다.
⑤ 자신의 미래 소득을 고려하여 대출을 받는다.

서술형 문제

서술형 감잡기

01 다음 글을 읽고 물음에 답하시오.

> (㉠)은/는 '목표 결정 → 자산 파악 → 자금 마련 계획 수립 → 실행 → 검토와 평가'의 과정을 거쳐 이루어진다.

(1) ㉠에 들어갈 용어를 쓰시오.

(2) (1)의 의미를 서술하시오.

➜ 벌어들인 (①)으로 언제, 얼마만큼 (②)할지, 어떻게 (③)을 모으고 불릴지에 대한 계획을 세우고 실천하는 것이다.

실전! 서술형 도전하기

02 밑줄 친 부분에 해당하는 사례를 <u>두 가지</u> 이상 서술하시오.

> 신용을 제대로 관리하지 못하여 신용이 낮아질 경우 <u>여러 가지 불이익</u>을 받을 수 있다.

한눈에 보는 대단원

☑ 핵심 선택지 다시보기

1 재화의 가치를 증대하는 활동은 생산에 포함된다. ( )

2 자원의 희소성은 인간의 욕구 정도에 따라 달라진다. ( )

3 기회비용은 어떤 것을 선택함으로써 포기하는 대안들의 가치를 모두 합한 것이다. ( )

4 같은 비용이 들 경우 편익이 가장 작은 것을 선택하는 것이 합리적이다. ( )

5 시장 경제 체제는 개인의 자유로운 이익 추구를 인정한다. ( )

답 1 ○ 2 ○ 3 × 4 × 5 ○

01 경제생활과 경제 문제

(1) 경제 활동의 의미와 종류

의미		사람이 생존에 필요한 재화나 서비스를 생산, 분배, 소비하는 모든 활동
종류	생산	생활에 필요한 재화와 서비스를 만들어 내거나 그 가치를 증대하는 활동
	분배	생산 과정에 참여한 대가를 나누어 가지는 것
	소비	생활에 필요한 재화나 서비스를 구입하여 사용하는 활동

(2) 경제 활동에서의 합리적 선택

자원의 희소성	인간의 욕구는 무한한 데 비해 이를 충족해 줄 자원이 상대적으로 부족한 현상 → 자원의 희소성 때문에 개인과 사회는 선택의 문제에 직면함
기회비용	어떤 것을 선택함으로써 포기하는 여러 대안이 갖는 가치 중 가장 큰 것
합리적 선택	가장 적은 비용으로 가장 큰 편익을 얻을 수 있는 선택 → 비용이 같으면 편익이 가장 큰 것을, 편익이 같으면 비용이 가장 적은 것을 선택해야 함

(3) 경제 문제와 경제 체제

기본적인 경제 문제	• 무엇을 얼마나 생산할 것인가? • 어떻게 생산할 것인가? • 누구를 위하여 생산할 것인가?(누구에게 분배할 것인가?)
경제 체제	기본적인 경제 문제를 해결하는 방식이 제도적으로 정착된 것

(4) 경제 체제의 종류

시장 경제 체제	시장 가격에 기초하여 경제 문제를 해결하는 경제 체제 → 개인의 자유로운 경제 활동 보장, 자원의 효율적 사용 가능, 빈부 격차 발생 우려 등
계획 경제 체제	국가의 계획과 명령에 따라 경제 문제를 해결하는 경제 체제 → 일반적으로 국가가 생산 수단 소유, 국가 목표의 신속한 달성 가능, 경제적 효율성 저하 등
혼합 경제 체제	시장 경제 체제와 계획 경제 체제의 요소가 섞인 경제 체제

☑ 핵심 선택지 다시보기

1 기업은 생산 활동을 통해 비용의 극대화를 추구한다. ( )

2 기업은 가계에 일자리를 제공한다. ( )

3 기업은 세금을 납부하여 국가의 재정에 기여한다. ( )

4 기업은 사회적 책임을 다하기 위해 경영의 투명성을 높여야 한다. ( )

5 기존 제품의 생산량을 늘리는 것은 기업가 정신을 발휘한 사례에 해당한다. ( )

답 1 × 2 ○ 3 ○ 4 ○ 5 ×

02 기업의 역할과 사회적 책임

(1) 기업의 의미와 역할

의미	생산 활동을 담당하는 경제 주체 → 생산 활동을 통해 이윤의 극대화를 추구함
역할	상품 생산, 고용과 소득 창출, 세금 납부 등

(2) 기업의 사회적 책임

의미	기업이 이윤을 추구하는 활동 이외에 사회에 대한 역할을 다하는 것
수행 노력	투명 경영, 합법적인 경제 활동, 소비자와 근로자의 권익 보호, 환경 보호, 장애인과 여성의 고용 확대, 공정 거래, 사회 공헌 활동 참여, 교육 및 복지 지원 등

(3) 기업가 정신

의미	불확실성과 위험을 무릅쓰고 혁신을 바탕으로 한 생산 활동을 통해 이윤을 창출하여 기업을 성장시키려는 기업가의 도전 정신
발휘 사례	새로운 상품 개발, 새로운 시장 개척, 새로운 생산 방법 도입, 품질 개선 등

03 금융 생활의 중요성

(1) 생애 주기에 따른 일반적인 경제생활

유소년기	주로 부모의 소득에 의존하여 소비 생활을 함
청년기	생산 활동에 참여하여 소득이 발생하며, 소득과 소비가 모두 적은 편임
중장년기	소득이 크게 증가하지만, 자녀 출산 및 양육 등으로 소비도 집중적으로 증가함
노년기	소득이 크게 줄어들거나 없어짐 → 노후 대비 자금이나 연금으로 생활함

(2) 지속 가능한 경제생활을 위한 자산 관리

자산 관리		자신이 벌어들인 소득으로 언제, 얼마만큼 소비할지, 어떻게 자산을 모으고 불릴지에 대한 계획을 세우고 실천하는 것
자산 관리의 필요성		한정된 소득으로 지속 가능한 경제생활 유지, 평균 수명의 연장에 따른 노후 대비, 불확실한 상황에 대비 등
합리적인 자산 관리 방법		자산 관리의 목적과 기간 등에 맞게 안전성, 수익성, 유동성을 고려하여 자산 관리 방법 선택, 다양한 유형의 자산에 분산 투자 등
자산 관리에 활용되는 주요 자산	예금, 적금	이자 등을 목적으로 금융 기관에 맡긴 자산 → 수익성 ↓, 안전성 ↑
	주식	주식회사가 투자자에게서 돈을 받고 발행하는 증서 → 수익성 ↑, 안전성 ↓
	채권	정부, 공공 기관, 기업 등이 일정한 이자를 지급할 것을 약속하고 돈을 빌리면서 발행하는 증서
	보험	질병이나 사고 등 예기치 못한 위험에 대비하기 위해 미리 보험료를 내고, 사고가 나면 일정액을 받는 금융 상품
	연금	미리 일정액을 낸 후 노후에 매달 일정액을 받는 금융 상품

(3) 지속 가능한 경제생활을 위한 신용 관리

신용		나중에 대가를 치를 것을 약속하고 현재 상품을 이용하거나 돈을 빌릴 수 있는 능력 → 당장 현금이 없어도 거래 가능, 현재의 소득보다 더 많은 소비 가능
신용 관리	신용 관리의 중요성	신용이 낮아지면 높은 이자 지불, 신용 카드 발급 제한, 대출 거절, 취업 제한 등의 불이익을 받을 수 있음
	올바른 신용 관리 방법	자신의 소득과 지불 능력을 고려하여 신용 이용, 상환 기한 준수, 높은 신용도 유지 등

핵심 선택지 다시보기

1 소비 생활은 일정 기간에만 이루어진다. ( )

2 자산 관리의 필요성이 커지고 있는 이유는 은퇴 이후의 생활 기간이 점점 줄어들고 있기 때문이다. ( )

3 합리적인 자산 관리를 위해서는 여러 유형의 자산에 나누어 투자해야 한다. ( )

4 예금은 수익성은 높지만, 안전성은 낮은 자산이다. ( )

5 신용은 나중에 대가를 치를 것을 약속하고 현재 상품을 이용하거나 돈을 빌릴 수 있는 능력을 말한다. ( )

답 1 × 2 × 3 ○ 4 × 5 ○

핵심 선택지 다시보기의 정답을 맞힌 개수만큼 아래 표에 색칠해 보자. 많이 틀린 단원은 되돌아가 복습해 보자.

01 경제생활과 경제 문제 66쪽

02 기업의 역할과 사회적 책임 74쪽

03 금융 생활의 중요성 78쪽

시험 적중 **마무리 문제**

01 경제생활과 경제 문제

01 ㉠~㉤에 들어갈 내용으로 적절한 것은?

> (㉠)은/는 재화나 서비스를 생산하고 분배하며 소비하는 활동을 말한다. 여기서 생산은 생활에 필요한 재화와 서비스를 만들어 내거나 그 가치를 (㉡)시키는 활동으로, 상품을 (㉢)하는 활동을 포함한다. 분배는 생산 과정에 참여하여 (㉣) 등을 제공한 대가를 받는 것이며, 소비는 (㉤)을/를 통해 얻은 소득으로 재화나 서비스를 구입하여 사용하는 활동을 말한다.

① ㉠ – 정치 활동　② ㉡ – 감소
③ ㉢ – 구입　④ ㉣ – 노동
⑤ ㉤ – 생산

02 (가), (나)에 대한 옳은 설명을 〈보기〉에서 고른 것은?

> (가) 옷, 음식, 집 등
> (나) 의사의 진료, 교사의 수업 등

보기
ㄱ. (가)는 구체적인 형태를 띠지 않는다.
ㄴ. (나)는 인간의 가치 있는 행위를 의미한다.
ㄷ. (가)와 달리 (나)는 인간의 필요와 욕구를 충족해 준다.
ㄹ. (가)는 재화, (나)는 서비스에 해당한다.

① ㄱ, ㄴ　② ㄱ, ㄷ　③ ㄴ, ㄷ
④ ㄴ, ㄹ　⑤ ㄷ, ㄹ

03 경제 활동의 종류와 그 사례를 잘못 연결한 것은?

① 생산 – 판매용 토마토를 재배한다.
② 분배 – 회사로부터 급여를 수령한다.
③ 분배 – 스마트폰을 이용하여 책을 주문한다.
④ 소비 – 온라인 쇼핑몰에서 식료품을 구입한다.
⑤ 생산 – 학교에서 학생들에게 사회 과목을 가르친다.

04 다음 글을 통해 알 수 있는 내용으로 적절한 것은?

> 근로자가 공장에서 상품을 만들면, 기업은 상품을 판매하여 얻는 이윤으로 근로자에게 임금을 지급한다. 근로자는 임금으로 생활에 필요한 상품을 구매하고, 그 구매 대금은 기업이 다른 상품을 생산하는 밑바탕이 된다.

① 분배가 이루어지지 않더라도 소비 활동이 가능하다.
② 경제 활동은 생산, 분배, 소비의 긴밀한 순환을 통해서 이루어진다.
③ 생산, 분배, 소비는 서로 분리되어 개별적으로 발생하는 활동이다.
④ 원활한 생산을 위해서는 가계가 가능한 한 소비를 적게 하는 것이 좋다.
⑤ 인간은 경제 활동을 통해 물질적 욕구는 충족할 수 있지만, 정신적 욕구는 충족할 수 없다.

05 그림은 경제 주체 간의 상호 작용을 나타낸 것이다. ㉠에 들어갈 용어로 옳은 것은?

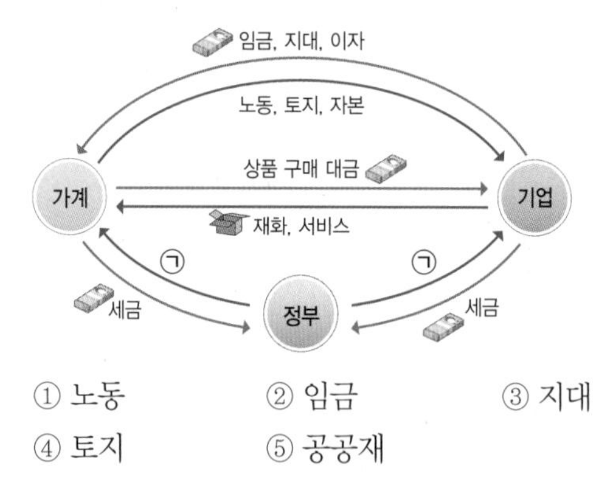

① 노동　② 임금　③ 지대
④ 토지　⑤ 공공재

06 다음은 수업 시간의 모습을 나타낸 것이다. ㉠에 들어갈 용어를 쓰시오.

> 수업 주제: (㉠)의 의미와 특징
> (1) 의미: 인간의 욕구는 무한한 데 비해 이를 충족해 줄 자원이 상대적으로 부족한 현상
> (2) 특징
> • 인간의 욕구 정도에 따라 달라짐
> • 시대나 장소에 따라 달라지기도 함

07 밑줄 친 ㉠~㉣에 대한 옳은 설명을 〈보기〉에서 고른 것은?

가희는 일요일에 ㉠ 등산을 하기로 하였는데, 아버지께서는 일요일에 ㉡ 집안일을 도와주면 용돈 3만 원을 주겠다고 하신다. 가희는 ㉢ 등산에 따른 즐거움과 ㉣ 용돈 3만 원 중 어떤 것을 택해야 할지 고민에 빠졌다.

〈보기〉
ㄱ. ㉠을 선택할 때는 기회비용이 따르지 않는다.
ㄴ. ㉡을 선택할 때의 기회비용은 ㉢이다.
ㄷ. ㉣은 ㉠을 선택할 때 얻을 수 있는 편익이다.
ㄹ. 가희가 ㉢보다 ㉣의 가치를 더 크게 생각한다면 ㉡을 선택하는 것이 합리적이다.

① ㄱ, ㄴ ② ㄱ, ㄷ ③ ㄴ, ㄷ
④ ㄴ, ㄹ ⑤ ㄷ, ㄹ

08 (가), (나) 사례에 나타난 경제 문제를 옳게 연결한 것은?

(가) 농장에서 고구마를 재배할까? 호박을 재배할까?
(나) 우승 상금을 모든 선수에게 똑같이 나눌까? 열심히 뛴 선수에게 더 많이 줄까?

① (가) – 누구에게 분배할 것인가?
② (가) – 무엇을 얼마나 생산할 것인가?
③ (가) – 누구를 위하여 생산할 것인가?
④ (나) – 언제 생산할 것인가?
⑤ (나) – 어떻게 생산할 것인가?

09 다음 질문과 답변에 부합하는 경제 체제의 특징으로 적절한 것은?

질문	답변
주요 생산 수단을 국가가 소유하는가?	아니요
개인의 자유로운 경제 활동이 보장되는가?	예

① 사유 재산이 인정되지 않는다.
② 경제적 효율성보다 형평성을 중시한다.
③ 시장 거래를 통해 경제 문제를 해결해 나간다.
④ 국가의 명령과 통제를 통해 경제 문제를 해결한다.
⑤ 사회의 공동 목표를 달성하고자 경제 활동을 한다.

+ 창의·융합

10 다음은 연극 대본의 일부이다. 밑줄 친 '가국'의 경제 체제가 지닌 단점을 〈보기〉에서 고른 것은?

장면 #3. 가국 정부 회의실
• 정부 관계자: (단호한 표정으로) 올해 필요한 신발의 양이 10만 개로 예상되니 신발을 같은 디자인으로 이만큼 생산할 것을 명령합니다.
• 신발 업체 관계자: (고개를 끄덕이며) 알겠습니다. 명령대로 생산하겠습니다.

장면 #7. 세 달 후 가국 배급소 앞
• 정부 관계자: (우렁찬 목소리로) 올해 생산된 신발을 모두에게 배급해 드리겠습니다.

〈보기〉
ㄱ. 경제적 효율성이 떨어진다.
ㄴ. 국민에게 필요한 것을 적절하게 공급하기 어렵다.
ㄷ. 부와 소득의 불평등을 완화하는 데는 부적합하다.
ㄹ. 국가가 채택한 주요 목적을 신속히 달성하기 어렵다.

① ㄱ, ㄴ ② ㄱ, ㄷ ③ ㄴ, ㄷ
④ ㄴ, ㄹ ⑤ ㄷ, ㄹ

11 다음 헌법 조항을 통해 알 수 있는 우리나라 경제 체제의 특징으로 적절한 것은?

헌법 제119조
① 대한민국의 경제 질서는 개인과 기업의 경제상의 자유와 창의를 존중함을 기본으로 한다.
② 국가는 균형 있는 국민 경제의 성장 및 안정과 적정한 소득의 분배를 유지하고, 시장의 지배와 경제력의 남용을 방지하며, 경제 주체 간의 조화를 통한 경제의 민주화를 위하여 경제에 관한 규제와 조정을 할 수 있다.

① 혼합 경제 체제를 채택하고 있다.
② 시장의 가격 기능만으로 경제 문제를 해결한다.
③ 경제 활동의 자유보다 분배의 평등을 우선시한다.
④ 경제 주체 간에 이익 추구를 위한 경쟁이 불필요하다.
⑤ 계획 경제 체제를 중심으로 시장 경제 체제의 요소를 일부 수용하고 있다.

02 기업의 역할과 사회적 책임

12 다음은 비상이가 작성한 노트 필기이다. 밑줄 친 ㉠~㉤ 중 옳지 않은 것은?

> **기업의 의미와 역할**
> 1. 기업: ㉠ 이윤의 극대화를 위해 ㉡ 재화나 서비스를 구입하여 사용하는 경제 주체
> 2. 기업의 역할: 상품 생산, ㉢ 일자리 제공, ㉣ 세금 납부 등 → ㉤ 경제 활성화에 기여

① ㉠ ② ㉡ ③ ㉢ ④ ㉣ ⑤ ㉤

13 ㉠에 들어갈 용어만을 나열한 것은?

> 기업은 생산 활동을 위해 가계가 제공하는 생산 요소를 사용하고, 그 대가로 (㉠)을/를 지급함으로써 가계의 소득 창출에 기여한다.

① 노동, 임금 ② 노동, 토지
③ 이자, 자본 ④ 이자, 임금
⑤ 자본, 공공재

14 사회적 책임을 다한 기업의 사례로 적절한 것을 〈보기〉에서 고른 것은?

〈보기〉
ㄱ. 축구공 생산을 위해 아동의 노동력을 착취한 A사
ㄴ. 법령에 기초하여 협력 업체와 공정하게 거래한 B사
ㄷ. 지역 주민이 어려운 학생들에게 방과 후 학습 기회를 제공한 C사
ㄹ. 환경 기준에 못 미치는 자동차를 생산하여 막대한 수익을 올린 D사

① ㄱ, ㄴ ② ㄱ, ㄷ ③ ㄴ, ㄷ
④ ㄴ, ㄹ ⑤ ㄷ, ㄹ

15 (가)에 들어갈 용어로 가장 적절한 것은?

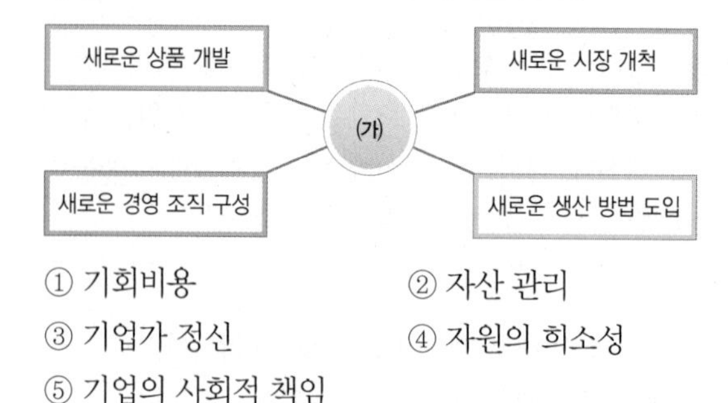

① 기회비용 ② 자산 관리
③ 기업가 정신 ④ 자원의 희소성
⑤ 기업의 사회적 책임

16 신문 기사를 통해 알 수 있는 내용으로 적절하지 않은 것은?

> 소프트웨어 개발자인 A 씨는 스마트폰을 이용하여 자녀의 알림장을 쉽고 빠르게 확인할 수 있게 해 주는 서비스인 '키즈 ○○'를 개발하였다. '키즈 ○○'는 최근 몇 년간 전국의 어린이집과 유치원에 속속 도입되는 스마트 알림장이라는 새로운 시장을 개척하였으며, 올해부터 외국 시장 공략에 본격적으로 나설 계획이다. – 「매일경제」, 2015. 2. 4.

① 변화하는 사회 환경에 유연하게 대처하였다.
② 혁신과 창의성을 바탕으로 생산 활동을 하였다.
③ 도전 정신을 바탕으로 새로운 시장을 개척하였다.
④ 새로운 상품을 개발하여 기업의 성장을 추구하였다.
⑤ 생산 비용을 줄이기 위해 새로운 생산 방법을 도입하였다.

03 금융 생활의 중요성

17 일생 동안의 경제생활에 대한 설명으로 옳은 것은?

① 저축은 주로 노년기에 이루어진다.
② 소비가 소득보다 많은 시기가 존재한다.
③ 중장년기에는 소비 활동이 크게 줄어든다.
④ 청년기에는 주로 부모의 소득에 의존하여 소비 생활을 한다.
⑤ 유소년기에는 바람직한 경제생활 태도를 형성할 필요가 없다.

18 다음 상황들에 종합적으로 대처하기 위해 갖추어야 할 자세에 대해 잘못 말한 사람은?

> • 사고나 질병 등으로 갑작스러운 지출이 생길 수 있다.
> • 평균 수명의 연장으로 은퇴 이후의 생활 기간이 점점 늘어나고 있다.
> • 소비 생활은 평생에 걸쳐 이루어지지만, 소득을 얻는 기간은 한정되어 있다.

① 가준: 충분한 노후 대비 자금을 마련해 두어야 해.
② 나준: 경제생활 계획을 장기적 관점에서 수립해야 해.
③ 다준: 일생 동안의 소득과 소비를 고려하여 자산을 관리해야 해.
④ 라준: 소득이 많은 시기에는 소득이 없어지는 시기를 대비해야 해.
⑤ 마준: 미래는 불확실하기 때문에 소득을 얻으면 곧바로 소비해야 해.

19 (가)~(다)에 대한 옳은 설명을 〈보기〉에서 고른 것은?

> (가) 투자한 원금이 손실되지 않는 정도
> (나) 투자를 통해 이익을 얻을 수 있는 정도
> (다) 필요할 때 쉽게 현금으로 바꿀 수 있는 정도

〈보기〉
ㄱ. 예금은 주식에 비해 (가)가 높은 편이다.
ㄴ. 주식은 예금에 비해 (나)가 낮은 편이다.
ㄷ. 자산 관리를 할 때는 (가) ~ (다)를 모두 고려하는 것이 합리적이다.
ㄹ. (가)는 유동성, (나)는 안전성, (다)는 수익성이다.

① ㄱ, ㄴ ② ㄱ, ㄷ ③ ㄴ, ㄷ
④ ㄴ, ㄹ ⑤ ㄷ, ㄹ

20 다음에서 설명하는 자산으로 옳은 것은?

> 정부, 기업 등이 일정한 이자 지급을 약속하고 돈을 빌리면서 발행하는 증서로, 금융 자산에 해당한다.

① 채권 ② 주식 ③ 적금
④ 보험 ⑤ 부동산

+ 창의·융합

21 다음은 투자자와 자산 관리 전문가의 대화이다. ㉠, ㉡에 들어갈 자산을 옳게 연결한 것은?

> • 투자자 1: 여유 자금이 생겼어요. 큰 이익을 얻고 싶은데, 어떤 자산에 투자하면 좋을까요?
> • 자산 관리 전문가: (㉠)을 추천합니다. 단, 회사에 투자한 원금을 잃을 수 있으니 주의하세요.
> • 투자자 2: 노후 생활이 걱정됩니다. 안정적인 노후 대비를 위해 어떤 자산에 투자하면 좋을까요?
> • 자산 관리 전문가: (㉡)을 추천합니다. 일정액을 미리 내면 노후에 매달 일정액을 받을 수 있어요.

	㉠	㉡		㉠	㉡
①	보험	채권	②	연금	주식
③	예금	연금	④	주식	보험
⑤	주식	연금			

[22~23] 다음 글을 읽고 물음에 답하시오.

> (㉠)은/는 나중에 대가를 지불할 것을 약속하고 현재 돈을 빌릴 수 있는 능력으로, 자신의 소득과 지불 능력을 고려하여 신중히 이용해야 한다.

22 ㉠을 이용한 사례로 적절하지 않은 것은?

① 가구를 할부로 구입하였다.
② 음식을 주문하고 신용 카드로 계산하였다.
③ 책을 구입하고 현금으로 바로 계산하였다.
④ 주택을 구입하기 위해 은행에서 대출을 받았다.
④ 한 달간 휴대 전화를 이용한 후 통신료를 지불하였다.

23 ㉠을 이용한 거래의 장점을 〈보기〉에서 고른 것은?

〈보기〉
ㄱ. 충동구매와 과소비를 방지할 수 있다.
ㄴ. 현재의 소득보다 더 많이 소비할 수 있다.
ㄷ. 미래의 소비생활에 대한 부담을 덜어준다.
ㄹ. 당장 현금이 없어도 각종 서비스를 제공받을 수 있다.

① ㄱ, ㄴ ② ㄱ, ㄷ ③ ㄴ, ㄷ
④ ㄴ, ㄹ ⑤ ㄷ, ㄹ

시장 경제와 가격

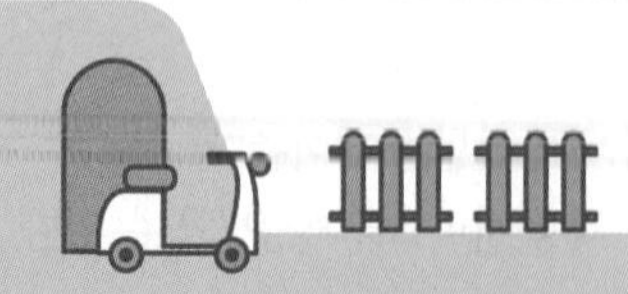

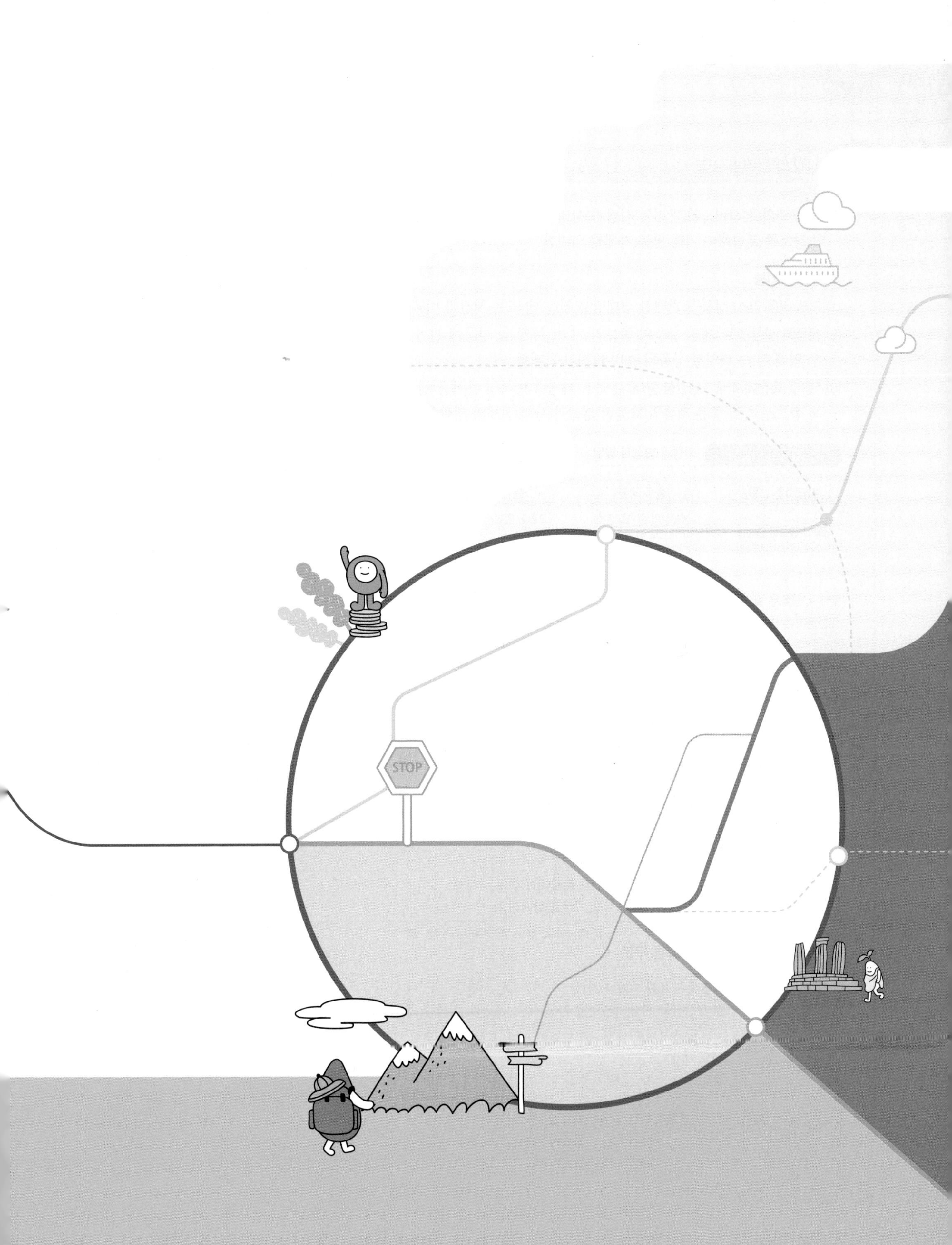
STOP

시장의 의미와 종류~시장 가격의 결정

A 시장의 의미와 기능

1. 시장: 재화나 서비스를 팔려는 사람과 사려는 사람이 만나서 거래하는 곳 → 구체적인 장소를 포함하여 거래 활동 자체를 의미함

2. 시장의 기능

(1) 거래 비용 감소: 상품을 거래할 상대방을 찾는 데 드는 시간과 비용을 줄여 줌

(2) 상품에 관한 정보 제공: 상품의 종류와 가격, 특징 등 상품에 관한 정보를 쉽게 얻을 수 있게 됨 → 다양한 상품의 소비 기회가 확대됨

(3) +분업 촉진에 따른 +생산성 증대: 분업을 촉진하여 특정 분야를 전문적으로 생산하도록 함으로써 질 좋은 제품의 효율적 생산과 사회 전체의 생산량 증대에 기여함

자료로 이해하기 시장의 형성과 발달

자급자족 생활: 생활에 필요한 물건을 스스로 만들어 사용함 ➡

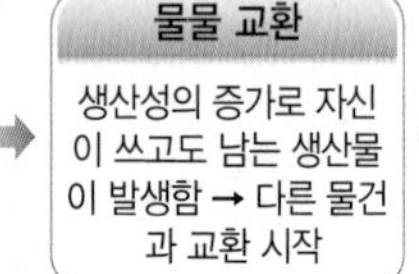

물물 교환: 생산성의 증가로 자신이 쓰고도 남는 생산물이 발생함 → 다른 물건과 교환 시작 ➡

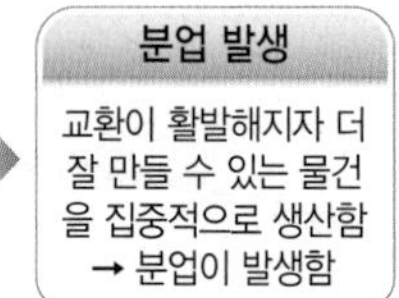

분업 발생: 교환이 활발해지자 더 잘 만들 수 있는 물건을 집중적으로 생산함 → 분업이 발생함 ➡

시장 형성: 일정한 시간과 장소를 정해 모이는 시장이 형성됨

옛날 사람들은 필요한 물건을 직접 만들어 사용하는 자급자족 생활을 하였다. 농사를 짓기 시작하면서 잉여 생산물이 발생하자 이를 교환하기 시작하였고, 자신이 잘 만들 수 있는 물건만을 생산하게 되면서 분업이 시작되었다. 분업으로 교환이 활발해지자 효율적인 교환을 위해 시장이 형성되었고, 화폐의 등장으로 시장은 더욱 확대되었다.

잉여 생산물: 사용하고 남은 생산물을 의미해.

+ 분업
생산 과정을 여러 부문으로 나누어 여러 사람이 구분된 특정 부문에서 전문적으로 일하는 노동 형태

+ 생산성
생산 과정에서 생산 요소를 얼마나 효율적으로 사용하였는지를 나타내는 정도

B 시장의 종류

1. 거래하는 모습이 보이는지 여부에 따른 구분

구분	내용
보이는 시장	거래하는 모습이 구체적으로 드러나는 시장 예 재래시장, 대형 할인점, 백화점 등
보이지 않는 시장	거래하는 모습이 구체적으로 드러나지 않는 시장 예 주식 시장, 외환 시장, +전자 상거래 등

외환 시장: 달러화, 유로화, 엔화와 같은 외화가 거래되는 시장이야.

2. 거래되는 상품의 종류에 따른 구분

구분	내용
생산물 시장	생활에 필요한 재화나 서비스가 거래되는 시장 예 농수산물 시장, 꽃 시장, 가구 시장, 문구점, 영화관, 공연장 등
생산 요소 시장	상품을 생산하는 과정에서 필요한 토지, 노동, 자본 등의 생산 요소가 거래되는 시장 예 부동산 시장, 노동 시장 등

3. 시장을 구분하는 그 밖의 기준: 개설 주기, 판매 대상 등

개설 주기 — 예 매일 열리는 상설 시장과 특정 날짜에만 열리는 정기 시장

판매 대상 — 예 주로 상인을 대상으로 하는 도매 시장과 소비자를 대상으로 하는 소매 시장

+ 전자 상거래
전자 상거래는 정보 통신망을 이용하여 이루어지는 거래로, 소비자와 생산자가 시공간의 제약 없이 상품을 사고팔 수 있다는 특징이 있다. 인터넷과 정보 통신 기술의 발달로 전자 상거래 시장의 규모는 점점 더 커지고 있다.

- 시장의 의미와 기능
- 시장의 종류
- 수요 법칙과 공급 법칙
- 균형 가격과 균형 거래량

1 (   )은 재화나 서비스를 팔려는 사람과 사려는 사람이 만나 거래가 이루어지는 장소를 말한다.

2 ㉠, ㉡에 들어갈 용어를 각각 쓰시오.

> 자신이 쓰고도 남는 생산물이 발생하자 사람들이 이를 다른 물건과 (㉠   ) 하기 시작하면서 시장이 등장하였다. 시장의 등장은 (㉡   )을 촉진하여 사회 전체의 생산성을 증대하였다.

3 다음 설명이 맞으면 ○표, 틀리면 ×표를 하시오.

(1) 시장을 통해 상품에 관한 정보를 쉽게 얻을 수 있다. (   )

(2) 시장이 생겨난 후 거래에 드는 비용과 시간이 증가하였다. (   )

(3) 시장은 재화나 서비스가 거래되는 구체적인 장소만을 의미한다. (   )

• 시장의 의미와 기능

시장	재화나 서비스를 팔려는 사람과 사려는 사람이 만나 거래하는 곳
시장의 기능	• 거래 비용 감소 • 상품에 관한 정보 제공 • 분업 촉진으로 생산성 증대

1 각 시장의 사례를 〈보기〉에서 골라 기호를 쓰시오.

> 〈보기〉
> ㄱ. 백화점　　ㄴ. 재래시장　　ㄷ. 외환 시장　　ㄹ. 주식 시장

(1) 보이는 시장 – (   )

(2) 보이지 않는 시장 – (   )

2 다음 괄호 안의 내용 중 알맞은 말에 ○표를 하시오.

(1) 농수산물 시장은 (생산물, 생산 요소) 시장에 해당한다.

(2) 오늘날에는 전자 상거래 시장의 규모가 점점 (확대, 축소)되고 있다.

(3) 노동 시장은 생산 요소 시장이면서 (보이는, 보이지 않는) 시장에 해당한다.

• 시장의 종류

보이는 시장과 보이지 않는 시장	• 보이는 시장: 거래하는 모습이 구체적으로 드러남 • 보이지 않는 시장: 거래하는 모습이 구체적으로 드러나지 않음
생산물 시장과 생산 요소 시장	• 생산물 시장: 재화나 서비스가 거래됨 • 생산 요소 시장: 상품을 생산하는 과정에 필요한 토지, 노동, 자본 등이 거래됨

C 수요 법칙과 공급 법칙

1. +수요와 수요 법칙

(1) 수요: 일정 가격에 어떤 상품을 구매하고자 하는 욕구

(2) 수요량: 일정 가격에 구매하고자 하는 상품의 양

(3) 수요 법칙: 상품의 가격이 상승하면 수요량이 감소하고, 가격이 하락하면 수요량이 증가함 → 상품의 가격과 수요량은 음(−)의 관계에 있음

(4) 수요 곡선: 수요 법칙을 나타낸 그래프 → 우하향 곡선

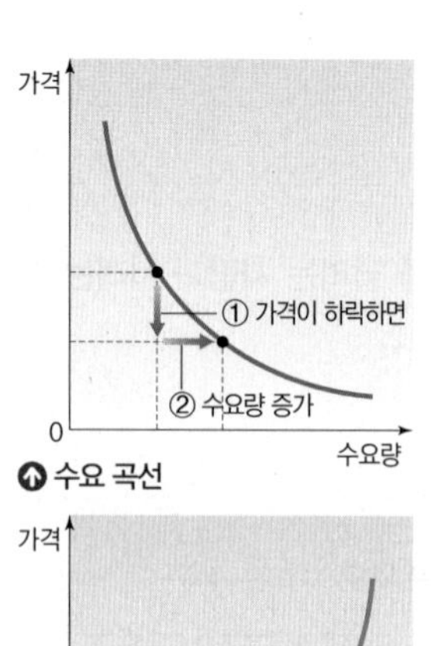

⬆ 수요 곡선

2. 공급과 공급 법칙

(1) 공급: 일정 가격에 어떤 상품을 판매하고자 하는 욕구

(2) 공급량: 일정 가격에 판매하고자 하는 상품의 양

(3) 공급 법칙: 상품의 가격이 상승하면 공급량이 증가하고, 가격이 하락하면 공급량이 감소함 → 상품의 가격과 공급량은 양(+)의 관계에 있음

(4) 공급 곡선: 공급 법칙을 나타낸 그래프 → 우상향 곡선

가격
② 공급량 증가
① 가격이 상승하면
0
공급량

⬆ 공급 곡선

+ 수요

단순히 무엇을 갖고 싶다는 욕구가 아니라 실제로 상품을 살 수 있는 능력을 갖춘 욕구

D 시장 가격의 결정

1. +시장 가격의 결정: 수요량과 공급량이 일치하는 지점에서 시장 가격이 형성됨

(균형 가격: 시장 가격이라고도 해.)

균형 가격	수요 곡선과 공급 곡선이 만나는 지점의 가격
균형 거래량	균형 가격에서의 거래량

2. 초과 수요와 초과 공급

초과 수요	수요량이 공급량보다 많은 상태 → 수요자 간 경쟁 발생 → 상품 가격 상승
초과 공급	공급량이 수요량보다 많은 상태 → 공급자 간 경쟁 발생 → 상품 가격 하락

왜? 수요자들이 돈을 더 내고서라도 상품을 사려고 하면서 상품 가격이 점점 오르게 돼.

왜? 공급자들이 가격을 낮춰서라도 상품을 팔려고 하면서 상품 가격이 점점 떨어지게 돼.

자료로 이해하기 시장이 균형을 이루게 되는 과정

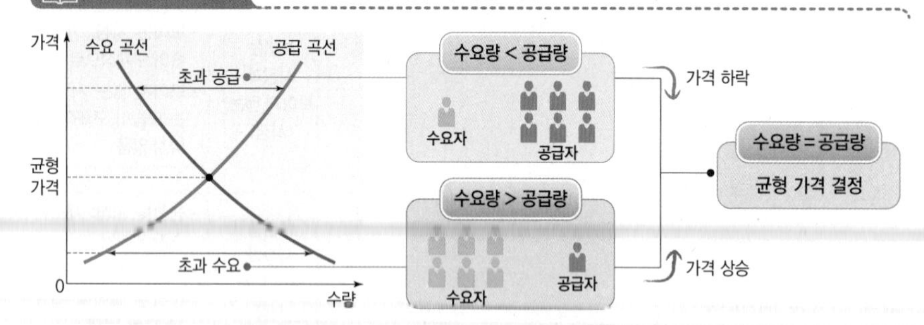

초과 수요가 나타날 경우 수요자들은 더 높은 가격을 주고서라도 상품을 사려고 하므로 초과 수요가 없어질 때까지 가격이 상승한다. 반면, 초과 공급이 나타날 경우 공급자들은 가격을 낮춰서라도 상품을 팔려고 하므로 초과 공급이 없어질 때까지 가격이 하락한다. 이러한 과정을 거쳐 수요량과 공급량이 일치하는 지점에서 시장은 균형 상태에 도달한다.

+ 시장 가격의 결정

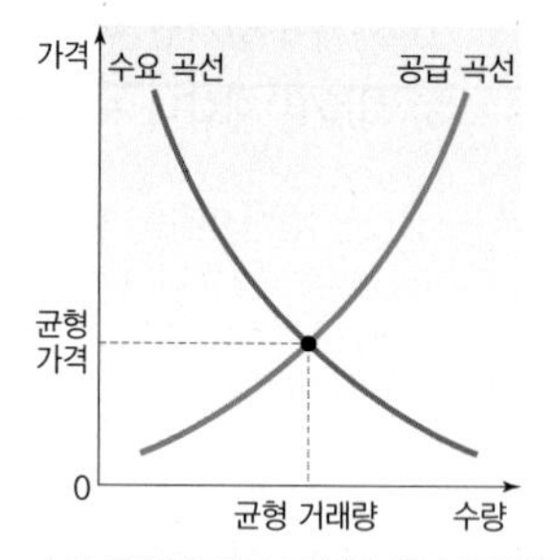

수요 곡선과 공급 곡선이 만나 균형을 이루는 지점에서 균형 가격과 균형 거래량이 결정된다.

1 다음 용어들과 그에 대한 설명을 옳게 연결하시오.

(1) 공급 • • ㉠ 상품을 구매하고자 하는 욕구

(2) 수요 • • ㉡ 상품을 판매하고자 하는 욕구

2 다음 설명이 맞으면 ○표, 틀리면 ×표를 하시오.

(1) 수요 법칙에 따르면 상품의 가격이 상승하면 수요량은 감소한다. ( )

(2) 공급 법칙에 따르면 상품의 가격이 하락하면 공급량은 증가한다. ( )

3 ㉠, ㉡에 들어갈 용어를 각각 쓰시오.

> 일반적으로 (㉠) 곡선은 우하향하는 곡선으로 표현되며, (㉡) 곡선은 우상향하는 곡선으로 표현된다.

핵심 콕콕

• **수요 법칙과 공급 법칙**

수요 법칙	상품의 가격이 상승하면 수요량이 감소하고, 가격이 하락하면 수요량이 증가함
공급 법칙	상품의 가격이 상승하면 공급량이 증가하고, 가격이 하락하면 공급량이 감소함

1 ㉠,㉡에 들어갈 용어를 각각 쓰시오.

> 시장에서 수요량과 공급량이 일치할 때의 가격을 (㉠)이라고 하며, 이때의 거래량을 (㉡)이라고 한다.

2 다음 괄호 안의 내용 중 알맞은 말에 ○표를 하시오.

(1) 초과 수요 상태에서는 (공급자, 수요자) 간의 경쟁이 발생한다.

(2) 공급량이 수요량보다 많은 상태를 (초과 수요, 초과 공급)이라고 한다.

3 시장의 상태와 그에 따른 상품의 가격 변화를 옳게 연결하시오.

(1) 수요량 〉 공급량 • • ㉠ 균형 가격

(2) 수요량 〈 공급량 • • ㉡ 상품 가격 상승

(3) 수요량 = 공급량 • • ㉢ 상품 가격 하락

핵심 콕콕

• **시장 가격의 결정**

초과 수요	초과 공급
수요량 〉 공급량 → 상품 가격 상승	수요량 〈 공급량 → 상품 가격 하락

↓ ↓

수요량과 공급량이 일치하는 지점에서 균형 가격과 균형 거래량이 결정됨

[01 ~ 02] 다음 글을 읽고 물음에 답하시오.

> 자급자족을 하던 사람들은 자신에게 풍족하지만 상대방에게 부족한 물건을 교환하면 서로에게 이익이 된다는 사실을 알게 되었다. 이 과정에서 ㉠ 사람들은 생산 과정을 여러 부분으로 나누어 자신이 더 잘 만들 수 있는 물건만을 전문적으로 생산하기 시작하였다. 이를 통해 교환은 더욱 활발해졌고, 사람들이 효율적인 교환을 위해 일정한 시간과 장소를 정해 모이기 시작하면서 (㉡)이/가 형성되었다.

01 밑줄 친 ㉠에 해당하는 용어로 옳은 것은?

① 공급　② 분업　③ 수요
④ 시장　⑤ 화폐

02 ㉡의 등장에 따른 변화로 적절한 것을 〈보기〉에서 고른 것은?

시험에 잘 나와!

〈보기〉
ㄱ. 거래에 드는 비용이 증가하였다.
ㄴ. 상품을 소비할 기회가 축소되었다.
ㄷ. 분업을 촉진하여 생산성이 증대되었다.
ㄹ. 상품에 관한 정보를 보다 쉽게 얻을 수 있게 되었다.

① ㄱ, ㄴ　② ㄱ, ㄷ　③ ㄴ, ㄷ
④ ㄴ, ㄹ　⑤ ㄷ, ㄹ

03 밑줄 친 시장 중 그 종류가 나머지와 다른 하나는?

① 가은이는 편의점에서 물을 구입하였다.
② 나은이는 백화점에서 코트를 구입하였다.
③ 다은이는 문구점에서 색연필을 구입하였다.
④ 라은이는 농산물 시장에서 쌀을 구입하였다.
⑤ 마은이는 인터넷 쇼핑몰에서 원피스를 구입하였다.

04 ㉠, ㉡에 해당하는 시장의 사례를 옳게 연결한 것은?

시장에서 거래하는 모습이 구체적으로 드러나는가?

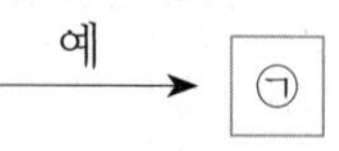

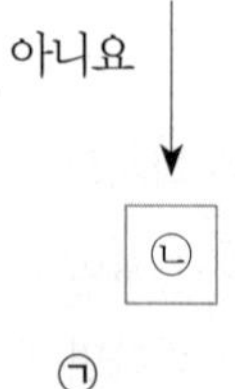

	㉠	㉡
①	주식 시장	백화점
②	주식 시장	외환 시장
③	외환 시장	재래시장
④	대형 할인점	백화점
⑤	대형 할인점	주식 시장

05 밑줄 친 시장에 대한 옳은 설명을 〈보기〉에서 고른 것은?

> 오늘날에는 정보 통신 기술과 인터넷의 발달로 전자 상거래 시장의 규모가 커지고 있다.

〈보기〉
ㄱ. 소비자와 판매자가 직접 만나서 거래한다.
ㄴ. 시공간의 제약을 받지 않고 거래할 수 있다.
ㄷ. 거래하는 모습이 구체적으로 눈에 보이는 시장이다.
ㄹ. 주식 시장, 외환 시장 등이 같은 유형의 시장으로 분류될 수 있다.

① ㄱ, ㄴ　② ㄱ, ㄷ　③ ㄴ, ㄷ
④ ㄴ, ㄹ　⑤ ㄷ, ㄹ

06 다음 내용에 해당하는 시장으로 적절하지 않은 것은?

> 생활에 필요한 재화나 서비스가 거래되는 시장이다.

① 가구 시장　② 노동 시장
③ 농수산물 시장　④ 의류 도매 시장
⑤ 중고 자동차 시장

07 다음과 같이 시장을 분류하는 기준으로 적절한 것은?

① 판매 대상
② 시장의 규모
③ 거래하는 모습
④ 시장 개설 주기
⑤ 거래하는 상품의 종류

08 밑줄 친 ㉠, ㉡에 대한 설명으로 옳은 것은?

비상이네 학급은 체육 대회에서 반 티셔츠를 맞춰 입기로 결정했다. 비상이와 친구들은 여러 ㉠ 인터넷 쇼핑몰을 둘러보고 가장 많은 친구가 선호하는 디자인을 선택한 후 학교 근처 ㉡ 대형 할인점에서 티셔츠를 구매하였다.

① ㉠의 규모는 계속 줄어들고 있다.
② ㉠은 특정 날짜에만 열리는 시장이다.
③ ㉠은 시간과 공간의 영향을 받지 않는다.
④ ㉡은 생산 요소가 거래되는 시장이다.
⑤ ㉡은 거래하는 모습이 구체적으로 드러나지 않는다.

09 ㉠~㉢에 들어갈 내용을 옳게 연결한 것은?

일반적으로 어떤 상품의 가격이 상승하면 수요량은 (㉠)하고, 가격이 하락하면 수요량은 (㉡)한다. 이처럼 상품의 가격과 수요량이 (㉢)의 관계에 있는 것을 수요 법칙이라고 한다.

	㉠	㉡	㉢
①	감소	증가	양(+)
②	감소	증가	음(−)
③	감소	감소	음(−)
④	증가	감소	양(+)
⑤	증가	증가	음(−)

10 공급과 공급 법칙에 대한 설명으로 옳은 것은?

① 상품의 가격이 오르면 공급량은 증가한다.
② 공급 곡선은 우하향하는 곡선으로 나타난다.
③ 상품의 가격은 공급량에 영향을 주지 않는다.
④ 공급은 일정 가격에 상품을 구매하고자 하는 욕구이다.
⑤ 공급량은 일정 가격에 사람들이 사고자 하는 상품의 양이다.

시험에 잘 나와!

11 그래프에 대한 옳은 설명을 〈보기〉에서 고른 것은?

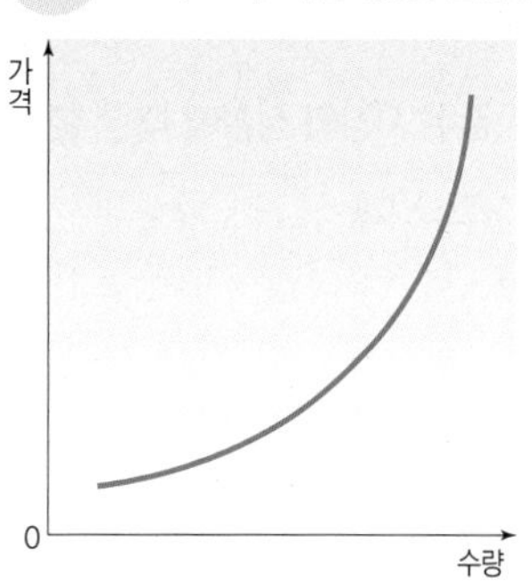

〈보기〉
ㄱ. 수요 법칙을 나타낸 그래프이다.
ㄴ. 상품의 가격과 공급량은 양(+)의 관계이다.
ㄷ. 상품의 가격과 공급량이 반대 방향으로 움직인다.
ㄹ. 상품의 가격과 공급량 간의 관계를 나타내고 있다.

① ㄱ, ㄴ
② ㄱ, ㄷ
③ ㄴ, ㄷ
④ ㄴ, ㄹ
⑤ ㄷ, ㄹ

12 수요 법칙이나 공급 법칙이 성립하는 경우가 아닌 것은?

① 문제집의 가격이 하락하자 수요량이 증가하였다.
② 컴퓨터의 가격이 상승하자 수요량이 감소하였다.
③ 삼겹살의 가격이 하락하자 공급량이 증가하였다.
④ 휴대 전화의 가격이 상승하자 공급량이 증가하였다.
⑤ 아이스크림의 가격이 상승하자 수요량이 감소하였고, 공급량이 증가하였다.

13 다음과 같은 가격 변화에 따른 수요량과 공급량의 변화를 예측한 것으로 적절한 것은?

> 분식집에서 파는 떡볶이 한 접시의 가격이 3,000원에서 2,000원으로 하락하였다.

① 수요량은 감소하고, 공급량은 증가한다.
② 수요량은 감소하고, 공급량도 감소한다.
③ 수요량은 증가하고, 공급량도 증가한다.
④ 수요량은 증가하고, 공급량은 감소한다.
⑤ 수요량은 감소하고, 공급량은 변동이 없다.

14 어떤 상품의 가격이 ㉠일 경우 시장의 상황에 대한 설명으로 옳은 것은?

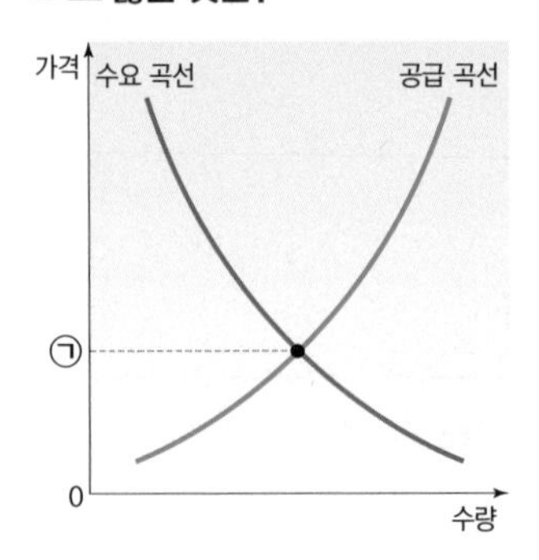

① 초과 수요가 발생한다.
② 초과 공급이 발생한다.
③ 공급자 간에 경쟁이 발생한다.
④ 수요자 간에 경쟁이 발생한다.
⑤ 상품의 가격이 균형 상태에 도달한다.

15 시험에 잘 나와! 표는 가격에 따른 우유의 수요량과 공급량을 나타낸 것이다. 우유의 균형 거래량으로 적절한 것은?

가격(원)	500	1,000	1,500	2,000	2,500
수요량(만 개)	30	25	20	15	10
공급량(만 개)	10	15	20	25	30

① 5만 개 ② 10만 개 ③ 15만 개
④ 20만 개 ⑤ 25만 개

[16~18] 표는 가격에 따른 사과의 수요량과 공급량을 나타낸 것이다. 물음에 답하시오.

가격(원)	수요량(개)	공급량(개)
1,000	500	100
2,000	400	200
3,000	300	300
4,000	200	400
5,000	100	500

16 사과 가격이 2,000원일 경우 시장에 대한 설명으로 옳은 것은?

① 수요량과 공급량이 일치한다.
② 수요량이 공급량보다 200개 더 많다.
③ 수요량이 공급량보다 300개 더 많다.
④ 공급량이 수요량보다 200개 더 많다.
⑤ 공급량이 수요량보다 400개 더 많다.

17 시험에 잘 나와! 사과 가격이 4,000원일 경우 시장에서 나타날 현상으로 적절한 것을 〈보기〉에서 고른 것은?

> 보기
> ㄱ. 200개의 초과 수요가 발생할 것이다.
> ㄴ. 공급량이 수요량보다 많아질 것이다.
> ㄷ. 공급자들은 사과의 가격을 낮추려고 할 것이다.
> ㄹ. 수요자들 간의 경쟁으로 인해 사과의 가격이 상승할 것이다.

① ㄱ, ㄴ ② ㄱ, ㄷ ③ ㄴ, ㄷ
④ ㄴ, ㄹ ⑤ ㄷ, ㄹ

18 사과의 균형 가격과 균형 거래량을 옳게 연결한 것은?

	균형 가격	균형 거래량
①	1,000원	100개
②	2,000원	200개
③	3,000원	300개
④	4,000원	400개
⑤	5,000원	500개

19 그래프는 과자 시장의 수요·공급 곡선을 나타낸 것이다. 그래프에 대한 설명으로 옳은 것은?

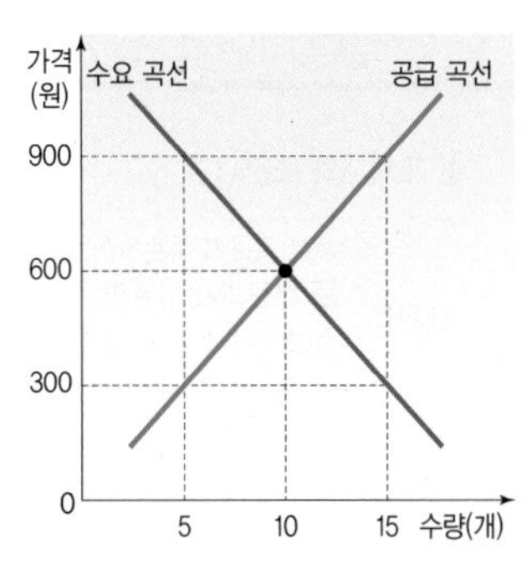

① 가격이 600원일 때 공급량은 5개이다.
② 가격이 300원일 때 시장은 균형을 이룬다.
③ 가격이 900원일 때 5개의 초과 공급이 발생한다.
④ 가격이 300원일 때 10개의 초과 수요가 발생한다.
⑤ 가격이 900원일 때 15개의 초과 수요가 발생한다.

[20~21] 그래프를 보고 물음에 답하시오.

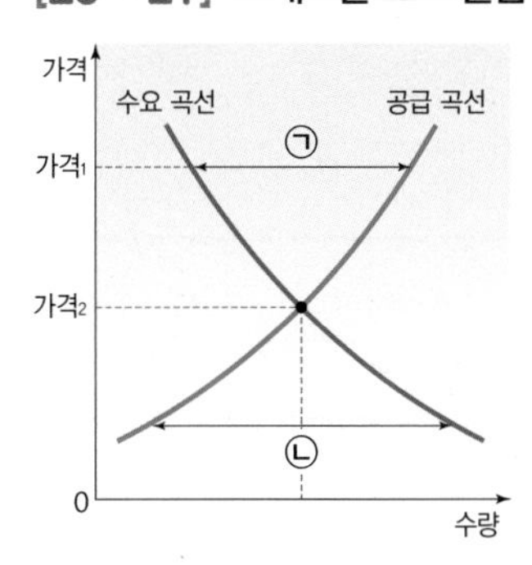

20 ㉠, ㉡에 해당하는 용어를 각각 쓰시오.

21 그래프에 대한 설명으로 옳지 않은 것은?

① 가격$_1$일 때에는 공급량이 수요량보다 많다.
② 가격$_1$일 때에는 공급자 간의 판매 경쟁이 발생한다.
③ 가격$_2$일 때에는 수요량보다 공급량이 많다.
④ 가격$_2$일 때에는 초과 수요나 초과 공급이 발생하지 않는다.
⑤ ㉠에서는 가격 하락, ㉡에서는 가격 상승이 나타난다.

서술형 문제

서술형 감잡기

01 다음 글을 읽고 물음에 답하시오.

> 일상생활에서 개인에게 필요한 재화와 서비스는 매우 다양하기 때문에 이 모든 것을 스스로 생산하여 사용하는 것은 불가능에 가깝다. 그래서 사람들은 분업을 통해 재화나 서비스를 생산하고, 이를 (㉠)에서 교환한다.

(1) ㉠에 들어갈 용어를 쓰시오.

(2) (1)의 기능을 서술하시오.

➔ 상품을 거래하는 데 드는 시간과 비용을 줄일 수 있고, 상품에 관한 (①)를 쉽게 얻을 수 있다. 또한 (②)을 촉진하여 사회 전체의 생산량 증대에 기여한다.

실전! 서술형 도전하기

02 표는 가격에 따른 과자의 수요량과 공급량을 나타낸 것이다. 물음에 답하시오.

가격(원)	수요량(개)	공급량(개)
2,500	50	250
2,000	100	200
1,500	150	150
1,000	200	100
500	250	50

(1) 과자의 균형 가격과 균형 거래량을 각각 쓰시오.

(2) 과자 가격이 2,000원일 경우 시장에서 나타날 현상을 서술하시오.

03 시장 가격의 변동

A 수요와 공급의 변동 요인

1. 수요의 변동 요인

꼭 상품의 가격이 변하면 수요량이나 공급량이 변화하지만, 상품 가격 이외의 요인이 변화하면 수요나 공급 자체가 증가하거나 감소해.

소득의 변화	소득이 증가하면 수요가 증가하고, 소득이 감소하면 수요가 감소함
관련 상품의 가격 변화	• +대체재 관계인 한 상품의 가격이 오르면 다른 상품의 수요가 증가함 • +보완재 관계인 한 상품의 가격이 오르면 다른 상품의 수요가 감소함
소비자의 +기호 변화	기호가 상승하면 수요가 증가하고, 기호가 하락하면 수요가 감소함
미래 가격에 대한 예상	미래에 상품의 가격이 오를 것으로 예상되면 수요가 증가하고, 상품의 가격이 떨어질 것으로 예상되면 수요가 감소함
인구수의 변화	인구가 증가하면 수요가 증가하고, 인구가 감소하면 수요가 감소함

2. 공급의 변동 요인

생산 요소의 가격이 하락하면 공급자는 동일한 생산 비용으로 더 많은 상품을 생산할 수 있기 때문에 공급이 증가해.

+생산 요소의 가격 변화	생산 요소의 가격이 하락하면 공급이 증가하고, 생산 요소의 가격이 상승하면 공급이 감소함
생산 기술의 발달	생산 기술이 발달하면 동일한 비용으로 더 많은 상품을 생산할 수 있으므로 공급이 증가함 — 생산 기술의 발달은 생산 비용이 줄어드는 효과를 가져와.
공급자 수의 변화	공급자의 수가 증가하면 공급이 증가하고, 공급자의 수가 감소하면 공급이 감소함
미래 가격에 대한 예상	미래에 상품의 가격이 오를 것으로 예상되면 공급이 감소하고, 상품의 가격이 내릴 것으로 예상되면 공급이 증가함

왜? 공급자들이 가격이 오른 후 상품을 판매하려고 하기 때문이야.

+ 대체재와 보완재

대체재	서로 용도가 비슷하여 한 상품을 대신해서 사용할 수 있는 경쟁 관계의 재화 예 쌀과 빵, 버터와 마가린, 커피와 녹차 등
보완재	함께 소비할 때 만족도가 커지는 보완 관계의 재화 예 칫솔과 치약, 피자와 콜라, 삼겹살과 상추 등

+ 기호

어떤 재화나 서비스를 좋아하는 성향

+ 생산 요소

상품 생산에 필요한 원자재 가격, 임금, 이자 등

B 수요 변동에 따른 가격 변동

구분	+수요 증가	수요 감소
변동 요인	소득 증가, 대체재 가격 상승, 보완재 가격 하락, 기호 상승, 미래 가격 상승 예상, 인구 증가 등	소득 감소, 대체재 가격 하락, 보완재 가격 상승, 기호 하락, 미래 가격 하락 예상, 인구 감소 등
변동 모습	가격 / 수요 곡선 / 공급 곡선 / 수요 곡선이 오른쪽으로 이동해. / 0 / 수량 균형 가격 상승, 균형 거래량 증가	가격 / 수요 곡선 / 공급 곡선 / 수요 곡선이 왼쪽으로 이동해. / 0 / 수량 균형 가격 하락, 균형 거래량 감소

+ 수요 증가에 따른 가격 변동 사례

- 닭고기와 대체재 관계에 있는 돼지고기의 가격이 올라 닭고기에 대한 수요가 증가하면 닭고기의 가격이 상승한다.
- 돼지고기의 가격이 떨어져 보완재 관계에 있는 상추에 대한 수요가 증가하면 상추의 가격이 상승한다.

대체재의 가격이 상승하거나 보완재의 가격이 하락하여 수요가 증가하면 균형 가격은 상승하고 균형 거래량은 증가한다.

- 수요와 공급의 변동 요인
- 수요 변동에 따른 가격 변동
- 공급 변동에 따른 가격 변동
- 시장 가격의 기능

1 **다음 설명이 맞으면 ○표, 틀리면 ×표를 하시오.**

(1) 소득이 늘어나면 상품의 수요가 증가한다. ( )

(2) 생산 기술이 발달하면 상품의 공급이 감소한다. ( )

(3) 임금, 이자와 같은 생산 요소의 가격 변화는 수요 변동 요인이다. ( )

2 **㉠, ㉡에 들어갈 용어를 각각 쓰시오.**

> 서로 용도가 비슷하여 한 상품을 대신해서 사용할 수 있는 경쟁 관계의 재화를 (㉠)라고 하며, 함께 소비할 때 만족도가 커지는 보완 관계의 재화를 (㉡)라고 한다.

3 **다음 괄호 안의 내용 중 알맞은 말에 ○표를 하시오.**

> 미래에 상품의 가격이 오를 것이라고 예상되면 상품의 수요는 (증가, 감소)하고, 공급은 (증가, 감소)한다. 반면 미래에 상품의 가격이 내릴 것이라고 예상되면 상품의 수요는 (증가, 감소)하고, 공급은 (증가, 감소)한다.

핵심 콕콕

• 수요와 공급의 변동 요인

수요 변동 요인	소득의 변화, 관련 상품의 가격 변화, 소비자의 기호 변화, 미래 가격에 대한 예상, 인구수의 변화
공급 변동 요인	생산 요소의 가격 변화, 생산 기술의 발달, 공급자 수의 변화, 미래 가격에 대한 예상

1 **수요 증가 요인을 〈보기〉에서 골라 기호를 쓰시오.**

〈보기〉

ㄱ. 기호 상승　　ㄴ. 소득 감소

ㄷ. 원자재의 가격 상승　　ㄹ. 미래 가격 상승 예상

2 **수요의 변동 요인과 그에 따른 수요의 변화를 옳게 연결하시오.**

(1) 대체재 가격 상승 •　　• ㉠ 수요 증가

(2) 보완재 가격 상승 •　　• ㉡ 수요 감소

핵심 콕콕

• 수요 변동에 따른 가격 변동

수요 증가	수요 감소
• 소득 증가 • 대체재 가격 상승 • 보완재 가격 하락 • 기호 상승 • 미래 가격 상승 예상 • 인구 증가	• 소득 감소 • 대체재 가격 하락 • 보완재 가격 상승 • 기호 하락 • 미래 가격 하락 예상 • 인구 감소
↓	↓
균형 가격 상승, 균형 거래량 증가	균형 가격 하락, 균형 거래량 감소

C 공급 변동에 따른 가격 변동

구분	[+]공급 증가	공급 감소
변동 요인	생산 요소 가격 하락, 생산 기술 발달, 공급자 수 증가, 미래 가격 하락 예상 등	생산 요소 가격 상승, 공급자 수 감소, 미래 가격 상승 예상 등
변동 모습	가격 / 수요 곡선 / 공급 곡선 / 공급 곡선이 오른쪽으로 이동해. / 0 / 수량 균형 가격 하락, 균형 거래량 증가	가격 / 수요 곡선 / 공급 곡선 / 공급 곡선이 왼쪽으로 이동해. / 0 / 수량 균형 가격 상승, 균형 거래량 감소

+ 공급 증가에 따른 가격 변동 사례

날씨가 좋아 배 농사가 풍년이 들면 배 공급이 증가하여 배의 가격이 하락한다.

풍년 등으로 농산물의 공급이 증가하면 균형 가격은 하락하고 균형 거래량은 증가한다.

D 시장 가격의 기능

1. 시장 경제의 신호등 기능

(1) 의미: 시장 가격은 소비자와 생산자에게 경제 활동을 어떻게 조절할 것인지 알려 줌

소비자에게는 무엇을 얼마만큼 소비할 것인지, 생산자에게는 무엇을 얼마만큼 생산할 것인지 알려 줘.

(2) 시장 가격 상승: 소비자는 소비를 줄이고, 생산자는 생산을 늘림

(3) 시장 가격 하락: 소비자는 소비를 늘리고, 생산자는 생산을 줄임

2. 자원의 효율적 [+]배분 기능

(1) 의미: 시장 가격은 그 사회에 필요한 적당한 양의 상품을 가장 효율적인 방법으로 생산하게 하고, 이를 효율적으로 배분하는 기능을 함

(2) 시장 가격에 따른 경제 주체의 합리적인 경제 활동

구분	내용
소비자	같은 상품에 대해 가장 큰 만족을 얻을 수 있는 소비자가 시장 가격을 지불하고 상품을 구입함
생산자	같은 상품을 가장 낮은 비용으로 생산하는 사람이 상품을 공급함

+ 배분

각자의 몫으로 나누는 것

자료로 이해하기 시장 가격의 기능

(가) 바나나 맛 과자의 가격이 높아지자 소비자인 A 씨는 바나나 맛 과자의 소비를 줄이라는 신호로, 생산자인 B 씨는 바나나 맛 과자의 공급을 늘리라는 신호로 받아들였다.

(나) 한 뮤지컬의 관람료가 10만 원으로 정해졌다. C 씨는 오래 기다린 공연이라 10만 원을 내고 공연을 볼 생각이지만, D 씨는 10만 원을 내면서까지 공연을 볼 생각은 없다.

(가)에서 시장 가격은 경제 주체들에게 바나나 맛 과자의 소비와 생산 활동을 어떻게 조절할 것인지를 알려주는 신호등과 같은 기능을 한다. (나)에서 시장 가격은 뮤지컬이라는 상품을 그 상품에 대한 만족이 큰 소비자에게 돌아가게 함으로써 자원을 효율적으로 배분하는 기능을 한다.

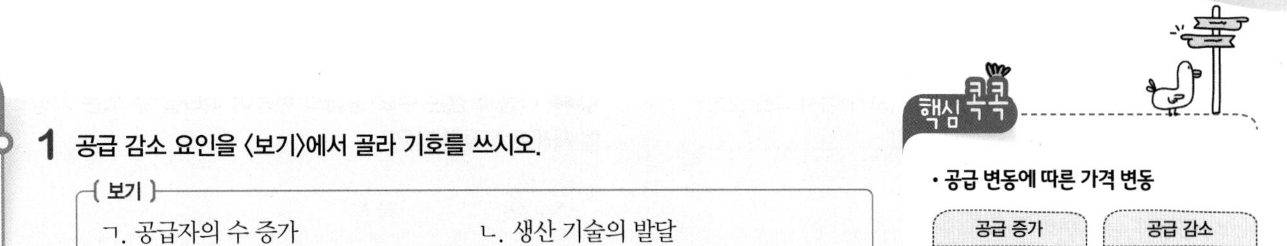

1 공급 감소 요인을 〈보기〉에서 골라 기호를 쓰시오.

보기

ㄱ. 공급자의 수 증가　　　　ㄴ. 생산 기술의 발달
ㄷ. 미래 가격 상승 예상　　　ㄹ. 생산 요소의 가격 상승

2 다음 설명이 맞으면 ○표, 틀리면 ×표를 하시오.

(1) 생산 기술이 발달하면 균형 거래량은 증가한다. (　　)
(2) 공급자의 수가 감소하면 균형 가격은 상승한다. (　　)
(3) 생산 요소의 가격이 상승하면 균형 가격은 하락한다. (　　)

핵심 콕콕

• 공급 변동에 따른 가격 변동

공급 증가	공급 감소
• 생산 요소의 가격 하락 • 생산 기술의 발달 • 공급자의 수 증가 • 미래 가격 하락 예상	• 생산 요소의 가격 상승 • 공급자의 수 감소 • 미래 가격 상승 예상
↓	↓
균형 가격 하락, 균형 거래량 증가	균형 가격 상승, 균형 거래량 감소

1 (　　　　)은 소비자와 생산자에게 경제 활동을 어떻게 조절할 것인지 알려 주는 시장 경제의 신호등과 같은 기능을 한다.

2 다음 괄호 안의 내용 중 알맞은 말에 ○표를 하시오.

상품 가격이 상승하면 소비자는 소비를 (늘리는, 줄이는) 반면, 생산자는 더 많은 이윤을 얻기 위해 생산을 (늘린다, 줄인다).

3 다음 설명이 맞으면 ○표, 틀리면 ×표를 하시오.

(1) 시장에서는 같은 상품을 가장 높은 비용으로 생산하는 공급자가 상품을 공급한다. (　　)
(2) 시장에서는 같은 상품에 대해 가장 큰 만족을 얻을 수 있는 소비자가 상품을 구매한다. (　　)

핵심 콕콕

• 시장 가격의 기능

시장 경제의 신호등	소비자와 생산자는 시장 가격을 통해 경제 활동을 조절함
자원의 효율적 배분	시장 가격을 통해 그 사회에 필요한 적당한 양의 상품을 효율적으로 생산하고 배분함

01 수요의 변동 요인으로 옳은 것을 〈보기〉에서 고른 것은?

〈보기〉
ㄱ. 인구수의 변화
ㄴ. 공급자 수의 변화
ㄷ. 관련 상품의 가격 변화
ㄹ. 생산 요소의 가격 변화

① ㄱ, ㄴ ② ㄱ, ㄷ ③ ㄴ, ㄷ
④ ㄴ, ㄹ ⑤ ㄷ, ㄹ

02 두 재화의 관계가 나머지와 다른 하나는?

① 쌀과 빵 ② 칫솔과 치약
③ 피자와 콜라 ④ 삼겹살과 상추
⑤ 승용차와 휘발유

03 밑줄 친 ㉠~㉢에 대한 옳은 설명만을 〈보기〉에서 있는 대로 고른 것은? (시험에 잘 나와!)

우리나라의 ㉠ 커피 소비량은 세계적으로도 높은 편이며, 커피에 들어가는 ㉡ 설탕의 소비도 많은 편이다. 최근에는 커피 대신 ㉢ 녹차를 마시는 사람들도 늘고 있다.

〈보기〉
ㄱ. ㉠과 ㉡은 보완재 관계이다.
ㄴ. ㉠과 ㉢은 대체재 관계이다.
ㄷ. ㉠의 가격이 상승하면 ㉡의 수요는 감소할 것이다.
ㄹ. ㉡의 가격이 하락하면 ㉢의 수요는 증가할 것이다.

① ㄱ, ㄴ ② ㄱ, ㄹ ③ ㄱ, ㄴ, ㄷ
④ ㄱ, ㄷ, ㄹ ⑤ ㄴ, ㄷ, ㄹ

04 다음과 같은 수요·공급의 변동이 나타날 수 있는 시장의 사례로 적절한 것은?

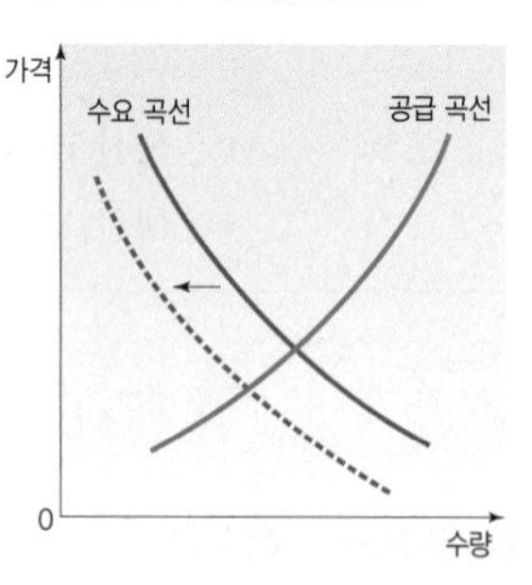

① 기온 상승에 따른 팥빙수 시장의 변화
② 떡볶이 가게 증가에 따른 떡볶이 시장의 변화
③ 석유 가격 상승 예상에 따른 석유 시장의 변화
④ 돼지고기의 가격 하락에 따른 상추 시장의 변화
⑤ 라면의 나트륨 함유량이 높다는 보도에 따른 라면 시장의 변화

05 다음 상황에서 예측할 수 있는 양파 시장의 변화를 옳게 표현한 그래프는?(단, 다른 조건은 변함 없다.)

최근 방송에서 양파의 효능이 소개되었다. 방송에 따르면 양파는 고지혈증, 당뇨 완화 등에 효과가 있다.

①
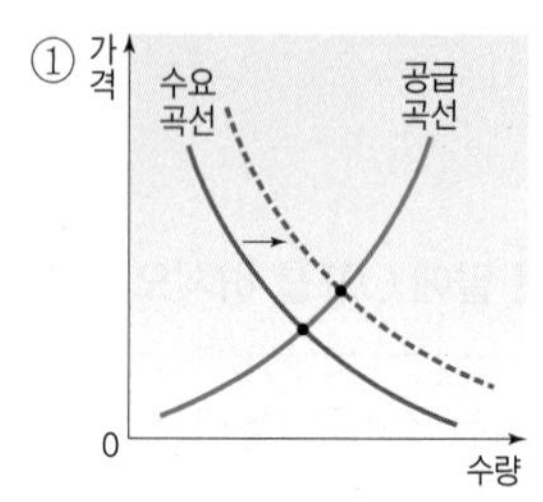

②
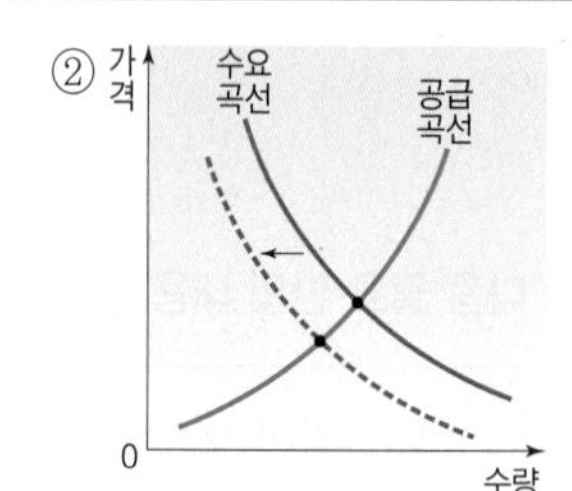

③
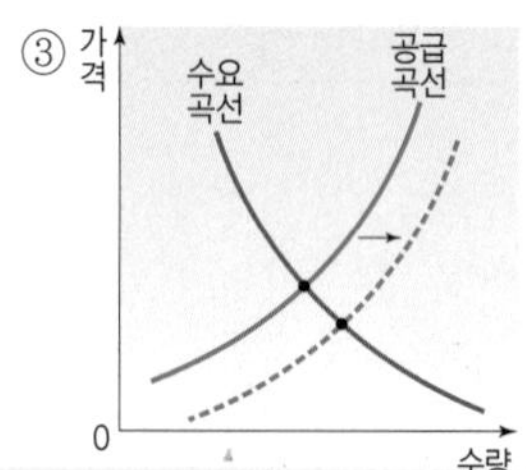

④
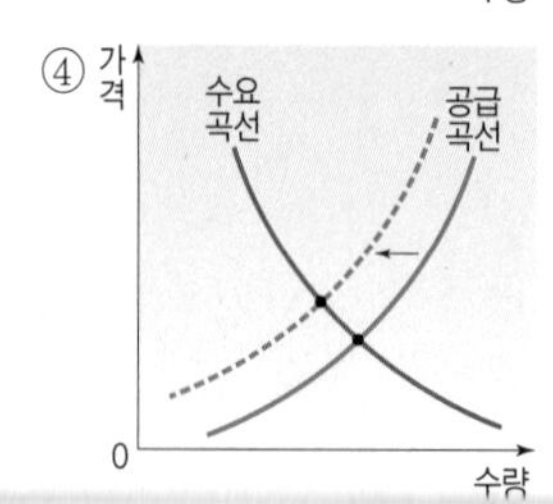

⑤
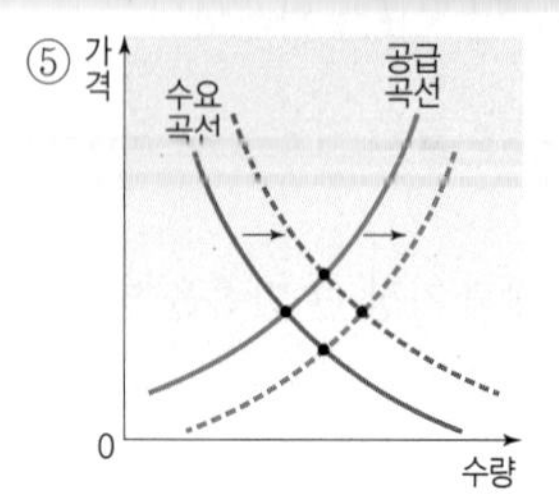

06 다음과 같은 수요·공급의 변동이 나타날 수 있는 시장과 그 요인을 옳게 연결한 것은?

> 어떤 상품의 수요는 변하지 않고, 공급만 증가하면 공급 곡선이 오른쪽으로 이동한다.

① 김치 시장 – 배추 가격 상승
② 과자 시장 – 밀가루 가격의 상승
③ 사과 시장 – 태풍 피해로 수확량 감소
④ 휴대 전화 시장 – 불황으로 가계 소득 감소
⑤ 아이스크림 시장 – 새로운 급속 냉동 기술의 개발

07 다음과 같은 상황에서 예상되는 감귤 시장의 변화로 적절한 것은?(단, 다른 조건은 변함 없다.)

> 감귤 농사를 짓는 A 씨에 따르면 올해 일조량이 지난해 절반 수준에 머무르면서 감귤의 수확이 늦어지고, 그나마 수확한 감귤도 판매할 만한 상태가 못 된다고 한다. 이처럼 날씨는 감귤 시장에도 영향을 미친다.

① 공급이 증가할 것이다.
② 공급이 감소할 것이다.
③ 수요가 증가할 것이다.
④ 수요가 감소할 것이다.
⑤ 수요와 공급이 모두 감소할 것이다.

08 다음과 같은 상황에서 돼지고기의 균형 가격과 균형 거래량의 변동을 옳게 예측한 것은?(단, 다른 조건은 변함 없다.)

> 소고기의 가격이 하락하면서 소고기의 수요량이 증가하고 있다. 반면 소고기를 대신하여 돼지고기를 찾는 사람은 줄어들고 있다.

	균형 가격	균형 거래량
①	상승	감소
②	상승	증가
③	하락	증가
④	하락	감소
⑤	변동 없음	변동 없음

[09~10] 그래프는 자동차 시장의 변화를 나타낸 것이다. 이를 보고 물음에 답하시오.

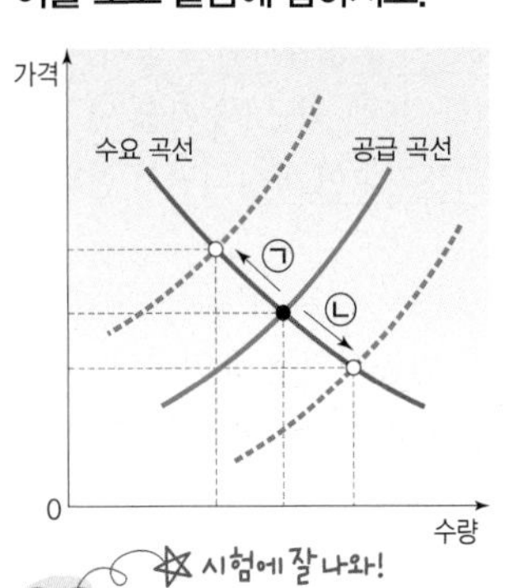

시험에 잘 나와!

09 ㉠과 같은 변동이 발생하는 요인으로 옳은 것은?

① 자동차의 부품 가격이 상승하였다.
② 휘발유 가격의 하락세가 계속되고 있다.
③ 경기가 어려워지면서 가계 소득이 감소하였다.
④ 저출산으로 인구가 지속적으로 감소하고 있다.
⑤ 자동차 조립 기술 개발로 생산비가 감소하였다.

10 ㉡과 같은 변동에 대한 옳은 설명을 〈보기〉에서 고른 것은?

> **보기**
> ㄱ. 공급 변동에 해당한다.
> ㄴ. 변동 결과 균형 가격이 상승할 것이다.
> ㄷ. 변동 결과 균형 거래량이 증가할 것이다.
> ㄹ. 해당 상품의 미래 가격이 상승할 것으로 예상되는 데 따른 변화이다.

① ㄱ, ㄴ　② ㄱ, ㄷ　③ ㄴ, ㄷ
④ ㄴ, ㄹ　⑤ ㄷ, ㄹ

11 종이책의 가격이 하락하는 요인으로 적절한 것을 〈보기〉에서 고른 것은?

> **보기**
> ㄱ. 서점의 수 감소
> ㄴ. 가계 소득의 증가
> ㄷ. 종이의 가격 하락
> ㄹ. 대체재인 전자책의 가격 하락

① ㄱ, ㄴ　② ㄱ, ㄷ　③ ㄴ, ㄷ
④ ㄴ, ㄹ　⑤ ㄷ, ㄹ

12 밑줄 친 ㈎, ㈏에 대한 설명으로 옳은 것은?

> ㈎ 대기 오염으로 인해 미세먼지가 많아지면서 공기 청정기 시장이 영향을 받고 있다. 또한 최근 ㈏ 기술 연구를 통해 공기 청정기 필터 제조 기술이 향상되면서 필터 가격이 하락하였다.

① ㈎는 공기 청정기의 공급을 변동시키는 요인이다.
② ㈎로 인해 공기 청정기의 균형 거래량이 감소할 것이다.
③ ㈏는 공기 청정기의 수요 감소 요인이다.
④ ㈏로 인해 공기 청정기의 균형 가격이 상승할 것이다.
⑤ ㈎, ㈏는 모두 공기 청정기의 균형 거래량이 증가하는 데 기여한다.

시험에 잘 나와!

13 다음과 같은 상황에서 나타날 스마트폰 시장의 변화 모습으로 적절한 것을 〈보기〉에서 고른 것은?(단, 다른 조건은 변함 없다.)

> • 스마트폰의 원자재 가격이 상승하였다.
> • 스마트폰 제조 회사들은 스마트폰의 가격이 오를 것이라고 예상하고 있다.

보기

ㄱ. 스마트폰의 수요가 감소할 것이다.
ㄴ. 스마트폰의 균형 가격이 상승할 것이다.
ㄷ. 스마트폰의 균형 거래량이 감소할 것이다.
ㄹ. 스마트폰의 공급 곡선이 오른쪽으로 이동할 것이다.

① ㄱ, ㄴ ② ㄱ, ㄹ ③ ㄴ, ㄷ
④ ㄴ, ㄹ ⑤ ㄷ, ㄹ

14 균형 가격이 상승하고 균형 거래량이 증가하는 요인으로 옳은 것은?

① 소득의 증가
② 공급자 수의 증가
③ 생산 기술의 혁신
④ 대체재의 가격 하락
⑤ 미래 가격 하락 예상

15 ㈎, ㈏의 상황에서 나타날 콜라 시장의 변화에 대한 예측으로 옳은 것은?

> ㈎ 콜라의 대체재인 사이다의 가격이 하락하였다.
> ㈏ 콜라의 원료가 되는 콜라너트의 가격이 상승하였다.

	상황	수요·공급 변동	균형 가격
①	㈎	수요 증가	하락
②	㈎	수요 감소	상승
③	㈏	공급 증가	상승
④	㈏	공급 감소	상승
⑤	㈏	공급 감소	하락

시험에 잘 나와!

16 다음 상황에서 예측할 수 있는 운동화 시장의 변화를 옳게 표현한 그래프는?(단, 다른 조건은 변함 없다.)

> • 인기 연예인 A 씨가 드라마에서 착용한 운동화가 큰 인기를 끌고 있다.
> • 많은 스포츠 의류 업체에서 A 씨가 착용한 것과 같은 디자인의 운동화를 출시하고 있다.

①
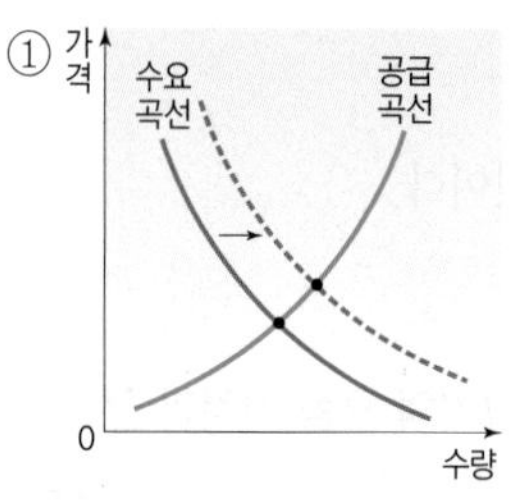

②
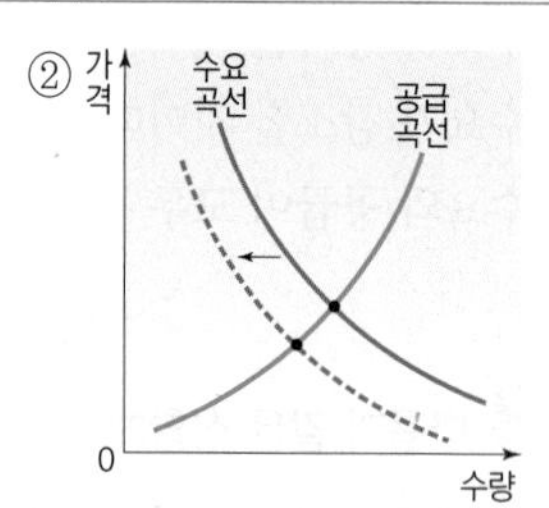

③
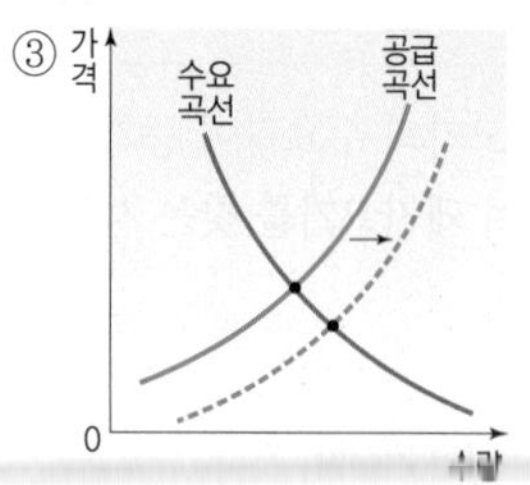

④
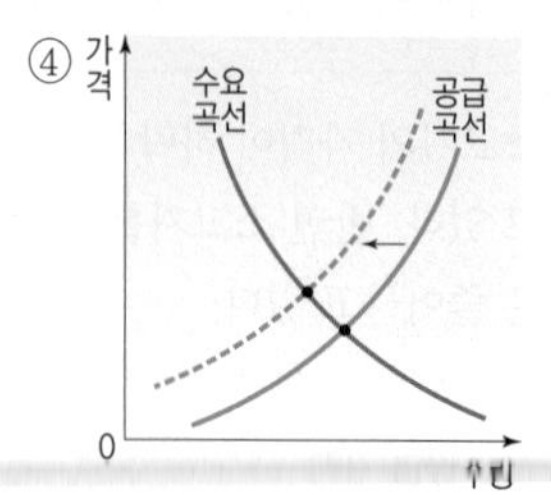

⑤
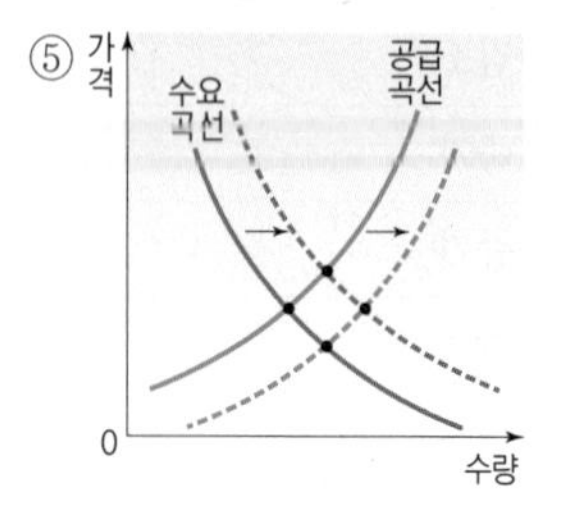

17 ㉠에 들어갈 용어로 옳은 것은?

> (㉠)은/는 시장에서 소비자와 생산자에게 신호를 주어 각자의 경제 활동을 조절하게 하며, 시장에서 자원이 효율적으로 배분되도록 한다.

① 대체재 ② 보완재 ③ 공급 법칙
④ 수요 법칙 ⑤ 시장 가격

18 다음과 같은 과자의 가격 변동에 따른 소비자와 생산자의 행동 변화로 적절한 것은?

> 시장에서 거래되고 있는 바나나 맛 과자의 가격이 지속적으로 오르고 있다.

	소비자	생산자
①	소비 증가	생산 감소
②	소비 증가	생산 증가
③	소비 감소	생산 감소
④	소비 감소	생산 증가
⑤	변동 없음	변동 없음

19 다음 글을 통해 알 수 있는 시장 가격의 기능으로 가장 적절한 것은?

> ○○ 뮤지컬 공연의 관람료는 10만 원이다. 갑은 오래 기다린 공연이라 10만 원을 지불하고 공연을 볼 생각이다. 하지만 을은 10만 원이라는 비싼 돈을 지불하고 공연을 볼 생각이 없다.

① 자원을 효율적으로 배분한다.
② 소득을 재분배하여 형평성을 높인다.
③ 사회적 약자를 보호하는 기능을 한다.
④ 수요자와 공급자에게 신호등 역할을 한다.
⑤ 생산을 증가시켜 경제 성장을 촉진시킨다.

서술형 문제

서술형 감잡기

01 다음 글에서 버터와 마가린의 관계에 있는 재화를 무엇이라고 하는지 쓰고, 그 의미를 서술하시오.

> 빵을 만들 때 사용되는 버터의 가격이 오르면서 빵의 생산비가 크게 증가하였다. 이에 많은 제빵점은 버터 대신 마가린을 사용하고 있다.

➜ 버터와 마가린은 (①) 관계에 해당하는데, 이는 그 용도가 비슷하여 한 상품을 대신해서 사용할 수 있는 (②)관계의 재화를 의미한다.

실전! 서술형 도전하기

02 그래프와 같이 수요 곡선을 이동시킬 수 있는 요인을 세 가지 이상 서술하시오.

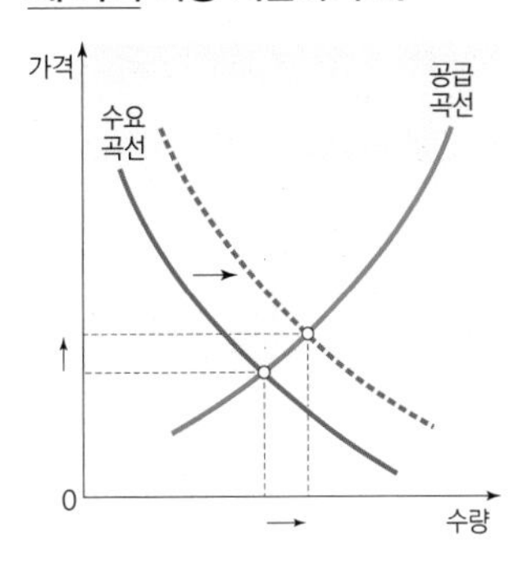

03 다음과 같은 상황이 발생했을 때 카네이션의 균형 가격과 균형 거래량의 변동 방향을 서술하시오.

> 매년 5월이 되면 카네이션을 찾는 사람들이 늘어난다. 어버이날을 맞아 카네이션으로 감사하는 마음을 표현하기 때문이다.

한눈에 보는 대단원

☑ 핵심 선택지 다시보기

1 시장은 거래되는 장소가 있는 구체적인 장소만을 의미한다. ( )

2 시장이 생겨난 후 거래에 드는 비용과 시간이 증가하였다. ( )

3 대형 할인점은 거래하는 모습이 구체적으로 드러나는 시장이다. ( )

4 농수산물 시장은 생산 요소 시장에 해당한다. ( )

5 전자 상거래는 시간과 공간의 제약을 받지 않는다. ( )

답 1 × 2 × 3 ○ 4 × 5 ○

01 시장의 의미와 종류

(1) 시장의 의미와 기능

구분	내용
의미	재화나 서비스를 팔려는 사람과 사려는 사람이 만나서 거래하는 곳 → 구체적인 장소를 포함하여 거래 활동 자체를 의미함
기능	거래 비용 감소, 상품에 관한 정보 제공, 분업 촉진에 따른 생산성 증대

(2) 시장의 종류

구분	종류	내용
거래하는 모습에 따른 구분	보이는 시장	거래하는 모습이 구체적으로 드러나는 시장 예 재래시장, 대형 할인점, 백화점 등
	보이지 않는 시장	거래하는 모습이 구체적으로 드러나지 않는 시장 예 주식 시장, 외환 시장, 전자 상거래 등
거래되는 상품의 종류에 따른 구분	생산물 시장	생활에 필요한 재화나 서비스가 거래되는 시장 예 농수산물 시장, 꽃 시장, 문구점, 영화관 등
	생산 요소 시장	상품을 생산하는 과정에서 필요한 토지, 노동, 자본 등의 생산 요소가 거래되는 시장 예 부동산 시장, 노동 시장 등

☑ 핵심 선택지 다시보기

1 상품의 가격이 상승하면 수요량은 감소한다. ( )

2 공급은 일정 가격에 상품을 구매하고자 하는 욕구이다. ( )

3 상품의 가격이 하락하면 공급량은 증가한다. ( )

4 공급량이 수요량보다 많은 상태를 초과 공급이라고 한다. ( )

5 초과 수요가 발생하면 수요자 간의 경쟁으로 인해 상품 가격이 하락한다. ( )

답 1 ○ 2 × 3 × 4 ○ 5 ×

02 시장 가격의 결정

(1) 수요 법칙과 공급 법칙

수요와 수요 법칙	수요	일정 가격에 어떤 상품을 구매하고자 하는 욕구
	수요량	일정 가격에 구매하고자 하는 상품의 양
	수요 법칙	상품의 가격 상승 시 수요량 감소, 가격 하락 시 수요량 증가 → 상품의 가격과 수요량은 음(−)의 관계 → 우하향 곡선
공급과 공급 법칙	공급	일정 가격에 어떤 상품을 판매하고자 하는 욕구
	공급량	일정 가격에 판매하고자 하는 상품의 양
	공급 법칙	상품의 가격 상승 시 공급량 증가, 가격 하락 시 공급량 감소 → 상품의 가격과 공급량은 양(+)의 관계 → 우상향 곡선

(2) 시장 가격의 결정

시장 가격의 결정	균형 가격	수요 곡선과 공급 곡선이 만나는 지점의 가격
	균형 거래량	균형 가격에서의 거래량
초과 수요와 초과 공급	초과 수요	수요량이 공급량보다 많은 상태 → 수요자 간 경쟁 발생 → 상품 가격 상승
	초과 공급	공급량이 수요량보다 많은 상태 → 공급자 간 경쟁 발생 → 상품 가격 하락

03 시장 가격의 변동

(1) 수요와 공급의 변동 요인

수요의 변동 요인	소득의 변화	소득이 증가하면 수요가 증가하고, 소득이 감소하면 수요가 감소함
	관련 상품의 가격 변화	• 대체재 관계인 한 상품의 가격이 오르면 다른 상품의 수요가 증가함 • 보완재 관계인 한 상품의 가격이 오르면 다른 상품의 수요가 감소함
	소비자의 기호 변화	소비자의 기호가 상승하면 수요가 증가하고, 기호가 하락하면 수요가 감소함
	미래 가격에 대한 예상	미래에 상품의 가격이 오를 것으로 예상되면 수요가 증가하고, 상품의 가격이 내릴 것으로 예상되면 수요가 감소함
	인구수의 변화	인구가 증가하면 수요가 증가하고, 인구가 감소하면 수요가 감소함
공급의 변동 요인	생산 요소의 가격 변화	생산 요소의 가격이 하락하면 공급이 증가하고, 생산 요소의 가격이 상승하면 공급이 감소함
	생산 기술의 발달	생산 기술이 발달하면 동일한 생산 비용으로 더 많은 상품을 생산할 수 있으므로 공급이 증가함
	공급자 수의 변화	공급자의 수가 증가하면 공급이 증가하고, 공급자의 수가 감소하면 공급이 감소함
	미래 가격에 대한 예상	미래에 상품의 가격이 오를 것으로 예상되면 공급이 감소하고, 상품의 가격이 내릴 것으로 예상되면 공급이 증가함

(2) 수요 변동에 따른 가격 변동

수요 증가	소득 증가, 대체재 가격 상승, 보완재 가격 하락, 기호 상승, 미래 가격 상승 예상, 인구 증가 등 → 수요 곡선의 오른쪽 이동 → 균형 가격 상승, 균형 거래량 증가
수요 감소	소득 감소, 대체재 가격 하락, 보완재 가격 상승, 기호 하락, 미래 가격 하락 예상, 인구 감소 등 → 수요 곡선의 왼쪽 이동 → 균형 가격 하락, 균형 거래량 감소

(3) 공급 변동에 따른 가격 변동

공급 증가	생산 요소의 가격 하락, 생산 기술의 발달, 공급자 수 증가, 미래 가격 하락 예상 등 → 공급 곡선의 오른쪽 이동 → 균형 가격 하락, 균형 거래량 증가
공급 감소	생산 요소의 가격 상승, 공급자 수 감소, 미래 가격 상승 예상 등 → 공급 곡선의 왼쪽 이동 → 균형 가격 상승, 균형 거래량 감소

(4) 시장 가격의 기능

시장 경제의 신호등 기능	• 의미: 시장 가격은 소비자와 생산자에게 경제 활동을 어떻게 조절할 것인지 알려 줌 • 내용: 시장 가격이 상승하면 소비자는 소비를 줄이고 생산자는 생산을 늘리며, 시장 가격이 하락하면 소비자는 소비를 늘리고 생산자는 생산을 줄임
자원의 효율적 배분 기능	• 의미: 시장 가격은 그 사회에 필요한 적당한 양의 상품을 가장 효율적인 방법으로 생산하게 하고, 이를 효율적으로 배분하는 기능을 함 • 내용: 가장 큰 만족을 얻을 수 있는 소비자가 시장 가격을 지불하고 상품을 구입하고, 상품을 가장 낮은 비용으로 생산하는 공급자가 상품을 공급함

핵심 선택지 다시보기

1 생산 요소의 가격 변화는 수요의 변동 요인이다. ( )

2 대체재의 가격이 상승하면 수요는 감소한다. ( )

3 미래 가격 상승이 예상되면 상품의 공급은 감소한다. ( )

4 생산 요소의 가격이 상승하면 균형 가격은 하락한다. ( )

5 시장에서는 같은 상품을 가장 낮은 비용으로 생산하는 공급자가 상품을 공급한다. ( )

답 1 × 2 × 3 ○ 4 × 5 ○

핵심 선택지 다시보기의 정답을 맞힌 개수만큼 아래 표에 색칠해 보자. 많이 틀린 단원은 되돌아가 복습해 보자.

01 시장의 의미와 종류	92쪽
02 시장 가격의 결정	94쪽
03 시장 가격의 변동	100쪽

시험 적중 마무리 문제

01 시장의 의미와 종류

01 ㉠에 들어갈 용어를 쓰시오.

> (㉠)은/는 재화나 서비스를 팔려는 사람과 사려는 사람이 만나서 거래하는 곳으로, 구체적인 장소를 포함하여 거래 활동 자체를 의미한다.

02 시장에 대한 옳은 설명만을 〈보기〉에서 있는 대로 고른 것은?

〈보기〉
ㄱ. 분업을 촉진하여 사회 전체의 생산성을 증대한다.
ㄴ. 거래하는 데 들이는 시간과 비용을 절약할 수 있게 해 준다.
ㄷ. 상품 생산 과정에서 사용되는 토지, 자본 등은 거래되지 않는다.
ㄹ. 거래하는 모습이 구체적으로 드러나는가에 따라 보이는 시장과 보이지 않는 시장으로 구분된다.

① ㄱ, ㄴ ② ㄱ, ㄹ ③ ㄱ, ㄴ, ㄷ
④ ㄱ, ㄴ, ㄹ ⑤ ㄴ, ㄷ, ㄹ

03 밑줄 친 ㉠~㉤ 중 옳지 않은 것은?

> ㉠ 옛날 사람들은 필요한 물건을 스스로 만들어 사용하는 자급자족 생활을 하였는데, ㉡ 농사를 짓게 되면서 남는 생산물을 다른 사람들과 교환하기 시작하였다. 교환이 활발해지자 ㉢ 사람들은 각자 자신이 더욱 잘 만들 수 있는 물건을 더 많이 생산하였다. 또한 ㉣ 교환을 쉽게 하기 위해 시간과 장소를 정해 모이면서 시장이 형성되었다. 그러나 ㉤ 화폐의 등장으로 시장은 점차 축소되었다.

① ㉠ ② ㉡ ③ ㉢ ④ ㉣ ⑤ ㉤

04 (가), (나)에 대한 설명으로 옳지 않은 것은?

(가)

(나)

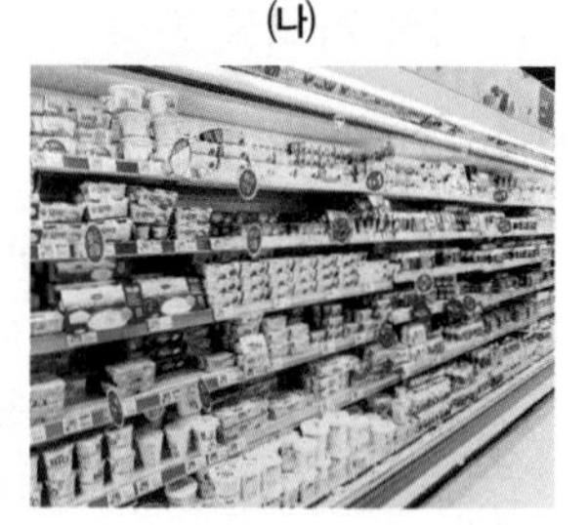

① (가)는 보이지 않는 시장이다.
② 외환 시장, 인터넷 쇼핑몰은 (가) 같은 형태에 속한다.
③ (나)는 거래하는 모습이 드러나는 시장이다.
④ (나)는 생산에 필요한 노동을 거래하는 시장이다.
⑤ (가), (나)에는 모두 수요자와 공급자가 존재한다.

05 다음 설명에 해당하는 시장으로 적절한 것은?

> 정보 통신 기술과 인터넷이 발달한 오늘날에는 장소에 구애받지 않는 새로운 형태의 시장이 크게 성장하고 있다. 이러한 시장 덕분에 사람들은 시간과 공간의 제약을 극복할 수 있게 되었다.

① 백화점 ② 대형 할인점
③ 전자 상거래 ④ 부동산 시장
⑤ 농산물 도매 시장

06 밑줄 친 ㉠, ㉡에 해당하는 시장을 〈보기〉에서 골라 옳게 연결한 것은?

> 시장은 어떤 상품을 거래하는지에 따라 ㉠ 생산물 시장과 ㉡ 생산 요소 시장으로 구분할 수 있다.

〈보기〉
ㄱ. 꽃 시장 ㄴ. 노동 시장
ㄷ. 부동산 시장 ㄹ. 수산물 시장

	㉠	㉡		㉠	㉡
①	ㄱ, ㄴ	ㄷ, ㄹ	②	ㄱ, ㄷ	ㄴ, ㄹ
③	ㄱ, ㄹ	ㄴ, ㄷ	④	ㄴ, ㄷ	ㄱ, ㄹ
⑤	ㄴ, ㄹ	ㄱ, ㄷ			

02 시장 가격의 결정

07 수요·공급 법칙에 대한 설명으로 옳지 않은 것은?

① 상품의 가격이 상승하면 수요량은 증가한다.
② 상품의 가격이 하락하면 공급량은 감소한다.
③ 공급 곡선은 일반적으로 우상향하는 형태로 표현된다.
④ 수요 곡선은 일반적으로 우하향하는 형태로 표현된다.
⑤ 수요 곡선과 공급 곡선이 만나는 지점의 가격을 균형 가격이라고 한다.

+ 창의·융합

08 다음은 비상이가 작성한 보고서이다. 밑줄 친 ㉠~㉤ 중 옳지 않은 것은?

수요 법칙과 공급 법칙의 사례 조사

수요 법칙	㉠ 지하철 요금 인하로 탑승객 증가 ㉡ 고구마 가격 상승으로 고구마 소비량 감소 ㉢ 해외 항공권 가격 하락으로 해외 여행객 증가
공급 법칙	㉣ 사과 가격 인상으로 사과 생산량 증가 ㉤ 떡볶이 가격 하락으로 떡볶이 공급량 증가

① ㉠ ② ㉡ ③ ㉢ ④ ㉣ ⑤ ㉤

09 그래프에 대한 설명으로 옳지 않은 것은?

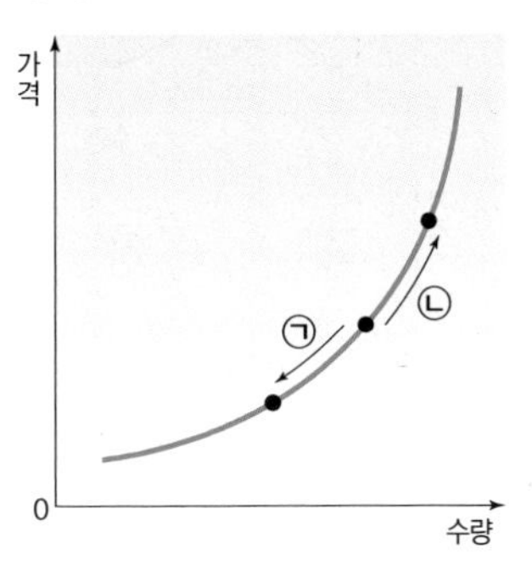

① 공급 법칙을 나타낸 그래프이다.
② 가격과 공급량이 음(−)의 관계임을 나타낸다.
③ ㉠은 가격 하락에 따른 공급량의 감소를 나타낸다.
④ ㉡은 가격 상승에 따른 공급량의 증가를 나타낸다.
⑤ ㉠, ㉡은 모두 가격 변화에 따라 발생하는 공급량의 변화이다.

10 ㉠~㉢에 들어갈 내용을 옳게 연결한 것은?

평소보다 초콜릿의 가격이 오를 경우 수요자는 수요량을 (㉠)시키고, 공급자는 공급량을 (㉡)시킬 것이다. 이러한 상황은 초과 공급 상태로 이어져 결국 초콜릿의 가격은 (㉢)할 것이다.

	㉠	㉡	㉢
①	증가	증가	하락
②	증가	감소	상승
③	증가	감소	하락
④	감소	증가	하락
⑤	감소	증가	상승

[11~12] 표는 가격에 따른 공책의 수요량과 공급량을 나타낸 것이다. 물음에 답하시오.

가격(원)	수요량(개)	공급량(개)
500	250	50
600	200	100
700	150	150
800	100	200
900	50	250

11 공책 시장에 대한 설명으로 옳은 것은?

① 가격이 500원일 경우 거래량은 250개이다.
② 가격이 700원일 경우 거래량은 300개이다.
③ 가격이 600원일 경우 100개의 초과 공급이 발생한다.
④ 가격이 800원일 경우 200개의 초과 수요가 발생한다.
⑤ 가격이 900원일 경우 200개의 초과 공급이 발생한다.

12 공책 시장의 균형 가격과 균형 거래량을 옳게 연결한 것은?

① 600원, 100개 ② 600원, 150개
③ 700원, 150개 ④ 700원, 200개
⑤ 800원, 200개

[13~14] 그래프는 빵 시장의 수요·공급 곡선을 나타낸 것이다. 이를 보고 물음에 답하시오.

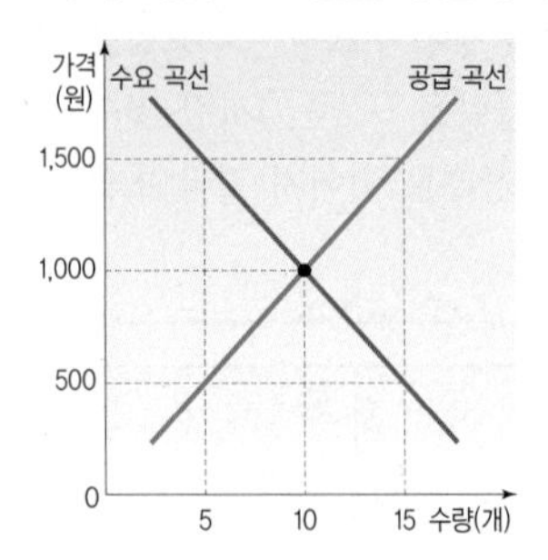

13 빵 시장에 대한 옳은 설명을 〈보기〉에서 고른 것은?

〈보기〉
ㄱ. 빵의 균형 가격은 1,000원이다.
ㄴ. 빵 가격이 1,500원일 경우 수요량은 15개이다.
ㄷ. 빵 가격이 1,500원에서 1,000원으로 하락할 경우 수요량은 5개 증가한다.
ㄹ. 빵 가격이 500원에서 1,000원으로 상승할 경우 공급량은 10개 증가한다.

① ㄱ, ㄴ ② ㄱ, ㄷ ③ ㄴ, ㄷ
④ ㄴ, ㄹ ⑤ ㄷ, ㄹ

14 빵 가격이 500원일 경우 시장에서 나타날 현상으로 가장 적절한 것은?

① 10개의 초과 공급이 발생할 것이다.
② 20개의 초과 수요가 발생할 것이다.
③ 수요자들의 경쟁으로 빵의 가격이 상승할 것이다.
④ 공급자들의 경쟁으로 빵의 거래량이 감소할 것이다.
⑤ 500원에서 가격 변동 없이 시장이 균형을 이룰 것이다.

15 초과 수요와 초과 공급에 대한 설명으로 옳지 않은 것은?

① 초과 수요는 수요량이 공급량보다 많은 상태이다.
② 초과 공급은 공급량이 수요량보다 많은 상태이다.
③ 초과 수요 상태에서는 수요자 간 경쟁으로 가격이 상승한다.
④ 상품의 가격이 균형 가격보다 높으면 초과 공급이 나타나게 된다.
⑤ 초과 공급과 초과 수요가 발생할 경우 시장이 균형 상태에 도달한다.

03 시장 가격의 변동

16 팥빙수 시장의 수요를 변동시키는 요인을 〈보기〉에서 고른 것은?

〈보기〉
ㄱ. 팥의 가격이 상승하였다.
ㄴ. 이상 기온으로 날씨가 더워졌다.
ㄷ. 아이스크림의 가격이 하락하였다.
ㄹ. 팥빙수를 판매하는 카페 수가 증가하였다.

① ㄱ, ㄴ ② ㄱ, ㄷ ③ ㄴ, ㄷ
④ ㄴ, ㄹ ⑤ ㄷ, ㄹ

+ 창의·융합

17 다음 내용을 고려할 때 시럽 시장의 변화를 옳게 표현한 그래프는?(단, 다른 조건은 변함 없다.)

커피에 성인병 예방을 돕는 성분이 있다는 사실이 알려지면서 최근 커피를 마시는 사람이 증가하고 있다. 커피의 인기와 함께 커피에 넣을 시럽을 찾는 사람들도 증가하고 있다.

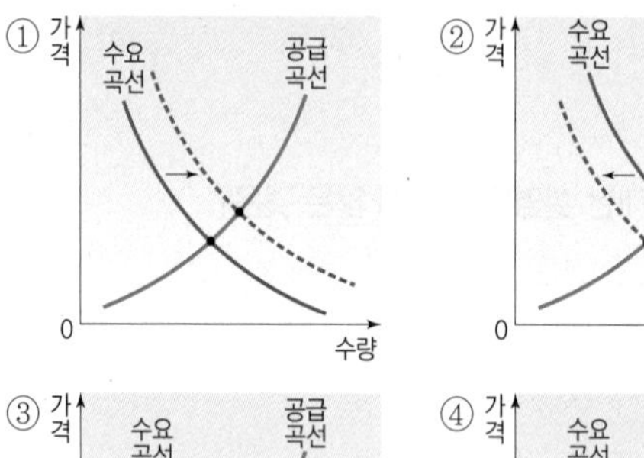

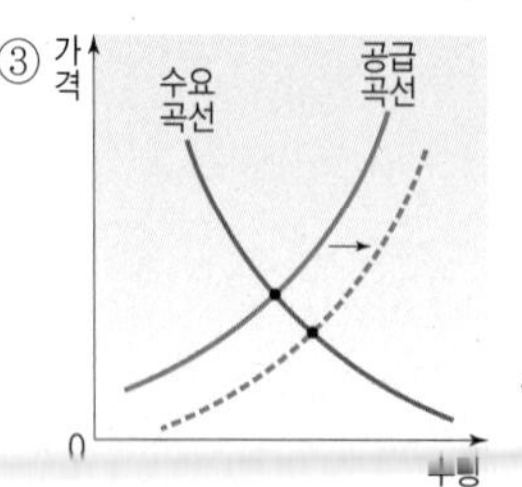

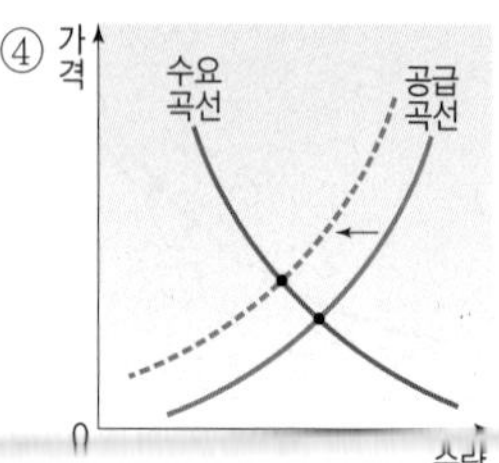

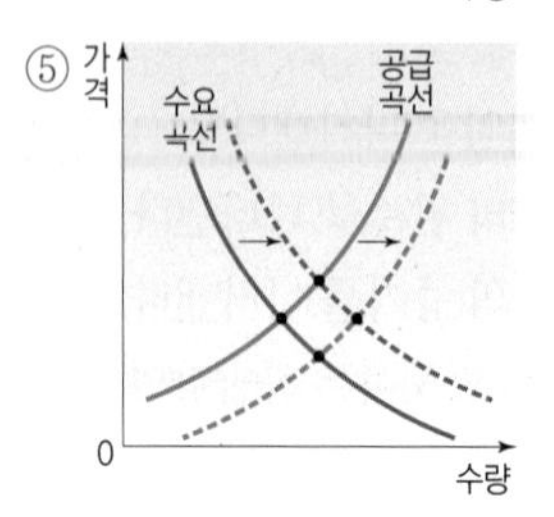

18 다음 그래프와 같은 수요·공급의 변동이 나타날 수 있는 시장과 그 요인을 옳게 연결한 것은?

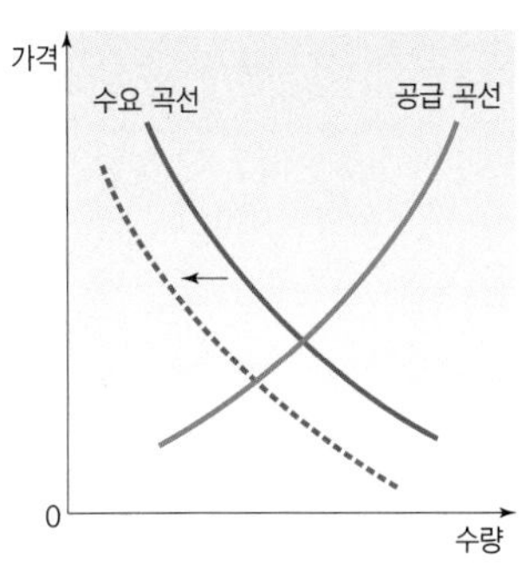

① 가구 시장 – 목재 가격이 하락하였다.
② 닭고기 시장 – 돼지고기의 가격이 하락하였다.
③ 돼지고기 시장 – 돼지 사육 농가와 돼지고기 수입 업체가 증가하였다.
④ 화장지 시장 – 화장지 가격이 내년부터 오를 것이라는 뉴스가 보도되었다.
⑤ 호두 시장 – 호두가 두뇌 발달에 긍정적인 영향을 준다는 뉴스가 보도되었다.

19 (가)에 들어갈 내용으로 적절하지 않은 것은?

> ______(가)______(으)로 인해 상품의 공급이 증가하였으며, 공급 곡선이 오른쪽으로 이동하였다.

① 생산 기술의 발달
② 공급자의 수 증가
③ 보완재의 가격 상승
④ 미래 가격 하락 예상
⑤ 생산 요소의 가격 하락

20 균형 가격을 상승시키는 요인을 <보기>에서 고른 것은?

보기

ㄱ. 소득의 증가	ㄴ. 공급자의 수 증가
ㄷ. 생산 기술의 발달	ㄹ. 상품 신호도 상승
ㅁ. 대체재의 가격 하락	ㅂ. 생산 요소의 가격 상승

① ㄱ, ㄴ, ㄷ　② ㄱ, ㄹ, ㅂ　③ ㄴ, ㄹ, ㅁ
④ ㄷ, ㅁ, ㅂ　⑤ ㄹ, ㅁ, ㅂ

21 다음과 같은 상황에서 자장면의 균형 가격과 균형 거래량의 변동을 예측한 것으로 옳은 것은?(단, 다른 조건은 변함 없다.)

> 밀가루 가격의 상승으로 자장면의 생산비가 대폭 증가하였다.

① 균형 가격과 균형 거래량은 변동하지 않는다.
② 균형 가격은 상승하고 균형 거래량은 증가한다.
③ 균형 가격은 상승하고 균형 거래량은 감소한다.
④ 균형 가격은 하락하고 균형 거래량은 증가한다.
⑤ 균형 가격은 하락하고 균형 거래량은 감소한다.

22 ㉠에 들어갈 용어를 쓰시오.

> 소비자는 시장에서 어떤 물건을 살지, 얼마나 구매할지 의사결정을 할 때, (㉠)을/를 기준으로 결정한다. 이렇듯 (㉠)은/는 소비자에게 경제 활동의 신호등과 같은 역할을 한다.

23 다음 내용과 관련 있는 시장 가격의 기능으로 가장 적절한 것은?

> 시장에서는 같은 상품에 대해 가장 높은 가격을 지불할 의사가 있는 소비자가 상품을 구매한다. 즉, 상품에 대해 가장 큰 만족을 얻는 소비자가 상품을 구입하는 것이다. 또한 같은 상품을 가장 낮은 비용을 생산하는 사람이 상품을 공급하게 된다.

① 소득을 공정하게 분배한다.
② 자원을 효율적으로 배분한다.
③ 시장 경제의 질서를 유지한다.
④ 시장에서 정부의 역할을 증대시킨다.
⑤ 소비자와 생산자 간의 소득 불평등을 심화시킨다.

국민 경제와 국제 거래

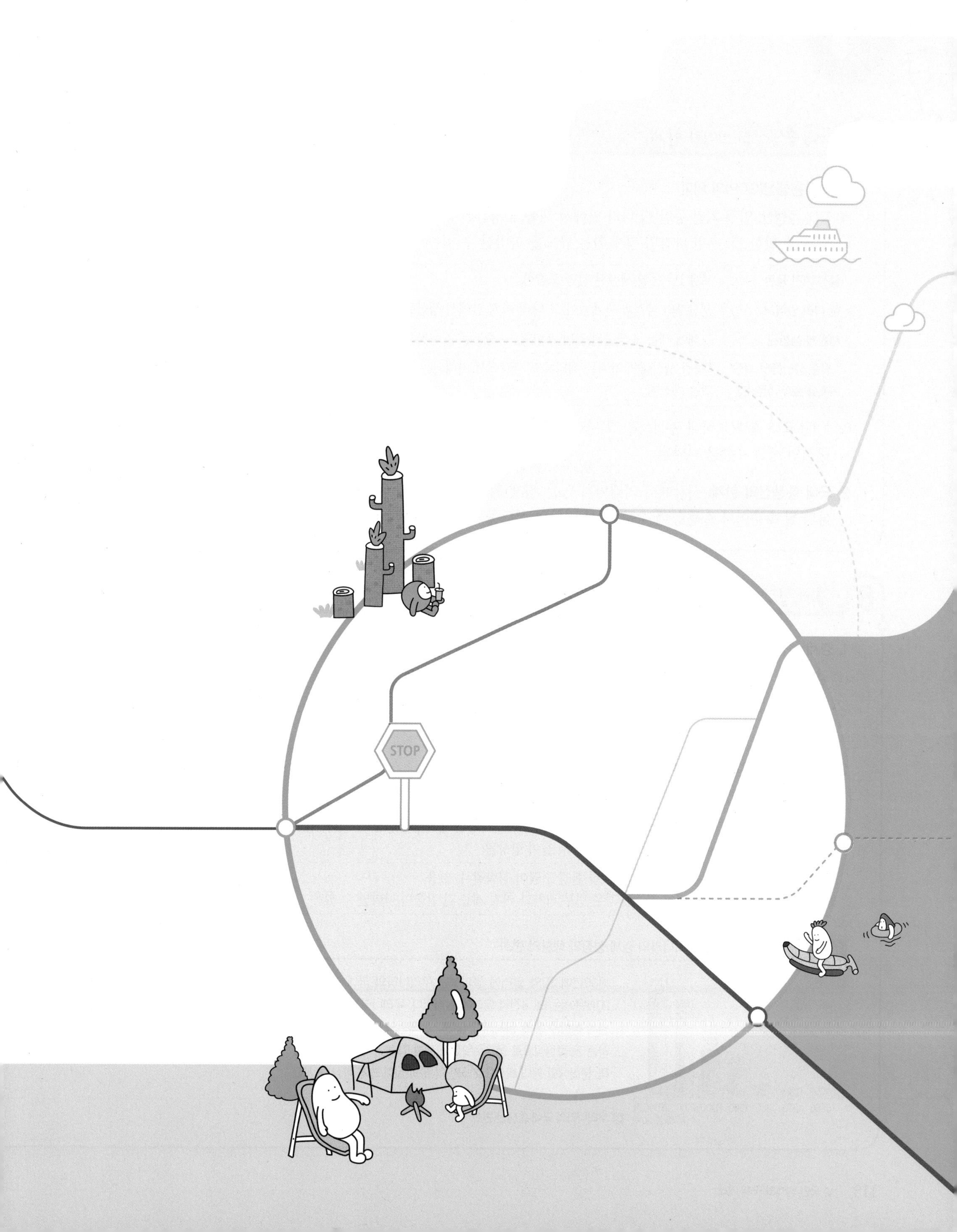
STOP

01 국내 총생산과 경제 성장

A 국내 총생산의 의미와 한계

1. 국내 총생산(GDP)의 의미

(1) 국내 총생산: 일정 기간 동안 한 나라 안에서 새롭게 생산된 최종 생산물의 시장 가치를 모두 합한 것 → 한 나라의 경제 활동 규모를 파악할 수 있는 국민 경제 지표

일정 기간 동안	보통 1년 동안 생산된 것만 포함함
한 나라 안에서	생산자의 국적과 관계없이 그 나라 국경 안에서 생산된 것만 포함함
새롭게 생산된	그해에 새롭게 생산된 것만 포함함 → 중고품은 포함되지 않음
+최종 생산물의 시장 가치를 모두 합한 것	+중간 생산물의 가치는 제외하고 시장에서 거래되는 최종 생산물의 가치만을 계산함

(2) 1인당 국내 총생산: 국내 총생산을 그 나라의 인구수로 나눈 것 → 한 나라 국민의 평균적인 생활 수준을 나타냄

2. 국내 총생산의 한계: 시장에서 거래되지 않는 경제 활동은 포함하지 않음, +국민의 삶의 질 수준이나 소득 분배 수준, 빈부 격차의 정도를 정확하게 파악하기 어려움

예) 가사 노동, 봉사 활동 등

+ 최종 생산물
다른 상품을 생산하는 데 사용하지 않고 최종으로 소비하는 생산물

+ 중간 생산물
다른 생산물의 생산 과정에서 사용하는 중간 투입물

+ 국내 총생산과 삶의 질의 관계
- 여가를 늘려 삶의 질이 향상되어도 늘어난 여가만큼 생산 활동이 감소하면 국내 총생산은 감소할 수 있다.
- 환경 오염, 교통사고 등은 삶의 질을 떨어뜨리지만, 이를 복구하는 데 드는 비용은 오히려 국내 총생산을 증가시킨다.

B 경제 성장의 의미와 영향

1. 경제 성장과 경제 성장률

(1) 경제 성장: 한 나라의 생산 능력과 경제 규모가 커지는 것 → 국내 총생산이 증가하는 것

(2) +경제 성장률: 물가의 변동을 제거한 +실질 국내 총생산의 증가율 → 경제 성장의 정도를 보여 주는 지표

왜? 국내 총생산은 재화와 서비스의 생산량이 늘어나지 않고 물가만 오를 때에도 증가할 수 있기 때문이야.

2. 경제 성장이 우리 생활에 미치는 영향

긍정적 측면	• 일자리 및 국민 소득의 증가로 물질적으로 풍요로워짐 • 질 높은 교육과 의료 혜택을 제공받을 수 있으며, 다양한 문화생활을 할 수 있게 됨 → 사회적·문화적 욕구 충족으로 삶의 질이 향상됨
부정적 측면	• 경제 성장 과정에서 자원 고갈 및 환경 오염이 심화될 수 있음 • 경제 성장의 혜택이 편중될 경우 빈부 격차가 커져 계층 간 갈등이 나타날 수 있음

자료로 이해하기 우리나라의 경제 성장과 생활의 변화

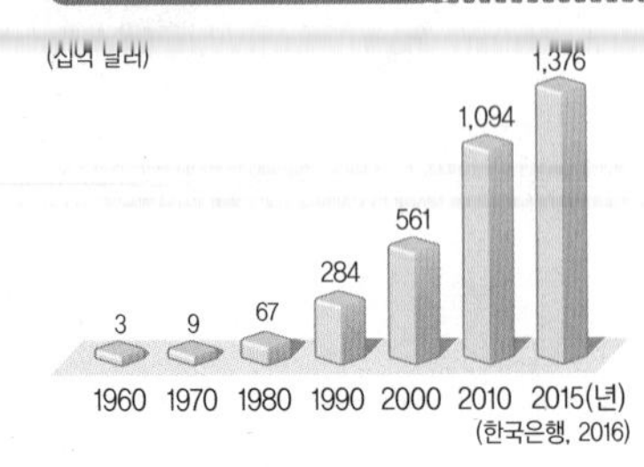

(한국은행, 2016)
우리나라의 국내 총생산 변화

1960년에 39억 달러에 불과했던 우리나라의 국내 총생산은 2015년에는 1조 4천억 달러에 달하였다. 우리나라는 이와 같은 경제 성장을 통해 일자리가 늘어나고 국민의 평균 소득이 증가하는 등 물질적으로 풍요로워졌다. 또한 질 높은 교육과 의료 혜택, 문화생활 등의 확산으로 국민의 삶의 질이 크게 향상되었다.

+ 경제 성장률
일반적으로 경제 성장률은 전년도 대비 국내 총생산의 증가율(%)로 나타내며, 한 나라의 경제 성장을 알 수 있는 지표로 활용된다.

+ 실질 국내 총생산
기준이 되는 연도의 가격을 적용하여 계산한 국내 총생산

- 국내 총생산의 의미
- 국내 총생산의 한계
- 경제 성장의 의미
- 경제 성장이 우리 생활에 미치는 영향

1 우리나라의 국내 총생산에 포함되는 사례를 〈보기〉에서 골라 기호를 쓰시오.

〈보기〉
ㄱ. 우리나라에 있는 베트남 식당의 매출액
ㄴ. 벼룩시장에 나가서 판매한 중고 서적의 가치
ㄷ. 우리나라 회사가 중국 공장에서 생산한 옷의 가치
ㄹ. 우리나라 야구팀에 소속된 외국인 선수가 받은 연봉

2 다음 설명이 맞으면 ○표, 틀리면 ×표를 하시오.

(1) 가사 노동은 국내 총생산에 포함되지 않는다. (　　)
(2) 국내 총생산은 생산자의 국적을 기준으로 한다. (　　)
(3) 국내 총생산을 통해 국민의 소득 분배 수준을 파악할 수 있다. (　　)

• 국내 총생산의 의미와 한계

국내 총생산	일정 기간 동안 한 나라 안에서 새롭게 생산된 최종 생산물의 시장 가치를 모두 합한 것
국내 총생산의 한계	• 시장에서 거래되는 것만 포함 • 삶의 질 수준이나 소득 분배 수준, 빈부 격차 정도를 파악하기 어려움

1 (　　　　)은 한 나라의 생산 능력과 경제 규모가 커지는 것, 즉 국내 총생산이 증가하는 것을 의미한다.

2 ㉠, ㉡에 들어갈 내용을 각각 쓰시오.

> 경제 성장 정도는 (㉠　　　)의 변동을 제거한 실질 국내 총생산의 증가율로 측정하는 (㉡　　　)을 통해 나타낸다.

3 다음 설명이 맞으면 ○표, 틀리면 ×표를 하시오.

(1) 경제가 성장하면 일자리가 많이 생겨나고 국민의 소득이 증가한다. (　　)
(2) 경제 성장의 혜택이 일부 계층에 편중될 경우 빈부 격차가 완화된다. (　　)

• 경제 성장의 의미와 영향

경제 성장	한 나라의 생산 능력과 경제 규모가 커지는 것 → 국내 총생산이 증가하는 것
경제 성장의 영향	• 긍정적 측면: 소득 증가 → 물질적 풍요, 삶의 질 향상 등 • 부정적 측면: 자원 고갈 및 환경 오염 심화, 빈부 격차 확대로 계층 간 갈등 발생 등

01 밑줄 친 ㉠~㉤ 중 옳지 않은 것은?

> 국내 총생산(GDP)은 ㉠ 일정 기간 동안 ㉡ 한 나라 안에서 ㉢ 새롭게 생산된 ㉣ 중간 생산물의 가치를 포함하여 ㉤ 최종 생산물의 시장 가치를 모두 합한 것을 말한다.

① ㉠ ② ㉡ ③ ㉢ ④ ㉣ ⑤ ㉤

02 다음은 수업 시간의 한 장면이다. 선생님의 질문에 옳게 답변한 학생을 고른 것은?

① 가현, 나현 ② 가현, 다현 ③ 나현, 다현
④ 나현, 라현 ⑤ 다현, 라현

☆ 시험에 잘 나와!

03 우리나라의 국내 총생산(GDP)에 포함되는 것을 <보기>에서 고른 것은?

> **보기**
> ㄱ. 외국인이 우리나라에서 하는 영어 회화 강의의 가치
> ㄴ. 우리나라 의류 기업이 해외에서 벌어들인 영업 소득
> ㄷ. 외국 회사의 우리나라 지점에서 근무하는 회사원의 연봉
> ㄹ. 우리나라에서 스마트폰을 생산하는 데 사용된 부품의 가치

① ㄱ, ㄴ ② ㄱ, ㄷ ③ ㄴ, ㄷ
④ ㄴ, ㄹ ⑤ ㄷ, ㄹ

04 ㉠에 들어갈 용어를 쓰시오.

> (㉠)은/는 한 나라의 국내 총생산(GDP)을 그 나라의 인구수로 나눈 것으로, 이를 통해 한 나라 국민의 평균적인 소득 수준을 알 수 있다.

05 다음 사례가 국내 총생산에 포함되지 않는 이유로 적절한 것은?

> 아버지가 가족을 위해 텃밭에서 직접 재배한 상추의 가치

① 시장에서 거래되지 않았기 때문이다.
② 소득 분배 수준을 알기 어렵기 때문이다.
③ 그해에 새롭게 생산된 것이 아니기 때문이다.
④ 환경 오염의 피해를 반영하지 않았기 때문이다.
⑤ 국민의 삶의 질 수준을 파악할 수 없기 때문이다.

06 다음은 학생이 작성한 형성 평가지이다. 이 학생이 받을 점수로 옳은 것은?

형성 평가

다음 설명이 옳으면 ○표, 틀리면 ×표를 하시오.

문항	내용	답안
1	경제 성장은 국내 총생산이 감소하는 것을 의미한다.	○
2	경제 성장률은 경제 성장의 정도를 보여 주는 지표이다.	×
3	경제 성장률을 측정할 때는 물가의 변동을 반영해야 한다.	○
4	경제 성장은 한 나라의 생산 능력과 경제 규모가 커진 것을 말한다.	○

(각 1점씩)

① 0점 ② 1점 ③ 2점 ④ 3점 ⑤ 4점

07 다음 내용을 통해 알 수 있는 내용으로 적절한 것은?

구분	더 나은 삶 지수 순위	세계 국내 총생산 순위
오스트레일리아	1위	12위
아이슬란드	9위	112위
대한민국	27위	11위
브라질	31위	9위

(경제 협력 개발 기구, 세계은행, 2015)

더 나은 삶 지수는 경제 협력 개발 기구(OECD)의 회원국을 대상으로 주거, 소득, 고용, 교육, 환경, 공동체, 건강, 삶의 만족도 등 11개 부문을 평가하여 나라별 삶의 질을 종합적으로 산출한다.

① 국내 총생산은 빈부 격차 정도를 반영한다.
② 더 나은 삶 지수는 물질적 풍요만을 중요시한다.
③ 브라질은 국내 총생산에 비해 삶의 질이 높은 편이다.
④ 아이슬란드는 국내 총생산에 비해 삶의 질이 낮은 편이다.
⑤ 경제 성장 정도와 삶의 질이 반드시 비례하는 것은 아니다.

시험에 잘 나와!

08 밑줄 친 부분에 해당하는 내용으로 적절하지 않은 것은?

국내 총생산이 증가한다는 것은 한 국가가 생산한 재화와 서비스의 양이 증가하여 경제가 성장한다는 것을 뜻한다. 이처럼 경제가 성장하면 우리 생활에도 여러 가지 긍정적인 영향이 나타난다.

① 의료 혜택의 확대로 평균 수명이 연장될 수 있다.
② 질 높은 교육의 확대로 삶의 질이 향상될 수 있다.
③ 다양한 여가 생활을 통해 문화적 욕구를 충족할 수 있다.
④ 국민 소득의 증가로 물질적으로 풍요로운 생활을 할 수 있다.
⑤ 모든 사회 구성원들에게 소득이 평등하게 분배되어 계층 간 갈등이 해소될 수 있다.

09 밑줄 친 부분의 근거로 적절한 것을 〈보기〉에서 고른 것은?

경제 성장은 물질적 풍요를 가져오지만, 그것이 모든 국민의 삶의 질 향상으로 이어지지는 않는다.

〈보기〉
ㄱ. 소득이 감소할 수 있다.
ㄴ. 빈부 격차가 확대될 수 있다.
ㄷ. 일자리가 줄어 실업이 증가할 수 있다.
ㄹ. 환경이 오염되고 자원이 고갈될 수 있다.

① ㄱ, ㄴ ② ㄱ, ㄷ ③ ㄴ, ㄷ
④ ㄴ, ㄹ ⑤ ㄷ, ㄹ

서술형 문제

서술형 감잡기

01 국내 총생산의 한계를 서술하시오.

➜ 국내 총생산은 (①)에서 거래되지 않는 것은 포함하지 않으며, 자원 고갈이나 환경 오염 등으로 인한 피해를 반영하지 않아 국민의 (②) 수준을 완벽히 파악하기 어렵다.

실전! 서술형 도전하기

02 그래프는 우리나라의 국내 총생산 변화를 나타낸 것이다. 이러한 변화가 우리 생활에 미치는 긍정적 영향을 두 가지 이상 서술하시오.

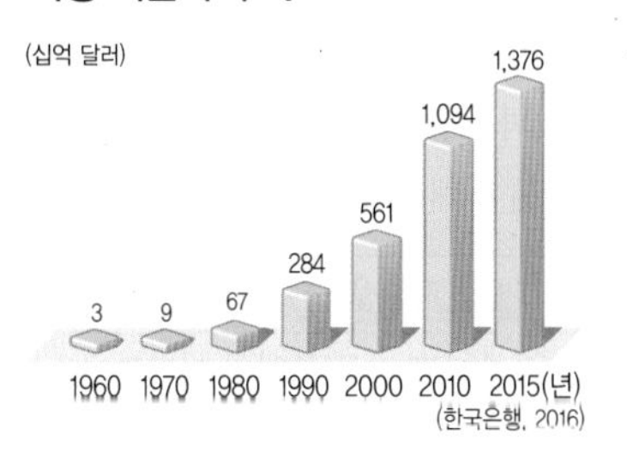

(한국은행, 2016)

물가와 실업

A 물가의 의미와 물가 상승의 원인

1. 물가와 물가 지수

(1) 물가: 시장에서 거래되는 여러 상품의 +가격을 종합하여 평균한 것

(2) +물가 지수: 기준 시점의 물가를 100으로 했을 때, 비교 시점의 물가 수준을 나타낸 것 → 물가의 움직임을 한눈에 알아볼 수 있도록 수치로 표현한 것

2. 물가 상승의 원인

(1) 총수요 〉 총공급: 가계의 소비, 기업의 투자, 정부의 재정 지출 증가 등으로 경제 전체의 수요가 증가하는데, 경제 전체의 공급이 이에 미치지 못할 경우 물가가 상승함

(2) 생산비의 상승: 임금, 임대료, 국내외 원자재 가격이 상승하여 생산비가 오를 경우 기업이 상품의 공급을 줄이거나 상품의 가격을 올리게 되고, 이로 인해 물가가 상승함

예 국제 원유 가격이 상승하여 생산 원가가 높아지면 많은 기업이 공급을 줄이기 때문에 물가가 상승하지.

(3) +통화량의 증가: 시중에 공급되는 통화량이 많아지면 소비나 투자가 활발해져 화폐 가치가 하락하고 물가가 상승함

+ 가격과 물가

가격	개별 상품의 값
물가	여러 상품의 종합적인 가격 수준

+ 물가 지수

예 물가 지수가 105라면 이는 기준 연도보다 물가가 5% 상승한거야.

비교 시점의 물가가 100보다 크면 물가가 상승한 것을, 100보다 작으면 물가가 하락한 것을 의미한다.

+ 통화량

한 나라 안에서 실제로 사용되는 화폐의 양

B 물가 상승의 영향과 대책

1. 물가 상승의 영향

(1) 인플레이션: 물가가 지속적으로 오르는 현상

(2) 인플레이션의 영향

꼭 인플레이션이 발생하면 화폐의 가치는 하락하는 반면, 재화와 서비스의 가치는 상승하기 때문에 전보다 더 비싼 돈을 주고 상품을 구매해야 해.

상품 구매력 하락	화폐의 가치가 하락하여 일정한 금액으로 살 수 있는 재화와 서비스의 양이 감소함
부와 소득의 불공정한 재분배	• 유리한 사람: 실물 자산을 보유한 사람, 돈을 빌린 사람, 수입업자 등 • 불리한 사람: 봉급생활자, 연금 생활자, 은행에 예금을 한 사람, 돈을 빌려준 사람, 수출업자 등
무역 불균형 발생	국내 물가가 상승하면 자국 상품의 가격이 비싸지므로 수출이 감소하고, 외국 상품의 가격은 상대적으로 저렴해져 수입이 증가함

왜? 돈을 빌린 사람은 빌린 돈의 가치가 떨어져 상환 부담이 줄어들기 때문에 유리해져.

2. 물가 안정을 위한 노력

(1) 물가 안정의 필요성: 과도한 물가 상승은 국민의 안정적인 경제 활동을 어렵게 함

(2) 물가 안정을 위한 경제 주체의 노력

정부	과도한 +재정 지출을 줄이고 조세를 늘림, 생활필수품의 가격 상승을 규제함
+중앙은행	통화량을 줄이고 시중 은행의 이자율이 높아지도록 함 → 민간 소비의 축소 유도
기업	경영과 기술 혁신을 통해 생산비를 절감하고 생산의 효율성을 높임
근로자	자기 계발을 통해 생산성을 향상함, 과도한 임금 인상 요구를 자제함
소비자	과소비를 자제하고 합리적인 소비 생활을 함

생산성을 높이면 생산 비용을 절감하여 상품의 가격이 오르는 것을 방지할 수 있어.

+ 재정

정부의 수입과 지출에 관한 활동

+ 중앙은행

한국은행은 우리나라의 중앙은행으로서 물가 안정을 위해 시중의 통화량을 조절한다.

- 물가 상승의 원인
- 물가 상승의 영향과 대책
- 실업의 의미와 유형
- 실업의 영향과 대책

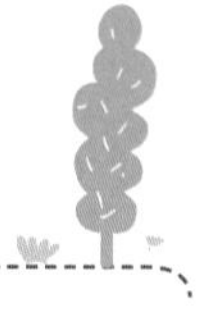

1 시장에서 거래되는 여러 상품의 값을 종합하여 평균한 것을 (　　　　)라고 한다.

• **물가의 의미와 물가 상승의 원인**

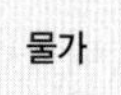

물가	시장에서 거래되는 여러 상품의 가격을 종합하여 평균한 것
물가 상승의 원인	• 총수요 〉 총공급 • 생산비의 상승 • 통화량의 증가

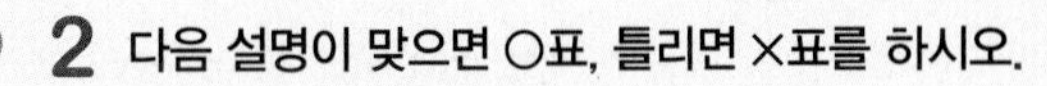

2 다음 설명이 맞으면 ○표, 틀리면 ×표를 하시오.

(1) 원자재 가격이 상승하여 생산비가 오를 경우 물가는 상승한다. (　　)

(2) 경제 전체의 공급이 경제 전체의 수요보다 많으면 물가가 상승한다. (　　)

(3) 시중에 공급되는 통화량이 많아지면 화폐 가치가 상승하여 물가가 하락한다. (　　)

(4) 가계의 소비, 기업의 투자, 정부의 재정 지출이 증가하면 경제 전체의 수요가 증가한다. (　　)

1 물가가 지속적으로 오르는 현상을 (　　　　)이라고 한다.

• **물가 상승의 영향과 대책**

인플레이션
물가가 지속적으로 오르는 현상

↓

인플레이션의 영향
상품 구매력 하락, 부와 소득의 불공정한 재분배, 무역 불균형 발생

↓

물가 안정을 위한 노력
- 정부: 재정 지출 축소, 조세 증가 등
- 중앙은행: 통화량 감축, 이자율 인상 등
- 기업: 생산비 절감, 생산의 효율성 향상 등
- 근로자: 자기계발을 통한 생산성 향상 등
- 소비자: 과소비 자제, 합리적 소비 등

2 인플레이션이 발생할 경우 유리한 사람과 불리한 사람을 〈보기〉에서 골라 기호를 쓰시오.

보기
ㄱ. 수입업자　　　　ㄴ. 수출업자
ㄷ. 돈을 빌린 사람　　　　ㄹ. 돈을 빌려준 사람
ㅁ. 은행에 예금을 한 사람　　　　ㅂ. 실물 자산을 소유한 사람

(1) 유리한 사람 – (　　　　)

(2) 불리한 사람 – (　　　　)

3 물가 안정을 위한 경제 주체별 노력을 옳게 연결하시오.

(1) 정부 •　　　　• ㉠ 통화량을 줄인다.
(2) 기업 •　　　　• ㉡ 재정 지출을 줄인다.
(3) 소비자 •　　　　• ㉢ 합리적인 소비 생활을 한다.
(4) 중앙은행 •　　　　• ㉣ 기술 혁신을 통해 생산의 효율성을 높인다.

C 실업의 의미와 유형

1. ⁺실업의 의미

(1) 실업: 일할 능력과 의사가 있는데도 일자리를 구하지 못하는 상태

(2) 실업자에 포함되지 않는 경우: 일할 의사가 없거나 능력이 없는 사람, 일자리 구하기를 포기한 사람 등

2. 실업의 유형

(1) ⁺경기적 실업: 경기가 침체되어 기업이 고용을 줄이는 경우 발생

(2) 구조적 실업: 자동화나 산업 구조의 변화 등으로 관련 일자리가 사라지는 경우 발생

(3) 계절적 실업: 계절의 변화에 따라 고용 기회가 줄어드는 경우 발생

(4) 마찰적 실업: 더 나은 조건의 직장을 구하기 위해 현재의 직장을 그만두는 경우에 일시적으로 발생

자료로 이해하기 실업률 통계를 위한 인구 분류도

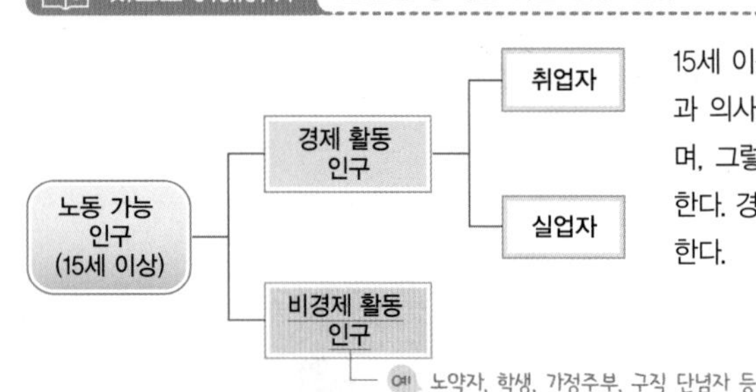

15세 이상의 노동 가능 인구 가운데 일할 능력과 의사가 있는 사람을 경제 활동 인구라고 하며, 그렇지 않은 사람을 비경제 활동 인구라고 한다. 경제 활동 인구는 취업자와 실업자로 구분한다.

+ 실업률
경제 활동 인구 가운데 실업자가 차지하는 비율을 측정한 것

$$\text{실업률}(\%) = \frac{\text{실업자 수}}{\text{경제 활동 인구}} \times 100$$

+ 경기
국가 전체의 경제 활동 상태

농업, 건설업, 관광업 등 계절의 영향을 많이 받는 분야에서 발생하는 실업의 유형이야.

D 실업의 영향과 대책

1. 실업의 영향

실업은 국민 개개인의 삶뿐만 아니라 사회의 안정과 경제 성장에도 큰 영향을 미치기 때문에 실업을 줄이고 안정된 고용 수준을 유지하는 것이 중요해.

개인적 측면	• 소득 감소로 인해 생계유지에 어려움을 겪을 수 있음 • 직업 생활을 통한 자아실현의 기회를 잃고, 자아 존중감을 상실하는 등 심리적 불안을 겪을 수 있음
사회적 측면	• 일할 능력이 있는 사람이 경제 활동에 참여하지 못해 ⁺인적 자원이 낭비됨 • 빈부 격차, 가족 해체, 생계형 범죄의 증가 등으로 사회 불안을 초래할 수 있음 • ⁺세수는 줄어드는 반면 실업 인구를 부양하기 위한 정부의 재정 부담은 증가함 • 가계의 소비 활동이 줄어 기업의 생산 활동과 투자가 위축되어 경기가 침체됨

실업 증가 → 소비 감소 → 생산 감소 → 실업 증가로 악순환이 반복돼.

2. 고용 안정을 위한 경제 주체의 노력

정부	• 재정 지출을 확대하여 투자와 소비를 활성화하고, 일자리를 창출해야 함 • 체계적인 직업 교육을 실시하고, 인력 개발 프로그램을 마련해야 함 • 구인·구직 정보 시스템 제공, 취업 박람회 개최 등을 통해 기업과 근로자가 일자리를 탐색할 시간과 비용을 절약하도록 해야 함
기업	• 고용 안정과 일자리 창출을 위한 경영 방안을 모색해야 함 • 근로자와 서로 협력하는 바람직한 노사 관계를 확립해야 함
근로자	새로운 기술을 습득하여 생산성과 업무 처리 능력을 향상하기 위해 노력해야 함

새로운 기술을 습득: 변화하는 작업 환경에 적응하기 위해서야.

+ 인적 자원
국민 경제가 필요로 하는 상품의 생산에 투입될 수 있는 인간의 노동력

+ 세수
세금으로 얻게 되는 정부의 수입

1 다음 설명이 맞으면 ○표, 틀리면 ×표를 하시오.

(1) 일할 능력과 의사가 없는 상태를 실업이라고 한다. ( )

(2) 일자리를 구하는 것을 포기한 사람은 실업자에 포함되지 않는다. ( )

2 실업의 유형과 그 원인을 옳게 연결하시오.

(1) 경기적 실업 • • ㉠ 계절 변화에 따른 고용 기회 감소

(2) 구조적 실업 • • ㉡ 경기 침체로 기업의 신규 채용 감소

(3) 계절적 실업 • • ㉢ 자동화 시스템 도입으로 산업 구조 변화

(4) 마찰적 실업 • • ㉣ 새로운 일자리를 찾기 위해 현재의 직장 퇴사

3 노동 가능 인구 가운데 일할 능력과 의사가 있는 사람을 의미하는 ( )는 취업자와 실업자로 구분된다.

핵심 콕콕

• **실업의 의미와 유형**

의미	일할 능력과 의사가 있는데도 일자리를 구하지 못하는 상태
유형	• 경기적 실업: 경기 침체로 발생 • 구조적 실업: 산업 구조의 변화로 발생 • 계절적 실업: 계절의 변화로 발생 • 마찰적 실업: 더 나은 직장을 구하는 과정에서 발생

1 개인적 측면에서 나타날 수 있는 실업의 영향을 〈보기〉에서 골라 기호를 쓰시오.

보기

ㄱ. 사회 불안 초래　　ㄴ. 생계유지 곤란

ㄷ. 자아실현의 기회 상실　　ㄹ. 생산 활동과 투자의 위축

2 다음 설명이 맞으면 ○표, 틀리면 ×표를 하시오.

(1) 실업이 발생하면 기업의 생산 활동과 투자가 활발해진다. ( )

(2) 실업은 일할 능력이 있는 사람이 경제 활동에 참여하지 못하게 함으로써 인적 자원의 낭비를 가져온다. ( )

3 다음 괄호 안의 내용 중 알맞은 말에 ○표를 하시오.

(1) 근로자와 기업은 상호 (협력, 대립)적인 노사 관계를 유지해야 한다.

(2) 정부는 고용 안정을 위해 재정 지출을 (확대, 축소)하여 일자리를 창출해야 한다.

핵심 콕콕

• **실업의 영향과 대책**

영향	• 개인적 측면: 생계유지 곤란, 심리적 불안 초래 등 • 사회적 측면: 인적 자원 낭비, 사회 불안 초래, 정부의 재정 부담 증가, 경기 침체 등
대책	• 정부: 재정 지출 확대로 일자리 창출, 직업 교육 실시, 인력 개발 프로그램 마련 등 • 기업: 일자리 창출을 위한 경영 방안 모색, 바람직한 노사 관계 확립 등 • 근로자: 새로운 기술 습득을 통한 생산성 향상 노력 등

01 ㉠에 들어갈 용어를 쓰시오.

> 시장에서 거래되는 상품 가격의 변화는 국민 경제에 큰 영향을 미친다. 따라서 여러 상품의 가격 변화를 파악하는 것은 매우 중요하다. 이때 시장에서 거래되는 여러 상품의 종합적인 가격 수준을 나타낸 것을 (㉠)(이)라고 한다.

★ 시험에 잘 나와!

02 물가에 대한 설명으로 옳지 않은 것은?

① 물가 변동은 경제생활에 큰 영향을 미친다.
② 시장에서 거래되는 개별 상품의 값을 나타낸 것이다.
③ 물가 지수는 물가의 움직임을 파악하는 데 사용되는 수치이다.
④ 정부는 물가를 파악함으로써 안정적인 경제 성장을 이루고자 노력한다.
⑤ 소득이 줄지 않더라도 물가가 상승하면 가계의 소비 활동이 줄어들 수 있다.

03 ㉠~㉢에 들어갈 용어를 옳게 연결한 것은?

> 물가 지수란 (㉠) 시점의 물가를 100으로 했을 때, 비교 시점의 물가 수준을 나타낸 것이다. 예를 들어 물가 지수가 110이라면 이는 기준 연도에 비해 물가가 (㉡)% (㉢)하였음을 의미한다.

	㉠	㉡	㉢
①	기준	10	상승
②	기준	11	하락
③	기준	110	상승
④	현재	10	하락
⑤	현재	11	상승

04 물가 상승이 나타나는 상황으로 적절한 것은?

① 소비나 투자가 위축되는 경우
② 임금이나 임대료가 상승하는 경우
③ 국내외 원자재 가격이 하락하는 경우
④ 시중에 공급되는 통화량이 줄어드는 경우
⑤ 경제 전체의 공급이 경제 전체의 수요보다 많은 경우

05 ㉠에 들어갈 내용으로 적절한 것만을 〈보기〉에서 있는 대로 고른 것은?

> 물가는 경제 전체의 수요와 공급에 의해 변동한다. (㉠)이/가 상승 또는 증가하면 상품에 대한 총수요가 증가하는데, 총공급이 이에 미치지 못할 경우 물가는 상승하게 된다.

보기

ㄱ. 가계의 소비　　ㄴ. 기업의 투자
ㄷ. 원자재의 가격　　ㄹ. 정부의 재정 지출

① ㄱ, ㄴ　② ㄴ, ㄷ　③ ㄷ, ㄹ
④ ㄱ, ㄴ, ㄹ　⑤ ㄴ, ㄷ, ㄹ

06 ㉠에 들어갈 용어로 적절한 것은?

> 제1차 세계 대전 이후 독일은 막대한 전쟁 배상금을 마련하기 위해 화폐를 과도하게 발행하였고, 그 결과 1921년부터 2년간 물가가 무려 100억 배나 상승하는 극심한 (㉠)을 겪었다.

① 임금 상승　② 경제 성장
③ 인플레이션　④ 경기적 실업
⑤ 구조적 실업

07 인플레이션의 영향으로 옳지 않은 것은?

① 국제 거래에 영향을 미친다.
② 고정된 소득을 받는 사람들이 유리해진다.
③ 국민의 안정적인 경제 활동을 어렵게 한다.
④ 재화와 서비스의 가치가 상대적으로 상승한다.
⑤ 일정한 금액으로 살 수 있는 상품의 양이 줄어든다.

시험에 잘 나와!

08 인플레이션이 발생할 경우 유리해지는 사람을 〈보기〉에서 고른 것은?

보기

ㄱ. 농산물 수입업자인 가연 씨
ㄴ. 매달 같은 월급을 받는 나연 씨
ㄷ. 얼마 전 아파트를 구입한 다연 씨
ㄹ. 퇴직하고 매달 연금을 받는 라연 씨

① ㄱ, ㄴ ② ㄱ, ㄷ ③ ㄴ, ㄷ
④ ㄴ, ㄹ ⑤ ㄷ, ㄹ

09 ㉠~㉣에 들어갈 내용을 옳게 연결한 것은?

인플레이션이 발생할 경우 (㉠) 상품에 비해 (㉡) 상품의 가격이 상대적으로 비싸진다. 이로 인해 수출은 (㉢)하고 수입은 (㉣)하여 무역 불균형이 발생할 수 있다.

	㉠	㉡	㉢	㉣
①	외국	자국	감소	증가
②	외국	자국	증가	감소
③	외국	자국	감소	감소
④	자국	외국	감소	증가
⑤	자국	외국	증가	감소

10 인플레이션에 대해 옳게 설명한 학생을 고른 것은?

① 가현, 나현 ② 가현, 다현 ③ 나현, 다현
④ 나현, 라현 ⑤ 다현, 라현

11 물가 안정을 위한 경제 주체들의 노력으로 적절한 것은?

① 소비자는 소득보다 많이 소비한다.
② 기업은 기술 혁신을 통해 생산성을 높인다.
③ 정부는 재정 지출을 늘리고 조세를 줄인다.
④ 근로자는 임금 인상을 과도하게 요구하여 소득 향상에 힘쓴다.
⑤ 중앙은행은 통화량을 늘려 시중 은행의 이자율이 높아지도록 한다.

12 (가)에 들어갈 내용으로 가장 적절한 것은?

실업이란 ______(가)______를 의미한다. 따라서 어린이, 노약자, 학생, 가정주부 등은 실업자에 포함되지 않는다.

① 일할 능력과 의사가 모두 없는 상태
② 일할 능력은 있지만 일할 의사가 없는 상태
③ 일할 능력은 없지만 일할 의사는 있는 상태
④ 일할 능력은 있지만 일자리가 필요하지 않은 상태
⑤ 일할 능력과 의사가 있는데도 일자리를 구하지 못하는 상태

13 그림은 경제 활동 인구를 구분한 것이다. 밑줄 친 ㉠~㉣에 대한 옳은 설명을 〈보기〉에서 고른 것은?

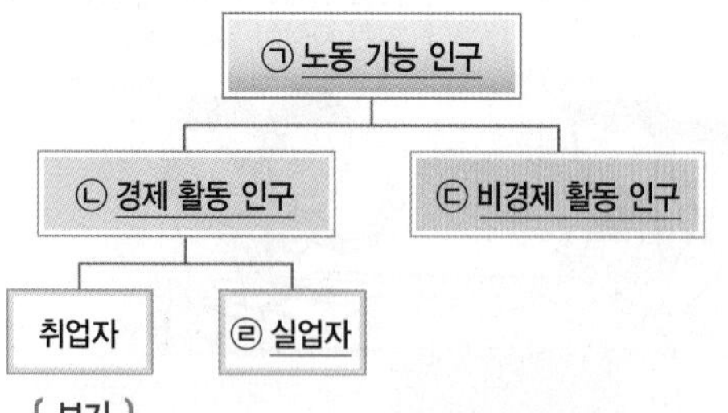

〈보기〉
ㄱ. ㉠에는 일할 능력과 의사가 있는 사람만이 포함된다.
ㄴ. ㉡에는 구직 활동 중인 취업 준비생이 포함된다.
ㄷ. ㉢에는 겨울철이 되어 일자리를 잃은 수상 안전 요원이 포함된다.
ㄹ. 실업률은 ㉡에서 ㉣이 차지하는 비율을 측정한 것이다.

① ㄱ, ㄴ ② ㄱ, ㄷ ③ ㄴ, ㄷ
④ ㄴ, ㄹ ⑤ ㄷ, ㄹ

14 다음은 A국의 인구 구성을 나타낸 것이다. A국의 실업률로 옳은 것은?

A국의 노동 가능 인구는 총 100명이다. 이 중 일할 능력과 의사가 있는 사람은 80명이며, 이들 중 76명이 취업하여 일을 하고 있다.

① 4% ② 5% ③ 6% ④ 7% ⑤ 8%

15 실업이 발생하는 원인으로 옳지 않은 것은?

① 불황으로 기업이 고용을 줄이는 경우
② 계절의 변화에 따라 고용 기회가 줄어드는 경우
③ 새로운 기술의 발달로 관련 부문의 일자리가 사라지는 경우
④ 더 나은 직장으로 옮기기 위해 현재의 직장을 그만두는 경우
⑤ 국내외 원자재 가격의 하락으로 기업이 생산을 확대하는 경우

[16~17] 다음 내용을 읽고 물음에 답하시오.

(가) 겨울이 되면서 공사 현장에서 해고된 A 씨
(나) 로봇 약사가 생기면서 일자리를 잃은 약사 B 씨

16 (가), (나)에 해당하는 실업의 유형을 옳게 연결한 것은?

	(가)	(나)
①	경기적 실업	마찰적 실업
②	계절적 실업	경기적 실업
③	계절적 실업	구조적 실업
④	구조적 실업	계절적 실업
⑤	마찰적 실업	경기적 실업

시험에 잘 나와!

17 (가), (나)에 해당하는 실업의 유형에 대한 옳은 설명을 〈보기〉에서 고른 것은?

〈보기〉
ㄱ. (가) – 계절의 변화로 인해 발생한다.
ㄴ. (가) – 개인의 의지에 따라 일시적으로 발생한다.
ㄷ. (나) – 산업 구조의 변화로 일자리가 감소하는 것이 원인이 된다.
ㄹ. (나) – 경제 상황이 좋지 않아 기업이 고용을 감소시키면서 발생한다.

① ㄱ, ㄴ ② ㄱ, ㄷ ③ ㄴ, ㄷ
④ ㄴ, ㄹ ⑤ ㄷ, ㄹ

18 다음 사례에 해당하는 실업의 유형에 대한 설명으로 옳은 것은?

비상 씨는 야근이 많고 월급이 적어 다니던 회사를 그만두었다. 지금은 잠시 쉬면서 근무 조건과 보수가 더 나은 직장을 알아보고 있다.

① 경기적 실업으로 경기 침체로 인해 발생한다.
② 구조적 실업으로 새로운 기술이 나타날 때 발생한다.
③ 마찰적 실업으로 일시적으로 나타나는 실업에 속한다.
④ 계절적 실업이므로 시간이 흐름에 따라 해결될 수 있다.
⑤ 경기적 실업으로 국가의 일자리 창출을 통해 해결될 수 있다.

☆ 시험에 잘 나와!

19 실업이 개인과 사회에 미치는 영향으로 옳지 않은 것은?

① 사회적으로 인적 자원이 낭비된다.
② 개인은 소득 감소로 생계유지에 어려움을 겪게 된다.
③ 개인이 자아실현의 기회를 잃고 심리적 불안을 겪게 된다.
④ 빈부 격차, 생계형 범죄 증가 등으로 사회 불안을 초래한다.
⑤ 가계의 소비 활동이 활발해지면서 기업의 생산 활동이 증가한다.

20 고용 안정을 위한 정부의 노력으로 적절한 것만을 〈보기〉에서 있는 대로 고른 것은?

보기
ㄱ. 재정 지출을 확대하여 투자와 소비를 활성화한다.
ㄴ. 자기 계발과 기술 습득을 통해 생산성을 향상시킨다.
ㄷ. 직업 교육을 지원하여 실업자들이 새로운 일자리를 얻을 수 있도록 지원한다.
ㄹ. 취업 박람회를 개최하여 기업과 근로자가 일자리를 찾는 데 도움을 주도록 한다.

① ㄱ, ㄴ ② ㄴ, ㄷ ③ ㄷ, ㄹ
④ ㄱ, ㄷ, ㄹ ⑤ ㄴ, ㄷ, ㄹ

21 밑줄 친 ㉠, ㉡에 대한 설명으로 옳지 않은 것은?

정부는 다양한 정책을 통해 실업 문제를 해결하기 위해 노력한다. 그러나 정부의 노력만으로는 실업 문제를 해결하기 어렵기 때문에 ㉠ 기업과 ㉡ 근로자 또한 고용 안정을 위해 노력해야 한다.

① ㉠은 일자리 창출을 위한 경영 방안을 모색해야 한다.
② ㉠은 생산 비용을 절감하기 위해 비정규직 고용을 확대해야 한다.
③ ㉡은 업무 능력 향상을 위해 꾸준히 노력해야 한다.
④ ㉡은 새로운 기술을 습득하여 변화하는 작업 환경에 적응해야 한다.
⑤ ㉠과 ㉡은 상호 공존하는 관계임을 인식하고 협력해야 한다.

서술형 문제

서술형 감잡기

01 다음 글을 읽고 물음에 답하시오.

(㉠)은/는 물가가 지속적으로 오르는 현상을 의미한다.

(1) ㉠에 들어갈 용어를 쓰시오.

(2) (1)로 인해 발생할 수 있는 현상을 서술하시오.

➜ (①)의 가치가 하락하여 일정한 금액으로 살 수 있는 재화와 서비스의 양이 감소한다. 또한 우리나라 상품의 가격이 외국 상품의 가격에 비해 상대적으로 비싸지므로 (②)이 감소하고, (③)이 증가하여 무역 불균형이 발생한다.

실전! 서술형 도전하기

02 다음 글을 읽고 물음에 답하시오.

전 세계적인 불황이 계속되면서 소비자들의 소비가 줄고 있다. 소비 감소는 기업의 생산 활동 위축으로 이어지고, 많은 기업들의 경영 상황이 악화되고 있다. 이러한 경제 흐름에 따라 우리나라의 A 기업 역시 신규 채용을 하지 않을 뿐만 아니라 인원 감축에 나섬에 따라 실업자가 증가하고 있다.

(1) 제시된 사례에서 나타난 실업의 유형을 쓰시오.

(2) 밑줄 친 부분이 사회에 미치는 영향을 두 가지 이상 서술하시오.

03 국제 거래와 환율

A 국제 거래의 의미와 필요성

1. 국제 거래의 의미와 특징

(무역 또는 국제 교역이라고도 해.)

(1) 국제 거래: 생산물이나 생산 요소가 국경을 넘어 거래되는 것

(꼭 오늘날 국제 거래는 재화와 서비스뿐만 아니라 노동, 자본, 기술에 이르기까지 다양한 측면에서 이루어지고 있어.)

(2) 국제 거래의 특징

① +관세 부과: 재화와 서비스의 수출과 수입 과정에서 관세라는 세금을 부과함

② 환율 적용: 나라마다 서로 다른 화폐를 사용하므로 화폐의 교환 과정이 필요함 (예 우리나라는 원(₩), 미국은 달러($)를 사용해.)

③ 상품 이동의 제약: 나라마다 법과 제도가 다름 → 수입이 금지되거나 제한되는 등 상품이나 생산 요소의 이동이 국내에 비해 자유롭지 못함

2. 국제 거래의 필요성: 국가 간 자연환경, 천연자원, 노동, 자본, 기술 등 +생산 여건의 차이로 인해 생산비의 차이가 발생함 → 각국이 생산에 유리한 품목을 +특화하여 수출하고, 생산에 불리한 상품을 수입하면 서로에게 이익이 됨

(꼭 다른 국가보다 상대적으로 잘 생산할 수 있는 상품에 비교 우위가 있다고 해.)

자료로 이해하기 우리나라의 주요 수출 품목 변화

우리나라는 경제 성장 초기에 섬유, 의류와 같은 노동 집약적 상품을 주로 수출했지만, 1990년대 이후에는 반도체, 자동차와 같은 기술 집약적 상품을 수출하게 되었다. 이처럼 비교 우위에 따라 한 나라의 주요 수출 품목은 달라진다.

+ 관세
외국에서 수입하는 상품에 대해 부과하는 세금

+ 생산 여건의 차이 사례

자연 환경	덥고 습한 열대 기후 지역은 다른 기후 지역보다 열대 과일을 생산하기에 유리
천연 자원	석유, 구리와 같은 자원은 특정 지역에 집중적으로 매장
노동력	노동력이 풍부한 국가는 옷이나 신발처럼 노동력이 많이 필요한 상품의 생산에 유리
기술 수준	기술이 풍부한 국가는 고도의 기술이 집약된 상품을 생산하는 데 유리

+ 특화
가장 효율적으로 생산할 수 있는 산업을 전문적으로 육성하는 것

B 국제 거래의 양상

1. 국제 거래 확대의 배경

(1) +세계화와 개방화: 오늘날 세계화, 개방화 추세에 따라 재화뿐만 아니라 서비스, 생산 요소의 국가 간 이동도 활발하게 이루어짐 → 세계 각국의 상호 의존성이 심화됨 (예 자본, 기술, 노동력 등)

(2) +세계 무역 기구(WTO) 출범

① 세계 무역 기구의 출범으로 공산품뿐만 아니라 농산물, 서비스, 자본, 노동, 기술, 지적 재산권 등에 이르기까지 국제 거래의 대상이 확대됨

② 세계 무역 기구는 각종 불공정 무역 행위를 규제하고 국가 간 무역 마찰을 조정함 → 자유 무역이 확대되고 국가 간 상호 협력 및 의존 관계가 긴밀해짐

2. 국제적 차원의 경제 협력

(1) 지역 경제 협력체 구성: 지리적으로 가깝고 경제적으로 상호 의존도가 높은 나라들이 경제 협력을 강화하고 무역 증진을 통한 공동의 이익을 추구함

(예 아시아·태평양 경제 협력체(APEC), 유럽 연합(EU), 북미 자유 무역 협정(NAFTA) 등)

(2) 자유 무역 협정(FTA) 체결: 개별 국가 간, 국가와 지역 경제 협력체 간에 자유 무역 협정을 맺어 관세 및 비관세 장벽을 없애거나 완화함

(우리나라도 칠레, 인도, 페루, 튀르키예, 미국, 유럽 연합(EU) 등과 자유 무역 협정을 맺은 결과 무역의 규모가 확대되고 FTA 체결국 간 경제적 상호 의존과 협력이 활발해졌지.)

+ 세계화
교통 및 통신 수단의 발달로 국경을 넘어 전 세계가 하나의 지구촌으로 통합되는 현상

+ 세계 무역 기구(WTO)
국가 간 자유로운 무역과 세계 교역 증진을 목적으로 설립된 국제기구

- 국제 거래의 의미와 필요성
- 국제 거래의 양상
- 환율의 의미와 변동
- 환율 변동이 국내 경제에 미치는 영향

1 다음 빈칸에 들어갈 내용을 쓰시오.

(1) 재화와 서비스의 수출과 수입 과정에서 (　　　　　)라는 세금이 부과된다.

(2) 생산물이나 생산 요소 등이 국경을 넘어 거래되는 것을 (　　　　　)라고 한다.

2 국제 거래가 발생하는 이유로 적절한 것을 〈보기〉에서 골라 기호를 쓰시오.

보기

ㄱ. 언어의 차이　　　　ㄴ. 화폐의 차이

ㄷ. 자연환경의 차이　　　　ㄹ. 기술 수준의 차이

3 다음 설명이 맞으면 ○표, 틀리면 ×표를 하시오.

(1) 국제 거래는 국내 거래에 비해 상품 이동의 제약이 크다. (　　)

(2) 국제 거래를 할 경우 일반적으로 자국의 화폐를 그대로 사용한다. (　　)

(3) 동일한 상품은 모든 나라에서 동일한 생산 비용을 들여 생산한다. (　　)

핵심 콕콕

- **국제 거래의 의미와 필요성**

의미	생산물이나 생산 요소가 국경을 넘어 거래되는 것
특징	• 관세 부과 • 환율 적용 • 상품 이동의 제약
필요성	국가 간 생산 여건의 차이로 인한 생산비의 차이 발생 → 국제 거래를 통해 이익 발생

1 다음 괄호 안의 내용 중 알맞은 말에 ○표를 하시오.

(1) 세계 무역 기구(WTO)의 출범으로 자유 무역이 (확대, 축소)되었다.

(2) 세계화와 개방화로 인해 세계 각국의 상호 의존성은 (심화, 약화)되고 있다.

2 ㉠, ㉡에 들어갈 용어를 각각 쓰시오.

> 국제 거래가 활발해지면서 지리적으로 가깝고 경제적으로 상호 의존도가 높은 나라들이 경제 협력을 강화하기 위해 (㉠　　　)를 구성하고 있다. 또한 국가 사이의 무역을 보다 자유롭게 하기 위해 관세 및 비관세 장벽을 없애는 (㉡　　　) 의 체결도 증가하고 있다.

- **국제 거래의 양상**

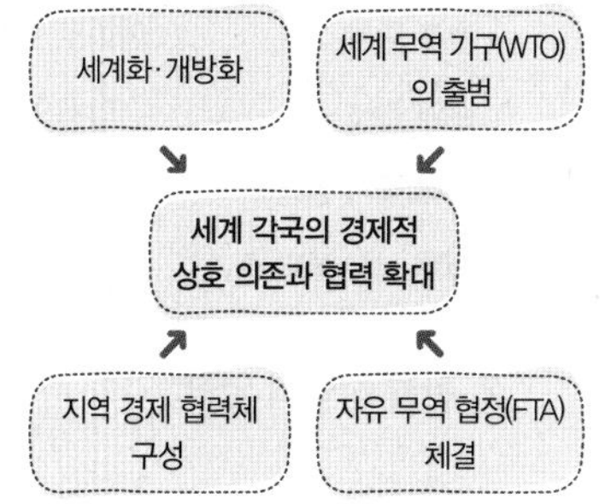

C 환율의 의미와 변동

1. 환율의 의미

(1) 환율: 자국 화폐와 외국 화폐의 교환 비율

(2) 환율의 표시: 외국 화폐 1단위와 교환되는 자국 화폐의 가격으로 표시함

예) 미국 화폐 1달러가 우리나라의 화폐 1,100원과 교환된다면 환율은 1,100원/달러로 표시해.

2. 환율의 결정과 변동

(1) +환율의 결정: 외화에 대한 수요와 공급에 의해 결정됨 — 재화와 서비스의 가격이 수요와 공급에 의해 결정되는 것과 같은 원리야.

외화의 수요	외국 상품의 수입, 자국민의 해외여행, 해외 투자와 유학, +외채 상환 등 외화가 해외로 나가는 경우 발생함
외화의 공급	우리나라 상품의 수출, 외국인 관광객 유치, 외국인의 국내 투자, 외채 도입 등 외화가 국내로 들어오는 경우 발생함

(2) 환율의 변동: 외화에 대한 수요와 공급이 변화하면 외환 시장에서 환율이 변동함

외화의 수요 증가	외화의 가치가 높아지므로 환율이 상승함
외화의 공급 증가	외화의 가치가 낮아지므로 환율이 하락함

자료로 이해하기 환율의 변동

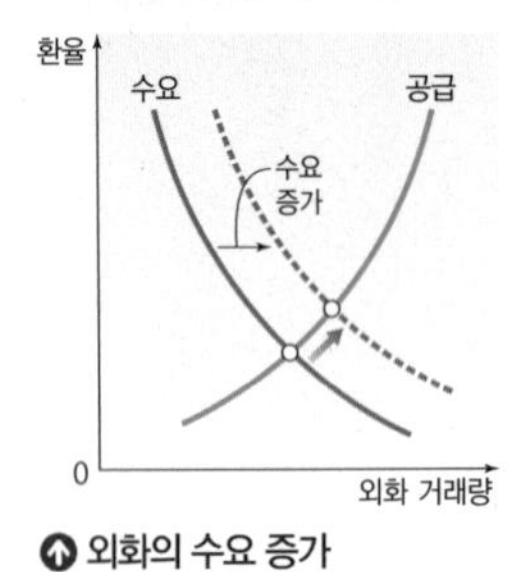

외화의 수요 증가

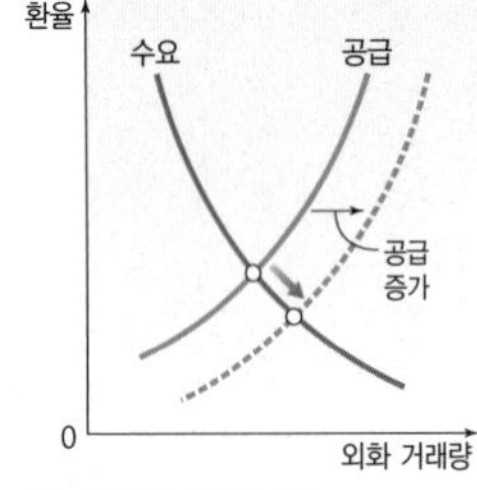

외화의 공급 증가

수입 증가, 해외 투자와 유학 증가 등으로 외화의 수요가 증가하면 수요 곡선이 오른쪽으로 이동하면서 환율이 상승한다. 반면, 수출 증가, 외국인의 국내 투자 증가 등으로 외화의 공급이 증가하면 공급 곡선이 오른쪽으로 이동하면서 환율이 하락한다.

+ 환율의 결정

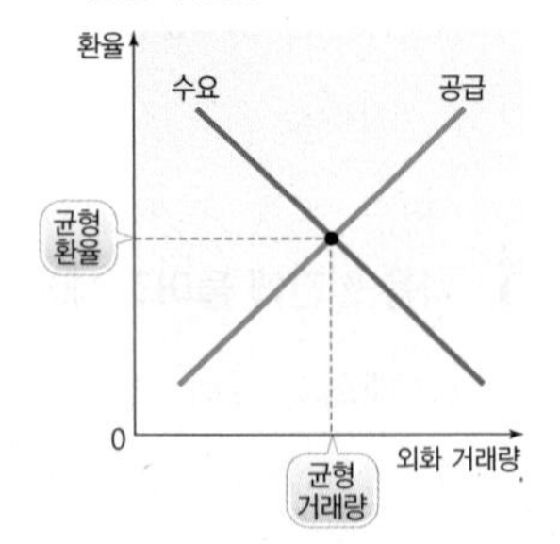

외화의 수요와 공급이 만나는 지점에서 균형 환율이 결정된다.

+ 외채

외국에서 빌려온 빚

D 환율 변동이 국내 경제에 미치는 영향

1. 환율 상승의 영향: 외화 가치는 상승하고 +원화 가치는 하락함

수출 증가	외화로 표시되는 우리나라 상품의 가격이 하락하여 수출이 증가함
수입 감소	수입품의 국내 가격이 상승하여 수입이 감소함
국내 물가 상승	수입 원자재의 가격이 오르면 생산 비용이 상승하여 국내 물가가 상승함
외채 상환 부담 증가	외화로 빚을 진 경우에 갚아야 할 금액이 늘어남

2. 환율 하락의 영향: 외화 가치는 하락하고 원화 가치는 상승함

수출 감소	외화로 표시되는 우리나라 상품의 가격이 상승하여 수출이 감소함
수입 증가	수입품의 국내 가격이 하락하여 수입이 증가함
국내 물가 안정	수입 원자재의 가격이 내리면 생산 비용이 하락하여 국내 물가가 안정됨
외채 상환 부담 감소	외화로 빚을 진 경우에 갚아야 할 금액이 줄어듦

+ 환율 변동과 원화 가치

환율 상승	1달러를 얻기 위해 더 많은 원화를 지불해야 하므로 원화의 가치가 하락함
환율 하락	1달러를 얻기 위해 더 적은 원화를 지불하게 되므로 원화의 가치가 상승함

1 ㉠에 들어갈 용어를 쓰시오.

> 자국 화폐와 외국 화폐가 교환되는 비율인 (㉠　　　　)은 외화에 대한 수요와 공급에 의해 결정된다.

2 다음 괄호 안의 내용 중 알맞은 말에 ○표를 하시오.

(1) 외채를 빌리면 외화의 (수요, 공급)이 증가하므로 환율이 (상승, 하락)한다.
(2) 외화의 수요가 증가할 때는 환율의 수요 곡선이 (오른쪽, 왼쪽)으로 이동하면서 환율이 (상승, 하락)한다.

3 외화의 수요와 공급이 발생하는 상황을 〈보기〉에서 골라 기호를 쓰시오.

> 보기
> ㄱ. 국내 상품의 수출　　ㄴ. 외국 상품의 수입
> ㄷ. 자국민의 해외여행　　ㄹ. 외국인의 국내 투자

(1) 외화의 수요 발생 – (　　　　)
(2) 외화의 공급 발생 – (　　　　)

핵심 콕콕

• 환율의 결정과 변동

환율의 결정	
외화에 대한 수요와 공급에 의해 결정됨	
외화의 수요 증가	외화의 공급 증가
↓	↓
환율 상승	환율 하락

1 환율 변동과 그에 따른 영향을 옳게 연결하시오.

(1) 환율 상승 •　　　　• ㉠ 수출 감소, 수입 증가
(2) 환율 하락 •　　　　• ㉡ 수출 증가, 수입 감소

2 다음 설명이 맞으면 ○표, 틀리면 ×표를 하시오.

(1) 환율의 하락은 원화 가치의 상승을 의미한다. (　　)
(2) 환율이 상승하면 외채 상환에 대한 부담이 감소한다. (　　)
(3) 환율이 하락하면 수입 원자재의 가격이 하락하여 국내 물가가 안정된다. (　　)

핵심 콕콕

• 환율 변동이 국내 경제에 미치는 영향

환율 변동	영향
환율 상승	• 수출 증가 • 수입 감소 • 국내 물가 상승 • 외채 상환 부담 증가
환율 하락	• 수출 감소 • 수입 증가 • 국내 물가 안정 • 외채 상환 부담 감소

01 국제 거래에 대한 설명으로 옳지 않은 것은?

① 전 세계를 대상으로 이루어지는 거래이다.
② 국내 거래에 비해 상품의 이동이 자유롭다.
③ 서로 다른 화폐를 교환하는 과정이 필요하다.
④ 재화와 서비스의 수출입 과정에서 관세라는 세금을 부과한다.
⑤ 생산물뿐만 아니라 노동, 기술과 같은 생산 요소도 거래의 대상이 될 수 있다.

02 신문 기사를 통해 알 수 있는 국제 거래의 특징으로 가장 적절한 것은?

> 최근 우리나라 방송 프로그램의 제작 기술 수출이 활발하다. '슈퍼맨이 돌아왔다'와 '꽃보다 할배' 등의 프로그램이 미국과 유럽, 중국, 베트남 등에 수출되며, 프로그램 제작 기술과 함께 프로그램 설명서도 수출되었다.
> – 「YTN뉴스」, 2016. 9. 1.

① 환율 변동에 따라 수출입 상품 가격이 변한다.
② 제품 생산에서 운송비가 차지하는 비중이 높다.
③ 다른 나라에서 수입하는 물품에 관세를 부과한다.
④ 국가마다 법과 제도가 달라 거래가 자유롭지 못하다.
⑤ 재화뿐만 아니라 서비스, 기술 등으로 거래 대상이 확대되고 있다.

시험에 잘 나와!

03 국제 거래가 필요한 이유로 적절한 것을 〈보기〉에서 고른 것은?

보기
ㄱ. 나라마다 보유한 자원이 서로 다르기 때문이다.
ㄴ. 소비자의 상품 선택 기회를 축소할 수 있기 때문이다.
ㄷ. 모든 나라가 국제 거래를 통해 동일한 이익을 얻을 수 있기 때문이다.
ㄹ. 동일한 상품을 생산하더라도 나라마다 생산비의 차이가 나타나기 때문이다.

① ㄱ, ㄴ ② ㄱ, ㄹ ③ ㄴ, ㄷ
④ ㄴ, ㄹ ⑤ ㄷ, ㄹ

04 ㉠~㉢에 들어갈 용어를 옳게 연결한 것은?

> 각 나라는 다른 국가에 비해 더 효율적으로 생산할 수 있는 품목을 (㉠)하여 (㉡)하고, 생산에 불리한 품목은 (㉢)함으로써 경제적 이익을 추구한다.

	㉠	㉡	㉢
①	특화	수출	수입
②	특화	수입	수출
③	분업	수출	수출
④	분업	수입	수출
⑤	분업	수출	수입

05 밑줄 친 '생산 여건'에 해당하는 내용으로 적절하지 않은 것은?

> 우리나라를 비롯하여 많은 국가가 국제 거래를 하는 까닭은 거래를 통해서 서로 이익을 얻을 수 있기 때문이다. 국제 거래를 통한 이익은 각국이 처한 생산 여건의 차이에서 비롯된다.

① 자연환경 ② 기술 수준
③ 사용하는 화폐 ④ 노동력의 보유 상태
⑤ 천연자원의 보유 상태

06 표는 우리나라의 주요 수출 품목 변화를 나타낸 것이다. 이를 통해 알 수 있는 내용으로 적절한 것은?

시기	주요 수출 품목
1970년대	섬유, 합판, 가발 등
1980년대	의류, 철강판, 신발 등
1990년대	의류, 반도체, 신발 등
2000년대	반도체, 컴퓨터, 자동차 등
2010년대	반도체, 선박, 휴대 전화 등

① 우리나라의 자연환경이 변화하고 있다.
② 국내 시장의 규모가 점차 확대되고 있다.
③ 우리나라의 국내 총생산이 꾸준히 증가하고 있다.
④ 우리나라가 비교 우위를 가진 품목이 변화하고 있다.
⑤ 국내 경제에서 수출보다 수입이 차지하는 비중이 증가하고 있다.

07 오늘날 국제 거래의 양상에 대한 설명으로 옳은 것은?

① 생산 요소의 거래는 점차 감소하는 추세이다.
② 국가 간 경제적 의존과 협력이 증가하고 있다.
③ 서비스를 제외한 재화의 거래만이 이루어지고 있다.
④ 교통 및 통신 수단의 발달로 국경의 의미가 강화되고 있다.
⑤ 다른 국가의 경제 상황이 국내 경제에 미치는 영향이 감소하고 있다.

시험에 잘 나와!

08 오늘날 다음과 같은 현상들이 나타나게 된 배경으로 적절한 것을 〈보기〉에서 고른 것은?

- 외국인 근로자의 국내 취업이 증가하고 있다.
- 수입 농산물을 대형 할인점에서 쉽게 볼 수 있다.
- 해외로 공장을 이전하는 국내 기업들이 늘고 있다.

〈보기〉
ㄱ. 국제 거래의 규모 축소
ㄴ. 정보 통신 기술의 발달
ㄷ. 국가 간의 공간적 거리 증가
ㄹ. 국가 간의 자유 무역 협정 체결 증가

① ㄱ, ㄴ ② ㄱ, ㄷ ③ ㄴ, ㄷ
④ ㄴ, ㄹ ⑤ ㄷ, ㄹ

09 세계 무역 기구(WTO)의 역할로 옳지 않은 것은?

① 국제 거래의 대상을 확대한다.
② 자유 무역의 활성화에 기여한다.
③ 국가 간의 무역 분쟁을 조정한다.
④ 각종 불공정 무역 행위를 규제한다.
⑤ 국가 간 상호 협력 및 의존 관계를 약화한다.

10 지도에 나타난 단체들의 특징으로 적절한 것을 〈보기〉에서 고른 것은?

(외교부, 기타, 2016)

〈보기〉
ㄱ. 군사적 동맹 강화를 목적으로 한다.
ㄴ. 인권 보호를 위해 결성된 국제기구이다.
ㄷ. 지리적으로 가까운 나라들 간의 경제 협력을 추구한다.
ㄹ. 회원국 간의 무역 증진을 통해 공동의 이익을 추구한다.

① ㄱ, ㄴ ② ㄱ, ㄷ ③ ㄴ, ㄷ
④ ㄴ, ㄹ ⑤ ㄷ, ㄹ

11 ㉠을 시행하는 목적으로 가장 적절한 것은?

최근 국제 사회에서는 개별 국가 간 또는 개별 국가와 지역 경제 협력체 간에 관세 및 비관세 장벽을 없애거나 완화하기 위해 (㉠)을/를 체결하고 있다.

① 자유 무역의 축소
② 국제 거래의 대상 확대
③ 내수 시장의 독립성 강화
④ 새로운 무역 장벽의 확대
⑤ 국제 거래의 대상을 공산품으로 제한

12 ㉠에 들어갈 용어로 옳은 것은?

외국 화폐와 비교한 자국 화폐의 값어치를 (㉠)(이)라고 한다.

① 외화 ② 외채
③ 환율 ④ 자유 무역
⑤ 국제 거래

13 환율에 대한 옳은 설명만을 〈보기〉에서 있는 대로 고른 것은?

〈보기〉
ㄱ. 외화의 수요와 공급에 의해 결정된다.
ㄴ. '1,100원/달러'와 같은 형태로 표시한다.
ㄷ. 외화의 수요가 공급보다 많으면 환율은 하락한다.
ㄹ. 환율 변동은 우리나라 원화 가치에 영향을 미친다.

① ㄱ, ㄴ ② ㄱ, ㄹ ③ ㄱ, ㄴ, ㄷ
④ ㄱ, ㄴ, ㄹ ⑤ ㄴ, ㄷ, ㄹ

14 다음과 같은 현상이 외환 시장에 미치는 영향으로 적절한 것은?

외국 투자가들이 우리나라에 대한 투자를 늘렸다.

① 외화의 공급이 증가할 것이다.
② 외화의 공급이 감소할 것이다.
③ 외화의 수요가 증가할 것이다.
④ 외화의 수요가 감소할 것이다.
⑤ 외화의 수요와 공급에 아무런 변화가 없을 것이다.

★ 시험에 잘 나와!

15 그래프는 우리나라 외환 시장의 변동을 나타낸 것이다. 이와 같은 변동이 나타나는 사례로 적절한 것은?

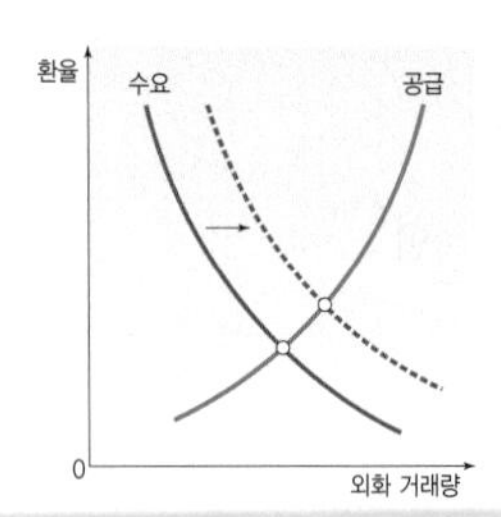

① 경제 위기로 인해 외국으로부터 돈을 빌렸다.
② 우리나라로 여행을 오는 외국인 관광객 수가 늘어났다.
③ 외국으로 어학연수를 가는 우리나라 학생 수가 줄었다.
④ 경기 불황으로 우리나라의 반도체 수출량이 줄어들었다.
⑤ 우리나라 기업이 중국에서 운동화를 대량으로 수입하였다.

16 외화의 공급이 증가하는 상황을 〈보기〉에서 고른 것은?

〈보기〉
ㄱ. 국내 기업의 외채 도입이 늘고 있다.
ㄴ. 한류 열풍으로 외국인 관광객이 급증하고 있다.
ㄷ. 베트남 주식에 투자하는 국내 투자자가 늘고 있다.
ㄹ. 해외 유명 가구 브랜드의 국내 수요가 늘면서 수입이 증가하고 있다.

① ㄱ, ㄴ ② ㄱ, ㄷ ③ ㄴ, ㄷ
④ ㄴ, ㄹ ⑤ ㄷ, ㄹ

17 다음 사례가 환율에 미치는 영향으로 적절한 것은?

연휴를 맞은 인천 국제공항은 해외여행을 떠나는 사람들로 발 디딜 틈 없이 복잡하다. 공항에 위치한 환전소도 환율을 살펴보는 사람들로 북적이고 있다.

① 외화의 수요가 증가하면서 환율이 상승한다.
② 외화의 수요가 감소하면서 환율이 하락한다.
③ 외화의 공급이 증가하면서 환율이 상승한다.
④ 외화의 공급이 감소하면서 환율이 하락한다.
⑤ 외화의 수요·공급과 관계 없이 환율이 상승한다.

18 그래프는 우리나라 외환 시장의 변동을 나타낸 것이다. 이러한 변동이 국내 경제에 미치는 영향을 〈보기〉에서 고른 것은?

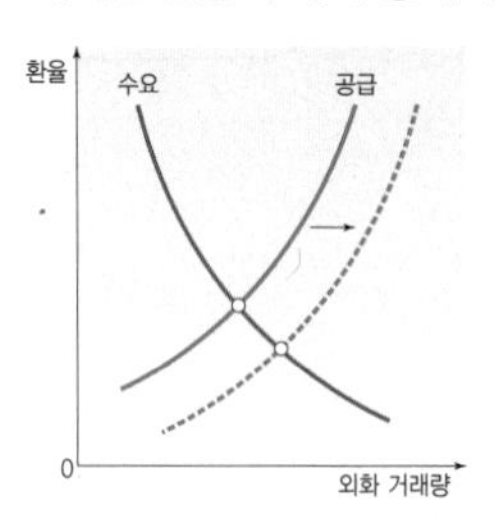

〈보기〉
ㄱ. 원화 가치가 하락한다.
ㄴ. 국내 물가 안정에 도움이 된다.
ㄷ. 우리나라 국민의 해외 여행이 감소한다.
ㄹ. 외화로 진 빚을 갚을 때 상환 부담이 줄어든다.

① ㄱ, ㄴ ② ㄱ, ㄷ ③ ㄴ, ㄷ
④ ㄴ, ㄹ ⑤ ㄷ, ㄹ

[19~20] 다음 글을 읽고 물음에 답하시오.

> 최근 원/달러 환율이 1,000원에서 1,200원으로 상승하였다. 전문가들은 당분간 이러한 추세가 지속될 것이라고 전망하였다.

19 위와 같은 환율 변동이 국내 경제에 미치는 영향으로 적절하지 않은 것은?

① 원화 가치가 상승한다.
② 국내 물가가 상승한다.
③ 외국인 관광객이 증가한다.
④ 우리나라 상품의 수출이 증가한다.
⑤ 외채 상환에 대한 부담이 늘어난다.

시험에 잘 나와!

20 위와 같은 환율 변동이 발생할 때 유리해지는 사람을 〈보기〉에서 고른 것은?

〈보기〉
ㄱ. 수입 식품을 판매하는 가게 주인
ㄴ. 미국에 자동차를 수출하는 기업의 사장
ㄷ. 미국 프로야구에서 활동하는 우리나라 선수
ㄹ. 우리나라에서 번 돈을 자국에 송금하는 미국인

① ㄱ, ㄴ ② ㄱ, ㄷ ③ ㄴ, ㄷ
④ ㄴ, ㄹ ⑤ ㄷ, ㄹ

21 ㉠~㉣에 들어갈 내용을 옳게 연결한 것은?

> 환율이 (㉠)하면 외화로 표시되는 우리나라 상품의 가격이 하락하여 수출이 (㉡)하고, 상대적으로 수입품의 국내 가격이 (㉢)하여 수입이 (㉣)한다.

	㉠	㉡	㉢	㉣
①	상승	증가	하락	증가
②	상승	증가	상승	감소
③	상승	감소	하락	증가
④	하락	감소	상승	감소
⑤	하락	증가	상승	증가

서술형 문제

서술형 감잡기

01 다음 글을 읽고 물음에 답하시오.

> 생산물이나 생산 요소가 국경을 넘어 거래되는 것을 (㉠)(이)라고 한다.

(1) ㉠에 들어갈 용어를 쓰시오.

(2) (1)의 필요성을 서술하시오.

➜ 국가 간 자연환경, 천연자원, 노동, 자본, 기술 등 생산 여건이 달라 (①)의 차이가 발생하므로, 생산에 유리한 품목을 (②)하여 교역하면 서로에게 이익이 되기 때문이다.

실전! 서술형 도전하기

02 다음과 같은 현상이 발생했을 때 외화의 수요·공급과 환율이 어떻게 변동할지 서술하시오.

> 한류의 인기가 세계로 확산되며 전 세계 곳곳에서 우리나라에 대한 관심이 높아지고 있다. 이에 따라 우리나라 식품의 수출이 증가하고 있다.

03 환율 하락이 예상될 때, 다음 중 합리적인 판단을 한 사람을 쓰고 그 이유를 서술하시오.

> • 가영 씨는 평소에 사고 싶었던 이탈리아에서 수입되는 가방을 최대한 빨리 구매하기로 결정하였다.
> • 다음 주부터 한 달간 해외여행을 떠나는 나영 씨는 돈이 필요할 때마다 여행지에서 인출하기로 하였다.

한눈에 보는 대단원

핵심 선택지 다시보기

1 가사 노동은 국내 총생산에 포함되지 않는다. ( )

2 국내 총생산은 생산자의 국적을 기준으로 측정한다. ( )

3 경제 성장은 국가의 생산 능력과 경제 규모가 확대되는 것이다. ( )

4 삶의 질이 반드시 경제 성장 정도에 비례하는 것은 아니다. ( )

5 경제 성장의 혜택이 일부 계층에 편중될 경우 빈부 격차가 완화된다. ( )

답 1 ○ 2 × 3 ○ 4 ○ 5 ×

01 국내 총생산과 경제 성장

(1) 국내 총생산의 의미와 한계

의미	일정 기간 동안 한 나라 안에서 새롭게 생산된 최종 생산물의 시장 가치를 모두 합한 것
한계	가사 노동, 봉사 활동 등 시장에서 거래되지 않는 경제 활동은 포함하지 않음, 국민의 삶의 질 수준이나 소득 분배 수준, 빈부 격차의 정도를 정확하게 파악하기 어려움

(2) 경제 성장의 의미와 영향

의미	국내 총생산이 증가하는 것 → 경제 성장의 정도를 보여 주는 지표인 경제 성장률은 실질 국내 총생산의 증가율로 나타냄	
영향	긍정적 측면	• 일자리 및 국민 소득의 증가로 물질적으로 풍요로워짐 • 질 높은 교육과 의료 혜택을 제공받을 수 있으며, 다양한 문화생활을 할 수 있게 됨 → 사회적·문화적 욕구 충족으로 삶의 질이 향상됨
	부정적 측면	• 경제 성장 과정에서 자원 고갈 및 환경 오염이 심화될 수 있음 • 경제 성장의 혜택이 편중될 경우 빈부 격차가 확대될 수 있음

핵심 선택지 다시보기

1 물가는 시장에서 거래되는 개별 상품의 값을 나타낸 것이다. ( )

2 시중에 공급되는 통화량이 줄어드는 경우 물가는 상승한다. ( )

3 일할 능력과 의사가 없는 상태를 실업이라고 한다. ( )

4 구조적 실업은 산업 구조의 변화로 일자리가 감소하여 발생한다. ( )

5 실업의 증가는 사회적으로 인적 자원의 낭비를 초래한다. ( )

답 1 × 2 × 3 × 4 ○ 5 ○

02 물가와 실업

(1) 물가와 물가 상승

물가	시장에서 거래되는 여러 상품의 가격을 종합하여 평균한 것
물가 상승의 원인	총수요 〉 총공급, 생산비의 상승, 통화량의 증가 등

(2) 인플레이션의 의미와 영향

의미	물가가 지속적으로 오르는 현상	
영향	상품 구매력 하락	화폐의 가치가 하락하여 상품 구매 능력이 감소함
	부와 소득의 불공정한 재분배	• 유리한 사람: 실물 자산을 보유한 사람, 돈을 빌린 사람, 수입업자 등 • 불리한 사람: 봉급생활자, 연금 생활자, 은행에 예금을 한 사람, 돈을 빌려준 사람, 수출업자 등
	무역 불균형 발생	수출이 감소하고 수입이 증가하여 무역 불균형이 발생함

(3) 물가 안정을 위한 경제 주체의 노력

정부	과도한 재정 지출을 줄이고 조세를 늘림
중앙은행	통화량을 줄이고 시중 은행의 이자율이 높아지도록 함
기업	경영과 기술 혁신을 통해 생산의 효율성을 높임
근로자	자기 계발을 통해 생산성을 향상함, 과도한 임금 인상 요구를 자제함
소비자	과소비를 자제하고 합리적인 소비 생활을 함

(4) 실업의 의미와 유형

구분		내용
의미		일할 능력과 의사가 있는데도 일자리를 구하지 못하는 상태
유형	경기적 실업	경기가 침체되어 기업이 고용을 줄이는 경우 발생
	구조적 실업	자동화나 산업 구조의 변화 등으로 관련 일자리가 사라지는 경우 발생
	계절적 실업	계절의 변화에 따라 고용 기회가 줄어드는 경우 발생
	마찰적 실업	이직을 위해 현재의 직장을 그만두는 경우 일시적으로 발생

(5) 실업의 영향과 대책

구분		내용
영향	개인적 측면	소득 감소로 생계유지 곤란, 자아 존중감 상실 등
	사회적 측면	인적 자원의 낭비, 생계형 범죄의 증가 등으로 사회 불안 초래 등
대책	정부	재정 지출 확대, 일자리 창출, 인력 개발 프로그램 마련 등
	기업	일자리 창출을 위한 경영 방안 모색, 바람직한 노사 관계 확립 등
	근로자	새로운 기술 습득을 통한 생산성과 업무 처리 능력 향상 노력 등

03 국제 거래와 환율

(1) 국제 거래

구분	내용
의미	생산물이나 생산 요소가 국경을 넘어 거래되는 것
특징	관세 부과, 환율 적용, 상품 이동의 제약 등
필요성	국가 간 생산 여건의 차이에 따른 생산비의 차이 발생 → 국제 거래의 이익 발생
양상	세계화와 개방화, 세계 무역 기구(WTO)의 출범 등으로 국제 거래가 확대되고 있음

(2) 환율의 의미와 변동

구분		내용
의미		자국 화폐와 외국 화폐의 교환 비율 → 외화에 대한 수요와 공급에 의해 결정됨
변동 원인	외화의 수요	외국 상품의 수입, 자국민의 해외여행, 해외 투자와 유학 등으로 외화의 수요 증가 → 환율 상승
	외화의 공급	우리나라 상품의 수출, 외국인 관광객 유치, 외국인의 국내 투자 등으로 외화의 공급 증가 → 환율 하락

(3) 환율 변동의 영향

구분	환율 상승	환율 하락
수출 및 수입	수출은 증가하고 수입은 감소함	수출은 감소하고 수입은 증가함
국내 물가	수입 원자재의 가격이 오르면 국내 물가가 상승함	수입 원자재의 가격이 하락하면 국내 물가가 안정됨
외채 상환 부담	외화로 빚을 진 경우에 갚아야 할 금액이 늘어남	외화로 빚을 진 경우에 갚아야 할 금액이 줄어듦

☑ 핵심 선택지 다시보기

1 국제 거래는 국내 거래에 비해 상품의 이동이 자유롭다. ( )

2 동일한 상품을 생산하더라도 나라마다 생산비의 차이가 나타난다. ( )

3 세계 무역 기구는 경제생활에서 국경의 의미를 강화한다. ( )

4 외화의 수요가 증가하면 환율이 하락한다. ( )

5 환율이 하락하면 외채 상환에 대한 부담이 늘어난다. ( )

답 1 × 2 ○ 3 × 4 × 5 ×

☑ 핵심 선택지 다시보기의 정답을 맞힌 개수만큼 아래 표에 색칠해 보자. 많이 틀린 단원은 되돌아가 복습해 보자.

시험 적중 마무리 문제

01 국내 총생산과 경제 성장

01 국내 총생산(GDP)에 대한 설명으로 옳은 것은?

① 보통 10년 동안 생산된 것을 포함한다.
② 시장에서 거래되지 않는 것도 포함한다.
③ 생산 과정에서 사용된 중간재도 포함한다.
④ 생산자의 국적과 관계없이 그 나라 국경 안에서 생산된 것만 포함한다.
⑤ 그해에 새롭게 생산된 것뿐만 아니라 그 전해에 생산된 중고품도 포함한다.

02 우리나라의 국내 총생산(GDP)에 포함되는 것을 〈보기〉에서 고른 것은?

보기
ㄱ. 중학생이 노인 복지 시설에 가서 행한 봉사 활동의 가치
ㄴ. 우리나라의 제과점이 빵을 만들기 위해 사용한 밀가루의 가치
ㄷ. 외국 기업이 우리나라에 세운 공장에서 생산된 자동차의 매출액
ㄹ. 우리나라 축구팀에 소속되어 경기를 뛴 외국인 선수가 받은 연봉

① ㄱ, ㄴ ② ㄱ, ㄷ ③ ㄴ, ㄷ
④ ㄴ, ㄹ ⑤ ㄷ, ㄹ

03 다음 사례를 통해 알 수 있는 국내 총생산(GDP)의 한계로 가장 적절한 것은?

공장의 생산 활동 과정에서 환경이 오염될 경우, 오염을 정화하는 데 들어가는 비용이 증가함에 따라 국내 총생산이 증가한다.

① 국가 경제의 규모를 나타내지 못한다.
② 국민들의 삶의 질 수준을 파악하기 어렵다.
③ 국민들의 평균적인 소득 수준을 알 수 없다.
④ 시장에서 거래되지 않는 재화를 포함하지 않는다.
⑤ 사회 구성원 간의 소득 불평등 정도를 나타내지 못한다.

04 경제 성장에 대한 설명으로 옳지 않은 것은?

① 국가의 생산 능력이 커지는 것이다.
② 국내 총생산(GDP)이 증가하는 것이다.
③ 재화와 서비스의 총 생산량이 늘어나는 것이다.
④ 경제 성장률은 물가의 변동을 제거하고 측정해야 한다.
⑤ 경제 성장률을 통해 계층별 소득 분배 수준을 파악할 수 있다.

05 다음 인터넷 게시판의 질문에 옳게 답변한 사람만을 있는 대로 고른 것은?

▶ 지식 Q&A

경제 성장의 긍정적인 영향으로는 무엇이 있을까요?

▶ 답변하기

↳ 가현: 고용이 늘어나고 국민 소득이 증가합니다.
↳ 나현: 의료 혜택의 확대로 삶의 질이 향상됩니다.
↳ 다현: 공평한 소득 분배로 빈부 격차 문제가 해결됩니다.
↳ 라현: 다양한 문화 시설의 확산으로 여가 생활이 풍요로워집니다.

① 가현, 나현 ② 나현, 다현
③ 다현, 라현 ④ 가현, 나현, 라현
⑤ 나현, 다현, 라현

02 물가와 실업

06 물가와 물가 지수에 대한 설명으로 옳지 않은 것은?

① 물가는 개별 상품의 가치를 화폐 단위로 나타낸 것이다.
② 물가 지수가 100보다 크면 기준 연도에 비해 물가가 상승한 것이다.
③ 물가 지수는 물가의 움직임을 한눈에 보기 위해 수치로 나타낸 것이다.
④ 물가 지수가 95라는 것은 기준 연도에 비해 물가가 5% 하락한 것을 의미한다.
⑤ 물가 지수는 기준 시점의 물가를 100으로 했을 때 비교 시점의 물가를 측정한 것이다.

07 물가가 상승하는 원인으로 적절한 것을 〈보기〉에서 고른 것은?

보기

ㄱ. 가계의 소비 감소
ㄴ. 임금과 임대료의 하락
ㄷ. 정부의 재정 지출 증가
ㄹ. 시중에 공급되는 통화량의 증가

① ㄱ, ㄴ ② ㄱ, ㄷ ③ ㄴ, ㄷ
④ ㄴ, ㄹ ⑤ ㄷ, ㄹ

08 ㉠~㉢에 들어갈 내용을 옳게 연결한 것은?

물가 상승은 국내외 원자재 가격과도 밀접한 관련이 있다. 만약 국제 원유 가격이 (㉠)한다면 생산비가 높아지고, 이에 따라 많은 기업이 공급을 (㉡)때문에 물가가 (㉢)한다.

	㉠	㉡	㉢
①	상승	줄이기	하락
②	상승	늘리기	상승
③	상승	줄이기	상승
④	하락	늘리기	하락
⑤	하락	줄이기	상승

09 밑줄 친 부분에 해당하는 사람을 〈보기〉에서 고른 것은?

지속적인 물가 상승은 안정적인 경제 활동에 지장을 주고 근로 의욕을 저하시킨다. 그러나 물가 상승이 모두에게 불리하게 작용하는 것은 아니다. 물가가 지속적으로 상승할 때 이득을 보는 사람도 있다.

보기

ㄱ. 친구에게 500만 원을 빌린 A 씨
ㄴ. 미국으로 자동차를 수출하는 B 씨
ㄷ. 건물과 토지를 소유하고 있는 C 씨
ㄹ. 퇴직 후 연금을 받아 생활하는 D 씨

① ㄱ, ㄴ ② ㄱ, ㄷ ③ ㄴ, ㄷ
④ ㄴ, ㄹ ⑤ ㄷ, ㄹ

10 물가 안정을 위한 경제 주체의 노력에 대해 옳게 설명한 학생을 고른 것은?

① 가현, 나현 ② 가현, 다현 ③ 나현, 다현
④ 나현, 라현 ⑤ 다현, 라현

[11~12] 다음은 갑국의 인구 구성을 나타낸 것이다. 물음에 답하시오.(단, 노동 가능 인구는 변함 없다.)

- ㉠ = ㉡ + ㉢
- ㉢ = ㉣ + ㉤
- 실업률 =(㉤/㉢) × 100
- ㉠은 15세 이상의 노동 가능 인구이다.

11 ㉠~㉤에 대한 설명으로 옳은 것은?

① ㉡은 일할 능력과 의사가 있는 사람이다.
② 구직 단념자가 증가하면 ㉢은 감소한다.
③ 학생, 노약자, 가정주부는 ㉢에 포함된다.
④ ㉡이 ㉣로 이동하면 경제 활동 인구가 감소한다.
⑤ ㉤이 ㉣로 이동하면 실업률은 증가한다.

12 ㉢에 해당되는 사람을 〈보기〉에서 고른 것은?

ㄱ. 구직을 포기하고 세계 여행 중인 가람 씨
ㄴ. 대학교에서 경영학을 공부하고 있는 나람 씨
ㄷ. 국내 기업에서 과장으로 근무하고 있는 다람 씨
ㄹ. 회사에 사직서를 제출하고 다른 회사에 이력서를 제출한 라람 씨

① ㄱ, ㄴ ② ㄱ, ㄷ ③ ㄴ, ㄷ
④ ㄴ, ㄹ ⑤ ㄷ, ㄹ

13 (가), (나)에 대한 설명으로 옳지 않은 것은?

> (가) 광산 근로자들은 석탄 산업이 쇠퇴하면서 일자리를 잃었다.
> (나) 경기가 악화되어 기업들이 구조 조정을 하면서 많은 사람이 직장을 잃었다.

① (가) – 산업 구조의 변화로 발생하는 실업이다.
② (가) – 스스로의 선택에 의해 일시적으로 발생하는 실업이다.
③ (나) – 경제 상황의 영향으로 발생하는 실업이다.
④ (가), (나)는 개인과 사회에 부정적인 영향을 미칠 수 있다.
⑤ (가)는 구조적 실업, (나)는 경기적 실업에 해당한다.

14 실업의 영향에 대한 설명으로 옳지 않은 것은?

① 실업자 지원을 위한 정부의 재정 부담이 감소한다.
② 일자리를 잃은 사람은 소득이 감소하여 생계가 곤란해질 수 있다.
③ 가계의 소득이 감소하여 소비 활동이 줄어들어 경기가 침체되는 문제가 나타날 수 있다.
④ 일할 능력이 있는 사람이 생산 활동에 참여하지 못하여 인적 자원의 낭비를 가져온다.
⑤ 직업 생활을 통한 자아실현의 기회를 잃고 자아 존중감을 상실하는 정신적 고통을 겪게 될 수 있다.

15 고용 안정을 위한 경제 주체들의 노력으로 적절한 것을 <보기>에서 고른 것은?

보기
ㄱ. 정부는 체계적인 인력 개발 프로그램을 마련한다.
ㄴ. 정부는 재정 지출을 줄여 투자와 소비를 위축시킨다.
ㄷ. 근로자는 자기 계발을 통해 업무 능력을 향상시킨다.
ㄹ. 기업은 근로자와 상호 대립하는 노사 관계를 유지한다.

① ㄱ, ㄴ ② ㄱ, ㄷ ③ ㄴ, ㄷ
④ ㄴ, ㄹ ⑤ ㄷ, ㄹ

03 국제 거래와 환율

16 국제 거래에 대한 설명으로 옳지 않은 것은?

① 나라마다 다른 법과 제도는 국제 거래의 장벽이 된다.
② 오늘날 국제 거래의 규모와 대상은 지속적으로 확대되고 있다.
③ 국제 거래 시 외국 물품 또는 서비스에 부과하는 세금을 관세라고 한다.
④ 각 나라에서 비교 우위를 가지는 상품을 거래하면 거래 상대국 모두에게 이익이 된다.
⑤ 어떤 나라가 다른 나라에 비해 더 높은 비용으로 상품을 생산할 때 그 나라가 비교 우위에 있다고 한다.

17 ㉠, ㉡에 들어갈 용어를 옳게 연결한 것은?

> 자연환경, 천연자원, 기술 수준 등 각국의 생산 여건이 다르기 때문에 동일한 상품을 만드는 데도 (㉠)의 차이가 발생한다. 따라서 각국은 효율적으로 생산할 수 있는 상품에 (㉡)하여 거래하는 것이 유리하다.

	㉠	㉡		㉠	㉡
①	자본	특화	②	생산비	수입
③	생산비	특화	④	생산요소	수출
⑤	비교 우위	수입			

18 ㉠에 해당하는 국제기구의 역할로 적절한 것을 <보기>에서 고른 것은?

> (㉠)은/는 세계 교역 증진과 경제 발전을 목적으로 1995년에 설립된 국제기구이다.

보기
ㄱ. 보호 무역의 확대 추구
ㄴ. 국가 간 무역 마찰 조정
ㄷ. 각종 불공정 무역 행위 규제
ㄹ. 국제 거래의 대상 품목 축소

① ㄱ, ㄴ ② ㄱ, ㄷ ③ ㄴ, ㄷ
④ ㄴ, ㄹ ⑤ ㄷ, ㄹ

19 (가), (나)에 대한 설명으로 옳지 않은 것은?

(가) 지역 경제 협력체
(나) 자유 무역 협정(FTA)

① (가)는 경제적 상호 의존도가 낮은 나라들이 구성한다.
② (가)의 사례로 아시아·태평양 경제 협력체(APEC)가 있다.
③ (나)의 결과 우리나라의 무역 규모가 확대되었다.
④ 우리나라와 (나)를 맺은 국가는 칠레, 페루 등이 있다.
⑤ (가), (나)의 공통된 목적은 경제 협력의 강화이다.

20 환율에 대한 옳은 설명을 〈보기〉에서 고른 것은?

보기
ㄱ. 자국 화폐와 외국 화폐의 교환 비율이다.
ㄴ. 환율의 상승은 원화 가치의 상승을 의미한다.
ㄷ. 외화의 공급보다 수요가 많으면 환율은 하락한다.
ㄹ. 환율은 외화의 수요와 공급이 일치하는 지점에서 결정된다.

① ㄱ, ㄴ ② ㄱ, ㄹ ③ ㄴ, ㄷ
④ ㄴ, ㄹ ⑤ ㄷ, ㄹ

21 밑줄 친 ㉠, ㉡의 발생 요인을 옳게 연결한 것은?

재화와 서비스의 가격이 시장의 수요와 공급에 의해 결정되는 것처럼 환율 역시 ㉠ 외화의 수요와 ㉡ 외화의 공급에 의해 결정된다.

보기
ㄱ. 외채 도입 ㄴ. 외국 상품의 수입
ㄷ. 자국민의 해외여행 ㄹ. 외국인의 국내 투자

	㉠	㉡
①	ㄱ, ㄴ	ㄷ, ㄹ
②	ㄱ, ㄷ	ㄴ, ㄹ
③	ㄱ, ㄹ	ㄴ, ㄷ
④	ㄴ, ㄷ	ㄱ, ㄹ
⑤	ㄴ, ㄹ	ㄱ, ㄷ

22 환율 상승이 국내 경제에 미치는 영향으로 적절하지 않은 것은?

① 수입품의 가격이 상승하여 수입이 감소한다.
② 수출이 증가하여 국내 기업의 생산이 활발해진다.
③ 외화로 빚을 진 경우에 갚아야 할 금액이 줄어든다.
④ 수입 원자재 가격 상승으로 국내 물가가 상승할 수 있다.
⑤ 외화로 표시되는 우리나라 수출 상품의 가격이 하락한다.

[23~24] 그래프는 우리나라 외환 시장의 변화를 나타낸 것이다. 이를 보고 물음에 답하시오.

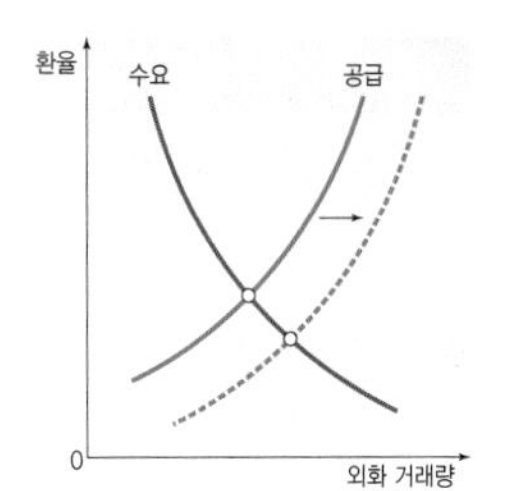

23 위 그래프와 같은 변화를 가져오는 요인으로 옳은 것은?

① 우리나라의 반도체 수출이 증가하였다.
② 우리나라 국민들의 해외여행이 증가하였다.
③ 외제차가 인기를 끌면서 외제차의 국내 수입이 증가하였다.
④ 중국으로 유학을 떠나는 우리나라 학생의 수가 증가하였다.
⑤ 우리나라 정부가 미국에 빌렸던 1억 달러 규모의 외채를 갚았다.

+ 창의·융합

24 위 그래프와 같은 변화가 나타날 경우 유리해지는 사람을 〈보기〉에서 고른 것은?

보기
ㄱ. 미국에서 밀을 수입하는 식료품 업자
ㄴ. 우리나라를 여행 중인 외국인 관광객
ㄷ. 외국에서 활동하는 우리나라 운동 선수
ㄹ. 해외에서 유학 중인 자녀를 둔 우리나라 학부모

① ㄱ, ㄴ ② ㄱ, ㄹ ③ ㄴ, ㄷ
④ ㄴ, ㄹ ⑤ ㄷ, ㄹ

국제 사회와 국제 정치

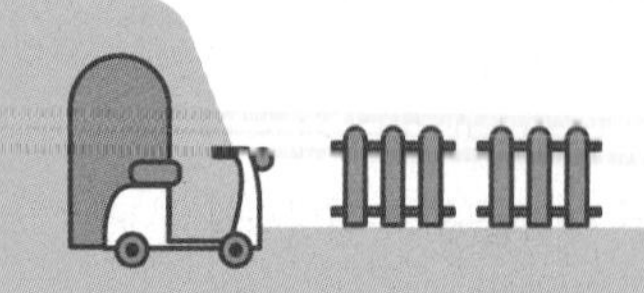

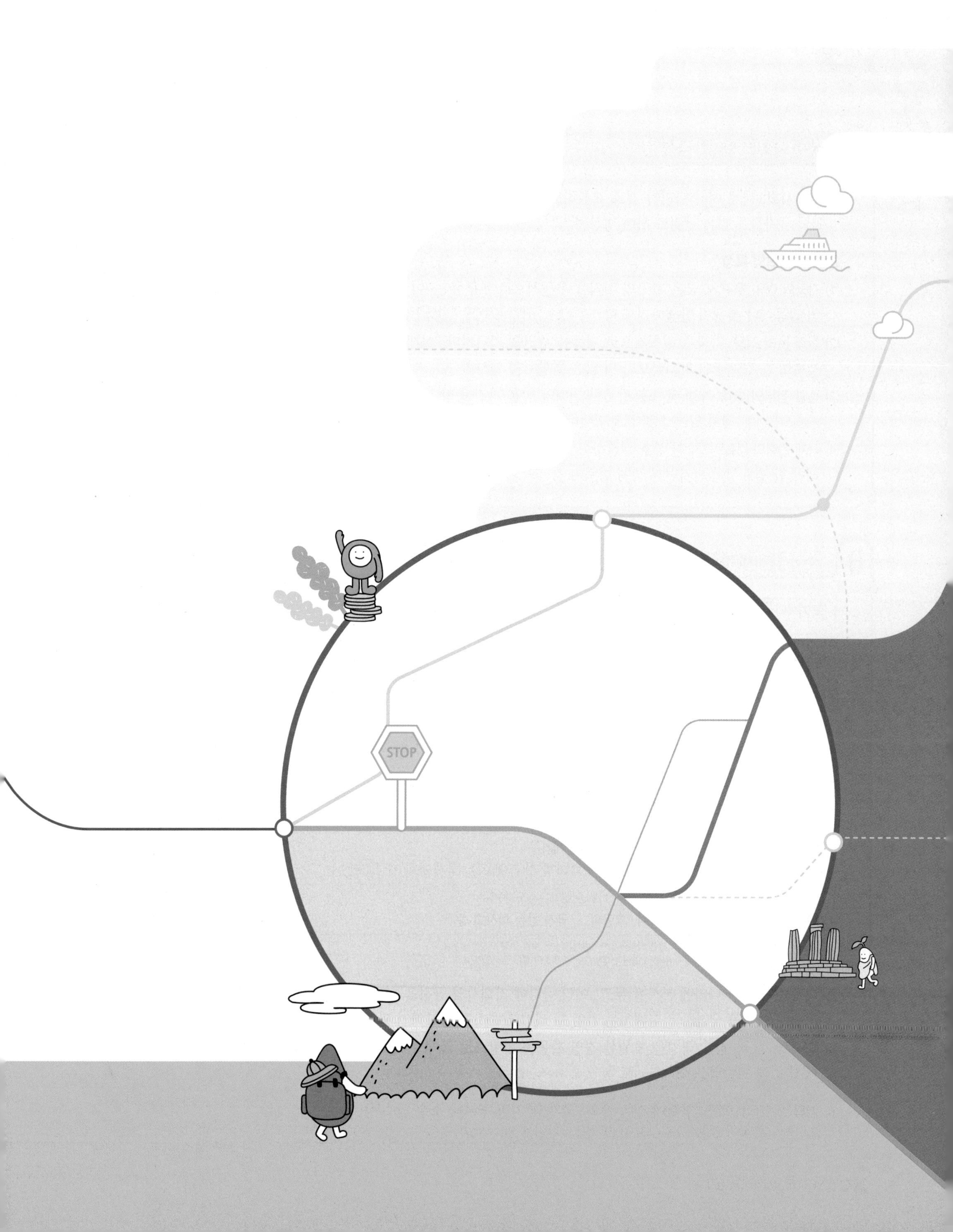
STOP

국제 사회의 이해~국제 사회의 모습과 공존 노력

A 국제 사회의 의미와 특성

1. 국제 사회: 세계 여러 나라가 서로 교류하고 의존하면서 공존하는 사회 → +주권을 지닌 국가들을 기본 단위로 하여 형성됨

2. 국제 사회의 특성

(1) 자국의 이익 추구: 각국은 자국의 이익을 우선적으로 추구함 → 이 과정에서 국가 간의 갈등이나 분쟁이 발생하기도 함

(2) 힘의 논리 적용: 각국은 원칙적으로 평등한 주권을 지니지만, 실제로는 군사력과 경제력이 큰 강대국이 약소국보다 더 많은 영향력을 행사함

예) 국제 연합(UN) 안전 보장 이사회에서 상임 이사국 5개국은 중요 안건을 결정할 때 거부권을 행사할 수 있지.

(3) 중앙 정부의 부재: 개별 국가를 강제할 권위와 힘을 가진 중앙 정부가 존재하지 않음 → 국가 간 분쟁이 일어날 경우 조정이나 해결이 어려움

꼭) 그렇지만 국제법, 국제기구, 세계 여론 등으로 국제 사회의 질서가 일부 유지되고 있기 때문에 국제 사회를 완전한 무정부 상태로 볼 수는 없어.

(4) 국제 협력의 강화: 국가 간 상호 의존성이 깊어지고, 국제 사회의 문제에 공동으로 대처해야 할 필요성이 커지면서 국제 협력이 강화되고 있음

+ 주권
다른 나라의 간섭을 받지 않고, 국가의 의사를 최종적으로 결정하는 권력

B 국제 관계에 영향을 미치는 행위 주체

1. 국가

꼭) 국제 사회에 다양한 행위 주체가 나타나고 있지만, 국가는 여전히 가장 대표적이고 중요한 행위 주체야.

(1) 국가: 국제 사회의 가장 기본적이고 전통적인 행위 주체 → 일정한 영토와 국민을 바탕으로 하여 주권을 가짐

(2) 국가의 역할: 국제법에 따라 독립적인 지위를 가지고 외교 활동을 함, 여러 국제기구에 가입하여 회원국으로서 활동함

2. 국제기구

(1) 국제기구: 국제적인 목적이나 활동을 위해 조직된 행위 주체

(2) +국제기구의 종류

참여 주체에 따라 국제기구를 정부 간 국제기구와 국제 비정부 기구로 구분할 수 있지.

정부 간 국제기구	각국 정부를 회원으로 하는 국제기구 예 국제 연합(UN), 경제 협력 개발 기구(OECD), 국제 통화 기금(IMF) 등
국제 +비정부 기구	개인이나 민간단체를 회원으로 하는 국제기구 예 국제 적십자사, 그린피스, 국경 없는 의사회 등

꼭) 국제적으로 시민 사회의 참여가 활발해짐에 따라 인권이나 환경 운동, 빈곤 추방 등과 관련된 국제 비정부 기구의 역할이 증대되고 있어.

3. 다국적 기업

(1) 다국적 기업: 한 나라에 본사를 두고, 여러 나라에 자회사와 공장을 설립하여 국제적 규모로 상품을 생산하고 판매하는 기업 → 세계화에 따라 영향력이 확대되고 있음

(2) 다국적 기업의 영향: 국경을 초월한 경영 활동을 바탕으로 국제 관계나 개별 국가의 정책 등에 영향력을 행사하기도 함

꼭) 다국적 기업의 활동 과정에서 국가 간 교류가 늘어나고 상호 의존성도 심화되고 있어.

4. 기타: 국제적으로 영향력이 있는 개인, 국가 내 지방 정부나 소수 민족 등

예) 교황과 같은 종교 지도자, 유명한 기업인, 강대국의 전·현직 국가 원수 등

+ 주요 국제기구

국제기구	설명
국제 연합(UN)	세계 평화 유지와 국가 간 협력을 위해 활동하는 국제기구
경제 협력 개발 기구(OECD)	경제 발전과 세계 무역 촉진을 위해 활동하는 국제기구
그린피스	자연 보호 활동을 하는 국제 환경 보호 단체
국경 없는 의사회	전쟁, 기아, 질병, 자연재해 등으로 고통받는 사람들을 구호하는 단체

+ 비정부 기구(NGO)
권력이나 이윤을 추구하지 않고 공공의 이익을 추구하는 시민 사회 단체

- 국제 사회의 의미와 특성
- 국제 관계에 영향을 미치는 행위 주체
- 국제 사회의 경쟁, 갈등, 협력
- 국제 사회의 공존을 위한 노력

1 다음 설명이 맞으면 ○표, 틀리면 ×표를 하시오.

(1) 국제 사회는 국제기구를 기본 단위로 하여 형성된다. (　　)

(2) 국제 사회에는 국가 간 갈등을 해결해 줄 중앙 정부가 존재한다. (　　)

2 ㉠에 들어갈 용어를 쓰시오.

> 국제 사회에서 각국은 원칙적으로 평등한 주권을 가진다. 그렇지만 실제로는 (㉠　　　)의 논리가 적용되어 강대국이 더 큰 영향력을 행사하고 자국에 유리하게 국제 사회를 이끌어가는 경우가 많다.

핵심 콕콕

• 국제 사회의 의미와 특성

의미	세계 여러 나라가 서로 교류하고 의존하면서 공존하는 사회
특성	• 자국의 이익 추구 • 힘의 논리 적용 • 중앙 정부의 부재 • 국제 협력의 강화

1 (　　　　)는 일정한 영토와 국민을 바탕으로 하여 주권을 가지는 국제 사회의 행위 주체이다.

2 국제기구의 종류와 그 사례를 옳게 연결하시오.

(1) 정부 간 국제기구 •　　　　• ㉠ 국제 연합(UN)

(2) 국제 비정부 기구 •　　　　• ㉡ 국경 없는 의사회

3 다음 괄호 안의 내용 중 알맞은 말에 ○표를 하시오.

(1) 국제 사회의 가장 기본적이고 전통적인 행위 주체는 (국가, 국제기구)이다.

(2) (정부 간 국제기구, 국제 비정부 기구)는 개인과 민간단체를 회원으로 한다.

4 다음 설명이 맞으면 ○표, 틀리면 ×표를 하시오.

(1) 다국적 기업의 활동은 국가 간 상호 의존성을 심화하기도 한다. (　　)

(2) 정부 간 국제기구에 속하지 않은 개인은 국제 사회에서 영향력을 행사할 수 없다. (　　)

핵심 콕콕

• 국제 관계에 영향을 미치는 행위 주체

국가	국제 사회의 가장 기본적이고 전통적인 행위 주체
국제 기구	국제적인 목적이나 활동을 위해 조직된 행위 주체
다국적 기업	한 나라에 본사를 두고, 여러 나라에 자회사와 공장을 설립하여 상품을 생산하고 판매하는 기업

C 국제 사회의 경쟁과 갈등

1. 국제 사회의 경쟁

(1) 원인: 각국이 자국의 이익을 우선적으로 추구함

(2) 특징: 세계화로 국가 간 경쟁이 더욱 치열해지고 있으며, 다양한 분야로 확대되고 있음 → 지나친 국가 간 경쟁은 갈등으로 이어지기도 함

2. 국제 사회의 갈등

(1) 특징: 국가, 국제기구, 다국적 기업 등 여러 행위 주체의 +이해관계를 둘러싸고 다양한 양상으로 나타남

(2) 양상: 한정된 자원을 둘러싼 갈등, 민족과 종교의 차이에서 비롯된 갈등, 주권과 영토를 둘러싼 갈등, 환경 문제를 둘러싼 갈등, 무역 분쟁, 사이버 공간에서의 분쟁 등

예) 삼림 파괴, 온실가스 배출 등을 둘러싼 갈등

(3) 문제점: 평화적으로 해결하지 못할 경우 전쟁이 발생하기도 함

+ 이해관계
이익과 손해가 걸려 있는 관계

정보 사회의 발달로 해킹, 바이러스 전파와 같은 사이버 공간에서의 국가 간 분쟁도 점차 증가하는 추세야.

자료로 이해하기 국제 사회의 다양한 경쟁과 갈등

(가) 현재 중국의 통치 아래 있는 티베트와 위구르 등의 소수 민족이 중국에 대해 독립을 주장하면서 갈등을 빚고 있다.
(나) 국제 비정부 기구인 그린피스가 다국적 기업에 해양 파괴를 중지할 것을 요구하고, 다국적 기업이 이에 대응하면서 갈등을 빚고 있다.
(다) 카스피해는 석유와 천연가스의 보고이다. 카스피해를 바다로 볼지, 호수로 볼지에 따라 각국의 영역이 달라지므로 각국이 주장을 달리하고 있다.

(가)는 민족, (나)는 환경, (다)는 자원을 둘러싼 갈등 사례에 해당한다. 이처럼 국제 사회에서는 영토, 인종, 민족, 자원, 환경 등 다양한 원인에서 비롯된 경쟁과 갈등이 끊이지 않고 나타나고 있다.

D 국제 사회의 협력

1. 국제 사회 문제의 특징: 국제 사회의 문제는 국경을 초월하여 발생하며, 전 세계에 걸쳐 영향을 미침

2. 국제 협력의 필요성: 해당 지역의 노력만으로는 문제를 해결하기 어려우므로 국제 협력을 통해 국제 사회의 문제를 해결해야 함

3. 국제 사회의 협력 사례

(1) 주요 결의안 채택: 세계 각국이 인권 선언이나 국제 환경 협약과 같은 결의안을 채택하여 국제 협력을 통해 국제 사회의 문제를 해결하고자 노력함

(2) 공적 개발 원조(ODA): 일부 국가들이 개발 도상국의 경제 발전과 복지 증진을 목적으로 도움을 주는 공적 개발 원조를 통해 개발 도상국의 경제 성장과 복지에 기여함

(3) 지역 간 경제 협력: 많은 국가가 지리적으로 가까운 지역끼리 경제 협력체를 구성하거나 협정을 맺어 상호 간의 이익을 증진하고자 노력함

(4) 기타: 국제 사회의 분쟁 해결 과정에 국제기구 개입, +지속 가능한 개발 목표 채택, 전쟁 예방과 환경 오염에 공동 대처 등

+ 지속 가능한 개발 목표(SDGs)
국제 연합(UN)에서 채택한 국제 사회의 개발 목표로, 빈곤과 기아 종식, 양성평등 달성 등 17가지 목표로 이루어져 있다.

1 ㉠, ㉡에 들어갈 용어를 각각 쓰시오.

> 각국이 자국의 (㉠)을 추구하는 과정에서 국가 간 경쟁이 발생하고 있으며, (㉡)로 인해 경쟁이 다양한 분야로 확대되고 있다.

2 다음 설명이 맞으면 ○표, 틀리면 ×표를 하시오.

(1) 세계화로 국가 간 경쟁은 약화되고 있다. ( )

(2) 최근 사이버 공간에서의 국가 간 분쟁이 증가하고 있다. ( )

(3) 국제 사회의 경쟁과 갈등은 국가 간의 관계에서만 발생하고 있다. ( )

(4) 국제 사회의 갈등을 평화적으로 해결하지 못할 경우 전쟁으로 이어질 수 있다. ( )

3 국제 사회의 갈등 양상과 그 사례를 옳게 연결하시오.

(1) 무역 분쟁 •	• ㉠ 관세 부과와 관련한 국가 간 갈등
(2) 자원을 둘러싼 갈등 •	• ㉡ 온실가스 배출을 둘러싼 국가 간 갈등
(3) 환경 문제를 둘러싼 갈등 •	• ㉢ 천연가스를 확보하기 위한 국가 간 갈등

핵심 콕콕

• **국제 사회의 경쟁과 갈등**

국제 사회의 경쟁
각국이 자국의 이익을 우선적으로 추구함 → 세계화로 국가 간 경쟁이 심화함

↓

국제 사회의 갈등
여러 행위 주체의 이해관계를 둘러싸고 다양한 양상으로 나타남 → 평화적으로 해결하지 못할 경우 전쟁이 발생하기도 함

1 다음 설명이 맞으면 ○표, 틀리면 ×표를 하시오.

(1) 국제 사회의 문제는 전 세계에 영향을 미친다. ( )

(2) 국제 사회의 문제는 특정 국가의 노력만으로 해결하기 쉽다. ( )

2 ㉠에 들어갈 용어를 쓰시오.

> 일부 국가들은 개발 도상국의 경제 발전과 복지 증진을 위해 도움을 주는 (㉠)를 통해 국제 사회의 공존을 위해 노력하고 있다.

핵심 콕콕

• **국제 사회의 협력**

협력의 필요성	국경을 초월하여 발생하는 국제 사회의 문제는 특정 국가의 노력만으로는 해결하기 어려움
협력 사례	• 주요 결의안 채택 • 공적 개발 원조(ODA) • 지역 간 경제 협력

E 국제 사회의 외교

1. 외교의 의미와 중요성

(1) 외교와 외교 정책의 의미

외교	한 국가가 국제 사회에서 자국의 이익을 평화적으로 달성하려는 활동
외교 정책	외교를 통해 자국의 이익을 보호하고 증진할 목적으로 수립하는 정책

(2) 외교의 중요성: 자국의 정치적·경제적 이익 실현, 자국의 위상 강화, 국가 간 분쟁 해결 및 예방 등을 위해 외교의 중요성이 커지고 있음 ― 외교 활동을 소홀히 할 경우 국가 이익의 손실이 발생하거나 국제적으로 고립될 수도 있어.

(3) 외교 활동의 변화

전통적인 외교	외교관 파견, 정상 회담, 정부 간 협상 등 정부 간 활동을 중심으로 이루어짐
오늘날의 외교	정부 간 활동을 포함하여 스포츠나 문화 등 ⁺민간 차원의 외교 활동도 활발하게 이루어짐 ― 비교 과거에는 안보를 위해 정치적 목적으로 외교가 이루어졌다면 오늘날에는 경제, 문화, 환경, 자원, 인권 등 다양한 분야에서 외교 활동이 이루어지고 있어.

+ 민간 외교
정부 관계자가 아닌 일반 시민이 예술, 문화, 체육 등의 분야에서 하는 외교

+ 통상
나라들 사이에 서로 물품을 사고파는 것

2. 우리나라의 외교 활동: 국가 안전 보장, 평화 통일을 위한 국제적 여건의 조성, 경제 발전을 위한 자원·자본 및 기술의 확보, ⁺통상 증대 등을 위해 활발한 외교 활동을 펼침

― 우리나라는 해외에서 발생하는 전염병, 재난 피해에 대한 긴급 구호에 참여하는 등 국제 사회의 일원으로서 평화 유지를 위해서도 노력하고 있어.

자료로 이해하기 국제 사회의 공존에 기여한 외교 활동

> 2002년 이란의 비밀 우라늄 농축 시설이 드러나면서 시작된 이란 핵 위기 갈등이 외교 협상을 통해 13년 만에 해결되었다. 이번 협상으로 이란은 핵 개발 활동을 중단하고, 국제 사회는 그 대가로 이란에 대한 경제·금융 제재를 해제하기로 하였다. -「한국일보」, 2015. 7. 14.

외교 협상을 통해 이란은 경제적인 이익을 얻을 수 있게 되었고, 국제 사회는 핵 위협의 완화를 통해 세계 평화 유지에 한 걸음 더 나아가게 되었다. 이처럼 각국은 다양한 방식의 외교 활동을 통해 자국의 이익을 추구하고 국제 사회의 평화를 위해 노력한다.

F 국제 사회의 공존을 위한 노력

1. 국제 사회의 노력

(1) ⁺국제법 준수: 국가 간 합의로 만든 국제법을 준수하고, 국제법에 따라 분쟁을 해결함

(2) 국제기구 참여: 각국은 다양한 국제기구에 참여하여 국제 협력 증진을 위해 노력함

(3) 민간단체를 통한 국제 협력: 인권, 환경, 보건 등 다양한 영역에서 국제 사회의 문제 해결을 위해 노력함 예 난민 보호 활동, 사막화를 막기 위한 나무 심기 활동 등

2. 세계 시민 의식 함양

(1) 세계 시민 의식: 공동체 의식을 바탕으로 국제 사회 문제에 관심을 두고, 그 문제를 해결하기 위해 적극적으로 행동하는 참여 의식과 책임 의식

(2) 세계 시민 의식 함양을 위한 요건

① 국제 사회의 상호 의존성을 이해하고 ⁺사회 정의와 같은 보편적 가치를 존중해야 함

② 국제 사회의 문제를 해결하기 위해 책임감을 가지고 적극적으로 행동해야 함

③ 열린 마음으로 세계의 다양한 문화를 편견 없이 이해하고 존중해야 함

+ 국제법
국제 사회에서 행위 주체들의 관계를 규율하고 국제 질서를 유지하는 규범이나 원칙

+ 사회 정의
개인에게 정당한 몫을 분배하는 것

1 ㉠, ㉡에 들어갈 용어를 각각 쓰시오.

> 한 국가가 국제 사회에서 자국의 정치적 목적이나 이익을 평화적으로 실현하기 위해 수행하는 모든 행위를 (㉠)라고 하며, 이를 위해 수립하는 정책을 (㉡)이라고 한다.

2 다음 괄호 안의 내용 중 알맞은 말에 ○표 하시오.

(1) 오늘날 외교 활동이 이루어지는 분야는 점차 (확대, 축소)되고 있다.

(2) 과거에는 주로 (정부, 민간단체)를 중심으로 외교 활동이 이루어졌다.

3 다음 설명이 맞으면 ○표, 틀리면 ×표를 하시오.

(1) 외교는 국가 원수나 외교관만 할 수 있는 활동이다. ( )

(2) 각국은 외교를 통해 자국의 대외적 위상을 높일 수 있다. ( )

(3) 외교는 국가 간의 분쟁을 해결하거나 예방하기 위한 수단으로 활용된다. ( )

(4) 우리나라는 국제 사회의 공동 문제를 해결하기 위해 활발한 외교 활동을 펼치고 있다. ( )

• 국제 사회의 외교

외교
한 국가가 국제 사회에서 자국의 이익을 평화적으로 달성하려는 활동

↓

외교의 중요성
자국의 정치적·경제적 이익 실현, 자국의 위상 강화, 국가 간 분쟁 해결 및 예방 등

1 다음 설명이 맞으면 ○표, 틀리면 ×표를 하시오.

(1) 민간단체도 국제 사회의 일원으로 국제 사회의 공존에 기여할 수 있다. ( )

(2) 오늘날 많은 국가는 국제기구에 의해 만들어진 국제법을 준수하고 있다. ( )

2 ㉠에 들어갈 용어를 쓰시오.

> (㉠)은 공동체 의식을 바탕으로 국제 사회 문제에 관심을 두고, 그 문제를 해결하기 위해 적극적으로 행동하는 세계 시민으로서 지녀야 할 참여 의식과 책임 의식을 말한다.

• 국제 사회의 공존을 위한 노력

국제 사회의 노력	• 국제법 준수 • 국제기구 참여 • 민간단체를 통한 국제 협력
✚	
세계 시민 의식 함양	국제 사회 문제에 관심을 두고 이를 해결하기 위해 적극적으로 행동함

[01~02] 다음 글을 읽고 물음에 답하시오.

> 오늘날 세계 각국은 서로 밀접한 관계를 맺으며 폭넓게 교류한다. 이처럼 세계 여러 나라가 서로 교류하고 의존하면서 공존하는 사회를 (㉠)(이)라고 한다.

01 ㉠에 들어갈 용어를 쓰시오.

☆ 시험에 잘 나와!

02 ㉠의 특성으로 적절한 것을 〈보기〉에서 고른 것은?

〈보기〉
ㄱ. 강제성을 지닌 중앙 정부가 존재한다.
ㄴ. 국제 협력의 필요성이 점차 약화하고 있다.
ㄷ. 각국은 자국의 이익을 우선적으로 추구한다.
ㄹ. 강대국이 약소국에 비해 많은 영향력을 행사한다.

① ㄱ, ㄴ ② ㄱ, ㄷ ③ ㄴ, ㄷ
④ ㄴ, ㄹ ⑤ ㄷ, ㄹ

03 다음 사례를 통해 알 수 있는 국제 사회의 특성으로 가장 적절한 것은?

> 2016년 6월, 영국은 유럽 연합(EU)의 지나친 규제와 과도한 분담금이 자국 경제에 나쁜 영향을 미치고 있다는 이유로 유럽 연합을 탈퇴하기로 결정하였다.

① 힘의 논리가 적용된다.
② 자국의 이익을 우선시한다.
③ 중앙 정부가 존재하지 않는다.
④ 국제 협력이 점차 강화되고 있다.
⑤ 강대국은 국제 사회에서 큰 영향력을 행사한다.

04 (가)에 들어갈 내용으로 적절한 것을 〈보기〉에서 고른 것은?

> 국제 연합(UN) 안전 보장 이사회에서 중요 안건의 의사 결정은 상임 이사국 5개국 모두를 포함한 9개국의 동의로 이루어진다. 미국, 중국, 영국, 프랑스, 러시아 등의 상임 이사국 중 한 국가라도 거부권을 행사한다면 해당 안건은 무산된다. 이를 통해 ＿＿＿(가)＿＿＿ 알 수 있다.

〈보기〉
ㄱ. 국제 협력의 필요성이 약화되고 있음을
ㄴ. 국제 사회에는 힘의 논리가 작용한다는 것을
ㄷ. 국제 연합(UN)이 중앙 정부로서의 역할을 수행한다는 것을
ㄹ. 실질적으로 각 국가가 영향력을 행사하는 정도에 차이가 있음을

① ㄱ, ㄴ ② ㄱ, ㄷ ③ ㄴ, ㄷ
④ ㄴ, ㄹ ⑤ ㄷ, ㄹ

05 다음에서 설명하는 국제 사회의 행위 주체로 옳은 것은?

> • 외교 활동의 주체로서 활동한다.
> • 국제법에 따라 독립적인 지위를 보장받는다.
> • 국제 사회의 가장 기본적이고 전통적인 행위 주체이다.

① 국가 ② 다국적 기업
③ 국제 비정부 기구 ④ 영향력 있는 개인
⑤ 정부 간 국제기구

06 국제기구에 대한 설명으로 옳지 않은 것은?

① 국제 사회의 질서 유시에 기여한다.
② 국제적인 목적이나 활동을 위해 조직된다.
③ 일정한 영토와 국민을 바탕으로 주권을 가진다.
④ 정치, 경제, 환경 등 다양한 영역에 걸쳐 활동한다.
⑤ 정부 간 국제기구와 국제 비정부 기구로 구분할 수 있다.

정답 친해 41쪽

07 ㉠, ㉡에 해당하는 국제 사회의 행위 주체를 〈보기〉에서 골라 옳게 연결한 것은?

> 국제기구는 참여하는 주체에 따라 ㉠ 정부 간 국제기구와 ㉡ 국제 비정부 기구로 구분된다.

〈보기〉
ㄱ. 그린피스　　ㄴ. 국제 연합(UN)
ㄷ. 국제 적십자사　　ㄹ. 국제 통화 기금(IMF)

	㉠	㉡		㉠	㉡
①	ㄱ, ㄴ	ㄷ, ㄹ	②	ㄱ, ㄷ	ㄴ, ㄹ
③	ㄱ, ㄹ	ㄴ, ㄷ	④	ㄴ, ㄷ	ㄱ, ㄹ
⑤	ㄴ, ㄹ	ㄱ, ㄷ			

08 제시된 단체들의 공통적인 특징으로 적절한 것은?

> • 국제 연합(UN)
> • 유럽 연합(EU)
> • 경제 협력 개발 기구(OECD)

① 국경의 범위 내에서 활동한다.
② 정부 간 국제기구에 해당한다.
③ 주권을 가지고 외교 활동을 한다.
④ 국제 사회를 구성하는 기본 단위이다.
⑤ 경제력을 바탕으로 국제 사회에 영향력을 행사한다.

09 밑줄 친 국제 사회의 행위 주체에 대한 설명으로 옳은 것은?

> 국제 의료 단체인 국경 없는 의사회는 에볼라의 위험성을 경고하고, 국제 사회의 동참을 요구하며 에볼라와의 전쟁을 주도하였다.

① 개인이나 민간단체를 회원으로 한다.
② 국제법에 따라 독립적인 지위를 가진다.
③ 시민 참여가 활발해지면서 역할이 축소되고 있다.
④ 국경을 넘나드는 경영 활동을 통해 이윤을 얻는다.
⑤ 공식적인 외교 활동을 통해 경제적 이익을 추구한다.

10 ㉠에 들어갈 국제 사회의 행위 주체에 대한 옳은 설명을 〈보기〉에서 고른 것은?

> (㉠)은/는 한 나라에 본사를 두고, 여러 나라에 자회사와 공장을 설립하여 국제적 규모로 상품을 생산하고 판매한다.

〈보기〉
ㄱ. 국경의 의미를 약화시킨다.
ㄴ. 각국 정부를 회원으로 한다.
ㄷ. 국제 사회의 가장 기본적인 행위 주체이다.
ㄹ. 세계화가 진전되면서 그 영향력이 확대되고 있다.

① ㄱ, ㄴ　② ㄱ, ㄹ　③ ㄴ, ㄷ
④ ㄴ, ㄹ　⑤ ㄷ, ㄹ

시험에 잘 나와!

11 밑줄 친 ㉠~㉣에 대한 설명으로 옳은 것은?

> 최근 전 세계적으로 난민 문제에 대한 목소리가 높아짐에 따라 ㉠ 유럽 연합(EU)은 회원국의 난민 수용 규모를 대폭 확대하는 방안을 추진하고 있다. 특히 ㉡ 독일은 인도적 차원에서 난민을 가장 적극적으로 수용하고 있다. 한편 ㉢ 국제 적십자사와 ㉣ 교황은 난민들을 위한 국제 사회 차원의 대책을 촉구하는 성명을 발표하였다.

① ㉠은 국제 사회의 가장 전통적인 행위 주체이다.
② ㉡은 국제법에 따라 독립적인 지위를 보장받는다.
③ ㉢은 전 세계적으로 생산 및 유통망을 가지고 있다.
④ ㉣은 국제 사회의 행위 주체가 될 수 없다.
⑤ ㉢은 ㉡을 회원으로 조직되기도 한다.

12 국제 사회의 경쟁과 갈등에 대한 설명으로 옳지 않은 것은?

① 세계화로 국가 간 경쟁이 약화되고 있다.
② 다양한 원인에 의해 갈등이 나타나고 있다.
③ 국가 간의 갈등은 전쟁으로 이어지기도 있다.
④ 정보 사회의 발달로 국가 간 사이버 분쟁이 늘고 있다.
⑤ 각국이 자국의 이익을 추구하는 과정에서 경쟁이 발생하고 있다.

13 다음은 수업 시간의 한 장면이다. 선생님의 질문에 옳게 답변한 학생을 고른 것은?

① 가현, 나현 ② 가현, 라현 ③ 나현, 다현
④ 나현, 라현 ⑤ 다현, 라현

14 (가), (나) 사례에 대한 옳은 설명만을 〈보기〉에서 있는 대로 고른 것은?

(가) 동아시아의 중요한 해상로이자 석유, 천연가스 등이 풍부한 것으로 알려진 남중국해를 두고 중국, 베트남, 필리핀 등의 영유권 분쟁이 벌어지고 있다.
(나) 제2차 세계 대전 이후 이스라엘이 건국되면서 유대교를 믿는 유대인들과 그 지역에서 오랫동안 거주해 온 이슬람교를 믿는 팔레스타인 사람들 간의 분쟁이 계속되고 있다.

보기
ㄱ. (가)는 자원을 둘러싼 갈등이다.
ㄴ. (나)는 민족과 종교의 차이에서 비롯된 갈등이다.
ㄷ. (가)와 달리 (나)는 국제 사회의 협력 사례에 해당한다.
ㄹ. (가), (나)와 같은 상황이 지속될 경우 전쟁으로 이어질 수도 있다.

① ㄱ, ㄴ ② ㄱ, ㄹ ③ ㄴ, ㄷ
④ ㄱ, ㄴ, ㄹ ⑤ ㄴ, ㄷ, ㄹ

15 다음 사례에 대한 분석으로 옳지 않은 것은?

2015년 12월, 파리에서 국제 연합 기후 변화 협약 총회가 열렸다. 총회에서 체결된 협정의 내용은 다음과 같다.

195개국 당사국 모두가 참여하는 「파리 협정」
- 2100년까지 지구의 평균 기온 상승 폭을 1.5℃ 이하로 제한함
- 21세기 후반 이산화 탄소 순 배출량 0%를 목표로 함
- 선진국은 연간 1천억 달러 이상을 개발 도상국에 지원하기로 함

① 국제 사회의 협력 사례에 해당한다.
② 선진국이 개발 도상국보다 큰 책임을 지고 있다.
③ 국제기구가 군사력을 사용하여 문제를 해결하였다.
④ 환경 문제는 국경을 초월하여 발생하는 국제 문제이다.
⑤ 환경 문제는 특정 국가의 노력만으로 해결하기 어렵다.

시험에 잘 나와!

16 다음 활동들의 공통점으로 적절한 것은?

- 세계 인권 선언 채택
- 공적 개발 원조(ODA) 진행
- 지속 가능한 개발 목표(SDGs) 채택

① 특정 지역에만 영향을 준다.
② 국제 사회의 갈등을 심화한다.
③ 국제 사회의 협력을 필요로 한다.
④ 일부 국가들의 이익을 우선시한다.
⑤ 특정 국가의 노력만으로 목표 달성이 가능하다.

17 다음에서 설명하는 용어를 쓰시오.

한 국가가 국제 사회에서 자국의 정치적 또는 경제적 이익을 평화적으로 달성하기 위한 모든 활동을 의미한다.

18 ☆시험에 잘 나와! 외교에 대한 옳은 설명만을 〈보기〉에서 있는 대로 고른 것은?

〈보기〉
ㄱ. 외교 활동을 통해 자국의 대외적 위상을 높일 수 있다.
ㄴ. 국제 사회의 공존을 위해 외교의 중요성이 더욱 커지고 있다.
ㄷ. 오늘날에는 스포츠, 문화 등 다양한 분야에서 외교 활동이 이루어진다.
ㄹ. 국가 간 정상을 중심으로 한 외교 활동은 증가하고 있는 반면, 민간 차원의 외교 활동은 감소하고 있다.

① ㄱ, ㄴ ② ㄴ, ㄷ ③ ㄷ, ㄹ
④ ㄱ, ㄴ, ㄷ ⑤ ㄴ, ㄷ, ㄹ

19 다음 사례에 나타난 외교 활동의 목적으로 가장 적절한 것은?

지진으로 4천여 명이 넘는 사망자가 발생한 네팔에 우리 정부가 '대한민국 긴급 구호대'를 파견하기로 결정하였다. 대한민국 긴급 구호대는 국제 연합과 협의하여 활동 지역과 임무를 정하고, 국제 사회가 파견한 다양한 구호 인력 및 네팔 정부와 긴밀히 협력할 예정이다.
– 「연합뉴스」, 2015. 1. 17.

① 국제 분쟁을 해결하기 위해
② 힘의 논리를 적용하기 위해
③ 자국의 이익을 최대화하기 위해
④ 국제적 고립에서 벗어나기 위해
⑤ 국제 사회의 공존에 이바지하기 위해

20 국제 사회의 공존을 위해 가져야 할 자세로 적절하지 않은 것은?

① 국제 사회의 상호 의존성을 인식한다.
② 사회 정의와 같은 보편적 가치를 존중한다.
③ 지구촌 곳곳의 문제를 우리 자신의 문제라고 생각한다.
④ 국제 사회의 문제를 해결하는 과정에 책임감을 가지고 참여한다.
⑤ 세계의 다양한 문화 중 선진국의 문화만을 이해하고 존중해야 한다.

서술형 문제

서술형 감잡기

01 다음 사례를 통해 알 수 있는 국제 사회의 특성을 서술하시오.

2014년 민간인을 공격한 시리아에 대한 제재를 안건으로 두고 국제 연합(UN) 안전 보장 이사회에서 회의가 열렸다. 15개국 중 13개국이 제재에 찬성하였지만, 상임 이사국인 중국과 러시아가 거부권을 행사하여 시리아에 대한 제재가 무산되었다.

➜ 국제 사회에서 각국은 원칙적으로 (①) 주권을 지니지만, 실제로는 (②)의 논리가 적용되기 때문에 국력에 따라 주권을 행사하는 정도에 차이가 있다.

실전! 서술형 도전하기

02 다음 내용을 보고 물음에 답하시오.

(가) 국제 통화 기금(IMF), 국제 연합(UN)
(나) 그린피스, 국경 없는 의사회, 국제 사면 위원회

(1) (가), (나)와 같은 국제 사회의 행위 주체를 무엇이라고 하는지 각각 쓰시오.

(2) (가), (나)의 회원 자격을 비교하여 서술하시오.

03 국제 사회에서 외교의 중요성을 세 가지 이상 서술하시오.

03 우리나라의 국가 간 갈등 문제

A 우리나라가 직면한 국가 간 갈등

1. 우리나라와 일본의 갈등

꼭 독도는 풍부한 해양 자원을 보유하고 있을 뿐만 아니라 군사적·전략적 요충지로서 국가 안보에 중요한 역할을 해.

일본의 독도 영유권 주장	• 독도: 역사적, 지리적, 국제법적으로 명백한 우리의 고유 영토임 → 현재 우리나라가 확고한 주권을 행사하고 있음 • 일본의 주장: 독도의 경제적·군사적 가치를 선점하기 위해 독도 영유권을 주장함 → 독도를 영토 분쟁 지역으로 만들고자 +국제 사법 재판소에 제소함
일본의 역사 교과서 왜곡	일본 교과서에 독도 영유권 주장을 강화하고, 일본군 '위안부'와 관련된 기술을 삭제하거나 강제 동원 사실을 숨기는 등 역사적 사실을 왜곡함
기타	일본 정치인의 야스쿠니 신사 참배 문제, 동해 표기를 둘러싼 갈등 등

고대 한일 관계에 대해서도 왜곡하여 기술하고 있어.

2. 우리나라와 중국의 갈등

꼭 역사 왜곡은 관련 국가의 역사와 민족 정체성을 훼손할 수 있어.

중국의 +동북 공정	• 내용: 고조선, 고구려, 발해를 중국 고대의 지방 정권으로 왜곡함 → 우리나라의 역사를 중국 역사의 일부분으로 통합하려는 역사 왜곡임 • 목적: 한반도 통일 이후 발생할 수 있는 영토 분쟁과 중국 내 소수 민족의 독립을 방지 → 현재의 영토를 확고히 하기 위함
중국의 불법 조업	중국 어선이 우리나라의 +배타적 경제 수역을 침범하여 불법적으로 어업 활동을 함 → 해양 자원을 둘러싼 중국과의 갈등이 증가함

+ 국제 사법 재판소
국가 간의 분쟁을 국제법을 적용하여 해결하는 국제 연합(UN)의 사법 기관

+ 동북 공정
중국 동북 3성 지역의 역사를 연구하는 사업으로 오늘날의 중국 국경 안에서 이루어진 모든 역사를 중국의 역사로 만들기 위해 중국이 추진했던 연구 사업

+ 배타적 경제 수역
한 국가가 해양 자원의 탐사, 개발, 보존, 관리 등을 할 수 있는 권리가 미치는 수역

B 우리나라가 직면한 국가 간 갈등의 해결 노력

1. 국가 간 갈등 해결을 위한 정부의 활동

(1) 적극적인 외교 활동: 국가 간 갈등 문제를 평화적으로 해결하기 위한 외교 정책을 추진하고 국제 사회에 우리의 입장을 알림

꼭 관련 국가의 입장을 면밀히 분석한 후 확실한 근거를 토대로 반박할 수 있도록 연구해야 해.

(2) 전문 기관의 운영: 관련 자료를 수집하고 연구할 수 있는 전문 기관을 운영하고, 축적한 자료들을 국내외에 홍보하고 교육할 수 있는 여건을 마련하고자 노력함

2. 국가 간 갈등 해결을 위한 시민 사회의 활동

(1) +민간 외교 강화: 조직적인 국제 활동을 통해 국가 간 갈등 문제를 전 세계에 알림

(2) 공동 연구: 학자들의 국가 간 공동 연구를 통해 갈등 상황의 사실 관계를 밝히기 위해 노력함

(3) 시민 단체 활동: 다양한 홍보와 교육을 통해 국민들이 우리나라가 직면한 갈등을 바로 알 수 있도록 함

예 서명 운동, 홍보 동영상 제작 등

3. 국가 간 갈등 해결을 위한 자세

(1) 갈등의 원인과 실태를 정확하게 파악하여 합리적 해결 방안을 모색해야 함

(2) 문제 해결 과정에 정부와 시민 사회가 적극적으로 참여해야 함

(3) 객관적 근거를 바탕으로 상호 협력과 이해를 통해 국가 간 갈등을 해결해야 함

+ 민간 외교 단체 – 반크(VANK)
반크(VANK)는 전 세계에 한국의 모습을 올바로 알리는 것을 목표로 활동하는 사이버 민간 외교 단체이다. 교육 프로그램을 통해 사이버 외교관을 양성하고, 이들을 통해 우리나라에 관해 왜곡되거나 잘못 기재된 자료를 찾아 바로잡는 활동을 전개한다.

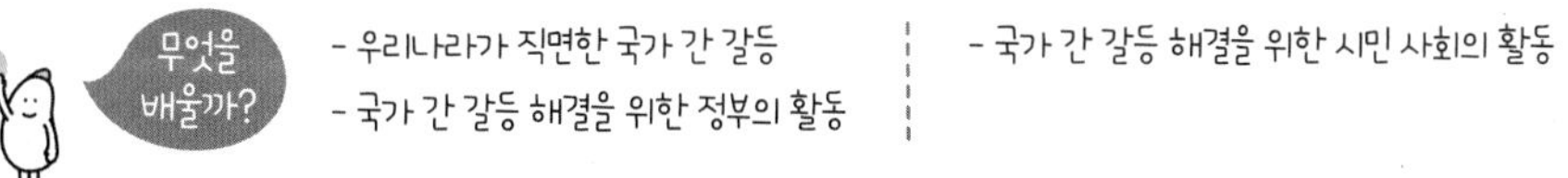

1 (　　　　)은 중국이 고조선, 고구려, 발해 등 우리나라의 역사를 중국 역사의 일부분으로 통합하려는 목적으로 추진했던 연구 사업이다.

2 다음 괄호 안의 내용 중 알맞은 말에 ○표를 하시오.

(1) 독도는 현재 (우리나라, 일본)이/가 주권을 행사하고 있다.

(2) (일본, 중국) 어선이 우리나라의 배타적 경제 수역에서 불법 조업을 하면서 해양 자원을 둘러싼 갈등이 발생하고 있다.

3 다음 설명이 맞으면 ○표, 틀리면 ×표를 하시오.

(1) 일본은 독도 문제를 국제 사회의 개입 없이 해결하고자 한다. (　　)

(2) 중국은 동북 공정을 통해 소수 민족의 독립을 막고 주변국과의 영토 분쟁을 방지하고자 한다. (　　)

핵심 콕콕

• 우리나라가 직면한 국가 간 갈등

일본과의 갈등	• 일본의 독도 영유권 주장 • 일본의 역사 교과서 왜곡
중국과의 갈등	• 중국의 동북 공정 • 중국의 불법 조업

1 국가 간 갈등 해결을 위한 정부 차원의 노력을 〈보기〉에서 골라 기호를 쓰시오.

보기
ㄱ. 민간 외교 강화　　ㄴ. 전문 기관의 운영
ㄷ. 적극적인 외교 정책 추진　　ㄹ. 학자들의 국가 간 공동 연구 진행

2 다음 설명이 맞으면 ○표, 틀리면 ×표를 하시오.

(1) 각국은 객관적 근거를 바탕으로 국가 간 갈등을 해결해야 한다. (　　)

(2) 국제 관계의 갈등 해결을 위해 국가 간 공동 연구를 축소해야 한다. (　　)

(3) 주변국과의 갈등 문제는 정부의 외교 활동을 통해서만 해결해야 한다. (　　)

핵심 콕콕

• 국가 간 갈등 해결을 위한 활동

정부	• 적극적인 외교 활동 • 전문 기관의 운영
시민 사회	• 민간 외교 강화 • 국가 간 공동 연구 실시 • 시민 단체 활동

01 우리나라와 일본이 겪고 있는 갈등 사례로 적절하지 <u>않은</u> 것은?

① 동북 공정 문제
② 독도 영유권 주장
③ 역사 교과서 왜곡
④ 야스쿠니 신사 참배
⑤ 동해 표기를 둘러싼 갈등

02 다음은 독도에 대한 설명이다. 밑줄 친 ㉠~㉤ 중 옳지 <u>않은</u> 것은?

> 독도는 ㉠ <u>국제법상 명백한 우리의 고유 영토</u>이다. 그런데 일본이 ㉡ <u>독도의 해양 자원을 선점</u>하고 그 주변 지역을 ㉢ <u>군사적 거점으로 활용</u>할 목적으로 ㉣ <u>독도에 대한 영유권을 주장</u>하면서 양국 간 외교 마찰이 발생하고 있다. 이와 관련하여 ㉤ <u>우리나라는 국제 사법 재판소를 통해 독도 문제를 해결할 것을 주장</u>하고 있다.

① ㉠ ② ㉡ ③ ㉢ ④ ㉣ ⑤ ㉤

03 밑줄 친 부분에 해당하는 내용을 〈보기〉에서 고른 것은?

> 일본의 역사 교과서 35종 가운데 27종의 교과서가 <u>왜곡된 내용을</u> 다루고 있다고 나타났다. 일본의 이러한 역사 왜곡으로 우리나라와 일본의 갈등은 더욱 깊어지고 있다.

〈보기〉
ㄱ. 일본이 독도 영유권을 가진다고 본다.
ㄴ. 독도는 한국의 영토임을 인정하고 있다.
ㄷ. 일본군 '위안부' 문제에 대해 기술하지 않고 있다.
ㄹ. 한국과 일본의 고대사를 객관적으로 기술하고 있다.

① ㄱ, ㄴ ② ㄱ, ㄷ ③ ㄴ, ㄷ
④ ㄴ, ㄹ ⑤ ㄷ, ㄹ

[04~05] 다음 글을 읽고 물음에 답하시오.

> 중국은 (㉠)을/를 통해 우리나라의 역사에 해당하는 고조선, 고구려, 발해를 고대 중국의 지방 정권이라고 주장하였다. 이는 우리나라의 역사를 중국사 속에 포함하려는 명백한 역사 왜곡이다.

04 ㉠에 들어갈 용어를 쓰시오.

시험에 잘 나와!

05 중국이 ㉠을 추진하는 목적으로 적절한 것을 〈보기〉에서 고른 것은?

〈보기〉
ㄱ. 왜곡된 역사를 바로잡기 위해서
ㄴ. 현재 중국의 영토를 축소하기 위해서
ㄷ. 중국 내 소수 민족의 이탈을 방지하기 위해서
ㄹ. 한반도 통일 이후 나타날 수 있는 영토 분쟁 가능성에 대비하기 위해서

① ㄱ, ㄴ ② ㄱ, ㄷ ③ ㄴ, ㄷ
④ ㄴ, ㄹ ⑤ ㄷ, ㄹ

06 중국의 동북 공정에 대한 우리의 대응 방안으로 적절하지 <u>않은</u> 것은?

① 동북 공정의 숨은 의도를 파악해야 한다.
② 정부는 고대사 연구를 활발하게 진행해야 한다.
③ 우리 역사와 영토를 지키려는 자세를 가져야 한다.
④ 외교 활동을 통해 국제 사회에 우리 입장의 정당성을 알려야 한다.
⑤ 국가 간의 문제이므로 학계와 민간단체는 동북 공정 문제의 해결 과정에 개입하지 않도록 주의해야 한다.

07 국가 간 갈등 해결을 위한 정부의 활동으로 적절하지 않은 것은?

① 모든 문제는 국제 사법 재판소에 제소한다.
② 정부가 공식적으로 문제를 제기하며 항의한다.
③ 우리 주장을 뒷받침할 전문 연구 기관을 운영한다.
④ 국내외에 적극적으로 우리의 입장을 알리는 기회를 마련한다.
⑤ 갈등을 평화적으로 해결하기 위해 다양한 외교 정책을 펼친다.

08 다음 사례에서 나타나는 국가 간 갈등을 해결하기 위한 노력으로 가장 적절한 것은?

> 반크(VANK)는 1999년에 만들어진 사이버 외교 사절단으로서 우리나라에 관한 잘못된 정보를 찾아 이를 바로잡는 활동을 한다. 반크의 대표적인 활동으로는 『직지심체요절』 홍보와 독도의 국제 표기 수정 등이 있다.

① 정부 차원의 외교 활동을 한다.
② 전문적인 연구 기관을 운영한다.
③ 주변국과 학술 교류를 활성화한다.
④ 민간 외교를 통해 조직적인 국제 활동을 한다.
⑤ 지구촌 곳곳의 문제들을 우리의 문제라고 생각한다.

시험에 잘 나와!

09 밑줄 친 단체를 만든 목적으로 적절한 것을 〈보기〉에서 고른 것은?

> 한국, 중국, 일본의 지식인과 시민은 한·중·일 3국 공동 역사 편찬 위원회를 만들었다. 위원회는 『미래를 여는 역사(2005)』, 『한·중·일이 함께 쓴 동아시아 근현대사(2012)』를 편찬하였다.

보기
ㄱ. 강대국의 입장을 강화하기 위해
ㄴ. 역사적 사실 관계를 밝히기 위해
ㄷ. 상호 이해의 폭을 확대하기 위해
ㄹ. 정부 중심의 외교를 강화하기 위해

① ㄱ, ㄴ ② ㄱ, ㄷ ③ ㄴ, ㄷ
④ ㄴ, ㄹ ⑤ ㄷ, ㄹ

10 국가 간 갈등을 해결하기 위한 바람직한 방안으로 볼 수 없는 것은?

① 군사력의 사용
② 정부의 연구 지원
③ 정부의 외교 활동
④ 논리적 근거의 확립
⑤ 국제 사회를 향한 홍보

서술형 문제

서술형 감잡기

01 다음 글을 읽고 물음에 답하시오.

> 일본은 독도의 영유권을 둘러싼 문제를 (㉠)에 제소하여 해결하려고 하고 있다.

(1) ㉠에 들어갈 용어를 쓰시오.

(2) 일본이 독도의 영유권을 주장하는 이유를 서술하시오.

➜ 독도의 (①)·군사적 가치를 선점하기 위해 독도를 영토(②) 지역으로 인식시키기 위해서이다.

실전! 서술형 도전하기

02 국가 간 갈등 해결을 위한 시민 사회의 노력을 두 가지 이상 서술하시오.

한눈에 보는 대단원

☑ 핵심 선택지 다시보기

1 국제 사회는 국제기구를 기본 단위로 하여 형성된다. ( )

2 국제 사회에서 각국은 자국의 이익을 우선적으로 추구한다. ( )

3 국제기구는 일정한 영토와 국민을 바탕으로 주권을 가진다. ( )

4 국제 비정부 기구는 개인이나 민간단체를 회원으로 한다. ( )

5 다국적 기업은 국경의 의미를 약화한다. ( )

답 1 × 2 ○ 3 × 4 ○ 5 ○

01 국제 사회의 이해

(1) 국제 사회의 특성

자국의 이익 우선 추구	각국은 자국의 이익을 우선적으로 추구함 → 이 과정에서 국가 간 갈등이나 분쟁이 발생하기도 함
힘의 논리 적용	각국은 원칙적으로 평등한 주권을 지니지만, 실제로는 군사력과 경제력이 큰 강대국이 약소국보다 더 많은 영향력을 행사함
중앙 정부의 부재	개별 국가를 강제할 권위와 힘을 가진 중앙 정부가 존재하지 않음 → 국가 간 분쟁이 일어날 경우 조정이나 해결이 어려움
국제 협력의 강화	국가 간 상호 의존성이 깊어지고, 국제 사회의 문제에 공동으로 대처해야 할 필요성이 커지면서 국제 협력이 강화되고 있음

(2) 국제 관계에 영향을 미치는 행위 주체

국가	• 의미: 국제 사회의 가장 기본적이고 전통적인 행위 주체 → 일정한 영토와 국민을 바탕으로 하여 주권을 가짐 • 역할: 국제법에 따라 독립적인 지위를 가지고 외교 활동을 함, 여러 국제기구에 가입하여 회원국으로서 활동함
국제기구	• 의미: 국제적인 목적이나 활동을 위해 조직된 행위 주체 • 종류: 각국 정부를 회원으로 하는 정부 간 국제기구, 개인이나 민간단체를 회원으로 하는 국제 비정부 기구
다국적 기업	• 의미: 한 나라에 본사를 두고, 여러 나라에 자회사와 공장을 설립하여 국제적 규모로 상품을 생산하고 판매하는 기업 • 영향: 국경을 초월한 경영 활동으로 국제 관계에 영향력을 행사함, 국가 간 상호 의존성을 심화함

☑ 핵심 선택지 다시보기

1 세계화로 국가 간 경쟁은 약화되고 있다. ( )

2 국가 간 갈등은 여러 행위 주체의 이해관계를 둘러싸고 나타난다. ( )

3 외교는 국가 원수나 외교관만 할 수 있는 활동이다. ( )

4 오늘날에는 스포츠, 문화 등 다양한 분야에서 외교 활동이 이루어진다. ( )

5 국제 사회의 공존을 위해서는 국제 사회의 상호 의존성을 인식해야 한다. ( )

답 1 × 2 ○ 3 × 4 ○ 5 ○

02 국제 사회의 모습과 공존 노력

(1) 국제 사회의 경쟁과 갈등

국제 사회의 경쟁	• 원인: 각국이 자국의 이익을 우선적으로 추구함 • 특징: 세계화로 인해 경쟁이 더욱 치열해지고 다양한 분야로 확대되고 있음
국제 사회의 갈등	• 특징: 여러 행위 주체의 이해관계를 둘러싸고 다양한 양상으로 나타남 • 문제점: 평화적으로 해결하지 못할 경우 전쟁이 발생하기도 함

(2) 국제 사회의 협력

협력의 필요성	국제 사회의 문제는 국경을 초월하여 발생하며 전 세계에 영향을 미치기 때문에 해당 지역의 노력만으로 해결이 어려움 → 국제 협력을 통해 국제 문제를 해결해야 함
협력 사례	인권 선언과 같은 주요 결의안 채택, 공적 개발 원조(ODA), 지역 간 경제 협력, 지속 가능한 개발 목표 채택, 전쟁 예방과 환경 오염에 공동 대처 등

(3) 국제 사회의 외교

외교의 의미	한 국가가 국제 사회에서 자국의 이익을 평화적으로 달성하려는 활동	
외교의 중요성	자국의 정치적·경제적 이익 실현, 자국의 위상 강화, 국가 간 분쟁 해결 및 예방 등을 위해 외교 활동의 중요성이 커지고 있음	
외교 활동의 변화	전통적인 외교	외교관 파견, 정상 회담 등 정부 간 활동을 중심으로 이루어짐
	오늘날의 외교	정부 간 활동을 포함하여 스포츠나 문화 등 민간 차원의 외교 활동도 활발하게 이루어짐

(4) 국제 사회의 공존을 위한 노력

국제 사회의 노력	• 국가 간 합의로 만든 국제법을 준수함 • 각국은 다양한 국제기구에 참여하여 국제 협력 증진을 위해 노력함 • 인권, 환경, 보건 등 다양한 영역에서 민간단체를 통해 국제적으로 협력함
세계 시민 의식 함양	• 세계 시민 의식: 공동체 의식을 바탕으로 국제 사회 문제에 관심을 두고, 그 문제를 해결하기 위해 적극적으로 행동하는 참여 의식과 책임 의식 • 세계 시민 의식 함양을 위한 요건: 국제 사회의 상호 의존성 이해, 국제 사회 문제 해결을 위한 적극적 행동, 열린 마음으로 세계의 다양한 문화 존중

03 우리나라의 국가 간 갈등 문제

(1) 우리나라가 직면한 국가 간 갈등

일본의 독도 영유권 주장	일본이 독도의 경제적·군사적 가치를 선점하기 위해 명백한 우리 영토인 독도의 영유권을 주장함
일본의 역사 교과서 왜곡	일본 교과서에 독도 영유권 주장을 강화하고, 일본군 '위안부'와 관련된 기술을 삭제하는 등 역사적 사실을 왜곡함
중국의 동북 공정	고조선, 고구려, 발해를 중국 고대의 지방 정권으로 왜곡함 → 한반도 통일 이후 영토 분쟁 방지와 중국 내 소수 민족의 독립 방지 목적
중국의 불법 조업	중국 어선이 우리나라의 배타적 경제 수역을 침범하여 불법적으로 어업 활동을 함

(2) 국가 간 갈등 해결을 위한 정부의 활동

외교 정책 추진	갈등을 평화적으로 해결하기 위한 목적으로 다양한 외교 정책 추진
전문 기관의 운영	관련 자료를 수집하고 연구할 수 있는 전문 기관을 운영함

(3) 국가 간 갈등 해결을 위한 시민 사회의 활동

민간 외교 강화	조직적인 국제 활동을 통해 국가 간 갈등 문제를 전 세계에 알림
공동 연구 실시	학자들이 국가 간 공동 연구를 통해 갈등 상황의 사실 관계를 밝힘
시민 단체 활동	다양한 홍보와 교육을 통해 국민들이 우리나라가 직면한 국가 간 갈등을 바로 알 수 있도록 함

핵심 선택지 다시보기

1 독도는 현재 우리나라가 주권을 행사하고 있다. ( )

2 일본은 독도 문제를 국제 사회의 개입 없이 해결하고자 한다. ( )

3 중국은 동북 공정을 통해 소수 민족의 이탈을 방지하고자 한다. ( )

4 국가 간 갈등을 해결하기 위해서 정부는 우리 주장을 뒷받침할 연구 전문 기관을 운영해야 한다. ( )

5 국제 관계의 갈등을 해결하기 위해서는 국가 간 공동 연구를 축소해야 한다. ( )

답 1 ○ 2 × 3 ○ 4 ○ 5 ×

핵심 선택지 다시보기의 정답을 맞힌 개수만큼 아래 표에 색칠해 보자. 많이 틀린 단원은 되돌아가 복습해 보자.

01 국제 사회의 이해	144쪽
02 국제 사회의 모습과 공존 노력	146쪽
03 우리나라의 국가 간 갈등 문제	154쪽

시험 적중 마무리 문제

01 국제 사회의 이해

01 국제 사회에 대한 설명으로 옳은 것은?

① 국제 협력의 필요성은 점차 약화되고 있다.
② 국제법은 개별 국가의 행위를 제약할 수 없다.
③ 모든 국가는 실질적으로 동등한 영향력을 행사한다.
④ 독립적인 주권을 가진 국가를 기본 단위로 구성된다.
⑤ 국가 간 갈등 상황을 조정해 줄 중앙 정부가 존재한다.

+ 창의·융합

02 다음 사례를 통해 알 수 있는 국제 사회의 특성만을 〈보기〉에서 있는 대로 고른 것은?.

> 2016년 7월 상설 중재 재판소는 남중국해에서 중국이 영유권을 주장하는 것은 법적 근거가 없다고 판결하였다. 하지만 중국은 부당한 재판이라고 주장하며 남중국해에서의 군사 활동을 강화하였다.

〈보기〉
ㄱ. 각국은 자국의 이익을 우선시한다.
ㄴ. 국제법을 어기면 강력하게 제재할 수 있다.
ㄷ. 강제성을 가진 중앙 정부가 존재하지 않는다.
ㄹ. 국가 간 분쟁이 발생했을 때 이를 조정하기가 어렵다.

① ㄱ, ㄴ ② ㄱ, ㄹ ③ ㄴ, ㄷ
④ ㄱ, ㄷ, ㄹ ⑤ ㄴ, ㄷ, ㄹ

03 다음 사례를 통해 알 수 있는 국제 사회의 양상으로 가장 적절한 것은?

> 2016년 9월 개최된 국제 연합(UN) 정상 회담에서 회원국들은 최근 심각해진 난민 수용에 대한 부담을 각국이 공평하게 분담한다는 내용의 '뉴욕 선언'에 합의하였다.

① 국제 사회의 협력이 강화되었다.
② 국가 간 갈등 상황을 개별 국가가 해결하였다.
③ 강대국이 약소국에 비해 더 큰 영향력을 행사하였다.
④ 다국적 기업이 국제 사회의 질서 유지에 기여하였다.
⑤ 각국이 자국의 경제적 이익을 위해 다른 나라와 협력하였다.

04 (가)에 들어갈 내용으로 적절한 것을 〈보기〉에서 고른 것은?

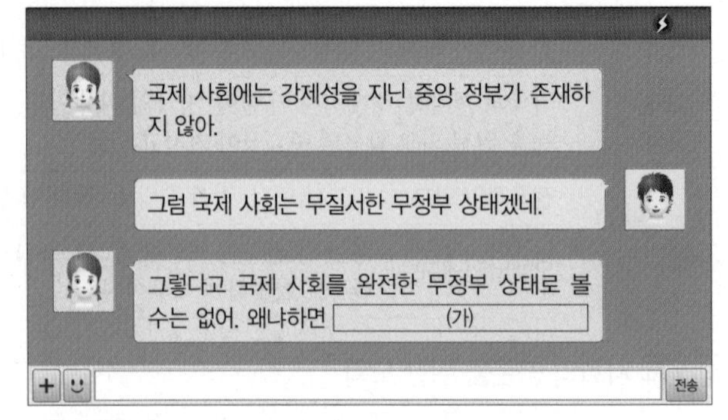

〈보기〉
ㄱ. 각 국가가 국제법 등의 규범을 존중하기 때문이야.
ㄴ. 국제기구가 국제 사회의 질서 유지를 위해 노력하기 때문이야.
ㄷ. 개별 국가는 국제 사회의 이익을 최우선으로 추구하기 때문이야.
ㄹ. 국제 사회에서 모든 국가는 동등한 영향력을 행사하기 때문이야.

① ㄱ, ㄴ ② ㄱ, ㄷ ③ ㄴ, ㄷ
④ ㄴ, ㄹ ⑤ ㄷ, ㄹ

05 국가에 대한 설명으로 옳지 않은 것은?

① 국제 사회의 대표적인 행위 주체이다.
② 자국의 이익을 위해 외교 활동을 수행한다.
③ 여러 국제기구에 가입하여 회원국으로 활동한다.
④ 국제 사회에서의 영향력이 급격히 축소되고 있다.
⑤ 국제 사회에서 국제법에 따라 독립적인 지위를 갖는다.

06 제시된 단체들의 공통적인 특징으로 옳은 것은?

> • 그린피스 • 국제 적십자사 • 국경 없는 의사회

① 각국 정부를 회원으로 한다.
② 국가 내부에서만 영향력을 행사한다.
③ 외교 활동을 통해 자국의 이익을 추구한다.
④ 국제적인 규모로 상품을 생산하고 판매한다.
⑤ 시민 사회의 영향력이 커지면서 역할이 확대되고 있다.

07 (가), (나)에서 설명하는 국제 사회의 행위 주체를 옳게 연결한 것은?

> (가) 각국 정부를 회원으로 하여 국제적인 활동을 한다.
> (나) 한 나라에 본사를 두고, 여러 나라에 자회사와 공장을 설립하여 경제 활동을 한다.

	(가)	(나)
①	다국적 기업	국제 비정부 기구
②	다국적 기업	정부 간 국제기구
③	국제 비정부 기구	다국적 기업
④	정부 간 국제기구	다국적 기업
⑤	정부 간 국제기구	국제 비정부 기구

08 다국적 기업에 대한 옳은 설명을 <보기>에서 고른 것은?

> 보기
> ㄱ. 국가 간의 상호 의존성 강화에 기여한다.
> ㄴ. 국제법상 평등하고 독립적인 주권을 가진다.
> ㄷ. 세계화에 따라 그 규모가 점차 축소되고 있다.
> ㄹ. 국경을 초월한 경영 활동을 바탕으로 여러 분야에 영향력을 행사한다.

① ㄱ, ㄴ ② ㄱ, ㄹ ③ ㄴ, ㄷ
④ ㄴ, ㄹ ⑤ ㄷ, ㄹ

09 국제 사회의 행위 주체가 활동하는 사례로 보기 어려운 것은?

① 난민 문제에 대한 관심을 촉구하는 교황
② 내전 지역에 평화 유지군을 파견한 국제기구
③ 아시아 지역 경제 협력 회의에 참여한 국가 원수
④ 지구 온난화의 심각성을 홍보하는 환경 보호 단체
⑤ 국제 사회에 대한 지식을 쌓기 위해 신문을 꾸준히 읽는 중학생

02 국제 사회의 모습과 공존 노력

10 다음 인터넷 게시판의 질문에 옳게 답변한 사람을 고른 것은?

> ▶ 지식 Q&A
> 국제 사회의 경쟁과 갈등에 대해 알려 주세요.
> ▶ 답변하기
> ↳ 가현: 국제 사회의 갈등은 국가 간에만 일어납니다.
> ↳ 나현: 세계화로 인해 국가 간 경쟁은 급격히 줄어들고 있습니다.
> ↳ 다현: 각국이 자국의 이익을 우선적으로 추구하는 과정에서 발생합니다.
> ↳ 라현: 국가 간 갈등을 평화적으로 해결하지 못할 경우 전쟁이라는 극단적인 상황이 벌어지기도 합니다.

① 가현, 나현 ② 가현, 다현 ③ 나현, 다현
④ 나현, 라현 ⑤ 다현, 라현

11 다음 사례들에서 공통으로 나타나고 있는 현상으로 적절한 것은?

> • 석유 개발 가능성이 높은 포클랜드 제도에서는 아르헨티나와 영국 간에 영유권을 둘러싼 갈등이 지속되고 있다.
> • 카스피 해는 세계 3대 석유·천연가스 매장 지역이다. 이곳의 송유관 건설을 둘러싸고 이란과 러시아를 비롯한 주변 국가들이 분쟁을 벌이고 있다.

① 종교적 차이로 인해 갈등이 발생하고 있다.
② 자원 확보를 둘러싸고 갈등이 발생하고 있다.
③ 성모 사회의 빈털로 인한 사이비 분쟁이 발생하고 있다.
④ 지리적으로 인접한 국가들이 경제 협력체를 구성하고 있다.
⑤ 환경 문제에 대한 국가 간 입장 차이로 갈등이 발생하고 있다.

12 외교에 대한 설명으로 옳지 않은 것은?

① 자국의 이익을 평화적으로 달성하기 위한 활동이다.
② 과거에는 주로 정부 간 활동을 중심으로 이루어졌다.
③ 외교를 통해 각국은 정치적·경제적 이익을 실현할 수 있다.
④ 오늘날 정상 회담뿐만 아니라 다양한 민간 외교가 이루어지고 있다.
⑤ 외교를 통해 개별 국가의 이익을 국제 사회에 동등하게 분배할 수 있다.

+ 창의·융합

13 다음 사례에 대한 평가로 적절한 것을 〈보기〉에서 고른 것은?

> 주요 6개국과 이란의 핵 협상이 최종 타결되었다. 이번 협상에서 이란은 핵 개발 활동을 중단하고, 국제 사회는 그 대가로 이란에 대한 경제·금융 제재를 해제하기로 하였다. – 「한국일보」, 2015. 7. 14.

보기

ㄱ. 국제 사회의 공존에 이바지하였다.
ㄴ. 외교 정책을 통해 국제 문제를 해결하였다.
ㄷ. 국제 안보를 위협하는 요인으로 작용하였다.
ㄹ. 외교 활동으로 이란의 국제적 고립이 심화되었다.

① ㄱ, ㄴ ② ㄱ, ㄷ ③ ㄴ, ㄷ
④ ㄴ, ㄹ ⑤ ㄷ, ㄹ

14 국제 사회의 공존을 위한 노력으로 적절한 것만을 〈보기〉에서 있는 대로 고른 것은?

보기

ㄱ. 국제 비정부 기구가 보건 사업을 진행한다.
ㄴ. 강대국의 국내법을 적용하여 국제 분쟁을 해결한다.
ㄷ. 민간단체가 사막화를 막기 위한 나무 심기 활동에 참여한다.
ㄹ. 각국이 다양한 국제기구에 참여하여 국제 협력을 증진하는 데 힘쓴다.

① ㄱ, ㄴ ② ㄴ, ㄷ ③ ㄷ, ㄹ
④ ㄱ, ㄷ, ㄹ ⑤ ㄴ, ㄷ, ㄹ

15 다음에서 설명하는 자세를 실천하는 방법으로 적절하지 않은 것은?

> 우리는 공동체 의식을 바탕으로 국제 사회 문제에 관심을 두고, 그 문제를 해결하기 위해서 적극적으로 행동하는 참여 의식과 책임 의식을 가져야 한다.

① 개발 도상국의 아이들을 후원한다.
② 자원봉사 단체에 가입하여 활동한다.
③ 국제 사회의 상호 의존성을 이해한다.
④ 자국의 문제가 아니면 관심을 갖지 않는다.
⑤ 인권과 같은 국제 사회의 보편적 가치를 존중한다.

03 우리나라의 국가 간 갈등 문제

16 일본이 독도의 영유권을 주장하는 이유를 〈보기〉에서 고른 것은?

보기

ㄱ. 독도의 해양 자원을 차지하기 위해
ㄴ. 독도를 군사적 거점으로 활용하기 위해
ㄷ. 독도가 영토 분쟁 지역이 되는 것을 막기 위해
ㄹ. 역사적으로 일본이 영토 주권을 행사해 왔기 때문에

① ㄱ, ㄴ ② ㄱ, ㄷ ③ ㄴ, ㄷ
④ ㄴ, ㄹ ⑤ ㄷ, ㄹ

17 중국이 동북 공정을 추진한 배경과 거리가 먼 것은?

① 현재 중국의 영토 유지
② 관련 국가의 민족 정체성 강화
③ 중국 내 소수 민족의 이탈 방지
④ 남북통일 이후 영토 분쟁 가능성에 대비
⑤ 관련 국가와의 영토 분쟁 발생 시 중국의 입장을 정당화할 근거 마련

18 우리나라와 다음과 같은 갈등을 겪고 있는 상대국으로 옳은 것은?

> 북한과 우리나라가 북방 한계선(NLL)을 사이에 두고 대치하는 상황에서 우리나라 영해를 침범하여 불법으로 멸치, 꽃게 등을 잡아가고 있다.

① 일본 ② 중국
③ 미국 ④ 대만
⑤ 러시아

19 우리나라의 국가 간 갈등 해결을 위한 시민 사회의 활동으로 적절하지 않은 것은?

① 조직적인 국제 활동 등의 민간 외교를 강화한다.
② 정부와 적극적인 협력 체제를 구성하여 공동으로 대응한다.
③ 갈등을 겪고 있는 상대 국가의 활동에는 관심을 갖지 않는다.
④ 시민 단체는 국민들이 갈등 문제를 올바르게 알 수 있도록 교육 활동을 펼친다.
⑤ 관련 분야의 학자들이 국가 간 공동 연구를 통해 갈등 상황의 사실 관계를 밝히도록 노력한다.

20 다음 글의 주제로 가장 적절한 것은?

> 한 시민 단체는 동해 표기에 대한 일본의 일방적인 주장에 대해 세계적인 지도 제작사와 출판사, 지도 웹 사이트 관계자들에게 서한을 보내 일본해 단독 표기의 문제점을 지적하고 동해 병기를 요구하였다. 그 결과 세계적인 교과서 출판사와 지도 제작사로부터 동해를 일본해와 함께 표기하겠다는 약속을 받아 내는 성과를 거두었다.

① 민간 외교의 성과
② 정부 중심 외교의 필요성
③ 체계적인 역사 연구의 필요성
④ 정부와 시민 사회 간 협력의 중요성
⑤ 국가 간 갈등 해소를 위한 국제기구의 노력

21 국가 간 갈등 해결을 위한 태도로 적절한 것을 〈보기〉에서 고른 것은?

> 보기
> ㄱ. 합리적인 해결 방안을 모색한다.
> ㄴ. 문제 해결 과정에는 정부만 참여한다.
> ㄷ. 갈등의 원인과 실태를 정확하게 파악한다.
> ㄹ. 주관적인 근거를 바탕으로 한 입장을 제시한다.

① ㄱ, ㄴ ② ㄱ, ㄷ ③ ㄴ, ㄷ
④ ㄴ, ㄹ ⑤ ㄷ, ㄹ

22 국가 간 갈등을 해결하기 위한 노력으로 적절하지 않은 것은?

① 시민 단체 – 주변국과의 민간 교류를 확대한다.
② 정부 – 우리의 입장을 알리는 외교 활동을 한다.
③ 개인 – 갈등 상황에 관심을 두고 해결 과정에 참여한다.
④ 연구 기관 – 정부의 주장을 뒷받침할 자료를 수집한다.
⑤ 학자 – 관련 국가와의 공동 연구를 배제하고 독자적인 연구를 추진한다.

23 다음은 학생이 작성한 형성 평가지이다. 이 학생이 받을 점수로 옳은 것은?

형성 평가

다음 설명이 옳으면 ○표, 틀리면 ×표를 하시오.

문항	내용	답안
1	우리나라는 북한과 동해 표기를 둘러싼 갈등을 겪고 있다.	○
2	중국은 역사 왜곡 문제를 두고 우리나라와 갈등을 빚고 있다.	×
3	독도는 역사적, 지리적, 국제법적으로 명백한 우리의 고유 영토이다.	○
4	정부와 시민 사회는 국가 간의 갈등 해결을 위해 적극적으로 협력해야 한다.	○
5	국가 간 갈등을 해결하기 위해서는 주관적 근거를 바탕으로 한 상호 이해가 필요하다.	×

(각 2점씩)

① 2점 ② 4점 ③ 6점 ④ 8점 ⑤ 10점

인구 변화와 인구 문제

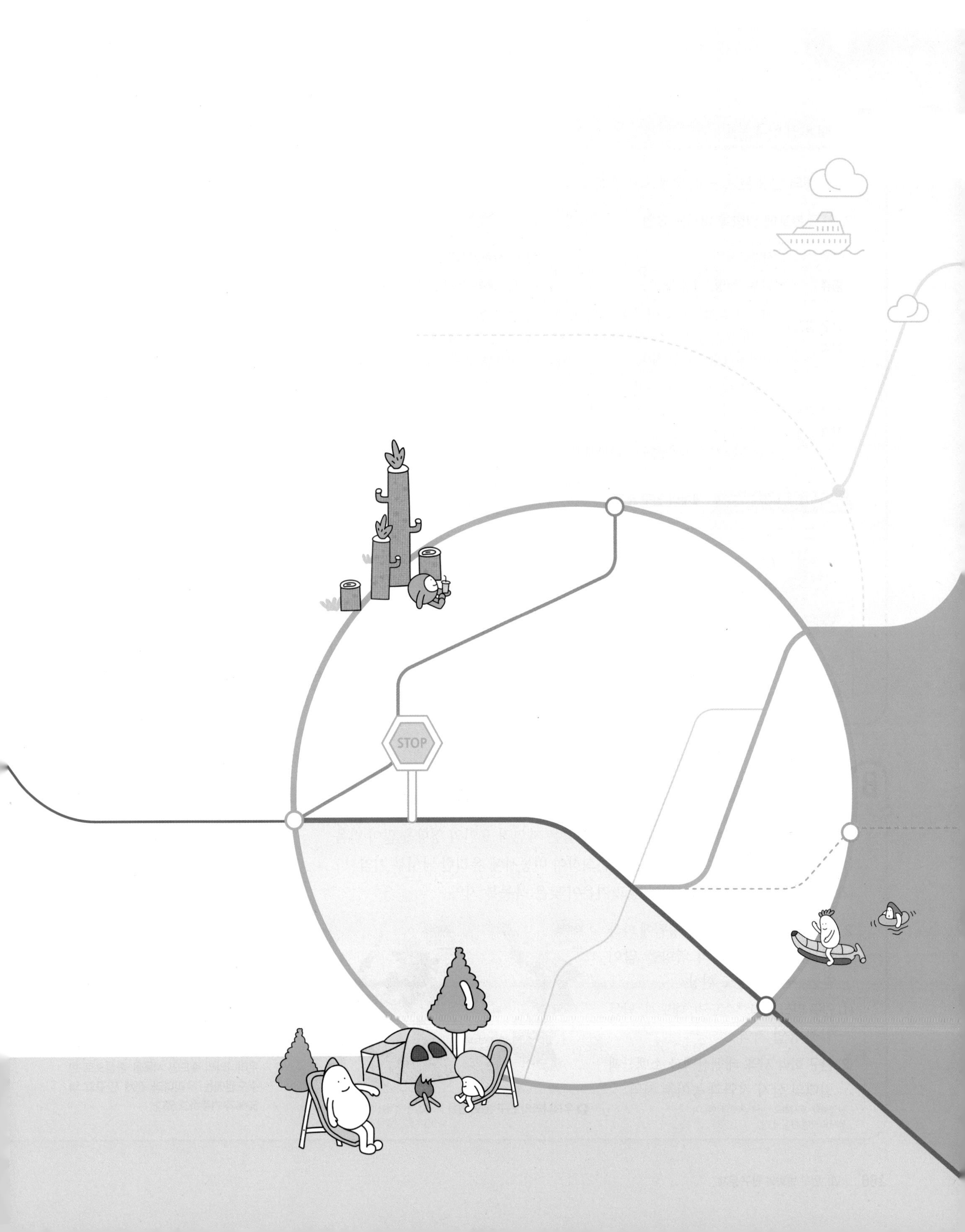
STOP

01 인구 분포

A 세계의 인구 분포

1. +세계의 인구 분포: 공간상에 고르게 분포하지 않고 특정 지역에 집중하여 분포함

2. 인구 분포에 영향을 미치는 요인 ─ 과거에는 자연적 요인이 인구 분포에 큰 영향을 미쳤지만, 산업 혁명 이후 인문·사회적 요인의 영향력이 커지고 있어.

구분	자연적 요인	인문·사회적 요인
종류	기후, 지형, 식생 등	경제, 교통, 산업, 정치, 문화 등
인구 밀집 지역	기후가 온화하고 물이 풍부하며, 토양이 비옥한 평야 지역 예 +동아시아와 남아시아의 벼농사 지역	산업이 발달하고 일자리가 풍부하며, 생활 환경이 좋은 지역 예 서부 유럽, 미국 북동부 대서양 연안
인구 희박 지역	• 매우 춥거나 더운 지역, 건조한 지역 예 아마존강 유역, 시베리아 지역, 사하라 사막 • 험준한 산지 지역 예 히말라야산맥	교통이 불편한 지역, 각종 산업 시설과 일자리가 부족한 지역, 전쟁과 분쟁이 자주 발생하는 지역

자료로 이해하기 세계의 인구 분포

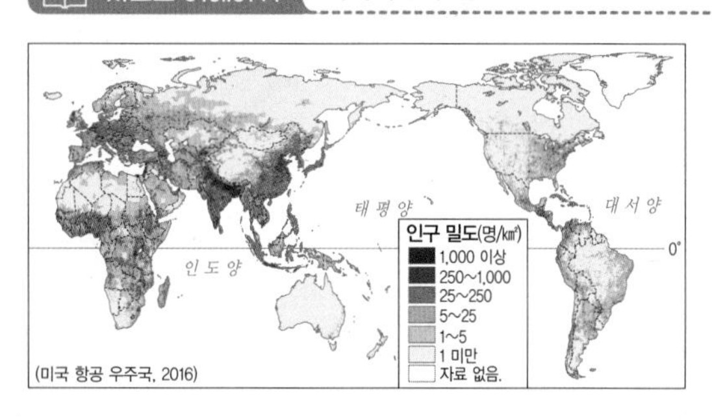

세계 인구의 90% 이상은 육지 면적이 넓은 북반구에 살고 있으며, 사람이 살기에 적합한 냉·온대 기후의 하천 주변의 평야 지대나 해안 지역에 많이 거주한다. 위도별로 살펴보면, 기온이 온화한 북위 20°~40° 지역에 가장 많은 인구가 분포하고, 적도 부근이나 극지방은 인구 밀도가 낮다.

─ 인구 밀도: 어떤 지역이나 국가의 총인구를 총면적으로 나눈 값

+ 대륙별 인구 분포

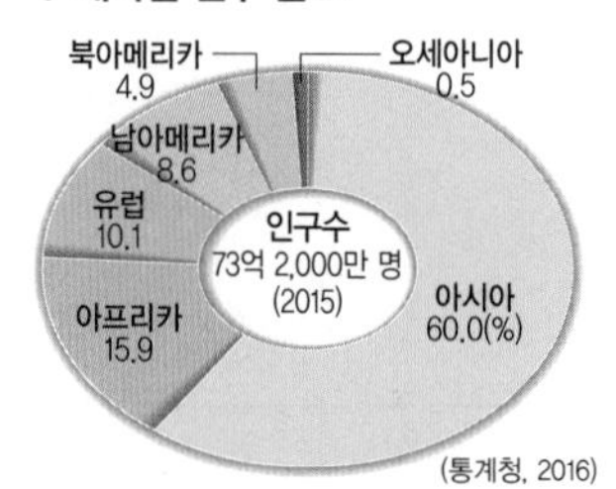

+ 몽골과 방글라데시의 인구 밀도

(2015년)

구분	몽골	방글라데시
총면적	1,564천㎢	147천㎢
총인구	296만 명	16,100만 명
인구 밀도	2명/㎢	1,095명/㎢

몽골은 국토의 대부분이 사막 또는 초원으로 인간이 거주하기에 불리해 인구 밀도가 낮다. 방글라데시는 계절풍 기후가 나타나 벼농사가 발달하여 인구 밀도가 높다.

B 우리나라의 인구 분포

1. 산업화 이전: 농업에 적합한 기후, 지형과 같은 자연적 요인의 영향을 많이 받음

(1) 인구 밀집 지역: 평야가 넓고 기후가 온화하여 벼농사에 유리한 남서부 지역

(2) 인구 희박 지역: 산지나 고원이 많고 기온이 낮은 북동부 지역

2. 산업화 이후: 산업화가 진행됨에 따라 인문·사회적 요인의 영향을 많이 받음 → 이촌 향도 현상

(1) 인구 밀집 지역: +수도권, 대도시, 남동 임해 공업 지역

(2) 인구 희박 지역: 태백산맥과 소백산맥 일대의 산지 지역과 농어촌 지역

─ 이촌 향도 현상: 산업화와 도시화로 인해 촌락의 인구가 도시로 이동하는 현상

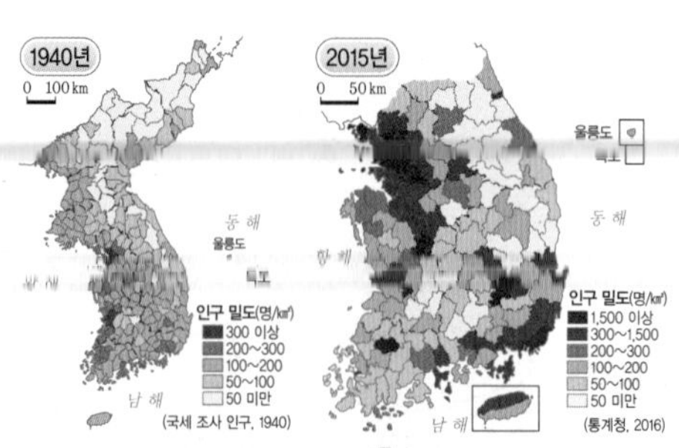

⊙ 우리나라의 인구 분포 변화 ─ 꼭 산업화가 이루어진 1960년대 전후로 뚜렷하게 구분돼.

+ 우리나라의 시도별 인구 분포

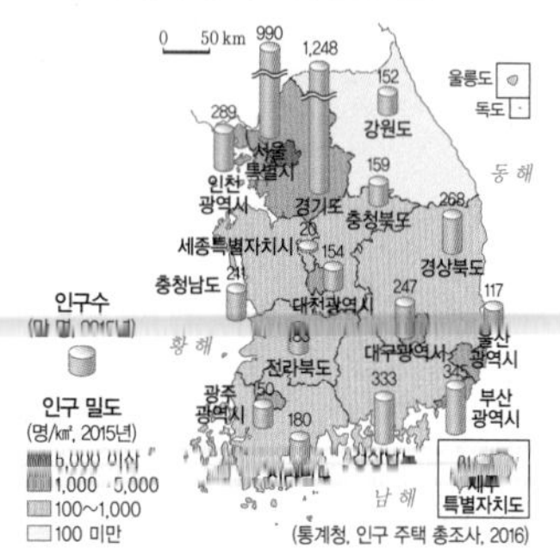

우리나라의 수도인 서울을 중심으로 한 수도권에는 우리나라 전체 인구의 약 50%가 거주하고 있다.

- 세계의 인구 분포
- 인구 분포에 영향을 미치는 요인
- 우리나라의 인구 분포

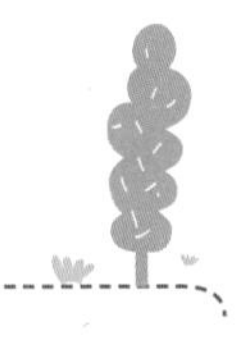

1 다음 괄호 안의 내용 중 알맞은 말에 ○표를 하시오.

(1) (유럽, 아시아, 아메리카) 대륙에 세계 인구의 약 60%가 모여 살고 있다.

(2) 세계 인구의 대부분은 (남반구, 북반구) 중위도의 냉·온대 기후 지역에 살고 있다.

2 인구 분포에 영향을 미치는 인문·사회적 요인을 <보기>에서 골라 기호를 쓰시오.

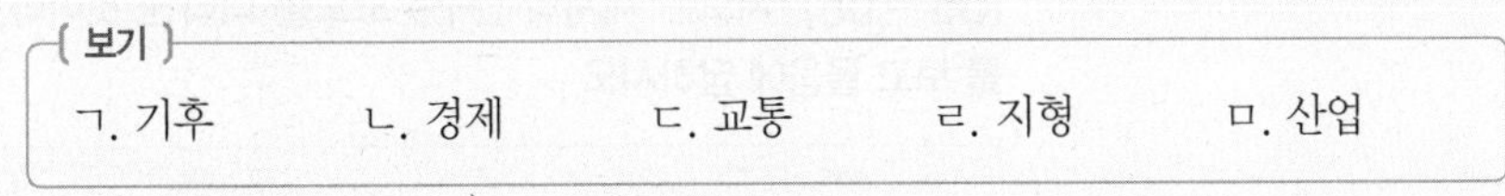

보기

ㄱ. 기후 ㄴ. 경제 ㄷ. 교통 ㄹ. 지형 ㅁ. 산업

3 지도의 A~F 지역을 인구 밀집 지역과 인구 희박 지역으로 구분하여 쓰시오.

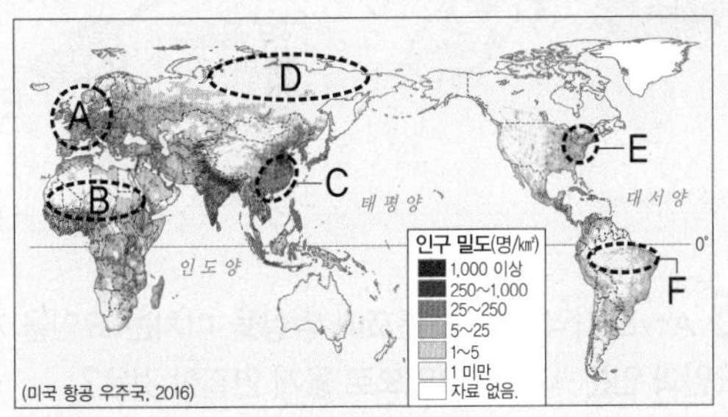

(미국 항공 우주국, 2016)

(1) 인구 밀집 지역 – (　　　　)　　(2) 인구 희박 지역 – (　　　　)

핵심 콕콕

- **세계의 인구 분포**

자연적 요인: 기후, 지형, 식생 + 인문·사회적 요인: 경제, 교통, 산업

↓

인구 밀집 지역
- 동아시아에서 남아시아에 이르는 벼농사 지역
- 서부 유럽, 미국 북동부 대서양 연안

1 우리나라는 산업화 이후 촌락 인구가 도시로 이동하는 (　　　　) 현상이 뚜렷하게 나타났다.

2 우리나라의 인구 분포를 비교한 표이다. ㉠~㉢에 들어갈 내용을 각각 쓰시오.

구분	산업화 이전	산업화 이후
인구 밀집 지역	남서부 지역	(㉠　　　)과 남동 임해 공업 지역
인구 희박 지역	(㉡　　　) 지역	산지 지역과 농어촌 지역
주요 인구 분포 요인	(㉢　　　) 요인	인문·사회적 요인

핵심 콕콕

- **우리나라의 인구 분포**

산업화 이전
- 자연적 요인의 영향을 받음
- 남서부 평야 지역에 밀집

↓ 이촌 향도 현상

산업화 이후
- 인문·사회적 요인의 영향이 커짐
- 수도권, 대도시, 남동 임해 공업 지역에 밀집

★ 시험에 잘 나와!

01 세계의 인구 분포에 대한 설명으로 옳지 <u>않은</u> 것은?

① 적도 부근과 극지방은 인구가 밀집한다.
② 세계 인구는 공간상에 불균등하게 분포한다.
③ 세계 인구의 90% 이상이 북반구에 거주한다.
④ 하천 주변의 평야 지대는 인구가 집중되어 있다.
⑤ 내륙 지역은 인구가 희박하고, 해안 지역은 비교적 인구가 밀집되어 있다.

02 그래프는 대륙별 인구 분포를 나타난 것이다. A, B에 해당하는 대륙을 옳게 연결한 것은?

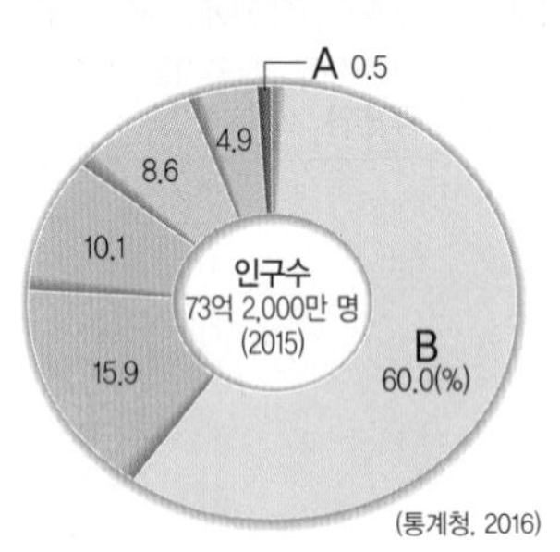

(통계청, 2016)

	A	B		A	B
①	유럽	아시아	②	아시아	아프리카
③	아시아	오세아니아	④	오세아니아	아시아
⑤	오세아니아	남아메리카			

03 지도를 바탕으로 중국의 인구 분포에 대한 옳은 설명만을 〈보기〉에서 있는 대로 고른 것은?

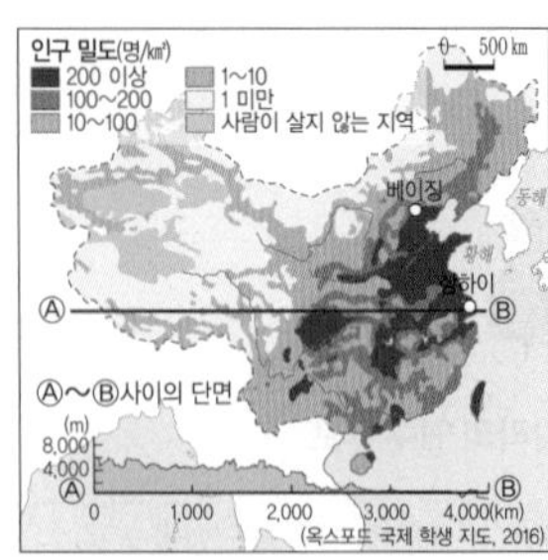

(옥스포드 국제 학생 지도, 2016)
중국의 인구 분포

쌀 1점=5만 톤
밀 1점=5만 톤
(제국 지도, 2015)
중국의 농업 지역

〈보기〉
ㄱ. 북서부로 갈수록 인구 밀도가 낮아진다.
ㄴ. 내륙보다 해안 지역의 인구 밀도가 높다.
ㄷ. 농업에 유리한 지역일수록 인구 밀도가 높다.
ㄹ. 해발 고도는 인구 밀도에 영향을 주지 않는다.

① ㄱ, ㄷ　② ㄴ, ㄹ　③ ㄱ, ㄴ, ㄷ
④ ㄱ, ㄷ, ㄹ　⑤ ㄴ, ㄷ, ㄹ

04 인구가 밀집하기 유리한 조건을 갖춘 지역을 〈보기〉에서 고른 것은?

〈보기〉
ㄱ. 건조 기후 지역　ㄴ. 온대 기후 지역
ㄷ. 험준한 산지 지역　ㄹ. 평야가 발달한 지역

① ㄱ, ㄴ　② ㄱ, ㄷ　③ ㄴ, ㄷ
④ ㄴ, ㄹ　⑤ ㄷ, ㄹ

[05~06] 지도는 세계의 인구분포도를 나타낸 것이다. 이를 보고 물음에 답하시오.

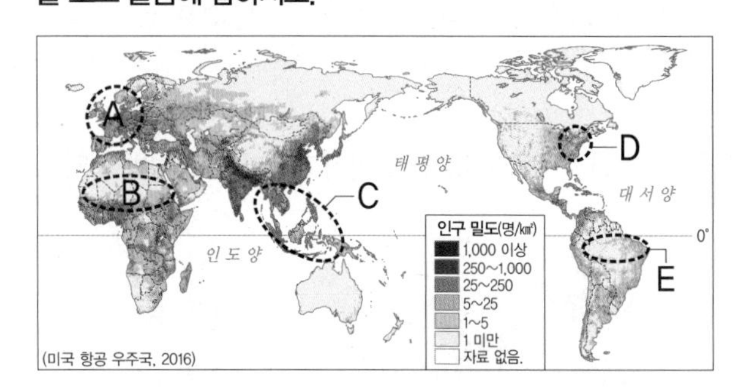

(미국 항공 우주국, 2016)

05 A~E 지역의 인구 분포에 영향을 미치는 요인을 자연적 요인과 인문·사회적 요인으로 옳게 연결한 것은?

	자연적 요인	인문·사회적 요인
①	B, C	A, D, E
②	C, E	A, B, D
③	A, B, C	D, E
④	A, C, E	B, D
⑤	B, C, E	A, D

★ 시험에 잘 나와!

06 A~E 지역의 인구 분포 특징에 대한 설명으로 옳은 것은?

① A는 기온이 너무 높아 인구가 희박하다.
② B는 교통이 편리하고 산업이 발달하여 인구가 밀집하였다.
③ C는 연 강수량이 적어 농업 활동이 불리해 인구가 희박하다.
④ D는 일자리가 풍부하여 인구가 밀집하였다.
⑤ E는 벼농사가 발달하여 인구가 밀집하였다.

07 다음에서 설명하는 용어를 쓰시오.

> 촌락의 인구가 산업화 및 도시화 이후 일자리를 찾아 도시로 이동하는 현상을 말한다. 오늘날 우리나라의 인구 분포에 많은 영향을 끼쳤다.

[08~09] 지도는 우리나라의 인구 분포를 나타낸 것이다. 이를 보고 물음에 답하시오.

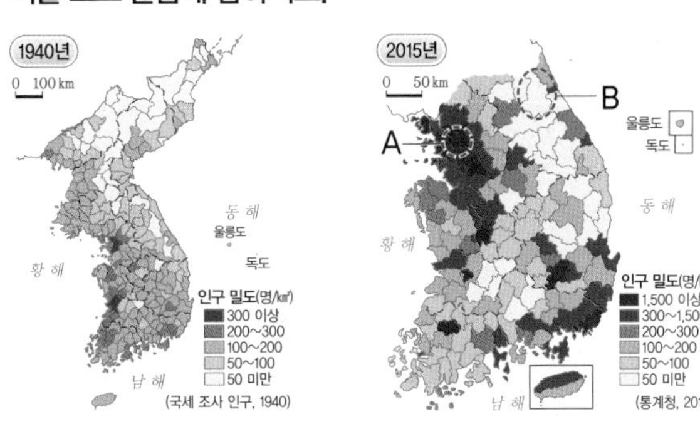

시험에 잘 나와!

08 지도에 대한 설명으로 옳지 않은 것은?

① 1960년대를 기준으로 인구 분포가 크게 달라졌다.
② 1940년부터 태백산맥과 같은 산지는 인구가 희박하였다.
③ 산업화 이전에는 자연적 요인이 인구 분포에 많은 영향을 주었다.
④ 2015년에는 수도권과 남동 임해 공업 지역에 인구가 집중되어 있다.
⑤ 산업화 이후에는 넓은 평야가 발달한 남서부 지역에 인구가 밀집하였다.

09 A, B 지역의 인구 분포에 영향을 준 요인을 〈보기〉에서 골라 옳게 연결한 것은?

보기
ㄱ. 전체 면적의 90% 이상이 산지이다.
ㄴ. 넓은 농경지를 바탕으로 농업 활동이 활발하다.
ㄷ. 우리나라의 수도로, 정치·문화·경제의 중심지이다.
ㄹ. 1970년대 이후 공업화가 시작되면서 도시가 성장하였다.

	A	B
①	ㄱ	ㄴ
②	ㄱ	ㄷ
③	ㄴ	ㄹ
④	ㄷ	ㄱ
⑤	ㄷ	ㄹ

10 지도는 우리나라의 시도별 인구수와 인구 밀도를 나타낸 것이다. 이에 대한 설명으로 옳은 것은?

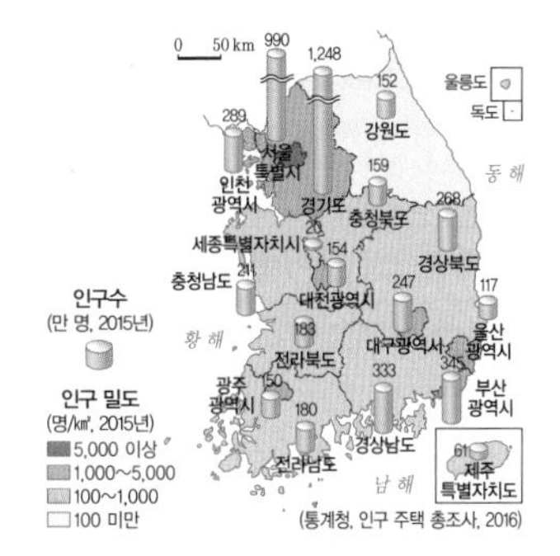

① 지역별로 균등하게 인구가 분포하고 있다.
② 수도권과 광역시의 인구가 많음을 알 수 있다.
③ 충청북도는 인구 밀도가 높은 지역임을 알 수 있다.
④ 남해안 지역에 우리나라 인구의 50%가 밀집하였다.
⑤ 인구가 가장 많은 곳은 강원도, 적은 곳은 경기도이다.

서술형 문제

서술형 감잡기

01 그림과 같이 몽골과 방글라데시의 인구 밀도가 다른 이유를 자연적 요인의 측면에서 서술하시오.

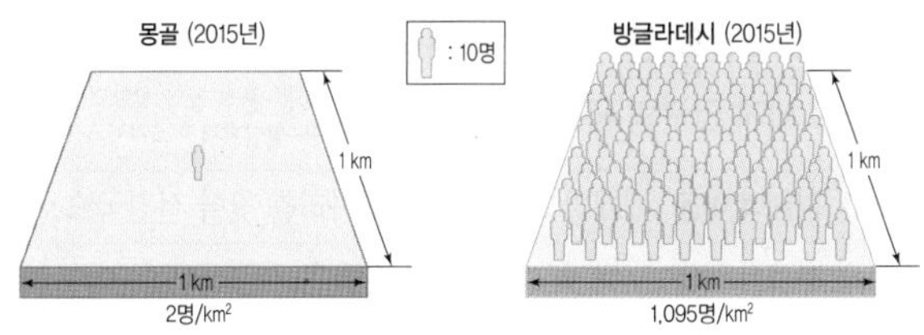

➜ 몽골은 국토의 대부분이 사막 또는 (①　　　)으로 인간이 거주하기에 불리해 인구 밀도가 낮다. 반면, 방글라데시는 계절풍 기후가 나타나 (②　　　)가 발달하여 인구 밀도가 높다.

실전! 서술형 도전하기

02 인구 분포에 영향을 미치는 자연적 요인과 인문·사회적 요인을 각각 두 가지 이상 서술하시오.

인구 이동

A 인구 이동의 요인과 유형

1. 인구 이동의 요인

사람들이 거주를 위해 한 장소에서 다른 장소로 옮겨 가는 현상

+배출 요인	인구를 다른 지역으로 밀어내는 부정적인 요인
+흡인 요인	인구를 끌어들여 머무르게 하는 긍정적인 요인

2. 인구 이동의 유형

이동 범위에 따른 구분	이동 동기에 따른 구분	이동 기간에 따른 구분
국내 이동, 국제 이동	자발적 이동, 강제적 이동	일시적 이동, 영구적 이동

예 유학, 여행, 단기 취업 등 / 예 이민 등

+ 배출 요인과 흡인 요인

배출 요인	낮은 임금, 열악한 주거 환경, 빈곤, 교육·문화 시설의 부족, 전쟁, 자연재해 등
흡인 요인	높은 임금, 풍부한 일자리, 쾌적한 주거 환경, 다양한 교육·문화·의료 시설 등

B 세계의 인구 이동

1. 과거의 인구 이동: 종교적·강제적 이동의 비중이 큼

자발적 이동	• 유럽인이 신항로(식민지) 개척을 위해 아메리카와 오스트레일리아로 이동 • 중국인들이 일자리를 찾아 동남아시아로 이동
강제적 이동	노예 무역에 의해 아프리카인들이 아메리카로 강제 이주
종교적 이동	영국 청교도들이 종교의 자유를 찾기 위해 아메리카로 이동

2. 오늘날의 인구 이동: 경제적·자발적 이동의 비중이 커짐, 일시적 이동이 증가함

(1) 세계 인구의 국제 이동 — 세계화와 교통·통신 등의 발달로 오늘날 인구의 국제 이동이 활발하게 이루어지고 있어.

경제적 이동	개발 도상국에서 일자리를 찾아 선진국으로 이동
정치적 이동	내전, 분쟁 등에 의한 +난민의 이동, 아프리카와 서남아시아 지역이 대표적임

최근 지구 온난화와 자연재해의 증가로 거주지를 떠나는 환경 난민이 증가하고 있어.

(2) 세계 인구의 국내 이동

① 개발 도상국: 일자리를 찾아 촌락 인구가 도시로 이동 → 이촌 향도 현상

② +선진국: 쾌적한 환경을 찾아 도시 인구가 농촌으로 이동 → +역도시화 현상

사우디아라비아와 같은 서남아시아의 일부 국가는 석유 자원이 풍부해 인구가 유입되고 있어.

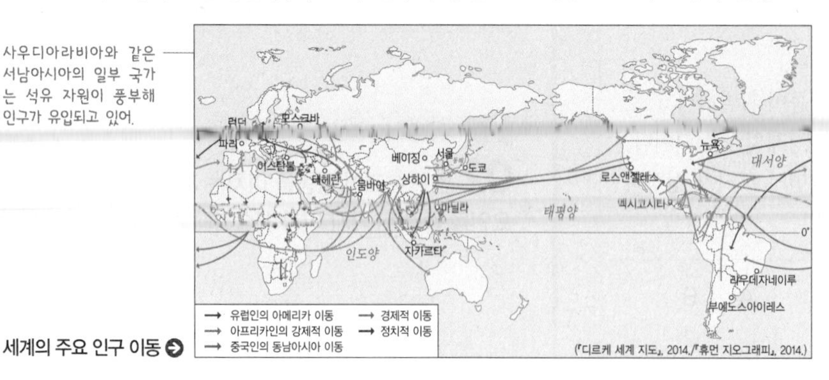

세계의 주요 인구 이동

(『디르케 세계 지도』, 2014./『휴먼 지오그래피』, 2014.)

+ 난민

민족 탄압, 전쟁, 정치·종교적 박해, 자연재해를 피해 다른 국가로 이주하는 사람들

+ 미국 내 인구 이동

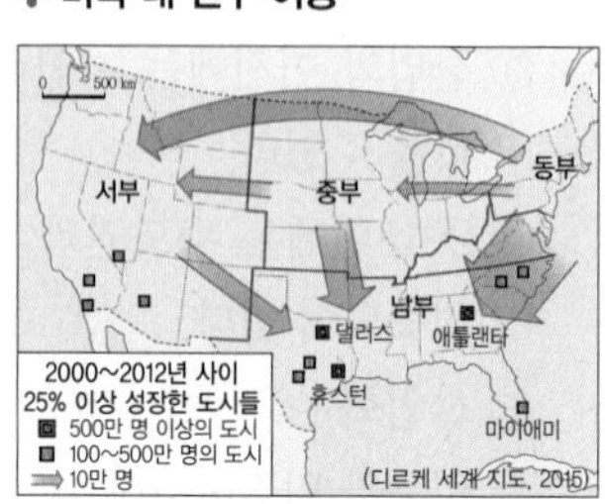

(디르케 세계 지도, 2015)

과거 인구가 밀집했던 북동부 해안에서 기후가 온화하고 환경이 쾌적한 남부 지역과 태평양 연안으로 많은 사람이 이동하고 있다.

+ 역도시화 현상

대도시의 주거 환경이 열악해지고, 교통과 통신이 발달하면서 대도시의 인구가 농촌으로 이동하는 현상

- 세계의 인구 이동 특징
- 인구 이동에 따른 지역 변화
- 우리나라의 인구 이동 특징

1 풍부한 일자리, 높은 임금과 같이 인구를 끌어들여 머무르게 하는 긍정적인 요인을 (　　　　)이라고 한다.

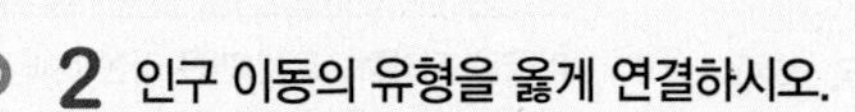

2 인구 이동의 유형을 옳게 연결하시오.

(1) 기간에 따른 구분 •　　　　• ㉠ 자발적 이동과 강제적 이동

(2) 동기에 따른 구분 •　　　　• ㉡ 일시적 이동과 영구적 이동

핵심 콕콕

• 인구 이동의 요인

배출 요인		흡인 요인
낮은 임금, 열악한 주거 환경, 전쟁, 자연재해 등	↔	높은 임금, 풍부한 일자리, 쾌적한 주거 환경 등

1 인구 이동의 원인을 〈보기〉에서 골라 기호를 쓰시오.

〈보기〉
ㄱ. 강제적 이동　ㄴ. 종교적 이동　ㄷ. 경제적 이동　ㄹ. 정치적 이동

(1) 중국인들이 동남아시아로 이동 (　　)

(2) 영국 청교도들이 아메리카로 이동 (　　)

(3) 노예 무역에 의해 아프리카인들이 아메리카로 이동 (　　)

2 다음 괄호 안의 내용 중 알맞은 말에 ○표를 하시오.

(1) 오늘날 인구의 국제 이동이 발생하는 주요한 원인은 (경제적, 강제적, 종교적) 이유 때문이다.

(2) 세계화로 오늘날에는 여행, 단기 취업, 유학 등 국가 간 (영구적, 일시적) 인구 이동이 증가하고 있다.

3 세계 인구의 국내 이동 특징을 비교한 표이다. ㉠, ㉡에 들어갈 지역을 각각 쓰시오.

(㉠　　　)	일자리를 찾아 촌락 인구가 도시로 이동 → 이촌 향도 현상
(㉡　　　)	쾌적한 환경을 찾아 도시 인구가 농촌으로 이동 → 역도시화 현상

핵심 콕콕

• 세계 인구의 국제 이동

과거	• 주로 종교적·강제적 이동의 비중이 큼 • 유럽인이 아메리카로 이동 • 노예 무역에 의해 아프리카인들이 아메리카로 강제적 이동
오늘날	• 주로 경제적·자발적 이동의 비중이 큼 • 개발 도상국에서 일자리를 찾아 선진국으로 이동 • 내전, 분쟁 등에 의한 난민의 이동

C 인구 이동에 따른 지역 변화

1. 인구 유입 지역과 인구 유출 지역

비교 인구 유입이 많은 지역은 북아메리카와 유럽, 오세아니아 등의 선진국, 인구 유출이 많은 지역은 아시아, 아프리카, 남아메리카 등의 개발 도상국이야.

(1) +인구 유입 지역: 산업이 발달하여 임금이 높고 일자리가 풍부한 곳

(2) 인구 유출 지역: 임금이 낮고 일자리가 부족한 곳

2. 인구 이동이 지역에 미치는 영향

구분	인구 유입 지역	인구 유출 지역
긍정적 영향	풍부한 노동력 유입으로 경제 활성화 및 문화적 다양성 증가	이주민들이 본국으로 송금하는 외화 증가로 인한 경제 활성화
부정적 영향	이주민과 현지인 간의 일자리 경쟁 및 문화적 차이로 인한 갈등 발생	청장년층 노동력의 해외 유출로 경제 성장 둔화 및 노동력 부족 문제 발생

자료로 이해하기 인구 유입 지역이 겪는 문제

초·중·고등학교에서 히잡과 부르카, 니캅 등 이슬람 전통 의상 착용을 금지한 프랑스가 이를 대학교로 확대하려고 한다. 프랑스는 전체 인구 중 8%에 달하는 약 600만 명이 이슬람교도로, 이들은 이를 "종교의 자유를 억압하는 행위"라며 반발하고 있다. – 「연합뉴스」, 2016. 8. 19.

서부 유럽은 노동력이 부족하여 일찍부터 이민을 많이 받아들였다. 이에 따라 북부 아프리카와 튀르키예로부터 인구가 유입되었다. 이들은 대부분 이슬람교도로, 크리스트교를 믿는 현지인들과 종교적 갈등을 겪고 있다.

최근에는 아프리카나 서남아시아에서 난민이 대규모로 유입되고 있어.

+ 미국으로의 인구 유입

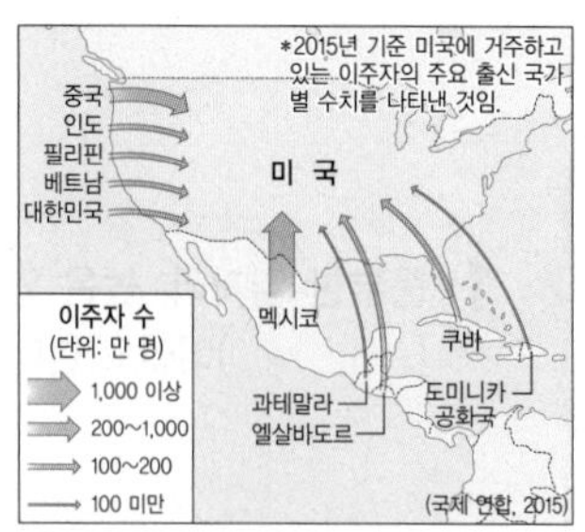

미국은 지리적으로 가까운 라틴 아메리카 출신의 이주민이 많으며, 아시아 출신 이주민도 증가하고 있다. 이들은 주로 낮은 임금을 받고 사람들이 힘들어하는 일에 종사해 왔는데, 최근 일자리 경쟁이 심화되면서 미국인들과의 갈등이 커지고 있다.

D 우리나라의 인구 이동

1. 국내 이동

(1) 일제 강점기: 일자리를 찾아 광공업이 발달한 북부 지방으로 인구 이동

(2) 6·25 전쟁: 월남한 동포들이 남부 지방으로 피난

(3) 1960~80년대: 이촌 향도 현상으로 수도권과 대도시, 신흥 공업 도시로 인구 집중

(4) 1990년대 이후: 대도시의 생활 환경 악화로 대도시의 일부 인구가 주변 지역이나 농촌으로 이동

서울과 인접한 경기도에 서울의 인구를 수용하기 위한 신도시가 건설되면서 경기도의 인구가 증가하고 있어.

2. 국제 이동

(1) 우리나라 인구의 국제 이동

① 일제 강점기: 중국 만주 지역과 구소련의 연해주 지역으로 인구 이동

② 광복 후: 해외 동포들의 귀국

③ 1960~70년대: 일자리를 찾아 미국, 독일, 서남아시아, 북부 아프리카 등으로 인구 이동

④ 1980년대 이후: 유학, 해외 취업 등 일시적 이동, 이민 증가

(2) +외국인의 국내 유입

외국인 근로자는 공업이 발달한 수도권에 거주하며, 국제결혼 이주자는 주로 농어촌에 거주하고 있어.

① 외국인 근로자: 일자리를 찾아 중국, 동남아시아 등지에서 유입

② 결혼 이민자: 국제결혼의 증가로 +다문화 사회로 변화

+ 국내 거주 외국인의 증가

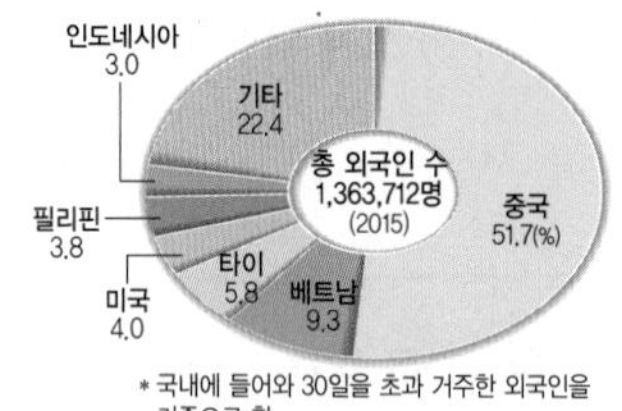

국내 거주 외국인 수와 국적별 현황

1990년대 후반부터 취업이나 결혼을 하기 위해 중국과 동남아시아 등지에서 우리나라로 이주하는 외국인이 증가하고 있다.

+ 다문화 사회

한 사회 내에 다른 다양한 문화가 유입되어 공존하며 상호 영향을 미치는 사회

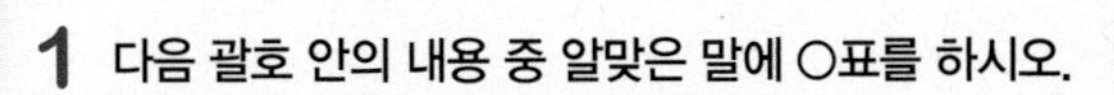

1 다음 괄호 안의 내용 중 알맞은 말에 ○표를 하시오.

(1) 인구 (유입, 유출)이 많은 지역은 노동력이 풍부해져서 경제가 활성화된다.

(2) 서부 유럽은 북부 아프리카와 튀르키예로부터 (불교, 이슬람교)를 믿는 이주민이 유입되면서 종교적 차이에 따른 갈등이 나타나고 있다.

2 지도를 보고 인구 유입이 활발한 대륙과 인구 유출이 활발한 대륙을 각각 쓰시오.

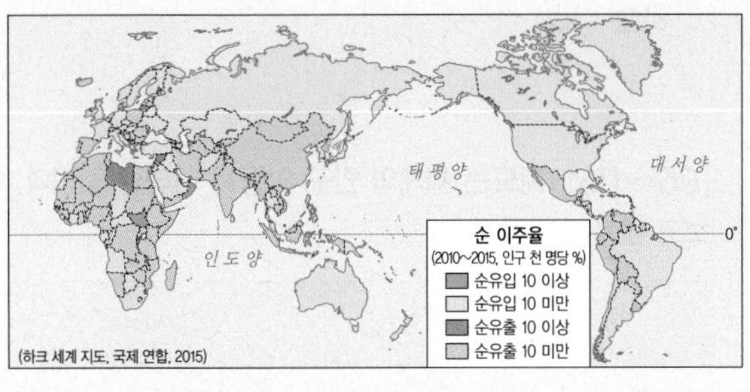

(하크 세계 지도, 국제 연합, 2015)

*순 이주율: 총인구에 대한 순 이주자 수(유입자 수−유출자 수)의 비율
*순유입: 유출보다 유입이 많은 경우
*순유출: 유입보다 유출이 많은 경우

(1) 인구 유입이 활발한 대륙 − (　　　　　)

(2) 인구 유출이 활발한 대륙 − (　　　　　)

핵심 콕콕

• **인구 이동에 따른 지역 변화**

인구 유입 지역	• 긍정적 영향: 노동력 유입 → 경제 활성화 • 부정적 영향: 문화적 차이로 인한 갈등 발생
인구 유출 지역	• 긍정적 영향: 외화 증가 → 경제 활성화 • 부정적 영향: 청장년층 노동력의 유출로 노동력 부족 문제 발생

1 지도는 우리나라의 시기별 인구 이동을 나타낸 것이다. ㉠~㉢에 들어갈 시기를 각각 쓰시오.

(㉠　　　)	광복 후	(㉡　　　)	1960~80년대	(㉢　　　) 이후

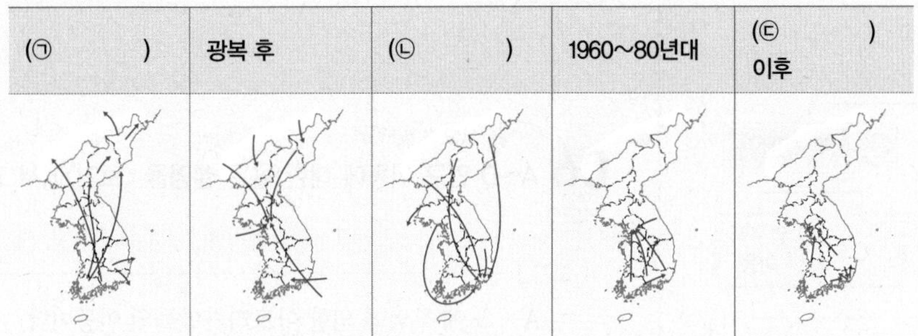

2 ㉠, ㉡에 들어갈 용어를 각각 쓰시오.

1990년대부터는 취업하기 위해 (㉠　　　　)과 동남아시아 등지에서 우리나라로 들어오는 외국인이 증가하였다. 이와 함께 국제결혼이 증가하여 우리 사회가 (㉡　　　　)로 변화하고 있다.

핵심 콕콕

• **우리나라의 국내 인구 이동**

일제 강점기	북부 지방으로 이동
6·25 전쟁	남부 지방으로 피난
1960~80년대	수도권, 대도시, 신흥 공업 도시로 이동
1990년대 이후	대도시의 일부 인구가 주변 지역으로 이동

01 인구 이동의 흡인 요인으로 보기 어려운 것은?

① 자연재해　　② 높은 임금
③ 풍부한 일자리　　④ 쾌적한 주거 환경
⑤ 다양한 의료 시설

02 (가), (나)의 인구 이동의 유형을 옳게 연결한 것은?

> (가) 시리아는 2011년 반군과 정부군 사이에서 내전이 발생하여, 전체 인구 중 절반 이상이 살 곳을 찾아 나라 안팎을 떠돌고 있다.
> (나) 홍콩이나 싱가포르 가정에는 필리핀, 인도네시아 출신의 사람들이 가정부로 일하고 있다. 고용주가 집에서 쉬는 주말이 되면 이들은 공원에 모여 시간을 보낸다.

	(가)	(나)
①	경제적 이동	정치적 이동
②	경제적 이동	종교적 이동
③	정치적 이동	경제적 이동
④	정치적 이동	종교적 이동
⑤	종교적 이동	경제적 이동

03 A~C에 해당하는 인구 이동 유형과 〈보기〉의 사례를 옳게 연결한 것은?

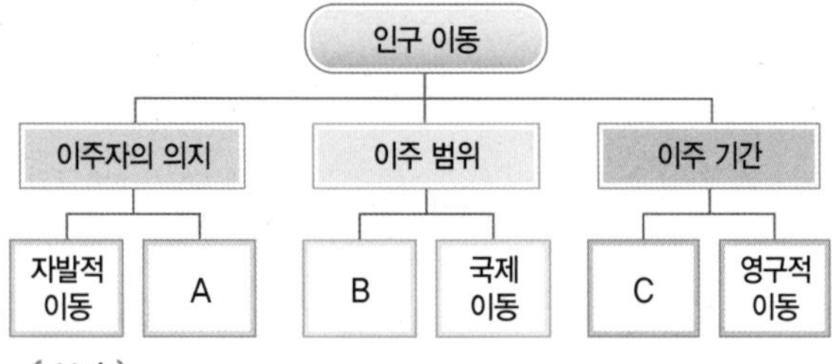

〈보기〉
ㄱ. 노예 무역에 의한 아프리카인들의 아메리카로의 이동
ㄴ. 따뜻한 기후와 풍부한 일자리가 있는 남부 태평양 연안으로의 이동
ㄷ. 여름휴가 시기 기후가 따뜻하고 고대 유적지가 풍부한 지중해로의 이동

① A – ㄱ　　② A – ㄷ　　③ B – ㄱ
④ B – ㄷ　　⑤ C – ㄴ

☆ 시험에 잘 나와!

04 세계 인구의 국제 이동에 대한 설명으로 옳지 않은 것은?

① 과거에는 종교적·강제적 이동의 비중이 컸다.
② 최근 유학, 여행 등 일시적 이동이 증가하고 있다.
③ 오늘날에는 경제적 목적에 의한 이동의 비중이 크다.
④ 최근 선진국에서 개발 도상국으로의 경제적 이동이 활발하다.
⑤ 교통의 발달로 과거에 비해 오늘날 국제 이동이 증가하고 있다.

[05~06] 지도는 세계의 인구 이동을 나타낸 것이다. 이를 보고 물음에 답하시오.

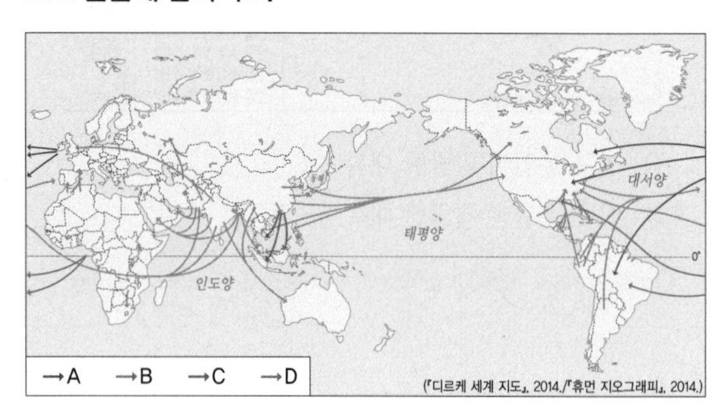

(『디르케 세계 지도』, 2014./『휴먼 지오그래피』, 2014.)

05 지도에서 자발적 인구 이동만을 있는 대로 고른 것은?

① A, B　　② A, D　　③ C, D
④ A, B, C　　⑤ B, C, D

☆ 시험에 잘 나와!

06 A~D 인구 이동에 대한 옳은 설명을 〈보기〉에서 고른 것은?

〈보기〉
ㄱ. A – 노예 무역에 의한 아프리카인들의 이동이다.
ㄴ. B – 개발 도상국에서 일자리를 찾아 선진국으로 이동한 것이다.
ㄷ. C – 일자리를 찾아 떠난 중국인들의 이동이다.
ㄹ. D – 종교의 자유를 찾아 떠난 유럽인의 자발적 이동이다.

① ㄱ, ㄴ　　② ㄱ, ㄷ　　③ ㄴ, ㄷ
④ ㄴ, ㄹ　　⑤ ㄷ, ㄹ

정답 친해 48쪽

시험에 잘 나와!

07 지도와 같은 요인에 의한 인구 이동의 사례로 가장 적절한 것은?

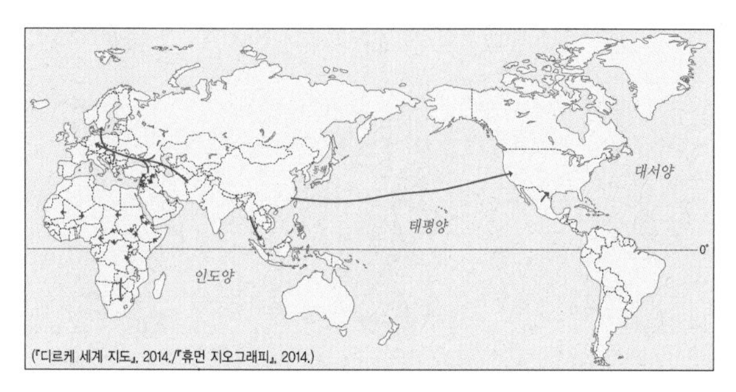

(『디르케 세계 지도』, 2014./『휴먼 지오그래피』, 2014.)

① 핀란드에 사는 매튜는 프랑스 니스로 휴가를 왔다.
② 중국에 살던 진이엔은 일자리를 구하러 대한민국으로 왔다.
③ 가영이는 서울에 있는 대학에 가기 위해 부산에서 이사왔다.
④ 줄리는 복잡한 뉴욕을 떠나 따뜻하고 쾌적한 마이애미로 이주하였다.
⑤ 티모는 내전 때문에 고향인 시리아를 떠나 튀르키예에 있는 난민촌으로 이동하였다.

08 세계 인구의 국내 이동에 대한 설명으로 옳지 않은 것은?

① 오늘날에는 경제적 이동의 비중이 높다.
② 개발 도상국에서는 주로 역도시화 현상이 나타난다.
③ 국가의 산업 발달 수준에 따라 인구의 이동 형태가 다르다.
④ 개발 도상국에서는 농촌 인구가 일자리를 찾아 도시로 이동한다.
⑤ 선진국에서는 쾌적한 환경을 찾아 도시의 인구가 주변 지역으로 이동하는 현상이 나타난다.

09 다음에서 설명하는 용어를 쓰시오.

> 대도시의 주거 환경이 열악해지고, 교통과 통신이 발달하면서 대도시의 인구가 농촌으로 이동하는 현상을 말한다.

10 지도는 국가별 인구의 순유입 지역과 순유출 지역을 구분한 것이다. 이에 대한 설명으로 옳지 않은 것은?

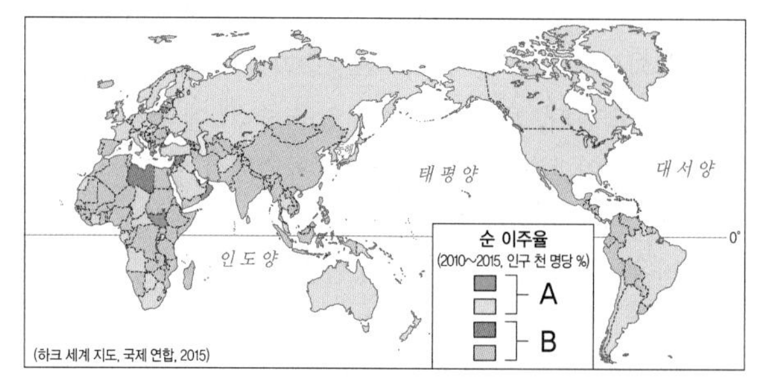

(하크 세계 지도, 국제 연합, 2015)

① 인구의 순유입이 많은 국가는 주로 선진국이다.
② 경제적 요인이 인구 이동에 많은 영향을 미쳤다.
③ 남아메리카 대륙은 인구의 유입보다 유출이 많다.
④ 인구는 A 지역에서 B 지역으로 이동하는 경향이 나타난다.
⑤ A는 인구의 순유입, B는 인구의 순유출 경향을 보이는 지역이다.

11 지도는 미국으로의 인구 유입을 나타낸 것이다. 이에 대한 옳은 설명만을 〈보기〉에서 있는 대로 고른 것은?

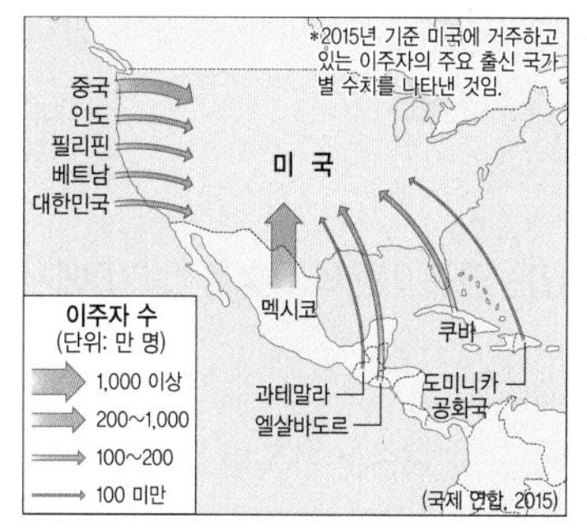

(국제 연합, 2015)

〈보기〉
ㄱ. 멕시코에서의 인구 이동이 가장 많다.
ㄴ. 종교의 자유를 찾는 인구 이동이 대부분이다.
ㄷ. 미국은 라틴 아메리카 문화의 영향을 받을 것이다.
ㄹ. 미국으로의 인구 흡인 요인은 높은 임금 수준과 풍부한 일자리 등이다.

① ㄱ, ㄴ ② ㄴ, ㄷ ③ ㄱ, ㄷ, ㄹ
④ ㄴ, ㄷ, ㄹ ⑤ ㄱ, ㄴ, ㄷ, ㄹ

12 밑줄 친 ㉠~㉣에 대한 설명으로 옳지 않은 것은?

초·중·고등학교에서 ㉠ 히잡과 부르카, 니캅 등 이슬람 전통 의상 착용을 금지한 ㉡ 프랑스가 이를 대학교로 확대하려고 한다. 프랑스는 전체 인구 중 8%에 달하는 약 600만 명이 ㉢ 이슬람교도로, ㉣ 유럽에서 이슬람교도 비율이 가장 높은 국가이다. 이슬람교도들은 이를 "종교의 자유를 억압하는 행위"라며 반발하고 있다.

① ㉠ – 이슬람교도 여성들이 착용하는 의상이다.
② ㉡ – 주민 대부분이 크리스트교를 믿는다.
③ ㉡ – 인구 유출이 많아 경제 성장이 둔화되고 있다.
④ ㉢ – 주로 북부 아프리카, 튀르키예 출신의 이주민들이다.
⑤ ㉣ – 이로 인해 이주민과 현지인 간 문화적 차이로 갈등을 겪고 있다.

시험에 잘 나와!

13 우리나라의 인구 이동에 대한 설명으로 옳은 것은?

① 일제 강점기에는 북부 지방으로의 이주가 많았다.
② 6·25 전쟁 당시에는 북쪽 지방으로의 이주가 많았다.
③ 1900년대 초에는 취업을 위해 서남아시아, 독일 등으로 이주하는 인구가 많았다.
④ 1960년대에는 쾌적한 환경을 찾아 도시를 떠나는 사람들이 크게 증가하였다.
⑤ 1990년대 이후에는 일자리를 찾기 위해 촌락에 살던 사람들이 수도권으로 모여들었다.

14 다음 내용과 관계 깊은 인구 이동의 유형을 〈보기〉에서 고른 것은?

영화 「국제시장」에서 주인공인 덕수는 가족의 생계를 위해 독일의 광부 모집 공고에 지원하여 독일로 떠난다. 우리나라는 6·25 전쟁의 피해로 일자리가 부족하였고, 이에 반해 독일은 인력난을 겪고 있는 상황이었다.

〈보기〉
ㄱ. 국내 이동　　ㄴ. 국제 이동
ㄷ. 경제적 이동　　ㄹ. 정치적 이동

① ㄱ, ㄴ　② ㄱ, ㄷ　③ ㄴ, ㄷ
④ ㄴ, ㄹ　⑤ ㄷ, ㄹ

[15~17] 지도는 우리나라의 시기별 인구 이동을 나타낸 것이다. 이를 보고 물음에 답하시오.

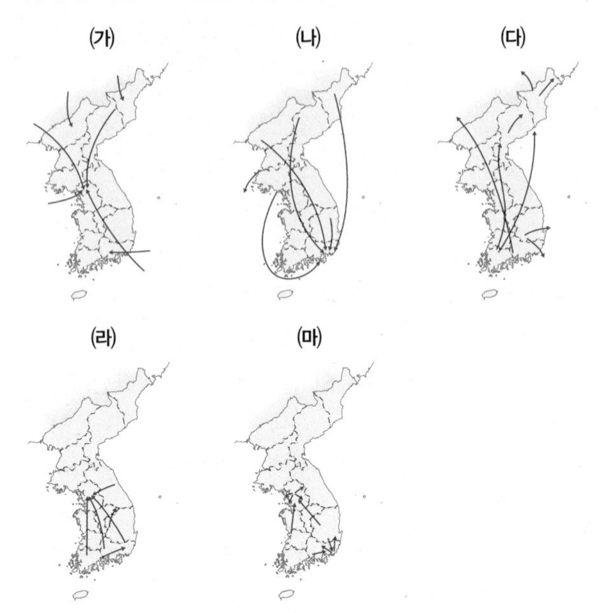

15 (가)~(마)를 시대 순으로 나열할 경우 세 번째에 해당하는 지도는?

① (가)　② (나)　③ (다)　④ (라)　⑤ (마)

16 다음 대중가요 속에 나타난 인구 이동에 해당하는 지도는?

귀국선
돌아오네 돌아오네 고국산천 찾아서
얼마나 그렸던가 무궁화꽃을 얼마나 그렸던가 태극 깃발을
갈매기야 울어라 파도야 춤춰라
귀국선 뱃머리에 희망은 크다

① (가)　② (나)　③ (다)　④ (라)　⑤ (마)

17 (마) 시기의 인구 이동에 대한 설명으로 옳은 것은?

① 광복 직후 해외 동포들이 귀국하였다.
② 6·25 전쟁을 피해 피난민들이 이동하였다.
③ 일자리를 찾아 촌락의 인구가 도시로 이동하였다.
④ 일제의 탄압을 피해 만주 등지로 인구가 이동하였다.
⑤ 대도시의 일부 인구가 주변 지역이나 농촌으로 이동하였다.

시험에 잘 나와!

18 그래프는 우리나라 체류 외국인의 변화를 나타낸 것이다. 이와 같은 현상이 지속될 경우 우리나라에서 나타날 변화 모습을 〈보기〉에서 고른 것은?

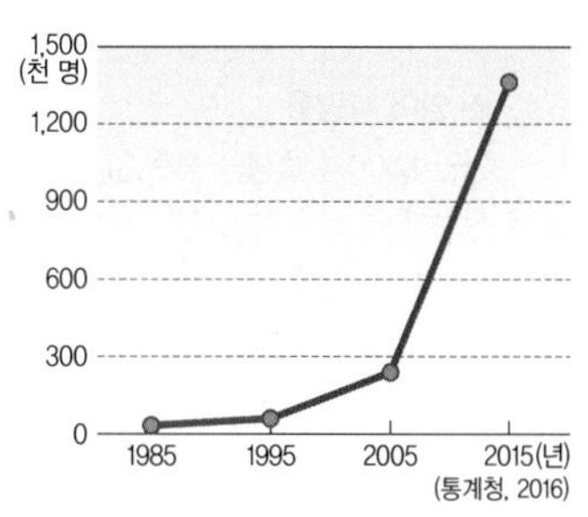

〈보기〉

ㄱ. 노동력 부족 문제가 나타날 것이다.
ㄴ. 체류 외국인의 증가로 우리나라는 다양한 문화가 공존하는 사회가 될 것이다.
ㄷ. 체류 외국인과 우리나라 사람 간의 문화적 차이로 갈등이 발생할 수도 있을 것이다.
ㄹ. 체류 외국인이 본국으로 송금하는 외화가 늘어나 우리나라의 경제가 활성화될 것이다.

① ㄱ, ㄴ　② ㄱ, ㄷ　③ ㄴ, ㄷ
④ ㄴ, ㄹ　⑤ ㄷ, ㄹ

19 그래프는 우리나라의 시도별 전입, 전출 인구수를 나타낸 것이다. 이에 대한 설명으로 옳지 않은 것은?

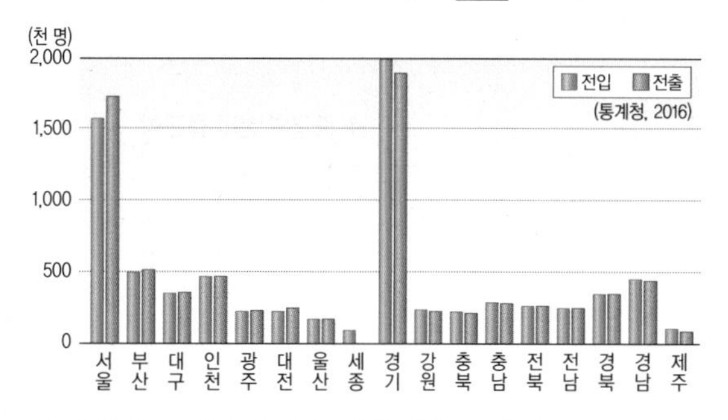

① 서울은 전입자수보다 전출자수가 많다.
② 전입자수가 가장 많은 지역은 경기도이다.
③ 서울을 떠난 인구는 광역시로 유입되었을 가능성이 크다.
④ 세종특별자치시와 제주특별자치도는 인구의 순유입이 나타났다.
⑤ 강원도, 충청남도, 충청북도 지역은 전출자수보다 전입자수가 많다.

서술형 문제

서술형 감잡기

01 자료를 보고 물음에 답하시오.

산업 구조(국내 총생산 기준)

	1차	2차	3차
프랑스	3.0(%)	21.3	75.7
모로코	39.2(%)	20.3	40.5

1인당 국내 총생산

프랑스	40,900달러
모로코	7,900달러

(국제 연합, 2016)
네덜란드
벨기에
독일
대서양
프랑스
에스파냐
이탈리아
지중해
이스라엘
모로코
이주자 수(만 명)
10
50
100

▲ 산업 구조와 1인당 국내 총생산　▲ 모로코 출신 이주자의 도착 국가

(1) 지도와 같은 인구 이동의 유형을 쓰시오. (단, 이동의 목적만 고려한다.)

(2) 모로코에서 나타날 수 있는 변화를 서술하시오.

➜ 이주자들이 모로코로 송금하는 (①　　　)가 늘어나면서 경제가 활성화된다. 그러나 일자리를 찾아 청장년층이 해외로 빠져나가면서 (②　　　) 부족 문제가 나타나고 경제 성장이 둔화될 수도 있다.

실전! 서술형 도전하기

02 인구 이동의 배출 요인을 세 가지 서술하시오.

03 다음 내용에 해당하는 인구 이동의 사례를 두 가지 서술하시오.

• 국제 이동　　• 경제적 이동

03 인구 문제

A 세계 인구의 성장

1. 세계 인구의 성장

농경 생활 이래		산업 혁명 이후		제2차 세계 대전 이후
지속적으로 인구 증가 → 기아, 질병, 전쟁 등으로 사망률이 높아 인구 증가 속도가 빠르지 않음	➜	의료 기술 및 생활 수준 향상 → 평균 수명 연장, +영아 사망률 감소로 인구 증가	➜	경제 성장, 의료 기술 및 생활 환경을 개선한 개발 도상국을 중심으로 인구 급증

2. 선진국과 개발 도상국의 인구 성장

인구 증가 속도는 경제 발전 정도에 따라 국가별로 차이가 나타나.

선진국	+출생률과 사망률 모두 낮음 → 인구 증가 속도가 매우 느리거나 정체됨
개발 도상국	제2차 세계 대전 이후 사망률은 낮아졌지만, 출생률이 높음 → 인구 증가 속도가 빠름

인구를 국력으로 인식하고 있기도 해.

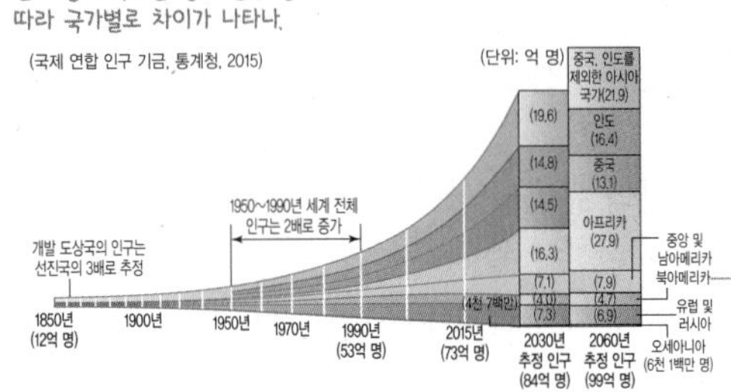

오늘날 세계 인구의 약 17%는 선진국, 83%는 개발 도상국에 거주하고 있어.

⬆ 세계의 인구 성장

+ 영아 사망률
연간 1,000명 출생당 생후 일 년 미만의 사망자 수

+ 출생률과 사망률
출생률은 전체 인구에 대한 출생자 수의 비율, 사망률은 전체 인구에 대한 사망자 수의 비율이다.

B 개발 도상국의 인구 문제

1. 인구 부양력 부족

(인구 부양력: 한 국가의 인구가 그 국가의 사용 가능한 자원으로 생활할 수 있는 능력)

(1) 원인: 인구 부양 능력이 인구 증가 속도를 따라가지 못함

(2) 문제: 식량 부족, 기아, 빈곤 문제 등

(3) 대책

① 출산 억제 정책: 정부의 +가족계획 사업 시행

② 경제 성장 및 식량 증산 정책: 산업화 정책, 농업의 기계화 등

2. 도시 문제

(1) 원인: 산업화 과정에서 농촌 인구의 도시 집중과 도시 자체의 인구 성장

(2) 문제: 주택 부족, 교통 혼잡, 환경 오염, 일자리 부족 등

(3) 대책: 농촌 지역의 개발로 이촌 향도 현상 약화, 인구의 지방 분산 정책 시행 등

3. 출생 성비 불균형

(성비: 여성 100명당 남성의 수)

(1) 원인: 남아 선호 사상이 있는 +중국, 인도 등 일부 아시아 국가에서 남자아이의 출생률이 높게 나타남

(2) 문제: 남성이 결혼 적령기에 배우자를 구하기 어려움

(3) 대책: 남아 선호 사상 타파, 양성평등 문화 정착

+ 가족계획 사업
부부가 자녀수를 결정하여 건강한 자녀의 출산과 양육을 계획하여 가족의 건강을 향상시키기 위한 인구 정책

+ 중국의 성비 불균형

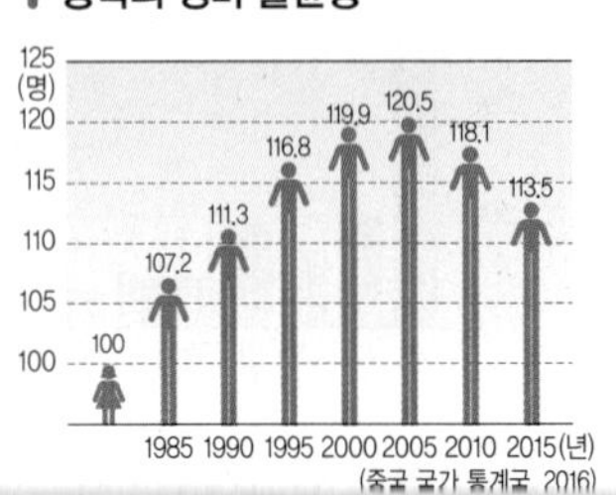

⬆ 중국의 성비 변화

최근까지 중국은 남아 선호 사상과 '한 가정 한 자녀 갖기' 정책으로 심각한 성비 불균형 문제가 나타나고 있다.

- 세계의 인구 성장
- 개발 도상국의 인구 문제
- 선진국의 인구 문제
- 우리나라의 인구 문제

1 그래프는 세계의 인구 성장을 나타낸 것이다. ①~③에 들어갈 지역을 각각 쓰시오.

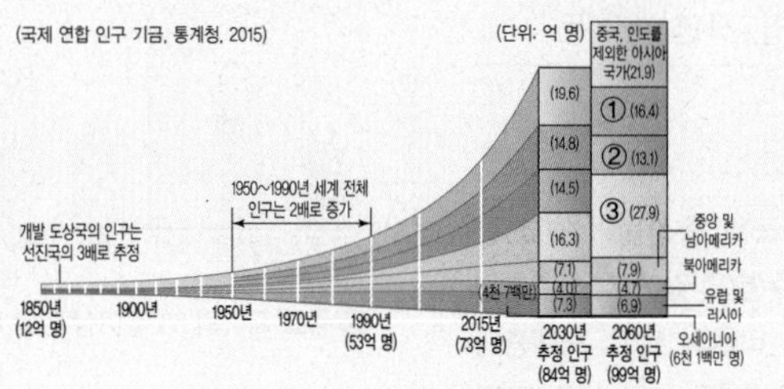

① - (　　　　　　　　)
② - (　　　　　　　　)
③ - (　　　　　　　　)

2 다음 설명이 맞으면 ○표, 틀리면 ×표를 하시오.

(1) 오늘날 선진국은 인구 증가율이 매우 낮거나 정체되어 있다. (　　)
(2) 인구 증가 속도는 경제 발전 정도에 따라 국가별로 차이가 나타난다. (　　)

핵심 콕콕

- **세계의 인구 성장**

산업 혁명 이후 세계 인구 급증
↓

선진국	개발 도상국
낮은 출생률과 사망률 → 인구 증가 속도가 매우 느림	높은 출생률과 낮은 사망률 → 인구 증가 속도가 빠름

1 다음 지도에 대해 설명한 글을 읽고, 괄호 안의 내용 중 알맞은 말에 ○표를 하시오.

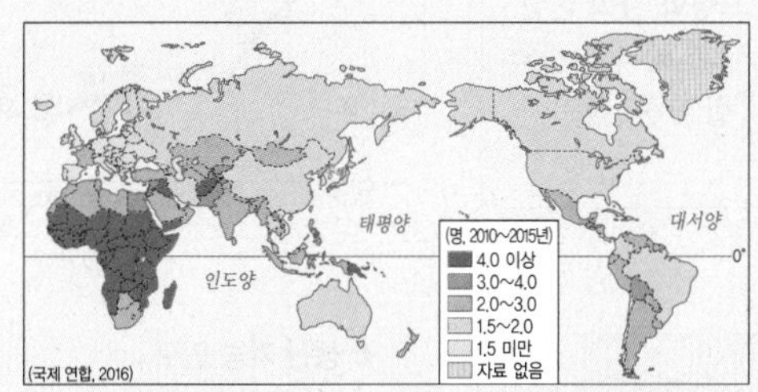

*합계 출산율: 여성 한 명이 가임 기간(15세~49세)에 낳을 것으로 예상되는 평균 출생아 수

지도는 세계의 합계 출산율을 나타낸 것이다. 합계 출산율이 높은 국가가 가장 많이 분포하는 대륙은 (아시아, 아프리카)이다.

2 개발 도상국에서 주로 나타나는 인구 문제와 해결 방안을 옳게 연결하시오.

(1) 도시 문제 •　　　　• ㉠ 남아 선호 사상 타파
(2) 인구 부양력 부족 •　　　　• ㉡ 농촌 지역의 생활 환경 개선
(3) 출생 성비 불균형 •　　　　• ㉢ 출산 억제 정책 및 식량 증산 정책

핵심 콕콕

- **개발 도상국 인구 문제의 원인**

구분	원인
인구 부양력 부족	인구 증가, 낮은 인구 부양 능력
도시 문제	농촌 인구의 도시 집중과 도시 자체의 인구 성장
출생 성비 불균형	일부 아시아 국가의 남아 선호 사상

C 선진국의 인구 문제

구분	원인	대책
저출산	여성의 사회 참여 증가, 결혼 및 출산(자녀)에 대한 가치관 변화	출산 장려 정책, 육아 지원 강화 등
+고령화	생활 수준과 의료 기술의 향상으로 평균 수명 연장	노인 복지 제도 정비, 정년 연장, 연금 제도 개선 등
노동력 부족	저출산 현상에 따른 청장년층 감소	외국인 근로자 유입, 정년 연장 등

자료로 이해하기 선진국과 개발 도상국의 인구 구조

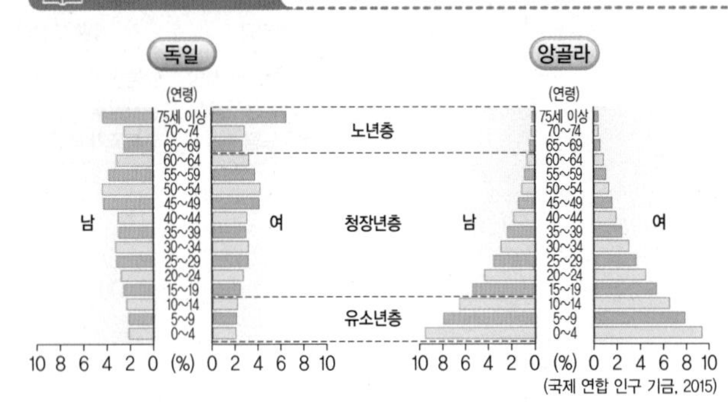

선진국은 출산율이 낮고 평균 수명이 길어 유소년층의 인구 비율이 낮고, 노년층의 인구 비율이 높다. 반면, 개발 도상국은 출산율이 높고 평균 수명이 짧아 유소년층의 인구 비율이 높고, 노년층의 인구 비율이 낮다.

+ 고령화 사회
한 국가에서 65세 이상 인구의 비율이 전체 인구의 7%를 넘으면 고령화 사회, 14%를 넘으면 고령 사회, 20%를 넘으면 초고령 사회로 구분한다.

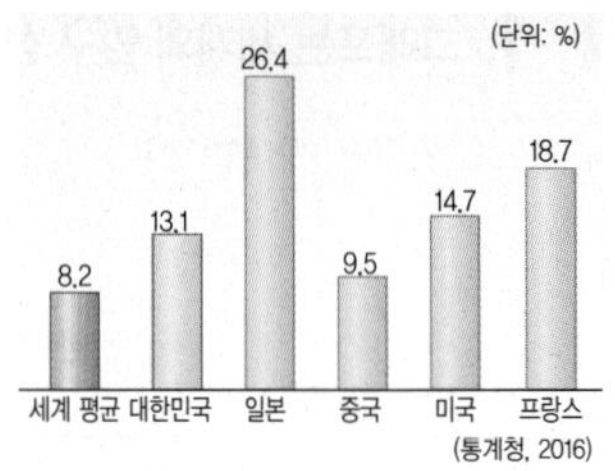

주요 국가의 65세 이상 인구 비율

D 우리나라의 인구 문제

1. 시기별 인구 문제와 인구 정책

6·25 전쟁 이후	1960~1980년대	1990년대 이후	오늘날
사회의 안정화, 사망률의 감소 → 인구 급증	정부의 가족계획 사업 추진 → 출생률 감소	출생률 감소, 출생 성비 불균형 문제, 저출산·고령화 문제 발생	고령화 사회 진입, 세계 최저 수준의 +합계 출산율

2. 저출산·고령화 문제

저출산 현상으로 인구가 정체하거나 감소하면 전체 인구에서 노년층이 차지하는 비중이 높아져.

구분	저출산	고령화
원인	여성의 사회 참여 증가, 결혼 연령 상승, 결혼·가족에 대한 가치관 변화, 육아와 가사 노동에 대한 부담 등	생활 수준의 향상과 의료 기술의 발달로 평균 수명 증가
문제	• 청장년층의 노년층 부양 부담 증가 • +생산 가능 인구의 감소에 따른 세금 감소, 연금과 보험 비용 증가, 경제 성장 둔화 등	
대책	출산 장려 정책 시행, 영·유아 보육 시설 확충, 청년층의 고용 안정, 공공 교육 서비스 지원, 남성의 육아 참여 확대 등	노인 직업 훈련 기회 및 일자리 제공, 연금 제도와 사회 보장 제도의 정비, 정년 연장, 노인 복지 시설의 확충 등

+ 우리나라의 합계 출산율

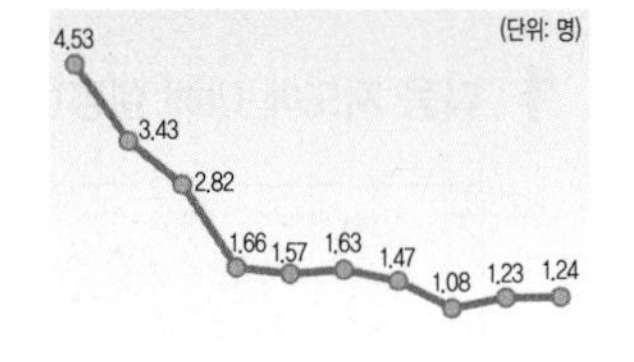

+ 생산 가능 인구
15세부터 64세까지 나이의 사람

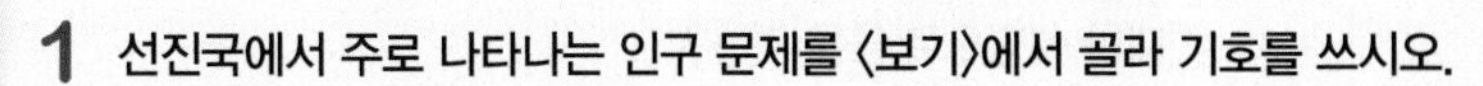

1 선진국에서 주로 나타나는 인구 문제를 〈보기〉에서 골라 기호를 쓰시오.

보기

ㄱ. 고령화 현상	ㄴ. 저출산 현상
ㄷ. 인구의 빠른 증가	ㄹ. 도시로의 급격한 인구 집중

2 ㉠~㉢에 들어갈 용어를 각각 쓰시오.

> 한 국가에서 65세 이상 인구의 비율이 전체 인구의 7%를 넘으면 (㉠) 사회, 14%를 넘으면 (㉡) 사회, 20%를 넘으면 (㉢) 사회로 구분한다.

3 오늘날 선진국에서는 유소년층의 인구 비율은 ( )하고 노년층의 인구 비율은 증가하고 있다.

핵심 콕콕

• 선진국의 인구 문제

저출산의 원인	고령화의 원인
여성의 사회 참여 증가, 결혼에 대한 가치관 변화	생활 수준과 의료 기술의 향상으로 평균 수명 연장

↓

대책	출산 장려 정책, 노인 복지 제도 정비, 정년 연장 등

1 다음은 우리나라의 시대별 가족계획 포스터를 나타낸 것이다. (가)~(라) 포스터를 시기 순으로 나열하시오.

(가)

(나)

(다)

(라)

2 다음 괄호 안의 내용 중 알맞은 말에 ○표를 하시오.

(1) 오늘날 우리나라는 출산율을 (낮추기, 높이기) 위해 출산 장려 정책을 시행하고 있다.

(2) 오늘날 우리나라는 저출산 문제와 더불어 전체 인구 중 노년층의 비율이 높아지는 (고령화, 인구 증가) 문제를 겪고 있다.

핵심 콕콕

• 우리나라 인구 문제의 대책

저출산
출산 장려 정책, 영·유아 보육 시설 확충, 남성의 육아 참여 확대 등

\+

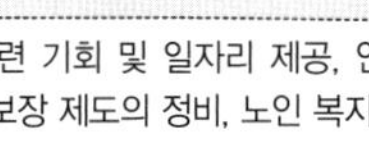

고령화
노인 직업 훈련 기회 및 일자리 제공, 연금 제도와 사회 보장 제도의 정비, 노인 복지 시설의 확충 등

01 산업 혁명 이후 세계 인구의 급속한 증가와 관련된 내용으로 옳지 않은 것은?

① 전염병의 발생
② 의료 기술의 향상
③ 평균 수명의 연장
④ 생활 수준의 향상
⑤ 영아 사망률의 감소

02 그래프는 세계의 인구 성장을 나타낸 것이다. 이에 대한 설명으로 옳은 것은?

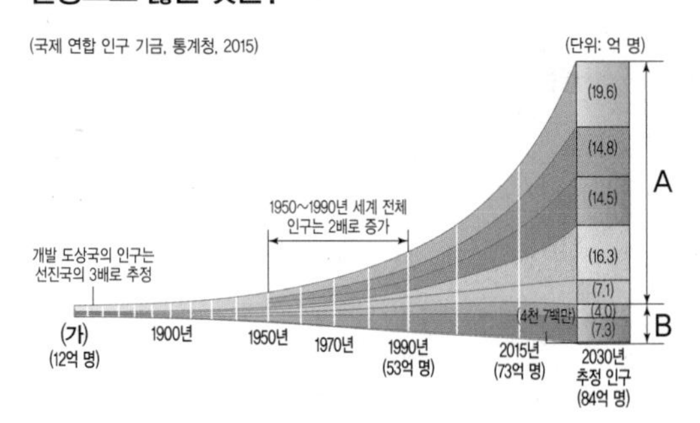

① A는 선진국, B는 개발 도상국이다.
② A는 제2차 세계 대전 이후 인구가 급감하였다.
③ B는 오늘날 세계의 인구 성장을 주도하고 있다.
④ B는 제2차 세계 대전 이후 A의 의료 기술을 받아들이면서 빠르게 인구가 증가하였다.
⑤ (가) 시기 이전에는 인구의 증가 속도가 빠르지 않았다.

03 오늘날 개발 도상국에서 주로 나타나는 인구 문제를 <보기>에서 고른 것은?

보기
ㄱ. 노동력 부족
ㄴ. 인구 부양력 부족
ㄷ. 출생 성비 불균형
ㄹ. 저출산·고령화 현상

① ㄱ, ㄴ ② ㄱ, ㄷ ③ ㄴ, ㄷ
④ ㄴ, ㄹ ⑤ ㄷ, ㄹ

시험에 잘 나와!

04 지도에 표시된 국가들에서 주로 발생하는 인구 문제에 대한 설명으로 옳은 것은?

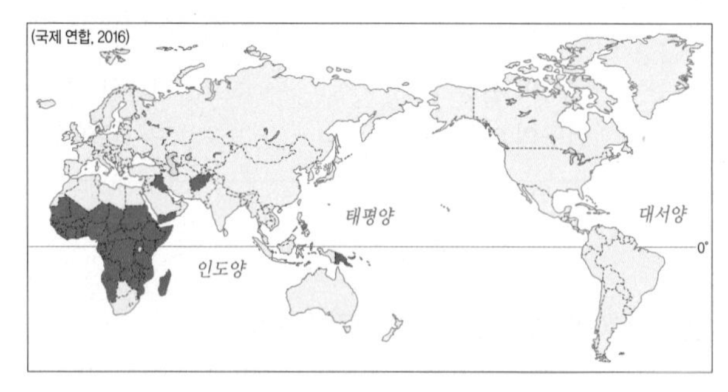

① 여성이 결혼 적령기에 배우자를 찾기 어렵다.
② 생산 가능 인구가 감소하여 경제 성장이 둔화한다.
③ 고령화 현상으로 노년층을 부양해야 하는 청장년층의 부담이 증가한다.
④ 저출산 현상에 따라 청장년층이 감소하여 노동력 부족 문제가 발생한다.
⑤ 농촌 인구의 도시 집중으로 주택 부족, 교통 혼잡 등의 도시 문제가 발생한다.

05 그래프는 중국의 성비 변화를 나타낸 것이다. 이에 대한 옳은 설명만을 <보기>에서 있는 대로 고른 것은?

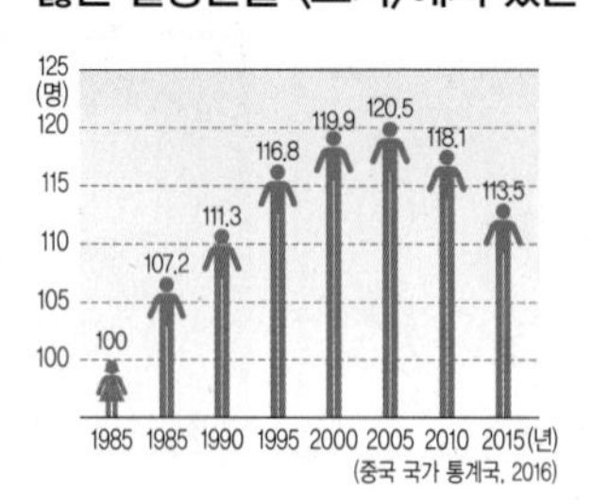

보기
ㄱ. 남아 선호 사상의 영향을 받았다.
ㄴ. 유럽에서도 비슷한 현상이 나타나고 있다.
ㄷ. 양성평등 문화 정착을 위한 교육이 필요하다.
ㄹ. 결혼 적령기의 남성이 배우자를 구하기 어려울 것이다.

① ㄱ, ㄴ ② ㄴ, ㄹ ③ ㄱ, ㄷ, ㄹ
④ ㄴ, ㄷ, ㄹ ⑤ ㄱ, ㄴ, ㄷ, ㄹ

정답 친해 50쪽

06 ㉠에 들어갈 내용으로 옳지 않은 것은?

> 나이지리아는 아프리카에서 인구가 가장 많은 국가로, 인구 증가 속도가 빠르다. 그러나 이를 따라갈 만큼 충분한 일자리를 만들어 내지 못하고 있어 많은 인구가 기아와 빈곤을 겪고 있다. 사람들은 일자리를 찾아 도시로 모여들면서 도시의 생활 환경은 더욱 나빠져 사람들의 삶을 어렵게 하고 있다. 이와 같은 문제를 해결하기 위해서는 ______㉠______

① 식량 증산 정책을 시행해야 한다.
② 출산 장려 정책을 지속적으로 진행해야 한다.
③ 가족계획 사업을 통해 출산율을 낮춰야 한다.
④ 경제 성장을 통해 인구 부양력을 높여야 한다.
⑤ 농촌 지역의 생활 환경을 개선하여 도시로의 인구 유입을 막아야 한다.

07 그래프는 주요 국가의 65세 이상 인구 비율을 나타낸 것이다. 이에 대한 설명으로 옳은 것은?

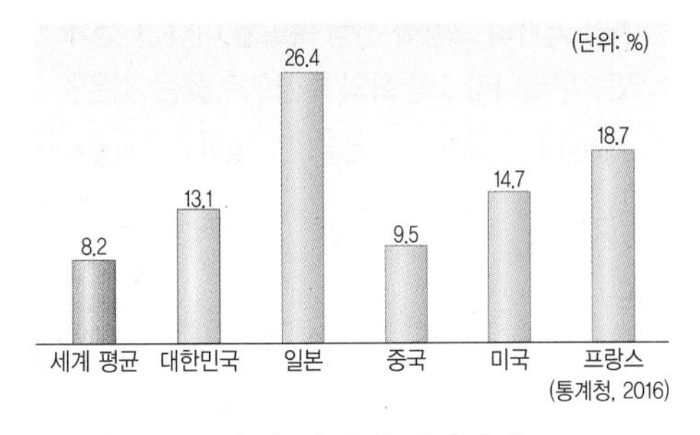

① 미국은 고령화 사회에 해당한다.
② 노년층의 비율이 가장 낮은 국가는 우리나라이다.
③ 중국은 세계 평균보다 65세 이상 인구 비율이 낮다.
④ 일본은 65세 이상 인구 비율이 20%가 넘는 초고령 사회에 해당한다.
⑤ 노년층을 부양해야 하는 청장년층의 부담이 가장 높은 국가는 프랑스이다.

시험에 잘 나와!

08 선진국의 인구 문제에 대한 설명으로 옳지 않은 것은?

① 유럽, 북아메리카 등에서 주로 발생한다.
② 출산 장려 정책, 정년 연장 등의 대책이 필요하다.
③ 생산 가능 인구 감소로 경제 성장이 둔화하고 있다.
④ 노년층을 부양해야 하는 청장년층의 부담이 증가하고 있다.
⑤ 인구 부양력이 부족하여 기아, 식량 부족, 빈곤 문제 등이 발생한다.

[09~10] (가), (나)는 경제 발전 수준이 다른 두 국가의 인구 피라미드를 나타낸 것이다. 이를 보고 물음에 답하시오.

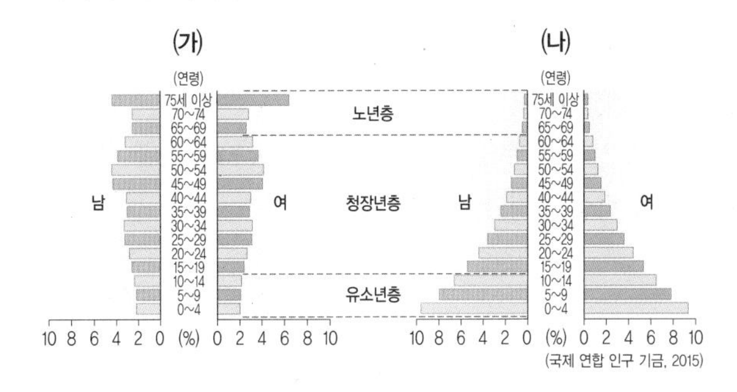

09 (나) 국가보다 (가) 국가에서 높게 나타나는 수치로 옳은 것은?

① 합계 출산율 ② 영아 사망률
③ 인구 증가율 ④ 노년층 인구 비율
⑤ 유소년층 인구 비율

10 (가), (나) 국가의 특징을 유추한 내용으로 옳은 것만을 <보기>에서 있는 대로 고른 것은?

> **보기**
> ㄱ. (가)는 의료 시설이 잘 발달되어 있을 것이다.
> ㄴ. (나)의 출생률이 높은 이유는 평균 수명이 길기 때문일 것이다.
> ㄷ. (나)는 (가)에 비해 노년층을 부양해야 하는 청장년층의 부담이 낮을 것이다.
> ㄹ. (가)의 유소년층 비율이 (나)보다 낮은 이유는 여성의 사회 진출이 활발하기 때문일 것이다.

① ㄱ, ㄹ ② ㄴ, ㄷ ③ ㄱ, ㄴ, ㄷ
④ ㄱ, ㄷ, ㄹ ⑤ ㄴ, ㄷ, ㄹ

11 그래프는 일본의 연령별 인구 비율 변화를 나타낸 것이다. 이에 대한 분석과 추론으로 옳지 않은 것은?

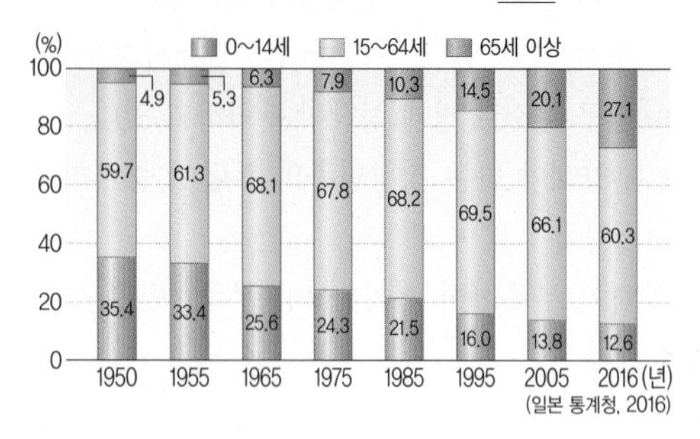

① 출생률과 사망률이 감소하고 있다.
② 일본의 평균 수명은 계속 늘어날 것이다.
③ 1995년에 일본은 초고령 사회로 진입하였다.
④ 부족한 노동력 문제 해결을 위해 외국인 근로자를 받아들일 것이다.
⑤ 노인 인구를 부양하기 위한 청장년층의 세금 부담이 더욱 커질 것이다.

12 다음과 같은 인구 정책이 나타나게 된 원인으로 가장 적절한 것은?

- 스웨덴에서는 자녀가 만 8세가 될 때까지 1명당 총 480일의 육아 휴직을 쓸 수 있으며, 육아 휴직 기간이 끝나면 직장으로 복귀하여 탄력 근무 시간제를 이용할 수도 있다.
- 프랑스 정부는 출산 및 육아와 관련한 보조금을 지급하고, 영·유아를 둔 가정과 미혼 부모 가정, 다자녀 가정 등에도 가족 수당을 제공하고 있다. 또한 가사와 육아를 공평하게 분담할 수 있는 휴직 제도를 추진하고 있다.

① 여성의 사회 참여 제한
② 저출산에 의한 인구 성장률 둔화
③ 일자리 부족으로 인한 실업 증가
④ 남아 선호 사상에 따른 출생 성비의 불균형
⑤ 이촌 향도 현상으로 인한 다양한 도시 문제 발생

13 우리나라의 인구 정책 표어를 시대순으로 나열한 것은?

(가) 딸·아들 구별 말고 둘만 낳아 잘 기르자!
(나) 선생님! 착한 일하면 여자 짝꿍 시켜 주나요.
(다) 자녀에게 물려 줄 최고의 유산은 형제자매입니다.

① (가) → (나) → (다)
② (가) → (다) → (나)
③ (나) → (가) → (다)
④ (나) → (다) → (가)
⑤ (다) → (나) → (가)

시험에 잘 나와!

14 그래프와 같은 현상이 우리나라에서 나타나는 원인으로 옳지 않은 것은?

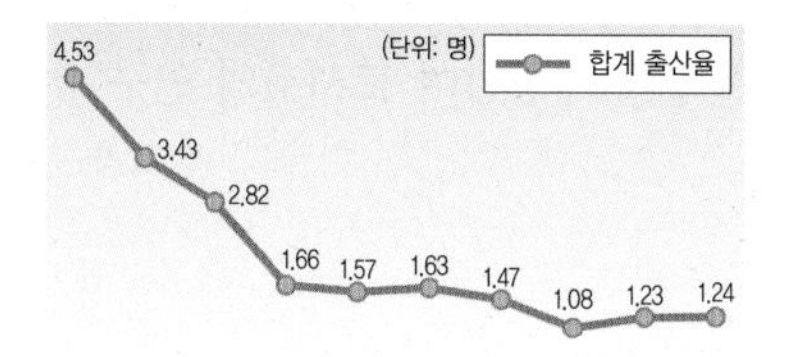

① 결혼 연령의 상승
② 의료 기술의 발달
③ 미혼 인구의 증가
④ 육아와 가사 노동에 대한 부담
⑤ 가족과 결혼에 대한 가치관 변화

15 그래프는 여러 국가의 고령화 진행 속도를 나타낸 것이다. 이를 보고 알 수 있는 우리나라 고령화의 특징으로 옳은 것은?

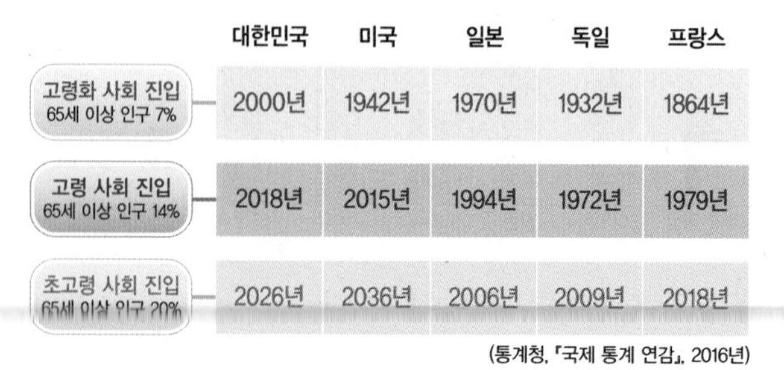

	대한민국	미국	일본	독일	프랑스
고령화 사회 진입 65세 이상 인구 7%	2000년	1942년	1970년	1932년	1864년
고령 사회 진입 65세 이상 인구 14%	2018년	2015년	1994년	1972년	1979년
초고령 사회 진입 65세 이상 인구 20%	2026년	2036년	2006년	2009년	2018년

(통계청, 『국제 통계 연감』, 2016년)

① 생산 가능 인구가 급증하고 있다.
② 고령화 현상이 도시 지역에서만 나타나고 있다.
③ 다른 국가들에 비해 고령화가 일찍 시작되었다.
④ 노년층 인구와 유소년층 인구가 급격히 증가하고 있다.
⑤ 다른 국가들에 비해 고령화 현상이 빠르게 진행되고 있다.

16 다음과 같이 우리나라의 연령별 인구 비율이 변화할 때 나타날 것으로 예상되는 문제를 〈보기〉에서 고른 것은?

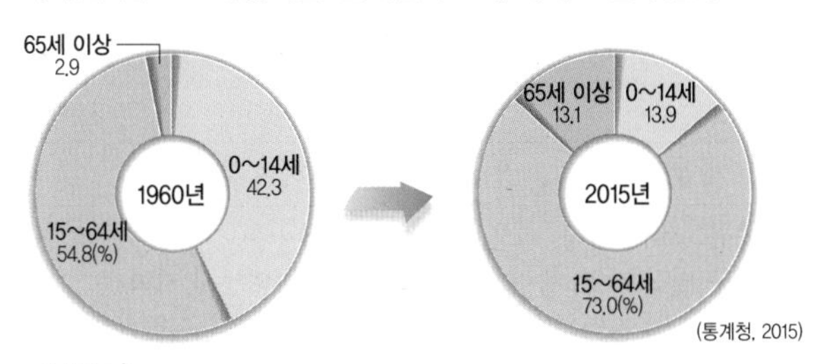

(통계청, 2015)

〈보기〉

ㄱ. 인구의 급격한 증가　　ㄴ. 노인 복지 비용의 증가
ㄷ. 생산 가능 인구의 감소　ㄹ. 도시 지역의 주택 부족

① ㄱ, ㄴ　② ㄱ, ㄷ　③ ㄴ, ㄷ
④ ㄴ, ㄹ　⑤ ㄷ, ㄹ

[17~18] 그래프는 우리나라 인구 구조의 변화를 나타낸 것이다. 이를 보고 물음에 답하시오.

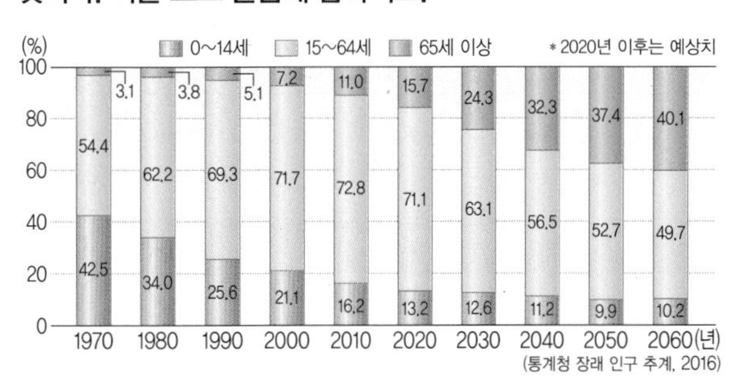

(통계청 장래 인구 추계, 2016)

☆ 시험에 잘 나와!

17 그래프에 대한 설명으로 옳지 않은 것은?

① 생산 가능 인구가 증가하고 있다.
② 노년층 인구의 비율이 점차 높아지고 있다.
③ 유소년층 인구의 비율이 점차 낮아지고 있다.
④ 출산율이 낮아지고, 평균 수명이 늘어나고 있다.
⑤ 오늘날에는 저출산·고령화 현상이 나타나고 있다.

18 2060년 우리나라에서 나타날 것으로 예상되는 인구 문제에 대한 대책으로 적절한 것은?

① 여성의 일자리를 증대한다.
② 출산 장려 정책을 시행한다.
③ 태아 감별 금지 정책을 실시한다.
④ 경작지를 확대하여 인구 부양력을 높인다.
⑤ 농촌 지역을 개발하여 이촌 향도 현상을 약화시킨다.

서술형 문제

서술형 감잡기

01 그래프를 보고 영국의 인구 구조 변화를 서술하시오.

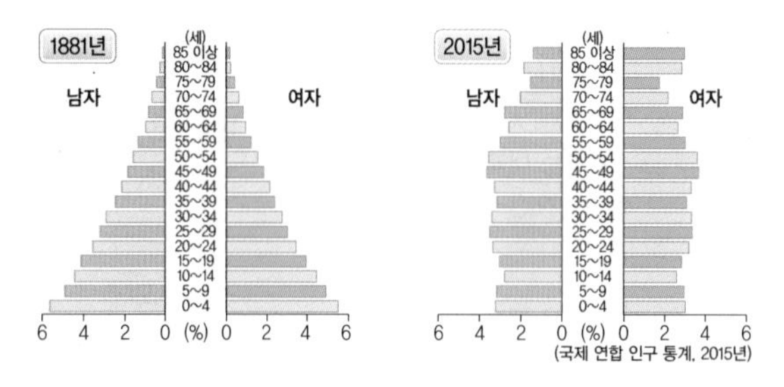

(국제 연합 인구 통계, 2015년)

➜ 영국은 1881년에는 높은 출산율로 (①　　　)의 비율이 높았으나, 2015년에는 (①　　　)보다 (②　　　)의 비율이 높아 (③　　　)현상에 따른 문제가 나타나고 있다.

실전! 서술형 도전하기

02 그래프와 같은 현상이 인도에서 나타나는 원인을 서술하시오.

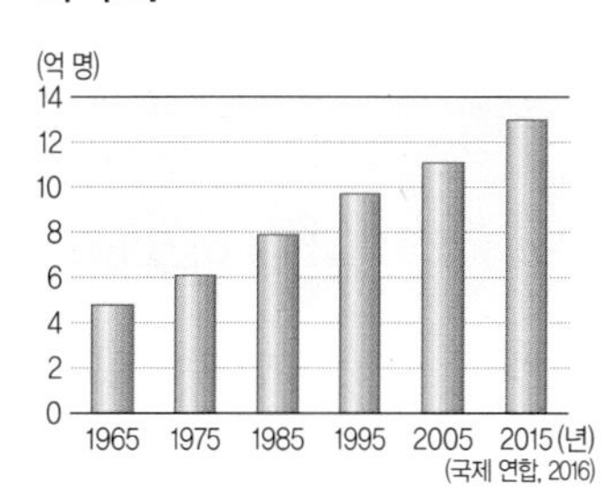

(국제 연합, 2016)

⬆ 인도의 인구 변화

03 다음 인구 정책 표어를 보고 이에 해당하는 우리나라의 인구 문제를 쓰고, 그 대책을 두 가지 서술하시오.

- 더 낳으면 더 나은 대한민국
- 아빠! 혼자는 싫어요. 엄마! 저도 동생을 갖고 싶어요.

한눈에 보는 대단원

01 인구 분포

(1) 세계의 인구 분포

세계의 인구 분포	공간상에 고르게 분포하지 않고 특정 지역에 집중하여 분포함	
인구 분포에 영향을 미치는 요인	자연적 요인	• 종류: 기후, 지형, 식생 등 • 인구 밀집 지역: 동아시아와 남아시아의 벼농사 지역 • 인구 희박 지역: 아마존강 유역, 시베리아 지역, 사하라 사막 등
	인문·사회적 요인	• 종류: 경제, 교통, 산업 등 • 인구 밀집 지역: 서부 유럽, 미국 북동부 대서양 연안 • 인구 희박 지역: 교통이 불편한 지역, 각종 산업 시설과 일자리가 부족한 지역, 전쟁과 분쟁이 자주 발생하는 지역

(2) 우리나라의 인구 분포

구분	산업화 이전	산업화 이후
인구 밀집 지역	평야가 넓고 기후가 온화하여 벼농사에 유리한 남서부 지역	수도권, 대도시, 남동 임해 공업 지역
인구 희박 지역	산지나 고원이 많고 기온이 낮은 북동부 지역	태백산맥과 소백산맥 일대의 산지 지역과 농어촌 지역

☑ 핵심 선택지 다시보기

1 세계 인구는 공간상에 불균등하게 분포한다. ( )

2 세계의 인구 분포는 내륙 지역은 인구가 희박하고, 해안 지역은 비교적 인구가 밀집되어 있다. ( )

3 사하라 사막 지역은 계절풍 기후가 나타나고 넓은 평야가 발달하여 벼농사에 유리하다. ( )

4 우리나라는 1960년대를 기준으로 인구 분포가 크게 달라졌다. ( )

5 우리나라는 산업화 이후에는 넓은 평야가 발달한 남서부 지역에 인구가 밀집하였다. ( )

답 1 ○ 2 ○ 3 × 4 ○ 5 ×

02 인구 이동

(1) 인구 이동의 요인과 유형

인구 이동의 요인	• 배출 요인: 인구를 다른 지역으로 밀어내는 부정적인 요인 • 흡인 요인: 인구를 끌어들여 머무르게 하는 긍정적인 요인
인구 이동의 유형	• 범위에 따른 구분: 국내 이동, 국제 이동 • 이동 동기에 따른 구분: 자발적 이동, 강제적 이동 • 이동 기간에 따른 구분: 일시적 이동, 영구적 이동

(2) 세계 인구의 국제 이동

과거	자발적 이동	유럽인의 신항로 개척을 위한 이동, 중국인의 동남아시아로의 이동
	강제적 이동	노예 무역으로 아프리카인들이 아메리카로 강제 이주
	종교적 이동	영국 청교도들이 아메리카로 이동
오늘날	경제적 이동	개발 도상국에서 일자리를 찾아 선진국으로 이동
	정치적 이동	민족 탄압, 내전, 분쟁 등에 의한 난민의 이동

(3) 세계 인구의 국내 이동

개발 도상국	일자리를 찾아 촌락 인구가 도시로 이동
선진국	쾌적한 환경을 찾아 도시의 인구가 주변 지역이나 농촌으로 이동

☑ 핵심 선택지 다시보기

1 과거에는 종교적·강제적 이동의 비중이 컸다. ( )

2 노예 무역에 의한 아프리카인들의 이동은 자발적 이동에 해당한다. ( )

3 선진국에서는 쾌적한 환경을 찾아 도시의 인구가 주변 지역으로 이동하는 현상이 나타난다. ( )

4 우리나라에서는 1960년대에 쾌적한 환경을 찾아 도시를 떠나 도시 주변 지역으로의 이동이 크게 증가하였다. ( )

5 외국인의 유입으로 우리나라는 다양한 문화가 공존하는 사회로 변화하고 있다. ( )

답 1 ○ 2 × 3 ○ 4 × 5 ○

(4) 인구 이동이 지역에 미치는 영향

구분	인구 유입 지역	인구 유출 지역
긍정적 영향	풍부한 노동력 유입으로 경제 활성화 및 문화적 다양성 증가	이주민들이 본국으로 송금하는 외화 증가로 인한 경제 활성화
부정적 영향	이주민과 현지인 간의 일자리 경쟁 및 문화적 차이로 인한 갈등 발생	청장년층 노동력의 해외 유출로 경제 성장 둔화 및 노동력 부족 문제 발생

(5) 우리나라 인구의 국내 이동

일제 강점기	광공업이 발달한 북부 지방으로 이동
6·25 전쟁	월남한 동포들이 남부 지방으로 피난
1960~80년대	이촌 향도 현상으로 수도권, 대도시, 신흥 공업 도시로 인구 집중
1990년대 이후	대도시의 생활 환경 악화로 대도시의 일부 인구가 주변 지역으로 이동

03 인구 문제

(1) 세계 인구의 성장

산업 혁명 이후	의료 기술 및 생활 수준의 향상 → 평균 수명 연장, 영아 사망률 감소로 인구 증가
오늘날	• 선진국: 인구 증가 속도가 매우 느리거나 정체됨 • 개발 도상국: 인구 증가 속도가 빠름

(2) 개발 도상국의 인구 문제

인구 부양력 부족	• 원인: 인구 부양 능력이 인구 증가 속도를 따라가지 못함 • 대책: 출산 억제 정책 및 경제 성장과 식량 증산 정책 추진 등
도시 문제	• 원인: 이촌 향도 현상에 따른 농촌 인구의 도시 집중과 도시 자체의 인구 성장 • 대책: 농촌 지역의 개발로 이촌 향도 현상 약화 등
출생 성비 불균형	• 원인: 아시아 일부 국가의 남아 선호 사상 등 • 대책: 남아 선호 사상 타파, 양성평등 문화 정착 등

(3) 선진국과 우리나라의 인구 문제

구분	저출산	고령화
원인	여성의 사회 참여 증가, 결혼 연령 상승, 결혼 및 가족에 대한 가치관 변화 등	생활 수준의 향상과 의료 기술의 발달로 평균 수명 증가
문제	청장년층의 노년층 부양 부담 증가, 생산 가능 인구 감소로 세금 감소 및 경제 성장 둔화 등	
대책	출산 장려 정책 시행, 영·유아 보육 시설 확충, 청년층의 고용 안정	노인 직업 훈련 기회 및 일자리 제공, 연금 제도와 사회 보장 제도 정비 등

☑ 핵심 선택지 다시보기

1 선진국이 오늘날 세계의 인구 성장을 주도하고 있다. ( )

2 개발 도상국에서는 농촌 인구의 도시 집중으로 도시 문제가 발생한다. ( )

3 선진국에서는 노년층을 부양해야 하는 청장년층의 부담이 감소하고 있다. ( )

4 우리나라는 가족과 결혼에 대한 가치관 변화로 출산율이 낮아지고 있다. ( )

5 우리나라는 저출산·고령화 현상이 나타나고 있다. ( )

답 1 × 2 ○ 3 × 4 ○ 5 ○

☑ 핵심 선택지 다시보기의 정답을 맞힌 개수만큼 아래 표에 색칠해 보자. 많이 틀린 단원은 되돌아가 복습해 보자.

01 인구 분포 ☹ ☺ ☺ ☺ ☺ 166쪽

02 인구 이동 ☹ ☺ ☺ ☺ ☺ 170쪽

03 인구 문제 ☹ ☺ ☺ ☺ ☺ 178쪽

시험 적중 마무리 문제

01 인구 분포

01 다음은 세계의 인구 분포에 대한 설명이다. ㉠~㉤에 들어갈 내용으로 옳지 않은 것은?

> 세계 인구의 90% 이상은 육지 면적이 넓은 (㉠)에 살고 있다. 위도별로 보면 (㉡)의 온화한 기후가 나타나는 지역은 인구 밀도가 높고, (㉢)은/는 인구 밀도가 낮다. 대륙별로 보면 (㉣)에 인구가 가장 밀집해 있으며, (㉤)은/는 인구가 가장 적게 분포한다.

① ㉠ – 북반구　② ㉡ – 북위 20°~40°
③ ㉢ – 적도 부근과 극지방　④ ㉣ – 아시아
⑤ ㉤ – 유럽

02 인구 분포에 영향을 미치는 요인에 대한 설명으로 옳지 않은 것은?

① 기후, 지형, 식생 등은 자연적 요인에 해당한다.
② 경제, 산업, 교통 등은 인문·사회적 요인에 해당한다.
③ 전쟁, 분쟁이 자주 발생하는 지역은 인구 밀도가 낮다.
④ 지형이 험준한 산지 지역보다 평야 지역의 인구 밀도가 높다.
⑤ 오늘날 인구 분포에 미치는 인문·사회적 요인의 영향력은 줄어들고 있다.

03 제시된 지역들에 인구가 밀집하게 된 공통적인 이유로 가장 적절한 것은?

> • 중국　　• 인도　　• 방글라데시

① 각종 지하자원이 풍부하다.
② 경제가 발달하여 일자리가 풍부하다.
③ 계절풍의 영향으로 벼농사가 발달하였다.
④ 산업 혁명의 발상지로 공업이 발달해 있다.
⑤ 자연 경관이 뛰어나 관광 산업이 발달해 있다.

04 A~D 지역의 인구 분포에 영향을 준 요인에 대한 옳은 설명만을 〈보기〉에서 있는 대로 고른 것은?

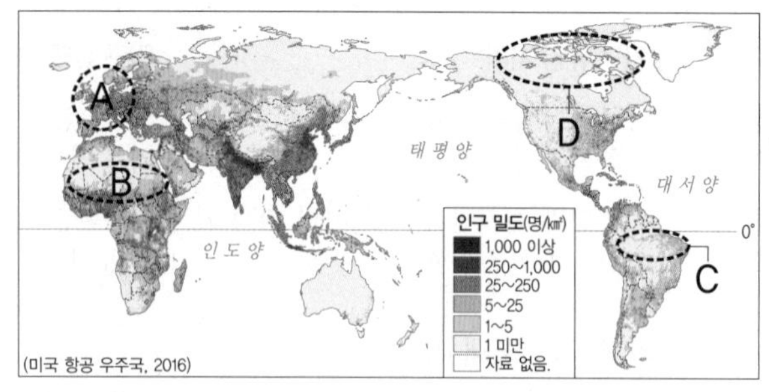

〈보기〉
ㄱ. A는 일자리가 풍부하고 생활 환경이 편리하다.
ㄴ. B는 건조 기후가 나타나 인간 거주에 불리하다.
ㄷ. C는 각종 자원이 풍부해 공업이 발달해 있다.
ㄹ. D는 한대 기후가 나타나 농업에 불리하다.

① ㄱ, ㄴ　② ㄷ, ㄹ　③ ㄱ, ㄴ, ㄷ
④ ㄱ, ㄴ, ㄹ　⑤ ㄱ, ㄴ, ㄷ, ㄹ

05 지도는 우리나라의 인구 분포를 나타낸 것이다. 이에 대한 옳은 설명을 〈보기〉에서 고른 것은?

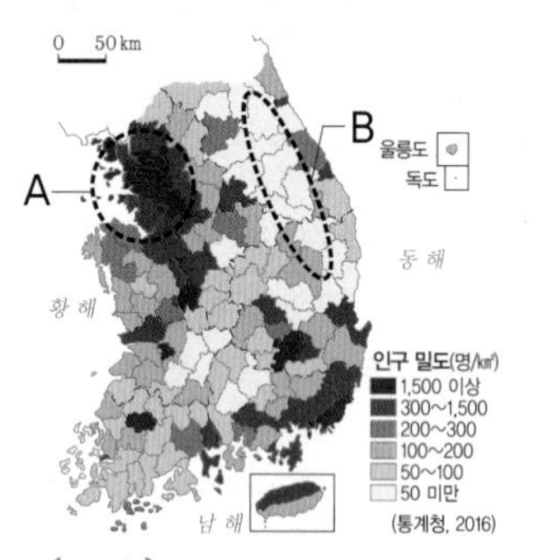

〈보기〉
ㄱ. 산업화 이후의 인구 분포를 나타낸다.
ㄴ. A 지역은 공업이 발달하여 사람들이 모여들었다.
ㄷ. B 지역은 벼농사에 유리한 자연환경이 나타난다.
ㄹ. 인구 분포에 인문·사회적 요인보다 자연적 요인의 영향력이 크게 작용하였다.

① ㄱ, ㄴ　② ㄱ, ㄷ　③ ㄴ, ㄷ
④ ㄴ, ㄹ　⑤ ㄷ, ㄹ

정답 친해 53쪽

+ 창의·융합

06 A, B 지역에서 주로 볼 수 있는 경관을 〈보기〉에서 골라 옳게 연결한 것은?

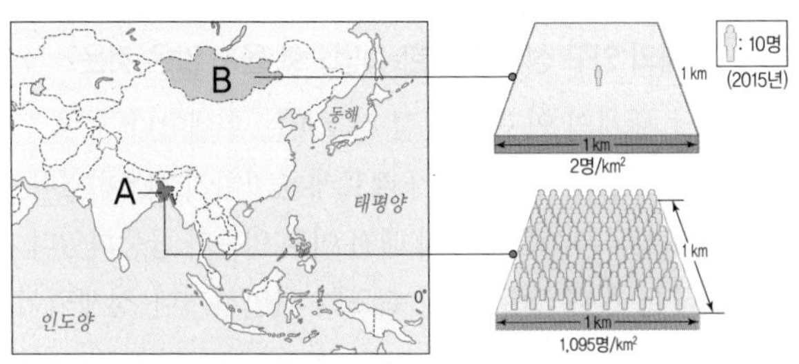

〈 보기 〉

	A	B		A	B		A	B
①	ㄱ	ㄴ	②	ㄱ	ㄷ	③	ㄴ	ㄷ
④	ㄴ	ㄹ	⑤	ㄷ	ㄹ			

02 인구 이동

07 인구 이동에 대한 설명으로 옳지 않은 것은?

① 교통의 발달로 인구 이동이 더욱 활발해졌다.
② 기간에 따라 일시적 이동과 영구적 이동으로 나뉜다.
③ 사람들이 거주를 위해 한 장소에서 다른 장소로 옮겨 가는 현상이다.
④ 오늘날 분쟁이 잦은 국가에서는 인구가 이웃한 국가로 이동하는 경우가 많다.
⑤ 개발 도상국에서는 도시의 인구가 쾌적한 환경을 찾아 농촌으로 돌아가는 현상이 나타난다.

08 인구 이동의 흡인 요인과 배출 요인을 옳게 연결한 것은?

	흡인 요인	배출 요인
①	기아	높은 임금
②	낮은 임금	자연재해
③	종교적 박해	쾌적한 주거 환경
④	풍부한 일자리	전쟁과 분쟁
⑤	열악한 주거 환경	다양한 교육·문화 시설

09 다음 내용과 공통적으로 관련된 인구 이동의 유형은?

- 신항로 개척 이후 많은 유럽인들이 아메리카와 오스트레일리아로 이동하였다.
- 세계 여러 지역에는 중국인들이 거주하고 있으며 이들이 거주하는 차이나타운에는 중국식 건물, 음식 등을 볼 수 있다.

① 강제적 이동　② 경제적 이동
③ 일시적 이동　④ 정치적 이동
⑤ 종교적 이동

10 A, B 인구 이동에 대한 설명으로 옳지 않은 것은?

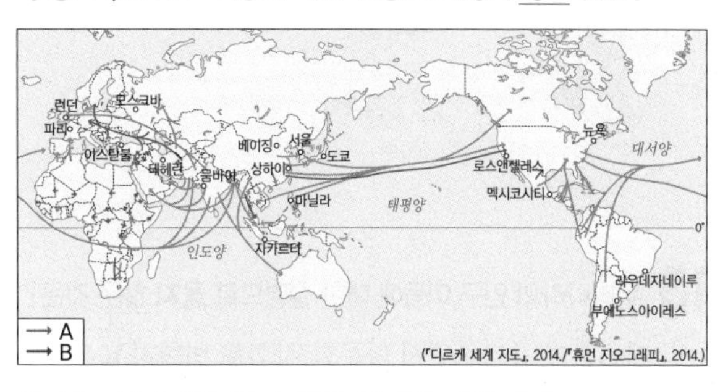

(『디르케 세계 지도』, 2014,『휴먼 지오그래피』, 2014.)

① A는 일자리를 찾기 위한 경제적 이동이다.
② A는 선진국에서 개발 도상국으로 이동한 것이다.
③ B는 분쟁을 피하기 위한 난민의 이동이 포함된다.
④ A, B의 인구 이동은 모두 국제 이동에 해당한다.
⑤ A, B 이동의 인구 유입 지역은 이주민과 현지인 간의 문화적 갈등이 발생하기도 한다.

11 ㉠에 들어갈 내용으로 가장 적절한 것은?

> 필리핀은 총인구의 10%가 넘는 근로자들이 고국을 떠나 미국, 사우디아라비아, 홍콩, 일본 등지에서 일한다. 이로 인해 필리핀은 ___㉠___

① 실업률이 점차 높아지고 있다.
② 저임금 노동력을 확보할 수 있다.
③ 고급 기술 인력이 증가하고 있다.
④ 경제 활동 인구가 증가하고 있다.
⑤ 외화 유입으로 경제 발전에 도움이 된다.

+ 창의·융합

12 다음에서 설명하는 인구 이동의 모습을 나타낸 지도는?

> 1990년 이후 대도시 주변에 신도시가 건설되고, 대도시에서의 삶의 질이 악화되면서 도시 주변 지역이나 농촌으로의 인구 이동이 나타나기 시작하였다.

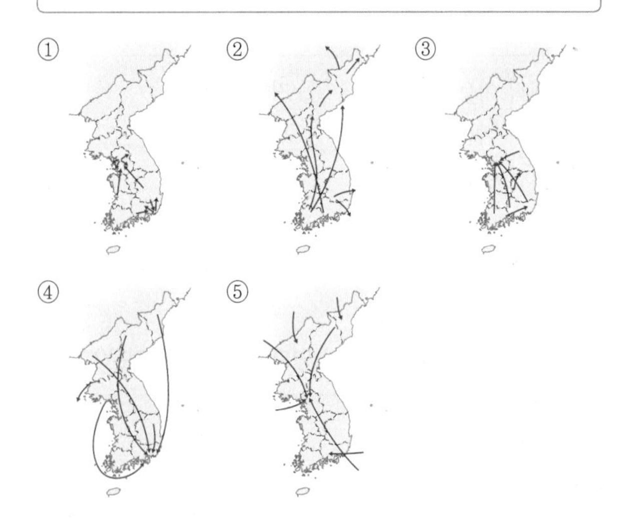

13 우리나라의 인구 이동에 대한 설명으로 옳지 않은 것은?

① 국제결혼이 증가하면서 다문화 사회로 변화하고 있다.
② 우리나라로 유입되는 외국인이 빠르게 증가하고 있다.
③ 1980년대 이후 유학, 취업 등 일시적 이동이 증가하였다.
④ 1970년대에는 서남아시아, 독일 지역으로의 경제적 이동이 활발하였다.
⑤ 일제 강점기에는 일자리를 찾아 광공업이 발달한 남부 지방으로 이동하였다.

03 인구 문제

14 세계의 인구 성장에 대한 설명으로 옳지 않은 것은?

① 오늘날 세계의 인구는 점점 감소하는 추세이다.
② 산업 혁명을 계기로 인구가 빠르게 증가하기 시작하였다.
③ 개발 도상국은 제2차 세계 대전 이후 인구가 급증하였다.
④ 선진국은 현재 인구 증가 속도가 완만하거나 정체되어 있다.
⑤ 의료 기술 및 생활 수준의 향상으로 평균 수명이 연장된 것과 관계있다.

15 그래프는 경제 수준이 다른 지역의 인구 변화를 나타낸 것이다. A, B 지역에 대한 옳은 설명을 〈보기〉에서 고른 것은?

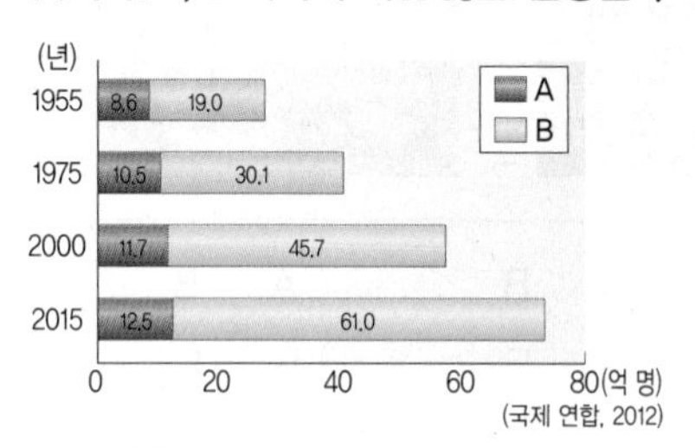

〈보기〉
ㄱ. A 지역은 인구가 꾸준히 감소하고 있다.
ㄴ. 현재 B 지역이 세계 인구 성장을 주도하고 있다.
ㄷ. A는 선진국, B는 개발 도상국이다.
ㄹ. A, B 지역의 인구 증가율은 대체로 비슷하다.

① ㄱ, ㄴ ② ㄱ, ㄷ ③ ㄴ, ㄷ
④ ㄴ, ㄹ ⑤ ㄷ, ㄹ

16 오늘날 개발 도상국과 선진국의 인구 특성을 비교한 내용으로 옳은 것은?

	구분	개발 도상국	선진국
①	출산율	낮다	높다
②	평균 수명	길다	짧다
③	인구 증가율	낮다	높다
④	노년층 비중	낮다	높다
⑤	영아 사망률	낮다	높다

17 개발 도상국에서 주로 나타나는 인구 문제와 대책을 옳게 연결한 것은?

	인구 문제	대책
①	저출산 문제	출산 장려 정책 시행
②	고령화 현상	노인 일자리 창출
③	노동력 부족	출산 장려 정책 시행
④	각종 도시 문제	보육 시설 확충
⑤	인구 부양력 부족	식량 증산 정책 실시

18 다음에서 설명하는 국가는?

> 아시아에 위치한 국가로, 인구 증가를 막기 위해 '한 가정 한 자녀 갖기' 정책을 실시하였다. 그러나 이 정책이 남아 선호 사상과 맞물려 심각한 성비 불균형이 생기면서 1990년대 이후부터 태어난 남성들이 결혼할 여자를 찾기 어려운 실정이다.

① 인도 ② 일본 ③ 중국
④ 베트남 ⑤ 대한민국

19 A 지역에서 주로 나타나는 인구 문제로 옳은 것만을 <보기>에서 있는 대로 고른 것은?

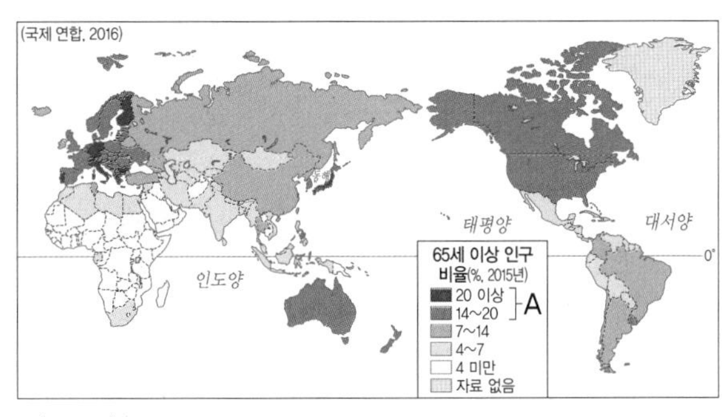

보기
ㄱ. 여성의 지위 향상으로 출산율이 낮아짐
ㄴ. 청장년층이 감소하면서 노동력이 부족함
ㄷ. 인구 부양력 부족으로 빈곤 문제가 발생함
ㄹ. 평균 수명의 연장으로 인구의 고령화 현상이 나타남

① ㄱ, ㄷ ② ㄴ, ㄷ ③ ㄷ, ㄹ
④ ㄱ, ㄴ, ㄹ ⑤ ㄱ, ㄷ, ㄹ

20 우리나라의 시기별 인구 변화 특징에 대해 옳게 설명한 학생을 고른 것은?

① 가현, 나현 ② 가현, 다현 ③ 나현, 다현
④ 나현, 라현 ⑤ 다현, 라현

21 우리나라의 고령화에 대한 설명으로 옳지 않은 것은?

① 우리나라는 고령화 진행 속도가 빠른 편이다.
② 생활 수준 향상과 의료 기술의 발달이 원인이 되었다.
③ 노년층을 부양해야 하는 청장년층의 부담이 감소한다.
④ 정년 연장, 사회 보장 제도 정비 등의 대책이 필요하다.
⑤ 저출산 현상과 맞물려 전체 인구에서 노년층이 차지하는 비중이 높아지고 있다.

22 다음 신문 기사를 통해 파악할 수 있는 인구 문제의 대책으로 적절하지 않은 것은?

> 2015년 우리나라의 합계 출산율은 1.25명이다. 현재의 출산율을 유지한다면 2017년부터 노동 인구가 줄어들게 되어 2050년대 후반이 되면 우리나라의 경제 성장률이 크게 하락할 것으로 예상된다. -「머니투데이」, 2016. 1. 4.

① 출산 장려 정책 시행
② 공공 교육 서비스 지원
③ 남성의 육아 참여 확대
④ 정년 연장과 연금 확대
⑤ 영·유아 보육 시설 확충

사람이 만든 삶터, 도시

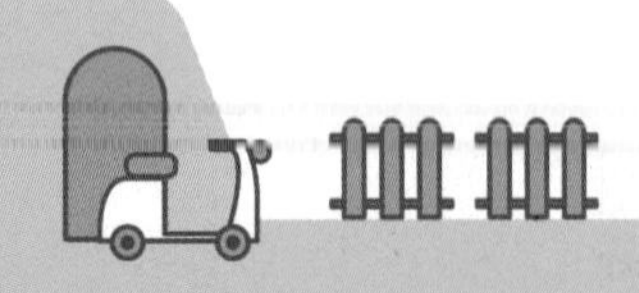

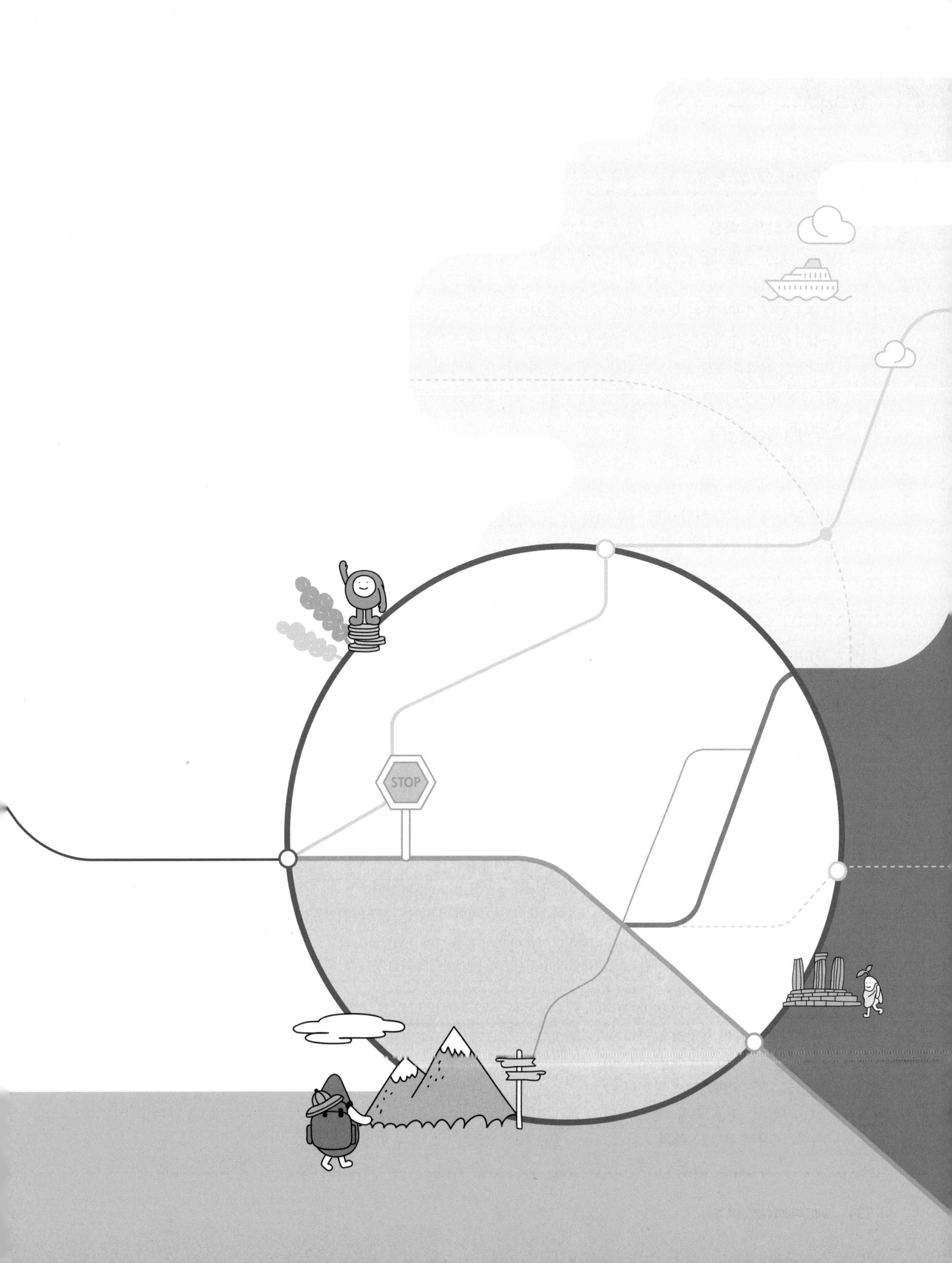
STOP

01 도시의 위치와 특징

A 도시의 의미와 형성

1. 도시의 의미와 특징

비교 도시는 촌락과 함께 인간이 살아가는 대표적인 거주 공간이야. 사람들이 살아가는 삶터를 취락이라고 하는데, 취락은 인구를 기준으로 도시와 촌락으로 구분돼.

(1) 도시: 인구가 밀집한 곳으로 사회적·경제적·정치적 활동의 중심지

(2) 도시의 특징

오늘날 세계 인구의 절반가량이 도시에 거주하고 있어.

① 높은 인구 밀도: 좁은 지역에 많은 사람들이 모여 있음

② 집약적인 토지 이용: 한정된 공간을 효율적으로 활용 → 고층 건물이 많음

③ 다양한 직업과 생활 모습: +2·3차 산업에 종사하는 인구의 비율이 높음

④ +중심지 역할: 병원, 상가, 관공서 등의 생활 편의 시설과 각종 기능이 집중되어 있음

도시는 정치, 경제, 산업, 교통의 중심지에서 발달하는데 새로운 자원이 개발된 곳이나 종교와 문화의 중심지가 도시로 발달하기도 해.

2. 도시의 형성과 발달

(1) 역사상 최초의 도시: 농업에 유리한 조건을 갖춘 문명의 발상지에서 발달

(2) 중세: 상업이 발달하면서 교역과 교환이 활발한 시장을 중심으로 상업 도시 발달

(3) 근대: 18세기 후반 산업 혁명 이후 석탄 산지를 중심으로 공업 도시 발달

(4) 20세기 이후: 공업, 첨단 산업, 서비스업 등 다양한 기능을 수행하는 도시 발달

+ 산업

구분	내용
1차 산업	농업, 어업, 임업 등
2차 산업	광업, 제조업 등
3차 산업	서비스업(상업, 지식·정보 산업, 금융업 등)

+ 중심지

주변 지역에 재화와 서비스를 제공하는 기능을 가진 지역

B 세계의 주요 도시

1. 세계 주요 도시의 기능적 구분

구분	내용
국제 금융·업무 도시	금융 시장을 기반으로 국제 자본의 연결망을 가진 도시 예 미국의 +뉴욕, 영국의 런던, 일본의 도쿄 등
산업·물류 도시	각종 공업이 발달해 있거나 항만과 같은 물류 기능이 발달한 도시 예 중국의 상하이, 네덜란드의 로테르담 등
환경·생태 도시	인간과 자연이 조화를 이루며 공존할 수 있는 체계를 갖춘 도시 예 독일의 +프라이부르크, 브라질의 쿠리치바 등
역사·문화 도시	오랜 시간에 걸쳐 형성되어 역사 유적이 많고 문화가 발달한 도시 예 이탈리아의 로마, 그리스의 아테네, 튀르키예의 이스탄불, 중국의 시안 등
관광 도시	자연경관이 아름답거나 매력적인 경관이 많아 관광 산업이 발달한 도시 예 프랑스의 파리, 오스트레일리아의 시드니, 에콰도르의 키토 등

적도상에 위치하지만 해발 고도가 높아 연중 온화한 기후가 나타나는 고산 도시야.

2. 세계 도시: 세계 경제, 문화, 정치의 중심지로 세계적 영향력을 가진 금융 기관, 다국적 기업의 본사가 위치하고 각종 국제기구의 활동이 활발히 이루어지는 도시 예 미국의 뉴욕, 영국의 런던, 일본의 도쿄

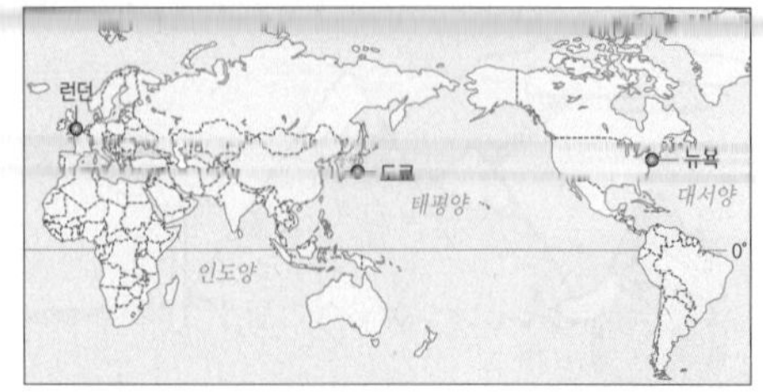

+ 뉴욕(미국)

미국에서 가장 인구가 많은 도시로, 세계 경제, 문화, 금융의 중심지이다. 국제 연합(UN) 본부가 있어 국제 정치의 각축장이기도 하다.

+ 프라이부르크(독일)

인간과 자연이 공생할 수 있도록 시민들이 자전거를 탈 것을 장려하며, 태양광 에너지 활용을 극대화하고 있다.

- 도시의 의미와 형성
- 세계의 주요 도시

1 (　　　　)는 인구가 밀집한 곳으로 사회적·경제적·정치적 활동의 중심지이다.

2 다음 설명이 맞으면 ○표, 틀리면 ×표를 하시오.

(1) 도시는 인구 밀도가 높은 편이다. (　　)

(2) 도시에 사는 사람들의 직업과 생활 모습은 모두 비슷하다. (　　)

3 시기별로 발달한 도시를 옳게 연결하시오.

(1) 중세 •　　　　• ㉠ 시장을 중심으로 하는 상업 도시

(2) 근대 •　　　　• ㉡ 석탄 산지를 중심으로 하는 공업 도시

(3) 20세기 이후 •　　　　• ㉢ 공업, 첨단 산업, 서비스업 등 다양한 기능을 수행하는 도시

• 도시의 의미와 특징

도시	인구가 밀집한 곳으로 사회적·경제적·정치적 활동의 중심지
도시의 특징	• 높은 인구 밀도 • 집약적인 토지 이용 • 다양한 직업과 생활 모습 • 중심지 역할

1 세계의 주요 도시와 그에 대한 설명을 옳게 연결하시오.

(1) 로마 •　　　　• ㉠ 역사 유적지가 많은 도시

(2) 로테르담 •　　　　• ㉡ 인간과 자연이 공존하는 도시

(3) 프라이부르크 •　　　　• ㉢ 항만과 물류 기능이 발달한 도시

2 (　　　　)란 세계 경제, 문화, 정치의 중심지로 세계적 영향력을 가진 금융 기관, 다국적 기업의 본사가 위치하고 각종 국제기구의 활동이 활발히 이루어지는 도시이다.

3 지도는 세계 도시의 위치를 나타낸 것이다. ①~③에 들어갈 도시를 각각 쓰시오.

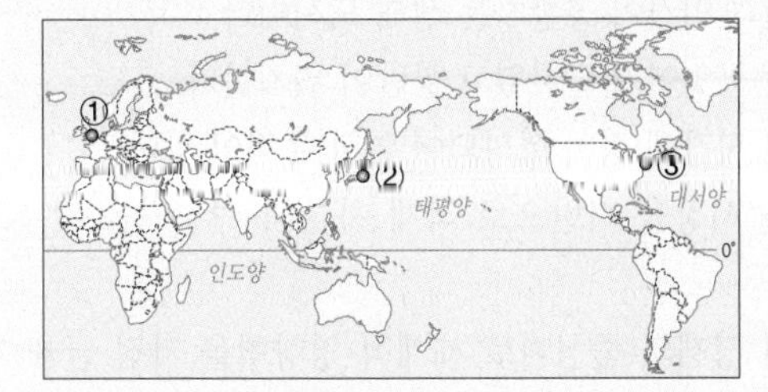

① – (　　　　)

② – (　　　　)

③ – (　　　　)

• 세계의 주요 도시

국제 금융·업무 도시	뉴욕, 런던, 도쿄
산업·물류 도시	상하이, 로테르담
환경·생태 도시	프라이부르크, 쿠리치바
역사·문화 도시	로마, 아테네, 시안
관광 도시	파리, 시드니, 키토

01 도시에 대한 설명으로 옳지 않은 것은?

① 인구가 밀집한 곳이다.
② 인간이 살아가는 대표적인 거주 공간이다.
③ 사회적·경제적·정치적 활동의 중심지이다.
④ 면적을 기준으로 촌락과 구분되는 취락이다.
⑤ 오늘날 세계 인구의 절반가량이 거주하고 있다.

시험에 잘 나와!

02 도시의 특징에 대한 옳은 설명을 〈보기〉에서 고른 것은?

보기
ㄱ. 1차 산업에 종사하는 인구의 비율이 높다.
ㄴ. 고층 건물이 많고 토지 이용이 집약적이다.
ㄷ. 생활 편의 시설과 각종 기능이 집중되어 있다.
ㄹ. 주변 지역에 비해 면적이 넓어 인구 밀도가 낮다.

① ㄱ, ㄴ ② ㄱ, ㄷ ③ ㄴ, ㄷ
④ ㄴ, ㄹ ⑤ ㄷ, ㄹ

03 ㉠~㉢에 들어갈 내용을 옳게 연결한 것은?

역사상 최초의 도시는 (㉠)에 유리한 조건을 갖춘 문명의 발상지에서 발달하였다. 중세에는 (㉡)이 발달하면서 교역과 교환이 활발한 시장을 중심으로 도시가 발달하였다. 근대에는 18세기 후반 산업 혁명 이후 석탄 산지를 중심으로 (㉢) 도시가 발달하였다.

	㉠	㉡	㉢
①	농업	공업	상업
②	농업	상업	공업
③	상업	농업	공업
④	상업	공업	농업
⑤	공업	농업	상업

04 다음은 스무고개 대화 내용을 나타낸 것이다. 스무고개의 정답에 해당하는 도시로 옳은 것은?

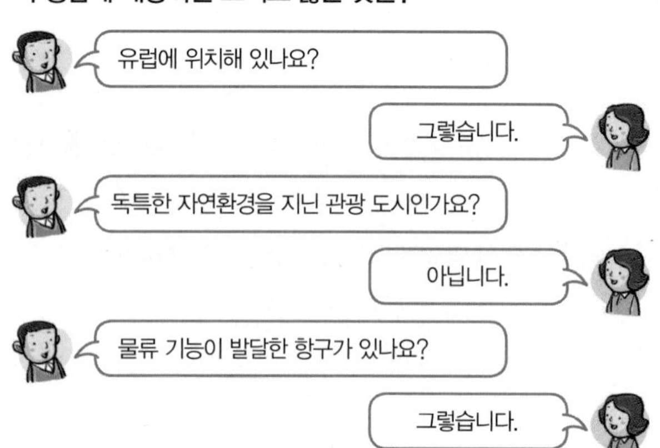

① 런던 ② 키토 ③ 상하이
④ 로테르담 ⑤ 프라이부르크

05 ㉠에 들어갈 내용으로 옳은 것은?

브라질의 쿠리치바는 세계적인 (㉠)이다. (㉠)란 인간과 자연이 조화를 이루며 공생할 수 있는 체계를 갖춘 지속 가능한 도시를 말한다.

① 관광 도시 ② 생태 도시 ③ 산업 도시
④ 문화 도시 ⑤ 금융 도시

06 사진의 도시들이 갖는 공통점으로 옳은 것은?

로마(이탈리아)

이스탄불(튀르키예)

① 자연과 인간이 공존하는 생태 도시이다.
② 각종 공업이 발달하였고 항만이 위치한다.
③ 오랜 시간에 걸쳐 형성되어 역사 유적이 많다.
④ 금융 시장을 기반으로 국제 자본의 연결망을 갖추고 있다.
⑤ 세계 경제의 중심지로 세계적 영향력을 가진 금융 기관이 있다.

07 (가), (나) 도시를 지도의 A~E에서 골라 옳게 연결한 것은?

(가) 프랑스의 수도이다. 1,000만 명이 넘는 인구가 거주하고 있다. 에펠 탑, 노트르담 대성당 등을 보기 위해 많은 관광객이 찾아온다.
(나) 과거에 영국의 죄수 유배지였으나 다양한 이민자들이 모여들면서 현재는 사회적·문화적 다양성이 높은 매력적인 도시가 되었다. 연간 400만 명 이상의 관광객이 방문하는 랜드마크인 오페라 하우스가 있다.

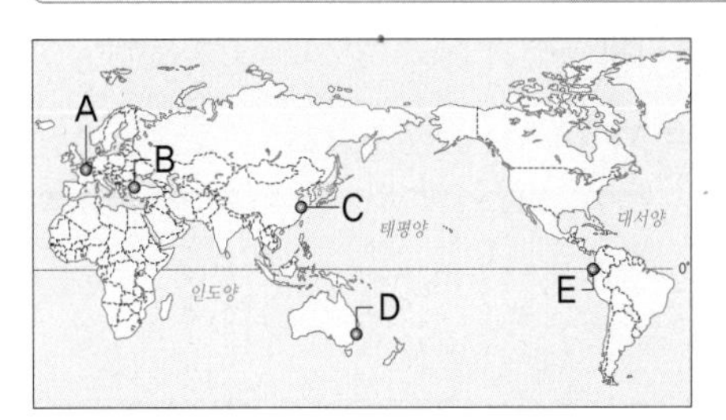

	(가)	(나)
①	A	B
②	A	D
③	B	C
④	C	A
⑤	D	E

08 (가), (나) 도시에 대한 옳은 설명을 〈보기〉에서 고른 것은?

(가)	(나)

미국에서 가장 인구가 많은 도시로 국제 자본의 흐름을 주도하는 세계 금융의 중심지이다.	중국에 위치한 이 도시는 세계 1위 규모의 항만을 자랑하는 국제 물류의 중심지이다.

〈보기〉
ㄱ. (가)는 국제 연합 본부가 있어 국제 정치의 중심지 기능을 수행한다.
ㄴ. (나)는 쾌적한 환경을 갖추어 생태 도시로 지정되었다.
ㄷ. (가)는 뉴욕, (나)는 시인이다.
ㄹ. (가)는 (나)보다 세계 경제에 미치는 영향력이 크다.

① ㄱ, ㄴ　② ㄱ, ㄹ　③ ㄴ, ㄷ
④ ㄴ, ㄹ　⑤ ㄷ, ㄹ

시험에 잘 나와!

09 제시된 도시들의 공통점으로 가장 적절한 것은?

• 뉴욕　• 런던　• 도쿄

① 세계 경제, 문화, 정치의 중심지이다.
② 자연경관이 독특하여 관광 산업이 발달하였다.
③ 농업에 유리한 조건을 갖추어 발달한 도시이다.
④ 자연과 인간이 공존하는 생태 도시로 지정되어 있다.
⑤ 오랜 시간에 걸쳐 형성되어 고대 문명의 유적이 많다.

서술형 문제

서술형 감잡기

01 지도에 표시된 도시들을 일컫는 용어를 쓰고 특징을 서술하시오.

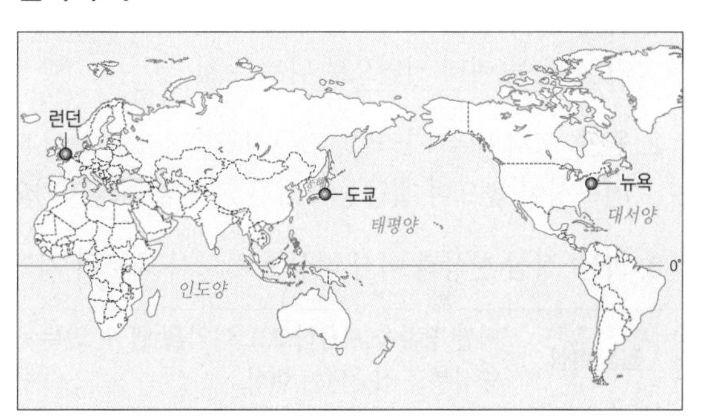

➔ 지도에 표시된 도시들은 (①　　　)이다. 이러한 도시들은 세계 경제, 문화, 정치의 중심지로 세계적 영향력을 가진 금융 기관, (②　　　) 기업의 본사가 위치해 있으며, 국제 연합(UN)과 같은 각종 (③　　　)의 활동이 활발히 이루어지는 도시이다.

실전! 서술형 도전하기

02 도시의 특징을 제시된 단어를 활용하여 서술하시오.

• 인구 밀도　• 토지 이용　• 생활 모습

02 도시 내부의 경관

A 도시의 경관

1. **도시의 경관:** 일반적으로 중심부에 위치하는 건물의 높이가 높고 주변 지역으로 갈수록 건물의 높이가 낮아짐

2. **도시 내부의 다양한 모습**

(1) 도시의 규모가 작을 경우: +관공서, 상점, 주택, 학교, 공장 등 여러 기능이 도시 내부에 섞여 있음

(2) 도시의 규모가 커질 경우: 같은 종류의 기능은 모이고 다른 종류의 기능은 분리됨 → 상업 시설, 주택, 공장 등 비슷한 기능끼리 모이는 현상이 나타남

이러한 과정은 접근성, 지대, 지역 개발 정책 등의 영향을 받아.

+ 관공서
국가 또는 지방자치단체의 사무를 처리하는 기관

B 도시 내부의 지역 분화

1. **의미:** 도시 규모가 커지면서 도시 내부가 중심 업무 지역, 상업 지역, 공업 지역, 주거 지역 등 여러 지역으로 나뉘는 것

왜? 다양한 기능들의 입지 조건이 서로 다르기 때문이야.

2. **원인:** 도시 내부 지역별 +접근성과 +지가의 차이 때문 → 교통이 편리한 지역일수록 접근성이 높으며 접근성이 높은 지역일수록 지가와 +지대가 비쌈

3. **과정:** 집심 현상과 이심 현상으로 도시 내부의 지역이 분화됨

집심 현상	비싼 땅값을 지급하고도 이익을 낼 수 있는 중심 업무 기능이나 상업 기능이 도시 중심부로 집중되는 현상
이심 현상	비싼 땅값을 지급할 수 없는 주택이나 학교, 넓은 건물 터가 필요한 공장 등이 외곽으로 빠져나가는 현상

자료로 이해하기 도시 내부 구조와 토지 이용별 지가 그래프

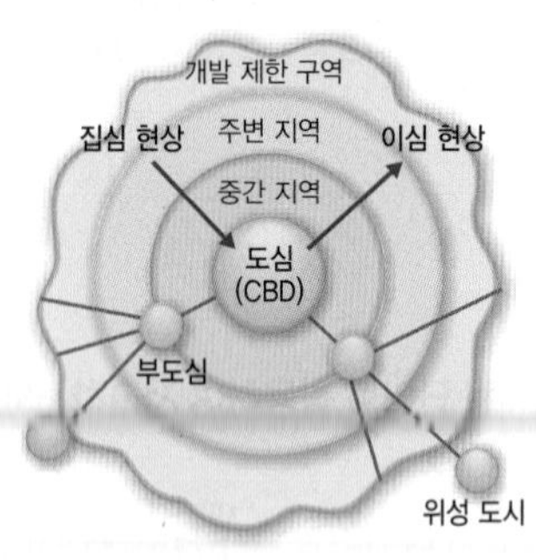

도시 내부 구조

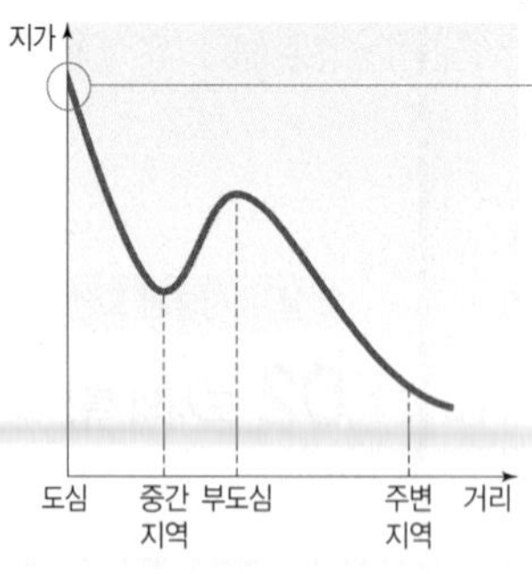

토지 이용별 지가 그래프

도심은 교통이 편리하고 땅값이 매우 비싸기 때문에 토지를 효율적으로 이용하기 위해 고층 건물을 많이 지어.

도시 내부 구조는 도심, 중간 지역, 부도심, 주변 지역 등으로 구분된다. 도심은 도시 내부에서 접근성이 가장 높기 때문에 땅값이 매우 비싸다. 따라서 각 기능이 지대를 지불할 수 있는 능력에 따라 집심 현상과 이심 현상이 일어나며 도시 내부의 지역이 분화된다.

+ 접근성
어느 한 장소에서 다른 장소까지 도달하기 쉬운 정도

+ 지가
토지의 시장 거래 가격(땅값)

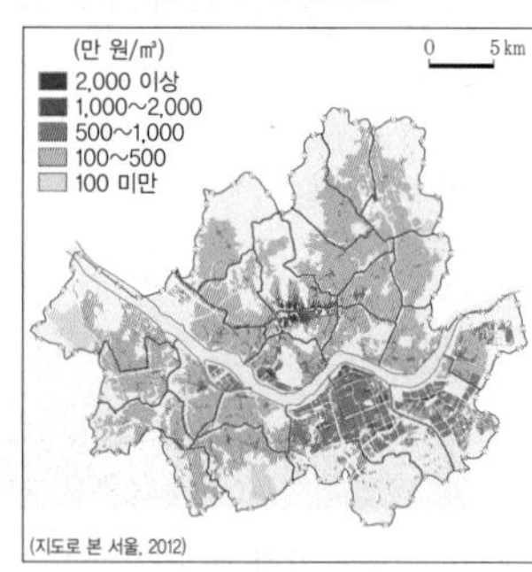

서울의 지가 분포

+ 지대
건물이나 토지를 이용하여 얻을 수 있는 수익 또는 건물이나 토지를 빌린 대가로 지급하는 비용

- 도시의 경관
- 도시 내부의 지역 분화
- 도시 중심부와 주변 지역의 경관

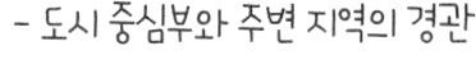

1 일반적으로 도시 (㉠)에 위치하는 건물의 높이가 높고 (㉡)으로 갈수록 건물의 높이가 낮아진다.

2 도시의 규모가 커질 경우 (같은, 다른) 종류의 기능은 모이고, (같은, 다른) 종류의 기능은 분리된다.

핵심 콕콕

• 도시 내부의 다양한 모습

규모가 작을 경우
여러 기능이 도시 내부에 섞여 있음

↓

규모가 커질 경우
비슷한 기능끼리 모이는 현상이 나타남

1 ㉠에 들어갈 용어를 쓰시오.

> 도시 내부의 (㉠)란 도시 규모가 커지면서 도시 내부가 중심 업무 지역, 상업 지역, 공업 지역, 주거 지역 등 여러 지역으로 나뉘는 것이다.

2 도시 내부의 지역 분화는 도시 내부 지역별 ( )과 지가의 차이 때문에 일어난다.

3 도시 내부의 지역 분화에 대한 설명이 맞으면 ○표, 틀리면 ×표를 하시오.

(1) 접근성이 높은 지역일수록 지가가 비싸다. ( )
(2) 도시 내부에서는 지역별 접근성과 지가가 균일하다. ( )
(3) 집심 현상과 이심 현상으로 도시 내부의 지역이 분화된다. ( )
(4) 도심은 도시 내부에서 접근성이 가장 높기 때문에 땅값도 매우 비싸다. ( )

4 다음 현상과 그에 대한 설명을 옳게 연결하시오.

(1) 집심 현상 • • ㉠ 주택, 학교, 공장 등이 외곽으로 빠져나가는 현상
(2) 이심 현상 • • ㉡ 중심 업무 기능이나 상업 기능이 도시 중심부로 집중되는 현상

핵심 콕콕

• 도시 내부의 지역 분화

접근성과 지가의 차이

집심 현상	이심 현상
중심 업무 기능, 상업 기능이 도시의 중심부로 집중됨	주택, 학교, 공장 등이 도시 외곽으로 빠져 나감

C 도시 중심부의 경관

1. 도심

(1) 위치: 접근성이 높은 도시의 중심부

(2) 특징

+중심 업무 지구 형성	행정·금융 기관, 백화점, 대기업의 본사 등이 모여 있음
+인구 공동화 현상	주간에는 유동 인구가 많지만, 야간에는 유동 인구가 주거 지역으로 빠져나감 → 출퇴근 시간에 교통 혼잡 문제가 발생함

왜? 도심의 주거 기능이 약화되어 낮과 밤의 인구 밀도 차이가 커지면서 일어난 현상이야.

2. 부도심

(1) 위치: 도심과 주변 지역을 연결하는 교통의 요지에 형성됨

(2) 특징: 도심에 집중된 상업·서비스 기능을 분담하여 교통 혼잡을 완화하는 역할을 함

예 백화점, 금융 기관, 각종 편의 시설 등

3. 중간 지역

(1) 위치: 도심과 주변 지역 사이

(2) 특징: 오래된 주택, 상가, 공장의 혼재 → 도심에서 가까운 곳에는 주택과 상가가 함께 나타나고, 도심에서 멀어질수록 신흥 주거 단지와 공장이 섞여 있음

+ 중심 업무 지구(CBD, central business district)
대도시에서 중추 관리 기능을 비롯하여 상업 기능 및 고급 서비스 기능이 밀집된 지역

+ 인구 공동화 현상
주간에 업무나 쇼핑 때문에 도심에서 활동하던 사람들이 야간에 주거 지역으로 귀가하면서 도심이 한산해지는 현상

D 도시 주변 지역의 경관

1. 주변 지역

(1) 위치: 접근성이 낮은 도시 외곽 지역

(2) 특징: 땅값이 상대적으로 저렴하여 대규모 주택 단지나 아파트 단지, 학교, +공업 지역 등이 조성됨

2. 개발 제한 구역(greenbelt): 일부 대도시에서 도시의 무질서한 팽창을 막고 녹지 공간을 확보하기 위해 지정함

농업 활동은 가능하지만 주택과 공장 건설은 제약을 받아.

3. 위성 도시: 교통이 편리한 대도시 인근에 있으면서 주거, 공업, 행정 등과 같은 대도시의 일부 기능을 분담하는 도시

자료로 이해하기 서울의 도시 경관

부도심은 도심과 유사한 경관이 나타나.

서울의 도심(중구)

서울의 부도심(강남구)

서울의 주변 지역(노원구)

주변 지역에서는 대규모 아파트 단지를 많이 볼 수 있어.

서울의 도심에 해당하는 중구와 종로구는 상업·업무 지역의 면적이 넓고 주거 지역의 면적이 좁은 반면, 주변 지역에 해당하는 노원구, 강동구, 강서구는 주거 지역과 공원·녹지의 면적이 넓게 나타난다. 강남구, 영등포구 등 도심과 주변 지역 사이의 교통이 편리한 지역에는 도심의 기능을 분담하는 부도심이 형성되어 있다.

+ 공업 지역

서울의 주변 지역(구로구)

구로구는 과거 경공업이 주로 이루어지던 곳이었으나 최근에는 첨단 산업 단지가 형성되어 정보 기술(IT) 업체가 모여 있는 아파트형 공장이 많다.

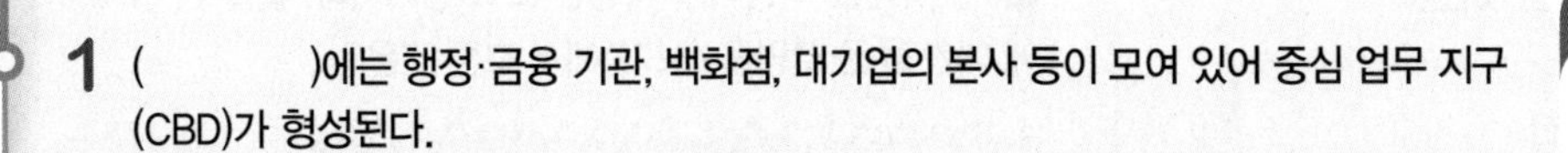

1 (　　　　)에는 행정·금융 기관, 백화점, 대기업의 본사 등이 모여 있어 중심 업무 지구(CBD)가 형성된다.

2 ㉠에 들어갈 용어를 쓰시오.

> 주간에 업무나 쇼핑 때문에 도심에서 활동하던 사람들이 야간에 주거 지역으로 귀가하면서 도심이 한산해지는 (㉠　　　　) 현상이 나타난다.

3 다음 지역과 그 특징을 옳게 연결하시오.

(1) 부도심 •　　　　• ㉠ 오래된 주택, 상가, 공장 등이 섞여 있음

(2) 중간 지역 •　　　　• ㉡ 도심의 기능을 분담하여 교통 혼잡을 완화함

• **도심, 부도심, 중간 지역의 특징**

도심	중심 업무 지구가 형성됨, 인구 공동화 현상이 나타남
부도심	도심의 기능을 분담하여 교통 혼잡을 완화함
중간 지역	오래된 주택, 상가, 공장이 혼재되어 있음

1 ㉠, ㉡에 들어갈 용어를 각각 쓰시오.

> 도시의 주변 지역에는 도시의 무질서한 팽창을 막고 녹지 공간을 확보하기 위해 (㉠　　　　)을 설정하기도 한다. 또한 대도시 주변에는 대도시의 주거, 공업, 행정 등과 같은 대도시의 기능을 분담하는 (㉡　　　　)가 나타나기도 한다.

2 지도는 서울의 도심과 주변 지역을 나타낸 것이다. 중구와 노원구에서 두드러지게 나타나는 경관을 〈보기〉에서 골라 각각 기호를 쓰시오.

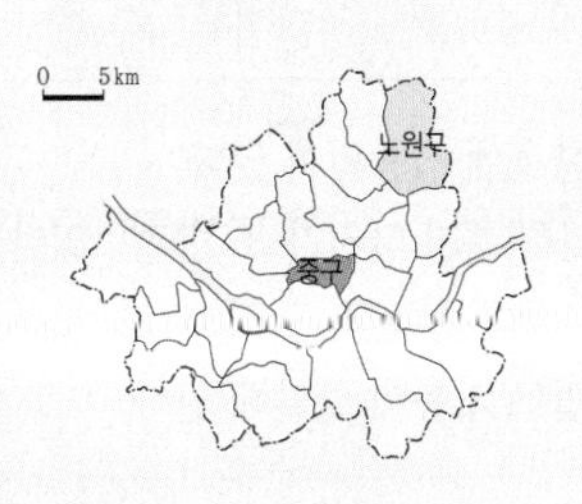

〈보기〉
ㄱ. 대규모 아파트 단지
ㄴ. 넓은 공원 및 녹지 지역
ㄷ. 행정 기관 및 금융 기관
ㄹ. 고층 건물 사이의 백화점

(1) 중구 – (　　　　)　　　　(2) 노원구 – (　　　　)

• **개발 제한 구역과 위성 도시의 역할**

개발 제한 구역	도시의 무질서한 팽창을 막고 녹지 공간을 확보하기 위함
위성 도시	교통이 편리한 대도시 인근에 있으면서 주거, 공업, 행정 등과 같은 대도시의 일부 기능을 분담하기 위함

01 (가)에 들어갈 내용으로 가장 적절한 것은?

> **도시 내부 모습의 변천**
> 1. 도시 내부에 여러 기능이 섞여 있다.
> 2. 인구 증가, 산업 발달로 도시 규모가 커진다.
> 3. ______(가)______
> 4. 도시 내부가 상업 지역, 주거 지역 등 여러 지역으로 나뉜다.

① 인구 공동화 현상이 발생한다.
② 도시 내부의 지역별 지대가 균등해진다.
③ 다양한 기능들의 입지 조건이 비슷해진다.
④ 인구와 기능이 부도심으로 지나치게 집중한다.
⑤ 같은 종류의 기능은 모이고 다른 종류의 기능은 분리된다.

02 ㉠, ㉡에 들어갈 용어를 옳게 연결한 것은?

㉠	어느 한 장소에서 다른 장소까지 도달하기 쉬운 정도
㉡	건물이나 토지를 이용하여 얻을 수 있는 수익 또는 건물이나 토지를 빌린 대가로 지급하는 비용

	㉠	㉡		㉠	㉡
①	지가	지대	②	지대	지가
③	지대	접근성	④	접근성	지가
⑤	접근성	지대			

03 도시 내부의 지역 분화에 대한 설명으로 옳지 <u>않은</u> 것은?

① 공장은 주로 외곽으로 빠져나간다.
② 도심은 접근성과 지가가 가장 높다.
③ 주거 기능은 상업 기능보다 접근성을 중요시한다.
④ 상업·업무 기능은 접근성이 높은 도심에 입지한다.
⑤ 도심에는 비싼 땅값을 지급하고도 이익을 낼 수 있는 기능이 집중된다.

시험에 잘 나와!

04 다음은 비상이가 작성한 노트 필기이다. 밑줄 친 ㉠~㉣에 대한 옳은 설명을 〈보기〉에서 고른 것은?

> **도시 내부의 지역 분화**
> 1. ㉠<u>지역 분화</u>: 도시 내부가 기능에 따라 여러 지역으로 나뉘는 현상
> 2. 지역 분화 요인: 도시 내부 지역별 ㉡<u>접근성</u>, 지가 차이
> 3. 지역 분화 과정: ㉢<u>집심 현상</u>과 이심 현상 → 도시 내부에 상업·업무 기능, 공업 기능, ㉣<u>주거 기능</u>이 적절한 위치에 입지함

〈보기〉
ㄱ. ㉠은 규모가 큰 도시보다 규모가 작은 도시에서 뚜렷하게 나타난다.
ㄴ. ㉡은 도시 중심부가 주변 지역에 비해 높다.
ㄷ. ㉢의 사례로 대기업의 본사가 도심으로 집중하는 현상을 들 수 있다.
ㄹ. ㉣은 비싼 땅값을 지급할 수 있어 교통이 편리한 도심에 입지한다.

① ㄱ, ㄴ　② ㄱ, ㄷ　③ ㄴ, ㄷ
④ ㄴ, ㄹ　⑤ ㄷ, ㄹ

05 그래프는 토지 이용별 지가를 나타낸 것이다. A, B 지역에 대한 옳은 설명을 〈보기〉에서 고른 것은?

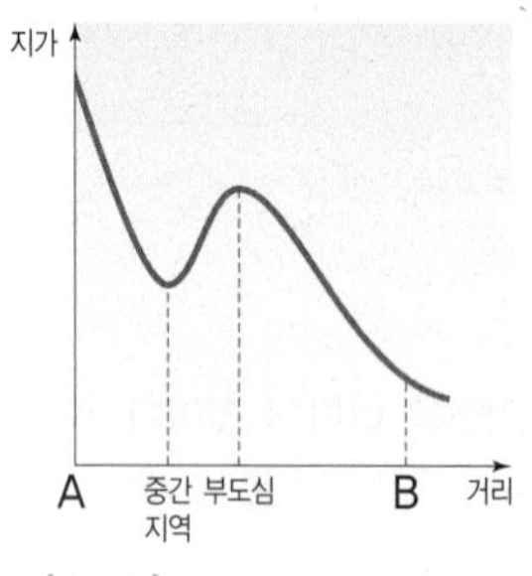

〈보기〉
ㄱ. 공장은 교통이 편리한 A에 집중되어 있다.
ㄴ. B에는 이심 현상에 의해 주거 단지가 조성되어 있다.
ㄷ. A는 B보다 접근성과 지대가 높다.
ㄹ. B는 A에 비해 중심 업무 기능이 발달해 있다.

① ㄱ, ㄴ　② ㄱ, ㄹ　③ ㄴ, ㄷ
④ ㄴ, ㄹ　⑤ ㄷ, ㄹ

[06~08] 그림은 도시 내부 구조를 나타낸 것이다. 이를 보고 물음에 답하시오.

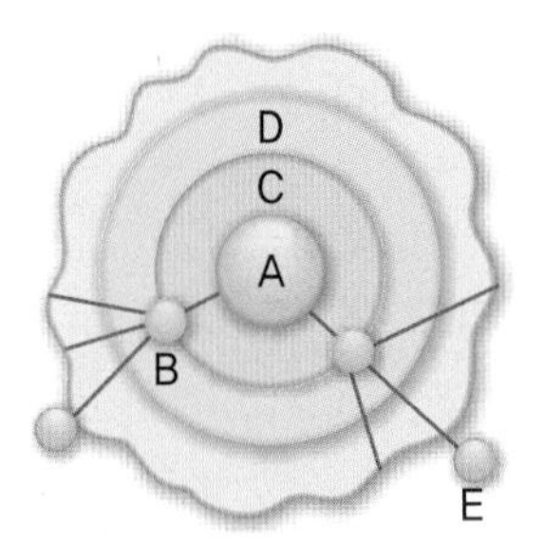

06 다음과 같은 현상이 가장 뚜렷하게 나타나는 지역을 위 그림의 A~E에서 고른 것은?

> 광주의 ○○구에 위치한 △△ 초등학교는 개교 100년이 넘은 곳으로 한때 학생 수가 3,000명을 넘었지만 지금은 100명 남짓이다. 학교 규모가 작아진 가장 큰 원인은 땅값이 상승하면서 주거 기능이 ○○구에서 외곽으로 밀려났기 때문이다.

① A ② B ③ C ④ D ⑤ E

07 (가), (나)에 해당하는 지역을 위 그림의 A~E에서 찾아 옳게 연결한 것은?

> (가) 도심과 주변 지역을 연결하는 교통이 편리한 곳에 위치하며 상업 기능이 발달해 있다.
> (나) 도심과 주변 지역 사이에 나타나며 오래된 주택, 상가, 공장이 혼재되어 있다.

	(가)	(나)
①	A	B
②	B	C
③	B	D
④	C	D
⑤	C	E

08 위 그림의 A~E에 대한 설명으로 옳지 않은 것은?

① A – 지가가 높아 집약적인 토지 이용이 나타난다.
② B – 도심의 기능을 분담하여 도심의 혼잡을 완화한다.
③ C – 도심과 주변 지역 사이에서 나타난다.
④ D – 도시의 무질서한 팽창을 막기 위해 지정되었다.
⑤ E – 대도시 주변에서 대도시의 일부 기능을 분담한다.

시험에 잘 나와!

09 ㉠에 들어갈 용어로 옳은 것은?

> (㉠) 현상이란 주간에 업무나 쇼핑 때문에 도심에서 활동하던 사람들이 야간에 주거 지역으로 귀가하면서 도심이 한산해지는 현상을 말한다.

① 집심 ② 이심 ③ 도시화
④ 역도시화 ⑤ 인구 공동화

10 ㉠에 들어갈 말을 쓰시오.

> 도심은 행정 기관, 금융 기관, 기업의 본사, 백화점, 고급 상점 등이 모여 (㉠) 지구를 형성한다.

11 그래프는 (가), (나) 지역의 상대적 특징을 나타낸 것이다. A, B에 들어갈 지표를 옳게 연결한 것은?

(가)

서울 중구

(나)

서울 노원구

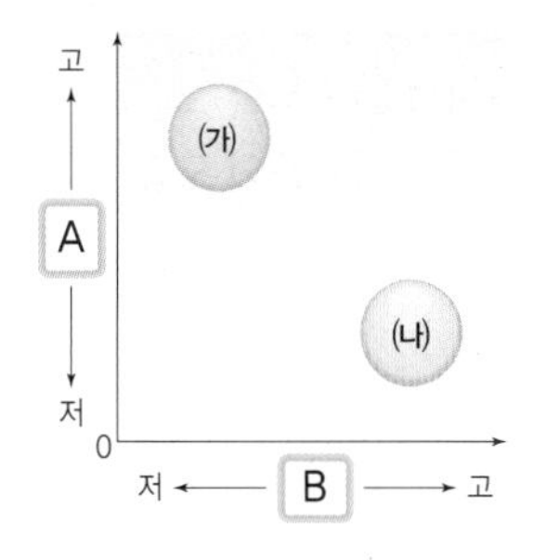

	A	B
①	주간 인구 밀도	백화점 수
②	주간 인구 밀도	대기업 본사 수
③	대기업 본사 수	초등학교 학생 수
④	대기업 본사 수	백화점 수
⑤	초등학교 학생 수	주간 인구 밀도

[12～14] 지도는 서울의 지역별 지가를 나타낸 것이다. 이를 보고 물음에 답하시오.

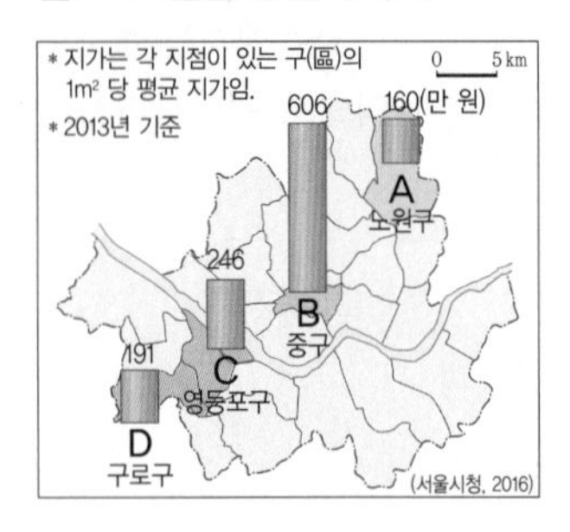

12 (가), (나)에 해당하는 지역을 위 지도의 A～D에서 찾아 옳게 연결한 것은?

> (가) 도심에 집중된 상업 기능과 서비스 기능을 분담한다.
> (나) 대기업의 본사와 금융 기관, 백화점 등이 밀집해 있다.

	(가)	(나)
①	A	B
②	A	D
③	B	A
④	C	B
⑤	C	D

13 위 지도의 A에서 주로 볼 수 있는 모습으로 가장 적절한 것은?

① 고층 건물들이 빽빽이 밀집해 있는 모습
② 아침에 등교하는 중·고등 학생들의 모습
③ 낮에는 꽉 차고 밤에는 텅 빈 주차장 모습
④ 대기업 본사에서 일하고 있는 사람들의 모습
⑤ 백화점 본점에서 쇼핑을 하고 있는 사람들의 모습

14 위 지도의 A보다 B에서 더 높게 나타나는 수치로 옳은 것을 〈보기〉에서 고른 것은?

〈보기〉
ㄱ. 초등학교의 수　　ㄴ. 금융 기관의 수
ㄷ. 대기업 본사의 수　　ㄹ. 공원·녹지 지역의 면적

① ㄱ, ㄴ　② ㄱ, ㄷ　③ ㄴ, ㄷ
④ ㄴ, ㄹ　⑤ ㄷ, ㄹ

15 ㉠에 들어갈 말로 옳지 않은 것은?

> 일반적으로 도시의 중심부는 (㉠)이/가 높고 주변 지역으로 갈수록 (㉠)이/가 낮아진다.

① 지가　② 지대　③ 접근성
④ 건물의 높이　⑤ 야간 인구 밀도

시험에 잘 나와!

16 (가), (나) 지역에 주로 집중되는 기능을 옳게 연결한 것은?

> (가) 도시 내부에서 가장 접근성이 높으며 고층 건물이 밀집해 있다.
> (나) 도시 외곽에 위치해 접근성이 낮고 땅값이 상대적으로 저렴하여 학교, 공장 등이 입지해 있다.

	(가)	(나)
①	주거 기능	행정 기능
②	주거 기능	공업 기능
③	업무 기능	행정 기능
④	업무 기능	주거 기능
⑤	공업 기능	업무 기능

17 사진에 나타난 지역에 대한 옳은 설명을 〈보기〉에서 고른 것은?

첨단 산업 단지(서울 구로구)

〈보기〉
ㄱ. 도심의 서비스 기능을 분담한다.
ㄴ. 과거에는 경공업이 주로 이루어졌다.
ㄷ. 교통이 편리하여 땅값이 가장 비싸다.
ㄹ. 넓은 용지가 필요해 도시 외곽에 위치한다.

① ㄱ, ㄴ　② ㄱ, ㄹ　③ ㄴ, ㄷ
④ ㄴ, ㄹ　⑤ ㄷ, ㄹ

18 개발 제한 구역을 지정하는 이유로 옳은 것을 〈보기〉에서 고른 것은?

보기
ㄱ. 녹지 공간을 확보하기 위해
ㄴ. 인구 공동화 현상을 방지하기 위해
ㄷ. 도시의 무질서한 팽창을 막기 위해
ㄹ. 도심의 일부 기능을 주변 지역에 분산하기 위해

① ㄱ, ㄴ ② ㄱ, ㄷ ③ ㄴ, ㄷ
④ ㄴ, ㄹ ⑤ ㄷ, ㄹ

19 위성 도시에 대한 설명으로 옳은 것은?

① 교통이 편리한 소도시의 인근에 있다.
② 대도시의 일부 기능을 분담하는 도시이다.
③ 도심과 주변 지역을 연결하는 교통의 요지에 형성된다.
④ 중추 관리 기능이 밀집하며 인구 공동화 현상이 나타난다.
⑤ 농업 활동은 가능하지만 주택과 공장 건설은 제약을 받는다.

시험에 잘 나와!
20 (가)~(다)에 들어갈 지역을 옳게 연결한 것은?

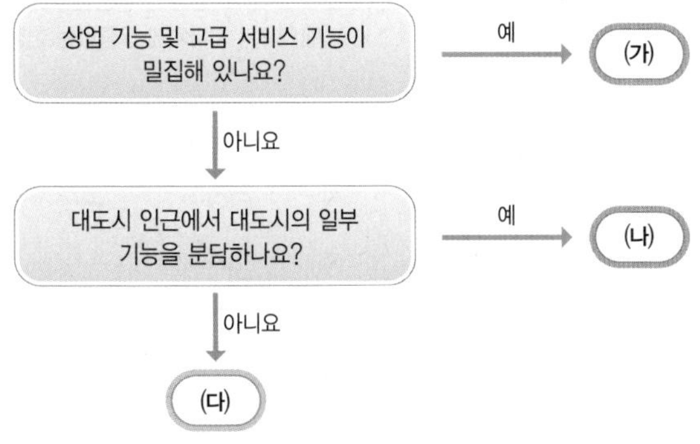

	(가)	(나)	(다)
①	도심	주변 지역	위성 도시
②	도심	위성 도시	주변 지역
③	주변 지역	도심	위성 도시
④	위성 도시	도심	주변 지역
⑤	위성 도시	주변 지역	도심

서술형 문제

서술형 감잡기

01 도시 내부의 지역 분화 과정에 대해 서술하시오.

➜ 도시의 규모가 커지면서 중심 업무 기능이나 상업 기능이 도시 중심부로 집중되는 (①) 현상과 주택이나 학교, 공장 등이 외곽으로 빠져나가는 현상인 (②) 현상이 일어나면서 도시 내부의 지역이 분화된다.

실전! 서술형 도전하기

02 서울의 도심에서 다음과 같은 현상이 나타나는 이유를 서술하시오.

서울의 도심 지역에서는 종로 1, 2, 3, 4가동의 주민 센터를 하나로 통합하여 운영하는 통합 주민 센터가 생기고 있다.

03 ㉠에 들어갈 용어를 쓰고, 도시 내부 구조에서 ㉠의 위치와 역할에 대해 서술하시오.

사진은 서울의 (㉠)에 해당하는 강남구의 모습이다. 서울의 영등포구에서도 이와 유사한 경관이 나타난다.

도시화와 도시 문제~살기 좋은 도시

A 도시화의 의미와 과정

1. **도시화:** 도시에 인구가 집중하면서 전체 인구에서 도시 인구가 차지하는 비율이 높아지고, 도시적 생활 양식이 보편화되는 과정

$$\frac{\text{도시에 사는 인구}}{\text{전체 인구}} \times 100 = \text{도시화율(\%)}$$

2. **+도시화의 과정:** 도시화율에 따라 초기 단계, 가속화 단계, 종착 단계로 진행됨

초기 단계	• 대부분의 인구가 촌락에 분포하며 1차 산업에 종사함 • 도시화율이 매우 낮고 완만한 상승을 보임
가속화 단계	• 산업화가 진행되고, 제조업과 서비스업이 발달함 • 이촌 향도 현상과 함께 도시화율이 급격히 상승함 • 가속화 단계 말기에는 교외화 현상이 나타나기도 함 (교외화 현상: 대도시의 인구나 기능, 시설 등이 주변 지역으로 이동하는 현상)
종착 단계	• 도시화율이 80%를 넘음, 도시의 성장 속도가 느려짐 • 역도시화 현상이 나타나기도 함

+ 도시화의 과정

도시화가 진행되면 도시의 수가 늘고 도시의 면적이 넓어진다. 도시 지역은 인구 유입이 활발하고 제조업과 서비스업 위주로 주민의 경제 활동이 변화한다.

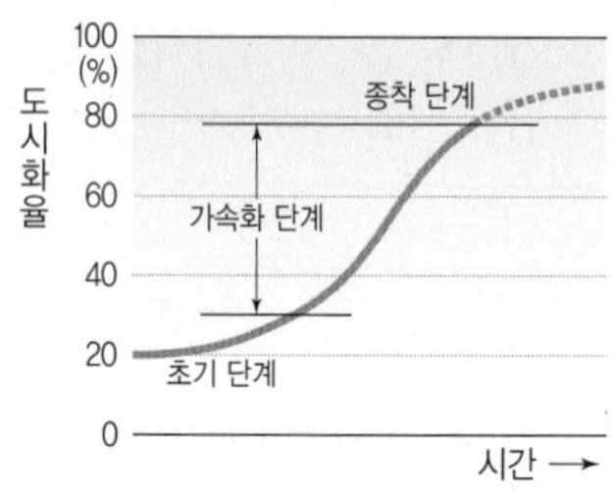

도시화 곡선

B 선진국과 개발 도상국의 도시화

1. **선진국의 도시화**

(1) 과정: 18세기 산업 혁명 이후 200여 년 동안 산업화와 함께 점진적으로 진행 → 20세기 중반 이후 종착 단계에 이름

(2) 특징: 주로 촌락에서 도시로 인구가 이동하면서 이루어짐, 오늘날 도시화의 정체 또는 역도시화 현상이 나타나고 있음

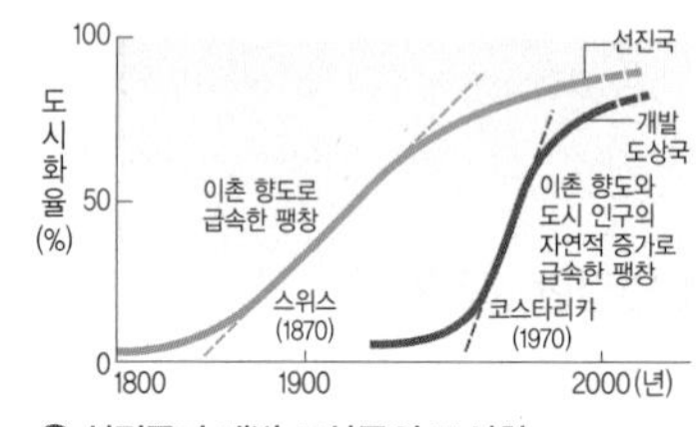

선진국과 개발 도상국의 도시화

2. **개발 도상국의 도시화**

(1) 과정: 20세기 중반 이후 단기간에 매우 급속하게 진행 → 현재 가속화 단계

(2) 특징: 이촌 향도 현상과 함께 청장년층 중심의 이동으로 도시 인구의 자연적 증가도 급속하게 이루어짐, +수위 도시로 인구가 집중하여 +과도시화 현상이 나타나기도 함

왜? 경제 발전이나 기술 혁신 등을 동반하지 못한 상태에서 도시로 인구가 집중했기 때문이야.

3. **+우리나라의 도시화**

1960년대 이후	산업화에 따른 이촌 향도 현상 → 촌락 지역의 사람들이 일자리를 찾아 대도시, 공업 도시로 이동하면서 도시화가 빠르게 진행
1970년대 이후	우리나라 인구의 절반 이상이 도시에 살게 됨
1990년대 이후	도시화의 속도가 느려지기 시작함, 서울과 부산 등 대도시 주변에 위성 도시가 발달함
현재	우리나라의 도시화율은 약 90% 정도로, 도시화의 종착 단계에 해당함

+ 수위 도시

인구가 가장 많은 제1의 도시로, 개발 도상국에서는 수도인 경우가 많다.

+ 과도시화

도시화는 산업화와 함께 진행되는데, 산업 또는 경제 성장의 수준을 초월하여 도시 인구가 지나치게 급증하는 현상

+ 우리나라의 도시화율 변화

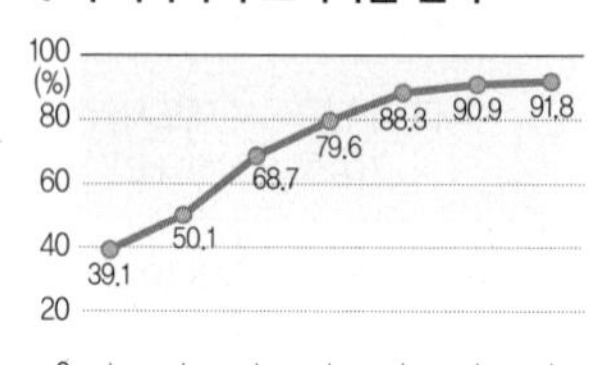

우리나라는 1960년대 이후 도시화율이 급속도로 증가하였으며, 현재는 총인구의 90% 이상이 도시에 거주하고 있다.

- 도시화의 의미와 과정
- 선진국과 개발 도상국의 도시화
- 선진국과 개발 도상국의 도시 문제
- 살기 좋은 도시

1 (   )란 도시에 인구가 집중하면서 전체 인구에서 도시 인구가 차지하는 비율이 높아지고, 도시적 생활 양식이 보편화되는 과정이다.

2 그래프의 ①~③에 들어갈 도시화 단계를 각각 쓰시오.

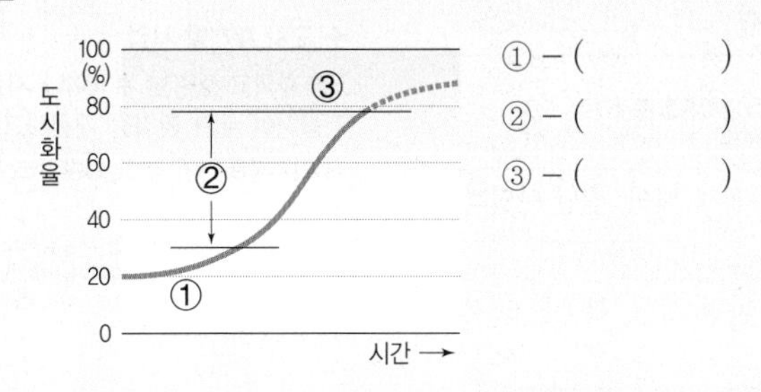

• **도시화의 과정**

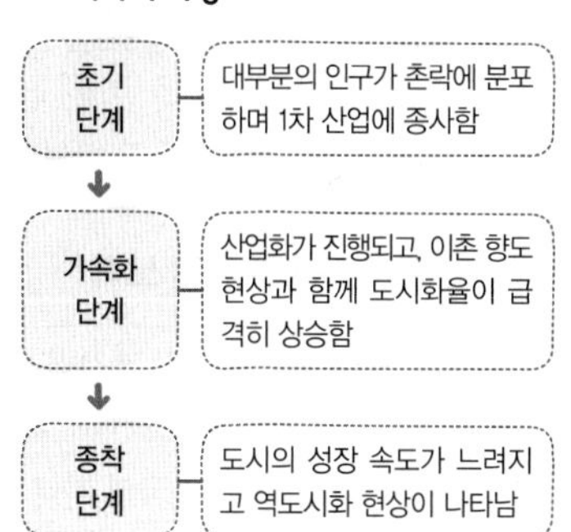

1 다음 설명이 맞으면 ○표, 틀리면 ×표를 하시오.

(1) 선진국은 산업 혁명 이후 200여 년 동안 도시화가 점진적으로 진행되었다. (   )

(2) 개발 도상국은 도시화가 급속도로 진행되었으며, 현재 종착 단계로 역도시화 현상이 일어나고 있다. (   )

(3) 개발 도상국은 이촌 향도 현상과 함께 청장년층 중심의 이동으로 도시 인구의 자연적 증가는 이루어지지 않았다. (   )

핵심 콕콕

• **선진국과 개발 도상국의 도시화**

선진국	18세기 산업 혁명 이후 점진적으로 진행 → 현재 종착 단계
개발 도상국	20세기 중반 이후 단기간에 매우 급속하게 진행 → 현재 가속화 단계

2 자료는 우리나라의 도시화에 대한 설명이다. ㉠, ㉡에 들어갈 말을 각각 쓰시오.

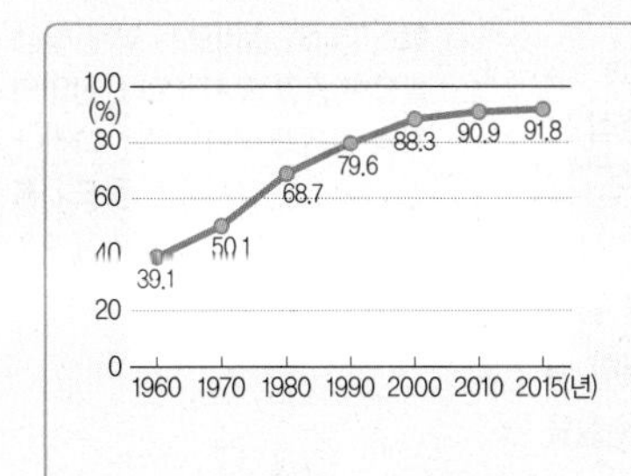

우리나라는 1960년대 이후 산업화에 따라 촌락 지역의 사람들이 도시로 이동하는 (㉠   ) 현상으로 도시화율이 급속도로 증가하였다. 현재는 총인구의 90% 이상이 도시에 거주하면서 도시화의 (㉡   ) 단계에 접어들었다.

C 선진국과 개발 도상국의 도시 문제

1. 도시 문제

선진국	• 도시 활력 감소: 인구 감소, 시설의 노후화 등으로 도시의 활력이 줄어듦 • 도심 지역의 불량 주거 지역 형성: 도시의 역사가 오래되면서 ⁺슬럼 형성 • 높은 지가로 인한 주거 비용 상승, 범죄 문제, 노숙자 문제 발생
개발 도상국	• ⁺도시 기반 시설 부족: 도시 기반 시설이 갖추어지지 않은 상태에서 많은 사람이 도시로 이동하여 도시 문제가 심각함 • 주택 문제: 주택, 상하수도 시설 부족 → 슬럼에 무허가 주택, 빈민촌 형성 • 교통 문제: 도로 정비가 불량하여 교통 혼잡 발생 • 급속한 산업화로 인한 환경 문제, 실업, 범죄 문제 발생

2. 도시 문제의 해결 노력

도시 문제를 해결하기 위해 공공 주택을 건설하거나, 혼잡 통행료를 부과하고, 대중교통과 자전거의 이용을 장려하는 정책을 추진하기도 해.

선진국	⁺도시 재개발 사업 진행, 도심 재활성화로 낙후된 주거 환경 개선, 첨단 산업과 관광 산업을 중심으로 도시 내 일자리 창출 촉진 등
개발 도상국	선진국의 자본과 기술을 받아들여 일자리 창출, 주거 환경 개선, 부족한 도시 기반 시설 확충 등

+ 슬럼
대도시 내에서 빈민이 주로 거주하고 주거 환경이 나쁜 지역으로 도시 내부의 다른 지역과 빈부 격차가 매우 크다.

+ 도시 기반 시설
도로, 전기, 상하수도 등 도시의 기능을 수행하는 데 바탕이 되는 시설

+ 도시 재개발 사업
노후화되고 불량한 주택이나 시설물을 개량하여 주거 환경을 개선하고, 교통 시설과 교통 체계 등을 정비하는 사업

비교 도시 재개발 및 도심 재활성화로 낙후된 지역이 활기를 띠고 경쟁력이 높아지기도 하지만, 이주민이 늘어나면서 기존 거주민과 갈등이 발생하기도 해.

D 살기 좋은 도시

살기 좋은 도시는 거주민의 삶의 질이 높은 도시라고 할 수 있어.

1. ⁺살기 좋은 도시의 조건

(1) 쾌적한 생활 환경: 적정 규모의 인구가 거주, 깨끗한 자연환경
(2) 높은 경제 수준: 경제가 발달하여 다양한 경제 활동이 이루어짐
(3) 정치·사회적 안정: 정치적 안정과 낮은 범죄율 → 높은 사회적 안정성
(4) 풍부한 문화 및 편의 시설: 교육, 의료, 보건, 문화, 행정 서비스가 잘 갖추어짐

2. ⁺살기 좋은 도시를 만들기 위한 노력

(1) 경제 발전: 경제 발전을 통해 도시의 자립성을 갖추어야 함, 많은 사람들이 지속적으로 생산 활동에 참여할 수 있어야 함
(2) 사회적·문화적 다양성 인정: 경제적 수준, 성별, 연령, 인종, 종교와 상관없이 도시가 제공하는 혜택을 누릴 수 있어야 함
(3) 생태적 안정 추구: 녹지 공간을 늘리고 깨끗한 환경을 유지해야 함

예 우리나라 순천시는 연안 습지의 훼손을 막기 위해 순천만 정원을 조성하여 대표적인 생태 도시로 인정받고 있어.

자료로 이해하기 도시 문제를 해결하여 살기 좋은 도시가 된 사례

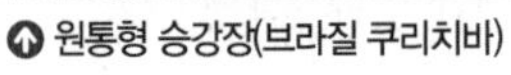
원통형 승강장(브라질 쿠리치바)

태화강(울산광역시)

브라질의 쿠리치바는 교통 혼잡 문제를 해결하기 위해 굴절 버스, 원통형 버스 정류장 등을 도입하여 시민들의 대중교통 이용률을 높였다. 울산광역시는 환경 오염이 심각했던 태화강을 정비하여 수질을 개선하고 강 주변에 생태 공원을 조성하여 태화강을 시민들의 휴식 공간으로 변화시켰다.

+ 살기 좋은 도시

빈(오스트리아)

오스트리아의 빈은 문화와 예술의 도시로서 많은 역사 유적이 있으며, 공원이 잘 조성되어 도시민들의 여가 활동에 활용된다.

+ 살기 좋은 도시를 만들기 위한 노력
에스파냐의 빌바오는 과거 철강 산업이 발달한 공업 도시였으나, 산업의 쇠퇴로 지역 경제가 어려워졌다. 그러나 구겐하임 미술관을 유치하는 등 도시를 살리기 위해 노력한 결과 오늘날 세계적인 문화 관광 도시로 거듭났다.

1 선진국과 개발 도상국에서 나타나는 도시 문제를 〈보기〉에서 골라 각각 기호를 쓰시오.

〈보기〉
ㄱ. 인구 감소로 인한 도시 활력 감소
ㄴ. 높은 지가로 인한 주거 비용 상승
ㄷ. 급속한 산업화로 인한 환경 문제 발생
ㄹ. 주택, 상하수도 부족으로 인한 빈민촌 형성

(1) 선진국 – (　　　　　)　　(2) 개발 도상국 – (　　　　　)

2 다음에서 설명하는 용어를 쓰시오.

대도시 내에서 빈민이 주로 거주하고 주거 환경이 나쁜 지역으로 도시 내부의 다른 지역과 빈부 격차가 매우 크다.

핵심 콕콕

• **선진국과 개발 도상국의 도시 문제**

선진국	개발 도상국
• 도시 활력 감소 • 도심 지역의 불량 주거 지역 형성 • 높은 지가로 인한 주거 비용 상승	• 무허가 주택과 빈민촌 형성 • 교통 혼잡 • 환경 문제, 실업 문제, 범죄 문제

1 살기 좋은 도시는 거주민의 (　　　　)이 높은 도시라고 할 수 있다.

2 살기 좋은 도시의 조건만을 〈보기〉에서 있는 대로 골라 기호를 쓰시오.

〈보기〉
ㄱ. 높은 경제 수준　　ㄴ. 쾌적한 생활 환경
ㄷ. 정치·사회적 불안정　　ㄹ. 풍부한 문화 및 편의 시설

3 ㉠에 들어갈 도시를 쓰시오.

사진은 세계적으로 삶의 질이 높은 도시로 평가받는 오스트리아의 수도인 (㉠　　　)의 모습이다. 이곳은 문화와 예술의 도시로 많은 역사 유적이 있으며, 공원이 잘 조성되어 도시민들의 여가 활동에 활용된다.

핵심 콕콕

• **살기 좋은 도시의 조건**

쾌적한 생활 환경 → 살기 좋은 도시
높은 경제 수준 → 살기 좋은 도시
정치·사회적 안정 → 살기 좋은 도시
문화 및 편의 시설 → 살기 좋은 도시

01 도시화에 대한 설명으로 옳지 않은 것은?

① 도시의 수가 늘어난다.
② 도시의 면적이 넓어진다.
③ 도시 지역에 인구 유입이 활발해진다.
④ 전체 인구 중 촌락에 거주하는 인구의 비율이 늘어난다.
⑤ 도시 지역은 제조업과 서비스업 위주로 주민 경제 활동이 변화한다.

[02~03] 그래프는 도시화 과정을 나타낸 것이다. 이를 보고 물음에 답하시오.

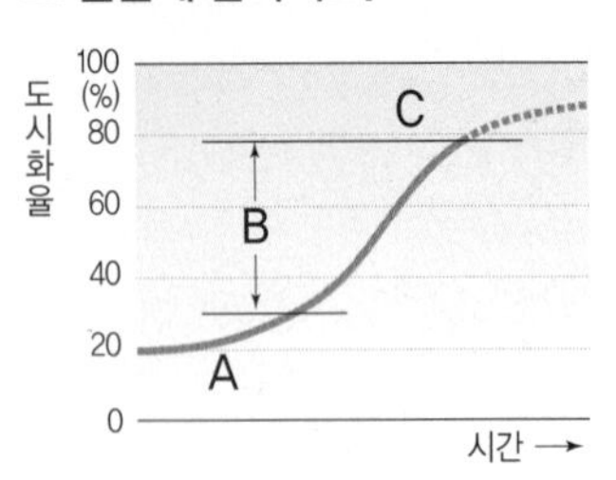

02 A~C 단계에 대한 옳은 설명을 〈보기〉에서 고른 것은?

〈보기〉
ㄱ. A 단계에는 대부분의 인구가 촌락에 거주한다.
ㄴ. B 단계에서는 도시화의 진행 속도가 느리다.
ㄷ. C 단계에서 도시 인구의 증가 속도가 빨라진다.
ㄹ. 대부분의 선진국과 우리나라는 C 단계에 해당한다.

① ㄱ, ㄴ　② ㄱ, ㄷ　③ ㄱ, ㄹ
④ ㄴ, ㄷ　⑤ ㄷ, ㄹ

03 (가), (나) 현상이 일어나는 도시화 단계를 위 그래프의 A~C에서 찾아 옳게 연결한 것은?

(가) 농촌의 인구가 일자리가 풍부한 도시로 활발히 이동하는 현상
(나) 쾌적한 환경을 찾아 도시의 인구가 촌락으로 이동하는 현상

	(가)	(나)		(가)	(나)
①	A	B	②	A	C
③	B	A	④	B	C
⑤	C	B			

04 선진국의 도시화에 대한 설명으로 옳지 않은 것은?

① 18세기 산업 혁명 이후 시작되었다.
② 200여 년 동안 점진적으로 진행되었다.
③ 20세기 중반 이후 종착 단계에 이르렀다.
④ 현재 도시화의 정체 현상이 나타나기도 한다.
⑤ 수위 도시로 많은 인구가 집중하면서 과도시화 현상이 나타나고 있다.

05 개발 도상국의 도시화에 대한 설명으로 옳은 것은?

① 19세기 중반부터 시작되었다.
② 현재 가속화 단계에 해당한다.
③ 장기간에 걸쳐 천천히 진행되었다.
④ 역도시화 현상이 활발히 일어나고 있다.
⑤ 인구의 자연적 증가는 거의 이루어지지 않는다.

06 ㉠에 들어갈 용어를 쓰시오.

개발 도상국은 선진국과 달리 경제 발전이나 기술 혁신 등을 동반하지 못한 채 인구가 가장 많은 제1의 도시인 (㉠)(으)로 많은 인구가 집중하는 현상이 나타나기도 한다.

시험에 잘 나와!

07 그래프는 A, B 국가의 도시화를 나타낸 것이다. 이에 대한 설명으로 옳지 않은 것은?

도시화율(%) 100 / 50 / 0 — 1800, 1900, 2000(년) — A, B

① A는 B보다 산업화의 역사가 오래되었다.
② A는 B보다 도시화가 점진적으로 진행되었다.
③ 오늘날 도시화 진행 속도는 A가 B보다 빠르다.
④ B는 급속한 도시화로 도시 문제가 나타나고 있다.
⑤ B는 A보다 도시 내에서 인구의 자연적 증가가 많다.

08 다음에서 설명하는 용어로 옳은 것은?

> 도시화 과정에서 산업 또는 경제 성장의 수준을 초월하여 도시 인구가 지나치게 급증하는 현상

① 산업화 ② 교외화 ③ 역도시화
④ 과도시화 ⑤ 인구 공동화

시험에 잘 나와!

09 그래프는 우리나라의 도시화율 변화를 나타낸 것이다. 이에 대한 설명으로 옳은 것은?

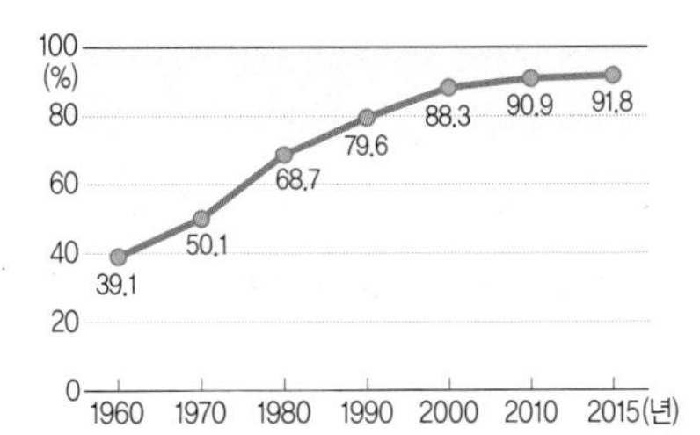

① 1960년에는 인구의 대부분이 도시에 거주하였다.
② 1970년부터 도시화의 속도가 느려지기 시작하였다.
③ 1980년 이후 도시화의 종착 단계에 접어들었다.
④ 1990년 이후 도시화의 속도가 빨라지기 시작하였다.
⑤ 현재 우리나라 총인구의 90% 이상이 도시에 거주한다.

10 우리나라의 도시화에 대한 설명으로 옳은 것만을 〈보기〉에서 있는 대로 고른 것은?

〈보기〉
ㄱ. 1960년대 이후 산업화에 따른 이촌 향도 현상이 나타났다.
ㄴ. 1960년대 이후 대도시와 공업 도시 위주로 인구가 집중하였다.
ㄷ. 1990년대 이후 서울 주변에 위성 도시가 발달하였다.
ㄹ. 현재 우리나라의 도시화율은 약 80% 정도로, 도시화의 종착 단계에 해당한다.

① ㄱ, ㄴ ② ㄷ, ㄹ ③ ㄱ, ㄴ, ㄷ
④ ㄴ, ㄷ, ㄹ ⑤ ㄱ, ㄴ, ㄷ, ㄹ

11 선진국에서 나타나는 도시 문제로 옳은 것을 〈보기〉에서 고른 것은?

〈보기〉
ㄱ. 높은 지가로 인해 주거 비용이 상승하였다.
ㄴ. 인구 감소, 시설 노후화로 인해 도시의 활력이 줄어들었다.
ㄷ. 급속한 산업화로 인한 환경 문제, 실업, 범죄 문제가 발생하였다.
ㄹ. 도시 기반 시설이 갖추어져 있지 않아 교통 혼잡이 발생하였다.

① ㄱ, ㄴ ② ㄱ, ㄷ ③ ㄴ, ㄷ
④ ㄴ, ㄹ ⑤ ㄷ, ㄹ

12 개발 도상국에서 도시 문제가 나타나는 근본적인 원인으로 옳은 것은?

① 지방 중소 도시 육성
② 도심의 주거 기능 약화
③ 산업과 기능의 지방 이전
④ 신도시와 위성 도시 건설
⑤ 인구와 기능의 지나친 집중

13 (가), (나) 도시 문제에 대한 설명으로 옳지 않은 것은?

(가)

쓰레기 문제(영국 런던)

(나)

교통 혼잡(타이 방콕)

① (가)를 해결하기 위해서는 쓰레기 분리수거를 생활화해야 한다.
② (나)는 도로 정비가 불량하여 발생한다.
③ (나)를 해결하기 위해서는 대중교통 이용 장려, 혼잡 통행료 부과 등의 정책이 필요하다.
④ (나)는 도시 기반 시설이 갖추어지지 않은 상태에서 많은 사람들이 도시로 몰리면서 발생한다.
⑤ (가)는 선진국과 개발 도상국 모두에서 나타나지만 (나)는 개발 도상국에서만 나타난다.

14 밑줄 친 (가)에 들어갈 말로 옳은 것만을 〈보기〉에서 있는 대로 고른 것은?

> 낙후된 도심을 재개발하는 사업이 전 세계적으로 활발하게 진행되고 있다. 재개발이 진행되면 낙후된 지역에 업무용 고층 건물과 상업 시설, 고급 주거지가 들어서게 된다. 선진국에서는 각종 도시 문제를 해결하기 위해 이와 같은 도시 재개발 사업을 진행하고 있다. 도시 재개발 사업을 진행하면 ____(가)____

〈보기〉
ㄱ. 도로 체계가 불량해져 교통 혼잡이 심화된다.
ㄴ. 노후화된 주택을 개량하여 주거 환경이 개선된다.
ㄷ. 낙후된 지역이 활기를 띠고 경쟁력이 높아지게 된다.
ㄹ. 이주자가 늘어나면서 기존 거주민과 갈등이 발생하기도 한다.

① ㄱ, ㄴ ② ㄷ, ㄹ ③ ㄱ, ㄴ, ㄷ
④ ㄱ, ㄴ, ㄹ ⑤ ㄴ, ㄷ, ㄹ

15 사진이 나타내는 도시 문제에 대한 해결 방안으로 적절한 것을 〈보기〉에서 고른 것은?

무허가 주택(인도 뭄바이)

〈보기〉
ㄱ. 공공 주택 건설 ㄴ. 혼잡 통행료 부과
ㄷ. 자전거 이용 장려 ㄹ. 상하수도 시설 확충

① ㄱ, ㄴ ② ㄱ, ㄷ ③ ㄱ, ㄹ
④ ㄴ, ㄷ ⑤ ㄷ, ㄹ

16 다음 설명에 해당하는 용어를 쓰시오.

> 도로, 전기, 상하수도 등 도시의 기능을 수행하는 데 바탕이 되는 시설

17 밑줄 친 ㉠~㉤ 중 옳지 않은 것은?

> 도시는 ㉠ 생산 활동, 소비 활동, 여가 활동 등 다양한 활동이 이루어지는 지역으로, ㉡ 편의 시설이 풍부하여 많은 사람이 모여 산다. 그러나 ㉢ 인구가 밀집하면서 무분별한 개발이 이루어져 도시 문제가 나타나고 삶의 질이 떨어지기도 한다. 삶의 질은 경제적 조건뿐만 아니라 ㉣ 개인의 행복감과 정치·경제·사회적 조건에 따라 결정되는 ㉤ 객관적 개념으로, 삶의 질이 높을수록 살기 좋은 도시라고 볼 수 있다.

① ㉠ ② ㉡ ③ ㉢ ④ ㉣ ⑤ ㉤

18 살기 좋은 도시의 조건으로 보기 어려운 것은?

① 자연환경이 쾌적하다.
② 경제 활동이 다양하고 활발하다.
③ 도시 기반 시설이 잘 구축되어 있다.
④ 범죄율이 낮고 정치적으로 안정되어 있다.
⑤ 적정 규모를 넘어선 많은 인구가 거주한다.

시험에 잘 나와!

19 ㉠에 들어갈 제목으로 가장 적절한 것은?

> [㉠]
> 에스파냐의 도시 빌바오는 과거 철강 산업이 발달한 공업 도시였으나, 산업의 쇠퇴로 지역 경제가 어려워졌다. 그러나 구겐하임 미술관을 유치하면서 문화와 예술이 살아 있는 공간으로 탈바꿈한 결과, 연 100만 명 이상의 관광객이 찾는 예술과 관광의 도시가 되었다.

① 자연환경이 쾌적한 도시
② 첨단 산업이 발달한 도시
③ 환경 문제를 해결한 생태 도시
④ 정치·사회적으로 안정된 도시
⑤ 산업 구조 변화를 통해 성공한 도시

20 ㉠에 들어갈 도시로 옳은 것은?

> 제2차 세계 대전 이후 산업화가 시작되면서 (㉠)은/는 브라질 경제 활동의 중심지가 되었다. 경제 발달과 함께 급속히 인구가 늘어났고, 인구 증가는 다양한 도시 문제를 일으켰다. (㉠)은/는 교통 문제를 해결하기 위해 굴절 버스, 원통형 버스 정류장 등을 도입하여 운영하고 있으며, 도시의 무분별한 확장을 통제하고 녹지 공원을 조성하여 오늘날 세계적인 생태 도시로 거듭났다.

① 빌바오　② 밴쿠버　③ 멜버른
④ 쿠리치바　⑤ 프라이부르크

시험에 잘 나와!

21 자료에서 설명하는 도시로 옳은 것은?

국내 최대의 생태 관광 도시이다. 이 도시는 연안 습지의 훼손을 방지하기 위해 시내와 연안 습지 사이에 사진의 정원을 조성하였다. 이 정원은 2013년 우리나라 국가 정원 1호로 지정되었다.

① 보성　② 부산　③ 순천
④ 울산　⑤ 태안

22 밑줄 친 부분의 이유로 가장 적절한 것은?

> 미국의 오스틴은 신·재생 에너지로만 도시의 전력을 사용하겠다는 목표와 함께 대표적인 생태 도시로 발돋움하고 있다. 오스틴은 녹지 공간을 확보하는 데 힘쓰고 있으며, 200여 개의 도시공원과 수십 개의 보호 구역, 산책로를 조성하고 있다.

① 자원이 풍부해야 도시가 발달하기 때문이다.
② 경제 성장과 일자리 창출에 필요하기 때문이다.
③ 문화적 다양성을 갖추는 것이 중요하기 때문이다.
④ 쾌적한 자연환경이 삶의 질을 높일 수 있기 때문이다.
⑤ 지역 주민의 공동체 의식의 함양이 중요하기 때문이다.

서술형 문제

서술형 감잡기

01 그래프를 보고 선진국과 개발 도상국의 도시화를 비교하여 서술하시오.

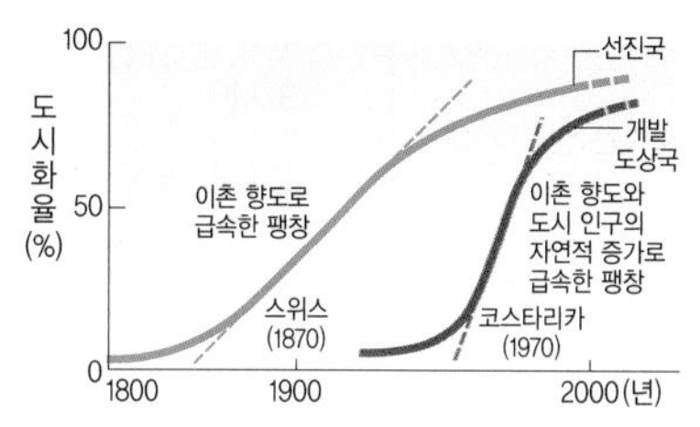

➜ 선진국은 18세기 (①) 이후 200여 년 동안 도시화가 점진적으로 진행되었으며 현재 도시화의 (②) 단계에 이르렀다. 개발 도상국은 20세기 중반 이후 도시화가 단기간에 매우 급속하게 진행되었으며 현재 도시화의 (③) 단계에 해당한다.

실전! 서술형 도전하기

02 선진국에서 나타나는 도시 문제를 세 가지 이상 서술하시오.

03 제시된 단어를 활용하여 살기 좋은 도시의 조건을 서술하시오.

> · 인구　· 경제　· 사회

한눈에 보는 대단원

☑ 핵심 선택지 다시보기

1 도시는 사회적·경제적·정치적 활동의 중심지이다. ( )

2 도시는 1차 산업에 종사하는 인구의 비율이 높다. ( )

3 도시는 주변 지역에 비해 면적이 넓어 인구 밀도가 낮다. ( )

4 브라질의 쿠리치바는 세계적인 생태 도시이다. ( )

5 뉴욕, 런던, 도쿄는 세계 경제, 문화, 정치의 중심지이다. ( )

답 1 ○ 2 × 3 × 4 ○ 5 ○

01 도시의 위치와 특징

(1) 도시의 의미와 형성

구분	내용
도시	인구가 밀집한 곳으로 사회적·경제적·정치적 활동의 중심지
도시의 특징	높은 인구 밀도, 집약적인 토지 이용, 다양한 직업과 생활 모습, 중심지 역할
도시의 형성	농업에 유리한 조건을 갖춘 문명의 발상지에서 최초로 발달 → 교역과 교환이 활발한 상업 도시 발달 → 석탄 산지를 중심으로 공업 도시 발달 → 공업, 첨단 산업, 서비스업 등의 다양한 기능을 수행하는 도시 발달

(2) 세계의 주요 도시

구분	내용
국제 금융·업무 도시	금융 시장을 기반으로 국제 자본의 연결망을 가진 도시 예 뉴욕, 런던
산업·물류 도시	각종 공업이 발달해 있거나 물류 기능이 발달한 도시 예 로테르담
환경·생태 도시	자연과 인간이 공존하는 도시 예 프라이부르크, 쿠리치바
역사·문화 도시	역사 유적이 많고 문화가 발달한 도시 예 로마, 아테네, 이스탄불
관광 도시	매력적인 경관이 많아 관광 산업이 발달한 도시 예 파리, 시드니, 키토

☑ 핵심 선택지 다시보기

1 접근성이란 어느 한 장소에서 다른 장소까지 도달하기 쉬운 정도이다. ( )

2 공장은 교통이 편리한 도심에 집중되어 있다. ( )

3 도심은 지가가 높아 집약적인 토지 이용이 나타난다. ( )

4 주변 지역은 도심에 비해 중심 업무 기능이 발달해 있다. ( )

5 위성 도시는 대도시 주변에서 대도시의 일부 기능을 분담한다. ( )

답 1 ○ 2 × 3 ○ 4 × 5 ○

02 도시 내부의 경관

(1) 도시 내부의 지역 분화

구분		내용
원인		도시 내부 지역별 접근성과 지가의 차이 때문
과정	집심 현상	중심 업무 기능, 상업 기능이 도시 중심부로 집중됨
	이심 현상	주택, 학교, 공장 등이 외곽으로 빠져나감

(2) 도시 중심부와 주변 지역의 경관

구분	내용
도심	• 위치: 접근성이 높은 도시의 중심부 • 중심 업무 지구 형성: 행정·금융 기관, 백화점, 대기업의 본사가 모여 있음 • 인구 공동화 현상: 주간에는 유동 인구가 많지만, 야간에는 유동 인구가 주거 지역으로 빠져나감
부도심	• 위치: 도심과 주변 지역을 연결하는 교통의 요지에 형성됨 • 도심에 집중된 상업 기능과 서비스 기능 분담, 도심의 교통 혼잡을 완화함
중간 지역	• 위치: 도심과 주변 지역 사이 • 오래된 주택, 상가, 공장의 혼재
주변 지역	• 위치: 접근성이 낮은 도시 외곽 지역 • 주거 지역 및 공업 지역 형성
개발 제한 구역	도시의 무질서한 팽창을 막고 녹지 공간을 확보하기 위해 지정함
위성 도시	교통이 편리한 대도시 인근에 있으면서 주거, 공업, 행정 등과 같은 대도시의 일부 기능을 분담함

03 도시화와 도시 문제

(1) 도시화의 의미와 과정

도시화	도시에 인구가 집중하면서 전체 인구에서 도시 인구가 차지하는 비율이 높아지고, 도시적 생활 양식이 보편화되는 과정	
도시화 과정	초기 단계	대부분의 인구가 촌락에 분포함, 도시화율이 매우 낮고 완만한 상승을 보임
	가속화 단계	산업화, 이촌 향도 현상과 함께 도시화율이 급격히 상승함
	종착 단계	도시화율이 80%를 넘음, 도시의 성장 속도가 느려짐

(2) 선진국과 개발 도상국의 도시화

선진국	• 18세기 산업 혁명 이후 점진적으로 진행 → 20세기 중반 이후 종착 단계 • 도시화의 정체 또는 역도시화 현상이 나타나고 있음
개발 도상국	• 20세기 중반 이후 단기간에 매우 급속하게 진행 → 현재 가속화 단계 • 자연적 증가도 급속하게 이루어짐, 수위 도시로 많은 인구가 집중함

(3) 선진국과 개발 도상국의 도시 문제

도시 문제	선진국	도시 활력 감소, 도심 지역의 불량 주거 지역 형성, 주거 비용 상승, 범죄 문제, 노숙자 문제 등
	개발 도상국	도시 기반 시설 부족, 무허가 주택과 빈민촌 형성, 교통 혼잡, 환경 문제, 실업, 범죄 문제 등
도시 문제의 해결 노력	선진국	도시 재개발 사업, 낙후된 주거 환경 개선, 일자리 창출 등
	개발 도상국	주거 환경 개선, 부족한 도시 기반 시설 확충 등

핵심 선택지 다시보기

1 도시화로 인해 도시 지역에 인구 유입이 활발해진다. ( )

2 선진국의 도시화는 18세기 산업 혁명 이후 시작되었다. ( )

3 개발 도상국의 도시화는 장기간에 걸쳐 천천히 진행되었다. ( )

4 선진국에서는 급속한 산업화로 인한 환경 문제, 실업, 범죄 문제가 발생하였다. ( )

5 개발 도상국에서 도시 문제가 나타나는 근본적인 원인은 인구와 기능의 지나친 집중 때문이다. ( )

답 1 ○ 2 ○ 3 × 4 × 5 ○

04 살기 좋은 도시

(1) 살기 좋은 도시의 조건

쾌적한 생활 환경	적정 규모의 인구가 거주, 깨끗한 자연환경
높은 경제 수준	경제가 발달하여 다양한 경제 활동이 이루어짐
정치·사회적 안정	정치적 안정과 낮은 범죄율 → 높은 사회적 안정성
풍부한 문화 및 편의 시설	교육, 의료, 보건, 문화, 행정 서비스가 잘 갖추어짐

(2) 살기 좋은 도시를 만들기 위한 노력

경제 발전	경제 발전을 통해 도시의 자립성을 갖추어야 함
사회적·문화적 다양성 인정	경제적 수준, 성별, 연령, 인종, 종교와 상관없이 도시가 제공하는 혜택을 누릴 수 있어야 함
생태적 안정 추구	녹지 공간을 늘리고 깨끗한 환경을 유지해야 함

핵심 선택지 다시보기

1 살기 좋은 도시는 도시 기반 시설이 잘 구축되어 있다. ( )

2 살기 좋은 도시는 범죄율이 낮고 정치적으로 안정되어 있다. ( )

3 살기 좋은 도시는 적정 규모를 넘어선 많은 인구가 거주한다. ( )

답 1 ○ 2 ○ 3 ×

☑ 핵심 선택지 다시보기의 정답을 맞힌 개수만큼 아래 표에 색칠해 보자. 많이 틀린 단원은 되돌아가 복습해 보자.

01 도시의 위치와 특징	194쪽
02 도시 내부의 경관	198쪽
03 도시화와 도시 문제	206쪽
04 살기 좋은 도시	208쪽

01 도시의 위치와 특징

01 밑줄 친 ㉠~㉤ 중 옳지 않은 것은?

> 도시는 좁은 지역에 많은 사람이 모여 있어 ㉠ 인구 밀도가 높고, ㉡ 토지 이용이 집약적이다. 도시는 ㉢ 2·3차 산업에 종사하는 사람들이 적으며 병원, 상가, 관공서 등의 ㉣ 생활 편의 시설과 각종 기능이 집중되어 있다. 따라서 도시는 ㉤ 주변 지역에 다양한 상품과 서비스를 제공하는 중심지 역할을 한다.

① ㉠ ② ㉡ ③ ㉢ ④ ㉣ ⑤ ㉤

02 (가), (나)에 해당하는 도시를 지도에서 찾아 옳게 연결한 것은?

> (가) 화산재가 쌓인 평야에 발달한 도시로, 일본의 수도이자 세계적인 금융 중심지이다.
> (나) 루브르 박물관과 우뚝 솟은 에펠 탑이 유명한 도시로, 세계적인 예술품과 아름다운 건축물이 많다.

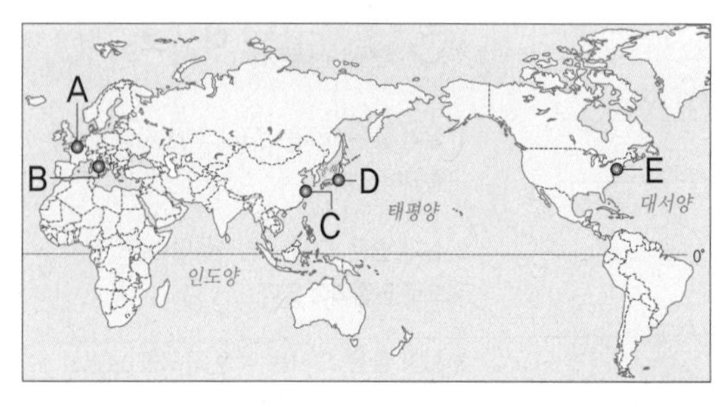

	(가)	(나)
①	A	E
②	B	C
③	C	B
④	C	D
⑤	D	A

03 다음에서 설명하는 용어를 쓰시오.

> 세계 경제, 문화, 정치의 중심지로 세계적 영향력을 가진 금융 기관, 다국적 기업의 본사가 위치하고 각종 국제기구의 활동이 활발히 이루어지는 도시를 가리키는 말이다.

04 세계의 주요 도시에 대한 설명으로 옳지 않은 것은?

① 상하이 – 항만이 발달한 국제 물류의 중심 도시
② 로마 – 고대, 중세 시대의 유산을 잘 간직한 도시
③ 프라이부르크 – 석유 자원을 바탕으로 경제가 성장한 도시
④ 런던 – 금융 시장을 기반으로 국제 자본의 연결망을 가진 도시
⑤ 키토 – 저위도의 산지에 위치하여 연중 봄과 같은 기후가 나타나는 고산 도시

05 (가)~(다)와 관계 깊은 도시를 옳게 연결한 것은?

(가) 

(나) 

(다) 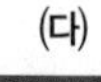 

	(가)	(나)	(다)
①	파리	도쿄	시드니
②	파리	런던	시드니
③	파리	런던	아테네
④	런던	시드니	이스탄불
⑤	런던	상하이	이스탄불

+ 창의·융합

06 ㉠에 들어갈 도시로 옳은 것은?

> **(㉠)의 역사**
> (㉠)은/는 이탈리아 항해사에 의하여 유럽에 처음 알려졌다. 1626년 이곳에 네덜란드인들이 뉴암스테르담이라는 도시를 건설하였다. 그러나 1664년 영국의 함대가 이 도시를 함락하면서 이름이 (㉠)(으)로 바뀌었다. 오늘날 이곳에는 세계에서 가장 규모가 큰 금융 시장이 있으며, 여러 지역의 이민자들이 함께 살아가면서 다양한 도시 경관을 보여 준다.

① 키토 ② 뉴욕 ③ 시안
④ 시드니 ⑤ 로테르담

02 도시 내부의 경관

07 도시 내부 지역 분화의 과정에 대한 옳은 설명을 〈보기〉에서 고른 것은?

〈보기〉
ㄱ. 도심에 가까울수록 접근성과 지대는 낮다.
ㄴ. 다양한 기능들의 입지 조건이 서로 다르기 때문에 분화된다.
ㄷ. 주택이나 학교, 넓은 터가 필요한 공장 등은 도시 외곽으로 빠져나간다.
ㄹ. 중심 업무 기능이나 상업 기능이 도시 중심부로 집중되는 이심 현상이 나타난다.

① ㄱ, ㄴ ② ㄱ, ㄷ ③ ㄴ, ㄷ
④ ㄴ, ㄹ ⑤ ㄷ, ㄹ

08 ㉠에 들어갈 용어를 쓰시오.

도시가 성장하면서 비슷한 기능끼리 모이는 도시 내부의 지역 분화 현상이 나타나는데, 이는 (㉠)와/과 땅값(지가)의 차이 때문이다.

09 사진의 지역에 대한 옳은 설명을 〈보기〉에서 고른 것은?

서울특별시 중구

〈보기〉
ㄱ. 접근성이 높고 지가가 비싸다.
ㄴ. 금융 기관과 대기업 본사가 모여 있다.
ㄷ. 주거, 행정 등 대도시의 일부 기능을 분담한다.
ㄹ. 대규모 주거 단지와 함께 녹지가 조성되어 있다.

① ㄱ, ㄴ ② ㄱ, ㄷ ③ ㄴ, ㄷ
④ ㄴ, ㄹ ⑤ ㄷ, ㄹ

[10~11] 그림은 도시 내부 구조를 나타낸 것이다. 이를 보고 물음에 답하시오.

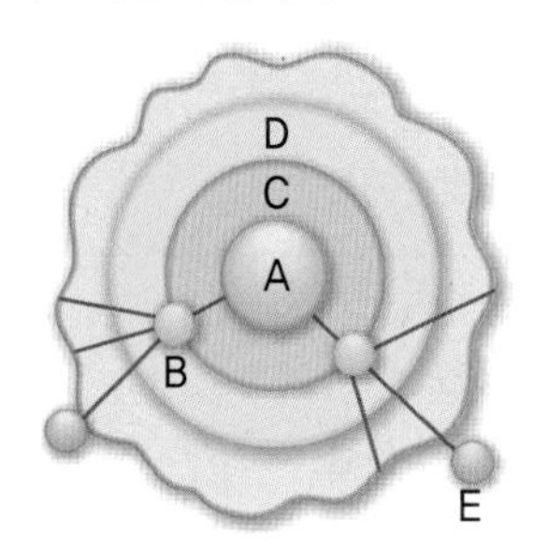

10 다음에서 설명하는 지역을 위 그림의 A~E에서 고른 것은?

교통이 편리한 곳에 위치해 있으며 도심에 집중된 상업 기능과 서비스 기능을 분담한다.

① A ② B ③ C ④ D ⑤ E

11 다음 지역이 위치하는 곳을 A~E에서 고른 것은?

- 서울 노원구에는 대규모 아파트 단지가 들어서 있다.
- 서울 구로구에는 정보 기술 업체가 모여 있는 아파트형 공장이 많다.

① A ② B ③ C ④ D ⑤ E

12 그래프는 토지 이용별 지가를 나타낸 것이다. 이에 대한 설명으로 옳지 않은 것은?

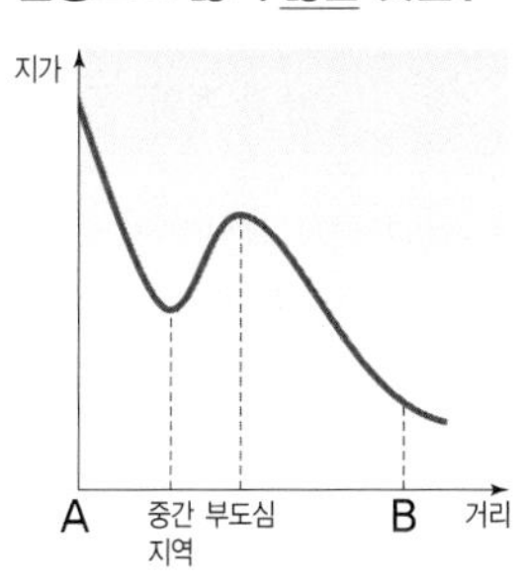

① A는 도심, B는 주변 지역이다.
② A에서는 인구 공동화 현상이 나타난다.
③ 도심에서 멀어질수록 대체로 지가가 낮아진다.
④ 출근 시간에는 주로 A에서 B로 인구가 이동한다.
⑤ 이심 현상으로 주거 지역은 A보다 B에 발달해 있다.

13 ㈎보다 ㈏에 주로 분포하는 시설로 옳은 것을 〈보기〉에서 고른 것은?

> ㈎ 도시 내부에서 접근성이 가장 높은 곳
> ㈏ 도시 외곽에 위치해 접근성이 낮은 곳

〈보기〉
ㄱ. 공장　　　ㄴ. 학교
ㄷ. 백화점　　ㄹ. 은행 본점

① ㄱ, ㄴ　② ㄱ, ㄷ　③ ㄴ, ㄷ
④ ㄴ, ㄹ　⑤ ㄷ, ㄹ

14 ㉠~㉢에 들어갈 용어를 옳게 연결한 것은?

> 서울 종로구의 한 초등학교는 한때 전교생이 5,000명에 가까웠으나, (㉠)에 거주하는 인구가 감소하면서 학생 수가 급감해 현재 전교생이 120명으로 축소되었다. 이러한 현상은 우리나라의 여러 대도시에서 일어나고 있다. 이곳의 (㉡)이/가 꾸준히 상승하면서, 사람들이 (㉢)으로 이동했기 때문이다.

	㉠	㉡	㉢
①	도심	접근성	부도심
②	도심	지가	주변 지역
③	부도심	접근성	주변 지역
④	주변 지역	지가	도심
⑤	주변 지역	접근성	중간 지역

15 ㉠에 들어갈 용어로 옳은 것은?

> 일부 대도시에서는 도시의 무질서한 팽창을 막고 녹지 공간을 확보하기 위해 (㉠)을/를 설정하고 있다.

① 공원　② 아파트형 공장
③ 신흥 주거 단지　④ 중심 업무 지구
⑤ 개발 제한 구역

03 도시화와 도시 문제

16 그래프는 도시화의 과정을 나타낸 것이다. A~C 단계에 대한 설명으로 옳지 않은 것은?

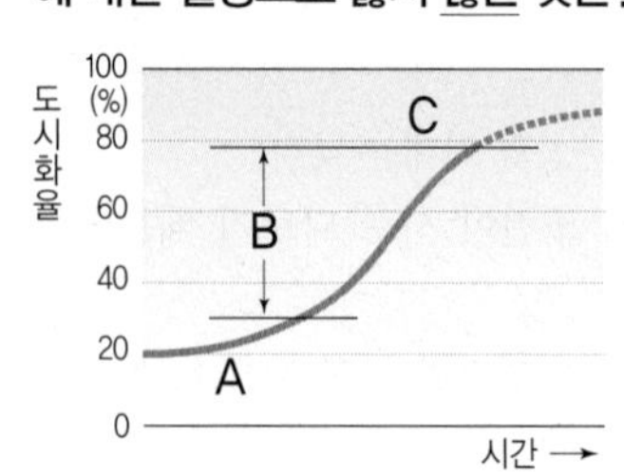

① A 단계는 대부분의 인구가 1차 산업에 종사한다.
② A 단계는 도시화율이 매우 낮고 완만하게 상승한다.
③ B 단계에서는 산업화가 진행되고 서비스업이 발달한다.
④ B 단계는 이촌 향도 현상이 나타나 도시화율이 가장 높다.
⑤ C 단계에는 역도시화 현상으로 도시 인구가 감소하는 곳이 나타나기도 한다.

17 ㈎, ㈏ 지역에 대한 옳은 설명을 〈보기〉에서 고른 것은?

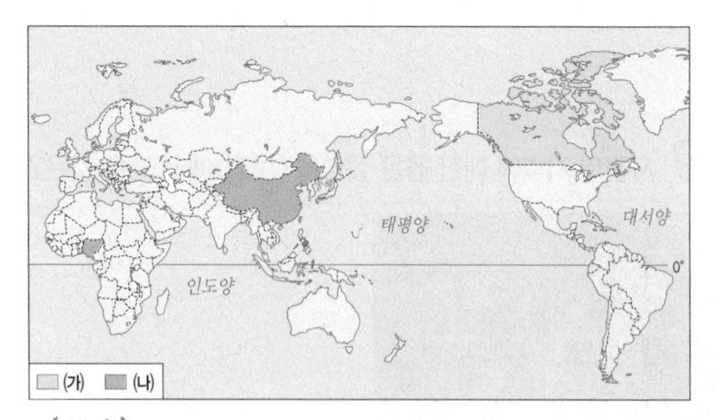

〈보기〉
ㄱ. ㈎는 ㈏보다 도시화가 먼저 시작되었다.
ㄴ. ㈎는 선진국, ㈏는 개발 도상국에 해당한다.
ㄷ. 역도시화 현상은 ㈎에서보다 ㈏에서 뚜렷하게 나타난다.
ㄹ. 도시 인구의 자연적 증가는 ㈏에서보다 ㈎에서 급속하게 이루어지고 있다.

① ㄱ, ㄴ　② ㄱ, ㄷ　③ ㄴ, ㄷ
④ ㄴ, ㄹ　⑤ ㄷ, ㄹ

18 사진이 나타내는 도시 문제에 대한 해결 방안을 옳게 제시한 학생을 고른 것은?

① 가현, 나현 ② 가현, 다현 ③ 나현, 다현
④ 나현, 라현 ⑤ 다현, 라현

19 ㉠~㉢에 들어갈 내용을 옳게 연결한 것은?

> 선진국의 도시는 각종 시설이 노후화되고 (㉠)(으)로 인해 도시 내부 지역의 기능이 약해지면서 성장이 정체하기도 한다. 또한 세계화에 따른 경제 환경의 변화로 일부 도시 내의 (㉡)이 쇠퇴하여 실업률이 상승하기도 한다. 이를 해결하기 위해 선진국은 낙후된 환경을 개선하기 위한 (㉢) 사업을 진행하고 있다.

	㉠	㉡	㉢
①	교외화	제조업	도시 재개발
②	교외화	농업	공업 단지 조성
③	교외화	서비스 산업	도시 재개발
④	이촌 향도 현상	제조업	공업 단지 조성
⑤	이촌 향도 현상	서비스 산업	도시 재개발

04 살기 좋은 도시

20 제시된 도시들의 공통점으로 가장 적절한 것은?

> • 순천 • 쿠리치바 • 프라이부르크

① 국제 영화제를 유치한 도시이다.
② 독특한 지형이 나타나는 도시이다.
③ 인간과 자연이 조화를 이룬 도시이다.
④ 공업과 물류 기능이 발달한 도시이다.
⑤ 국제 자본의 연결망을 가진 도시이다.

21 (가), (나)에 나타난 살기 좋은 도시의 조건을 옳게 연결한 것은?

> (가) 오스트리아의 빈은 모차르트, 베토벤 등 세계적인 음악가의 도시로, 유럽에서 규모가 가장 큰 국립 오페라 하우스가 있다.
> (나) 오스트레일리아의 멜버른은 다양한 민족이 살고 있어 전 세계의 많은 음식을 접할 수 있다. 치안이 좋아 범죄율도 비교적 낮은 편이다.

	(가)	(나)
①	사회적 안정성	풍부한 문화 시설
②	쾌적한 자연환경	사회적 안정성
③	쾌적한 자연환경	풍부한 문화 시설
④	풍부한 문화 시설	사회적 안정성
⑤	풍부한 문화 시설	쾌적한 자연환경

22 다음과 같은 노력이 이루어지는 이유로 적절한 것은?

> 스웨덴의 예테보리는 화석 연료 대신 분뇨와 쓰레기를 활용한 바이오 가스를 사용하고 있다.

① 도시로 집중된 인구를 분산하기 위해서이다.
② 경제 발달이 도시 성장에 중요하기 때문이다.
③ 도시 문제를 신속하게 해결해야 하기 때문이다.
④ 도시민의 삶을 질을 높이는 것이 중요하기 때문이다.
⑤ 화석 연료보다 바이오 가스가 더 저렴하기 때문이다.

글로벌 경제 활동과 지역 변화

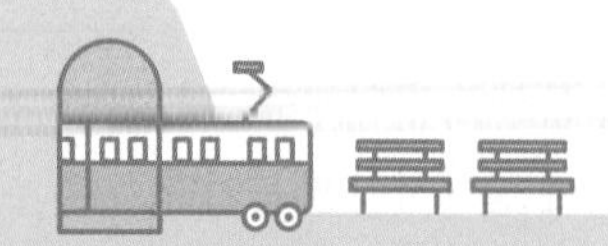

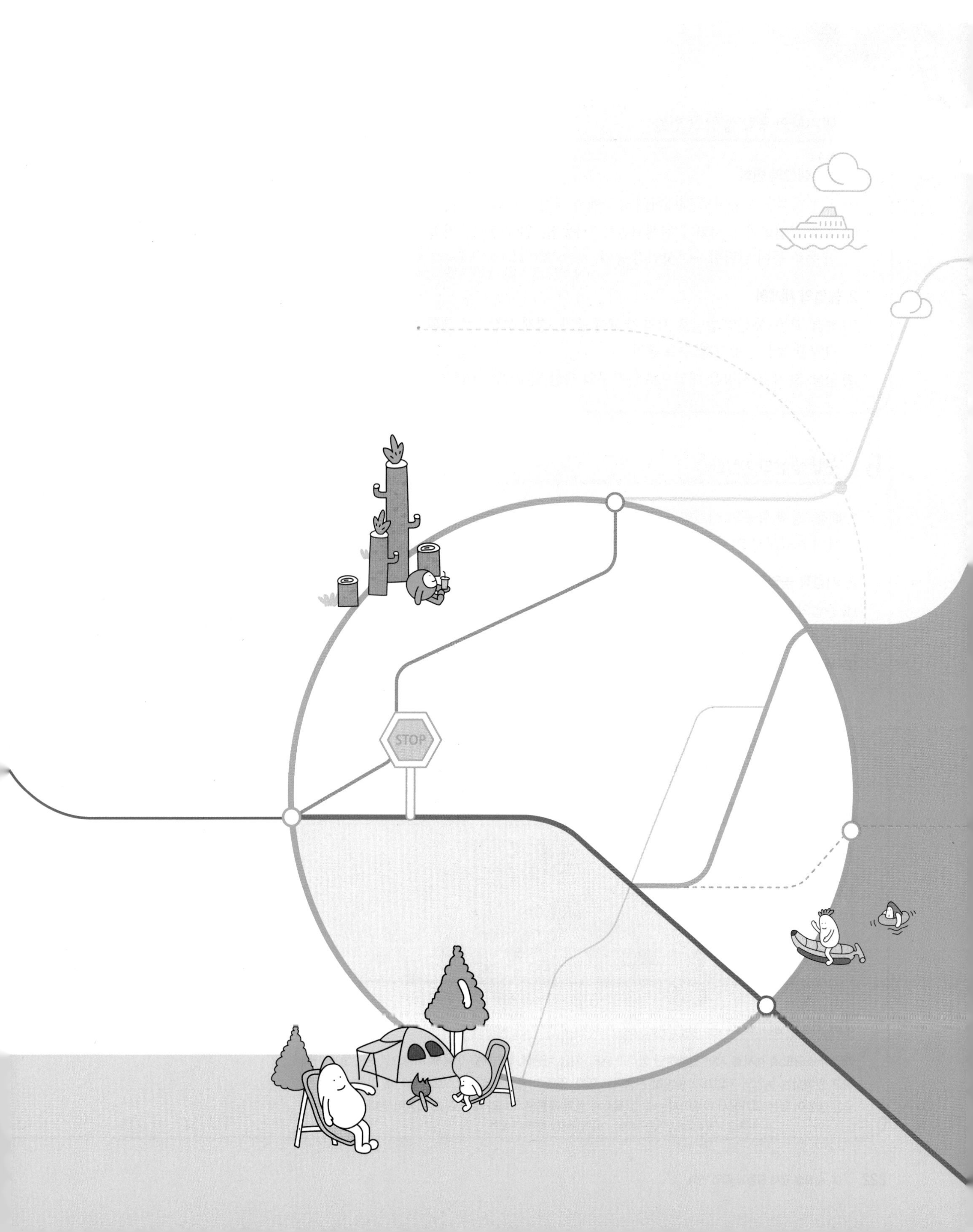
STOP

01 농업 생산의 기업화와 세계화

A 세계화와 농업 생산의 변화

1. 농업 생산의 변화

(1) 과거: 곡물을 소규모로 재배하여 농가에서 직접 소비함 → 자급적 농업

(2) 현재: 산업화와 도시화가 진행되면서 +낙농업, 원예 농업, 기업적 곡물 농업, 기업적 목축 등이 발달함 → +상업적 농업 – 상업적 농업이 발달하면서 곡물 농업과 함께 다양한 종류의 작물을 재배하는 농업 생산의 다각화가 이루어지고 있어.

2. 농업의 세계화

(1) 배경: 교통·통신의 발달로 지역 간 교류 증가, 경제 성장으로 생활 수준이 향상되면서 다양한 농산물에 대한 수요 증가

(2) 양상: 전 세계 시장을 대상으로 농작물의 생산 및 판매가 이루어짐

+ 낙농업
젖소나 염소 등을 길러 우유 및 유제품을 생산하는 산업

+ 상업적 농업
시장에 판매할 목적으로 작물을 재배하거나 가축을 기르는 농업

B 농업 생산의 기업화

1. 배경: 경제 활동의 세계화가 진행되고 상업적 농업이 발달 → 인간의 노동력에 의존하여 소규모로 이루어지던 농업이 대규모 +기업적 농업으로 변화함

2. 기업적 농업의 특징

(1) 농업의 기계화: 농작물의 상업적 이익을 극대화하기 위해 대형 농기계와 화학 비료 사용, 품종 개량 등을 통해 생산량을 늘림

(2) 세계 시장을 대상으로 활동: 자본과 기술력을 갖춘 +다국적 농업 기업이 농작물을 대량 생산하여 전 세계에 판매함 → 세계 농산물의 가격뿐만 아니라 농작물의 생산 구조와 소비 부문에 많은 영향을 끼침 – 기후가 적당하고 임금이 저렴한 개발 도상국에 농장을 지어 작물을 재배하고 판매를 하기도 해.

(3) 농산물 생산 및 유통의 전문화·기업화: 다국적 농업 기업이 농작물의 생산부터 수확한 농작물을 가공하고 상품화하기까지의 전 과정을 담당하는 경우가 많음 – 수익의 대부분이 본사가 있는 선진국으로 돌아가면서 선진국과 개발 도상국 간 경제 격차가 심화되는 문제가 발생하기도 해.

자료로 이해하기 세계의 기업적 농업 지역

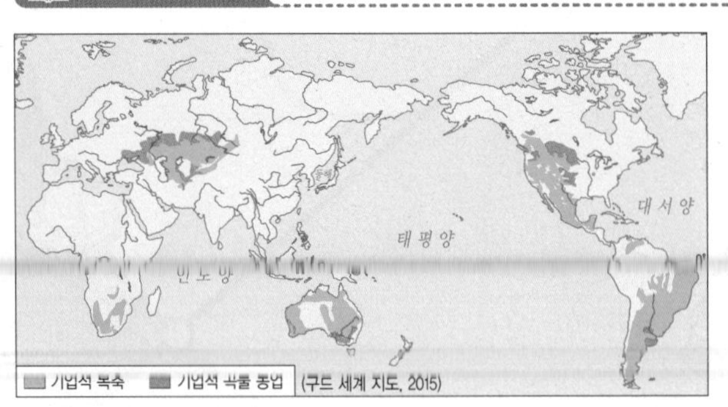

개인이 소규모로 농사를 지어 판매하던 방식과 달리, 기업 차원에서 기계를 이용해 대량으로 농산물을 재배하고 판매하는 농업의 기업화가 활발히 진행되고 있다. 주로 미국, 캐나다, 오스트레일리아, 아르헨티나처럼 넓은 평원이 있는 국가에서 이루어지는데 밀, 옥수수 등의 곡물뿐 아니라 육류도 그 대상이 된다. – 전 세계적으로 육류 소비량이 증가하면서 기업적 목축이 확대되고 있어.

+ 기업적 농업

⊙ 기업적 밀 재배
대형 농기계를 사용하면 적은 노동력으로 넓은 농지를 경작할 수 있기 때문에 노동 생산성이 매우 높다.

+ 다국적 농업 기업
전 세계에 곡물 생산지를 두고 곡물을 재배하여 판매하는 기업으로 곡물 메이저라고도 한다. 곡물 메이저는 먹거리 생산·유통·식품 가공에 이르는 전 과정에서 세계적 차원의 시스템을 형성하여 세계 곡물 시장에서 큰 영향력을 행사하고 있다.

- 세계화와 농업 생산의 변화
- 농업 생산의 기업화
- 농업 생산 구조의 변화
- 농작물 소비 특성의 변화

1 다음 설명이 맞으면 ○표, 틀리면 ×표를 하시오.

(1) 오늘날 산업화와 도시화가 진행되면서 자급적 농업이 확대되고 있다. (　　)

(2) 교통 발달로 지역 간 교류가 증가하면서 농업의 세계화가 진행되고 있다. (　　)

2 다음 농업 형태와 그에 대한 설명을 옳게 연결하시오.

(1) 자급적 농업 • 　　　• ㉠ 시장 판매를 목적으로 작물 재배 및 가축 사육

(2) 상업적 농업 • 　　　• ㉡ 곡물을 소규모로 재배하여 농가에서 직접 소비

핵심 콕콕

• 농업의 세계화

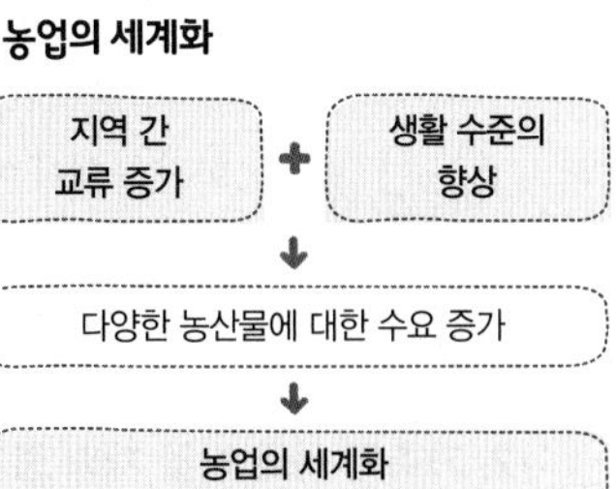

1 다음 설명이 맞으면 ○표, 틀리면 ×표를 하시오.

(1) 최근 다국적 농업 기업이 세계 농업에 미치는 영향력이 줄어들고 있다. (　　)

(2) 기업화된 농업은 미국과 캐나다, 오스트레일리아 등 넓은 평원이 발달한 국가에서 주로 이루어진다. (　　)

(3) 세계를 대상으로 농업 활동을 하는 기업은 농작물의 상업적 이익을 극대화하기 위해 대형 농기계와 화학 비료를 사용하여 생산량을 늘린다. (　　)

2 지도의 A, B 지역에서 주로 이루어지는 기업적 농업의 형태를 각각 쓰시오.

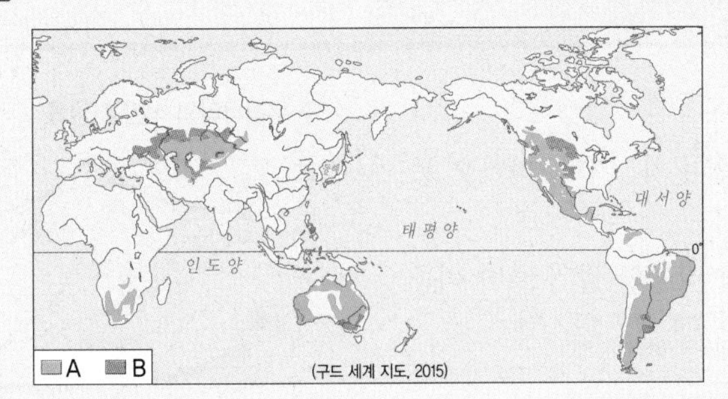

(1) A – (　　　　)

(2) B – (　　　　)

3 ㉠에 들어갈 용어를 쓰시오.

(㉠　　　　)는 전 세계에 곡물 생산지를 두고 곡물을 재배하여 판매하는 기업으로, 세계 곡물 시장에서 큰 영향력을 행사하고 있다.

핵심 콕콕

• 농업 생산의 기업화

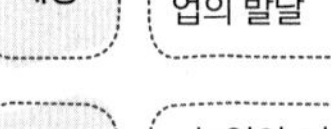

배경	경제 활동의 세계화, 상업적 농업의 발달
기업적 농업	• 농업의 기계화를 통한 농작물 대량 생산 • 세계 시장을 대상으로 활동하여 세계 농산물의 생산과 소비에 많은 영향을 끼침 • 농작물의 생산, 가공, 상품화까지의 전 과정을 담당

C 농업 생산 구조의 변화

1. 상품 작물 재배 증가

(1) 원인: 농업 생산의 기업화로 농작물이 대량 생산되어 싼 가격에 판매되면서 소규모로 농작물을 생산하는 국가가 큰 타격을 받음 → 농업 경쟁력을 높이기 위해 원예 작물이나 ⁺기호 작물을 재배하는 등 농업 생산 방식에 변화를 보임

(2) 사례: 세계적인 쌀 생산지였던 동남아시아 지역의 ⁺플랜테이션 농업 확대

⁺필리핀	쌀을 재배하던 논에 대규모 바나나 농장이 들어섬
인도네시아	화전 농업이 이루어지던 열대 우림 지역이 팜유 채취를 위한 기름야자 농장으로 변화함 (팜유 생산을 위해 열대 우림이 파괴되면서 오랑우탄을 비롯한 다양한 생물 종이 멸종 위기에 처해 있어.)
베트남	쌀을 재배하던 논에 상품성이 높은 커피 나무를 재배함

2. 가축의 사료 작물 재배 증가

(1) 원인: 전 세계적으로 육류 소비 증가 → 가축의 사료 작물 재배를 위한 목초지 확대

(2) 사례: 남아메리카의 열대림이 목초지로 변화하고 있음, 기업적 밀 재배 지역은 최근 수익성이 높은 옥수수나 콩을 재배함

└ 바이오 에너지의 원료로도 사용되어 생산량의 증가 속도가 빠른 편이야.

자료로 이해하기 커피 농업이 발달한 베트남

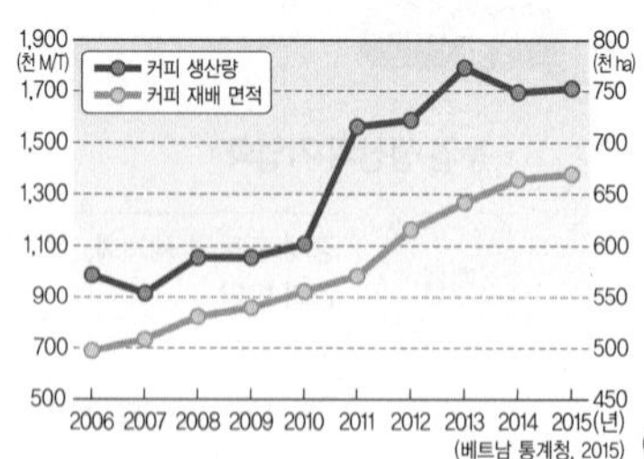

▲ 베트남의 커피 재배 면적 변화

베트남은 열대 기후 지역에 위치한 대표적인 쌀 수출 국가였으나 쌀의 가격 변동성이 커지고 기호 작물 수요가 증가하면서 커피 생산에 집중하기 시작하였다. 그 결과 2016년 브라질에 이어 세계 2위의 커피 생산국이 되었다. 그러나 커피 생산을 위해 농경지와 열대림이 훼손되고, 농약과 화학 비료를 많이 사용하여 환경 오염이 발생하기도 하였다.

└ 대규모 상품 작물 재배는 지역 경제를 활성화할 수 있지만, 환경 파괴를 가져온다는 문제점도 있어.

+ 기호 작물
차, 커피, 카카오 등 맛과 향을 즐기기 위해 먹는 기호 식품의 원료가 되는 작물

+ 플랜테이션
열대 지방에서 선진국의 자본, 기술과 원주민의 노동력이 결합하여 상품 작물을 대규모로 재배하는 상업적 농업 방식

+ 필리핀의 농업 생산 구조 변화

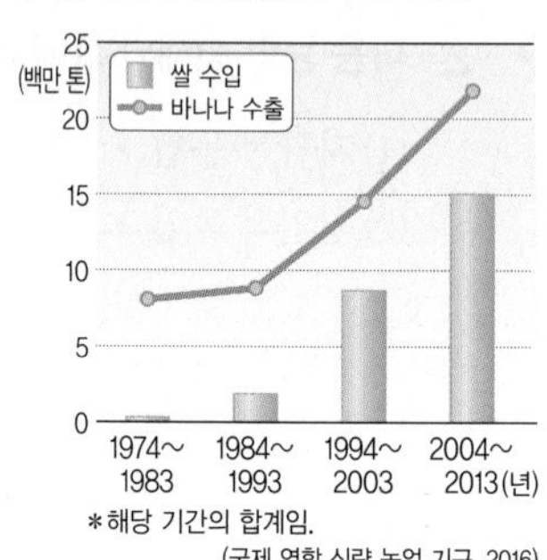

필리핀은 다국적 기업이 들어와 바나나를 재배하면서 바나나 수출량이 급증하였다. 반면, 급격한 인구 성장으로 쌀 소비량이 늘어나면서 대표적인 쌀 수출국에서 수입국으로 변화하였다.

D 농작물 소비 특성의 변화 및 영향

1. 농업의 세계화에 따른 소비 특성의 변화

(1) 생활 수준의 향상: 채소, 과일, 육류의 소비량이 급증하였으며 차, 커피, 카카오 등 기호 작물의 소비도 증가함

(2) 식생활의 변화: 패스트푸드를 비롯한 식단의 서구화로 식량 작물인 쌀의 소비 비중이 감소하고 있음

└ 이 때문에 쌀을 주로 생산하던 지역이 농경지를 주거지나 상업 용지로 변경하거나, 다른 작물들을 재배하면서 쌀을 수입에 의존하게 되는 경우도 발생하고 있어.

2. 농업의 세계화가 소비 지역에 미친 영향

긍정적 영향	• 세계 각지에서 생산되는 다양한 농산물을 쉽게 구할 수 있게 됨 • 외국산 농산물 수입 증가로 식탁의 먹거리가 풍성해짐 (멀리 떨어진 지역에서 수입하는 농산물은 부패를 막기 위해 방부제를 사용해.)
부정적 영향	• 농산물 이동 과정에서 사용한 화학 약품 등의 안전성 문제가 제기됨 • 외국 농산물 소비 증가에 따른 ⁺식량 자급률 감소, 외국 농산물과의 경쟁에서 밀린 국내산 농산물 수요 감소로 농민들이 어려움을 겪게 됨

└ 외국 농산물의 수입은 전통 농업 쇠퇴, 농업 소득 감소 등의 문제를 발생시켜 소비 지역의 식량 자급률을 낮추는 요인이 되기도 해.

+ 우리나라의 식량 자급률

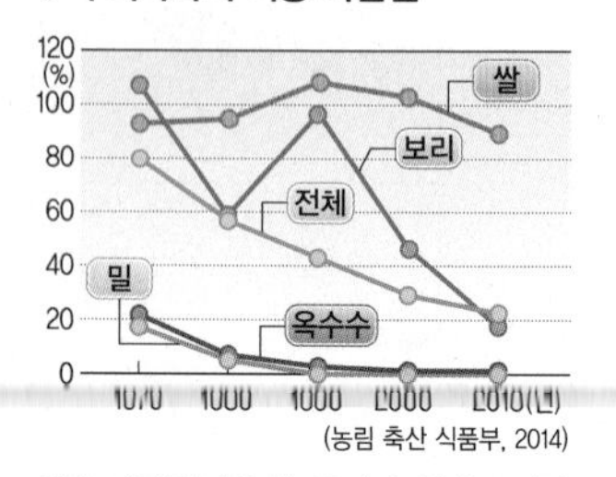

식량 자급률이란 한 국가의 식량 소비량 중 국내에서 생산 및 공급하는 식량의 비율을 말한다. 우리나라에서 쌀은 다른 작물에 비해 자급률이 높은 편이지만, 옥수수와 밀은 대부분 수입에 의존하고 있다.

1 **다음 설명이 맞으면 ○표, 틀리면 ×표를 하시오.**

(1) 농업 경쟁력을 높이기 위해 한 종류의 곡물을 재배하는 농업이 발달하였다. (　　)

(2) 동남아시아 국가에서는 최근 커피, 바나나와 같은 상품 작물의 재배가 늘어나고 있다. (　　)

(3) 육류 소비가 늘어나면서 남아메리카 지역에서는 가축의 사료가 되는 작물 재배를 위해 열대림을 목초지로 바꾸는 경우가 많아졌다. (　　)

2 **다음 괄호 안의 내용 중 알맞은 말에 ○표를 하시오.**

(1) 대표적인 쌀 수출 국가인 베트남은 쌀의 가격 변동성이 커지고, (식량, 기호) 작물 수요가 증가하면서 쌀보다 (바나나, 커피) 생산에 집중하고 있다.

(2) (필리핀, 인도네시아)은/는 팜유 채취를 위한 기름야자 농장의 조성으로 열대림이 파괴되어 오랑우탄을 비롯한 다양한 생물 종이 멸종 위기에 놓이게 되었다.

3 **㉠, ㉡에 들어갈 용어를 각각 쓰시오.**

> 전 세계적으로 육류 소비가 늘어나면서 가축의 사료가 되는 작물 재배가 늘고 있다. 특히 기업적 밀 재배 지역에서는 최근 수익성이 높은 (㉠　　　)나 콩을 재배하는 등 토지 이용의 변화가 나타나고 있다. 또한 이 작물들은 (㉡　　　)의 원료로도 사용되어 생산량의 증가 속도가 빠른 편이다.

핵심 콕콕

• **농업 생산 구조의 변화**

상품 작물 재배 증가	• 농업 경쟁력을 높이기 위해 원예 작물이나 기호 작물 재배 • 동남아시아 지역의 플랜테이션 농업 확대
가축의 사료 작물 재배 증가	• 열대림을 목초지로 바꿔 가축 사료 작물 재배 • 기업적 밀 재배 지역이 옥수수나 콩 재배 지역으로 변화

1 **다음 설명이 맞으면 ○표, 틀리면 ×표를 하시오.**

(1) 패스트푸드를 비롯한 식생활의 변화로 쌀 생산 비중이 급격히 늘고 있다. (　　)

(2) 생활 수준의 향상으로 채소, 과일, 육류의 소비량은 꾸준히 감소하고 있다. (　　)

2 **외국 농산물 수입이 소비 지역에 미친 영향으로 옳은 것만을 〈보기〉에서 있는 대로 골라 기호를 쓰시오.**

보기

ㄱ. 식량 자급률 증가　　ㄴ. 식탁 먹거리의 다양화

ㄷ. 경쟁력이 약한 국내 농업 쇠퇴　　ㄹ. 수입 농산물의 안전성 문제 제기

핵심 콕콕

• **농업의 세계화에 따른 소비 지역의 변화**

긍정적 측면	부정적 측면
세계 각지의 다양한 농산물을 쉽게 구할 수 있게 되어 식탁의 먹거리가 풍부해짐	외국 농산물 소비 증가로 식량 자급률이 감소하고 경쟁력이 약한 국내 농업이 쇠퇴함

01 농업의 세계화가 이루어진 배경으로 옳은 것만을 〈보기〉에서 있는 대로 고른 것은?

〈보기〉
ㄱ. 지역 간 교류 감소
ㄴ. 교통과 통신의 발달
ㄷ. 다양한 농산물에 대한 수요 증가
ㄹ. 경제 성장에 따른 생활 수준의 향상

① ㄱ, ㄷ ② ㄴ, ㄹ ③ ㄱ, ㄴ, ㄷ
④ ㄴ, ㄷ, ㄹ ⑤ ㄱ, ㄴ, ㄷ, ㄹ

[02~03] 지도를 보고 물음에 답하시오.

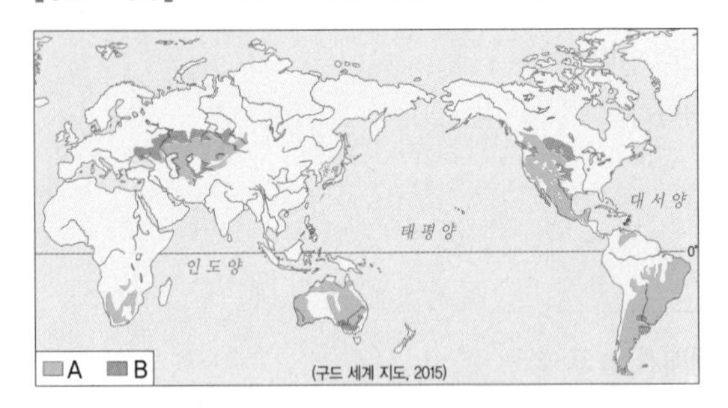

02 A와 B에서 주로 이루어지는 농업을 옳게 연결한 것은?

	A	B
①	플랜테이션	기업적 목축
②	기업적 목축	자급적 곡물 농업
③	기업적 목축	기업적 곡물 농업
④	기업적 곡물 농업	플랜테이션
⑤	기업적 곡물 농업	자급적 곡물 농업

03 A, B 농업에 대한 옳은 설명을 〈보기〉에서 고른 것은?

〈보기〉
ㄱ. A – 소규모로 재배하여 농가에서 직접 소비한다.
ㄴ. A – 전 세계적으로 육류 소비량이 증가하면서 확대되고 있다.
ㄷ. B – 다른 농업에 비해 대량 생산이 어렵다.
ㄹ. B – 농기계와 화학 비료를 사용하는 대규모 농업 방식으로 이루어진다.

① ㄱ, ㄴ ② ㄱ, ㄷ ③ ㄴ, ㄷ
④ ㄴ, ㄹ ⑤ ㄷ, ㄹ

04 밑줄 친 ㉠~㉤ 중 옳지 않은 것은?

㉠ 경제 활동의 세계화가 진행되고 상업적 농업이 발달함에 따라 ㉡ 인간의 노동력에 의존하여 소규모로 이루어지던 농업은 대규모 기업적 농업으로 변화하고 있다. ㉢ 자본과 기술력을 갖춘 다국적 농업 기업은 농작물을 대량 생산하여 가격 경쟁력을 확보하려고 한다. 이들 기업은 대체로 ㉣ 농작물의 생산에만 집중하고 수확한 농작물을 가공하여 유통하는 일은 다른 농가와 기업이 담당한다. 이같은 농업 기업의 활동은 ㉤ 세계 농산물의 가격뿐만 아니라 생산과 소비 부문에 큰 영향을 끼친다.

① ㉠ ② ㉡ ③ ㉢ ④ ㉣ ⑤ ㉤

시험에 잘 나와!

05 농업 생산의 기업화와 세계화에 따른 생산 구조의 변화로 옳지 않은 것은?

① 소규모로 농작물을 생산하는 국가가 타격을 입기도 한다.
② 기업적 밀 재배 지역이 옥수수나 콩 재배 지역으로 변화하기도 한다.
③ 원예 작물이나 기호 작물 대신 한 종류의 곡물을 재배하는 농업이 발달한다.
④ 최근 동남아시아 지역에서는 커피, 바나나 등의 상품 작물 재배가 늘어나고 있다.
⑤ 육류 소비가 늘어나면서 가축 사료 작물을 재배하기 위해 열대 우림이 목초지로 바뀌는 경우가 늘고 있다.

06 ㉠, ㉡에 들어갈 농작물을 옳게 연결한 것은?

열대 기후 지역에 위치한 베트남은 기온이 높고 강수량이 풍부하여 세계적인 (㉠) 생산국이었다. 그러나 기호 작물의 수요가 증가하면서 (㉡) 생산에 집중하기 시작하였다. 그 결과 2010년 브라질에 이어 세계 2위의 (㉡) 생산국이 되었다.

	㉠	㉡
①	쌀	커피
②	쌀	바나나
③	밀	커피
④	밀	기름야자
⑤	옥수수	바나나

07 그래프는 우리나라의 식량 자급률을 나타낸 것이다. 이를 보고 옳게 분석한 학생을 고른 것은?

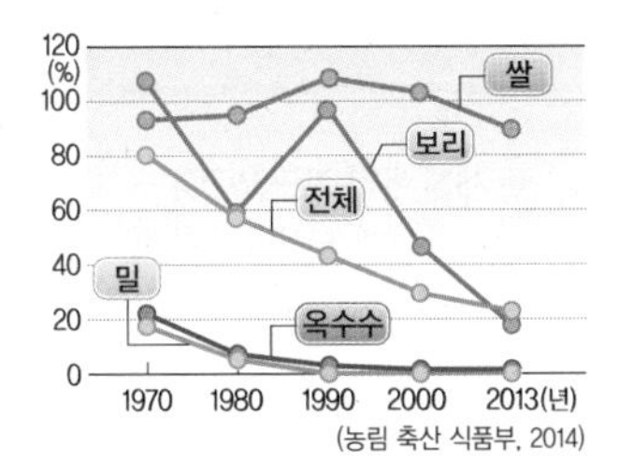

① 가현, 나현 ② 가현, 다현 ③ 나현, 다현
④ 나현, 라현 ⑤ 다현, 라현

08 다음 글에 나타난 농업 기업에 대한 설명으로 옳지 않은 것은?

> 우리 식탁에 오르는 밀과 옥수수의 99%는 곡물 메이저의 '작품'이다. 곡물 메이저란 전 세계에 곡물 생산지를 두고 곡물을 수출입하는 다국적 기업을 일컫는 말로, 먹거리 생산·유통·식품 가공에 이르는 전체 과정에서 세계적 차원의 시스템을 형성한다. 최근에는 이들 기업을 통하지 않고서는 곡물의 국제 거래가 쉽지 않을 만큼 곡물 메이저는 세계적인 영향력을 가지고 있다.

① 세계 곡물 가격 형성에 영향을 끼친다.
② 대규모로 농산물을 생산하고 공급할 수 있는 체제이다.
③ 국제적인 분업 체계와 대량 생산 체제를 갖추고 있다.
④ 이들 기업의 비중이 커질수록 선진국과 개발 도상국 간의 경제적 격차가 완화된다.
⑤ 곡물 가격과 생산량을 조절하여 곡물 자급률이 낮은 국가가 어려움을 겪기도 한다.

시험에 잘 나와!

09 농업의 세계화에 따라 나타나는 소비 특성의 변화로 옳은 것을 〈보기〉에서 고른 것은?

> 보기
> ㄱ. 채소, 과일, 육류의 소비량은 꾸준히 감소하고 있다.
> ㄴ. 세계 각지에서 생산되는 다양한 농산물을 쉽게 구할 수 있게 되었다.
> ㄷ. 외국산 농산물은 방부제를 사용하는 경우가 많아 안전성 문제가 제기되기도 한다.
> ㄹ. 식량 작물인 쌀의 소비량은 꾸준히 증가하여 쌀을 생산하는 농경지의 비중이 늘고 있다.

① ㄱ, ㄴ ② ㄱ, ㄷ ③ ㄴ, ㄷ
④ ㄴ, ㄹ ⑤ ㄷ, ㄹ

서술형 문제

서술형 감잡기

01 세계화에 따라 변화한 농업 생산 방식의 특징을 서술하시오.

➜ 농업의 세계화가 진행됨에 따라 시장 판매를 목적으로 한 (①) 농업이 확대되었으며, 농작물의 상업적 이익을 극대화하기 위해 기업이 많은 자본과 기술을 투자하여 농장을 운영하는 농업의 (②) 현상이 나타나고 있다.

실전! 서술형 도전하기

02 다음과 같은 변화가 우리 생활에 미친 긍정적·부정적 영향을 소비자의 입장에서 각각 한 가지씩 서술하시오.

> 농업의 세계화가 진행되면서 우리 생활에도 많은 변화가 생기고 있다. 예전에는 가까운 농촌에서 생산된 농산물이 도시로 이동해 와서 판매되는 것이 일반적이었지만, 오늘날 우리의 식탁과 주방은 국경이 없어졌다.

02~03 다국적 기업과 생산 공간 변화 ~ 세계화에 따른 서비스업의 변화

A 경제 활동의 세계화와 다국적 기업

1. 경제 활동의 세계화: 교통·통신의 발달, ⁺세계 무역 기구(WTO)의 출범과 자유 무역 협정(FTA) 확대 → 전 세계를 대상으로 경제 활동을 하게 되었으며 지역 간 경제적 상호 의존도가 높아짐

└ 상품, 자본, 노동, 기술, 서비스 등이 국경을 초월하여 자유롭게 이동하고 있어.

2. 다국적 기업의 형성

(1) 다국적 기업: 본사가 있는 국가를 포함하여 해외의 여러 국가에 판매 지사, 생산 공장 등을 운영하면서 전 세계를 대상으로 생산과 판매 활동을 하는 기업

(2) 다국적 기업의 활동: 제조업뿐만 아니라 농산물 생산과 가공, 광물·에너지 자원 개발, 유통·금융 서비스 상품 제공에 이르기까지 역할과 범위가 확대되고 있음

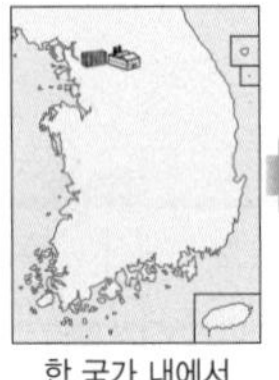

한 국가 내에서 단일 공장 성장

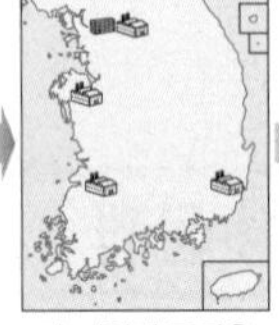

타 지역에 공장을 건설하여 생산 기능 분리

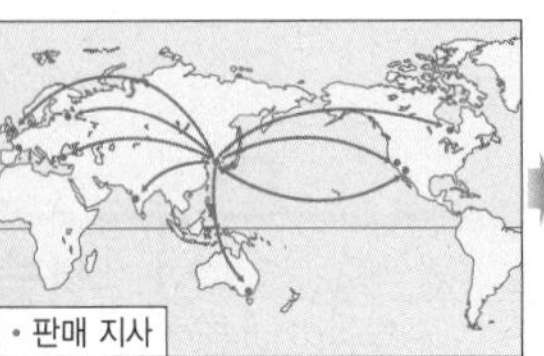

해외에 판매 지사를 개설하여 시장을 개척

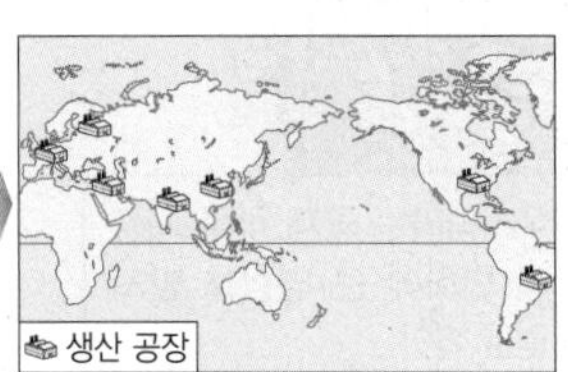

해외에 생산 공장을 건설하여 제품을 직접 공급

⬆ 다국적 기업의 성장 과정

+ 세계 무역 기구(WTO)
1995년 세계 무역의 관리 및 자유화를 촉진하기 위해 설립된 국제기구

다국적 기업 발달 초기에는 미국, 영국, 독일 등 선진국의 기업이 많았으나 최근에는 중국, 인도 등 개발 도상국의 기업도 다국적 기업으로 성장하고 있어.

B 다국적 기업의 공간적 분업

1. 의미: 다국적 기업이 경영의 효율성을 높이고 이윤을 극대화하기 위해 기업의 기획 및 관리·연구·생산·판매 기능을 각각 적합한 지역에 분리하여 배치하는 것

2. 다국적 기업의 공간적 분업 체계

본사	다양한 정보와 자본을 확보하는 데 유리한 선진국의 대도시에 주로 입지
연구소	우수한 교육 시설, 높은 기술 수준을 갖춘 고급 인력이 풍부한 선진국에 주로 입지
생산 공장	지가가 낮고 저렴한 노동력이 풍부한 개발 도상국에 주로 입지, 시장을 확대하고 ⁺무역 장벽을 피하기 위해 선진국에 입지하는 경우도 있음

+ 무역 장벽
국내 산업을 보호하기 위해 수입품에 관세를 부과하는 등의 무역 제한 조치

자료로 이해하기 다국적 기업의 공간적 분업

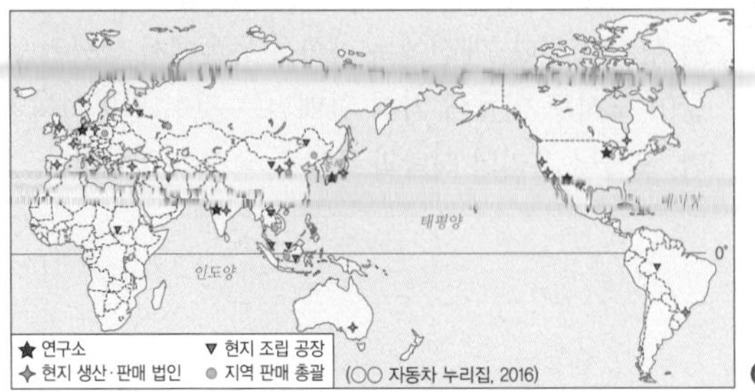

기업이 성장하면 규모가 커지고 기능이 세분화된다. 이에 따라 의사 결정 기능을 하는 본사, 생산 기능을 하는 공장, 판매 기능을 하는 판매 법인과 지사, 연구·개발 기능을 하는 연구소 등은 각각의 기능을 수행하는 데 적합한 지역에 입지한다.

⬅ 우리나라 다국적 기업의 공간적 분업

- 경제 활동의 세계화
- 다국적 기업의 특징과 공간적 분업
- 다국적 기업의 활동과 지역 변화
- 전자 상거래와 유통의 세계화
- 관광의 세계화

1 다음 설명이 맞으면 ○표, 틀리면 ×표를 하시오.

(1) 경제 활동의 세계화로 지역 간 경제적 상호 의존도가 낮아졌다. ( )

(2) 오늘날 다국적 기업의 역할과 활동 범위는 점점 확대되고 있다. ( )

2 (   )이란 본사가 있는 국가를 포함하여 해외의 여러 국가에 판매 지사, 생산 공장 등을 운영하면서 전 세계를 대상으로 생산과 판매 활동을 하는 기업이다.

3 다음은 다국적 기업의 성장 과정이다. ㉠~㉣을 순서대로 나열하시오.

> ㉠ 타 지역에 공장을 건설하여 생산 기능을 분리한다.
> ㉡ 단일 공장이 위치한 지역 내에서 기업이 성장한다.
> ㉢ 해외에 판매 지사를 개설하여 해외 시장을 개척한다.
> ㉣ 해외에 생산 공장을 건설하여 제품을 직접 공급한다.

• 다국적 기업의 성장

한 국가 내에서 단일 공장 성장
↓
타 지역에 공장을 건설하여 생산 기능 분리
↓
해외에 판매 지사 개설
↓
해외에 생산 공장 건설

1 다음 빈칸에 들어갈 내용을 쓰시오.

(1) 다국적 기업의 생산 공장은 시장을 확대하고 (   )을 피하기 위해 선진국에 입지하는 경우도 있다.

(2) 다국적 기업이 경영의 효율성을 높이고 이윤을 극대화하기 위해 기업의 기획 및 관리·연구·생산·판매 기능을 각각 적합한 지역에 분리하여 배치하는 것을 (   )이라고 한다.

2 다국적 기업의 공간적 분업에 따른 입지 특성을 옳게 연결하시오.

(1) 본사 •　　• ㉠ 지가가 낮고 저렴한 노동력이 풍부한 개발 도상국

(2) 연구소 •　　• ㉡ 다양한 정보와 자본을 확보하는 데 유리한 선진국의 대도시

(3) 생산 공장 •　　• ㉢ 우수한 교육 시설, 높은 기술 수준을 갖춘 고급 인력이 풍부한 선진국

핵심 콕콕

• 다국적 기업의 공간적 분업

본사	다양한 정보와 자본 확보가 유리한 선진국에 주로 입지
연구소	기술을 갖춘 고급 인력이 풍부한 선진국에 주로 입지
생산 공장	지가와 임금이 저렴한 개발 도상국에 주로 입지

C 다국적 기업 진출에 따른 지역 변화

1. 다국적 기업의 생산 공장이 들어선 지역

다국적 기업의 생산 공장은 계속해서 생산비가 저렴한 지역을 찾아 이동하는 경향이 있어.

긍정적 변화	• 새로운 산업 단지 조성, 일자리 확대, 관련 산업 발달 → 지역 경제 활성화 • 해당 산업과 관련된 선진국의 기술 습득 가능
부정적 변화	• 유사한 제품을 생산하는 국내 기업이 어려워질 수 있음 • 이윤의 대부분이 다국적 기업의 본사로 흡수되면 경제 발전을 기대하기 어려움 • 생산 공장에서 배출되는 유해 물질로 인한 환경 오염 문제 발생

2. 다국적 기업의 생산 공장이 빠져나간 지역: +산업 공동화 현상이 나타나 실업자가 증가하고, 산업의 기반을 잃어 지역 경제가 침체되기도 함

+ 산업 공동화
지역의 기반을 이루던 산업이 국제 경쟁력을 상실하여 없어지거나 해외로 이전됨으로써 국내 산업 기반이 없어지고 쇠퇴하여 산업 구조에 공백이 생기는 현상

예 미국의 디트로이트시는 자동차를 생산하는 다국적 기업 공장들이 들어서면서 번창하였는데, 20세기 후반부터 개발 도상국으로 공장들이 이전하면서 실업률이 증가하고 지역 경제가 침체되었어.

D 세계화에 따른 서비스업의 변화

1. 서비스 산업의 입지 변화

(1) 배경: 정보 통신 기술의 발달로 시·공간적 제약 완화, 다국적 기업의 활동 확대

(2) 선진국과 개발 도상국의 분업: 선진국의 기업들은 비용을 절감하고 업무 효율성을 높이기 위해 업무의 일부를 개발 도상국으로 분산하여 운영함 예 필리핀의 콜센터

2. 유통의 세계화

(1) 배경: 정보 통신 기술의 발달, +전자 상거래 확대 → 유통 분야의 세계화가 가속화됨

(2) 전자 상거래의 특징

① 시간과 공간의 제약 완화: 소비자가 언제 어디서나 원하는 물건을 구매할 수 있음

② 해외 상점 접속 가능: 소비 활동의 범위가 전 세계로 확대됨

온라인 상점을 통해 외국에서 판매되는 상품을 직접 구매하는 해외 직접 구매도 늘고 있어.

(3) 전자 상거래의 발달에 따른 변화: 택배업 등 유통 산업의 성장, 운송이 유리한 지역에 대규모 물류 창고 발달, 오프라인 상점이 쇠퇴하고 배달 위주의 매장 발달

+ 전자 상거래
인터넷 통신망을 이용하여 물건을 사고파는 행위를 말한다. 전자 상거래는 소비자가 상점을 방문할 필요 없이 상품을 구매하고 원하는 곳에서 받을 수 있다는 편리성 때문에 전 세계에서 성장하고 있다.

* 기업과 소비자 간에 이루어지는 전자 상거래만을 대상으로 함.
(Emarketer, Ecommerce Foundation, 2016)

▲ 세계 전자 상거래 시장 변화

3. 관광의 세계화

교통의 발달로 이동이 편리해지고 정보 통신의 발달로 관광 정보를 쉽게 접할 수 있게 되었어.

(1) 배경: 교통과 통신의 발달, 소득 수준 향상과 여가 증대 → 관광에 대한 관심 증가

(2) +관광 산업의 효과

긍정적 효과	지역 주민의 일자리 창출 및 소득 증가, 지역 이미지 개선 및 홍보 효과
부정적 효과	관광 시설 건설에 따른 자연환경 파괴, 지나친 상업화로 고유문화 쇠퇴 우려

최근에는 환경 피해를 최소화하고 지역 주민에게 혜택이 돌아가게 하는 공정 여행을 선택하는 사람이 많아지고 있어.

+ 관광 산업의 다양화
관광의 세계화에 따라 관광 산업의 유형이 다양해지고 있다. 최근에는 관광객들이 단순히 여행을 즐기는 차원에서 벗어나 음악, 영화, 축제 등의 소재를 직접 체험해 보는 관광이 발달하거나 지역의 특성을 살린 관광 자원이 개발되고 있다.

자료로 이해하기 필리핀의 콜센터 산업

과거 농어업에 의존하던 필리핀은 최근 몇 년간 3차 산업인 서비스 산업을 발전시켰다. 특히 필리핀은 노동비가 저렴하면서 영어에 능통한 사람이 많고, 미국 문화에 대한 친밀도가 높아서 이곳에 콜센터를 설치하는 미국의 다국적 기업들이 늘고 있다. 이는 정보 통신의 발달로 원거리 서비스 대행 시스템이 가능해지면서 서비스 산업이 자유롭게 공간을 이동할 수 있게 된 대표적 사례이다.

필리핀에 콜센터 사무실이 많이 들어서면서 음식점, 숙박 시설 등이 늘어나고 일자리가 증가해 지역 경제가 발달하게 되었어.

1 다국적 기업의 생산 공장이 들어선 지역의 변화 모습으로 맞으면 ○표, 틀리면 ×표를 하시오.

(1) 일자리가 생기고 관련 산업이 발달할 수 있다. ( )

(2) 유사한 제품을 생산하는 국내 기업이 어려워질 수 있다. ( )

2 다국적 기업의 생산 공장이 빠져나간 지역은 ( ) 현상이 나타나 실업자가 증가하고 지역 경제가 어려워지기도 한다.

핵심 콕콕

• 다국적 기업의 활동과 지역 변화

생산 공장 입지
• 일자리 확대, 관련 산업 발달 • 이윤의 상당 부분이 본사로 유출 • 유해 물질 배출로 인한 환경 오염 발생

↕

생산 공장 이전
산업 공동화 현상으로 실업자 증가 및 지역 경제 침체

1 다음 설명이 맞으면 ○표, 틀리면 ×표를 하시오.

(1) 정보 통신 기술의 발달로 유통 분야의 세계화가 가속화되고 있다. ( )

(2) 전자 상거래의 발달로 온라인 해외 상점에 쉽게 접속할 수 있게 되면서 소비 활동의 범위가 축소되었다. ( )

(3) 선진국의 기업들은 비용을 절감하고 업무 효율성을 높이기 위해 업무의 일부를 개발 도상국으로 분산하여 운영하고 있다. ( )

2 전자 상거래의 발달로 나타나는 지역 변화의 모습으로 옳은 것을 〈보기〉에서 골라 기호를 쓰시오.

보기

ㄱ. 대규모 물류 창고 발달

ㄴ. 온라인 쇼핑을 통한 해외 거래 축소

ㄷ. 택배업, 운수업 등의 유통 산업 성장

ㄹ. 소비자가 직접 찾아가 구매하는 상점 확대

3 다음 빈칸에 들어갈 내용을 쓰시오.

(1) 관광 산업이 발달하면 지나친 상업화로 인해 지역의 ( )가 쇠퇴하는 경우도 있다.

(2) 최근에는 관광지의 환경 피해를 최소화하고 현지 주민에게 혜택이 돌아가게 하는 ( )을 선택하는 사람들이 늘고 있다.

(3) 필리핀은 공식 언어로 영어를 사용하고 인건비가 저렴하며 건물 임대료도 싸기 때문에 다국적 기업의 ( )가 들어서면서 지역 경제가 성장하였다.

핵심 콕콕

• 서비스업의 세계화

유통의 세계화	전자 상거래 발달로 오프라인 상점 쇠퇴, 해외 직구 증가, 택배업 등 유통업 성장
관광의 세계화	• 일자리 창출, 지역 이미지 개선 및 홍보 효과 • 자연환경 파괴, 고유문화 쇠퇴 우려

01 밑줄 친 ㉠~㉤ 중 옳지 않은 것은?

> ㉠ 교통·통신의 발달로 국가 간 교류가 활발해지면서 ㉡ 전 세계를 대상으로 경제 활동이 이루어지게 되었다. 오늘날 우리는 ㉢ 다른 국가에서 만든 제품을 쉽게 살 수 있으며, 우리나라 제품도 해외에서 쉽게 찾아볼 수 있다. 이처럼 ㉣ 상품, 자본, 노동, 기술, 서비스 등이 국경을 초월하여 자유롭게 이동하는 경제 활동의 세계화가 진행되면서, ㉤ 경제적 상호 의존도는 점차 낮아지고 있다.

① ㉠ ② ㉡ ③ ㉢ ④ ㉣ ⑤ ㉤

시험에 잘 나와!

02 다국적 기업에 대한 옳은 설명을 〈보기〉에서 고른 것은?

〈보기〉
ㄱ. 전 세계를 대상으로 생산과 판매 활동을 한다.
ㄴ. 무역 장벽이 낮아지면서 활동 범위가 축소되었다.
ㄷ. 다국적 기업들은 주로 공산품을 생산하고 판매하는 분야에만 집중되어 있다.
ㄹ. 본사가 있는 국가를 포함하여 해외의 여러 국가에 판매 지사, 생산 공장 등을 운영한다.

① ㄱ, ㄴ ② ㄱ, ㄹ ③ ㄴ, ㄷ
④ ㄴ, ㄹ ⑤ ㄷ, ㄹ

03 그림은 다국적 기업의 성장 과정을 나타낸 것이다. 밑줄 친 ㉠~㉤ 중 옳지 않은 것은?

① ㉠ ② ㉡ ③ ㉢ ④ ㉣ ⑤ ㉤

시험에 잘 나와!

04 표는 다국적 기업의 공간적 분업에 대해 정리한 것이다. ㉠~㉢에 들어갈 내용을 옳게 연결한 것은?

구분	위치	입지 요인
본사	(㉠)의 대도시	다양한 정보 수집 및 자본 확보에 유리한 곳
(㉡)	선진국	우수한 교육 시설, 전문 기술 인력이 풍부한 곳
(㉢)	개발 도상국	지가가 낮고 저렴한 노동력이 풍부한 곳

	㉠	㉡	㉢
①	선진국	연구소	판매 지사
②	선진국	연구소	생산 공장
③	선진국	판매 지사	연구소
④	개발 도상국	연구소	생산 공장
⑤	개발 도상국	판매 지사	생산 공장

05 지도는 우리나라의 어떤 다국적 기업의 공간적 분업을 나타낸 것이다. 이에 대한 옳은 설명을 〈보기〉에서 고른 것은?

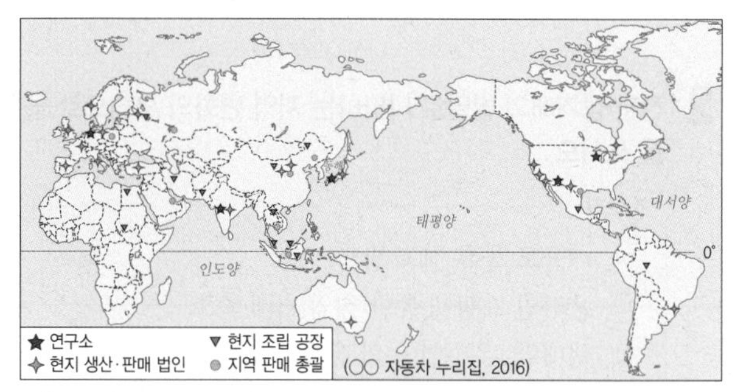

(○○ 자동차 누리집, 2016)

〈보기〉
ㄱ. 교통과 통신의 발달이 기업 활동에 많은 영향을 주었다.
ㄴ. 연구소는 주로 저렴한 노동력이 풍부한 곳에 많이 분포하고 있다.
ㄷ. 연구소와 조립 공장은 협업이 필요해 서로 가까운 지역에 입지하고 있다.
ㄹ. 본사와 연구소, 공장 등의 시설이 세계 여러 지역에 분산되어 입지하는 현상이 나타나고 있다.

① ㄱ, ㄴ ② ㄱ, ㄹ ③ ㄴ, ㄷ
④ ㄴ, ㄹ ⑤ ㄷ, ㄹ

정답 친해 64쪽

06 다국적 기업의 주요 활동으로 보기 어려운 것은?

① 농산물의 생산과 가공
② 공업 제품의 생산과 판매
③ 광물 자원과 에너지 자원의 개발
④ 유통과 금융 관련 서비스 상품 제공
⑤ 공정 무역이나 공정 여행 상품 개발 및 제공

07 다음은 수업 시간의 한 장면이다. 선생님의 질문에 옳게 답변한 학생을 고른 것은?

① 가현, 나현 ② 가현, 다현 ③ 나현, 다현
④ 나현, 라현 ⑤ 다현, 라현

시험에 잘 나와!

08 다국적 기업의 생산 공장이 들어선 지역에서 나타날 수 있는 변화로 옳은 것만을 〈보기〉에서 있는 대로 고른 것은?

보기

ㄱ. 관련 산업이 발달하고 지역 경제가 활성화된다.
ㄴ. 새로운 산업 단지가 조성되어 일자리가 늘어난다.
ㄷ. 유사한 제품을 생산하는 소규모 기업은 경쟁에서 밀려 어려움을 겪기도 한다.
ㄹ. 생산 공장에서 창출된 이윤은 모두 생산 지역에 투자되므로 지역이 크게 발전한다.

① ㄱ, ㄴ ② ㄱ, ㄷ ③ ㄴ, ㄹ
④ ㄱ, ㄴ, ㄷ ⑤ ㄴ, ㄷ, ㄹ

09 ㉠에 들어갈 내용으로 가장 적절한 것은?

'세계의 공장'이라고 불리며 세계 최대 제조업 기지로 군림했던 중국의 위상이 비틀거리고 있다. 미국의 다국적 기업 ○사는 중국 둥관과 베이징에 있는 공장을 폐쇄하고 생산 설비를 베트남으로 옮기기로 결정했다. 이는 베트남이 중국보다 ___㉠___ 생산비를 절감할 수 있기 때문이다.

① 무역 장벽이 높아
② 자본 유통 및 정보 수집이 쉬워
③ 저임금 노동력 확보에 유리하여
④ 넓은 판매 시장 확보가 가능하여
⑤ 기술 개발을 위한 고급 인력 확보에 유리하여

10 다음 글을 통해 알 수 있는 내용으로 옳지 않은 것은?

미국 미시간주의 디트로이트시는 1950년대 자동차를 생산하는 세계적 규모의 다국적 기업 공장들이 들어서면서 인구가 180만 명에 달할 정도로 번창하였다. 하지만 20세기 후반부터 멕시코 등의 개발 도상국으로 자동차 생산 공장이 이전하면서 이 지역에 많은 문제점들이 나타났다.

① 디트로이트시는 생산 공장의 철수로 실업률이 증가하였을 것이다.
② 20세기 후반 이후 디트로이트시는 지역 경제가 침체되었을 것이다.
③ 디트로이트시는 생산 공장의 해외 이전으로 산업의 기반을 잃었을 것이다.
④ 자동차 기업들은 생산비를 절감하기 위해 생산 공장을 개발 도상국으로 이전하였을 것이다.
⑤ 디트로이트시에서 이전한 생산 공장이 새롭게 입지한 지역에서는 산업 공동화 현상이 나타날 것이다.

11 세계화에 따른 서비스업의 변화에 대해 옳게 설명한 사람은?

① 가영: 선진국과 개발 도상국 간 분업이 줄어들고 있어.
② 나영: 여가 및 관광 기회의 증가로 관광 산업의 세계화가 진행되고 있어.
③ 다영: 정보·통신 기술의 발달로 서비스 산업이 한 공간에 집중되고 있어.
④ 라영: 물자나 정보의 이동을 돕는 택배업 등의 유통 서비스 비중은 점차 줄어들고 있어.
⑤ 마영: 개발 도상국의 다국적 기업들이 비용 절감을 위해 생산 공장을 선진국으로 이전하기도 해.

시험에 잘 나와!

12 정보 통신의 발달에 따른 유통 분야의 변화에 대한 설명으로 옳지 <u>않은</u> 것은?

① 인터넷을 통한 온라인 쇼핑의 기회가 많아졌다.
② 온라인 해외 상점에도 쉽게 접속할 수 있게 되었다.
③ 전자 상거래의 발달로 소비 활동의 범위가 축소되었다.
④ 정보 통신의 발달로 유통 분야의 세계화가 가속화되었다.
⑤ 전통적 방식의 상거래와 달리 시간과 공간의 제약을 거의 받지 않는 전자 상거래가 확산되었다.

13 그래프는 세계 전자 상거래 시장의 변화를 나타낸 것이다. 이로 인한 우리 생활의 변화 모습으로 적절하지 <u>않은</u> 것은?

*기업과 소비자 간에 이루어지는 전자 상거래만을 대상으로 함.
(Emarketer, Ecommerce Foundation, 2016)

① 외식업체들은 배달 위주의 매장으로 바뀔 것이다.
② 인터넷 서점의 발달로 소규모 서점이 줄어들 것이다.
③ 소비자에게 물건을 배송해 주는 택배업이 성장할 것이다.
④ 소비자가 직접 찾아가 구매하는 상점은 쇠퇴할 것이다.
⑤ 공항, 고속도로, 항만 등에 발달했던 물류 창고가 줄어들 것이다.

14 다음은 미국과 필리핀에서 이루어진 가상 상황이다. 이에 대한 설명으로 옳지 <u>않은</u> 것은?

- 미국: 플로리다에 사는 제인은 사용하던 ○○ 핸드폰이 고장나 해당 업체의 콜센터로 전화를 걸었다. 콜센터 직원 아밀다는 친절하게 전화를 받아 오류 부분을 해결해 주었고, 제인은 만족스럽게 전화를 끊었다.
- 필리핀: 마닐라에 사는 아밀다는 미국에 본사를 둔 ○○ 핸드폰 기업의 콜센터에서 근무한다. 미국과의 시차로 인해 밤늦게 출근해야 하기 때문에 집이 먼 동료들은 콜센터 근처에 집을 얻거나 잠시 임대하여 주거 문제를 해결하고 있다. 콜센터 직원이 늘어나면서 주변에 빌딩과 음식점들도 많이 생겨났다.

① 서비스 산업이 공간적으로 분산된 사례이다.
② 업무 수행에 따른 시·공간의 제약이 강화되면서 나타나는 사례이다.
③ 교통과 통신의 발달에 따라 서비스 산업의 세계화가 이루어진 모습이다.
④ 필리핀은 콜센터 입지로 3차 산업에 종사하는 사람이 늘어났을 것이다.
⑤ 필리핀은 콜센터 유치를 통해 일자리를 창출하고 지역 경제를 발전시킬 수 있다.

시험에 잘 나와!

15 오늘날 관광 산업의 발달에 대한 설명으로 옳은 것을 <보기>에서 고른 것은?

보기
ㄱ. 소득 수준 향상과 여가 증대로 관광에 대한 수요는 줄어들고 있다.
ㄴ. 세계화와 함께 발달하는 관광 상품들은 그 유형이 단순화되고 있다.
ㄷ. 정보 통신의 발달로 관광과 관련된 정보를 쉽게 얻을 수 있게 되었다.
ㄹ. 교통의 발달로 이동이 편리해지면서 전 세계적으로 관광 활동이 확대되고 있다.

① ㄱ, ㄴ　② ㄱ, ㄷ　③ ㄴ, ㄷ
④ ㄴ, ㄹ　⑤ ㄷ, ㄹ

16 신문 기사를 통해 알 수 있는 내용으로 옳은 것을 〈보기〉에서 고른 것은?

지난 2014년 서울의 '무점포 소매업' 사업체 수는 2009년에 비해 42.7%나 증가했으며, 특히, '통신 판매업'이 차지하는 비중이 72%나 됐다. 반면 '문화·오락 및 여가 용품 소매업' 사업체 수는 14.3%나 감소했으며, 이 중 '서적 및 문구용품 소매업' 사업체는 1,000여 곳이 넘게 사라졌다.

– 「헤럴드경제」, 2016. 4. 25.

〈보기〉

ㄱ. 전자 상거래의 발달로 오프라인 매장이 성장하고 있다.
ㄴ. 전자 상거래의 발달로 시장 환경이 변화하면서 지역 상점들이 영향을 받게 된다.
ㄷ. 정보 통신의 발달로 시간과 공간의 제약을 많이 받는 온라인 거래가 늘어나고 있다.
ㄹ. 이러한 상황이 지속된다면 오프라인 매장에 중점을 둔 기업은 매출이 감소할 것이다.

① ㄱ, ㄴ ② ㄱ, ㄷ ③ ㄴ, ㄷ
④ ㄴ, ㄹ ⑤ ㄷ, ㄹ

17 다음 글을 통해 알 수 있는 내용으로 옳지 않은 것은?

영화 「반지의 제왕」의 촬영지인 뉴질랜드의 마타마타 호비튼은 원래 개인 소유의 농장이었으나 영화 개봉 이후 전 세계 영화 팬이 찾아오는 관광지가 되었다. 현재는 영화 세트장 투어와 농장 체험을 함께하는 관광 상품을 개발하여 지역 경제에 도움을 주고 있다. 또한 「인터스텔라」의 배경이 된 아이슬란드 스비나펠스요쿨도 빙하를 걸어 볼 수 있는 관광 상품을 개발하여 주목받고 있다.

① 관광 산업의 발달로 지역의 1차 산업이 성장할 것이다.
② 지역의 자연환경을 활용한 관광 상품을 개발하기도 한다.
③ 관광 상품의 개발과 관광객의 증가는 지역 경제 활성화에 도움을 준다.
④ 영화가 흥행한 뒤 촬영지를 찾는 사람이 많아지면서 관광 산업이 발달하기도 한다.
⑤ 최근에는 관광객들이 영화, 드라마 등의 소재를 직접 체험해 볼 수 있는 관광 상품도 발달하고 있다.

서술형 문제

서술형 감잡기

01 다국적 기업이 성장하면서 시설과 기능에 따른 공간적 분업이 어떻게 이루어지는지 서술하시오.

➜ 다국적 기업의 (①)와 연구소는 기술 수준이 높고 고급 인력이 많으며 정보와 자본을 확보하는 데 유리한 (②)에 주로 위치한다. 반면, (③)은 상대적으로 지가가 낮고 저렴한 노동력이 풍부한 (④)에 입지하는 경우가 많다.

실전! 서술형 도전하기

02 다음과 같은 현상이 나타나는 이유를 두 가지만 서술하시오.

국내에서 해외로 눈 돌리는 기업들
국내 자동차 시장의 60%를 점유하고 있는 ○○ 자동차가 국내 생산 공장에서 자동차를 생산하는 비중은 절반도 되지 않는 것으로 나타났다. ○○ 자동차가 생산하는 자동차 10대 중 5~6대는 튀르키예, 인도, 중국, 미국, 체코, 러시아, 브라질 등의 해외 공장에서 생산되고 있다.

03 전자 상거래가 발달하면서 나타나게 되는 변화를 긍정적·부정적 측면에서 한 가지씩 서술하시오.

한눈에 보는 대단원

01 농업 생산의 기업화와 세계화

(1) 세계화와 농업 생산의 변화

농업 생산의 변화	과거	곡물을 소규모로 재배하여 농가에서 직접 소비 → 자급적 농업
	현재	낙농업, 원예 농업, 기업적 곡물 농업, 기업적 목축 등 → 상업적 농업
농업의 세계화	배경	지역 간 교류 증가, 생활 수준 향상으로 다양한 농산물에 대한 수요 증가
	양상	전 세계를 대상으로 농작물이 생산되고 판매됨

(2) 농업 생산의 기업화

배경	농업의 세계화, 상업적 농업 발달 → 소규모 농업이 대규모 기업적 농업으로 변화
기업적 농업의 특징	• 농업의 기계화: 대형 농기계와 화학 비료 사용, 품종 개량 등 • 세계 시장을 대상으로 활동: 다국적 농업 기업이 농작물을 대량 생산하여 전 세계에 판매 → 세계 농작물의 생산 구조와 소비 부문에 많은 영향을 끼침 • 농업 생산의 전문화·기업화: 농작물의 생산·가공·상품화의 전 과정을 담당

(3) 농업 생산 구조의 변화

상품 작물 재배 증가	소규모로 농작물을 재배하는 국가가 농업 경쟁력을 높이기 위해 원예 작물이나 기호 작물 재배 ⓔ 동남아시아 지역의 플랜테이션 농업 확대
가축 사료 작물 재배 증가	육류 소비 증가 → 가축 사료 작물 재배를 위한 목초지 확대 ⓔ 남아메리카 열대 우림이 목초지로 변화, 기업적 밀 재배 지역에서 옥수수나 콩을 재배함

(4) 농작물 소비 특성의 변화 및 영향

농작물 소비 특성 변화		• 생활 수준의 향상으로 채소, 과일, 육류 및 기호 작물의 소비량 증가 • 식단의 서구화로 식량 작물인 쌀의 소비 비중 감소
농업의 세계화가 지역에 미친 영향	긍정적	세계의 다양한 농산물을 쉽게 구할 수 있게 됨
	부정적	농산물 이동 과정에서 사용한 화학 약품 등의 안전성 문제, 식량 자급률 감소, 경쟁에서 밀린 국내산 농산물 수요 감소

☑ 핵심 선택지 다시보기

1 기업적 농업은 다른 농업에 비해 대량 생산이 어렵다. ( )

2 농업 생산의 기업화와 세계화로 한 종류의 곡물을 재배하는 농업이 발달하였다. ( )

3 최근 동남아시아 지역에서는 커피, 바나나 등의 상품 작물 재배가 늘어나고 있다. ( )

4 농업의 세계화로 세계 각지에서 생산되는 다양한 농산물을 쉽게 구할 수 있게 되었다. ( )

5 농업의 세계화로 식량 작물인 쌀의 소비량은 꾸준히 증가하고 있다. ( )

답 1 × 2 × 3 ○ 4 ○ 5 ×

02 다국적 기업과 생산 공간 변화

(1) 경제 활동의 세계화와 다국적 기업

경제 활동의 세계화		교통·통신의 발달, 세계 무역 기구 출범, 자유 무역 협정 확대 → 전 세계를 대상으로 경제 활동을 하게 되었으며, 지역 간 경제적 상호 의존도가 높아짐
다국적 기업	의미	해외의 여러 국가에 판매 지사, 생산 공장 등을 운영하면서 전 세계를 대상으로 생산과 판매 활동을 하는 기업
	성장	한 국가 내에서 단일 공장 성장 → 타 지역에 공장을 건설하여 생산 기능 분리 → 해외에 판매 지사 개설 → 해외에 생산 공장 건설

☑ 핵심 선택지 다시보기

1 무역 장벽이 낮아지면서 다국적 기업의 활동 범위가 축소되었다. ( )

2 다국적 기업의 연구소는 주로 저렴한 노동력이 풍부한 곳에 많이 분포하고 있다. ( )

3 다국적 기업의 생산 공장은 무역 장벽을 극복하기 위해 선진국에 입지하는 경우도 있다. ( )

4 다국적 기업의 생산 공장이 들어선 지역은 관련 산업이 발달하고 지역 경제가 활성화된다. ( )

5 다국적 기업의 생산 공장이 새롭게 입지한 지역에서는 산업 공동화 현상이 나타날 수 있다. ( )

답 1 × 2 × 3 ○ 4 ○ 5 ×

(2) 다국적 기업의 공간적 분업

의미	다국적 기업이 경영의 효율성을 높이고 이윤을 극대화하기 위해 기업의 기획 및 관리·연구·생산·판매 기능을 각각 적합한 지역에 분리하여 배치하는 것	
공간적 분업 체계	본사	다양한 정보와 자본을 확보하는 데 유리한 선진국의 대도시에 주로 입지
	연구소	우수한 교육 시설, 높은 기술 수준을 갖춘 고급 인력이 풍부한 선진국에 주로 입지
	생산 공장	지가가 낮고 저렴한 노동력이 풍부한 개발 도상국에 주로 입지, 시장을 확대하고 무역 장벽을 피하기 위해 선진국에 입지하는 경우도 있음

(3) 다국적 기업 진출에 따른 지역 변화

생산 공장 입지	긍정적	• 새로운 산업 단지 조성, 일자리 확대, 관련 산업 발달 • 해당 산업과 관련된 선진국의 기술 습득 가능
	부정적	• 유사한 제품을 생산하는 국내 기업이 어려워질 수 있음 • 이윤의 대부분이 다국적 기업의 본사로 흡수되면 경제 발전을 기대하기 어려움 • 생산 공장에서 배출되는 유해 물질로 인한 환경 오염 문제 발생
생산 공장 이전	기존에 공장이 있던 지역은 산업 공동화 현상이 나타나 실업자가 증가하고, 산업 기반을 잃어 지역 경제가 침체되기도 함	

03 세계화에 따른 서비스업의 변화

(1) 서비스 산업의 입지 변화

배경	정보 통신 기술의 발달로 시·공간적 제약 완화, 다국적 기업의 활동 확대
선진국과 개발 도상국의 분업	선진국의 기업들은 비용을 절감하고 업무 효율성을 높이기 위해 업무의 일부를 개발 도상국으로 분산하여 운영 예 필리핀의 콜센터

(2) 유통의 세계화

배경	정보 통신 기술의 발달, 전자 상거래 확대 → 유통 분야의 세계화	
전자 상거래	특징	• 시간과 공간의 제약을 받지 않음 • 해외 상점 접속 가능 → 소비 활동의 범위가 전 세계로 확대됨
	발달에 따른 변화	택배업 등 유통 산업의 성장, 운송이 유리한 지역에 대규모 물류 창고 발달, 오프라인 상점 쇠퇴, 배달 위주의 매장 발달

(3) 관광의 세계화

배경	교통과 통신의 발달, 소득 수준 향상과 여가 증대 → 관광에 대한 관심 증가	
관광 산업의 효과	긍정적	일자리 창출 및 소득 증가, 지역 이미지 개선 및 홍보 효과
	부정적	관광 시설 건설에 따른 자연환경 파괴, 지나친 상업화로 고유문화 쇠퇴 우려

☑ 핵심 선택지 다시보기

1 정보·통신 기술의 발달로 서비스 산업이 한 공간에 집중되고 있다. ( )

2 서비스업의 세계화에 따라 선진국과 개발 도상국 간 분업이 줄어들고 있다. ( )

3 전자 상거래의 발달로 소비 활동의 범위가 축소되었다. ( )

4 전자 상거래 확대로 소비자가 직접 찾아가 구매하는 상점은 쇠퇴한다. ( )

5 교통의 발달로 이동이 편리해지면서 전 세계적으로 관광 활동이 확대되고 있다. ( )

답 1 × 2 × 3 × 4 ○ 5 ○

☑ 핵심 선택지 다시보기의 정답을 맞힌 개수만큼 아래 표에 색칠해 보자. 많이 틀린 단원은 되돌아가 복습해 보자.

01 농업 생산의 기업화와 세계화 222쪽

02 다국적 기업과 생산 공간 변화 228쪽

03 세계화에 따른 서비스업의 변화 230쪽

01 농업 생산의 기업화와 세계화

01 (가), (나) 농업에 대한 설명으로 옳은 것은?

(가)

(나)

① 과거의 전통적인 농업은 (가)와 같은 방식으로 이루어졌다.
② 산업화가 진행되면서 (나)와 같은 농업이 발달하였다.
③ (가)는 (나)에 비해 곡물을 소규모로 재배하는 농업이다.
④ (나)는 (가)에 비해 자급적 농업의 성격이 강하다.
⑤ (나)는 (가)에 비해 농기계와 화학 비료를 사용하여 대규모로 이루어진다.

02 농업의 기업화로 인해 나타나는 변화로 옳지 않은 것은?

① 농기계의 보급과 사용이 확대되었다.
② 원예 작물, 기호 작물의 생산량이 증가하였다.
③ 상품 작물 재배를 위한 플랜테이션이 확대되었다.
④ 필요한 만큼 소규모로 생산하는 농업이 활성화되었다.
⑤ 세계 농산물 시장에서 다국적 기업의 영향력이 커졌다.

03 세계화에 따른 농업 생산의 변화로 옳은 것을 〈보기〉에서 고른 것은?

보기
ㄱ. 무역 장벽이 높아지면서 농작물의 국제 거래가 감소하고 있다.
ㄴ. 농기계와 화학 비료를 사용하는 대규모 기업적 농업이 발달하고 있다.
ㄷ. 큰 규모의 다국적 농업 기업은 농작물을 대량 생산하여 가격 경쟁력을 확보하려 한다.
ㄹ. 농가마다 다양한 농업 방식의 발달로 다국적 농업 기업이 세계 농산물 시장에 미치는 영향은 감소하였다.

① ㄱ, ㄴ ② ㄱ, ㄷ ③ ㄴ, ㄷ
④ ㄴ, ㄹ ⑤ ㄷ, ㄹ

04 지도는 세계의 기업적 농업 분포를 나타낸 것이다. A, B 농업에 대한 설명으로 옳지 않은 것은?

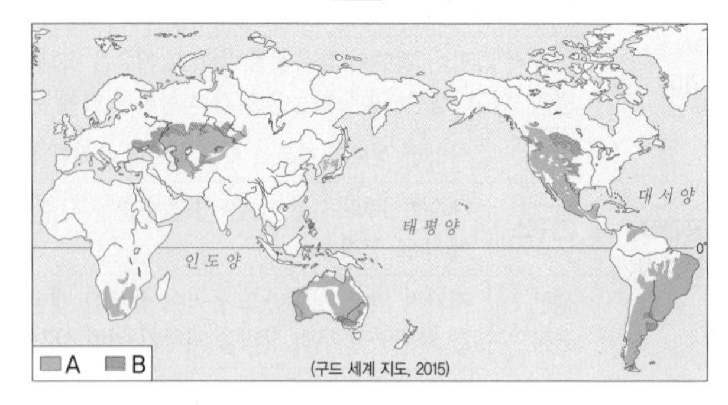

① A는 생활 수준 향상으로 육류 소비가 증가하면서 더욱 발달하였다.
② B는 기계를 사용하여 대량 생산하는 농업 방식으로 이루어진다.
③ A, B는 모두 넓은 평원이 있는 국가에서 발달한다.
④ A는 기업적 목축, B는 기업적 곡물 농업에 해당한다.
⑤ A는 농가에서 직접 소비할 목적, B는 시장에 판매할 목적으로 이루어지는 농업이다.

+ 창의·융합

05 다음에서 설명하는 농업 기업의 특징으로 옳은 것을 〈보기〉에서 고른 것은?

> 다국적 농업 기업 D사는 온두라스, 콜롬비아, 에콰도르, 필리핀 등에서 생산한 바나나를 신선한 상태로 세계 여러 곳으로 운반하기 위해 전용 선박과 전용 부두, 물류 센터까지 갖추고 있다. 또한 세계적인 유통 업체들과 계약을 맺어 바나나를 전 세계에 공급하고 있다.

보기
ㄱ. 농작물의 생산, 유통, 식품 가공에 이르는 전 과정을 담당한다.
ㄴ. 세계 농산물의 가격이나 생산 구조 및 소비 부문에 많은 영향을 끼친다.
ㄷ. 까다로운 공정 과정과 소량 생산 방식으로 농산물의 가격이 비싼 편이다.
ㄹ. D사와 같은 해외 기업들의 활동이 활발해질수록 우리나라의 식량 자급률이 높아진다.

① ㄱ, ㄴ ② ㄱ, ㄷ ③ ㄴ, ㄷ
④ ㄴ, ㄹ ⑤ ㄷ, ㄹ

06 농업 생산의 기업화와 세계화로 인한 변화를 내용으로 한 신문 기사의 제목으로 적절하지 않은 것은?

① 바나나 재배가 늘어나고 있는 동남아시아
② 육류 소비의 증가로 목초지로 변해가는 열대 우림
③ 밀 재배 지역으로 바뀌고 있는 캔자스 콘벨트 지역
④ 원예 작물과 기호 작물 재배로 농업 경쟁력을 높이다!
⑤ 베트남, 커피 생산에 집중하여 세계적인 커피 생산국이 되다!

07 밑줄 친 ㉠~㉤ 중 옳지 않은 것은?

> 농업의 세계화에 따라 오늘날 우리는 ㉠ 세계 각지에서 생산되는 다양한 농산물을 쉽게 구할 수 있게 되었다. 외국산 농산물을 많이 수입하면 ㉡ 우리 식탁의 먹거리가 풍부해지지만 ㉢ 농산물 이동 과정에서 방부제를 사용하는 경우가 많아 안전성 문제가 제기되기도 한다. 세계적으로 식단이 서구화되면서 ㉣ 식량 작물인 쌀의 소비 비중은 감소하고 있다. 또한 ㉤ 채소, 과일의 소비량이 감소하여 채소와 과일을 생산하던 농경지가 상업 용지로 바뀌는 경우가 많다.

① ㉠ ② ㉡ ③ ㉢ ④ ㉣ ⑤ ㉤

02 다국적 기업과 생산 공간 변화

08 경제 활동의 세계화에 대한 설명으로 옳지 않은 것은?

① 교통과 통신의 발달은 경제 활동의 세계화를 촉진시켰다.
② 자본과 기술, 서비스는 국경을 이동하기가 더 어려워졌다.
③ 세계적 차원에서 경제적 상호 의존도가 높아지는 현상이다.
④ 과거에 비해 우리나라의 물건을 외국에서 쉽게 찾아볼 수 있게 되었다.
⑤ 국가 간 교류가 활발해지면서 전 세계를 대상으로 경제 활동이 이루어지게 되었다.

09 ㉠에 대한 옳은 설명만을 〈보기〉에서 있는 대로 고른 것은?

> 본사가 있는 국가를 포함하여 해외 여러 국가에 판매 지사, 생산 공장 등을 운영하며 전 세계를 대상으로 생산과 판매 활동을 하는 기업을 (㉠)(이)라고 한다.

〈보기〉
ㄱ. 국가 간 무역 장벽이 낮아지면서 ㉠의 수는 증가하고 있다.
ㄴ. 교통·통신의 발달과 경제 활동의 세계화에 따라 더욱 발달하게 되었다.
ㄷ. 최근 농산물의 생산과 가공, 광물·에너지 자원 개발 등의 분야에서도 발달하고 있다.
ㄹ. ㉠이 성장할수록 본사와 판매 지사, 생산 공장의 공간적 분업이 줄어들고 한 곳에 집중된다.

① ㄱ, ㄴ ② ㄱ, ㄷ ③ ㄴ, ㄷ
④ ㄱ, ㄴ, ㄷ ⑤ ㄴ, ㄷ, ㄹ

10 그림은 우리나라의 어떤 다국적 기업의 성장 과정을 나타낸 것이다. (가)~(라)를 순서대로 옳게 나열한 것은?

(가)
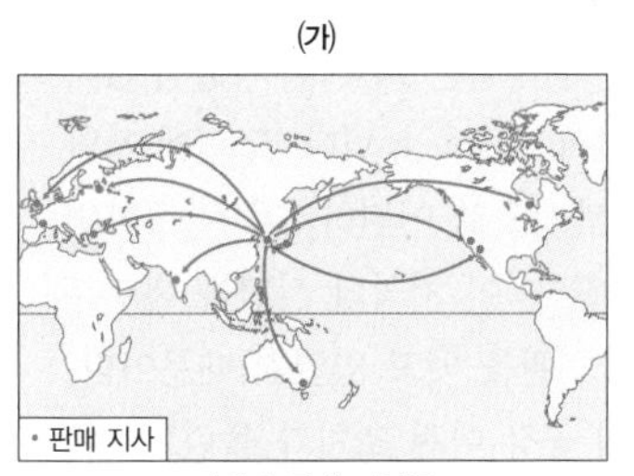

해외에 판매 지사를 개설하여 시장을 개척

(나)
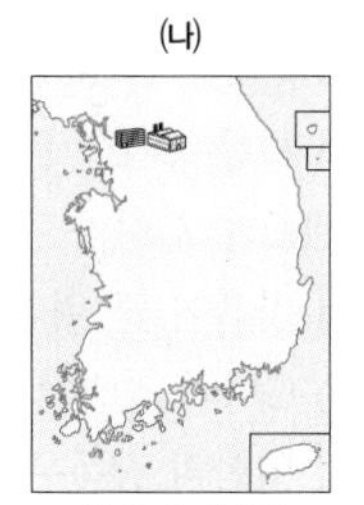
한 국가 내에서 단일 공장 성장

(다)
생산 공장
해외에 생산 공장을 건설하여 제품을 직접 공급

(라)
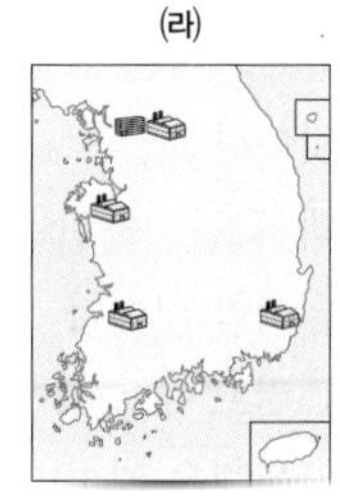
타 지역에 공장을 건설하여 생산 기능 분리

① (가) - (나) - (다) - (라) ② (나) - (가) - (다) - (라)
③ (나) - (라) - (가) - (다) ④ (다) - (나) - (라) - (가)
⑤ (라) - (나) - (다) - (가)

11 다국적 기업의 공간적 분업과 관련한 입지 조건으로 옳은 설명을 〈보기〉에서 고른 것은?

〈보기〉

ㄱ. 최근에는 무역 장벽을 피하기 위해 개발 도상국으로 본사를 이전하기도 한다.
ㄴ. 생산 공장은 판매 시장을 확보하기 위해 수요가 많은 국가로 이전하기도 한다.
ㄷ. 연구소는 생산 비용을 줄이기 위해 지가와 임금이 싼 개발 도상국에 주로 위치한다.
ㄹ. 본사는 의사 결정에 필요한 다양한 정보와 자본을 확보하는 데 유리한 지역에 주로 위치한다.

① ㄱ, ㄴ ② ㄱ, ㄷ ③ ㄴ, ㄷ
④ ㄴ, ㄹ ⑤ ㄷ, ㄹ

+ 창의·융합

12 다음 글을 통해 알 수 있는 내용으로 옳지 않은 것은?

「로저와 나」는 미국 동부 미시간주의 소도시 플린트를 배경으로 한 영화이다. 이 지역은 다국적 기업인 G사의 생산 공장이 들어서면서 번영을 누렸다. 그런데 지난 1986년, G사가 공장을 멕시코로 이전하기로 결정하면서 마을이 큰 위기에 빠진다. 이 지역의 시민들 대부분은 G사와 직간접적으로 연관을 맺고 있었기 때문이다. 이 영화의 감독은 G사의 공장 이전 조치가 플린트시에 가져온 변화를 3년간 취재하여 이 작품을 만들었다.

① 플린트시는 산업 기반을 잃어 지역 경제가 침체되었을 것이다.
② 멕시코는 플린트시보다 저임금 노동력을 확보하는 데 유리할 것이다.
③ 플린트시는 생산 공장이 철수한 후 대규모 실업자가 발생했을 것이다.
④ 플린트시는 생산 공장의 해외 이전으로 산업 공동화 현상이 발생할 수 있다.
⑤ 다국적 기업의 생산 공장은 높은 기술 수준을 갖춘 곳을 찾아 이전하는 경향이 있다.

13 다음은 다국적 기업의 생산 공장 입지에 따른 영향을 정리한 것이다. 밑줄 친 ㉠~㉤ 중 옳지 않은 것은?

다국적 기업의 생산 공장을 유치한 지역의 변화

1. 긍정적 영향
㉠ 새로운 산업 단지 조성으로 일자리가 증가함
㉡ 기술을 이전받아 관련 산업이 발달할 수 있음
㉢ 이윤의 대부분이 본사로 흡수되어 지역 경제가 발전함
2. 부정적 영향
㉣ 유사한 제품을 생산하는 국내 기업이 어려움을 겪을 수 있음
㉤ 생산 공장에서 유해 물질이 배출되어 환경 오염 문제가 발생함

① ㉠ ② ㉡ ③ ㉢ ④ ㉣ ⑤ ㉤

03 세계화에 따른 서비스업의 변화

14 서비스업의 세계화에 대한 옳은 설명을 〈보기〉에서 고른 것은?

〈보기〉

ㄱ. 교통과 통신의 발달은 다양한 서비스 산업의 세계화를 촉진하였다.
ㄴ. 정보 통신 기술의 발달로 서비스 산업이 특정 국가에 집중되고 있다.
ㄷ. 정보 통신 기술의 발달로 업무 수행에 따른 시·공간적 제약이 강화되었다.
ㄹ. 선진국은 비용 절감과 업무 효율성 향상을 위해 업무의 일부를 개발 도상국에 분산하여 운영하기도 한다.

① ㄱ, ㄴ ② ㄱ, ㄹ ③ ㄴ, ㄷ
④ ㄴ, ㄹ ⑤ ㄷ, ㄹ

15 ㉠에 들어갈 용어를 쓰시오.

(㉠)은/는 인터넷을 이용하여 물건을 사고파는 행위를 말한다. 오프라인에서 이루어지던 기존의 상거래와 달리 온라인을 통해 이루어지는 것이 특징이다.

16 다음 글을 읽고 파악한 내용으로 옳지 않은 것은?

> 필리핀 네그로스섬의 작은 마을 탄자이는 사탕수수 재배가 경제 활동의 대부분을 차지하던 곳이었다. 그러나 최근 이곳에 다국적 기업의 콜센터가 들어서면서 주민 생활에 많은 변화가 나타났다. 다국적 기업의 고객 상담 업무를 전문적으로 대신 처리하는 콜센터는 주로 전화와 온라인으로 업무를 처리하기 때문에 고객과 근접한 거리에 있을 필요가 없으며, 임금이 저렴하고 영어 회화 능력을 갖춘 곳이 선호된다.

① 탄자이는 콜센터 입지 전 1차 산업에 의존하고 있었다.
② 정보 통신 기술의 발달로 선진국의 업무를 분산하여 운영할 수 있다.
③ 영어를 공용어로 사용하는 필리핀은 콜센터 입지에 유리한 조건을 갖추었다.
④ 다국적 기업의 업무가 분산되는 곳은 주로 고급 기술 인력과 교육 시설이 풍부한 곳이다.
⑤ 콜센터 사무실이 많아지면서 필리핀은 서비스업에 종사하는 주민 비중이 증가했을 것이다.

17 다음은 수업 시간의 한 장면이다. 선생님의 질문에 옳게 답변한 학생을 고른 것은?

① 가현, 나현　② 가현, 다현　③ 나현, 다현
④ 나현, 라현　⑤ 다현, 라현

18 전자 상거래의 발달에 따른 유통의 변화에 대한 옳은 설명만을 〈보기〉에서 있는 대로 고른 것은?

> 보기
> ㄱ. 시간과 공간의 제약을 거의 받지 않는다.
> ㄴ. 정보 통신의 발달은 유통의 세계화를 축소시킨다.
> ㄷ. 인터넷 쇼핑으로 상품을 사는 사람들이 늘고 있다.
> ㄹ. 온라인 해외 상점도 쉽게 접속할 수 있어 소비 활동의 범위가 전 세계로 확대되고 있다.

① ㄱ, ㄹ　② ㄴ, ㄷ　③ ㄱ, ㄴ, ㄷ
④ ㄱ, ㄷ, ㄹ　⑤ ㄴ, ㄷ, ㄹ

19 오늘날 세계의 관광 산업에 대한 설명으로 옳지 않은 것은?

① 교통의 발달은 관광 산업의 세계화를 촉진시킨다.
② 음악, 영화의 소재를 활용한 관광이 발달하기도 한다.
③ 관광 산업은 지역 주민의 일자리를 늘리고 지역 경제를 활성화한다.
④ 최근에는 환경 피해를 최소화하는 공정 여행을 선택하는 사람이 늘고 있다.
⑤ 지역에 대한 정보를 쉽게 접할 수 있게 되어 해외 관광객 수가 줄어들고 있다.

20 다음은 학생이 작성한 형성 평가지이다. 이 학생이 받을 점수로 옳은 것은?

형성 평가

다음 설명이 옳으면 ○표, 틀리면 ×표를 하시오.

문제	답안
(1) 물자나 정보의 이동을 돕는 유통 서비스는 비중이 줄어들고 있다.	○
(2) 서비스업의 세계화는 지역 경제와 주민 생활에 변화를 가져올 수 있다.	×
(3) 관광 산업이 발달하면서 지나친 상업화로 지역의 고유문화가 사라지는 경우도 있다.	○
(4) 경세적으로 풍요로워지고 여가 시간이 늘어나면서 관광에 대한 수요가 감소하고 있다.	×

(문항당 2점)

① 0점　② 2점　③ 4점　④ 6점　⑤ 8점

환경 문제와 지속 가능한 환경

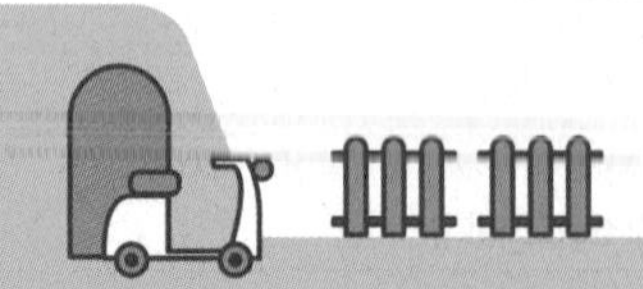

STOP

01 전 지구적 차원의 기후 변화

A 기후 변화의 의미와 요인

1. 기후 변화: 일정한 지역에서 장기간에 걸쳐서 나타나는 기후의 평균적인 상태가 변화하는 것 → 홍수, 가뭄, 폭염 등과 같은 비정상적인 ⁺기상을 일으킴

2. 기후 변화의 요인

자연적 요인	화산 분화, 태양의 활동 변화, 태양과 지구의 상대적 위치 변화 등
인위적 요인	공장과 가정에서 석탄, 석유 등 ⁺화석 연료 사용에 따른 온실가스 배출, 도시화, 무분별한 토지 및 삼림 개발 등

└ 기후에 인간의 활동이 강하게 영향을 미치기 시작한 것은 산업 혁명 이후부터야.

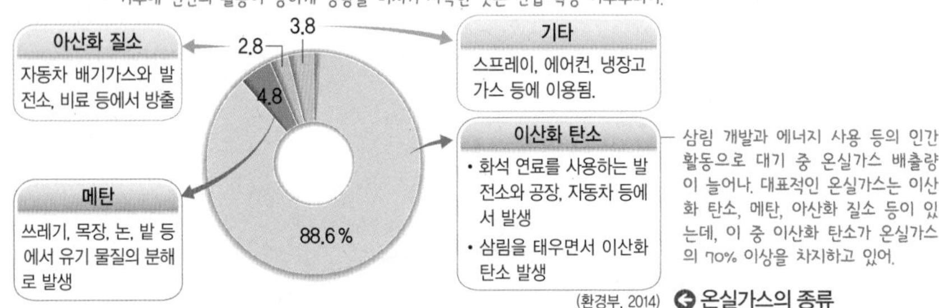

(환경부, 2014) ◀ 온실가스의 종류

+ 기상
대기 중에서 일어나는 물리적인 현상을 통틀어 이르는 말로 바람, 구름, 비, 눈, 더위, 추위 따위를 말한다.

+ 화석 연료
지각에 묻힌 동식물의 유해가 오랜 세월에 걸쳐 변화하여 만들어진 연료. 대표적인 화석 연료로 석탄, 석유, 천연가스 등이 있다.

B 지구 온난화

1. 지구 온난화: 대기 중에 온실가스의 양이 증가하여 지구의 에너지 균형이 무너지면서 지구의 평균 기온이 높아지는 현상

자연 상태의 지구 ➡ 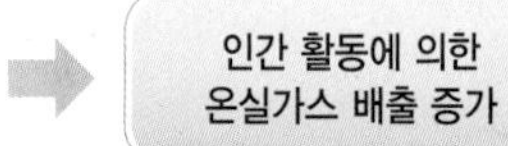 인간 활동에 의한 온실가스 배출 증가  ➡ 지구의 평균 기온 상승

▲ 지구 온난화의 과정

꼭 온실 효과는 그 자체가 문제가 아니라, 산업 혁명 이후 이산화 탄소 농도가 급증하면서 온실 효과를 과도하게 발휘하게 만든 것이 문제가 되는 거야.

2. 지구 온난화를 가속화하는 요인: 온실가스 배출 증가에 따른 ⁺온실 효과 강화, 무분별한 개발로 이산화 탄소를 흡수하고 저장하는 기능을 가진 삼림 파괴

자료로 이해하기 지구의 연평균 기온 변화

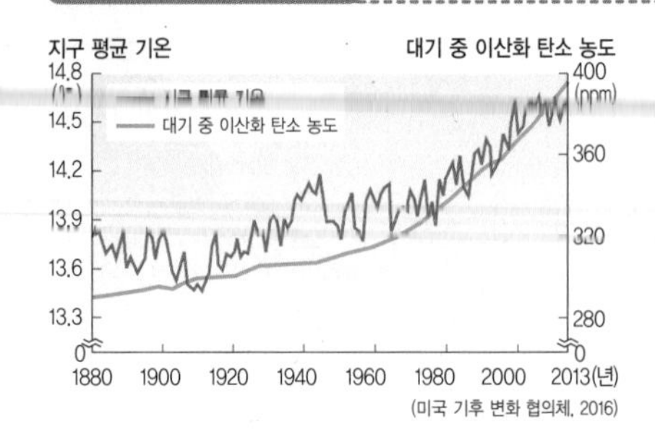

(미국 기후 변화 협의체, 2016)

지구 온난화에 가장 큰 영향을 미치는 온실가스인 이산화 탄소 농도가 산업 혁명 이전에는 280ppm이었으나 현재는 400ppm을 넘어서는 등 20세기 이후 빠른 증가 추세를 보이고 있다. 지구의 평균 기온이 약 100년 전보다 0.74℃ 정도 높아졌음을 고려하면 대기 중의 이산화 탄소가 산업화 이후 증가하면서 지표면에서 방출하는 열을 더 많이 흡수하여 지구의 기온이 급격히 상승했음을 알 수 있다.

+ 온실 효과

태양으로부터 방출된 열에너지는 지구에 도달했다가 다시 우주로 방출된다. 그러나 지구에서 복사되는 열이 온실가스에 막혀 지구 밖으로 나가지 못하고 지구로 다시 흡수되어 대기와 지표면의 온도를 높이는 현상이 나타나는데, 이를 온실 효과라고 한다.

└ 온실 효과는 지구의 온도를 유지해 주는 매우 중요한 현상이야. 만약 온실 효과가 없다면 지구는 지금보다 [illegible] 이상 기온이 떨어져서 인간과 동물이 살아갈 수 없어.

- 기후 변화의 의미와 요인
- 온실 효과와 지구 온난화
- 기후 변화의 영향
- 기후 변화를 해결하기 위한 노력

1 **다음 설명이 맞으면 ○표, 틀리면 ×표를 하시오.**

(1) 기후는 자연적인 요인에 의해서는 변화하지 않는다. ( )

(2) 기후에 인위적 요인이 크게 영향을 미치기 시작한 것은 산업 혁명 이후부터이다. ( )

(3) 기후 변화는 기후의 평균적인 상태가 변화하는 것으로 홍수나 가뭄, 폭염과 같은 비정상적인 기상을 일으킨다. ( )

2 **다음 빈칸에 들어갈 내용을 쓰시오.**

(1) 대기 중에 배출되는 여러 종류의 온실가스 중에서 가장 큰 비중을 차지하는 것은 ( )이다.

(2) 산업 혁명 이후 석탄, 석유 등 ( ) 사용에 따른 온실가스 배출량이 늘면서 지구의 기후가 변화하기도 한다.

• 기후 변화의 요인

자연적 요인	인위적 요인
화산 분화, 태양의 활동 변화, 태양과 지구의 상대적 위치 변화 등	화석 연료 사용에 따른 온실가스 배출, 도시화, 무분별한 삼림 개발 등

1 **대기 중에 온실가스의 양이 증가하여 지구의 에너지 균형이 무너지면서 지구의 평균 기온이 높아지는 현상을 ( )라고 한다.**

2 **다음 설명이 맞으면 ○표, 틀리면 ×표를 하시오.**

(1) 무분별한 개발에 따른 삼림 파괴로 지구 온난화가 가속화하고 있다. ( )

(2) 온실 효과는 지구 온난화를 초래하는 현상이므로 완전히 사라져야 한다. ( )

3 **밑줄 친 ㉠에 해당되는 내용으로 옳은 것만을 〈보기〉에서 있는 대로 골라 기호를 쓰시오.**

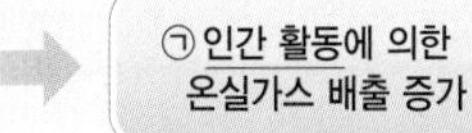

자연 상태의 지구 → ㉠ 인간 활동에 의한 온실가스 배출 증가 → 지구의 평균 기온 상승

〈보기〉
ㄱ. 화산재 분출
ㄴ. 화석 연료 사용
ㄷ. 무분별한 삼림 개발
ㄹ. 자동차 배기가스 배출

핵심 콕콕

• 지구 온난화

삼림 개발, 화석 연료 사용 등의 인간 활동
↓
대기 중 온실가스 배출 증가에 따른 온실 효과 강화
↓
지구의 평균 기온 상승

C 기후 변화의 영향

1. 빙하 감소와 해수면 상승: 지구 온난화의 영향으로 지표면의 온도가 올라 빙하가 감소하고, 빙하가 녹은 물이 바다로 흘러들어 해수면이 상승함 → 해안 저지대 국가와 일부 섬나라 침수 위기 ㉠ 몰디브, +투발루, 나우루 등

비교 빙하의 감소로 많은 문제점이 나타나기도 하지만, 북극해의 얼음이 녹아 북극 항로가 개발되거나, 일부 극지방에서 농사가 가능해지는 등 긍정적 효과가 나타나기도 해.

2. 기상 이변 증가

(1) 기상 이변의 원인

① 지구 기온 상승: 많은 양의 물이 증발하여 건조한 땅이 많아지고 물이 부족해짐

② 해류의 변화: 빙하가 녹아 바닷물의 염분 농도가 낮아지면서 해류의 순환을 방해함

(2) 영향: 태풍, 홍수, +폭우, 가뭄, 폭설 등의 빈번한 발생, 폭염과 +열대야 같은 여름철 고온 현상 증가 — 우리나라도 열대야 발생 횟수가 급격히 늘어나고 있으며 강수의 강도도 강해지고 있어.

3. 생태계 변화

(1) 해양 생태계 변화: 바닷물 온도 상승으로 수온 변화에 적응이 어려운 물고기들이 죽거나 수온이 낮은 고위도 지역으로 이동함

(2) 육상 생태계 변화: 고산 식물의 분포 범위 축소 또는 멸종 위험이 커짐, 식물의 개화 시기가 빨라지고 동식물의 서식지가 변화함 — 비교 아열대 과일의 재배 지역은 확대되고 있어.

(3) 질병의 확산: 날씨가 덥고 습해지면서 모기, 파리 등 전염병을 옮기는 매개체가 증가 → 특정 지역에서만 발생하던 질병이 다른 지역으로 확산함

자료로 이해하기 기후 변화에 따른 지역 변화

전 세계 평균 기온 상승으로 북극과 그린란드에 덮인 빙하와 만년설이 녹아 줄어들고, 해수면이 상승하여 일부 해안 지역이 물에 잠기고 있다. 또한 집중 호우가 잦아지거나 가뭄과 사막화가 심해지는 등 다양한 기후 변화 현상으로 어려움을 겪는 지역이 늘어나고 있다.

+ 투발루

남태평양에 위치한 산호섬 투발루는 지구 온난화가 급격히 진행되면서 해수면의 상승 속도가 빨라져 국토 전체가 수몰될 위기에 처했다. 또한 지하수에 바닷물이 섞여 마실 물이 고갈되고 농작물의 피해도 심각해지고 있다.

+ 프랑스 파리의 폭우

2016년 6월 일주일 가까이 이어진 폭우로 센강이 범람하여 박물관을 비롯한 파리의 관광 명소가 줄줄이 휴관하였다.

+ 열대야

한 여름 밤 동안의 최저 기온이 25℃ 이상인 현상. 열대야 현상이 나타나면 너무 더워서 사람이 잠들기 어렵고, 쉽게 피로함을 느끼게 된다.

D 기후 변화 해결을 위한 노력

1. 국제적 노력 — 기후 변화에 따른 피해는 이산화 탄소 배출이 많은 선진국, 산업화가 급속히 진행되는 개발 도상국, 온실가스 배출이 적은 저개발 국가 등 모든 지역에서 나타나기 때문에 전 지구적 차원에서의 협력과 공동 대응이 필요해.

구분	내용
기후 변화 협약	1992년 브라질 리우데자네이루에서 열린 국제 연합 환경 개발 회의에서 온실가스를 줄이기 위한 기후 변화 협약을 최초로 채택
교토 의정서	1997년 기후 변화 협약의 구체적인 이행 방안으로 채택
+파리 협정	2015년 프랑스 파리에서 열린 제21차 국제 연합 기후 변화 협약 당사국 총회에서 2020년 이후의 기후 변화 문제에 대한 국제적 공동 대응을 위해 채택

교토 의정서 — 주요 선진국들에게 온실가스 배출 감축의 의무를 갖게 하고, 탄소 배출권을 거래할 수 있는 제도를 도입했어.

파리 협정 — 미국과 중국을 포함한 총 195개국이 서명했으며, 우리나라도 이에 포함돼.

2. 우리나라의 노력: 환경 오염 최소화 정책 추진, 국가 기후 변화 적응 대책 수립 등

+ 파리 협정

파리 협정의 주요 내용은 산업화 이전과 비교하여 지구 평균 온도 상승 폭을 2℃ 이내로 제한하며, 되도록 1.5℃까지 낮추자는 것이다. 주요 선진국만을 대상으로 했던 교토 의정서와 달리 파리 협정은 모든 국가가 의무적으로 온실가스 배출 감축에 나서기로 합의하였다.

• 기후 변화의 영향

빙하 감소와 해수면 상승	지표면 온도 상승 → 빙하가 녹으면서 해수면 상승 → 해안 저지대 및 섬나라 침수 위기
기상 이변 증가	• 태풍, 홍수, 가뭄, 폭설 등의 발생 빈도 증가 • 폭염과 열대야와 같은 여름철 고온 현상 증가
생태계 변화	• 수온 변화에 따른 해양 생태계 변화 • 고산 식물의 분포 범위 축소 및 멸종 위기 • 식물의 개화 시기 및 동식물 서식지 변화

1 **다음 설명이 맞으면 ○표, 틀리면 ×표를 하시오.**

(1) 지구 온난화의 영향으로 빙하가 감소하고 기상 이변이 증가하였다. ( )

(2) 지구 온난화로 해안 저지대에 있는 국가들은 침수 피해를 겪고 있다. ( )

2 **다음 괄호 안의 내용 중 알맞은 말에 ○표를 하시오.**

(1) 지구의 평균 기온이 상승함에 따라 폭염과 열대야 같은 여름철 고온 현상이 (증가, 감소)한다.

(2) 기후 변화로 빙하가 녹아 바다로 흘러들어 가면 해수면이 (상승, 하강)할 뿐만 아니라 바닷물의 염분 농도를 (낮게, 높게) 만들어 해류의 순환을 방해할 수 있다.

3 **기후 변화에 따른 생태계 변화로 옳은 것만을 〈보기〉에서 있는 대로 골라 기호를 쓰시오.**

보기

ㄱ. 식물의 개화 시기가 빨라진다.
ㄴ. 고산 식물의 분포 범위가 늘어난다.
ㄷ. 모기, 파리 등 전염병을 옮기는 매개체가 증가한다.
ㄹ. 수온 변화에 적응이 어려운 물고기들이 죽는 경우가 생긴다.

4 **㉠, ㉡에 들어갈 용어를 각각 쓰시오.**

지구 평균 기온이 상승하면서 북극과 그린란드의 빙하가 줄어들고, (㉠)이 상승하여 일부 해안 지역이 물에 잠기고 있다. 그러나 한편으로는 북극해의 얼음이 녹아 운항이 가능한 (㉡)의 개발이 활발히 이루어지기도 한다.

핵심 콕콕

• 기후 변화 해결을 위한 노력

국제 사회	기후 변화 협약, 교토 의정서, 파리 협정 체결
우리나라	환경 오염 최소화 정책, 국가 기후 변화 적응 대책 수립 등

1 **다음 설명이 맞으면 ○표, 틀리면 ×표를 하시오.**

(1) 교토 의정서는 모든 국가에게 온실가스 배출 감축 의무를 부여하였다. ( )

(2) 기후 변화 해결을 위해서는 전 지구적 차원에서의 협력과 대응이필요하다. ( )

2 **(㉠)은 1992년 국제 연합 환경 개발 회의에서 최초로 채택하였으며, 2015년에는 2020년 이후의 기후 변화 대응을 담은 (㉡)이 체결되었다.**

01 그래프는 온실 효과를 일으키는 온실가스의 종류를 나타낸 것이다. ㉠에 들어갈 온실가스로 옳은 것은?

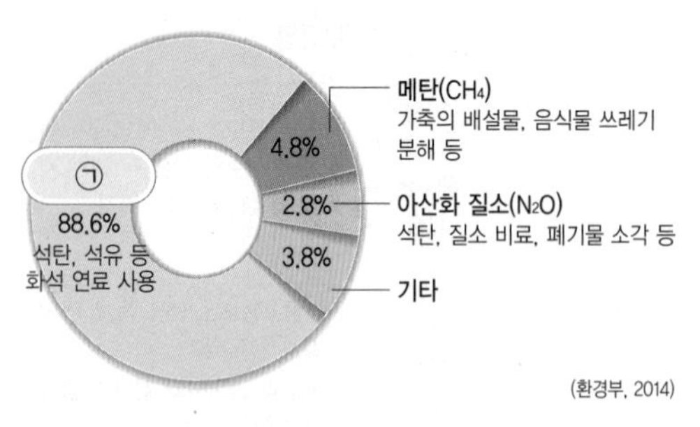

(환경부, 2014)

① 산소 ② 질소 ③ 오존
④ 염화수소 ⑤ 이산화 탄소

02 기후 변화에 대한 설명으로 옳지 않은 것은?

① 기후의 평균적인 상태가 변화하는 것이다.
② 홍수, 가뭄, 폭염 등 비정상적인 기상을 일으킨다.
③ 산업 혁명 이후 인간의 활동이 기후 변화에 강하게 영향을 미치고 있다.
④ 석탄, 석유 등 화석 연료의 사용에 따라 기후의 이상 현상이 증가하기도 한다.
⑤ 기후는 인위적인 요인에 의해서만 변하기 때문에 산업이 발달하면서 기후 변화가 시작되었다.

03 온실 효과에 대한 옳은 설명을 〈보기〉에서 고른 것은?

보기
ㄱ. 온실가스가 많아지면 온실 효과는 강화된다.
ㄴ. 온실 효과가 강화될수록 지구의 에너지 균형이 잘 이루어진다.
ㄷ. 인간과 동물이 적정한 기온에서 살아가기 위해서는 온실 효과가 사라져야 한다.
ㄹ. 지구가 태양에서 받은 에너지를 다시 방출할 때 에너지가 대기를 빠져나가지 못하고 남아 기온이 상승하는 현상이다.

① ㄱ, ㄴ ② ㄱ, ㄹ ③ ㄴ, ㄷ
④ ㄴ, ㄹ ⑤ ㄷ, ㄹ

[04~06] 그래프를 보고 물음에 답하시오.

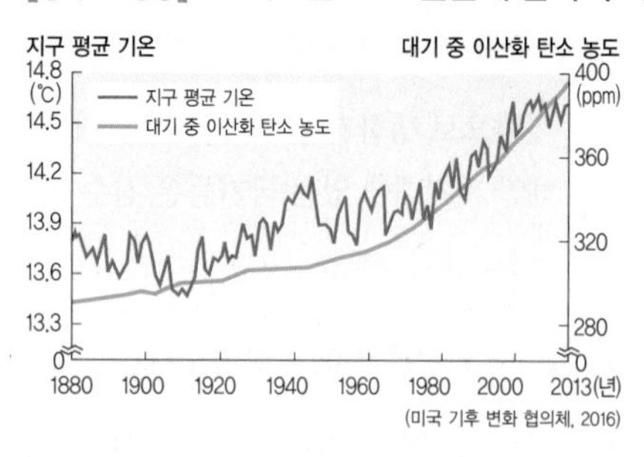

(미국 기후 변화 협의체, 2016)

04 위 그래프와 같이 이산화 탄소의 농도가 변화하는 원인으로 적절하지 않은 것은?

① 화력 발전소 증가 ② 열대 우림 면적 증가
③ 자동차 사용 증가 ④ 가정용 난방 사용 증가
⑤ 제조업 발달과 공장 증가

05 위 그래프에 대한 설명으로 옳지 않은 것은?

① 지구의 연평균 기온은 과거에 비해 상승하였다.
② 이산화 탄소의 농도가 증가할수록 온실 효과는 줄어든다.
③ 1880년에 비해 현재 지구의 평균 기온은 0.5℃ 이상 높아졌다.
④ 이산화 탄소의 농도가 증가함에 따라 지구의 연평균 기온도 상승하였다.
⑤ 이산화 탄소 등의 온실가스로 인해 지구 온난화 현상이 나타나고 있음을 보여준다.

시험에 잘 나와!

06 위 그래프와 같은 상황이 지속되었을 때 나타날 수 있는 현상으로 옳은 것을 〈보기〉에서 고른 것은?

보기
ㄱ. 빙하의 면적이 줄어들 것이다.
ㄴ. 건조한 땅이 늘어나고 물이 부족해질 수 있다.
ㄷ. 북극곰이 서식할 수 있는 지역이 늘어날 것이다.
ㄹ. 몰디브, 투발루 등의 섬나라는 해수면 하강으로 육지의 면적이 넓어질 것이다.

① ㄱ, ㄴ ② ㄱ, ㄷ ③ ㄴ, ㄷ
④ ㄴ, ㄹ ⑤ ㄷ, ㄹ

시험에 잘 나와!

07 ㉠에 대한 옳은 설명을 <보기>에서 고른 것은?

역대 동계 올림픽 개최지 중 상당수가 2050년 정도에는 (㉠) 현상으로 인해 동계 올림픽을 다시 개최하기 어려울 것이라는 연구 결과가 나왔다. 2월 평균 기온 상승으로 스키, 스노보드 등의 종목을 실시할 수 있는 장소가 줄어들기 때문이다. 2018년 평창 올림픽 준비를 위해 전지 훈련에 나선 선수들도 더 추운 곳을 찾아 훈련장을 변경하는 사례가 속출했다. -「연합 뉴스」, 2018. 1. 12.

보기

ㄱ. ㉠에 들어갈 말은 지구 온난화이다.
ㄴ. 최근 ㉠은 주로 자연적 요인에 의해 나타나고 있다.
ㄷ. ㉠은 지구의 에너지 균형이 무너지면서 지구의 평균 기온이 높아지는 현상을 말한다.
ㄹ. ㉠은 화산 분화, 태양의 활동 변화 등에 따라 나타나는 것으로 인간의 활동과는 관련이 없다.

① ㄱ, ㄴ ② ㄱ, ㄷ ③ ㄴ, ㄷ
④ ㄴ, ㄹ ⑤ ㄷ, ㄹ

08 다음과 같은 상황이 발생하게 된 원인으로 적절한 것은?

집이 무너질 위기에 처한 알래스카 시슈머레프섬 주민 560명은 마을을 떠나기로 결정했다. 여름이 길어지면서 언 땅이 녹아 물렁물렁해져 건물이 무너질 위험에 맞닥뜨린 것이다. 또한 이 지역에서는 얼음에 구멍을 뚫어 낚시를 해왔지만, 이제는 얼음이 많이 없어져 물고기를 잡기도 어려워졌다.

① 극심한 가뭄과 사막화 확산
② 쓰레기 증가로 인한 토양 오염
③ 해수면 하강에 따른 해안 침식
④ 지구 평균 기온의 지속적인 상승
⑤ 극지방과 고산 지역의 빙하 증가

[09~10] 자료를 보고 물음에 답하시오.

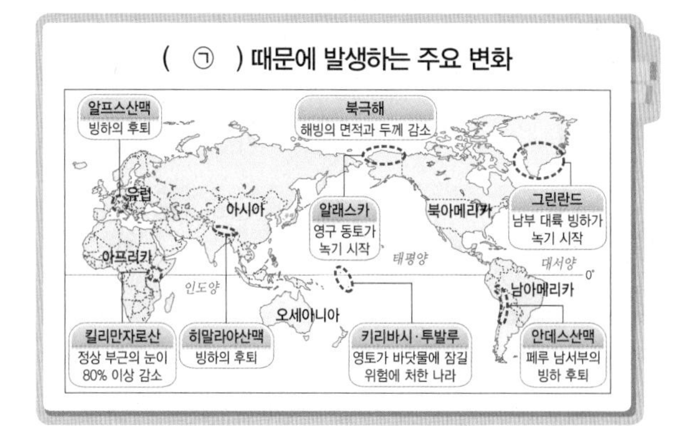

09 ㉠에 들어갈 말로 가장 적절한 것은?

① 사막화 ② 화산 활동 ③ 해양 오염
④ 오존층 파괴 ⑤ 지구 온난화

10 위 자료를 보고 학생들이 나눈 대화이다. 옳은 이야기를 한 사람을 고른 것은?

나현: 폭설이나 홍수 같은 자연재해는 줄어들 거야.

다현: 이러한 변화가 지속되면 지구의 생태계가 위험해질 수 있어.

가현: 이러한 현상은 자연적 요인에 의해 나타나는 것으로 인간의 활동과는 관련이 없어.

라현: 지구 곳곳에서 일어나는 기후 변화 문제를 해결하려면 전 세계가 함께 노력해야 해.

① 가현, 나현 ② 가현, 다현 ③ 나현, 다현
④ 나현, 라현 ⑤ 다현, 라현

11 기후 변화에 따른 지역 변화의 사례로 옳지 않은 것은?

① 우리나라에서 최근 열대야 발생일이 증가하고 있다.
② 북극해를 운항할 수 있는 북극 항로 개발이 어려워졌다.
③ 투발루는 해수면 상승으로 국토가 물에 잠길 위기에 처해 있다.
④ 일부 극지방에서는 빙하 면적이 줄어들고 겨울이 짧아져 농사가 가능해졌다.
⑤ 스위스 남부 지역은 12월에도 기온이 내려가지 않아 스키장의 일부만 인공 눈으로 운영하고 있다.

12 (가), (나)에 대한 설명으로 옳은 것만을 〈보기〉에서 있는 대로 고른 것은?

(가)	(나)

프랑스 파리는 일주일 가까이 이어진 폭우로 센강의 물이 흘러넘쳐 주변의 관광 명소가 줄줄이 휴관하였다.	볼리비아의 차칼타야에는 세계에서 가장 높은 스키장이 있었으나, 빙하가 계속 줄어들어 현재는 흔적만 남아 있다.

〈보기〉
ㄱ. (가)는 지구 온난화에 따라 발생한 기상 이변이 원인이 되었다.
ㄴ. (나)는 지구의 자연적인 기후 현상에 의해 나타난 변화로 인간의 활동과는 관련이 없다.
ㄷ. (가), (나) 모두 기후 변화가 근본적인 원인이다.
ㄹ. (가), (나)와 같은 문제들을 해결하기 위해 최근 국제 협약을 맺고 공동 노력을 하고 있다.

① ㄱ, ㄴ ② ㄴ, ㄷ ③ ㄷ, ㄹ
④ ㄱ, ㄷ, ㄹ ⑤ ㄴ, ㄷ, ㄹ

13 사진은 노르웨이 피오르의 변화를 보여 준다. 이를 통해 알 수 있는 내용으로 옳지 않은 것은?

2002년

2011년

① 지구의 평균 기온이 상승하면서 나타난 변화이다.
② 극지방의 빙하가 녹아 해수면이 낮아졌을 것이다.
③ 2002년에 비해 2011년에 빙하의 양이 줄어들었다.
④ 화석 연료의 사용 증가도 변화의 원인 중 하나이다.
⑤ 이러한 변화가 지속되면 해안 저지대나 일부 산호섬들은 침수될 위험이 있다.

시험에 잘 나와!

14 기후 변화의 영향으로 나타날 수 있는 생태계 변화에 대한 옳은 설명을 〈보기〉에서 고른 것은?

〈보기〉
ㄱ. 고산 식물의 경우 분포 범위가 줄어들거나 멸종할 위험이 커진다.
ㄴ. 식물의 개화 시기가 늦어지고, 아열대 과일의 재배 지역이 축소될 수 있다.
ㄷ. 바닷물의 온도가 올라가 수온 변화에 적응이 어려운 물고기들이 죽을 수도 있다.
ㄹ. 모기와 파리 등 전염병을 옮기는 매개체가 줄어들어 질병의 전염 위험성은 줄어들 것이다.

① ㄱ, ㄴ ② ㄱ, ㄷ ③ ㄴ, ㄷ
④ ㄴ, ㄹ ⑤ ㄷ, ㄹ

[15~16] 다음 글을 읽고 물음에 답하시오.

2015년 개최된 제21차 국제 연합 기후 변화 협약 당사국 총회(COP 21)에서는 2020년 이후의 기후 변화 대응을 담은 (㉠)을/를 채택하였다. 이 협약에서는 산업 혁명 이전과 비교해 지구 평균 온도의 상승 폭을 2℃보다 '훨씬 작게' 제한하며, 되도록 1.5℃까지 낮추도록 노력을 기울이자는 데 합의하였다.

15 ㉠에 들어갈 국제 협약으로 옳은 것은?

① 바젤 협약 ② 파리 협정 ③ 람사르 협약
④ 교토 의정서 ⑤ 사막화 방지 협약

16 ㉠에 대한 설명으로 옳은 것은?

① 우리나라는 가입하지 않았다.
② 기후 변화와 관련되어 최초로 채택된 협약이다.
③ 주요 선진국에만 온실가스 감축 의무를 부여하였다.
④ 당사국 모두 2020년부터 의무적으로 온실가스 배출 삭감에 나서기로 합의하였다.
⑤ 온실가스 감축 의무를 지닌 국가가 탄소 배출권을 거래할 수 있는 제도를 처음 도입하였다.

17 밑줄 친 ㉠에 대한 옳은 설명을 <보기>에서 고른 것은?

> 기후 변화에 따른 피해는 이산화 탄소의 배출이 많은 선진국이나 최근 산업화가 급속히 진행되는 개발 도상국뿐만 아니라 온실가스 배출량이 적은 저개발 국가에서도 나타난다. 따라서 이산화 탄소 배출량 감축 등 지구 온난화에 대처하기 위한 방안은 ㉠ 전 지구적 차원에서의 공동 노력이 필요하다.

보기

ㄱ. 휘발유를 사용하는 자동차 사용을 장려한다.
ㄴ. '지구촌 불 끄기' 등의 환경 캠페인을 진행한다.
ㄷ. 화석 연료를 대체할 신·재생 에너지를 개발한다.
ㄹ. 열대 우림 개간 사업을 진행하여 농경지와 목초지를 확대한다.

① ㄱ, ㄴ ② ㄱ, ㄷ ③ ㄴ, ㄷ
④ ㄴ, ㄹ ⑤ ㄷ, ㄹ

시험에 잘 나와!

18 표는 지구 온난화에 대한 내용을 정리한 것이다. 밑줄 친 ㉠~㉤ 중 옳지 않은 것은?

의미	대기 중에 온실가스 농도가 급격히 올라 지구의 에너지 균형이 무너지면서 ㉠ 지구의 평균 기온이 높아지는 현상
원인	석탄·석유 등 화석 연료의 과도한 사용, 무분별한 토지 및 삼림 개발 등 → ㉡ 대기 중 온실가스 배출량 증가
영향	• 빙하가 감소하고, 빙하가 녹은 물이 바다로 흘러들어 ㉢ 해수면이 상승함 • 태풍, 홍수, 폭우, 가뭄, 폭설 등의 ㉣ 기상 이변이 증가함
해결 노력	오늘날의 기후 변화는 과거 산업화 과정에서 많은 온실가스를 배출한 선진국의 책임이 큼 → ㉤ 교토 의정서, 파리 협정 등을 통해 선진국에게만 온실가스 감축 의무를 부여함

① ㉠ ② ㉡ ③ ㉢ ④ ㉣ ⑤ ㉤

서술형 문제

서술형 감잡기

01 밑줄 친 ㉠에 대하여 서술하시오.

> 2009년 몰디브에서는 해수면 4~5m 아래 바닷속에서 30여 분간 수중 각료 회의를 열었다. 이 행사는 ㉠ 몰디브를 위협하는 환경 문제의 심각성을 전 세계에 알리기 위한 목적으로 이루어졌다.

➜ 몰디브는 지구의 평균 기온이 높아지는 (①)의 영향으로, 빙하가 녹은 물이 바다로 흘러들어 (②)이 상승하면서 국토가 바닷물에 잠겨 지구상에서 사라질 위기에 놓여 있다.

실전! 서술형 도전하기

02 그래프는 지구의 연평균 기온과 이산화 탄소 농도의 변화를 나타낸 것이다. 이를 보고 물음에 답하시오.

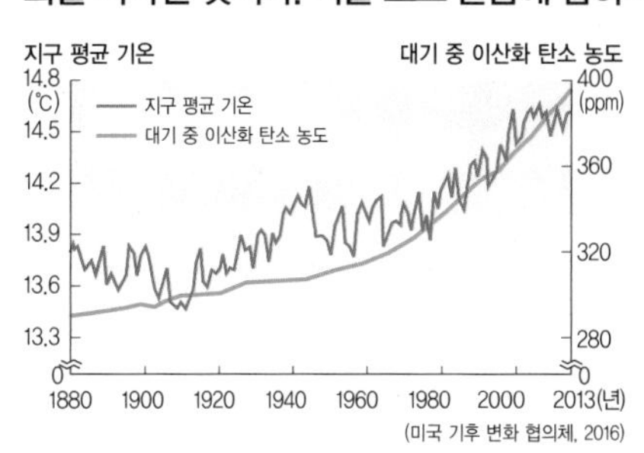

(미국 기후 변화 협의체, 2016)

(1) 그래프와 같은 변화가 나타나는 원인을 제시된 단어를 사용하여 서술하시오.

> • 기온 • 온실가스 • 산업 혁명

(2) 그래프와 같은 상황이 지속되었을 때 나타나는 문제점을 생태계의 변화 측면에서 두 가지만 서술하시오.

02 환경 문제 유발 산업의 이동

A 유해 폐기물의 국제적 이동

1. ⁺전자 쓰레기의 국제적 이동

전자 쓰레기는 재활용이 가능한 일부를 제외하고는 정부의 허가를 받은 안전 설비가 갖추어진 곳에서 매립·소각 등의 방법으로 폐기해야 해.

선진국	환경 규제를 피하고 경제적 부담을 줄이기 위해 개발 도상국으로 전자 쓰레기 이전
개발 도상국	전자 쓰레기를 분해해 금속 자원을 채취할 수 있기 때문에 경제적 이익을 얻을 수 있다는 점에서 선진국의 전자 쓰레기 수입

└ 개발 도상국으로 유입되는 중고 가전 제품의 대부분은 재사용이 불가능해.

2. 전자 쓰레기의 국제적 이동에 따른 문제점: 전자 쓰레기를 수입한 개발 도상국에서는 유해 물질 배출에 따른 환경 오염과 생태계 파괴가 심각함

└ 전자 쓰레기에는 수은, 카드뮴 등의 유독 물질이 포함되어 있어.

3. 유해 폐기물의 국제적 이동을 막기 위한 노력: 국제 사회에서 유해 화학 물질과 산업 폐기물의 유통을 규제하기 위한 협약 체결(⁺바젤 협약)

└ 이 협약에 따르면 전자 쓰레기는 유출 금지되어야 하지만, 기부나 재활용은 허용되고 있는 점을 이용해 개발 도상국으로 유출되고 있어.

자료로 이해하기 전자 쓰레기의 국제적 이동

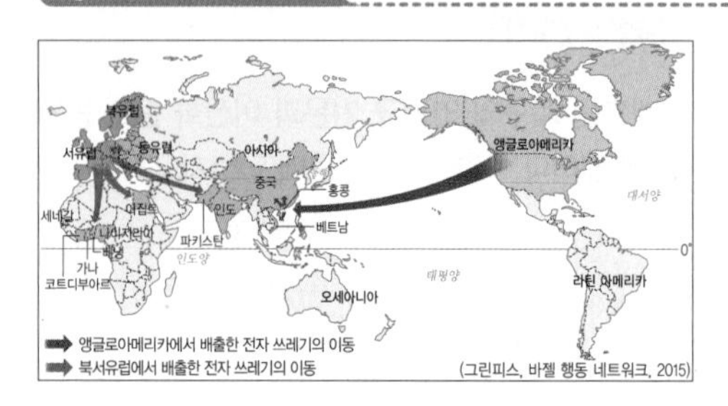

(그린피스, 바젤 행동 네트워크, 2015)

선진국은 자국에서 전자 쓰레기를 안전하게 처리할 수 있지만 전자 쓰레기 처리 비용을 줄이기 위해 개발 도상국에 수출하는 경우가 많다. 개발 도상국으로 유입된 전자 쓰레기는 제대로 된 설비를 갖추지 않은 상태에서 처리되기 때문에 심각한 환경 문제가 발생하고, 주민들에게 악영향을 끼친다.

✚ 전자 쓰레기(e-waste)
새로운 전자 제품이 등장하면서 더 이상 가치가 없게 되어 버려지는 전자 제품. 과학 기술의 발달로 전자 제품의 성능이 발전하고 사용 주기가 짧아지면서 전자 쓰레기의 양도 늘어나고 있다.

✚ 바젤 협약
유해 폐기물에 대한 국제적 이동을 통제하고 규제하기 위한 협약으로 1989년 3월 스위스 바젤에서 채택되었다. 협약에 따르면 각 국가는 유해 폐기물의 발생을 최소화해야 하며, 가능한 한 유해 폐기물이 발생한 장소 가까운 곳에서 처리해야 하고, 유해 폐기물을 적절히 관리할 수 없는 국가에 수출해서는 안 된다.

B 환경 문제 유발 산업의 국제적 이동

1. 환경 문제 유발 산업에 대한 선진국과 개발 도상국의 입장

선진국	개발 도상국
• 개발보다는 환경에 더 많은 관심 • 환경과 인체에 해를 끼치는 물질을 배출하는 공장에 대해 엄격한 규제를 적용함	• 빠른 산업화를 통한 경제 성장이 우선 • 환경 문제 유발 산업을 규제하는 법적 장치를 제대로 갖추지 못한 경우가 많음

2. 환경 문제 유발 산업의 국제적 이동

꼭 주로 선진국에서 개발 도상국으로 이전하기 때문에 환경 문제의 지역적 불평등을 심화하고 있어.

구분	⁺공해 유발 공장	⁺농장과 농업 기술
이동	선진국에서 환경 문제를 일으키는 오래된 공장들이 개발 도상국으로 이전함	선진국의 농장이 임금과 땅값이 저렴한 개발 도상국으로 이전함
영향	선진국은 저임금 노동력을 활용하고 환경 문제를 해결함, 개발 도상국은 산업을 유치하면서 경제적 효과를 얻는 대신 심각한 환경 오염 문제가 발생함	개발 도상국의 지역 경제에 도움을 주기도 하지만, 토양 황폐화와 관개용수 남용에 따른 물 부족 문제, 화학 비료와 농약 사용에 따른 식수 오염 문제가 발생함

└ 유해 물질 누출 사고가 발생하면서 주민들이 건강을 위협받고 생활 터전을 상실하기도 해.

✚ 석면 산업체의 국제적 이동
1970～1980년대 일본과 독일은 우리나라에 석면 방직 기계를 수출하였다. 그러나 석면의 인체 유해성이 알려지면서 1990년대부터 우리나라도 인도네시아, 중국 등으로 공장을 이전하고 있다.

✚ 화훼 농장의 이동
최근 유럽에 공급되는 장미는 케냐산이 높은 비율을 차지한다. 토양 오염, 환경 기준 강화 등의 이유로 네덜란드 화훼 농장이 케냐로 이전했기 때문이다. 이로 인해 케냐의 지역 경제는 빠르게 성장했지만, 장미 농장이 들어선 나이바샤 호수 주변은 화학 물질과 농약이 토양과 호수로 흘러들어 문제가 되고 있다.

- 유해 폐기물의 국제적 이동
- 환경 문제 유발 산업의 국제적 이동

1 다음 빈칸에 들어갈 내용을 쓰시오.

(1) 국제 사회는 유해 폐기물의 유통을 규제하기 위해 (　　　　　)을 체결하였다.

(2) 새로운 전자 제품이 등장할 때마다 그 전에 사용하던 제품을 교체하면서 버려지는 전자 제품들을 (　　　　　)라고 한다.

2 다음 설명이 맞으면 ○표, 틀리면 ×표를 하시오.

(1) 전자 쓰레기는 유해 물질 배출이 적어 환경 오염 문제가 거의 없다. (　　)

(2) 과학 기술의 발달로 전자 제품의 사용 주기가 짧아지면서 전자 쓰레기의 양이 늘어나고 있다. (　　)

3 다음 설명이 선진국에 해당하면 '선', 개발 도상국에 해당하면 '개'라고 쓰시오.

(1) 전자 제품을 분해하면 자원을 채취할 수 있어 전자 쓰레기를 수입한다. (　　)

(2) 환경 규제를 피하고 경제적 부담을 줄이기 위해 전자 쓰레기를 다른 지역으로 이전하는 경우가 많다. (　　)

핵심 콕콕

• **전자 쓰레기의 국제적 이동**

선진국
환경 및 경제적 부담을 줄이기 위해 개발 도상국으로 이전

↓

개발 도상국
금속 자원 채취를 통한 경제적 이익을 얻기 위해 선진국의 전자 쓰레기 수입 → 유해 물질 배출에 따른 환경 오염, 생태계 파괴 심각

1 다음 설명이 맞으면 ○표, 틀리면 ×표를 하시오.

(1) 오늘날 선진국은 개발 도상국에 비해 환경에 더 많은 관심이 있다. (　　)

(2) 개발 도상국은 유해 물질을 배출하는 공장에 대한 규제가 매우 엄격하다. (　　)

(3) 네덜란드의 화훼 농장이 아프리카의 케냐로 이전하면서 케냐의 지역 경제는 빠르게 쇠퇴하였다. (　　)

2 다음 국가군에 해당하는 설명을 옳게 연결하시오.

(1) 선진국 •　　　　• ㉠ 공해 유발 공장을 유치하여 경제적 효과를 얻는 대신 심각한 환경 오염을 겪고 있다.

(2) 개발 도상국 •　　　　• ㉡ 공해 유발 공장의 이전을 통해 저임금 노동력을 활용함과 동시에 환경 문제를 해결하게 되었다.

핵심 콕콕

• **환경 문제 유발 산업의 국제적 이동**

선진국	개발 도상국
개발보다 환경에 더 많은 관심 → 공해 유발 공장을 개발 도상국으로 이전	산업화를 통한 경제 성장이 우선 → 환경 문제 유발 산업을 가리지 않고 유치
↓	↓
저임금 노동력 활용, 환경 문제 해결	경제적 효과를 얻는 대신 환경 오염 문제 발생

01 전자 쓰레기에 대한 옳은 설명을 〈보기〉에서 고른 것은?

〈보기〉
ㄱ. 수명이 다해 쓸모없게 된 전자 제품들을 말한다.
ㄴ. 환경 오염을 일으키지 않아 처리가 쉬운 편이다.
ㄷ. 과학 기술의 발달로 발생량이 점차 줄어들고 있다.
ㄹ. 재활용이 가능한 일부를 제외하고는 정부의 허가를 받은 곳에서 폐기해야 한다.

① ㄱ, ㄴ ② ㄱ, ㄹ ③ ㄴ, ㄷ
④ ㄴ, ㄹ ⑤ ㄷ, ㄹ

[02~03] 다음 글을 읽고 물음에 답하시오.

1989년에 체결된 (㉠)은/는 유해 폐기물의 이동과 처리에 관한 국제 협약으로, 이에 따르면 전자 쓰레기는 수출 금지지만 기부나 재활용은 허용되고 있다. 이를 악용해 선진국에서 버려진 전자 제품이 '기부' 스티커를 붙이고 가나에 들어온다. 그러나 80% 이상이 사용할 수 없거나 작동하지 않는 고물들이다. 가나의 아이들은 전자 쓰레기를 소각해 얻는 구리를 팔아 돈을 버는데, 이 때문에 항상 유독 물질에 노출될 수밖에 없다.

시험에 잘 나와!

02 위 글을 통해 알 수 있는 내용으로 옳지 않은 것은?

① 전자 쓰레기는 선진국에서 개발 도상국으로 이동한다.
② 전자 쓰레기의 원활한 이동을 위해 수출 기준이 점차 완화되고 있다.
③ 일부 선진국들은 환경 규제를 피하기 위해 불법으로 전자 쓰레기를 유출하고 있다.
④ 전자 쓰레기를 수입하는 국가에서는 유해 물질 배출에 따른 피해가 발생할 수 있다.
⑤ 개발 도상국은 금속 자원을 채취하여 경제적 이익을 얻을 수 있으므로 전자 쓰레기를 받아들이고 있다.

03 ㉠에 들어갈 국제 협약으로 옳은 것은?

① 파리 협정 ② 바젤 협약 ③ 람사르 협약
④ 교토 의정서 ⑤ 기후 변화 협약

04 환경 문제 유발 산업의 국제적 이동에 대한 설명으로 옳지 않은 것은?

① 선진국은 환경 문제 유발 공장을 이전하여 저임금 노동력을 활용할 수 있다.
② 선진국은 환경 오염을 유발하는 오래된 공장들을 개발 도상국으로 이전하고 있다.
③ 개발 도상국은 선진국에 비해 환경 문제 유발 산업에 대한 규제가 엄격하지 않은 편이다.
④ 선진국은 환경 문제 유발 산업을 가리지 않고 유치하여 심각한 환경 오염이 발생하고 있다.
⑤ 개발 도상국은 경제 성장을 중시하는 정부 정책 때문에 환경 문제 유발 산업을 쉽게 받아들이기도 한다.

05 석면 산업체의 국제적 이동을 나타낸 지도를 보며 학생들이 나눈 대화이다. 옳은 이야기를 한 사람을 고른 것은?

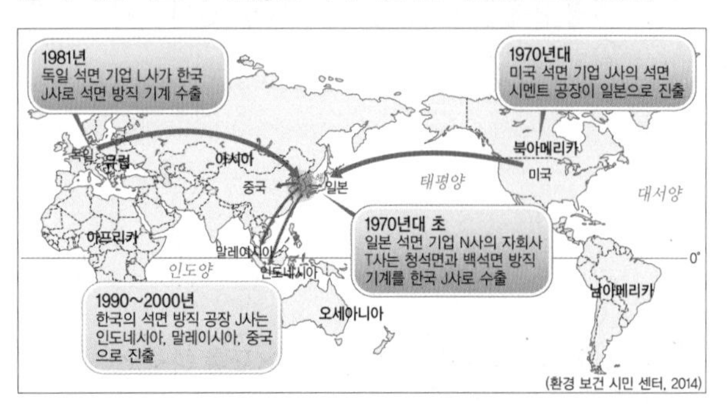

(환경 보건 시민 센터, 2014)

우리나라는 독일과 일본으로부터 석면 제조 설비를 받아 운영하였어.

우리나라의 석면 방직 공장들은 인도네시아, 말레이시아, 중국 등으로 이전하고 있어.

석면 제조 공장은 고도의 기술을 필요로 하기 때문에 대부분 선진국에 분포하고 있어.

선진국은 개발 도상국보다 석면 사용에 대한 규제가 엄격하지 않아 공장을 가동하기가 쉬워.

① 가현, 나현 ② 가현, 다현 ③ 나현, 다현
④ 나현, 라현 ⑤ 다현, 라현

정답 친해 71쪽

시험에 잘 나와!

06 다음 글을 읽고 파악한 내용으로 적절하지 않은 것은?

> 최근 유럽에 공급되는 장미는 케냐산이 높은 비율을 차지한다. 네덜란드 화훼 농장이 탄소 배출 비용 절감 등의 이유로 기후가 온화하고 인건비가 싼 케냐로 이전했기 때문이다. 이로 인해 케냐는 대표적인 장미 생산국이 되었지만, 화학 물질과 농약이 토양과 호수로 흘러들어 문제가 되고 있다. 이러한 상황에서도 케냐 정부는 화훼 산업 유치를 위해 환경 기준을 완화하고 있다.

① 케냐는 장미 생산에 유리한 기후 조건을 갖추었다.
② 장미 농장 주변의 호수는 수질 오염이 심각할 것이다.
③ 케냐 정부는 경제적 이익을 얻기 위해 장미 농장을 유치하려 한다.
④ 호수 주변 지역 어민들은 예전에 비해 어획량이 줄어 어려움을 겪을 수 있다.
⑤ 네덜란드 화훼 농장은 생산비가 증가하더라도 질 좋은 장미를 생산하기 위해 케냐로 진출하고 있다.

07 다음 글을 통해 알 수 있는 내용으로 옳은 것을 〈보기〉에서 고른 것은?

> 1984년 12월 미국의 농약 제조업체인 ○○사가 인도의 보팔에 설립한 농약 제조 공장에서 유독 가스가 누출되어 2,800여 명의 주민이 사망하는 사고가 발생하였다. 사고 원인을 조사하던 과정에서 비용 절감을 위해 미국 공장에 훨씬 못 미치는 안전 기준으로 보팔 공장을 운영해 온 사실이 밝혀졌다.

〈보기〉

ㄱ. 환경 문제의 지역적 균형이 이루어지고 있다.
ㄴ. 미국 내에서 실시되는 환경 규제가 인도의 공장에서는 잘 지켜지지 않았다.
ㄷ. 개발 도상국은 선진국에 비해 환경 문제 유발 산업을 규제하는 제도를 잘 갖추고 있다.
ㄹ. 개발 도상국은 공해 산업 유치로 경제적 효과를 얻는 대신 주민의 건강과 안전을 위협받을 수 있다.

① ㄱ, ㄴ　② ㄱ, ㄷ　③ ㄴ, ㄷ
④ ㄴ, ㄹ　⑤ ㄷ, ㄹ

08 환경 문제의 지역적 불평등을 해결하기 위한 방안으로 적절하지 않은 것은?

① 공해 산업의 유출 지역과 유입 지역이 함께 노력해서 해결해야 한다.
② 공해 산업의 불법 이동을 줄이기 위해 선진국의 환경 기준을 완화해야 한다.
③ 선진국 기업들은 환경 오염을 최소화하고 안전한 생산 환경을 만들기 위해 노력해야 한다.
④ 개발 도상국은 경제 개발만 중요시하기보다 기업에 대한 환경 규제와 감시를 강화해야 한다.
⑤ 국제 사회는 유해 폐기물이 불법적으로 다른 지역에 확산되지 않도록 법적·제도적 장치를 마련해야 한다.

서술형 문제

서술형 감잡기

01 전자 쓰레기의 국제적 이동 경향과 그 이유를 서술하시오.

➜ 전자 쓰레기는 대체로 (①　　　)에서 (②　　　)으로 이동한다. 전자 쓰레기를 받아들이는 지역은 환경 규제가 엄격하지 않은 편인데, 이는 환경 보전보다 (③　　　) 성장을 더 중요하게 여기기 때문이다.

실전! 서술형 도전하기

02 밑줄 친 ㉠에 해당하는 내용을 두 가지만 서술하시오.

> 환경 문제 유발 산업의 이동을 통해 선진국은 저임금 노동력을 활용함과 동시에 환경 문제를 해결하게 되었다. 하지만 개발 도상국은 경제적 효과를 얻는 대신 ㉠ 지역 주민이 큰 피해를 입기도 한다

03 생활 속의 환경 이슈

A 환경 이슈의 의미

1. 환경 이슈: 환경 문제 중에서 발생 원인과 해결 방안이 입장에 따라 서로 다른 것

2. 환경 이슈의 종류

(1) 세계적 규모: 전 지구적 차원의 기후 변화, 사막화, 아마존 열대 우림 개발 등

(2) 지역적 규모: 원자력 발전소 건설, 신공항 건설, 쓰레기 매립지 건설, 하수 처리장 건설, ⁺갯벌 간척, 하천 개발 등 — 환경에 대한 관심이 커지면서 이슈가 되는 환경 문제도 늘어나고 있어.

3. 환경 이슈를 둘러싼 갈등: 환경을 바라보는 관점이 다양해지면서 여러 집단의 입장이 대립하여 환경 이슈를 둘러싼 갈등 발생

지구촌의 지속 가능성을 우선으로 하여 다양한 집단의 의견을 검토하고 대안을 협의하는 토의 과정이 필요해.

+ 갯벌 간척을 둘러싼 대립과 갈등

간척 찬성	간척을 통해 농업·공업 용지를 확보할 수 있음
간척 반대	갯벌의 생태적 가치가 크기 때문에 있는 그대로의 갯벌을 보존해야 함

B 미세 먼지와 쓰레기 문제

1. ⁺미세 먼지

(1) 미세 먼지의 발생 원인

① 자연적 요인: 흙먼지, 식물 꽃가루 등

② 인위적 요인: 화석 연료를 태울 때 발생하는 매연, 자동차 배기가스, 건설 현장 등에서 발생하는 날림 먼지, 소각장 연기 등

미세 먼지는 입자가 매우 작으므로 호흡기에서 걸러지지 않고 몸속까지 스며들어.

(2) 미세 먼지에 따른 피해: 장기간 미세 먼지에 노출될 경우 호흡기 질환과 심장 및 혈관 질환, 안구·피부 질환 유발, 반도체 등 정밀 산업의 불량률 증가, 가시거리를 떨어뜨려 비행기나 여객선 운항에 지장 초래

미세 먼지가 사회 문제로 대두되면서 우리나라에서는 1995년 1월부터 미세 먼지를 새로운 대기 오염 물질로 규제하고 발생 원인을 다각적으로 분석하고 있어.

2. 쓰레기 문제

(1) 쓰레기 문제의 발생 원인: 편리한 생활을 추구하면서 과거보다 더 많은 자원 소비, 종이컵, 스티로폼 등 일회용품과 포장재 사용 증가

왜? 자원 소비량이 많으면 버리는 것도 많아지기 때문에 쓰레기가 늘어나고 있어.

(2) 쓰레기 문제에 따른 갈등: 쓰레기를 땅에 매립하면 토양과 물이 오염되고, 불에 태우면 유독가스를 배출하여 대기가 오염됨 → ⁺쓰레기 처리를 둘러싼 갈등 발생

쓰레기 매립지나 소각장은 악취, 분진, 소음 등의 환경 피해와 부정적 이미지 때문에 건설 지역 주민들의 반대가 심해.

자료로 이해하기 미세 먼지 발생의 다양한 원인

⬆ 미세 먼지의 이동 경로와 발생 원인

우리나라는 바람을 타고 중국에서 이동하는 미세 먼지의 영향을 받으며 오염 물질을 씻어 내는 강수가 여름철에 집중되어 있어 미세 먼지 농도가 높은 편이다. 미세 먼지의 발생에는 국내외 요인이 복합적으로 작용한다. 중국발 요인과 함께 화력 발전소와 노후 경유차가 미세 먼지 발생의 원인으로 알려진 후, 화력 발전소 폐쇄와 노후 경유차 운행 정지를 두고 다양한 의견이 대립하고 있다.

+ 미세 먼지

우리 눈에 보이지 않을 정도로 작은 먼지로, 크기에 따라 지름이 10㎛ 이하인 미세 먼지와 지름이 2.5㎛ 이하인 초미세먼지로 구분한다.

+ 날씨에 따른 미세 먼지의 농도

대기가 안정되어 있는 경우에는 오염 물질이 축적되어 미세 먼지 농도가 높아지고, 바람이 불면 미세 먼지가 흩어지기 때문에 농도가 낮아질 수 있다. 비가 내리면 공기 중에 있는 오염 물질이 빗물에 씻겨 내려 대기가 깨끗해진다.

+ 쓰레기 매립지를 둘러싼 논란

수도권의 쓰레기 처리를 위해 조성된 인천 쓰레기 매립장은 2016년 사용을 종료할 예정이었지만 서울시와 환경부에서 매립 기한 연장을 요구하면서 해당 지역 주민들과 갈등을 빚었다. 치열한 논쟁 끝에 인천시에 경제적 이익을 주는 방안을 제시하고 2025년까지 매립지를 연장 사용하기로 결정하였다.

- 환경 이슈의 의미
- 우리 주변의 다양한 환경 이슈
- 환경 문제 해결을 위한 노력

1 환경 문제 중에서 발생 원인과 해결 방안이 입장에 따라 서로 다른 것을 (　　　　　) 라고 한다.

2 지역적 규모에서 나타나는 환경 이슈를 〈보기〉에서 골라 기호를 쓰시오.

〈보기〉

ㄱ. 사막화　　ㄴ. 갯벌 간척
ㄷ. 원자력 발전소 건설　　ㄹ. 아마존 열대 우림 개발

• 환경 이슈의 종류

세계적 규모	기후 변화, 사막화, 아마존 열대 우림 개발 등
지역적 규모	원자력 발전소 건설, 신공항 건설, 쓰레기 매립지 건설, 하수 처리장 건설, 갯벌 간척, 하천 개발 등

1 ㉠, ㉡에 들어갈 용어를 각각 쓰시오.

(㉠　　　　)는 우리 눈에 보이지 않을 정도로 작은 먼지로, 자연적 요인에 의해 발생하기도 하지만 주로 (㉡　　　　)를 태울 때 발생하는 매연, 자동차 배기가스 등 인위적 요인에 의해 생성된다.

2 다음 설명이 맞으면 ○표, 틀리면 ×표를 하시오.

(1) 대기가 안정되어 있을 경우 미세 먼지의 농도는 낮아진다. (　　)

(2) 과거보다 쓰레기가 늘어나면서 쓰레기 처리를 둘러싼 갈등이 발생하고 있다. (　　)

(3) 우리나라는 중국에서 넘어 오는 미세 먼지의 영향을 받으며 강수가 여름철에 집중되어 있어 미세 먼지 농도가 높은 편이다. (　　)

3 미세 먼지가 생활에 미치는 영향으로 옳은 것만을 〈보기〉에서 있는 대로 골라 기호를 쓰시오.

〈보기〉

ㄱ. 각종 호흡기 질환을 유발한다.
ㄴ. 반도체 산업의 불량률이 높아질 수 있다.
ㄷ. 여름철 폭염과 열대야 현상을 감소시킨다.
ㄹ. 가시거리를 떨어뜨려 비행기나 여객선 운항에 지장을 준다.

• 미세 먼지

발생 원인	• 흙먼지나 식물 꽃가루 등 자연적 요인 • 화석 연료를 태울 때 생기는 매연, 자동차 배기가스 등 인위적 요인
영향	• 호흡기 질환 등 질병 유발 • 정밀 산업 불량률 증가 • 비행기나 여객선 운항 지장

C 식품과 관련한 환경 이슈

1. +유전자 변형(재조합) 식품(GMO)

(1) 의미: 유전자 재조합 기술을 이용해 본래의 유전자를 변형시켜 기존 번식 방법으로는 나타날 수 없는 새로운 성질의 유전자를 지니도록 개발된 식품이나 농산물

(2) 유전자 변형 식품에 대한 상반된 입장

유전자를 변형하여 열매를 많이 맺도록 만들었기 때문에 노동력과 비용을 적게 들이고 많은 양을 수확할 수 있어.

긍정적 입장	부정적 입장
• 농작물의 장기 보관 및 대량 생산이 쉬워져 세계 식량 부족 문제 해결에 기여할 수 있음 • 해충과 잡초에 강한 품종 개발이 가능함 → 농약 사용량을 줄일 수 있음	• 유전자 변형 농산물과 식품이 인간에게 어떤 영향을 미치는지 충분히 검증되지 않았음 • 새로운 생물체를 인위적으로 만듦 → 생물 다양성을 위협하고 생태계를 교란할 수 있음

유전자 변형 농산물에 대항한 강력한 해충이 등장할 가능성이 있어.

2. +로컬 푸드 운동

Q&A 농산물의 이동 거리가 길면 오랜 시간 저장해야 하기 때문에 방부제를 사용하는 경우가 많고, 이동하는 동안 농산물이 오염될 가능성이 있어.

(1) 배경: 오랜 시간 이동해 온 수입 식품의 안전성 우려, 장거리 운송에 따른 화석 연료 사용 증가 → 지역에서 생산된 농산물을 지역에서 소비하자는 로컬 푸드 운동 추진

(2) 효과: 소비자는 신선하고 안전한 먹을거리를 제공받고 농민은 안정적인 소득을 보장받을 수 있음, 온실가스 배출을 줄여 저탄소 녹색 환경 조성 가능

자료로 이해하기 **푸드 마일리지** — 식품이 이동한 총거리(km)에 식품의 중량(t)을 곱한 값으로 나타내.

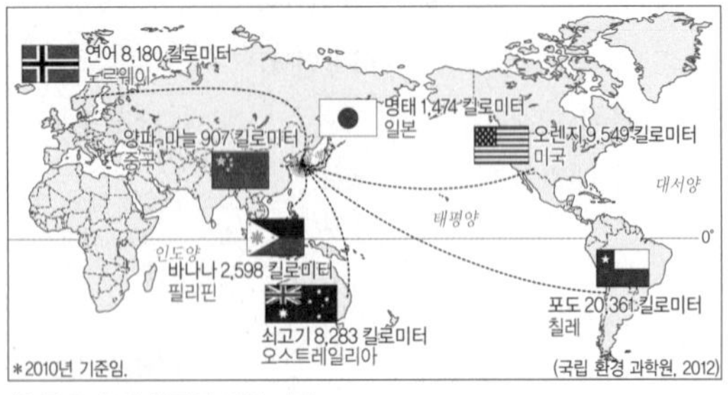

▲ 주요 소비 식품의 이동 거리

이동 거리가 길수록 수송 과정에서 배출되는 온실가스 양이 많기 때문에 푸드 마일리지는 식품이 환경에 부담을 미치는 정도를 파악하는 데 중요한 자료가 된다. 또한 푸드 마일리지가 높다는 것은 수송 과정에서 살충제나 방부제 사용 가능성이 높다는 뜻으로 식품 안전성을 파악하는 데도 도움을 준다.

+ 유전자 변형 농산물 재배 현황
현재 세계에서 재배되고 있는 유전자 변형 농산물은 콩, 옥수수, 카놀라, 목화, 토마토 등 18가지에 이른다. 이 중 우리나라에서는 옥수수와 콩을 수입하고 있으며, 주로 식용유, 전분 등 가공 식품의 원료로 쓰인다.

+ 로컬 푸드(local food)
우리말로 '지역 먹을거리', '근거리 먹을거리'라는 뜻이다. 대략 반경 50㎞ 이내의 지역에서 생산되어 장거리 운송을 거치지 않은 농산물을 말한다.

비교 로컬 푸드와는 반대로 시간과 공간을 초월하여 전 지구적으로 상품화된 먹을거리를 글로벌 푸드라고 해.

D 환경 문제 해결을 위한 노력

1. 환경 문제 해결 방안: 전 지구적 차원의 대책 수립, 생활 속 환경 보전 활동 실천

2. 생활 속 환경 보호 노력

(1) 환경 이슈를 대하는 태도: 일상생활에서 쉽게 접하는 환경 이슈에 지속적인 관심을 두고 합리적인 해결책을 찾기 위해 노력하는 자세를 가져야 함

(2) 일상생활에서 실천할 수 있는 환경 보전 활동

① 전기, 가스, 물 등을 낭비하지 않음

안 쓰는 가전제품의 코드를 뽑아 두고 승강기 대신 계단을 이용하는 것도 전기를 절약하는 방법이야. 양치질을 할 때 수도꼭지를 잠그는 것도 물을 아끼는 방법이지.

② 자가용보다는 자전거나 대중교통을 이용함

③ 냉난방 시설의 적정 온도 설정, 저탄소 제품, +에너지 효율이 높은 제품을 사용함

④ 일회용품 사용을 자제하고 재활용품 분리 배출을 생활화하여 쓰레기 배출량을 줄임

+ 에너지 소비 효율 등급 표시제
소비자가 에너지 절약형 제품을 쉽게 판단하여 구입할 수 있도록 소비 효율에 따라 등급을 구분한 제도이다. 1~5등급으로 구성되며 1등급에 가까울수록 에너지 효율이 높은 제품이다.

1 본래의 유전자를 변형시켜 기존 번식 방법으로는 나타날 수 없는 새로운 성질의 유전자를 지니도록 개발된 식품이나 농산물을 (　　　　　)이라고 한다.

2 유전자 변형 식품에 대한 부정적 입장으로 옳은 것을 〈보기〉에서 골라 기호를 쓰시오.

보기

ㄱ. 생물 다양성을 위협하고 생태계를 교란할 위험이 있다.
ㄴ. 재배 과정이 복잡하고 비용이 많이 들어 대량 생산이 어렵다.
ㄷ. 인체 유해성이 충분히 검증되지 않아 안전성을 보장하기 어렵다.
ㄹ. 농작물 재배 시 살충제와 방부제를 많이 사용하여 인체에 해롭다.

3 로컬 푸드에 대한 설명이 맞으면 ○표, 틀리면 ×표를 하시오.

(1) 해외에서 수입한 식품에 비해 푸드 마일리지가 높다. (　　)
(2) 시간과 공간을 초월하여 전 지구적으로 상품화된 먹을거리를 의미한다. (　　)
(3) 로컬 푸드 운동을 통해 소비자는 안전한 먹을거리를 제공받을 수 있다. (　　)

4 ㉠, ㉡에 들어갈 용어를 각각 쓰시오.

(㉠　　　　)는 '식품의 이동 거리(㎞)×식품의 중량(t)'으로 나타낸다. 식품의 이동 거리가 길수록 배출되는 (㉡　　　　) 양이 많기 때문에 (㉠　　　　)는 식품이 환경에 부담을 미치는 정도를 파악하는 데 중요한 자료가 된다.

• **유전자 변형 식품(GMO)에 대한 입장**

긍정적 입장
• 대량 생산이 쉬워져 세계 식량 부족 문제 해결에 기여할 수 있음
• 해충과 잡초에 강한 품종 개발 가능

↕

부정적 입장
• 인체 유해성이 충분히 검증되지 않았음
• 생물 다양성을 위협하고 생태계를 교란할 수 있음

1 생활 속 환경 보전 실천 활동에 대한 설명이 맞으면 ○표, 틀리면 ×표를 하시오.

(1) 사용하지 않는 가전제품의 코드는 항상 꽂아 둔다. (　　)
(2) 냉난방 시설의 온도를 적절하게 설정하여 에너지를 절약한다. (　　)

2 다음 괄호 안의 내용 중 알맞은 말에 ○표를 하시오.

일상생활에서 에너지를 절약하기 위해서는 에너지 효율이 (높은, 낮은) 제품을 사용해야 하며, (일회용품, 재활용품)의 사용을 자제해야 한다.

• **생활 속 환경 보전 실천**

환경 이슈에 지속적인 관심을 두고 합리적인 해결책을 찾기 위해 노력해야 함

실천 활동
전기·가스·물 절약, 대중교통 이용, 냉난방 시설의 적정 온도 설정, 에너지 효율이 높은 제품 사용, 일회용품 사용 자제, 재활용품 분리 배출 생활화 등

01 밑줄 친 ㉠~㉤ 중 옳지 않은 것은?

환경 이슈는 ㉠ 세계 수준에서 제기되는 아마존 열대 우림 개발과 같은 쟁점에서부터 ㉡ 국가 및 지역 수준에서의 원자력 발전소 건설, 쓰레기 소각장 건설 등의 쟁점이 있다. ㉢ 환경에 대한 관심이 커지면서 이슈가 되는 환경 문제가 줄어들고 있으며, 환경을 바라보는 관점이 다양해지면서 ㉣ 여러 집단의 입장이 대립하여 갈등이 발생하기도 한다. 이를 해결하기 위해서는 ㉤ 환경 이슈에 지속적인 관심을 갖고 대안을 모색하여 실천하려는 태도가 필요하다.

① ㉠ ② ㉡ ③ ㉢ ④ ㉣ ⑤ ㉤

[02~03] 다음 글을 보고 물음에 답하시오.

국립환경과학원에 따르면 오늘 (㉠) 농도는 수도권·강원 영서·충청·대구에서 '나쁨' 수준을 보일 것으로 보이며 그 밖의 권역은 '보통' 수준을 유지할 것으로 예상된다. ○○시는 이틀 만에 또다시 (㉠) 비상조치를 발령하고 이날 출퇴근 시간대 대중교통을 무료로 운행하기로 하였다. 또한 행정·공공 기관에서는 차량 2부제를 실시하기로 하였다.

02 ㉠에 들어갈 말로 옳은 것은?

① 황사 ② 산성비 ③ 온실가스
④ 미세 먼지 ⑤ 프레온 가스

03 ㉠에 대한 설명으로 옳지 않은 것은?

① ㉠의 농도는 날씨와 밀접한 관련이 있다.
② 대기가 안정되어 있는 날에는 ㉠의 농도가 낮아진다.
③ ㉠은 바람을 타고 이동하여 발생 지역과 원인을 정확하게 분석하기 어렵다.
④ 우리나라는 강수가 여름철에만 집중되어 ㉠의 농도가 상대적으로 높은 편이다.
⑤ 비가 내리면 공기 중에 있는 오염 물질이 빗물에 씻겨 내려 ㉠의 농도가 낮아질 수 있다.

시험에 잘 나와!

04 다음은 수업 시간의 한 장면이다. 선생님의 질문에 옳게 답변한 학생을 고른 것은?

① 가현, 나현 ② 가현, 다현 ③ 나현, 다현
④ 나현, 라현 ⑤ 다현, 라현

05 ㉠에 들어갈 말로 옳은 것은?

(㉠)은/는 세계의 식량 문제 해결에 도움을 주지만 인체와 환경에 관한 안전성과 생물 다양성 훼손에 대한 논란이 있다.

① 로컬 푸드 ② 글로벌 푸드
③ 친환경 농산물 ④ 푸드 마일리지
⑤ 유전자 변형 식품

06 푸드 마일리지에 대한 설명으로 옳지 않은 것은?

① 식품의 중량(t)과 생산지에서 소비지까지의 이동 거리(km)를 곱하여 계산한다.
② 살충제나 방부제의 사용 여부에 따른 식품의 안전성을 파악하는 데 도움이 된다.
③ 푸드 마일리지가 높은 식품일수록 수송 과정에서 배출되는 온실가스의 양이 적다.
④ 같은 양의 국내산 포도와 칠레산 포도 중 칠레산 포도의 푸드 마일리지가 더 높다.
⑤ 장거리 운송 식품이 환경에 부담을 미치는 정도를 측정하는 데 중요한 자료가 된다.

07 다음은 유전자 변형 농산물에 대한 두 사람의 대화이다. (가)에 들어갈 적절한 내용을 〈보기〉에서 고른 것은?

유전자 변형 농산물은 병충해에 강하고 대량 생산이 가능해 세계 식량 문제 해결에 도움이 될 수 있어.

하지만 유전자 변형 농산물은 ______(가)______ 는 문제점도 제기되고 있어.

〈보기〉
- ㄱ. 살충제와 농약을 많이 사용하여 인체에 해롭다
- ㄴ. 재배 과정에 많은 노동력이 필요하고 비용이 많이 든다
- ㄷ. 새로운 생물체를 인위적으로 만들어 내 생물 다양성을 파괴할 우려가 있다
- ㄹ. 인간에게 어떤 영향을 미치는지 정확한 검증이 되지 않아 안전성 보장이 어렵다

① ㄱ, ㄴ ② ㄱ, ㄷ ③ ㄴ, ㄷ
④ ㄴ, ㄹ ⑤ ㄷ, ㄹ

시험에 잘 나와!

08 밑줄 친 ㉠에 대한 설명으로 옳은 것만을 〈보기〉에서 있는 대로 고른 것은?

최근 웰빙이 강조되고 환경에 대한 관심이 커지면서 건강한 먹을거리를 찾는 소비자들을 중심으로 ㉠ 로컬 푸드 운동이 펼쳐지고 있다.

〈보기〉
- ㄱ. 푸드 마일리지가 높은 글로벌 푸드의 대안으로 전개되고 있다.
- ㄴ. 장거리 운송을 거치지 않은 지역 농산물을 이용하자는 운동이다.
- ㄷ. 소비자는 이를 통해 신선하고 안전한 먹을거리를 제공받을 수 있다.
- ㄹ. 먼 거리를 이동해 온 수입 농산물을 구매하여 지구 온난화를 가속화할 수 있다.

① ㄱ, ㄴ ② ㄱ, ㄷ ③ ㄴ, ㄷ
④ ㄱ, ㄴ, ㄷ ⑤ ㄴ, ㄷ, ㄹ

09 다음은 어떤 학생이 일상생활에서 환경 보전 활동을 실천하기 위해 작성한 체크리스트이다. 실천 항목 중 옳지 않은 것은?

	실천 항목
①	승강기 대신 계단을 이용한다.
②	재활용품 분리 배출을 생활화한다.
③	음식은 먹을 만큼만 덜어 먹고 음식물을 남기지 않는다.
④	에너지 소비 효율이 3등급인 제품보다 1등급인 제품을 사용한다.
⑤	가전제품을 사용하지 않을 때는 전원 버튼을 끄고 코드는 항상 꽂아 둔다.

서술형 문제

서술형 감잡기

01 다음 선생님의 질문에 대한 학생의 답을 서술하시오.

- 선생님: 오늘날 많은 환경 문제가 발생하고 있어요. 이를 해결하기 위해 전 지구적 차원의 대책도 필요하지만, 우리 스스로 일상생활에서 환경 문제를 줄이기 위해 노력해야 합니다. 우리는 어떤 노력을 할 수 있을까요?
- 학생: ____________________

➜ 평소에 자가용보다는 (①)을/를 이용하면 대기 오염을 줄일 수 있습니다. 또한 저탄소 제품, 에너지 효율이 (②)제품을 사용하고, 종이컵이나 플라스틱 등의 (③) 사용을 자제하여 쓰레기 배출량을 줄여야 합니다.

실전! 서술형 도전하기

02 유전자 변형 식품(GMO)의 긍정적인 면과 부정적인 면을 각각 한 가지씩 서술하시오.

한눈에 보는 대단원

☑ 핵심 선택지 다시보기

1 기후는 인위적인 요인에 의해서만 변화한다. ( )

2 온실가스가 많아지면 온실 효과는 강화된다. ( )

3 지구 온난화는 지구의 에너지 균형이 무너지면서 지구의 평균 기온이 높아지는 현상이다. ( )

4 기후 변화로 식물의 개화 시기가 늦어지고, 아열대 과일의 재배 지역이 축소될 수 있다. ( )

5 파리 협정에서는 당사국 모두가 의무적으로 온실가스 배출 감축에 나서기로 합의하였다. ( )

답 1 × 2 ○ 3 ○ 4 × 5 ○

01 전 지구적 차원의 기후 변화

(1) 기후 변화

의미	일정한 지역에서 장기간에 걸쳐서 나타나는 기후의 평균적인 상태가 변화하는 것	
요인	자연적 요인	화산 분화, 태양의 활동 변화, 태양과 지구의 상대적 위치 변화 등
	인위적 요인	공장과 가정에서 석탄, 석유 등 화석 연료 사용에 따른 온실가스 배출, 도시화, 무분별한 토지 및 삼림 개발 등

(2) 지구 온난화

의미	대기 중에 온실가스의 양이 증가하여 지구의 에너지 균형이 무너지면서 지구의 평균 기온이 높아지는 현상
가속화 요인	온실가스 배출 증가에 따른 온실 효과 강화, 이산화 탄소를 흡수하고 저장하는 기능을 가진 삼림 파괴

(3) 기후 변화의 영향

빙하 감소와 해수면 상승	지구 온난화로 빙하가 감소하고, 빙하가 녹은 물이 바다로 흘러들어 해수면이 상승함 → 해안 저지대 국가들과 일부 섬나라 침수 위기
기상 이변 증가	지구 기온 상승, 해류의 변화 → 태풍, 홍수, 폭우, 가뭄, 폭설 등의 발생 빈도 증가, 폭염과 열대야 같은 여름철 고온 현상 증가
생태계 변화	• 바닷물 온도 상승으로 물고기들이 죽거나 수온이 낮은 지역으로 이동함 • 고산 식물의 분포 범위가 축소되고 식물의 개화 시기가 빨라짐 • 모기, 파리 등 전염병을 옮기는 매개체가 증가 → 질병의 확산

(4) 기후 변화 해결을 위한 노력

국제적 노력	교토 의정서, 파리 협정 등 기후 변화 협약 체결
우리나라의 노력	환경 오염 최소화 정책 추진, 국가 기후 변화 적응 대책 수립 등

☑ 핵심 선택지 다시보기

1 과학 기술의 발달로 전자 쓰레기 발생량이 점차 줄어들고 있다. ( )

2 전자 쓰레기는 선진국에서 개발 도상국으로 이동한다. ( )

3 선진국은 공해 유발 공장을 이전하여 저임금 노동력을 활용할 수 있다. ( )

4 개발 도상국은 선진국에 비해 환경 문제 유발 산업을 규제하는 제도를 잘 갖추고 있다. ( )

5 개발 도상국은 공해 산업 유치로 경제적 효과를 얻는 대신 주민의 건강과 안전을 위협받을 수 있다. ( )

답 1 × 2 ○ 3 ○ 4 × 5 ○

02 환경 문제 유발 산업의 이동

(1) 유해 폐기물의 국제적 이동

전자 쓰레기의 국제적 이동	선진국	환경 규제를 피하고 경제적 부담을 줄이기 위해 개발 도상국으로 전자 쓰레기 이전
	개발 도상국	전자 쓰레기에서 금속 자원을 채취할 수 있기 때문에 경제적 이익을 얻을 수 있다는 점에서 선진국의 전자 쓰레기 수입
이동에 따른 문제점과 해결 방안	문제점	전자 쓰레기를 수입한 개발 도상국에서는 유해 물질 배출에 따른 환경 오염과 생태계 파괴가 심각함
	해결 방안	국제 사회에서 유해 화학 물질과 산업 폐기물의 유통을 규제하기 위한 협약 체결(바젤 협약)

(2) 환경 문제 유발 산업의 국제적 이동

구분	선진국	개발 도상국
특징	개발보다 환경 중시 → 공해 유발 공장 및 농장을 개발 도상국으로 이전함	경제 성장이 우선 → 선진국의 환경 문제 유발 산업을 가리지 않고 유치함
영향	저임금 노동력 활용, 환경 문제 해결	경제적 효과를 얻는 대신 환경 오염 발생

03 생활 속의 환경 이슈

(1) 환경 이슈

의미	환경 문제 중에서 발생 원인과 해결 방안이 입장에 따라 서로 다른 것	
종류	세계적 규모	전 지구적 차원의 기후 변화, 사막화, 아마존 열대 우림 개발 등
	지역적 규모	원자력 발전소·쓰레기 매립지·하수 처리장 건설, 갯벌 간척 등

(2) 미세 먼지와 쓰레기 문제

미세 먼지	발생 원인	흙먼지, 식물 꽃가루 등 자연적 요인과 화석 연료를 태울 때 발생하는 매연, 자동차 배기가스 등 인위적 요인
	피해	호흡기 질환을 비롯한 질병 유발, 반도체 등 정밀 산업의 불량률 증가, 가시거리를 떨어뜨려 비행기나 여객선 운항에 지장 초래
쓰레기 문제	발생 원인	과거보다 더 많은 자원 소비, 일회용품과 포장재 사용 증가
	갈등 유발	쓰레기 처리를 둘러싸고 갈등 발생

(3) 유전자 변형(재조합) 식품(GMO)을 둘러싼 논란

긍정적 입장	부정적 입장
• 해충과 잡초에 강한 품종 개발 가능 • 농작물의 장기 보관 및 대량 생산이 쉬워져 세계 식량 부족 문제 해결에 기여할 수 있음	• 인체 유해성이 충분히 검증되지 않았음 • 새로운 생물체를 인위적으로 만들어 생물 다양성을 위협하고 생태계를 교란할 수 있음

(4) 로컬 푸드 운동

배경	오랜 시간 이동해 온 수입 식품의 안전성 우려, 장거리 운송에 따른 화석 연료 사용 증가 → 지역에서 생산된 농산물을 소비하자는 로컬 푸드 운동 추진
효과	소비자는 신선하고 안전한 먹을거리를 제공받고, 농민은 안정적인 소득을 보장받을 수 있음, 온실가스 배출을 줄여 저탄소 녹색 환경 조성 가능

(5) 환경 문제 해결을 위한 노력

해결 방안	전 지구적 차원의 대책 수립, 생활 속 환경 보전 활동 실천
생활 속 실천 노력	전기·가스·물 절약, 자전거나 대중교통 이용, 냉난방 시설의 적정 온도 설정, 저탄소 제품과 에너지 효율이 높은 제품 사용, 일회용품 사용 자제 등

☑ 핵심 선택지 다시보기

1 미세 먼지의 농도는 날씨와 밀접한 관련이 있다. ( )

2 미세 먼지는 대부분 호흡기에서 걸러지기 때문에 장기간 흡입해도 큰 위험이 없다. ( )

3 푸드 마일리지는 장거리 운송 식품이 환경에 부담을 미치는 정도를 측정하는 데 중요한 자료가 된다. ( )

4 유전자 변형 농산물은 살충제와 농약을 많이 사용하여 인체에 해롭다. ( )

5 소비자는 로컬 푸드 운동을 통해 신선하고 안전한 먹을거리를 제공받을 수 있다. ( )

답 1 ○ 2 × 3 ○ 4 × 5 ○

☑ 핵심 선택지 다시보기의 정답을 맞힌 개수만큼 아래 표에 색칠해 보자. 많이 틀린 단원은 되돌아가 복습해 보자.

시험 적중 마무리 문제

01 전 지구적 차원의 기후 변화

01 그래프에 대한 옳은 설명을 〈보기〉에서 고른 것은?

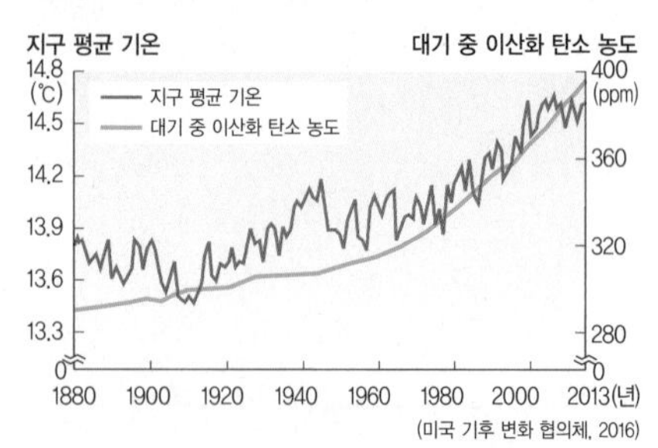

(미국 기후 변화 협의체, 2016)

〈보기〉
ㄱ. 지구의 연평균 기온은 지속적으로 상승하고 있다.
ㄴ. 1880년에 비해 2013년에 평균 해수면이 더 낮아졌을 것이다.
ㄷ. 이와 같은 지구의 기온 변화는 온실가스 배출량과 관련이 있다.
ㄹ. 최근의 기온 변화는 태양의 활동 변화, 화산 분화 등 자연적 요인이 강하게 영향을 미치고 있다.

① ㄱ, ㄴ ② ㄱ, ㄷ ③ ㄴ, ㄷ
④ ㄴ, ㄹ ⑤ ㄷ, ㄹ

02 (가), (나) 현상에 대한 설명으로 옳은 것은?

(가)

(나)

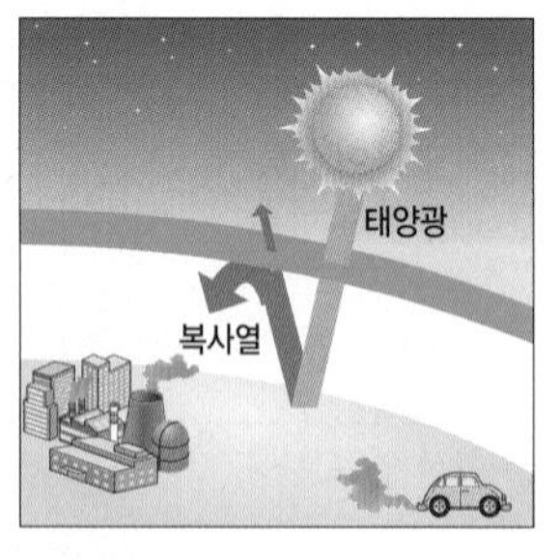

① (가)는 과도한 온실 효과를 나타낸다.
② (나)는 석탄, 석유 등의 화석 연료 사용 증가가 원인이 되었다.
③ 지구가 (나)와 같은 상태라면 지구 평균 기온은 영하로 내려갔을 것이다.
④ (가), (나)는 모두 지구 온난화를 초래하여 문제가 된다.
⑤ (나) 상태보다 (가) 상태에서 지구 평균 기온이 더 높다.

03 밑줄 친 ㉠~㉤ 중 옳지 않은 것은?

㉠ 기후 변화는 일정한 지역에서 장기간에 걸쳐서 나타나는 기후의 평균적인 상태가 변화하는 것이다. ㉡ 지구가 생긴 이래 기후는 일정한 상태를 유지하며 변화가 없었다. 하지만 ㉢ 산업 혁명 이후 석탄, 석유 등 화석 연료 사용에 따라 온실가스 배출량이 늘어나면서 온실 효과를 강화하여 지구의 기온이 급격하게 상승하는 기후의 이상 현상이 나타났다. 이처럼 대기 중에 온실가스 농도가 급격히 올라 ㉣ 지구의 에너지 균형이 무너지면서 지구의 평균 기온이 높아지는 현상을 지구 온난화라고 한다. ㉤ 지구 온난화에 가장 큰 영향을 미치는 온실가스는 이산화 탄소이다.

① ㉠ ② ㉡ ③ ㉢ ④ ㉣ ⑤ ㉤

04 지도는 기후 변화로 세계 곳곳에서 나타나는 현상들을 보여 준다. 이에 대한 옳은 설명만을 〈보기〉에서 있는 대로 고른 것은?

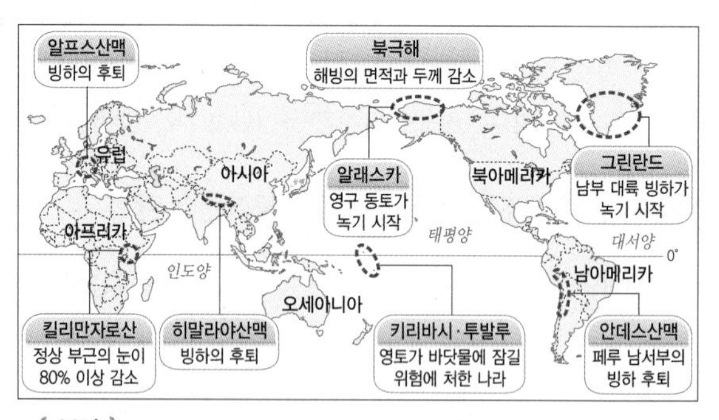

〈보기〉
ㄱ. 지구 곳곳에서 홍수, 폭설 등 자연재해가 잦아지고 있다.
ㄴ. 빙하가 녹아 바다로 흘러들어 해수면이 꾸준히 하강하고 있다.
ㄷ. 지구 온난화로 지표면의 온도가 올라가면서 나타나는 변화이다.
ㄹ. 과거에는 자연적 요인의 영향을 많이 받았지만, 최근에는 인위적 요인의 영향이 크다.

① ㄱ, ㄴ ② ㄱ, ㄹ ③ ㄴ, ㄷ
④ ㄱ, ㄷ, ㄹ ⑤ ㄴ, ㄷ, ㄹ

05 ㉠에 들어갈 내용으로 적절하지 않은 것은?

최근 10년 동안은 기상 관측 이래 가장 더운 시기로 기록되었다. 이러한 지구의 기온 상승은 생태계에도 큰 영향을 미쳐 세계 곳곳에서 ______㉠______ 등의 변화가 나타나고 있다.

① 봄꽃의 개화 시기 지연
② 고산 식물의 분포 범위 축소
③ 아열대 과일의 재배 지역 확대
④ 수온 상승에 따른 해양 생태계 교란
⑤ 전염병을 옮기는 매개체의 증가에 따른 질병 확산

[06~07] 다음 글을 읽고 물음에 답하시오.

온실가스를 줄이기 위한 기후 변화 협약은 1992년 브라질 리우데자네이루에서 열린 국제 연합 환경 개발 회의에서 최초로 채택되었다. 이후 1997년에 교토 의정서가 채택되었으며, 2015년 제21차 국제 연합 기후 변화 협약 당사국 총회에서는 2020년 이후의 기후 변화 대응을 담은 (㉠)을/를 채택하였다.

06 ㉠에 들어갈 국제 협약을 쓰시오.

07 ㉠에 대한 옳은 설명을 〈보기〉에서 고른 것은?

보기

ㄱ. 우리나라는 온실가스 감축 대상에서 제외되어 감축 목표를 제시하지 않았다.
ㄴ. 산업 혁명 이전과 비교해 지구의 평균 온도 상승 폭을 2℃ 이내로 제한하기로 합의하였다.
ㄷ. 현재 지구 온난화에 대한 책임이 있는 선진국에게만 온실가스 배출 감축 의무를 부여하였다.
ㄹ. 당사국들이 스스로 정한 방식에 따라 2020년부터 의무적으로 온실가스 배출 감축에 나서기로 했다.

① ㄱ, ㄴ ② ㄱ, ㄷ ③ ㄴ, ㄷ
④ ㄴ, ㄹ ⑤ ㄷ, ㄹ

+ 창의·융합

08 신문 기사에 대한 설명으로 옳지 않은 것은?

지구 온난화로 갈 곳 잃은 북극곰

최근 북극곰 생태계에 위기가 닥쳤다. 북극곰은 먹이를 찾아 끊임없이 이동해야 하는데, 바다 위를 뒤덮은 얼음 조각이 작아져 헤엄쳐야 하는 시간이 늘게 된 것이다. 이에 따라 장시간 수영을 하느라 지친 북극곰이 먹이를 구하지 못한 채 굶어 죽는 일이 발생하고 있다.

① 기후 변화가 생태계에 영향을 미친 사례이다.
② 지표면의 온도가 상승하여 빙하의 면적이 줄어들고 있다.
③ 이러한 현상을 해결하기 위해 열대 우림의 면적을 줄여야 한다.
④ 인간의 활동으로 온실가스 배출량이 늘어난 것이 주요 원인이다.
⑤ 이러한 현상이 지속되면 북극곰의 개체 수가 줄어 멸종할 것이다.

02 환경 문제 유발 산업의 이동

09 지도는 전자 쓰레기의 국제적 이동을 나타낸 것이다. 이를 보고 분석한 내용으로 옳은 것은?

(그린피스, 바젤 행동 네트워크, 2015)

① 전자 쓰레기는 개발 도상국에서 선진국으로 이동한다.
② 전자 쓰레기 유출 지역은 유입 지역보다 환경 규제가 느슨할 것이다.
③ 개발 도상국은 경제적 이익을 얻을 목적으로 전자 쓰레기를 수입하기도 한다.
④ 전자 쓰레기는 처리하는 과정에서 유해 물질 배출이 적어 국제적 이동이 자유롭다.
⑤ 기술의 발달로 전자 제품의 사용 주기가 길어지면서 전자 쓰레기 양이 증가하고 있다.

10 공해 유발 산업의 국제적 이동에 대한 옳은 설명만을 <보기>에서 있는 대로 고른 것은?

보기
ㄱ. 개발 도상국은 선진국에 비해 공해 유발 산업에 대해 엄격한 규제를 적용한다.
ㄴ. 선진국은 공해 유발 산업을 개발 도상국으로 이전함으로써 환경 문제를 해결하려 한다.
ㄷ. 개발 도상국은 경제 성장을 우선시하여 선진국의 공해 유발 산업들을 많이 유치하였다.
ㄹ. 공해 유발 산업 유치로 개발 도상국에서는 주민 건강을 위협하는 환경 오염이 발생하고 있다.

① ㄱ, ㄴ ② ㄱ, ㄹ ③ ㄴ, ㄷ
④ ㄱ, ㄷ, ㄹ ⑤ ㄴ, ㄷ, ㄹ

11 + 창의·융합
다음 글을 읽고 화훼 농장의 이전에 따른 케냐의 변화를 추론한 내용으로 옳지 않은 것은?

과거 유럽에서 소비되던 장미는 대부분 네덜란드에서 재배되었으나, 생산비가 증가하면서 아프리카로 생산지가 이동하였다. 그중 케냐는 기후 조건이 장미 재배에 적합하며 나이바샤 호수의 수자원도 이용할 수 있어 장미 재배 산업이 발달하였다. 케냐 정부는 적극적으로 화훼 산업 유치를 위해 노력하여 오늘날 케냐는 세계적인 장미 생산국이 되었다.

① 장미 수출로 외화 수입이 늘어났을 것이다.
② 장미 농장이 들어오면서 일자리가 늘어났을 것이다.
③ 장미 농장에서 많은 물을 끌어다 쓰면서 식수가 부족해졌을 것이다.
④ 품질이 좋은 장미를 생산하기 위해 환경 기준이 강화되었을 것이다.
⑤ 호수 주변 주민들은 토양 오염과 수질 악화로 어려움을 겪을 것이다.

12 다음과 같은 내용을 담고 있는 국제 협약은?

- 가능한 한 유해 폐기물이 발생한 장소 가까운 곳에서 처리해야 한다.
- 유해 폐기물을 적절히 관리할 수 없는 국가에 수출해서는 안 된다.
- 유해 폐기물의 국가 간 이동은 협약에 규정된 방법에 따라 이루어져야 한다.

① 바젤 협약 ② 파리 협정 ③ 교토 의정서
④ 람사르 협약 ⑤ 기후 변화 협약

03 생활 속의 환경 이슈

13 밑줄 친 ㉠의 사례로 적절하지 않은 것은?

환경 문제 중에서 원인과 해결 방안이 입장에 따라 서로 다른 것을 ㉠ 환경 이슈라고 한다. 환경 이슈는 지역적인 것부터 세계적인 것까지 다양한 규모로 나타난다.

① 신공항 건설
② 쓰레기 매립지 조성
③ 생활 폐기물 소각 및 처리 시설 건설
④ 미세 먼지를 유발하는 원자력 발전소 건설
⑤ 특정한 목적에 맞춰 유전자를 변형한 농작물 수입

14 다음은 어떤 학생이 미세 먼지에 대해 학습한 내용을 정리한 것이다. 밑줄 친 ㉠~㉤ 중 옳지 않은 것은?

1. 발생 원인: 흙먼지나 식물 꽃가루 등의 자연적 요인과 ㉠ 매연, 배기가스, 소각장 연기 등의 인위적 요인
2. 미세 먼지의 영향
- ㉡ 각종 호흡기 질환 유발
- ㉢ 피부 질환, 안구 질환 등 각종 질병의 위험
- ㉣ 비행기나 여객기 운항에 지장을 줄 수 있음
- ㉤ 입자가 매우 작아 정밀 산업에는 영향을 미치지 않음

① ㉠ ② ㉡ ③ ㉢ ④ ㉣ ⑤ ㉤

15 ㉠에 들어갈 말로 옳은 것은?

(㉠)은/는 생명 공학 기술을 이용하여 추위나 병충해 등에 강한 유전자를 다른 생물체에 삽입해 새로운 성질의 유전자를 지니도록 개발한 것이다. 1994년 '무르지 않는 토마토'가 최초로 미국 식품 의약청(FDA)의 승인을 얻고, 이후 새로운 성질의 유전자를 지닌 콩을 대규모로 재배하면서 본격적으로 상업화되기 시작했다.

① 로컬 푸드 ② 기호 식품
③ 글로벌 푸드 ④ 공정 무역 식품
⑤ 유전자 변형 식품

16 유전자 변형 식품(GMO)에 대한 옳은 설명을 〈보기〉에서 고른 것은?

〈보기〉
ㄱ. 전통적인 농업 방식에 비해 수확량이 적은 편이다.
ㄴ. 인간이나 생태계에 미치는 영향이 연구를 통해 명확하게 밝혀졌다.
ㄷ. 유전자 변형 농산물에 대항해 더욱 강력한 해충이 등장할 가능성이 제기되기도 한다.
ㄹ. 최근 무더위나 추위, 가뭄 등의 환경에 잘 버틸 수 있도록 유전자를 변형하여 품종을 개발하고 있다.

① ㄱ, ㄴ ② ㄱ, ㄷ ③ ㄴ, ㄷ
④ ㄴ, ㄹ ⑤ ㄷ, ㄹ

17 푸드 마일리지에 대한 설명으로 옳은 것은?

① 이동 거리가 멀수록 푸드 마일리지가 낮다.
② 식품 수송량과 수송 거리를 더한 값으로 나타낸다.
③ 푸드 마일리지가 높을수록 온실가스 배출량이 감소한다.
④ 식품 수송으로 발생하는 환경 부담 정도를 파악할 수 있다.
⑤ 우리나라에서 생산되는 식품을 소비하면 푸드 마일리지를 높일 수 있다.

[18~19] 다음 대화를 읽고 물음에 답하시오.

- 비상: 엄마, 포도가 맛있어 보여요. 포도를 좀 살까요?
- 엄마: 그런데 이 포도는 칠레산이구나. 근처에 장거리 운송을 거치지 않은 지역 농산물을 판매하는 (㉠) 매장이 있는데, 거기 가서 사는 게 좋을 것 같아.
- 비상: (㉠)을/를 사면 어떤 좋은 점이 있나요?
- 엄마: ______㉡______

18 ㉠에 들어갈 용어를 쓰시오.

19 ㉡에 들어갈 말로 옳은 것을 〈보기〉에서 고른 것은?

〈보기〉
ㄱ. 신선하고 안전한 먹을거리를 제공받을 수 있어.
ㄴ. 푸드 마일리지가 높은 식품들을 이용할 수 있어.
ㄷ. 지역 농민들에게 더 많은 수익이 돌아갈 수 있어.
ㄹ. 병충해에 강하고 오래 보관할 수 있는 농산물을 이용할 수 있어.

① ㄱ, ㄴ ② ㄱ, ㄷ ③ ㄴ, ㄷ
④ ㄴ, ㄹ ⑤ ㄷ, ㄹ

20 선생님의 질문에 대해 옳은 대답을 한 학생만을 있는 대로 고른 것은?

① 가현, 나현 ② 가현, 다현
③ 나현, 라현 ④ 가현, 다현, 라현
⑤ 나현, 다현, 라현

세계 속의 우리나라

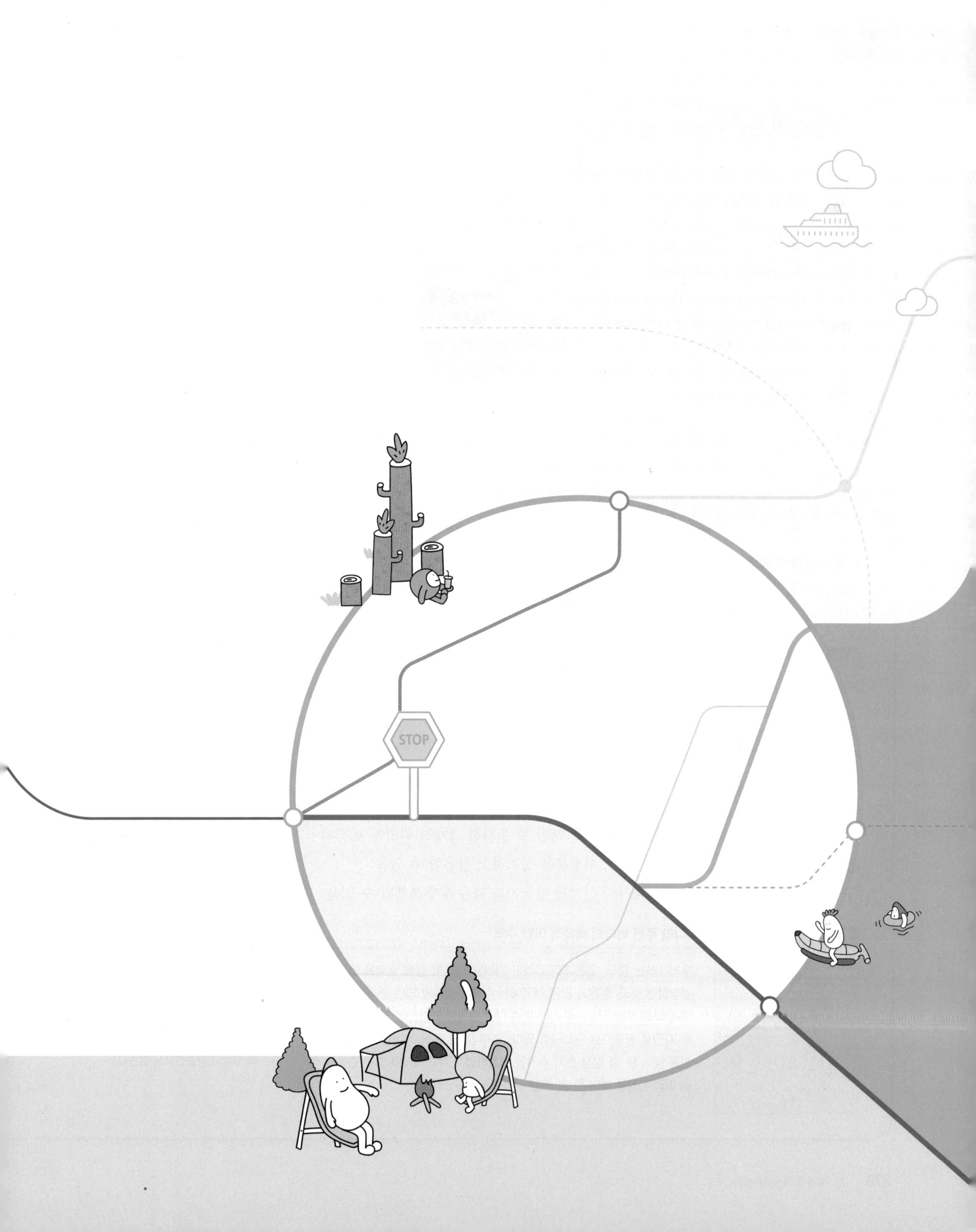
STOP

우리나라의 영역과 독도

A 영역의 의미와 구성

1. 영역: 한 국가의 주권이 미치는 범위, 국제법상 한 국가가 다른 국가의 간섭을 받지 않고 지배할 수 있는 공간

2. 영역의 구성

국토 면적과 일치해.

영토	한 국가에 속한 육지의 범위
영해	영토 주변의 바다 → 대부분의 국가는 영해 +기선에서부터 12+해리까지를 영해로 설정함
영공	영토와 영해의 수직 상공 → 일반적으로 대기권에 한정됨

꼭 영공에서는 다른 국가의 비행기가 해당 국가의 허가 없이 비행할 수 없어.

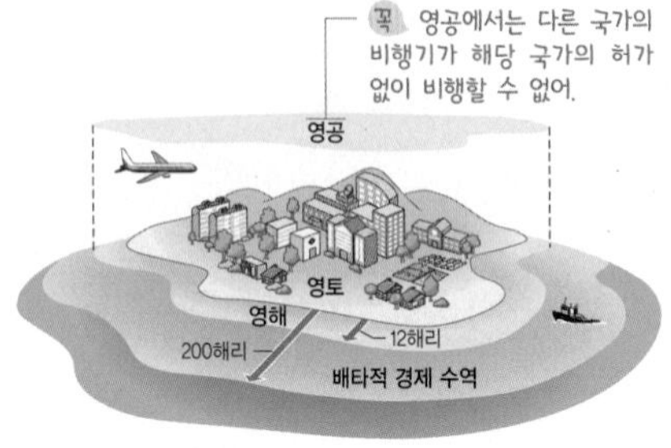

영역과 배타적 경제 수역

+ 기선
영해를 정하는 기준선으로, 통상 기선과 직선 기선 등이 있다.

+ 해리
바다 위에서의 거리를 나타내는 단위. 1해리는 약 1,852m이다.

B 우리나라의 영역과 배타적 경제 수역

1. 우리나라의 영역

우리나라는 서·남해안에서 간척 사업을 진행한 결과 영토가 조금씩 넓어졌어.

+영토	한반도와 부속 도서로 구성, 총 면적은 약 22.3만 ㎢, 남한 면적은 약 10만 ㎢
영해	• 동해안, 제주도, 울릉도, 독도 등 → +통상 기선에서부터 12해리까지 • 서해안, 남해안 등 → +직선 기선에서부터 12해리까지 • 대한 해협 → 직선 기선에서부터 3해리까지
영공	영토와 영해의 수직 상공, 최근 항공 교통과 우주 산업의 발달로 중요성이 커지고 있음

왜? 우리나라와 일본의 거리가 가까워 영해를 각각 12해리씩 확보할 수 없기 때문이야.

2. 배타적 경제 수역(EEZ)

우리나라는 주변 해역의 자원을 확보하기 위해 1995년에 배타적 경제 수역을 선포하였어.

(1) 의미: 영해 기선에서부터 200해리에 이르는 수역 중 영해를 제외한 바다

(2) 특징

해당 바다에 가장 인접해 있는 국가를 말해. / 다른 국가의 어선이 어업 활동을 할 수 없어.

① 연안국은 어업 활동과 천연자원의 탐사 및 개발 등에 관한 경제적 권리가 보장됨

② 연안국은 인공 섬을 만들거나 바다에 시설물을 설치하고 활용할 수 있음

③ 영역에는 포함되지 않아 다른 국가의 선박과 항공기가 자유롭게 통행할 수 있음

자료로 이해하기 우리나라 주변 바다의 배타적 어업 수역

우리나라는 중국, 일본과의 거리가 가까워 배타적 경제 수역을 200해리로 설정하면 중국, 일본과 많은 해역에서 수역이 겹치게 되는 문제가 발생한다. 이에 따라 우리나라는 중국, 일본과 어업 협정을 체결하여 겹치는 수역의 어족 자원을 공동으로 관리하고 있다. 우리나라와 중국 간에는 한·중 어업 협정을 맺어 한·중 잠정 조치 수역을 설정하였고, 우리나라와 일본 간에는 한·일 어업 협정을 맺어 한·일 중간 수역을 설정하였다.

+ 우리나라 영토의 4극

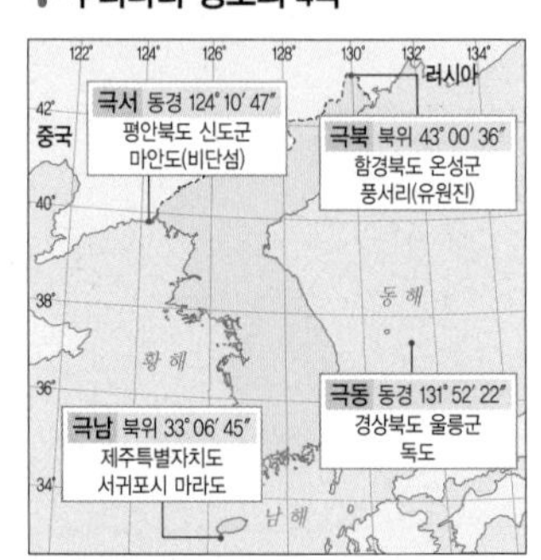

우리나라는 중국, 러시아와 국경을 접하고 있으며, 삼면이 바다로 둘러싸여 있는 반도국이다.

+ 통상 기선
해수면이 가장 낮은 썰물 때의 해안선(최저 조위선). 해안선이 단조롭고 섬이 적을 때 영해 설정의 기준선으로 삼는다.

+ 직선 기선
가장 바깥쪽의 섬들을 직선으로 연결한 선. 해안선이 복잡하고 섬이 많을 때 영해 설정의 기준선으로 삼는다.

- 영역의 의미와 구성
- 우리나라의 영역
- 독도의 위치와 자연환경
- 독도의 가치

1 (   )이란 한 국가의 주권이 미치는 범위이다.

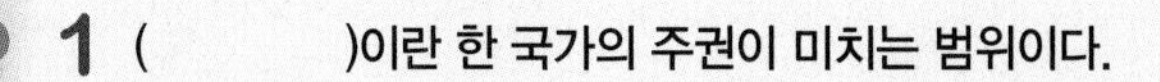

2 그림은 영역의 구성을 나타낸 것이다. ①~③에 들어갈 용어를 각각 쓰시오.

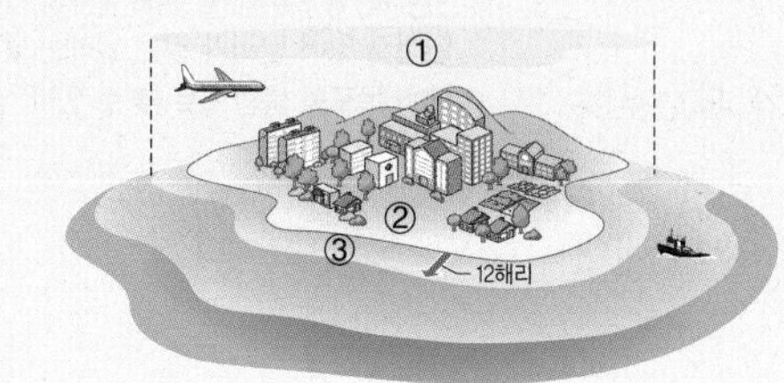

① – (   )
② – (   )
③ – (   )

• 영역의 구성

영토	한 국가에 속한 육지의 범위
영해	영토 주변의 바다
영공	영토와 영해의 수직 상공

1 다음 설명이 맞으면 ○표, 틀리면 ×표를 하시오.

(1) 우리나라의 영토는 한반도와 부속 도서로 구성되어 있다. (   )
(2) 영공은 최근 항공 교통과 우주 산업의 발달로 중요성이 더욱 커지고 있다. (   )
(3) 배타적 경제 수역은 영해 기선에서부터 200해리에 이르는 모든 수역으로, 다른 국가의 선박이 자유롭게 통행할 수 있다. (   )

2 우리나라의 영해를 나타낸 지도를 보고, 표의 ㉠~㉣에 들어갈 내용을 각각 쓰시오.

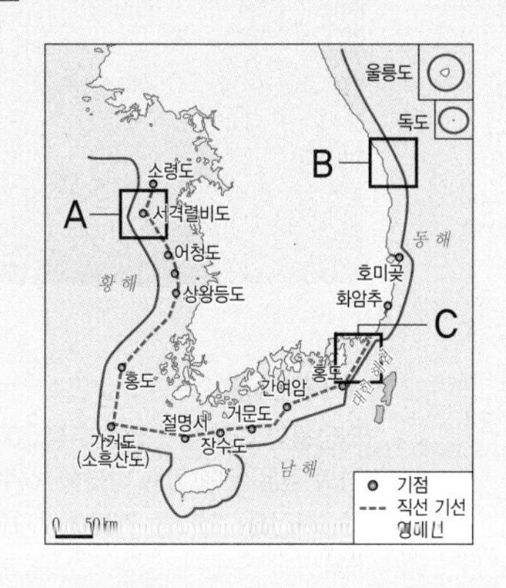

지역	영해의 범위
A	직선 기선에서부터 (㉠)해리까지
B	(㉡)에서부터 12해리까지
C	(㉢)에서부터 (㉣)해리까지

3 우리나라는 중국, 일본과 (   )을 체결하여 겹치는 수역을 중간 수역이나 잠정 조치 수역으로 설정하고 이를 공동으로 관리하고 있다.

• 우리나라의 영역

영토	한반도와 부속 도서
영해	• 동해안, 제주도, 울릉도, 독도 → 통상 기선에서부터 12해리까지 • 서해안, 남해안 등 → 직선 기선에서부터 12해리까지 • 대한 해협 → 직선 기선에서부터 3해리까지
영공	영토와 영해의 수직 상공

C 독도의 위치와 자연환경

1. **+독도:** 경상북도 울릉군 울릉읍 독도리에 있는 섬, 2개의 큰 섬(동도와 서도)과 89개의 부속 도서로 이루어짐 → 우리나라의 영토 중 가장 동쪽에 위치

동도와 서도는 형성 초기에는 하나의 섬이었지만 오랜 침식 작용으로 나뉘게 되어 현재 두 섬은 약 150m 정도 떨어져 있어.

2. **자연환경**

(1) 지형

① 형성: 약 460만~250만 년 전에 해저에서 분출한 용암이 굳어져 형성된 화산섬으로, 제주도나 울릉도보다 먼저 형성됨

독도

② 특징: 대부분의 해안이 급경사를 이루어 거주 환경이 불리한 편, 서도가 동도보다 험난함

왜? 거대한 화산체는 바다에 잠겨 있고, 그중 일부가 수면 위로 올라와 있기 때문이야.

(2) 기후: 난류의 영향을 받는 해양성 기후가 나타남, 기온이 온화한 편이며 일 년 내내 강수가 고름

연평균 기온은 12.4℃, 연평균 강수량은 1,383.4mm야.

+ 독도의 위치

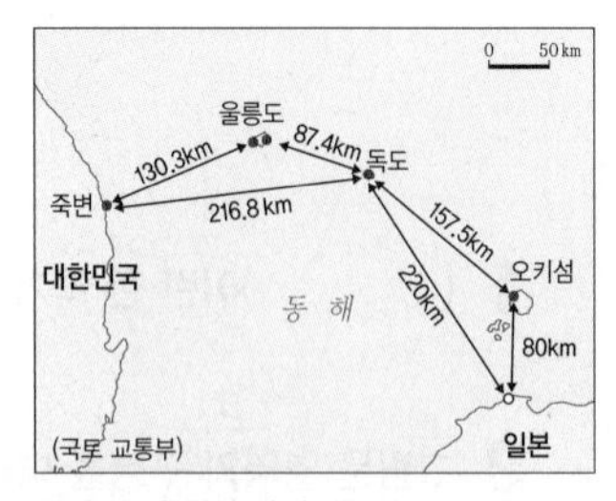

독도는 울릉도에서 동남쪽으로 87.4㎞ 떨어져 있어 날씨가 맑은 날에는 울릉도에서 독도를 육안으로 볼 수 있다.

D 독도의 가치

1. **독도의 다양한 가치**

독도 주변의 12해리는 우리나라의 영해에 속해.

영역적 가치	• 우리나라 영해의 동쪽 끝을 확정짓고, 배타적 경제 수역 설정의 기준점이 될 수 있음 • 항공 기지, 방어 기지로서 국가 안보에 필요한 역할을 수행하는 군사적 요충지가 될 가능성이 높음 • 해양 과학 기지 설치 시 주변 해역의 해양 상태를 파악할 수 있고 정확한 기상 예보가 가능해짐
경제적 가치	• 독도 주변 바다는 한류와 난류가 교차하는 조경 수역이 형성되어 수산 자원이 풍부함 • 주변 해저에는 +메탄 하이드레이트와 +해양 심층수 등의 자원이 있음
환경 및 생태적 가치	• 여러 단계의 화산 활동으로 형성되어 다양한 암석, 지형 및 지질 경관이 나타남 → 해저 화산의 형성과 진화 과정을 살펴볼 수 있음 • 화산암체로 이루어져 식물이 뿌리를 내리고 자라기 힘든 환경을 가지고 있지만 조류, 식물, 곤충 등 290여 종의 다양한 동식물이 서식함 → 1999년 섬 전체가 천연 보호 구역으로 지정됨

2. **소중한 우리 땅, 독도**

『삼국사기』에 따르면 독도는 울릉도와 함께 우산국이라 불렸어.

(1) 독도 영유의 역사: 512년 신라가 우산국을 편입하면서부터 우리나라의 영토가 됨

(2) 일본의 영유권 주장: 1905년 독도를 일방적으로 자국 영토에 편입한 것을 근거로 왜곡된 주장을 하고 있음

(3) 독도를 지키기 위한 방안

① 독도의 중요성을 인식하고 독도에 대한 올바른 지식을 갖추어야 함

② 정부 및 민간단체의 차원에서 독도가 우리나라의 영토임을 국제 사회에 알리기 위한 활동을 활발히 전개해야 함

+ 메탄 하이드레이트

천연가스의 주성분인 메탄이 해저의 저온·고압 상태에서 물 분자와 결합하여 형성된 고체 에너지. 불을 붙이면 타는 성질을 가지고 있어 '불타는 얼음'으로 불리며, 미래 에너지 자원으로 주목받고 있다.

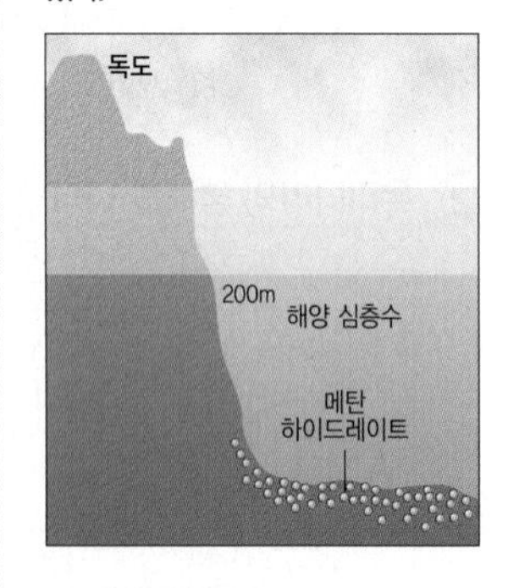

+ 해양 심층수

태양광이 미치지 못하는 수심 200m 이하의 깊은 곳에 있는 바닷물. 식수와 식품, 화장품, 의약품 개발에 사용할 수 있다.

1 독도의 위치와 자연환경에 대한 설명이 맞으면 ○표, 틀리면 ×표를 하시오.

(1) 독도는 우리나라의 영토 중 가장 서쪽에 위치한 섬이다. (　　)

(2) 날씨가 맑은 날에는 울릉도에서 독도를 육안으로 볼 수 있다. (　　)

(3) 독도는 제주도와 울릉도가 형성된 이후에 만들어진 화산섬이다. (　　)

2 다음 괄호 안의 내용 중 알맞은 말에 ○표를 하시오.

(1) 독도는 대부분의 해안이 (완경사, 급경사)를 이루어 거주 환경이 (유리, 불리)한 편이다.

(2) 독도는 난류의 영향으로 (대륙성, 해양성) 기후가 나타나 기온이 온화한 편이며 일 년 내내 강수가 고르다.

핵심 콕콕

• 독도의 자연환경

지형	• 해저에서 분출한 용암이 굳어져 형성된 화산섬 • 대부분의 해안이 급경사를 이루어 거주 환경이 불리한 편
기후	해양성 기후가 나타나 기온이 온화하며 일 년 내내 강수가 고름

1 ㉠, ㉡에 들어갈 용어를 각각 쓰시오.

> 독도 주변의 12해리는 우리나라의 (㉠　　　)에 속한다. 이에 따라 독도는 우리나라 영해의 동쪽 끝을 확정짓고, (㉡　　　) 설정의 기준점이 될 수 있다.

2 독도의 경제적 가치에 대한 설명이 맞으면 ○표, 틀리면 ×표를 하시오.

(1) 독도의 주변 해저에는 메탄 하이드레이트가 매장되어 있다. (　　)

(2) 독도의 주변 바다에는 한류와 난류가 교차해 수산 자원이 부족하다. (　　)

3 ㉠에 들어갈 용어를 쓰시오.

> 독도에는 조류, 식물, 곤충 등 290여 종의 다양한 동식물이 서식하고 있어 1999년 섬 전체가 (㉠　　　)으로 지정되었다.

4 (　　　　)은 1905년 독도를 일방적으로 자국 영토에 편입한 것을 근거로 왜곡된 영유권 주장을 하고 있다.

핵심 콕콕

• 독도의 다양한 가치

영역적 가치	• 배타적 경제 수역 설정의 기준점 • 항공 기지, 방어 기지로서 국가 안보에 필요한 역할을 수행하는 군사적 요충지
경제적 가치	• 조경 수역이 형성되어 수산 자원이 풍부함 • 메탄 하이드레이트가 매장되어 있음
환경 및 생태적 가치	• 해저 화산의 형성과 진화 과정을 살펴볼 수 있음 • 조류, 식물, 곤충 등 다양한 동식물이 서식함

01 영역에 관한 설명으로 옳지 않은 것은?

① 배타적 경제 수역을 포함한다.
② 영토, 영해, 영공으로 이루어진다.
③ 한 국가의 주권이 미치는 범위이다.
④ 영토가 없으면 영해와 영공이 존재할 수 없다.
⑤ 국제법상 한 국가가 다른 국가의 간섭을 받지 않고 지배할 수 있는 공간이다.

[02~03] 그림은 한 국가의 영역과 배타적 경계 수역을 나타낸 것이다. 이를 보고 물음에 답하시오.

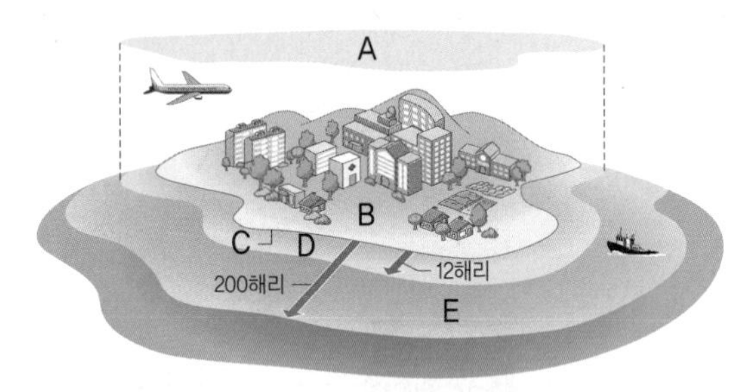

시험에 잘 나와!

02 A~E에 대한 설명으로 옳은 것은?

① A는 D와 E의 수직 상공이다.
② B는 한 국가에 속한 육지로, 국토 면적과 일치한다.
③ C에서부터 200해리까지의 바다는 배타적 경제 수역이다.
④ D는 외국 어선이 자유롭게 조업 활동을 할 수 있는 수역이다.
⑤ D와 E는 모두 영역의 범위 안에 속하여 자국의 선박만 통행할 수 있는 수역이다.

03 C에 대한 옳은 설명만을 〈보기〉에서 있는 대로 고른 것은?

보기

ㄱ. 영토와 영해 사이를 나누는 경계선이다.
ㄴ. 통상 기선과 직선 기선으로 나눌 수 있다.
ㄷ. 해수면이 가장 높은 밀물 때의 해안선이다.
ㄹ. 영해와 배타적 경제 수역을 정하는 기준선이다.

① ㄱ, ㄴ ② ㄷ, ㄹ ③ ㄱ, ㄴ, ㄹ
④ ㄴ, ㄷ, ㄹ ⑤ ㄱ, ㄴ, ㄷ, ㄹ

04 지도에 나타난 우리나라의 영토에 대한 설명으로 옳지 않은 것은?

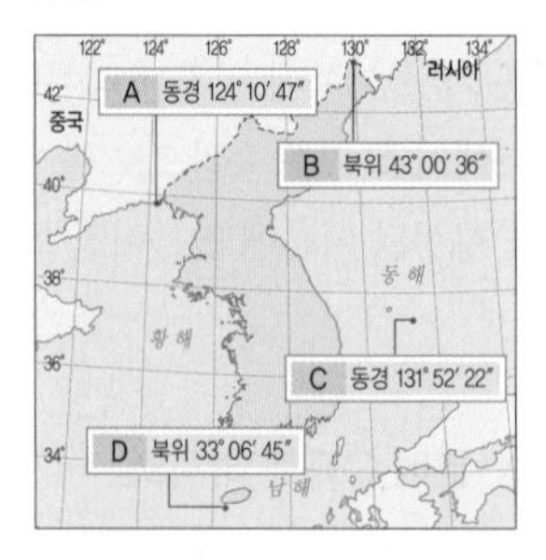

① A와 C의 경도 차이는 약 7°이다.
② B와 D의 위도 차이는 약 10°이다.
③ 중국, 러시아와 국경을 접하고 있다.
④ 북위 33°~43°, 동경 124°~131°에 위치한다.
⑤ 한반도로만 구성되었고, 삼면이 바다로 둘러싸여 있다.

05 우리나라의 영해에 대한 설명으로 옳은 것은?

① 독도는 섬 주변 3해리까지의 수역만 영해로 삼는다.
② 서해안은 영해 설정의 기준으로 통상 기선을 적용한다.
③ 강원도의 동해안은 최저 조위선이 영해를 설정하는 기준선이다.
④ 남해안은 해안선이 복잡하고 섬이 많기 때문에 통상 기선을 적용한다.
⑤ 제주도는 일본과의 거리가 가깝기 때문에 예외적으로 직선 기선으로부터 3해리까지를 영해로 설정한다.

06 우리나라의 부속 도서에 적용되는 기선을 정리한 것이다. ㉠~㉢에 들어갈 용어를 옳게 연결한 것은?

- 독도: (㉠) 기선
- 울릉도: (㉡) 기선
- 제주도: (㉢) 기선

	㉠	㉡	㉢
①	직선	직선	직선
②	직선	직선	통상
③	통상	직선	직선
④	통상	직선	통상
⑤	통상	통상	통상

시험에 잘 나와!

07 지도는 우리나라의 영해의 범위를 나타낸 것이다. A~D에 대한 옳은 설명을 〈보기〉에서 고른 것은?

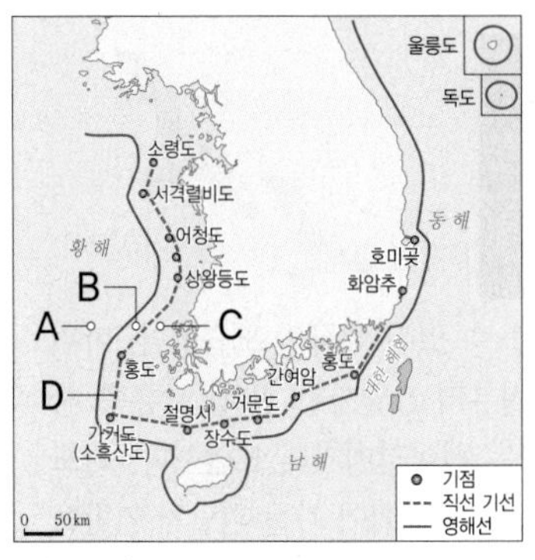

〈보기〉

ㄱ. A의 수직 상공은 우리나라의 영공에 해당한다.
ㄴ. B에서 중국 어선의 어업 활동은 불가능하다.
ㄷ. C에서 간척 사업이 이루어지면 영토가 넓어진다.
ㄹ. D는 가장 바깥쪽의 섬들을 연결한 직선으로, 우리나라 영해 범위의 한계선이다.

① ㄱ, ㄴ ② ㄱ, ㄷ ③ ㄴ, ㄷ
④ ㄴ, ㄹ ⑤ ㄷ, ㄹ

08 ㉠에 들어갈 내용으로 옳지 않은 것은?

우리나라의 영토는 한반도와 그 부속 도서로 이루어져 있다. 우리나라의 ______㉠______. 영공은 영토와 영해의 수직 상공으로, 최근 항공 교통과 우주 산업의 발달로 중요성이 더욱 커지고 있다.

① 영해 설정 기준은 해안에 따라 다르다
② 서해안 갯벌은 영토가 아닌 영해에 속한다
③ 영해는 통상 기선 또는 직선 기선을 기준선으로 삼아 설정한다
④ 영토 총면적은 약 22.3만 ㎢로, 그중 남한의 면적은 약 10만 ㎢이다
⑤ 영해는 해안선의 형태나 가까운 국가와의 거리 등에 따라 범위가 조정될 수 있다

09 배타적 경제 수역에 대한 설명으로 옳지 않은 것은?

① 연안국 외의 다른 국가의 어선이 어업 활동을 할 수 있다.
② 연안국이 천연자원의 탐사와 개발 등에 관한 경제적 권리를 보장받는다.
③ 연안국은 인공 섬을 만들거나 바다에 시설물을 설치하고 활용할 수 있다.
④ 연안국의 허락 없이 다른 국가의 선박과 항공기가 자유롭게 통행할 수 있다.
⑤ 기선으로부터 200해리에 이르는 수역 중에서 영해를 제외한 수역에 해당한다.

10 ㉠에 들어갈 용어로 옳은 것은?

우리나라는 중국, 일본과 거리가 가까워 (㉠)을/를 기선에서부터 200해리까지로 설정하면 중국, 일본과 많은 수역이 겹치게 되는 문제가 발생한다.

① 영해 ② 공해
③ 중간 수역 ④ 잠정 조치 수역
⑤ 배타적 경제 수역

11 지도는 우리나라의 주변 수역을 나타낸 것이다. A, B 수역에 대한 설명으로 옳은 것은?

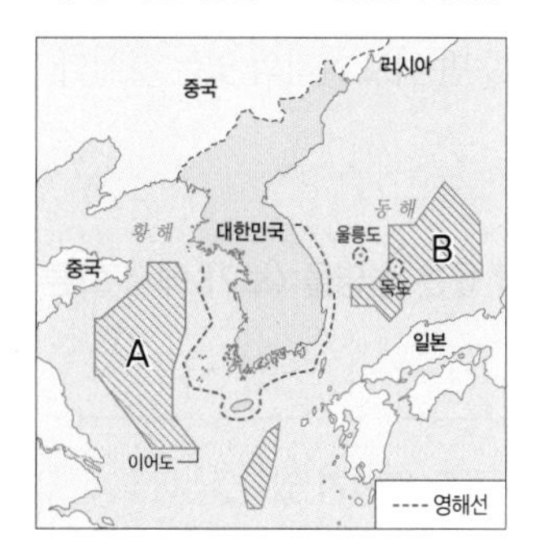

① A에서는 우리나라와 중국이 어업 활동을 할 수 없다.
② A에서는 일본 어선이 자유롭게 어업 활동을 할 수 있다.
③ B에는 독도 주변 12해리까지의 수역이 포함되어 있다.
④ B는 우리나라와 일본 간의 한·일 어업 협정에 의해 설정된 수역이다.
⑤ A, B는 우리나라, 중국, 일본의 영해와 겹치는 수역이다.

12 다음에서 설명하는 지역을 지도에서 고른 것은?

> 우리나라의 영토 중 가장 동쪽에 위치하며, 2개의 큰 섬과 89개의 부속 도서로 이루어진 화산섬이다.

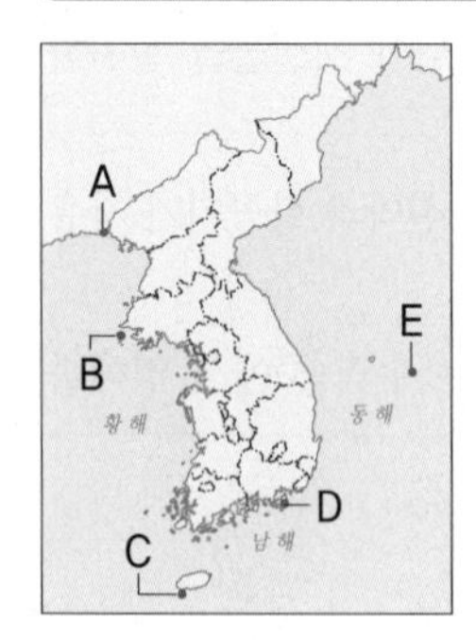

① A　② B　③ C　④ D　⑤ E

☆시험에 잘 나와!

13 사진이 나타내는 지역에 대한 설명으로 옳지 않은 것은?

① 대부분의 해안이 급경사를 이룬다.
② 난류의 영향을 받아 기후가 온화한 편이다.
③ 제주도와 울릉도가 만들어진 후 형성되었다.
④ 날씨가 맑은 날에는 울릉도에서 육안으로 볼 수 있다.
⑤ 거대한 화산체의 일부가 해수면 위로 올라와 있는 것이다.

14 독도의 자연환경에 대한 옳은 설명을 〈보기〉에서 고른 것은?

〈보기〉
ㄱ. 동도와 서도가 약 150m 정도 떨어져 있다.
ㄴ. 조석 간만의 차가 커 해안에 갯벌이 발달하였다.
ㄷ. 해저에서 분출한 용암이 굳어져 형성된 화산섬이다.
ㄹ. 대륙성 기후가 나타나 기온의 연교차가 매우 큰 편이다.

① ㄱ, ㄴ　② ㄱ, ㄷ　③ ㄴ, ㄷ
④ ㄴ, ㄹ　⑤ ㄷ, ㄹ

15 자료가 나타내는 독도의 가치로 가장 적절한 것은?

> 왼쪽 사진은 독도에서 볼 수 있는 해국의 모습이다. 바위 틈에서 자라며, 꽃은 7월부터 11월까지 핀다. 오른쪽 사진은 독도에서 볼 수 있는 괭이갈매기의 모습이다. 독도는 남북으로 이동하는 철새들이 쉬어 가는 피난처 역할을 하고 있다.

① 우리나라 영해의 동쪽 끝을 확정짓는다.
② 배타적 경제 수역 설정의 기준점이 된다.
③ 주변 바다에 수산 자원 및 에너지 자원이 풍부하다.
④ 조류, 식물, 곤충 등 290여 종의 다양한 동식물이 서식한다.
⑤ 국가 안보에 필요한 역할을 수행하는 군사적 요충지가 될 수 있다.

☆시험에 잘 나와!

16 독도가 갖는 가치로 보기 어려운 것은?

① 주변 바다에 조경 수역이 형성되어 각종 수산 자원이 풍부하다.
② 황해의 가장 바깥쪽의 섬으로서 우리나라 영해의 서쪽 끝을 확정짓는다.
③ 천연 보호 구역으로 지정될 만큼 다양한 동식물이 서식하는 생태계의 보고이다.
④ 위치적 특성으로 항공 기지, 방어 기지로서 국가 안보에 필요한 역할을 담당한다.
⑤ 여러 단계의 화산 활동으로 형성되어 해저 화산의 형성과 진화 과정을 살펴볼 수 있다.

17 다음에서 설명하는 자원은?

독도 주변 해저에 다량 매장되어 있는 에너지 자원이다. 천연가스가 해저의 저온·고압 상태에서 물 분자와 결합하여 형성된 고체 에너지로, 불을 붙이면 타는 성질을 가지고 있어 일명 '불타는 얼음'이라고 부른다.

① 석유 ② 석탄
③ 보크사이트 ④ 바이오 에탄올
⑤ 메탄 하이드레이트

18 ㉠, ㉡에 들어갈 내용을 옳게 연결한 것은?

독도 주변 바다는 난류와 한류가 교차하는 (㉠)이 형성되어 오징어를 비롯한 전복, 소라 등의 수산 자원이 풍부하다. 또한 인근 해역에 분포하는 (㉡)은/는 식수와 식품, 의약품 또는 화장품의 원료로 사용되는 가치 있는 자원이다.

	㉠	㉡
①	조경 수역	해양 심층수
②	조경 수역	메탄 하이드레이트
③	중간 수역	석유
④	중간 수역	석탄
⑤	중간 수역	해양 심층수

19 독도를 지키기 위한 방안으로 적절하지 않은 것은?

① 독도를 사랑하는 마음을 갖는다.
② 독도에 대한 올바른 지식을 함양해야 한다.
③ 일본의 주장에 대해 논리적으로 대응해야 한다.
④ 국제 사회에 일본의 주장에 대한 부당성을 알려야 한다.
⑤ 독도는 당연히 우리나라의 영토이므로 논리적 대응책을 마련할 필요가 없다.

서술형 문제

서술형 감잡기

01 그림을 보고 물음에 답하시오.

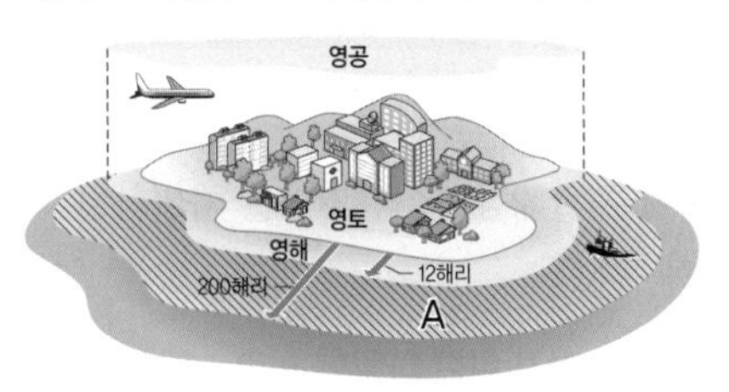

(1) A의 명칭을 쓰시오.

(2) (1)의 의미와 특징에 대해 서술하시오.

➜ A는 기선으로부터 200해리에 이르는 수역 중에서 영해를 제외한 수역으로 연안국은 이 수역 내에서의 어업 활동과 천연자원의 탐사 및 개발 등에 관한 (①) 권리가 연안국에게 보장된다. 그러나 국가의 (②)에는 포함되지 않아 다른 국가의 선박과 항공기가 자유롭게 통행할 수 있다.

실전! 서술형 도전하기

02 지도를 보고 독도의 위치에 대해 서술하시오.

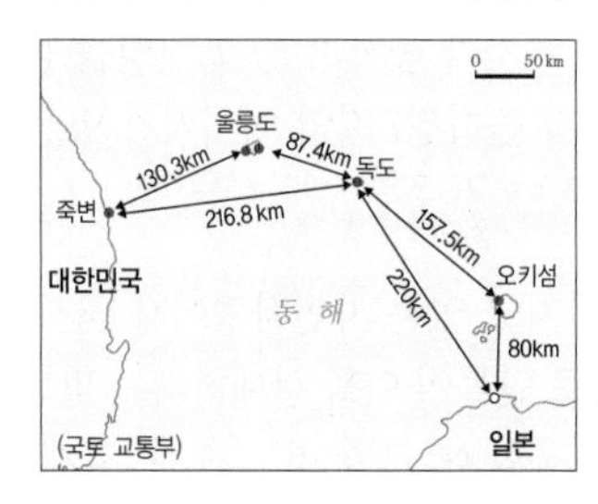

03 독도의 경제적 가치를 두 가지 서술하시오.

우리나라 여러 지역의 경쟁력

A 세계화 시대의 지역 경쟁력

1. 세계화 시대의 지역성: 국경을 초월한 경제 활동과 사람들 간 교류가 증가하면서 지역 간 경쟁이 치열해짐 → 각 지역은 차별화된 +지역성을 발굴하여 지역 경쟁력을 높이기 위해 노력함

왜? 세계화 시대에서 지역성은 그 지역만의 가치와 경쟁력을 제공하기 때문이야.

2. 지역 경쟁력을 높이기 위한 다양한 노력

지역 이미지 구축	다른 지역과 차별화할 수 있는 전통 산업과 문화, 예술 등을 활용하여 긍정적인 이미지 구축 예 판소리의 도시 전주, 문화 도시 부산 등 (해마다 부산 국제 영화제가 성공을 거두고 있어.)
새로운 이미지 창출	환경친화적인 지역 개발 및 독특한 자연환경을 이용하여 생태 도시 및 관광 명소로서의 이미지 창출 예 제주도 올레길, 생태 도시 순천 등

+ 지역성
지역의 자연환경과 그곳에서 거주해 온 주민이 오랜 시간에 걸쳐 상호 작용하여 형성된 것으로, 다른 지역과 구별되는 특성을 말한다.

B 다양한 지역화 전략

1. 지역화 전략: 지역의 경쟁력을 높이기 위해 경제적·문화적 측면에서 다른 지역과 차별화할 수 있는 계획을 마련하는 것 예 지역 브랜드, 장소 마케팅, 지리적 표시제 등

2. +지역 브랜드

(1) 의미: 지역 그 자체 또는 지역의 상품과 서비스 등을 소비자에게 특별한 브랜드로 인식시키는 것 예 +강원도 평창군의 'HAPPY 700', 미국 뉴욕의 'I♥NY', 충청남도 보령시의 캐릭터 '머돌이'와 '머순이' 등

(2) 효과: 지역 브랜드의 가치가 높아지면 그 지명을 붙인 상품의 판매량이 증가하고 서비스에 대한 신뢰도가 높아짐, 지역 이미지가 향상되고 지역 경제가 활성화됨

3. 장소 마케팅 (파리의 에펠 탑과 같이 지역의 이미지를 대표하는 상징물인 랜드마크를 활용하기도 해.)

(1) 의미: 특정 장소가 가지고 있는 자연환경이나 역사적·문화적 특성을 드러내어 장소를 매력적인 상품으로 만들어 이를 판매하려는 활동 → 지역의 상징성을 이용한 축제를 장소 마케팅에 활용함 예 보령 머드 축제, 김제 지평선 축제 등

(2) 효과: 관광객·투자자 유치를 통해 지역 경제를 활성화하고, 지역 주민들의 소속감과 자긍심을 높일 수 있음

4. 지리적 표시제 (상품의 브랜드가 지역을 홍보하고 지역 이미지를 개선하여 지역 경제 발전에 이바지할 수 있어.)

(1) 의미: 상품의 품질, 명성, 특성 등이 근본적으로 해당 지역에서 비롯한 경우 지역 생산품임을 증명하고 표시하는 제도 예 보성 녹차, 이천 쌀, 횡성 한우, 강화 약쑥 등 (2002년 우리나라에서 최초로 지리적 표시제로 등록되었어.)

(2) 효과

① 다른 곳에서 임의로 상표권을 이용하지 못하도록 하는 법적 권리가 주어짐

② 특산품의 보호, 품질 향상 및 지역의 특화 산업으로의 육성을 도모함

③ 생산자는 안정적인 생산 활동을 할 수 있고, 소비자는 믿을 수 있는 제품을 살 수 있음

+ 지역 브랜드 개발 과정

다른 지역과 차별화되는 해당 지역의 다양한 특성 파악하기

핵심적인 지역 정체성을 요약하여 브랜드 개발하기

로고, 슬로건, 캐릭터 개발하기

장소 마케팅 전개하기

효과적인 지역 브랜드를 개발하기 위해서는 해당 지역만이 지닌 장점을 정확히 파악해야 하며, 지역 주민의 참여와 협조가 필요하다.

+ 강원도 평창군의 지역 브랜드

평창군이 위치한 해발 고도 700m 지점이 인간이 살기 가장 행복한 고도라는 의미이다.

- 세계화 시대의 지역 경쟁력
- 지역 브랜드의 특징
- 장소 마케팅의 특징
- 지리적 표시제의 특징

1 다음 설명이 맞으면 ○표, 틀리면 ×표를 하시오.

(1) 세계화 시대에 지역의 고유한 특성은 지역의 경쟁력을 높일 수 없다. (　　)

(2) 부산은 국제 영화제 개최와 같은 새로운 시도를 통해 긍정적인 지역 이미지를 구축하였다. (　　)

2 (　　　　)은 지역의 자연환경과 그곳에서 거주해 온 주민이 오랜 시간에 걸쳐 상호 작용하여 형성된 것으로, 다른 지역과 구별되는 특성을 말한다.

핵심 콕콕

• 세계화 시대의 지역 경쟁력

국경을 초월한 경제 활동과 사람들 간 교류 증가로 지역 간 경쟁이 치열해짐

↓

각 지역은 차별화된 지역성을 살려 지역 경쟁력을 높이기 위해 노력함

1 (　　　　)이란 지역의 경쟁력을 높이기 위해 경제적·문화적 측면에서 다른 지역과 차별화할 수 있는 계획을 마련하는 것이다.

2 지역화 전략과 그 사례를 옳게 연결하시오.

(1) 지역 브랜드 •	• ㉠ 강화 약쑥
(2) 장소 마케팅 •	• ㉡ 보령 머드 축제
(3) 지리적 표시제 •	• ㉢ 강원도 평창군의 'HAPPY 700'

3 지도는 우리나라의 지리적 표시 상품을 나타낸 것이다. ①~③에 들어갈 지리적 표시 상품을 각각 쓰시오.

① - (　　　　)

② - (　　　　)

③ - (　　　　)

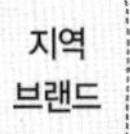

핵심 콕콕

• 다양한 지역화 전략

지역 브랜드	지역 그 자체 또는 지역의 상품과 서비스 등을 소비자에게 특별한 브랜드로 인식시키는 것
장소 마케팅	특정 장소가 가지고 있는 특성을 드러내어 장소를 매력적인 상품으로 만들어 이를 판매하려는 활동
지리적 표시제	상품이 지역 생산품임을 증명하고 표시하는 제도

01 다음에서 설명하는 용어로 옳은 것은?

> 지역의 자연환경과 그곳에서 거주해 온 주민이 오랜 시간에 걸쳐 상호 작용하여 형성된 것으로, 다른 지역과 구별되는 특성을 말한다.

① 지역성　② 지역화　③ 세계화
④ 지역 브랜드　⑤ 지리적 표시제

02 ㉠에 들어갈 내용으로 가장 적절한 것은?

> 전라북도 전주시는 전통 문화유산을 활용하여 문화 도시의 이미지를 구축하였다. 판소리 모임을 뜻하는 '대사습'은 조선 시대 때에 전주에서 생겨났다. 오늘날 전주 대사습놀이로 이어져 명창들의 축제의 장이 되고 있다. 또한 판소리를 토대로 전 세계의 음악을 한자리에서 즐길 수 있는 전주 세계 소리 축제도 열린다. 이처럼 전주시에서는 다른 지역과 차별화하면서 ___㉠___ 다양한 방법으로 노력하고 있다.

① 세계화의 흐름에서 벗어나기 위해
② 환경친화적인 지역 개발을 하기 위해
③ 낙후된 지역 경제를 발전시키기 위해
④ 긍정적인 지역 이미지를 구축하기 위해
⑤ 자연환경을 이용하여 관광 명소로 변모하기 위해

03 우리나라의 여러 지역이 구축한 이미지가 옳게 연결된 것을 〈보기〉에서 고른 것은?

> 보기
> ㄱ. 제주 — 머드 축제의 도시
> ㄴ. 전주 — 지평선 축제의 도시
> ㄷ. 부산 — 국제 영화제의 도시
> ㄹ. 순천 — 환경친화적인 생태 도시

① ㄱ, ㄴ　② ㄱ, ㄷ　③ ㄴ, ㄷ
④ ㄴ, ㄹ　⑤ ㄷ, ㄹ

04 지역화 전략에 대한 설명으로 옳지 않은 것은?

① 장소 마케팅의 대표적인 사례이다.
② 지역의 경쟁력을 높이는 것이 목적이다.
③ 지역 브랜드, 지리적 표시제 등이 해당된다.
④ 다른 지역과 문화적 측면에서 차별화하고자 하는 것이다.
⑤ 세계화로 인해 지역 간 경쟁이 심화된 점과 관계가 깊다.

시험에 잘 나와!

05 지역 브랜드에 대한 옳은 설명만을 〈보기〉에서 있는 대로 고른 것은?

> 보기
> ㄱ. 지역 그 자체는 대상으로 하지 않는다.
> ㄴ. 지역의 이미지를 높이고 지역 경제를 활성화한다.
> ㄷ. 지역의 상품과 서비스 등을 소비자에게 특별한 브랜드로 인식시킨다.
> ㄹ. 충청남도 보령시의 캐릭터 '머돌이'와 '머순이', 미국 뉴욕의 'I♥NY' 등이 대표적인 예이다.

① ㄱ, ㄴ　② ㄷ, ㄹ　③ ㄱ, ㄴ, ㄷ
④ ㄴ, ㄷ, ㄹ　⑤ ㄱ, ㄴ, ㄷ, ㄹ

06 다음과 같은 지역화 전략의 효과로 옳지 않은 것은?

> 강원도 평창군은 해발 고도 700m 부근에 위치한 지리적 특색을 내세워 지역을 홍보하고 있다. 'HAPPY 700'은 사람과 동식물이 가장 건강하고 행복하게 지낼 수 있는 고지대의 특성을 담은 것이다.
> HAPPY 700

① 지역의 이미지가 향상된다.
② 지역 경제를 활성화시킨다.
③ 지역의 상품에 대한 신뢰도가 높아진다.
④ 지역의 서비스를 소비자에게 특별한 브랜드로 인식시킨다.
⑤ 경제적·문화적 측면에서 다른 지역과의 차별성을 줄인다.

07 지역 브랜드의 개발 과정을 순서대로 나열한 것은?

(가) 핵심적인 지역 정체성을 요약한다.
(나) 슬로건, 로고, 캐릭터 등을 개발한다.
(다) 다른 지역과 차별화되는 다양한 특성을 파악한다.
(라) 지역 브랜드를 바탕으로 장소 마케팅을 전개한다.

① (가) – (나) – (다) – (라)　② (가) – (라) – (다) – (나)
③ (나) – (다) – (라) – (가)　④ (다) – (가) – (나) – (라)
⑤ (다) – (가) – (라) – (나)

시험에 잘 나와!

08 장소 마케팅에 대한 설명으로 옳지 않은 것은?

① 지역의 상징성을 이용한 지역 축제를 활용하기도 한다.
② 장소를 매력적인 상품으로 만들어 이를 판매하려는 활동이다.
③ 지역의 이미지를 대표하는 상징물인 랜드마크를 활용하기도 한다.
④ 장소가 가지고 있는 자연환경이나 역사적·문화적 특성을 드러내기도 한다.
⑤ 관광객이나 투자자를 유치하는 데에 목적을 두어 지역 주민에게 미치는 효과는 없다.

09 그림이 나타내는 지역화 전략에 대한 옳은 설명만을 〈보기〉에서 있는 대로 고른 것은?

보기
ㄱ. 지역의 특산품을 안정적으로 생산할 수 있게 한다.
ㄴ. 상품이 해당 지역의 생산품임을 증명하고 표시하는 제도이다.
ㄷ. 2002년 횡성 한우를 시작으로 이천 쌀, 보성 녹차 등이 등록되었다.
ㄹ. 지리적 특성을 지닌 특산품을 보호하고 상품의 품질을 향상시키는 등의 효과가 있다.

① ㄱ, ㄷ　② ㄴ, ㄹ　③ ㄱ, ㄴ, ㄷ
④ ㄱ, ㄴ, ㄹ　⑤ ㄴ, ㄷ, ㄹ

10 지역과 지리적 표시제 등록 상품이 옳게 연결된 것은?

	지역	지리적 표시제 등록 상품
①	경기도 강화	참외
②	경상북도 성주	약쑥
③	경상북도 청송	사과
④	전라북도 순창	녹차
⑤	전라남도 보성	전통 고추장

서술형 문제

서술형 감잡기

01 세계화 시대 지역 간 경쟁이 치열해진 이유와 지역 경쟁력을 높이기 위한 방안에 대해 서술하시오.

➜ (①　　　　)을 초월한 경제 활동과 사람들 간 교류가 증가하였기 때문이다. 세계화 시대에 지역 경쟁력을 높이기 위해서는 다른 지역과 구별되는 특성인 (②　　　　)을 살려 지역화 전략을 세워야 한다.

실전! 서술형 도전하기

02 다음과 같은 지역 브랜드 개발을 통해 기대할 수 있는 효과 두 가지를 서술하시오.

국토 통일과 통일 한국의 미래

A 우리나라의 위치와 국토 통일의 필요성

1. 우리나라 위치의 중요성

우리나라는 유라시아 대륙의 동쪽에 있어.

(1) +대륙과 해양을 이어 주는 반도국: 유라시아 대륙과 태평양을 연결하는 지리적 요충지

(2) 동아시아 교통의 요지: 동아시아 지역에서 중심 역할을 할 수 있는 곳에 자리함

발전 잠재력이 매우 높은 지역이야.

2. 국토 통일의 필요성

남한은 대륙으로 통하는 육로가 가로막혔고, 북한은 해양 진출에 제약을 받고 있어.

국토 분단으로 인한 문제	• 균형 있는 국토 발전이 어려워짐, 군사적 갈등과 대립으로 과도한 군사비 지출 • 군사적 긴장 상태가 지속되어 국제 사회에서 한반도의 위상 약화 • 이산가족과 실향민 발생, 남북 문화의 이질화와 민족의 동질성 약화
국토 통일이 필요한 이유	• 국토의 균형 있는 발전, 분단 비용 절감 • 한반도의 위상 강화, 세계 평화와 문화 교류에 이바지할 수 있음 • 이산가족과 실향민의 아픔 치유, 민족의 동질성 회복

+ 해양 진출에 유리한 우리나라

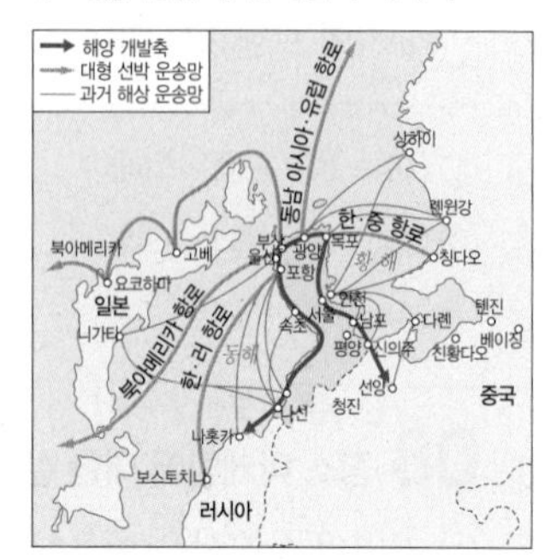

우리나라는 북쪽으로는 중국, 러시아를 통해 유럽까지 진출할 수 있고, 삼면의 바다를 통해 태평양으로 나아갈 수 있는 동아시아 교통의 요지에 위치한다.

B 통일 한국의 미래

1. 국토 공간의 변화

(1) 매력적인 국토 공간 조성: +비무장 지대 등의 생태 지역, 남북한의 역사 문화유산 등이 결합된 국토 공간을 만들 수 있음

(2) 국토 공간의 균형적 개발: +남한의 자본과 기술, 북한의 지하자원과 노동력이 결합하여 국토를 효율적으로 이용, 끊겼던 교통망이 연결되면 물류의 중심지로 성장할 수 있음

2. 생활 모습의 변화

(1) 분단 시대의 이념과 갈등에 따른 긴장 완화: 자유 민주주의적 이념 확대로 개인의 생각과 가치를 존중받을 수 있음

왜? 북한 지역의 풍부한 자원을 개발할 수 있기 때문이야.

(2) 경제 발전: 생활 공간의 확대로 새로운 직업과 일자리가 증가함, 분단 비용이 경제 개발과 복지 분야에 투입되면 삶의 질이 향상될 수 있음

+ 비무장 지대(DMZ, demilitarized zone)

군사 시설이나 인원을 배치하지 않은 지역으로, 충돌을 방지하는 구실을 한다.

+ 남북한 자원 보유량 비교

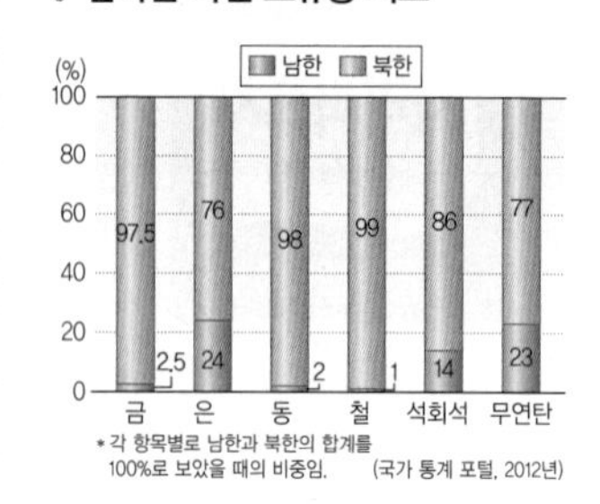

* 각 항목별로 남한과 북한의 합계를 100%로 보았을 때의 비중임. (국가 통계 포털, 2012년)

자료로 이해하기 대륙과 해양을 연결하는 통일 한국

(국가 지도집, 2014)

국토가 통일되어 한반도 종단 철도가 시베리아 횡단 철도 등 대륙 철도와 연결되면 우리나라에서 유럽까지 가는 화물과 여객 수송에 필요한 시간과 비용을 절감할 수 있다. 또한 아시안 하이웨이가 구축되면 자동차를 타고 중국, 러시아를 거쳐 동남아시아, 유럽까지 갈 수 있다.

- 우리나라 위치의 중요성
- 국토 통일의 필요성
- 통일 한국의 미래

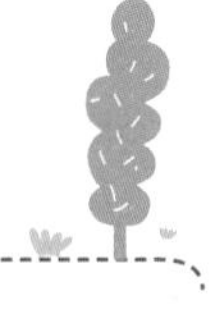

1 **다음 설명이 맞으면 ○표, 틀리면 ×표를 하시오.**

(1) 우리나라는 삼면이 바다로 둘러싸인 반도국이다. ( )

(2) 우리나라는 유라시아 대륙과 대서양을 연결하는 지리적 요충지이다. ( )

(3) 우리나라는 발전 잠재력이 매우 높은 서아시아 지역의 중심에 위치한다. ( )

2 **국토 분단으로 인해 발생하는 문제로 옳은 것을 〈보기〉에서 골라 기호를 쓰시오.**

보기

ㄱ. 과도한 군사비 지출　　ㄴ. 민족의 동질성 강화
ㄷ. 이산가족과 실향민 발생　　ㄹ. 군사적 긴장 상태로 한반도의 위상 강화

핵심 콕콕

- **우리나라의 위치와 국토 통일의 필요성**

우리나라의 위치	• 유라시아 대륙과 태평양을 연결하는 지리적 요충지 • 동아시아 지역의 중심
국토 통일의 필요성	• 분단 비용 절감 • 한반도의 위상 강화 • 민족의 동질성 회복

1 **다음 괄호 안의 내용 중 알맞은 말에 ○표를 하시오.**

(1) 남북의 국토가 통일되면 분단 시대의 이념과 갈등에 따른 긴장이 (강화, 완화)될 것이다.

(2) 국토 통일이 이루어지면 분단으로 소요될 비용이 경제 개발과 복지 분야에 투입되면서 삶의 질이 (향상, 저하)될 것이다.

2 **다음 설명이 맞으면 ○표, 틀리면 ×표를 하시오.**

(1) 국토가 통일되어 아시안 하이웨이가 구축되면 자동차를 타고 중국, 러시아를 거쳐 유럽까지도 갈 수 있다. ( )

(2) 통일이 되면 북한의 자본과 기술, 남한의 지하자원과 노동력이 결합하여 국토의 효율적인 이용이 가능하게 된다. ( )

(3) 국토가 통일되어 한반도 종단 철도가 시베리아 횡단 철도 등 대륙 철도와 연결되면 우리나라에서 유럽까지 가는 화물과 여객 수송에 필요한 시간과 비용을 절감할 수 있다. ( )

핵심 콕콕

- **통일 한국의 미래**

국토 공간의 변화	• 국토의 효율적인 이용이 가능해짐 • 끊겼던 교통망이 연결되면 물류 중심지로의 성장함
생활 모습의 변화	• 분단 시대의 이념과 갈등에 따른 긴장이 완화됨 • 새로운 직업과 일자리가 확대되어 경제가 발전함

01 우리나라의 위치에 대한 설명으로 옳지 <u>않은</u> 것은?

① 동아시아의 중심에 위치하고 있다.
② 삼면이 바다로 둘러싸인 반도국이다.
③ 국토가 분단되어 해양으로 진출하기 힘들다.
④ 대륙과 해양을 통해 세계로 진출하는 데 유리하다.
⑤ 유라시아 대륙과 태평양을 연결하는 지리적 요충지이다.

시험에 잘 나와!

02 지도를 보고 우리나라 위치의 중요성에 대해 옳게 설명한 학생을 고른 것은?

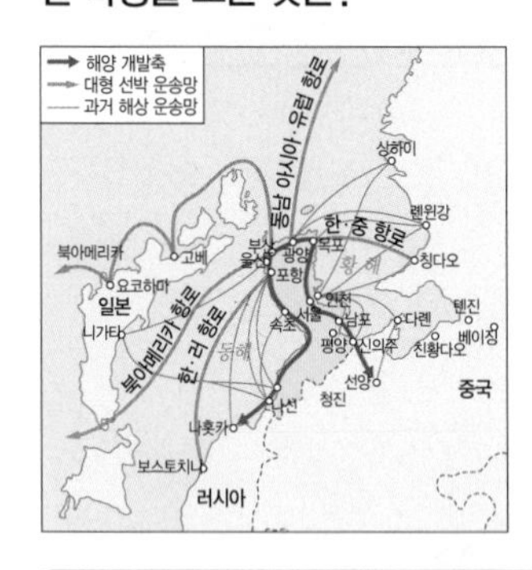

- 가은: 중국, 러시아를 통해 아메리카 대륙과 연결될 수 있어.
- 나은: 대륙과 해양을 연결하는 동아시아 교통의 요충지에 위치해.
- 다은: 해양 진출 및 국제 물류 중심지로 도약하는 데 매우 유리한 위치야.
- 라은: 남북 분단으로 인해 남한은 해양으로의 진출에 제약을 받게 되었어.

① 가은, 나은 ② 가은, 다은 ③ 나은, 다은
④ 나은, 라은 ⑤ 다은, 라은

03 국토 분단으로 발생한 문제로 보기 <u>어려운</u> 것은?

① 이산가족의 발생
② 민족의 동질성 약화
③ 과도한 군사비 지출
④ 남북 문화의 이질화
⑤ 균형 있는 국토 발전

04 ㉠에 들어갈 내용으로 가장 적절한 것은?

남북한의 언어 비교

남한 말	북한 말
도넛	가락지빵
주스	과일단물
달걀	닭알
도시락	곽밥
아이스크림	얼음보숭이

남북 간의 인적·물적 교류가 막히고 분단이 장기화되면서 위와 같이 언어, 생활 양식 등에서 (㉠)이/가 심화되었다.

① 민족의 동질성
② 문화의 이질화
③ 이산가족의 아픔
④ 국토 개발의 불균형
⑤ 동북아시아의 긴장감

시험에 잘 나와!

05 다음 글과 연관 지어 국토 통일의 필요성을 가장 적절하게 설명한 것은?

> 정부가 2013년 전 세계 12개국 외국인 6천 명을 대상으로 실시한 설문 조사에서 '대한민국' 하면 떠오르는 이미지로 꼽힌 것은 기술, 전쟁 등이었다. 또한 "한국이 어떤 국가인가?"라는 질문에 외국인의 30.2%는 "한국과 북한을 쉽게 구분하지 못한다."라고 응답하였다.
>
> -「연합 뉴스」, 2015. 2. 22.

① 이산가족의 고통을 줄여 줄 수 있다.
② 경제, 문화적 교류로 민족의 동질성을 회복할 수 있다.
③ 국토의 상호 보완적인 성격을 활용하여 국가 경쟁력이 강화될 것이다.
④ 분단 국가라는 이미지를 벗어남으로써 한반도의 위상이 높아질 것이다.
⑤ 분단에 따른 비용을 줄이고 이를 경제, 복지 분야에 투자할 수 있어 삶의 질이 향상될 것이다.

06 통일 한국의 미래 모습으로 보기 어려운 것은?

① 민족의 동질성이 강화될 것이다.
② 우리나라의 위상이 높아질 것이다.
③ 이산가족의 아픔이 더욱 심화될 것이다.
④ 국토의 효율적인 이용이 가능해질 것이다.
⑤ 분단 비용이 줄어 경제적으로 도약할 것이다.

07 지도를 통해 예측할 수 있는 통일 한국의 미래 모습으로 적절하지 않은 것은?

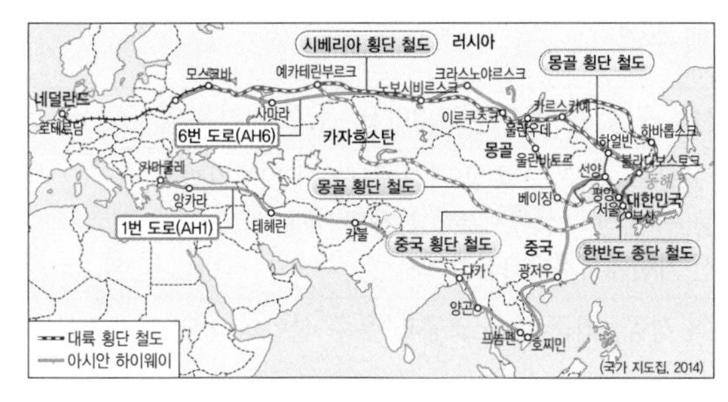

① 육로를 통한 교역이 감소할 것이다.
② 우리나라와 유럽 간의 교류가 더욱 편리해질 것이다.
③ 육로를 통해 러시아를 거쳐 유럽으로 갈 수 있을 것이다.
④ 한반도 종단 철도가 시베리아 횡단 철도와 연결될 것이다.
⑤ 한반도는 유라시아 대륙과 태평양을 연결하는 물류 중심지로 성장할 것이다.

08 그래프는 남북한의 자원 보유량을 비교한 것이다. 이를 보고 통일 한국의 미래를 가장 적절하게 예측한 것은?

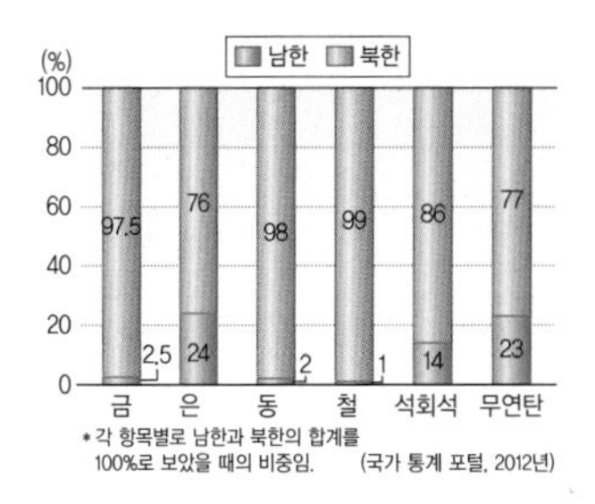

* 각 항목별로 남한과 북한의 합계를 100%로 보았을 때의 비중임. (국가 통계 포털, 2012년)

① 남북 문화의 이질화가 심해질 것이다.
② 국토 이용의 효율성이 약화될 것이다.
③ 세계 속에서 한반도의 위상이 낮아질 것이다.
④ 경제가 쇠퇴해 국민들의 삶의 질이 낮아질 것이다.
⑤ 남한의 우수한 기술과 북한의 풍부한 지하자원이 결합하여 경제적으로 도약할 수 있을 것이다.

시험에 잘 나와!

09 선생님의 질문에 옳지 않은 답변을 한 학생은?

- 선생님: 남북한이 통일이 되면 국토 공간과 우리 삶은 어떻게 달라질까요?
- 가희: 군사적 긴장이 고조되고 군사비 지출이 증가해요.
- 나희: 주민들의 생활 공간이 한반도 전체로 확대되어요.
- 다희: 북한 지역의 풍부한 자원을 개발하여 새로운 산업이 발달해요.
- 라희: 백두산, 비무장 지대의 아름다운 생태 지역을 방문할 수 있어요.
- 마희: 분단 비용이 경제와 복지 분야에 쓰여 주민들의 삶의 질이 높아져요.

① 가희 ② 나희 ③ 다희 ④ 라희 ⑤ 마희

서술형 문제

서술형 감잡기

01 우리나라 위치의 중요성에 대해 서술하시오.

➜ 우리나라는 삼면이 바다로 둘러싸인 (①)이다. 북쪽으로는 (②)대륙에 진출할 수 있고, 남쪽으로는 (③)에 진출할 수 있는 지리적 요충지에 해당한다.

실전! 서술형 도전하기

02 국토 분단으로 발생하는 문제를 세 가지 이상 서술하시오.

한눈에 보는 대단원

☑ 핵심 선택지 다시보기

1 영역은 한 국가의 주권이 미치는 범위이다. ( )

2 영역은 영토, 영해, 영공으로 이루어진다. ( )

3 우리나라의 서해안은 영해 설정의 기준으로 통상 기선을 적용한다. ( )

4 독도는 우리나라 영토 중 가장 서쪽에 위치한다. ( )

5 독도는 해저에서 분출한 용암이 굳어져 형성된 화산섬이다. ( )

답 1 ○ 2 ○ 3 × 4 × 5 ○

01 우리나라의 영역과 독도

(1) 영역의 의미와 구성

구분	내용
영역의 의미	한 국가의 주권이 미치는 범위, 국제법상 한 국가가 다른 국가의 간섭을 받지 않고 지배할 수 있는 공간
영역의 구성	• 영토: 한 국가에 속한 육지의 범위 • 영해: 영토 주변의 바다 → 대부분의 국가는 기선에서부터 12해리까지를 영해로 설정함 • 영공: 영토와 영해의 수직 상공 → 일반적으로 대기권에 한정됨

(2) 우리나라의 영역과 배타적 경제 수역

구분		내용
영토		한반도와 부속 도서로 구성, 총 면적은 22.3만 ㎢, 남한 면적은 약 10만 ㎢
영해		• 동해안, 제주도, 울릉도, 독도 → 통상 기선에서부터 12해리까지 • 서해안, 남해안 등 → 직선 기선에서부터 12해리까지 • 대한 해협 → 직선 기선에서부터 3해리까지
영공		영토와 영해의 수직 상공, 최근 항공 교통과 우주 산업의 발달로 중요성이 커지고 있음
배타적 경제 수역(EEZ)	의미	영해 기선에서부터 200해리에 이르는 수역 중 영해를 제외한 바다
	특징	• 연안국은 어업 활동과 천연자원의 탐사 및 개발 등에 관한 경제적 권리가 보장됨 • 다른 국가의 선박과 항공기가 통행할 수 있음

(3) 독도의 위치와 자연환경

구분		내용
독도의 위치		경상북도 울릉군 울릉읍 독도리 → 우리나라의 영토 중 가장 동쪽에 위치
독도의 자연환경	지형	• 형성: 약 460만~250만 년 전에 해저에서 분출한 용암이 굳어져 형성된 화산섬으로, 제주도나 울릉도보다 먼저 형성됨 • 특징: 대부분의 해안이 급경사를 이룸, 서도가 동도보다 험난함
	기후	난류의 영향을 받는 해양성 기후가 나타남, 기온이 온화한 편이며 일 년 내내 강수가 고름

(4) 독도의 가치

구분		내용
독도의 다양한 가치	영역적 가치	우리나라 영해의 동쪽 끝을 확정짓고, 배타적 경제 수역 설정의 기준점이 될 수 있음, 군사적 요충지가 될 가능성이 높음
	경제적 가치	주변 바다는 조경 수역이 형성되어 각종 수산 자원이 풍부함, 주변 해저에 메탄 하이드레이트가 매장되어 있음
	환경 및 생태적 가치	해저 화산의 형성과 진화 과정을 살펴볼 수 있음, 200여 종의 다양한 동식물이 서식함 → 천연 보호 구역으로 지정됨
소중한 우리 땅, 독도	영유의 역사	512년 신라가 우산국을 편입하면서부터 우리나라의 영토가 됨
	지키기 위한 방안	독도의 중요성을 인식하고, 독도가 우리나라의 영토임을 국제 사회에 알리기 위한 활동을 활발히 전개해야 함

02 우리나라 여러 지역의 경쟁력

(1) 세계화 시대의 지역 경쟁력

세계화 시대의 지역성	국경을 초월한 경제 활동과 사람들 간 교류가 증가하면서 지역 간 경쟁이 치열해짐 → 각 지역은 지역 경쟁력을 높이기 위해 노력함
지역 경쟁력을 높이기 위한 다양한 노력	• 다른 지역과 차별화할 수 있는 전통 산업과 문화, 예술 등을 활용하여 긍정적인 이미지 구축 ⓔ 판소리의 도시 전주, 문화 도시 부산 등 • 환경친화적인 지역 개발 및 독특한 자연환경을 이용하여 생태 도시 및 관광 명소로서의 이미지 창출 ⓔ 제주도 올레길, 생태 도시 순천 등

(2) 지역화 전략

지역 브랜드	지역 그 자체 또는 지역의 상품과 서비스 등을 소비자에게 특별한 브랜드로 인식시키는 것
장소 마케팅	특정 장소가 가지고 있는 자연환경이나 역사적·문화적 특성을 드러내어 장소를 매력적인 상품으로 만들어 이를 판매하려는 활동
지리적 표시제	상품의 품질, 명성, 특성 등이 근본적으로 해당 지역에서 비롯한 경우 지역 생산품임을 증명하고 표시하는 제도

핵심 선택지 다시보기

1 지역화 전략은 장소 마케팅의 대표적인 사례이다. ( )

2 지역 브랜드는 지역 그 자체를 대상으로 하지 않는다. ( )

3 장소 마케팅은 장소를 매력적인 상품으로 만들어 이를 판매하려는 활동이다. ( )

4 지리적 표시제는 지리적 특성을 지닌 특산품을 보호하고 상품의 품질을 향상시키는 효과가 있다. ( )

5 전라남도 보성은 녹차가 지리적 표시제로 등록되어 있다. ( )

답 1 × 2 × 3 ○ 4 ○ 5 ○

03 국토 통일과 통일 한국의 미래

(1) 우리나라 위치의 중요성

대륙과 해양을 이어 주는 한반도	삼면이 바다로 둘러싸인 반도국, 유라시아 대륙과 태평양을 연결하는 지리적 요충지
동아시아 교통의 요지	동아시아 지역에서도 중심 역할을 할 수 있는 곳에 자리함

(2) 국토 통일의 필요성

국토 분단으로 인한 문제	• 균형 있는 국토 발전이 어려워짐, 과도한 군사비 지출 • 군사적 긴장 상태로 한반도의 위상 약화 • 이산가족과 실향민 발생, 남북 문화의 이질화와 민족의 동질성 약화
국토 통일이 필요한 이유	• 국토의 균형 있는 발전, 분단 비용 절감 • 한반도의 위상 강화, 세계 평화에 이바지할 수 있음 • 이산가족과 실향민의 아픔 치유, 민족의 동질성 회복

(3) 통일 한국의 미래

국토 공간의 변화	• 매력적인 국토 공간을 조성할 수 있음 • 남한의 자본과 기술, 북한의 지하자원과 노동력이 결합하여 국토의 효율적인 이용이 가능함, 끊겼던 교통망이 연결되면 물류의 중심지로 성장함
생활 모습의 변화	• 자유 민주주의적 이념 확대로 개인의 생각과 가치를 존중받을 수 있음 • 새로운 직업과 일자리가 증가함, 삶의 질이 향상될 수 있음

핵심 선택지 다시보기

1 우리나라는 동아시아의 중심에 위치하고 있다. ( )

2 우리나라는 삼면이 바다로 둘러싸인 반도국이다. ( )

3 국토 통일이 필요한 이유는 민족의 동질성을 회복할 수 있기 때문이다. ( )

4 통일 한국은 육로를 통한 교역이 감소할 것이다. ( )

5 통일 한국은 경제가 쇠퇴해 국민들의 삶의 질이 낮아질 것이다. ( )

답 1 ○ 2 ○ 3 ○ 4 × 5 ×

핵심 선택지 다시보기의 정답을 맞힌 개수만큼 아래 표에 색칠해 보자. 많이 틀린 단원은 되돌아가 복습해 보자.

01 우리나라의 영역과 독도 270쪽

02 우리나라 여러 지역의 경쟁력 278쪽

03 국토 통일과 통일 한국의 미래 282쪽

01 우리나라의 영역과 독도

01 그림의 A~D에서 영역에 해당하는 것만을 있는 대로 고른 것은?

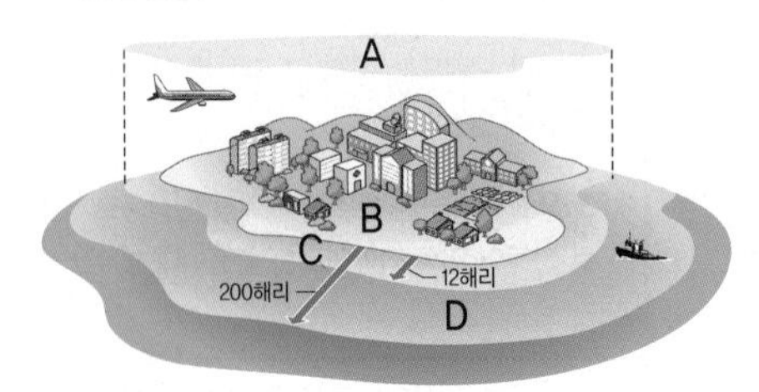

① A, B ② C, D ③ A, B, C
④ B, C, D ⑤ A, B, C, D

02 ㉠, ㉡에 대한 설명으로 옳지 <u>않은</u> 것은?

> (㉠)은/는 국제법상 한 국가가 다른 국가의 간섭을 받지 않고 지배할 수 있는 공간이다. (㉡)은/는 한 국가에 속한 육지의 범위를 말한다.

① ㉠은 영토, 영해, 영공으로 구성된다.
② ㉠은 한 국가의 주권이 미치는 범위이다.
③ ㉡은 국토 면적과 일치한다.
④ ㉡은 영해와 영공의 설정 기준이 된다.
⑤ ㉡은 최근 항공 교통의 발달로 중요성이 커지고 있다.

03 (가)~(다)는 우리나라 각 해안의 영해 설정 방법을 나타낸 것이다. 이에 대한 설명으로 옳은 것은?

(가)

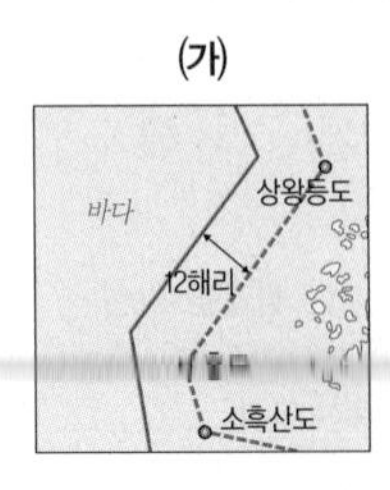

(나)

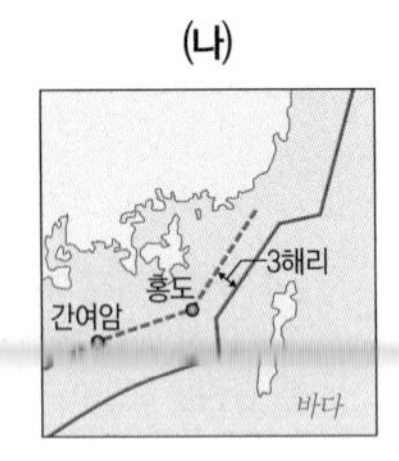

(다)

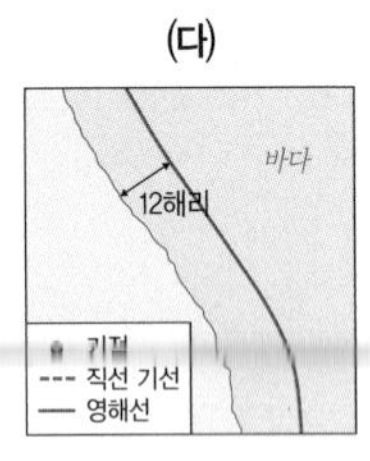

① (가)는 통상 기선을 영해 기선으로 삼는다.
② (나)는 최저 조위선을 영해 기선으로 삼는다.
③ (다)의 기선은 해수면이 가장 높을 때의 해안선이다.
④ (가), (나)는 해안선이 복잡하고 섬이 많은 지역이다.
⑤ (가)~(다)는 모두 같은 방법으로 영해 기선을 설정한다.

04 밑줄 친 ㉠~㉤ 중 옳지 <u>않은</u> 것은?

> 배타적 경제 수역(EEZ)은 ㉠ <u>기선에서부터 200해리에 이르는 수역 중 영해를 제외한 바다이다</u>. 이곳에서 ㉡ <u>연안국은 천연자원의 탐사·개발 등에 관한 경제적 권리를 보장받기 때문에</u> ㉢ <u>다른 국가는 선박 항해나 케이블 설치가 불가능하다</u>. ㉣ <u>우리나라는 중국과 지리적으로 가까워 배타적 경제 수역이 겹친다</u>. 이에 따라 ㉤ <u>우리나라는 중국과 어업 협정을 체결하여 겹치는 수역을 잠정 조치 수역으로 설정하였다</u>.

① ㉠ ② ㉡ ③ ㉢ ④ ㉣ ⑤ ㉤

05 ㉠에 들어갈 지역으로 옳은 것은?

> '(㉠)는 우리 땅' 가사
>
> 울릉도 동남쪽 뱃길 따라 팔칠케이(km)
> 외로운 섬 하나 새들의 고향
> 그 누가 아무리 자기네 땅이라 우겨도 (㉠)는 우리 땅

① 진도 ② 독도 ③ 마라도
④ 강화도 ⑤ 제주도

06 지도에 표시된 A 지역에 대한 옳은 설명을 <보기>에서 고른 것은?

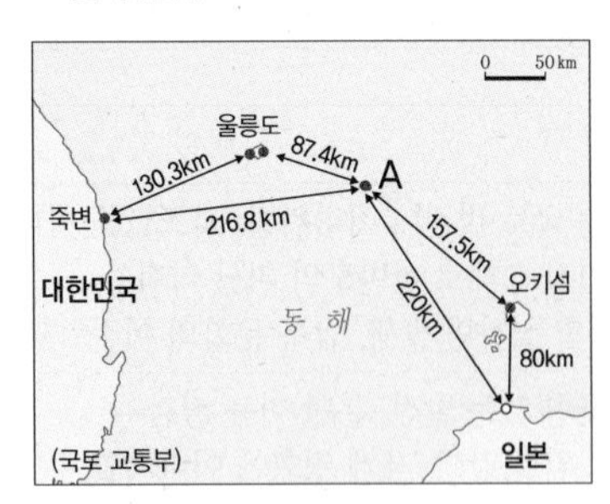

> 보기
>
> ㄱ. 울릉도가 형성된 이후에 만들어졌다.
> ㄴ. 대륙성 기후가 나타나며 여름에 강수량이 많다.
> ㄷ. 해저에서 용암이 분출한 후 굳어져 형성되었다.
> ㄹ. 날씨가 맑은 날에는 울릉도에서 육안으로 볼 수 있다.

① ㄱ, ㄴ ② ㄱ, ㄷ ③ ㄴ, ㄷ
④ ㄴ, ㄹ ⑤ ㄷ, ㄹ

07 지도가 나타내는 섬에 대한 설명으로 옳지 않은 것은?

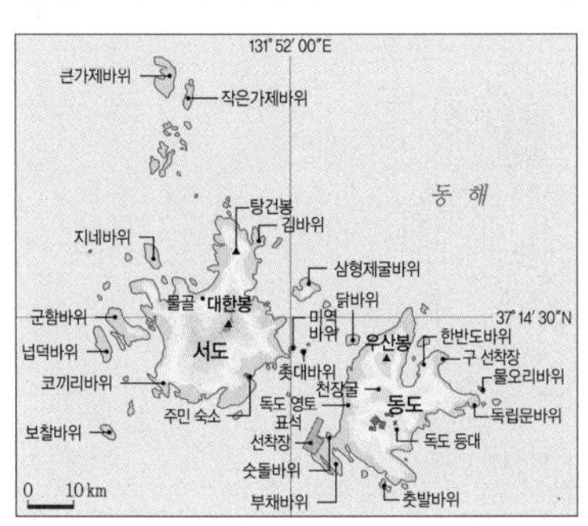

① 두 개의 큰 섬과 89개의 부속 도서로 이루어져 있다.
② 행정 구역상 주소는 경상북도 울릉군 울릉읍 독도리에 속한다.
③ 대부분의 해안이 완만한 경사를 이루어 거주 환경이 유리한 편이다.
④ 512년 신라가 우산국을 편입하면서부터 우리나라의 영토가 되었다.
⑤ 주변 해역은 한류와 난류가 교차하는 곳으로 수산 자원이 풍부하다.

08 다음 선생님의 질문에 옳은 답변을 한 학생만을 있는 대로 고른 것은?

① 가현, 다현　　② 다현, 라현
③ 가현, 나현, 다현　　④ 가현, 나현, 라현
⑤ 가현, 나현, 다현, 라현

09 그림은 독도 주변 바다의 해저 자원을 나타낸다. A, B에 대한 옳은 설명만을 〈보기〉에서 있는 대로 고른 것은?

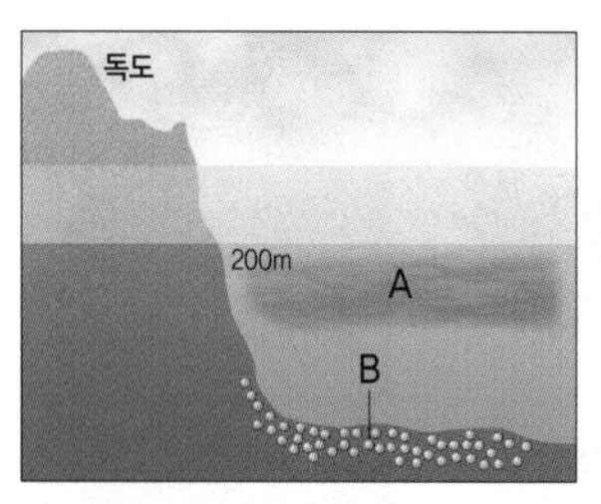

〈보기〉
ㄱ. A – 수심 200m 이하 지대의 바닷물이다.
ㄴ. A – 식수와 식품, 의약품 등으로 활용할 수 있다.
ㄷ. B – 석탄이 얼음 형태로 매장된 것이다.
ㄹ. B – '불타는 얼음'으로 불리며 미래 에너지 자원으로 주목받고 있다.

① ㄱ, ㄴ　　② ㄱ, ㄷ　　③ ㄷ, ㄹ
④ ㄱ, ㄴ, ㄹ　　⑤ ㄴ, ㄷ, ㄹ

10 독도의 환경 및 생태적 가치에 대한 설명으로 옳지 않은 것은?

① 해저 화산의 형성과 진화 과정을 살펴볼 수 있다.
② 섬초롱꽃, 해국 등 50~60여 종의 식물이 분포한다.
③ 토양이 풍부하고 비옥해 동식물이 서식하기 유리하다.
④ 남북으로 이동하는 철새들의 피난처 역할을 하고 있다.
⑤ 화산 활동으로 형성되어 독특한 지질 경관이 나타난다.

02 우리나라 여러 지역의 경쟁력

11 세계화 시대의 지역 경쟁력에 대한 옳은 설명을 〈보기〉에서 고른 것은?

〈보기〉
ㄱ. 지역성은 그 지역만의 가치와 경쟁력을 제공한다.
ㄴ. 교통·통신이 발달하면서 지역 간 경쟁이 완화되었다.
ㄷ. 각 지역은 다른 지역과 차별화할 수 있는 전략이 필요하게 되었다.
ㄹ. 지역 경쟁력을 높이기 위해서 지역의 특성은 세계화의 추세에 따라 획일화되어야 한다.

① ㄱ, ㄴ　　② ㄱ, ㄷ　　③ ㄴ, ㄷ
④ ㄴ, ㄹ　　⑤ ㄷ, ㄹ

12 (가), (나)에 대한 옳은 설명을 〈보기〉에서 고른 것은?

(가)

보령시의 캐릭터 '머돌이'와 '머순이'

(나)

보령 머드 축제 포스터

〈보기〉

ㄱ. (가)는 지역을 특별한 브랜드로 인식시킨다.
ㄴ. (가)는 지역의 이미지를 대표하는 랜드마크이다.
ㄷ. (나)가 나타내는 지역화 전략은 지리적 표시제이다.
ㄹ. (나)는 특정 장소를 매력적인 상품으로 만들어 관광객을 유치하는 역할을 한다.

① ㄱ, ㄴ ② ㄱ, ㄹ ③ ㄴ, ㄷ
④ ㄴ, ㄹ ⑤ ㄷ, ㄹ

13 지역 브랜드 개발 시 주의 사항에 대한 설명으로 옳지 않은 것은?

① 지역의 핵심적인 정체성을 브랜드로 만든다.
② 개발 과정에서 지역 주민들의 참여가 필수적이다.
③ 지역 브랜드를 개발한 후에는 장소 마케팅에 적극적으로 활용한다.
④ 다른 지역과 차별화할 수 있는 슬로건, 로고, 캐릭터 등을 개발한다.
⑤ 중앙 정부의 획일적인 개발 방식을 채택해야 효율적으로 진행할 수 있다.

14 다음에서 설명하는 지역화 전략은?

> 장소를 매력적인 상품으로 만들어 이를 판매하려는 활동을 말한다. 지역의 상징성을 이용한 축제 등의 문화 행사를 개최하거나 역사적 건물과 장소를 보존하기도 한다.

① 생태 도시 ② 슬로 시티 ③ 지역 브랜드
④ 장소 마케팅 ⑤ 지리적 표시제

15 지도와 관계 깊은 지역화 전략에 대한 설명으로 가장 적절한 것은?

① 지역의 이미지를 대표하는 랜드마크를 활용한다.
② 지역의 상품을 특별한 브랜드로 인식하도록 캐릭터로 만든 것이다.
③ 관광객과 투자자를 유치하여 지역 경제를 활성화시키는 역할을 한다.
④ 상품의 특성이 해당 지역에서 비롯한 경우 지역 생산품임을 증명하고 표시하는 제도이다.
⑤ 특정 장소가 가지고 있는 자연환경을 드러내어 장소를 매력적인 상품으로 만드는 활동이다.

16 사진과 가장 관계 깊은 지역화 전략에 대한 설명으로 옳지 않은 것은?

보성 녹차

순창 전통 고추장

① 소비자는 믿을 수 있는 제품을 살 수 있다.
② 생산자는 안정적인 생산 활동을 할 수 있다.
③ 다른 지역에서도 임의로 상표권을 사용할 수 있다.
④ 상품의 브랜드가 지역을 홍보하여 지역 경제 발전에 이바지할 수 있다.
⑤ 지리적 특성을 지닌 농산물과 가공품을 보호하여 품질을 향상시킬 수 있다.

03 국토 통일과 통일 한국의 미래

+ 창의·융합

17 지도를 통해 알 수 있는 우리나라의 위치 특성으로 옳은 것은?

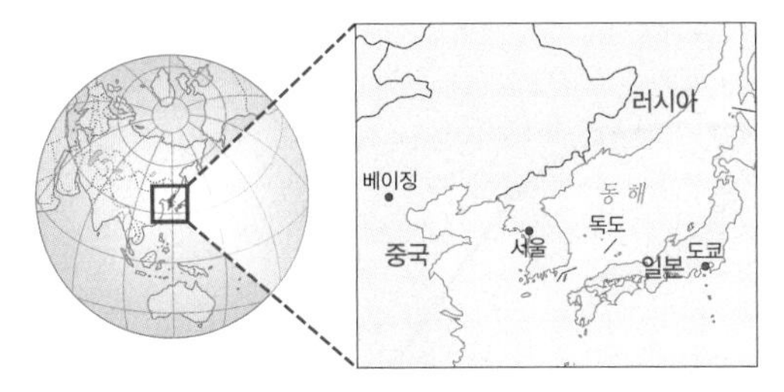

① 사면이 바다로 둘러싸인 반도국이다.
② 반도국이므로 해양으로의 진출에 불리하다.
③ 발전 잠재력이 대체로 낮은 국가들 사이에 위치한다.
④ 유라시아 대륙의 동쪽 끝에 위치하여 외부와 교류하기 어렵다.
⑤ 동아시아의 중심에 위치하여 인적·물적·문화적 교류에 유리하다.

18 남북 분단이 지속됨에 따라 발생하는 문제로 보기 어려운 것은?

① 과도한 국방비가 지출된다.
② 민족의 동질성이 약화된다.
③ 남북 문화의 이질화가 심화된다.
④ 이산가족과 실향민의 아픔이 심화된다.
⑤ 전쟁에 대한 불안감으로 한반도의 국제 위상이 강화된다.

19 아시안 하이웨이에 대한 설명으로 옳지 않은 것은?

① 육로를 이용하여 유럽까지 연결된다
② 유라시아 대륙을 남북으로 이어준다.
③ 우리나라와 대륙 간의 물자 교류에 도움이 된다.
④ 물류 운송 비용과 운송 기간을 줄이는 데 도움을 준다.
⑤ 국토 통일이 이루어지면 우리나라에서 이용할 수 있다.

20 다음은 통일 이후 한반도의 모습을 나타낸 것이다. ㉠, ㉡에 들어갈 내용을 옳게 연결한 것은?

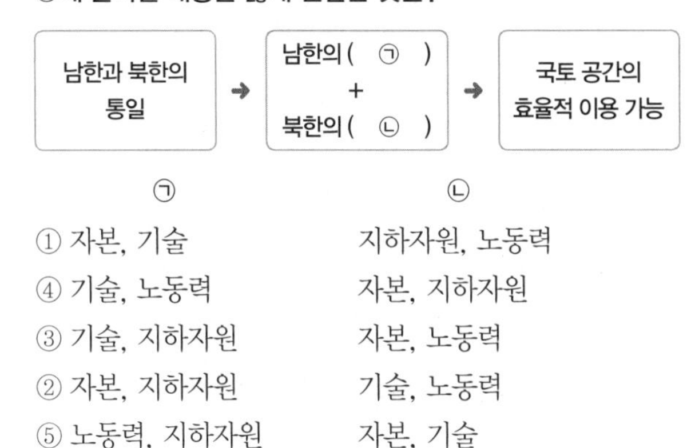

	㉠	㉡
①	자본, 기술	지하자원, 노동력
④	기술, 노동력	자본, 지하자원
③	기술, 지하자원	자본, 노동력
②	자본, 지하자원	기술, 노동력
⑤	노동력, 지하자원	자본, 기술

21 선생님의 질문에 대한 학생의 대답으로 적절하지 않은 것은?

> • 선생님: 우리 국토가 통일되면 우리 생활에서 어떤 모습이 달라질까요?
> • 학생: ______________________

① 분단 시대의 이념과 갈등에 따른 긴장감이 완화됩니다.
② 생활 공간이 확대되면서 새로운 직업과 일자리가 늘어납니다.
③ 삶의 질이 떨어져 경제와 복지 분야에 많은 투자를 해야 합니다.
④ 생태·환경·문화가 어우러진 매력적인 국토 공간을 만들 수 있습니다.
⑤ 자유 민주주의적 이념이 확대되어 개인의 다양한 생각이 더욱 존중받습니다.

더불어 사는 세계

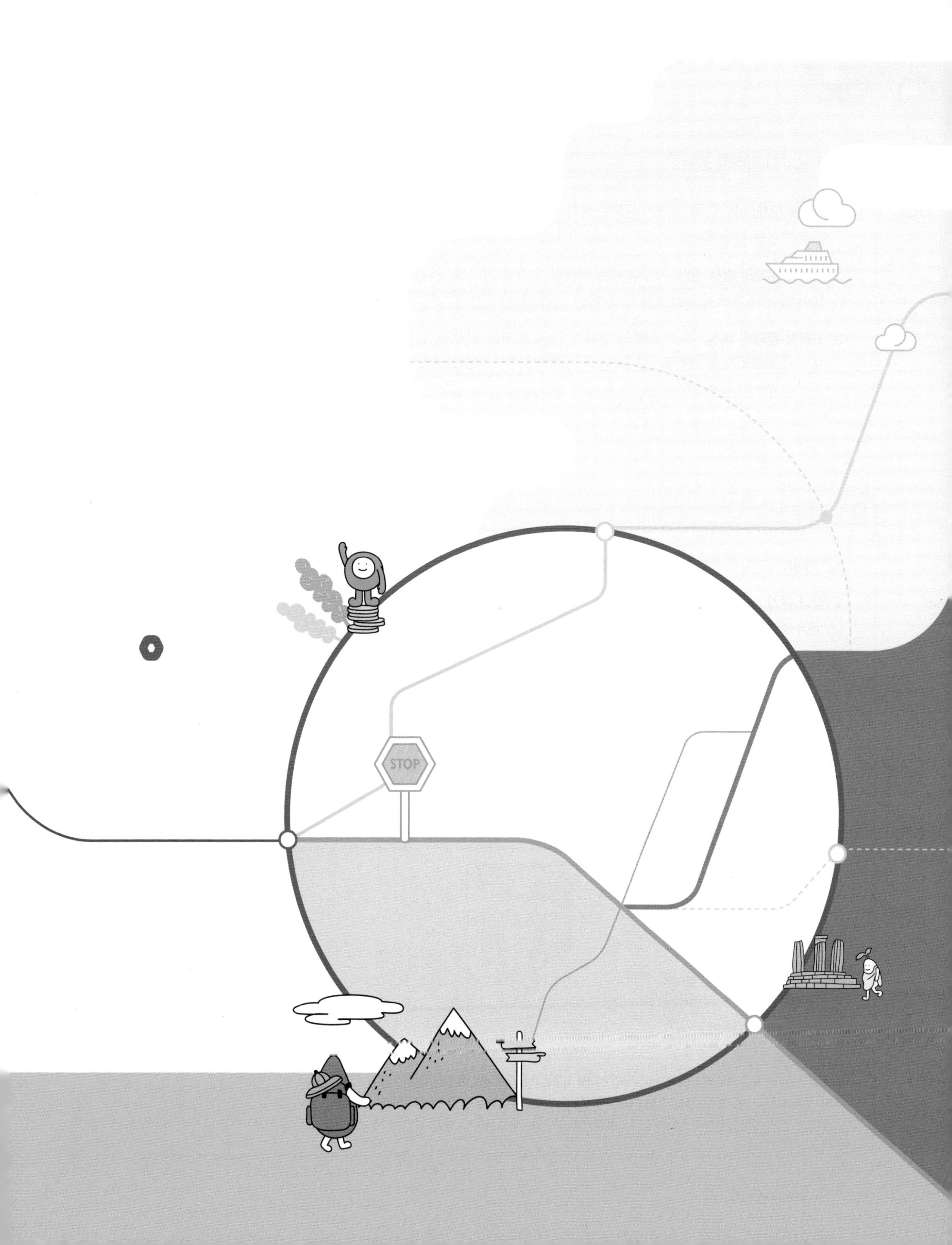
STOP

01 지구상의 지리적 문제

A 지구상의 지리적 문제

1. 지리적 문제: 사람들이 살아가는 공간에서 발생하는 문제 예 기아 문제, 생물 다양성 감소, +영역 분쟁 등

2. 지리적 문제의 발생 원인: 지구촌에는 다양한 모습과 가치관, 생활 양식을 가진 사람들이 함께 어우러져 살아가고 있기 때문

└ 예 지역 간 경제 격차의 심화, 서로 다른 종교 또는 민족 간의 대립, 영토 및 자원을 둘러싼 국가 간의 대립, 환경 오염 물질의 장거리 이동 등

3. 지리적 문제의 특징: 특정 지역의 문제가 다른 지역의 문제와 연관되어 있고, 여러 요인이 복합적으로 결합하여 나타남

└ 세계화로 지역 간 상호 작용이 활발해지면서 지리적 문제가 특정 지역의 문제가 아닌 공통의 문제가 되는 경우가 많아졌어.

+ 영역 분쟁
영토, 영해, 영공의 주권을 두고 벌어지는 국가 사이의 분쟁

B 기아 문제

1. +기아: 인간이 생존하는 데 필요한 물과 영양소를 충분히 섭취하지 못하는 상태

2. 발생 원인

(1) 자연적 요인: 자연재해 및 농작물 병충해 등으로 식량 생산 감소

└ 예 가뭄, 홍수, 폭염, 이상 한파, 태풍 등

(2) 인위적 요인

① 급격한 인구 증가: 개발 도상국의 인구 급증에 따른 곡물 수요 증가, 식량 부족

② 식량 생산량의 감소: 잦은 분쟁으로 식량 생산 및 공급 차질 발생

③ 식량 분배의 불균형: +국제 곡물 가격의 상승, 전 세계적으로 불공평한 식량 분배

④ 식량 작물의 용도 변화: 옥수수, 콩 등의 식량 작물이 가축 사료, 바이오 에너지 원료로 사용되면서 식량 작물의 가격 상승

└ 미국에서 생산하는 옥수수는 식량 자원으로 이용하는 비중보다 가축 사료용 및 바이오 에너지 생산에 이용하는 비중이 높아.

자료로 이해하기 세계 기아 현황

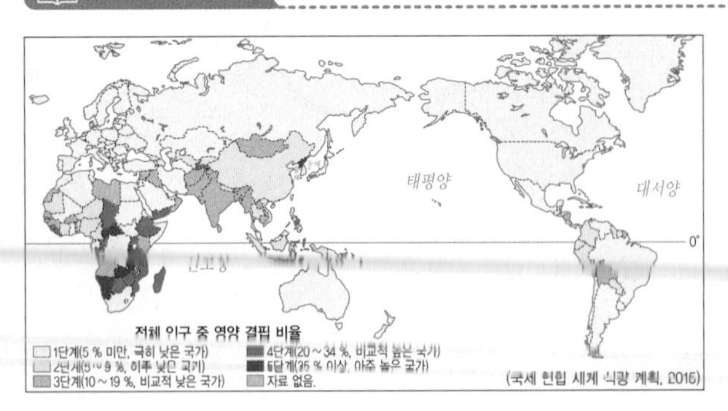

(국제 연합 세계 식량 계획, 2016)

오늘날 전 세계 40여 개국 8억 명 이상의 인구가 기아로 고통받고 있으며, 4명 중 1명 이상의 어린이가 영양 결핍에 따른 성장 부진을 겪고 있다. 사하라 이남 아프리카와 남부 아시아 지역은 기아 문제가 심각하고, 남아메리카 일부 지역에서도 주민들이 영양 부족 상태에 있다. 이들 지역은 인구 증가율이 높아 그 상황이 더욱 악화되고 있다.

+ 기아의 영향
단기적으로 면역력을 낮추고 전염병을 유행시키며, 장기적으로 신체적·정신적 성장을 방해하여 노동 생산성을 감소시킨다. 특히 성장기의 어린이에게 큰 피해를 준다.

+ 국제 곡물 가격의 상승
세계 곡물 교역량의 대부분을 담당하는 국제 곡물 대기업이 이윤을 극대화하기 위해 곡물의 유통량을 조절하는데, 이 과정에서 곡물 가격이 상승하여 곡물을 충분히 수입하기 어려운 저개발 국가에서는 식량 부족 문제를 겪기도 한다.

- 지구상의 지리적 문제
- 기아 문제
- 생물 다양성의 감소
- 영토와 영해를 둘러싼 분쟁

1 사람이 살아가는 공간에서 발생하는 문제를 (　　　　　)라고 한다.

2 다음 설명이 맞으면 ○표, 틀리면 ×표를 하시오.

(1) 지리적 문제는 여러 요인이 결합하여 나타난다. (　　)

(2) 기아, 생물 다양성 감소, 영역 분쟁 등은 대표적인 지리적 문제이다. (　　)

• 지구상의 지리적 문제

종류	기아, 생물 다양성 감소, 영역 분쟁 등
특징	여러 요인이 결합하여 나타남

1 ㉠에 들어갈 용어를 쓰시오.

> (㉠　　　　)는 인간이 생존하는 데 필요한 물과 영양소를 충분히 섭취하지 못하는 상태로, 특히 성장기의 어린이에게 큰 피해를 준다.

2 다음 괄호 안의 내용 중 알맞은 말에 ○표를 하시오.

(1) 영양 결핍 인구 비율이 가장 높은 대륙은 (유럽, 아프리카)이며, 남부 아시아도 영양 결핍 인구 비율이 상대적으로 높다.

(2) 국제 곡물 대기업이 이윤을 극대화하기 위해 곡물의 유통량을 조절하면 곡물 가격이 (상승, 하락)하여 저개발 국가에서는 식량 부족 문제를 겪기도 한다.

3 다음 설명이 맞으면 ○표, 틀리면 ×표를 하시오.

(1) 홍수, 가뭄, 폭염 등의 자연재해가 발생하면 식량 생산량이 줄어들어 기아 문제가 발생할 수 있다. (　　)

(2) 옥수수, 콩 등의 식량 작물이 가축 사료, 바이오 에너지 원료로 사용되면서 식량 작물의 가격이 하락하고 있다. (　　)

• 기아 문제

의미	인간이 생존하는 데 필요한 물과 영양소를 충분히 섭취하지 못하는 상태
발생 원인	• 급격한 인구 증가 • 식량 생산량의 감소 • 식량 분배의 불균형 • 식량 작물의 용도 변화

C 생물 다양성의 감소

1. **생물 다양성:** 생물이 가진 종의 다양성뿐만 아니라 이들이 지닌 유전자의 다양성, 그리고 이들이 사는 생태계의 다양성까지 모두 포괄하는 말

2. **발생 원인:** 기후 변화, 열대 우림의 파괴(적도 주변의 열대 우림 지역에는 전 세계 생물 종의 절반 이상이 서식하고 있어.), 농경지의 확대, 동식물의 서식지 파괴, 무분별한 남획, 환경 오염, 외래종의 침입 등

3. **영향:** 인간이 이용 가능한 생물 자원의 수 감소, 먹이 사슬의 단절로 생태계 파괴, +자정 능력의 감소 등(매년 2만 5천여 종 이상의 동식물이 지구상에서 사라지고 있어.)

4. **생물 다양성 유지를 위한 노력:** 국제 연합에서 +생물 다양성 협약 채택

+ 자정 능력
미생물이 오염 물질을 분해하여 원래의 깨끗한 상태로 되돌리는 능력

+ 생물 다양성 협약
1992년 국제 연합 환경 계획(UNEP) 회의에서 생물 다양성 보전과 생물 자원의 지속 가능한 이용, 이를 이용하여 얻는 이익을 공정하고 공평하게 분배할 것을 목적으로 채택된 협약

D 영역을 둘러싼 분쟁

1. **영역 분쟁의 원인:** 역사적 배경, 민족과 종교의 차이, 자원을 둘러싼 이권 다툼 등 여러 가지 원인이 결합하여 발생하기도 함

2. **갈등 지역**

꼭 영토를 둘러싸고 유대교와 이슬람교 간의 갈등이 극심해.

(1) 영토를 둘러싼 갈등 지역: +국경선 설정이 모호한 지역, 무력 점령 지역 등

팔레스타인 지역	이슬람교를 믿는 지역이었으나 제2차 세계 대전 이후 유대교를 믿는 이스라엘이 건국하면서 기존에 살고 있던 팔레스타인 사람들을 내보냄
+카슈미르 지역	이슬람교도가 많은 카슈미르 지역이 인도에 속하게 되면서 이슬람교를 믿는 파키스탄과 힌두교를 믿는 인도 간의 갈등이 발생함

(2) 바다를 둘러싼 갈등 지역: 영해와 배타적 경제 수역을 둘러싼 갈등

난사 군도 (스프래틀리)	인도양과 태평양을 잇는 요충지, 주변 바다에 석유와 천연가스가 매장되어 있어 중국, 필리핀, 말레이시아, 베트남, 타이완, 브루나이 등이 영유권을 주장함
센카쿠 열도 (댜오위다오)	섬 주변에 석유, 천연가스 등이 매장되어 있음, 1895년 청일 전쟁 이후 일본 영토로 편입되었으나, 중국과 타이완이 영유권을 주장함
쿠릴 열도 (지시마)	샌프란시스코 강화 조약에 의해 일본은 사할린 지역과 쿠릴 열도를 구소련에 넘겨주었지만, 그 중 최남단 4개 섬은 일본으로 반환되어야 한다고 주장함

자료로 이해하기 바다를 둘러싼 아시아의 갈등 지역

▲ 난사(스프래틀리) 군도

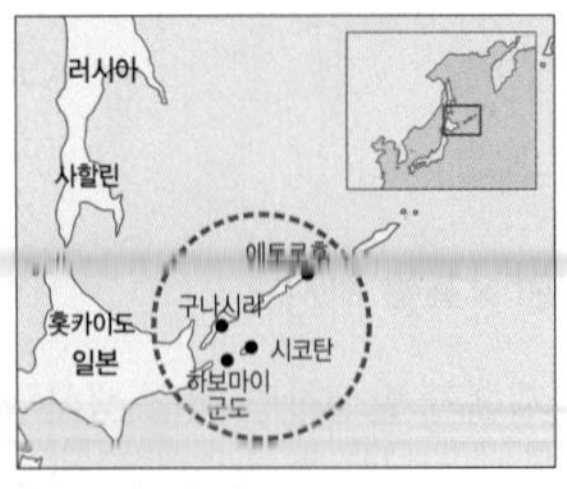

▲ 센카쿠 열도(댜오위다오)

▲ 쿠릴(지시마) 열도

오늘날 육상 자원이 고갈되면서 해상 교통의 요지와 군사적 요충지, 풍부한 해양 자원을 확보하기 위한 영해와 배타적 경제 수역을 둘러싼 갈등이 증가하고 있다.

+ 아프리카의 국경선과 부족 경계선

아프리카는 과거 유럽 강대국의 이해관계에 따라 국경선이 설정되었는데 독립 이후 국경과 부족 경계가 달라서 영역 갈등과 내전, 그리고 난민 발생이 끊이지 않고 있다.

+ 카슈미르 지역

1947년 인도가 영국으로부터 독립할 때 힌두교도가 많은 지역은 인도로, 이슬람교도가 많은 지역은 파키스탄으로 분리되었다. 카슈미르 지역은 파키스탄으로 귀속될 예정이었으나, 이곳을 통치하던 힌두교 지도자가 인도에 통치권을 넘기면서 이들 간 갈등이 시작되었다.

1 생물이 가진 종의 다양성뿐만 아니라 이들이 지닌 유전자의 다양성, 그리고 이들이 사는 생태계의 다양성까지 모두 포괄하는 말을 (   )이라고 한다.

2 생물 다양성이 감소하는 원인만을 〈보기〉에서 있는 대로 골라 기호를 쓰시오.

보기

ㄱ. 기후 변화   ㄴ. 환경 오염   ㄷ. 외래종의 침입   ㄹ. 농경지의 축소

• 생물 다양성의 감소

발생 원인	기후 변화, 열대 우림의 파괴, 농경지의 확대, 동식물의 서식지 파괴 등
영향	인간이 이용 가능한 생물 자원의 수 감소, 먹이 사슬의 단절로 생태계 파괴 등

1 다음 설명이 맞으면 ○표, 틀리면 ×표를 하시오.

(1) 카슈미르 지역의 주민들은 힌두교를 믿는 파키스탄의 지배를 받는 것에 반발하고 있다. (   )

(2) 영역을 둘러싼 갈등이 발생하는 원인은 다양하지만 대체로 자원, 민족, 종교 등과 관련이 있다. (   )

(3) 오늘날 풍부한 해양 자원을 확보하기 위한 영해와 배타적 경제 수역을 둘러싼 갈등이 증가하고 있다. (   )

2 영역 갈등 지역과 갈등 국가를 옳게 연결하시오.

(1) 쿠릴(지시마) 열도 •   • ㉠ 일본, 중국

(2) 센카쿠 열도(댜오위다오) •   • ㉡ 일본, 러시아

3 지도는 아시아의 주요 영역 갈등 지역을 나타낸 것이다. ①~③에 들어갈 지역을 각각 쓰시오.

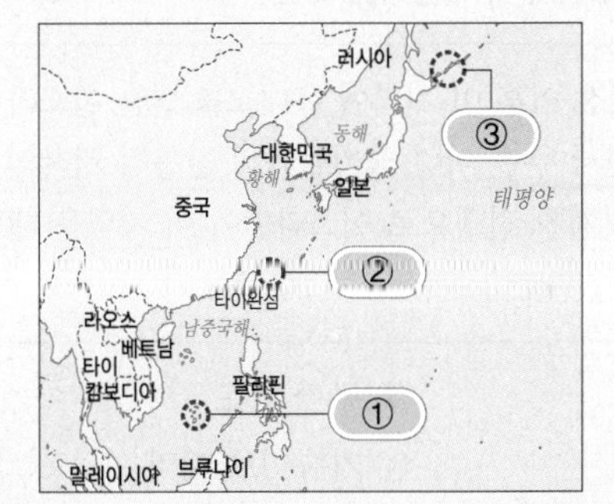

① – (   )

② – (   )

③ – (   )

• 영역을 둘러싼 분쟁

역사적 배경, 민족과 종교의 차이, 자원을 둘러싼 이권 다툼 등으로 갈등 발생

영토를 둘러싼 갈등 지역	바다를 둘러싼 갈등 지역
• 팔레스타인 지역 • 카슈미르 지역	• 난사 군도 • 센카쿠 열도 • 쿠릴 열도

01 밑줄 친 ㉠~㉤ 중 옳지 않은 것은?

> 지구상에는 ㉠ 다양한 가치관, 생활 양식을 가진 사람들이 함께 살아가기 때문에 ㉡ 다양한 지리적 문제가 발생하고 있다. 대표적인 지리적 문제로는 ㉢ 기아 문제, 생물 다양성 감소, 영역 분쟁 등이 있다. ㉣ 지리적 문제는 어느 한 지역에서만 발생하고, ㉤ 여러 요인이 복합적으로 결합되어 나타난다.

① ㉠ ② ㉡ ③ ㉢ ④ ㉣ ⑤ ㉤

02 기아 문제의 발생 원인으로 옳지 않은 것은?

① 국제 곡물 가격의 상승
② 전 세계적으로 불공평한 식량 공급
③ 인구 급증에 따른 식량 수요의 증가
④ 기후 변화에 따른 식량 생산량의 증가
⑤ 잦은 분쟁으로 식량 생산 및 공급 차질 발생

시험에 잘 나와!

03 지도와 관계 깊은 지리적 문제에 대한 설명으로 옳지 않은 것은?

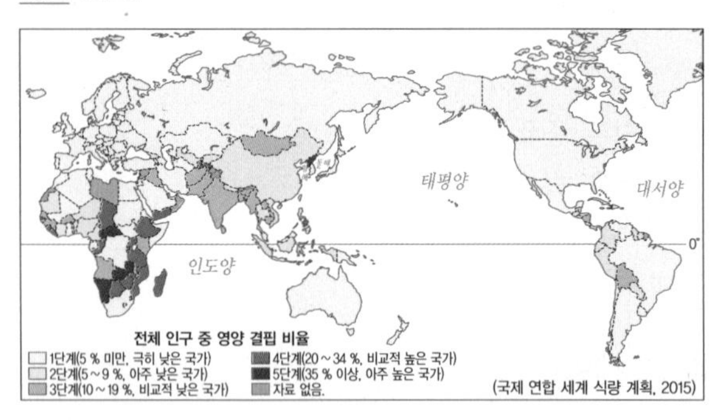

(국제 연합 세계 식량 계획, 2015)

① 남아메리카 지역에서 가장 심각하게 나타난다.
② 잦은 분쟁으로 식량 생산과 공급이 원활하지 않을 때 발생한다.
③ 자연재해, 농작물 병충해 등으로 인한 식량 생산량의 감소가 원인이다.
④ 특히 성장하는 어린이들에게 피해를 주고 결국에는 사망에 이르게 한다.
⑤ 인간이 생존하는 데 필요한 물과 영양소를 충분히 섭취하지 못하는 상태이다.

04 ㉠, ㉡에 들어갈 내용을 옳게 연결한 것은?

	㉠	㉡
①	적도	사막
②	적도	열대 우림
③	중위도	냉대림
④	극지방	사막
⑤	극지방	열대 우림

05 영역 갈등에 대한 설명으로 옳지 않은 것은?

① 영역을 둘러싼 갈등은 육지에서만 나타난다.
② 영역 갈등은 여러 가지 원인이 결합하여 발생한다.
③ 오늘날 세계 곳곳에서 영역을 둘러싼 갈등이 발생한다.
④ 최근 육상 자원의 고갈로 바다를 둘러싼 갈등이 증가하고 있다.
⑤ 국경선 설정이 모호하거나 한 국가가 다른 국가의 영역을 무력으로 점령한 곳에서 발생한다.

06 밑줄 친 '이 지역'에 해당하는 곳은?

> 제2차 세계 대전 이후 이 지역에 유대교를 믿는 이스라엘이 건국하면서 주변 아랍 국가들과의 갈등이 시작되었다. 네 번에 걸친 전쟁으로 이스라엘이 이 지역을 대부분을 차지하였다.

① 난사 군도 ② 쿠릴 열도
③ 센카쿠 열도 ④ 카슈미르 지역
⑤ 팔레스타인 지역

정답 친해 83쪽

07 지도는 아프리카의 국경선과 부족 경계선을 나타낸 것이다. 이에 대한 옳은 설명을 〈보기〉에서 고른 것은?

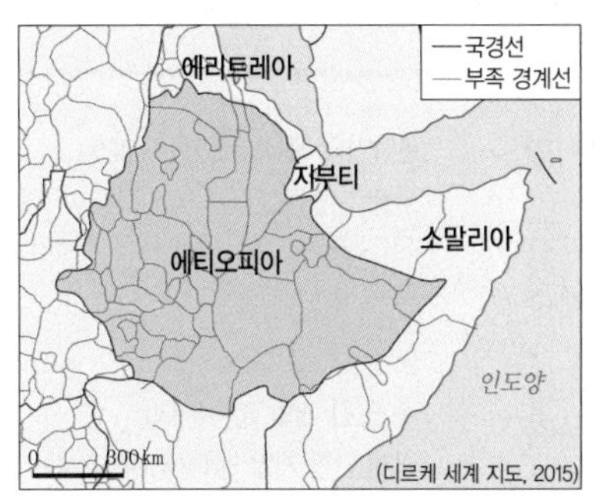

(디르케 세계 지도, 2015)

〈보기〉

ㄱ. 다른 대륙에 비해 직선으로 된 국경선이 적다.
ㄴ. 국경선이 정해지면서 부족 간의 이동이 그전보다 활발해졌다.
ㄷ. 국경선의 형태는 과거 유럽 강대국의 이해관계가 반영된 것이다.
ㄹ. 국경선과 부족 경계선이 일치하지 않아 영역 갈등이 발생하고 있다.

① ㄱ, ㄴ ② ㄱ, ㄷ ③ ㄴ, ㄷ
④ ㄴ, ㄹ ⑤ ㄷ, ㄹ

시험에 잘 나와!

08 A, B 지역에 대한 설명으로 옳지 않은 것은?

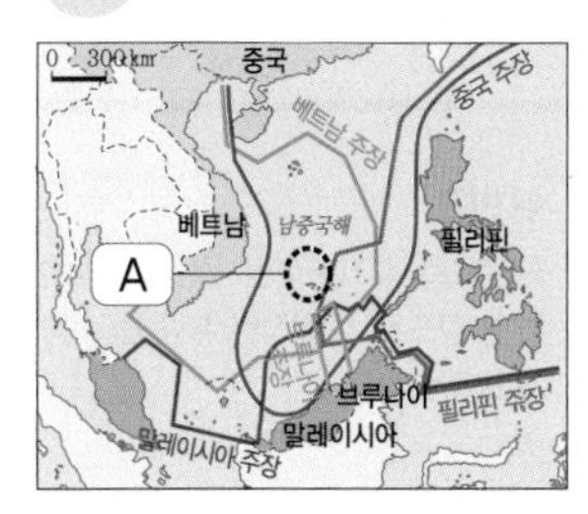

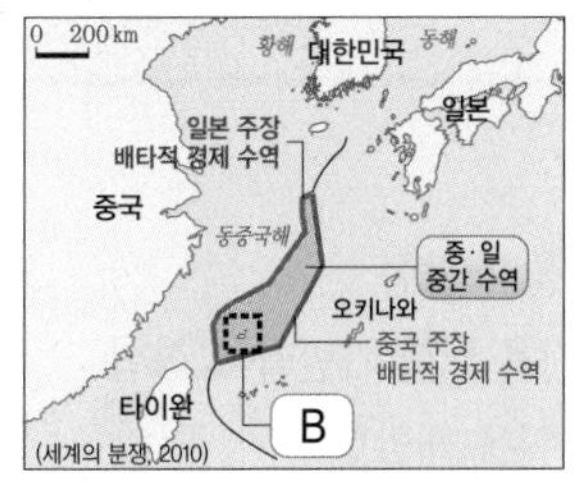

(세계의 분쟁, 2010)

① A는 인도양과 태평양을 연결하는 교통상의 요지이다.
② B 지역은 오늘날 일본이 실효 지배하고 있다.
③ A는 B보다 영유권을 주장하는 국가의 수가 적다.
④ A, B 지역을 둘러싼 분쟁 당사국에 중국이 모두 포함되어 있다.
⑤ A, B는 인근의 석유, 천연가스 등의 자원을 확보하기 위해 주변국들이 갈등을 겪고 있다.

09 ㉠, ㉡에 들어갈 내용을 옳게 연결한 것은?

> 샌프란시스코 강화 조약에 의해 (㉠)은/는 사할린과 (㉡) 열도를 구소련에 넘겨주었는데, 그중 하보마이 군도에서 에토로후섬까지는 반환 영토에 포함되지 않는다고 주장하고 있어 러시아와 갈등을 겪고 있다.

	㉠	㉡		㉠	㉡
①	일본	쿠릴	②	일본	센카쿠
③	중국	쿠릴	④	중국	센카쿠
⑤	인도	센카쿠			

서술형 문제

서술형 감잡기

01 지도에 표시된 지역의 영역 갈등 원인을 서술하시오.

(한국 국방 연구원, 2016)

➜ 이슬람교도가 많은 (①) 지역이 인도에 속하게 되면서 이슬람교를 믿는 (②)과 힌두교를 믿는 (③) 간의 갈등이 발생하였다.

실전! 서술형 도전하기

02 다음에서 설명하는 지리적 문제를 쓰고, 그 발생 원인을 두 가지 서술하시오.

> 오늘날 8억 명 이상의 인구가 굶주리며, 4명 중 1명 이상의 어린이가 영양 결핍에 따른 성장 부진을 겪는다.

저개발 지역의 발전을 위한 노력 ~ 지역 간 불평등 완화를 위한 노력

A 발전 수준의 지역 차

1. 지역별 발전 수준의 차이 발생: 자연환경, 자원의 보유량, 기술, 자본, 토지, 인구 및 학력 수준의 차이 등 경제 환경에 영향을 주는 요소가 지역마다 다르기 때문

2. 지역별 발전 수준을 보여 주는 다양한 지표: ⁺1인당 국내 총생산(GDP), ⁺인간 개발 지수(HDI), ⁺행복 지수, 교육의 기회, 보건 및 의료 수준, 남녀 간의 성평등 지표 등

(1) 선진국에서 높게 나타나는 지표: 1인당 국내 총생산(GDP), 인간 개발 지수, 성인 문자 해독률, 기대 수명, 행복 지수 등

(2) 개발 도상국에서 높게 나타나는 지표: 영아 사망률, 교사 1인당 학생 수 등

자료로 이해하기 다양한 지표로 지역별 발전 수준 비교하기

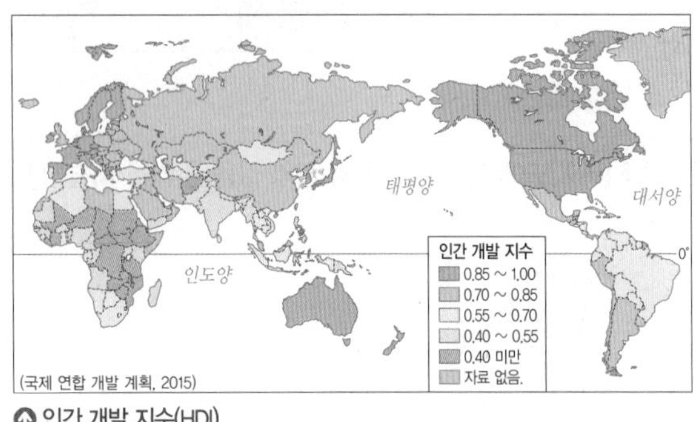

인간 개발 지수(HDI)

1인당 국내 총생산의 변화

인간 개발 지수가 높은 선진국은 주로 북반구에 있고, 인간 개발 지수가 낮은 개발 도상국은 주로 적도 주변 및 남반구에 있어, 이들 간의 경제적 격차로 발생하는 다양한 갈등을 '남북 문제'라고 한다. 오늘날 세계화의 확산으로 선진국과 개발 도상국 간 발전 수준의 격차는 확대되고 있다.

+ 1인당 국내 총생산(GDP)
일정 기간 동안 한 국가 안에서 새롭게 생산된 최종 생산물의 시장 가치의 합인 국내 총생산을 총인구로 나눈 값

+ 인간 개발 지수(HDI)
국제 연합 개발 계획(UNDP)에서는 매년 각국의 1인당 국민 총소득, 기대 수명, 교육 수준 등을 기준으로 하여 국가별로 국민의 삶의 질을 평가하는 인간 개발 지수를 발표한다.

+ 행복 지수
국내 총생산, 기대 수명, 사회적 자본, 부패 지수, 관용 등 총 다섯 개의 지표를 종합하여 평가한다.

B 저개발 지역의 빈곤 문제 해결을 위한 노력

1. ⁺빈곤 문제 해결을 위한 저개발 국가들의 노력

(1) 식량 생산량 증대: 관개 시설을 확충하고 수확량이 많은 품종을 개발함

(2) 사회 기반 시설 투자: 도로, 항만, 전력망 구축을 통해 경제 발전을 위한 기반을 강화함

(3) 공공 교육 서비스 강화: 여성과 아동의 문맹률을 낮춰 인적 자원을 개발함

(4) 국외의 자본과 기술 투자 유치: 국내 산업의 생산성을 향상함

2. 빈곤 문제 해결을 위한 국제적인 지원과 협력

(1) 자체적인 노력의 한계: 저개발 지역은 정치적으로 불안정하고 인구 부양력과 기술 수준이 낮음

(2) 국제 연합과 국제 비정부 기구들의 노력: 지속 가능한 목표 설정, 빈곤 문제 해결을 위한 지원 확대

+ 빈곤
인간으로서 기본적인 욕구를 해소할 수 없을 정도로 물질적인 부족함이 장기간 지속되는 상태

- 발전 수준의 지역 차
- 저개발 지역의 빈곤 해결을 위한 노력
- 지역 간 불평등 완화를 위한 노력

핵심 콕콕

- **발전 수준의 지역 차**

자연환경, 자원의 보유량, 기술, 자본 등 경제 환경에 영향을 주는 요소가 지역마다 다르기 때문에 발생

↓

세계화의 확산으로 지역별 발전 수준의 격차가 확대되고 있음

1 **다음 설명이 맞으면 ○표, 틀리면 ×표를 하시오.**

(1) 지역의 발전 수준을 보여 주는 지표로 교육의 기회, 보건 및 의료 수준 등이 있다. (　　)

(2) 서부 유럽과 앵글로아메리카에는 소득 및 생활 수준이 높은 국가들이 많이 분포한다. (　　)

(3) 오늘날 세계화의 확산으로 선진국과 개발 도상국 간 발전 수준의 격차는 더욱 줄어들고 있다. (　　)

2 **㉠, ㉡에 들어갈 용어를 각각 쓰시오.**

> (㉠　　　)는 국제 연합 개발 계획(UNDP)에서 매년 각국의 1인당 국민 총소득, 기대 수명, 교육 수준 등을 기준으로 하여 국가별로 국민의 (㉡　　　)을 평가한 것이다.

3 **선진국은 북반구에 있고, 개발 도상국은 남반구에 있어 이들 간의 경제적 격차로 인해 발생하는 다양한 갈등을 (　　　　)라고 한다.**

핵심 콕콕

- **빈곤 문제 해결을 위한 노력**

식량 생산량 증대, 사회 기반 시설 투자, 공공 교육 서비스 강화 등 노력이 필요함

↓

불안정한 정치 상황 등의 한계가 나타남

↓

국제 협력과 지원이 필요함

1 **인간으로서 기본적인 욕구를 해소할 수 없을 정도로 물질적인 부족함이 오랜 시간 지속되는 상태를 (　　　　)이라고 한다.**

2 **다음 설명이 맞으면 ○표, 틀리면 ×표를 하시오.**

(1) 저개발 지역은 선진국의 원조에 의존해 빈곤 문제를 해결해야 한다. (　　)

(2) 저개발 지역은 빈곤 문제 해결을 위해 관개 시설 확충 등을 추진하고 있다. (　　)

C 지역 간 불평등 완화를 위한 국제기구의 노력

1. 국제 사회 노력의 필요성: 불평등의 원인과 영향이 다양한 지역에서 긴밀히 연관되어 있음 → 한 국가의 노력만으로는 지역 간 불평등 문제를 해결하기 어려움

2. 정부 간 국제기구

(1) 국제 연합(UN): 국제 평화와 안전의 유지, 인권 및 자유 확보를 위해 노력하는 대표적인 국제기구

국제 연합 평화 유지군(PKF)	분쟁 지역에 파견되어 질서 유지 및 안전 보장 활동
국제 연합 난민 기구(UNHCR)	난민 보호 및 난민 문제 해결을 위한 활동
세계 식량 계획(WFP)	세계의 기아와 빈곤으로 고통받는 지역에 식량 지원 활동
국제 연합 아동 기금(UNICEF)	아동 구호와 아동 복지 향상을 위한 활동
세계 보건 기구(WHO)	세계의 질병 및 보건 위생 문제 해결을 위한 활동

(2) 기타: 국제 부흥 개발 은행(IBRD), 경제 협력 개발 기구(OECD) 등

비교 비정부 기구와 민간 재단이 개발 도상국을 지원하는 것을 민간 개발 원조라고 해.

3. +공적 개발 원조(ODA): 선진국의 정부 또는 국제기구가 개발 도상국의 경제 발전과 복지 증진을 목적으로 재정 및 기술, 물자 등을 지원하는 제도

우리나라는 과거에 개발 원조 위원회에서 원조를 받았지만, 2009년 개발 원조 위원회에 가입한 이후 개발 도상국을 지원하고 있어.

4. 국제 원조의 성과와 한계

(1) 성과: 저개발 국가의 빈곤 감소와 삶의 질 향상

(2) 한계: 장기적인 지원을 받기 어렵고, 원조 대상 지역의 자발적인 성장 및 발전을 저해함, 일부 국가에서 원조를 부패한 정부의 운영 자금으로 사용하기도 함

+ 공적 개발 원조(ODA)

경제 협력 개발 기구(OECD) 산하의 개발 원조 위원회(DAC)에서 공적 개발 원조를 담당하고 있다. 원조를 주는 국가는 미국과 독일 등 선진국이 주를 이루며, 아프리카와 남아시아의 여러 국가가 원조를 받고 있다.

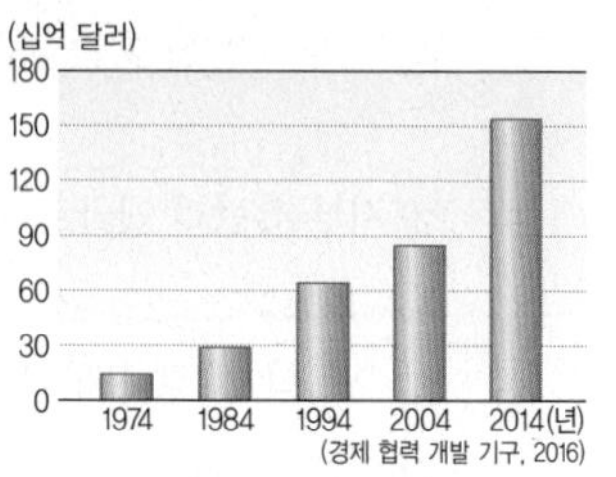

세계의 공적 개발 원조 금액 추이

D 지역 간 불평등 완화를 위한 민간 차원의 노력

1. 국제 비정부 기구(NGO)

(1) 의미: 범세계적인 문제를 해결하기 위해 활동하는 민간단체

(2) 특징: 국가 간의 이해관계를 넘어 인도주의적 차원에서 구호 활동을 함, 국제 연합(UN)의 공식적 활동을 보조하기도 함

(3) 사례: 환경 보호 단체인 그린피스, 의료 구호 조직인 +국경 없는 의사회 등

2. 공정 무역 — 커피, 차, 카카오, 바나나, 의류, 수공예품 등이 주로 거래돼.

(1) 의미: 선진국과 저개발 국가 사이의 불공정한 무역을 개선하여 저개발 국가의 생산자에게 정당한 가격을 지급하는 무역 방식

(2) 효과: 저개발 국가 생산자의 경제적 자립을 돕고, 안전하고 친환경적인 방식으로 상품을 생산하여 소비자에게 공급함

3. +적정 기술: 지역의 문화적, 경제적, 환경적 조건을 고려하여 해당 지역에서 지속해서 생산, 소비할 수 있도록 만들어진 기술 예 큐 드럼(Q drum), 라이프 스트로 등

+ 국경 없는 의사회

인종, 종교, 성, 정치적 성향과 관계없이 도움이 필요한 사람들에게 의료 서비스를 제공하는 단체

+ 적정 기술의 조건

1. 적은 비용으로 만든다.
2. 쉽게 구할 수 있는 재료를 이용한다.
3. 누구나 이용할 수 있도록 한다.
4. 일자리를 창출하여 빈곤을 줄인다.

적정 기술은 단순하면서도 현지에서 사용하기 쉬워 저개발 지역 주민들의 삶에 도움을 준다.

1 다음에서 설명하는 국제기구를 〈보기〉에서 골라 기호를 쓰시오.

〈보기〉
ㄱ. 세계 식량 계획　ㄴ. 국제 연합 난민 기구　ㄷ. 국제 연합 아동 기금

(1) 난민 긴급 구조 활동 및 피난처 제공 (　　)
(2) 기아 및 빈곤으로 고통받는 지역에 식량 지원 (　　)
(3) 빈곤 국가의 아동 구호와 아동 복지를 위해 노력 (　　)

2 ㉠에 들어갈 용어를 쓰시오.

(㉠　　　)는 선진국의 정부 또는 국제기구가 저개발 국가의 경제 발전과 복지 증진을 위해 자금이나 기술을 지원하는 제도이다.

3 다음 설명이 맞으면 ○표, 틀리면 ×표를 하시오.

(1) 지역 간 불평등 문제를 해결하기 위해 국제적 차원의 협력이 필요하다. (　　)
(2) 원조 대상 지역의 상황을 고려하지 않은 원조는 해당 지역의 자발적인 성장 및 발전을 저해할 수 있다. (　　)

• **불평등 완화를 위한 국제기구의 노력**

한 국가의 노력만으로는 지역 간 불평등 문제를 해결하기 어려움

↓

정부 간 국제기구	공적 개발 원조
국제 연합(UN) 등에서 국제 평화와 인권 및 자유 확보를 위해 노력함	선진국이 개발 도상국의 경제 발전, 복지 증진을 위해 자금이나 기술을 지원함

1 국제 비정부 기구(NGO)에 해당하는 것을 〈보기〉에서 골라 기호를 쓰시오.

〈보기〉
ㄱ. 그린피스　ㄴ. 국경 없는 의사회
ㄷ. 국제 부흥 개발 은행(IBRD)　ㄹ. 경제 협력 개발 기구(OECD)

2 선진국과 저개발 국가 사이의 불공정한 무역을 개선하여 저개발 국가의 생산자에게 정당한 가격을 지급하는 무역 방식을 (　　　　)이라고 한다.

3 지역의 문화적, 경제적, 환경적 조건을 고려하여 해당 지역에서 지속해서 생산, 소비할 수 있도록 만들어진 기술을 (　　　　)이라고 한다.

• **불평등 완화를 위한 민간 차원의 노력**

국제 비정부 기구	국가 간의 이해관계를 넘어 인도주의적 차원에서 활동
공정 무역	저개발 국가의 생산자에게 정당한 가격을 지급하는 무역 방식
적정 기술	해당 지역에서 지속해서 생산, 소비할 수 있도록 만들어진 기술

01 지역별로 발전 수준이 다른 원인으로 옳지 않은 것은?

① 학력 수준
② 자원의 보유량
③ 기술, 자본, 토지
④ 국제 연합 가입 여부
⑤ 기후, 지형 등 자연환경

02 그래프의 A, B에 들어갈 항목을 옳게 연결한 것은?

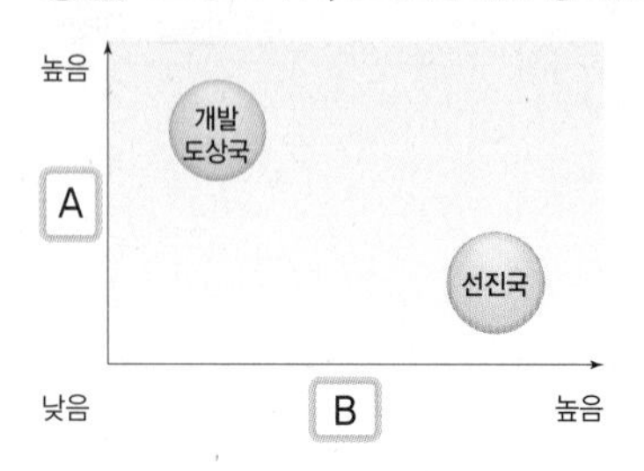

	A	B
①	기대 수명	영아 사망률
②	기대 수명	성인 문자 해독률
③	영아 사망률	성인 문자 해독률
④	영아 사망률	교사 1인당 학생 수
⑤	교사 1인당 학생 수	영아 사망률

시험에 잘 나와!

03 지도는 인간 개발 지수를 나타낸 것이다. 이에 대한 설명 및 분석으로 옳지 않은 것은?

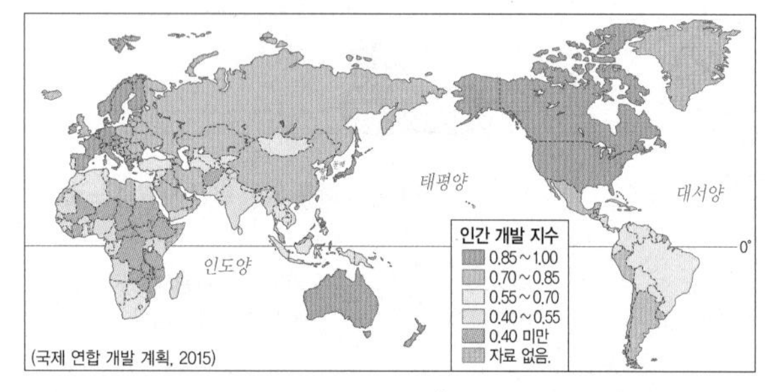

① 인간 개발 지수가 높은 국가는 주로 북반구에 있다.
② 지역별로 인간 개발 지수가 다르게 나타남을 알 수 있다.
③ 아프리카, 동남아시아, 남아메리카의 국가들은 인간 개발 지수가 높은 편이다.
④ 1인당 국민 총소득, 기대 수명, 교육 수준 등을 기준으로 하여 국민의 삶의 질을 평가하였다.
⑤ 북반구에 위치한 국가들과 적도 주변 및 남반구에 위치한 국가들 간의 인간 개발 지수 격차가 큰 편이다.

04 저개발 지역의 빈곤 문제 해결을 위한 노력으로 옳은 것만을 〈보기〉에서 있는 대로 고른 것은?

보기
ㄱ. 관개 시설을 확충한다.
ㄴ. 출산 장려 정책을 실시한다.
ㄷ. 국외의 자본과 기술 투자를 유치한다.
ㄹ. 공공 교육 서비스를 확대하여 인적 자원 개발에 힘쓴다.

① ㄱ, ㄴ　② ㄴ, ㄷ　③ ㄱ, ㄷ, ㄹ
④ ㄴ, ㄷ, ㄹ　⑤ ㄱ, ㄴ, ㄷ, ㄹ

05 다음에서 설명하는 단체에 해당하지 않는 것은?

> 국제 평화와 안전의 유지, 인권 및 자유 확보를 위해 노력하는 대표적인 국제기구이다. 산하에 여러 전문 기구, 사업 기금을 두어 지역 간 불평등을 줄이기 위해 다양한 노력을 기울이고 있다.

① 세계 식량 계획(WFP)
② 세계 보건 기구(WHO)
③ 개발 원조 위원회(DAC)
④ 국제 연합 난민 기구(UNHCR)
⑤ 국제 연합 아동 기금(UNICEF)

06 제시된 국제기구들이 공통으로 추구하고 있는 목표는?

> • 국제 부흥 개발 은행　• 경제 협력 개발 기구

① 기후 변화를 방지한다.
② 영토 및 영해 분쟁을 해결한다.
③ 유해 폐기물의 국가 간 이동을 방지한다.
④ 지역 간 경제적 불평등 완화를 위해 노력한다.
⑤ 생물 다양성 및 생태계 보호를 위해 노력한다.

07 공적 개발 원조에 대한 설명으로 옳은 것은?

① 미국과 독일 등의 선진국이 원조를 받고 있다.
② 오늘날 세계의 공적 개발 원조 금액이 감소하고 있다.
③ 원조를 주는 국가는 주로 아프리카와 남아시아에 위치하고 있다.
④ 국제 연합(UN) 산하의 개발 원조 위원회(DAC)에서 공적 개발 원조를 담당하고 있다.
⑤ 국제기구가 개발 도상국의 경제 발전을 위해 재정 및 기술, 물자 등을 지원하는 제도이다.

시험에 잘 나와!

08 공정 무역에 대한 설명으로 옳은 것은?

① 소비자와 생산자가 불균등한 위치에서 거래한다.
② 저개발 국가의 상품에 관세를 부과하는 제도이다.
③ 부작용이 많아 최근 국제적으로 문제가 되고 있는 무역 방식이다.
④ 선진국에서 저개발 국가로 수출되는 공업 제품과 서비스 제품이 주요 대상이다.
⑤ 저개발 국가의 생산자는 안전하고 친환경적인 방법으로 상품을 생산하여 소비자에게 공급한다.

09 ㉠이 갖추어야 할 조건으로 옳지 않은 것은?

> 저개발 지역의 사람들이 일상생활에서 겪는 어려움에 쉽게 대처할 수 있도록 지역의 문화적, 경제적, 환경적 조건을 고려하여 해당 지역에서 지속해서 생산, 소비할 수 있도록 만들어진 기술을 (㉠)(이)라고 한다.

① 누구나 쉽게 사용할 수 있도록 만들어야 한다.
② 주변에서 쉽게 구할 수 있는 재료를 사용해야 한다.
③ 일자리를 창출하여 저개발 지역 주민들의 빈곤을 줄여야 한다.
④ 누구나 믿고 쓸 수 있도록 널리 알려진 상표의 제품이어야 한다.
⑤ 저개발 지역 주민들이 사용할 수 있도록 적은 비용으로 만들어야 한다.

10 지역 간 불평등을 완화하기 위한 노력으로 적절하지 않은 것은?

① 공정 무역 생산 제품을 소비한다.
② 자유 무역 확대를 통해 국제 교류를 더욱 활성화한다.
③ 공적 개발 원조를 통해 저개발 국가에 재정 및 기술을 지원한다.
④ 국제 비정부 기구에서 진행하는 저개발국 아동 지원 프로그램을 후원한다.
⑤ 저개발 국가에 학교, 의료 시설 등 생활 기반 시설을 확충하기 위한 기금을 마련한다.

서술형 문제

서술형 감잡기

01 그림은 커피의 이익 배분 구조를 나타낸 것이다. (가) 커피의 특징을 서술하시오.

➜ (가)는 (①   ) 커피이다. (①   )은 선진국과 저개발 국가 사이의 불공정한 무역을 개선하여 저개발 국가의 생산자에게 (②   )을 지급하는 무역 방식이다. 이를 통해 생산자의 (③   ) 자립을 돕고자 한다.

실전! 서술형 도전하기

02 다음에서 설명하는 국제기구의 사례를 두 가지 쓰고, 주요 활동을 서술하시오.

> 지역 간 불평등을 완화하기 위해 민간단체가 중심이 되어 인도주의적 차원에서 구호 활동을 하는 국제기구이다.

한눈에 보는 대단원

01 지구상의 지리적 문제

(1) 기아 문제

구분		내용
기아		인간이 생존하는 데 필요한 물과 영양소를 충분히 섭취하지 못하는 상태
발생 원인	자연적 요인	자연재해 및 농작물 병충해 등으로 식량 생산 감소
	인위적 요인	• 급격한 인구 증가: 개발 도상국의 인구 급증에 따른 식량 부족 • 식량 생산량의 감소: 잦은 분쟁으로 식량 생산 및 공급 차질 발생 • 식량 분배의 불균형: 국제 곡물 가격의 상승, 전 세계적으로 불공평한 식량 분배 • 식량 작물의 용도 변화: 옥수수, 콩 등의 식량 작물이 가축 사료, 바이오 에너지 원료로 사용되면서 식량 작물의 가격 상승

(2) 생물 다양성의 감소

구분	내용
발생 원인	기후 변화, 열대 우림의 파괴, 농경지의 확대, 동식물의 서식지 파괴, 무분별한 남획, 환경 오염, 외래종의 침입 등
영향	인간이 이용 가능한 생물 자원의 수 감소, 먹이 사슬의 단절로 생태계 파괴 등

(3) 영역을 둘러싼 분쟁

구분	지역	내용
영토를 둘러싼 갈등 지역	팔레스타인 지역	이슬람교를 믿는 지역이었으나 제2차 세계 대전 이후 유대교를 믿는 이스라엘이 건국하면서 기존에 살고 있던 팔레스타인 사람들을 내보냄
	카슈미르 지역	이슬람교도가 많은 카슈미르 지역이 인도에 속하게 되면서 이슬람교를 믿는 파키스탄과 힌두교를 믿는 인도 간의 갈등이 발생함
바다를 둘러싼 갈등 지역	난사 군도 (스프래틀리)	주변 바다에 석유와 천연가스가 매장되어 있어 중국, 필리핀, 말레이시아 등이 영유권을 주장함
	센카쿠 열도 (댜오위다오)	섬 주변에 석유, 천연가스 등이 매장되어 있음, 1895년 청일 전쟁 이후 일본 영토로 편입되었으나, 중국과 타이완이 영유권을 주장함
	쿠릴 열도 (지시마)	일본은 사할린 지역과 쿠릴 열도를 구소련에 넘겨주었지만, 그 중 최남단 4개 섬은 일본으로 반환되어야 한다고 주장하고 있음

핵심 선택지 다시보기

1 기아는 잦은 분쟁으로 식량 생산과 공급이 원활하지 않을 때 발생한다. ( )

2 열대 우림을 없애면 이용 가능한 생물 자원의 수가 증가한다. ( )

3 오늘날 세계 곳곳에서 영역을 둘러싼 갈등이 발생하고 있다. ( )

4 아프리카 일부 지역에서는 국경선과 부족 경계선이 일치하지 않아 영역 갈등이 발생하고 있다. ( )

5 난사 군도에서는 인근의 석유, 천연가스 등의 자원을 확보하기 위해 주변국들이 갈등을 겪고 있다. ( )

답 1 ○ 2 × 3 ○ 4 ○ 5 ○

02 저개발 지역의 발전을 위한 노력

(1) 발전 수준의 지역 차

구분	내용
발생 원인	자연환경, 자원의 보유량, 기술, 자본, 토지, 인구 및 학력 수준의 차이 등 경제 환경에 영향을 주는 다양한 요소가 지역마다 다르기 때문
발전 지표	1인당 국내 총생산(GDP), 인간 개발 지수, 행복 지수, 교육의 기회, 보건 및 의료 수준, 남녀 간의 성평등 지표 등

핵심 선택지 다시보기

1 지역별로 발전 수준이 다른 것은 자본, 자원의 보유량 등이 지역마다 다르게 나타나기 때문이다. ( )

2 1인당 국민 총소득과 인간 개발 지수의 순위가 반드시 일치하지는 않는다. ( )

3 개발 도상국은 서부 유럽과 앵글로아메리카 지역에 많이 분포한다. ( )

4 세계화의 확산에 따라 선진국과 개발 도상국의 발전 수준 격차는 더욱 벌어지고 있다. ( )

5 빈곤 문제를 해결하기 위해서는 관개 시설을 확충하고 수확량이 많은 품종을 개발해야 한다. ( )

답 1 ○ 2 ○ 3 × 4 ○ 5 ○

(2) 빈곤 문제 해결을 위한 노력

빈곤 해결 노력	• 식량 생산량 증대: 관개 시설을 확충하고 수확량이 많은 품종을 개발함 • 사회 기반 시설 투자: 도로, 항만, 전력망 구축을 통해 경제 발전을 위한 기반을 강화함 • 공공 교육 서비스 강화: 여성과 아동의 문맹률을 낮춰 인적 자원을 개발함 • 국외의 자본과 기술 투자 유치: 국내 산업의 생산성을 향상함
자체적인 노력의 한계	저개발 국가는 정치적으로 불안정하고 인구 부양력과 기술 수준이 낮음

03 지역 간 불평등 완화를 위한 노력

(1) 지역 간 불평등 완화를 위한 국제기구의 노력

국제 사회 노력의 필요성	한 국가의 노력만으로는 지역 간 불평등 문제를 해결하기 어려워 국가 간 협력을 효과적으로 유도하기 위한 국제기구가 필요함	
정부 간 국제 기구	국제 연합(UN)	• 국제 연합 평화 유지군(PKF): 분쟁 지역에 파견되어 질서 유지 및 안정 보장 활동 • 국제 연합 난민 기구(UNHCR): 난민 보호 및 난민 문제 해결을 위한 활동 • 세계 식량 계획(WFP): 세계의 기아와 빈곤으로 고통받는 지역에 식량 지원 활동 • 국제 연합 아동 기금(UNICEF): 아동 구호와 아동 복지 향상을 위한 활동
	기타	국제 부흥 개발 은행(IBRD), 경제 협력 개발 기구(OECD) 등
공적 개발 원조(ODA)	선진국의 정부 또는 국제기구가 개발 도상국의 경제 사회 발전과 복지 증진을 목적으로 재정 및 기술, 물자 등을 지원하는 제도	
국제 원조의 한계	장기적인 지원을 받기 어렵고, 원조 대상 지역의 자발적인 성장 및 발전을 저해함	

(2) 지역 간 불평등 완화를 위한 민간 차원의 노력

국제 비정부 기구(NGO)	• 의미: 범세계적인 문제를 해결하기 위해 활동하는 민간단체 • 특징: 국가 간의 이해관계를 넘어 인도주의적 차원에서 구호 활동을 함, 국제 연합(UN)의 공식적 활동을 보조하기도 함 • 사례: 환경 보호 단체인 그린피스, 의료 구호 조직인 국경 없는 의사회 등
공정 무역	• 의미: 선진국과 저개발 국가 사이의 불공정한 무역을 개선하여 저개발 국가의 생산자에게 정당한 가격을 지급하는 무역 방식 • 효과: 저개발 국가 생산자의 경제적 자립을 돕고, 안전하고 친환경적인 방식으로 상품을 개발하여 소비자에게 공급함
적정 기술	지역의 문화적, 경제적, 환경적 조건을 고려하여 해당 지역에서 지속해서 생산, 소비할 수 있도록 만들어진 기술 예 큐 드럼, 라이프 스트로 등

핵심 선택지 다시보기

1 세계 식량 계획(WFP)에서는 기아와 빈곤 문제를 해결하기 위해 노력하고 있다. ( )

2 공적 개발 원조(ODA)는 개발 원조 위원회(DAC)에서 담당한다. ( )

3 공정 무역은 일반 무역에 비해 생산 농민에 돌아가는 수익 비중이 낮다. ( )

4 국제 비정부 기구는 국제 연합(UN)의 활동을 보조하기도 한다. ( )

5 큐 드럼, 라이프 스트로는 대표적인 적정 기술 사례이다. ( )

답 1 ○ 2 ○ 3 × 4 ○ 5 ○

핵심 선택지 다시보기의 정답을 맞힌 개수만큼 아래 표에 색칠해 보자. 많이 틀린 단원은 되돌아가 복습해 보자.

시험 적중 마무리 문제

01 지구상의 지리적 문제

01 지구상의 지리적 문제에 대한 설명으로 옳지 않은 것은?

① 세계의 지역 간 분쟁은 점차 줄어들고 있다.
② 식량 부족으로 인해 기아 문제가 발생하고 있다.
③ 불균등한 발전에 따른 경제적 격차가 심화되고 있다.
④ 기후 변화, 서식지 파괴 등으로 생물 다양성이 감소하고 있다.
⑤ 다양한 가치관과 생활 양식을 가진 사람들이 함께 어우러져 살아가고 있기 때문에 발생한다.

02 ㉠에 들어갈 내용으로 적절하지 않은 것은?

> 지금 이 순간에도 지구촌 곳곳에서는 여러 가지 지리적 문제 때문에 수많은 사람들이 고통 받고 있다. 이러한 문제는 (㉠) 등이 주요 원인이 되어 발생한다.

① 국제기구의 활동
② 종교 및 민족 간 대립
③ 국가 간의 경제적 격차
④ 환경 오염 물질의 장거리 이동
⑤ 영토 및 자원을 둘러싼 국가 간의 이해관계 대립

03 다음에서 설명하는 지리적 문제의 발생 원인 중 나머지와 성격이 다른 하나는?

> 인간이 생존하기 위해 필요한 물과 영양소가 결핍된 상태로, 이러한 상태가 지속되면 신체적·정신적 성장을 방해하여 노동 생산성을 떨어뜨린다.

① 인구 급증
② 가뭄 등의 자연재해
③ 식량 작물의 용도 변화
④ 전 세계적으로 불공평한 식량 분배
⑤ 잦은 분쟁으로 식량 생산 및 공급 차질

04 지도와 관계 깊은 지리적 문제에 대한 설명으로 옳지 않은 것은?

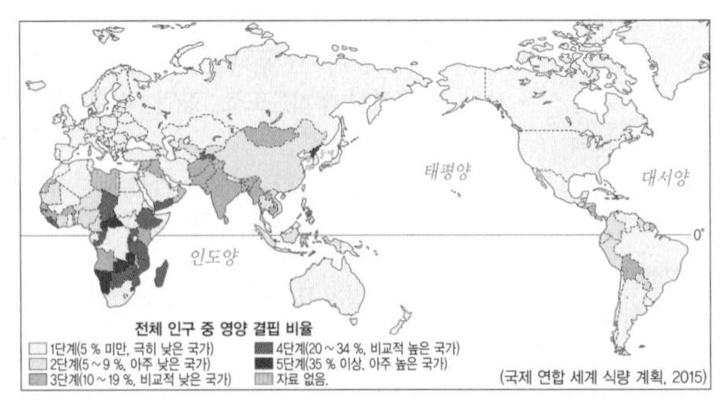

(국제 연합 세계 식량 계획, 2015)

① 자연재해나 분쟁이 잦은 지역에서 심각하다.
② 성장하는 어린이들에게 극심한 피해를 준다.
③ 민족, 종교, 언어 등 문화적 차이로 주로 발생한다.
④ 가장 심각하게 문제가 나타나는 대륙은 아프리카이다.
⑤ 식량 부족으로 충분한 영양을 섭취하지 못할 때 발생한다.

05 생물 다양성의 감소로 나타나는 현상으로 옳은 것을 <보기>에서 고른 것은?

> **보기**
> ㄱ. 먹이 사슬이 끊겨 생태계가 파괴된다.
> ㄴ. 이용 가능한 생물 자원의 수가 감소한다.
> ㄷ. 농경지가 감소하여 물 부족 문제가 나타난다.
> ㄹ. 대기 중 이산화탄소 농도가 낮아져 지구의 평균 기온이 낮아진다.

① ㄱ, ㄴ　② ㄱ, ㄷ　③ ㄴ, ㄷ
④ ㄴ, ㄹ　⑤ ㄷ, ㄹ

06 다음에서 설명하는 용어를 쓰시오.

> 생물 다양성 보전과 생물 자원의 지속 가능한 이용, 이를 이용하여 얻는 이익을 공정하고 공평하게 분배할 것을 목적으로 국제 연합 환경 계획(UNEP) 회의에서 채택된 협약이다.

[07~08] 지도를 보고 물음에 답하시오.

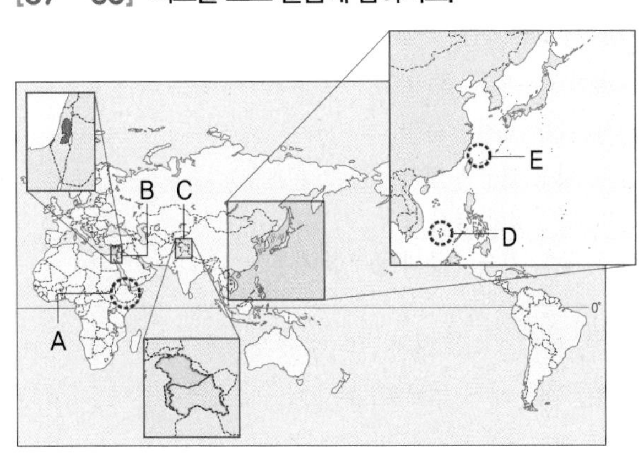

07 다음에서 설명하는 지역을 지도에서 고른 것은?

108개의 산호초로 이루어져 있으며, 인도양과 태평양을 잇는 중요한 전략적 요충지이다. 주변 바다에 석유와 천연가스가 매장되어 있어 중국, 베트남, 필리핀, 말레이시아, 브루나이, 타이완 등 주변 국가가 영유권을 주장하고 있다.

① A ② B ③ C ④ D ⑤ E

08 A~E 지역에 대한 설명으로 옳은 것은?

① A 지역에서는 풍부한 자원과 해상 교통로를 확보하기 위한 분쟁이 발생하고 있다.
② B 지역에서는 과거 유럽 강대국이 정한 국경선과 민족·부족의 경계선이 달라 영역 갈등이 발생하고 있다.
③ C 지역은 이슬람교와 힌두교 간의 종교적 갈등이 나타나고 있다.
④ D 지역은 샌프란시스코 강화 조약에 의해 일본에서 구소련으로 반환되었다.
⑤ E 지역은 1895년 청일 전쟁에서 이긴 중국이 현재 점유하고 있다.

02 저개발 지역의 발전을 위한 노력

09 ㉠에 들어갈 내용으로 적절하지 않은 것은?

지역 간 발전 수준의 차이가 발생하는 것은 (㉠) 등 다양한 요소들이 지역마다 다르게 나타나기 때문이다.

① 자본 ② 경도
③ 기술 수준 ④ 교육 수준의 차이
⑤ 천연자원의 보유량

+ 창의·융합

10 표는 국가별 인간 개발 지수와 1인당 국민 총소득 순위이다. 이에 대한 분석으로 옳은 것을 〈보기〉에서 고른 것은?

(국제 연합 개발 계획, 2014)

구분	인간 개발 지수 순위	1인당 국민 총소득 순위
노르웨이	1위	6위
오스트레일리아	2위	19위
스위스	3위	9위
덴마크	4위	15위
네덜란드	5위	14위
⋮	⋮	⋮
부룬디	184위	184위
차드	185위	163위
에리트레아	186위	180위
중앙아프리카 공화국	187위	187위
니제르	188위	189위

〈보기〉

ㄱ. 인간 개발 지수는 지역의 발전 격차를 나타낼 수 없다.
ㄴ. 인간 개발 지수 최상위 5개국은 모두 서부 유럽에 위치한다.
ㄷ. 1인당 국민 총소득과 인간 개발 지수의 순위는 일치하지 않는다.
ㄹ. 인간 개발 지수 최하위 5개국은 모두 아프리카 대륙에 위치한다.

① ㄱ, ㄴ ② ㄱ, ㄷ ③ ㄴ, ㄷ
④ ㄴ, ㄹ ⑤ ㄷ, ㄹ

11 그래프는 발전 수준이 다른 지역의 1인당 국내 총생산 변화를 나타낸 것이다. A, B에 대한 옳은 설명을 〈보기〉에서 고른 것은?

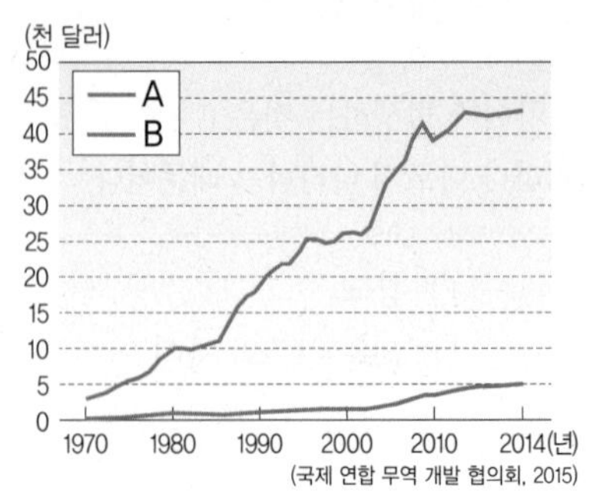

(국제 연합 무역 개발 협의회, 2015)

〈보기〉
ㄱ. A는 소득과 발전 수준이 낮은 지역이다.
ㄴ. B는 서부 유럽과 앵글로아메리카에 주로 분포한다.
ㄷ. B는 A에 비해 성인 문자 해독률과 행복 지수가 낮을 것이다.
ㄹ. 세계화의 확산에 따라 A와 B의 발전 수준 격차는 더욱 벌어지고 있다.

① ㄱ, ㄴ ② ㄱ, ㄷ ③ ㄴ, ㄷ
④ ㄴ, ㄹ ⑤ ㄷ, ㄹ

12 다음 글에 나타난 문제를 극복하기 위한 노력으로 가장 적절한 것은?

지금부터 지구가 100명이 사는 마을이라고 가정해 봅시다. 이 상상의 마을에서 한 명의 사람은, 실제 세계에서 약 7천 2백만 명을 대신합니다. 100명 중 44명은 굶주림으로 고통받고 있으며, 이 중 14명은 너무 배가 고파 곧 죽을지도 모릅니다. – 데이비드 스미스, 『지구가 100명의 마을이라면』

① 위생 및 보건 환경을 개선한다.
② 관개 시설을 확충하고 수확량이 많은 품종을 개발한다.
③ 여성과 아동의 문맹률을 낮추기 위해 공공 교육 서비스를 강화한다.
④ 도로, 항만, 전력망을 구축하여 지역의 경제 발전을 위한 기반을 강화한다.
⑤ 국외의 자본과 기술 투자를 유치하여 국내 산업 부분에서의 생산성을 향상한다.

13 저개발 지역의 빈곤 극복 노력의 한계로 옳은 것을 〈보기〉에서 고른 것은?

〈보기〉
ㄱ. 풍부한 천연 자원
ㄴ. 낮은 인구 부양력
ㄷ. 불안정한 정치 상황
ㄹ. 높은 기술 수준과 풍부한 자본

① ㄱ, ㄴ ② ㄱ, ㄷ ③ ㄴ, ㄷ
④ ㄴ, ㄹ ⑤ ㄷ, ㄹ

03 지역 간 불평등 완화를 위한 노력

14 다음에서 설명하는 국제기구는?

모든 사람이 식량 걱정 없이 살 수 있는 세상을 만들기 위해 기아와 빈곤 문제 해결을 목표로 활동한다.

① 세계 식량 계획(WFP)
② 개발 원조 위원회(DAC)
③ 국제 연합 평화 유지군(PKF)
④ 국제 연합 난민 기구(UNHCR)
⑤ 국제 연합 아동 기금(UNICEF)

15 개발 원조에 대한 옳은 설명을 〈보기〉에서 고른 것은?

〈보기〉
ㄱ. 공적 개발 원조와 민간 개발 원조가 있다.
ㄴ. 2010년 이후 우리나라도 원조를 받고 있다.
ㄷ. 공적 개발 원조는 개발 원조 위원회(DAC)에서 담당한다.
ㄹ. 국제 비정부 기구가 국제기구에게 재정, 기술, 물자 등을 지원하는 것을 말한다.

① ㄱ, ㄴ ② ㄱ, ㄷ ③ ㄴ, ㄷ
④ ㄴ, ㄹ ⑤ ㄷ, ㄹ

16 다음 사례에 나타난 국제 원조의 한계에 대한 옳은 설명을 〈보기〉에서 고른 것은?

> 아프리카 여러 국가에서는 '오래된 옷 기부하기'라는 자선 사업을 통해 중고 의류를 기부 받는다. 미국 청소년이 기부한 셔츠는 우간다와 잠비아 등에 있는 중고 의류 노점상에 의해 판매된다. 그러나 이들 국가의 섬유 제조업자들은 자국 의류 산업의 성장 기회가 줄어든다는 이유로 중고 의류의 유입을 반대하고 있다.

〈보기〉
ㄱ. 분쟁이 발생하여 장기적인 원조를 받기 어렵다.
ㄴ. 원조를 부패한 정부의 운영 자금으로 사용한다.
ㄷ. 원조 대상 지역의 경제적 자립 토대를 무너뜨릴 수도 있다.
ㄹ. 원조 대상 지역의 실정에 맞는 발전 방안을 모색하기보다는 선진국의 원조에만 의존하는 경향이 커진다.

① ㄱ, ㄴ ② ㄱ, ㄷ ③ ㄴ, ㄷ
④ ㄴ, ㄹ ⑤ ㄷ, ㄹ

+ 창의·융합

17 그림은 상품의 무역 형태를 나타낸 것이다. (가)와 비교한 (나)의 상대적인 특징으로 옳은 것은?

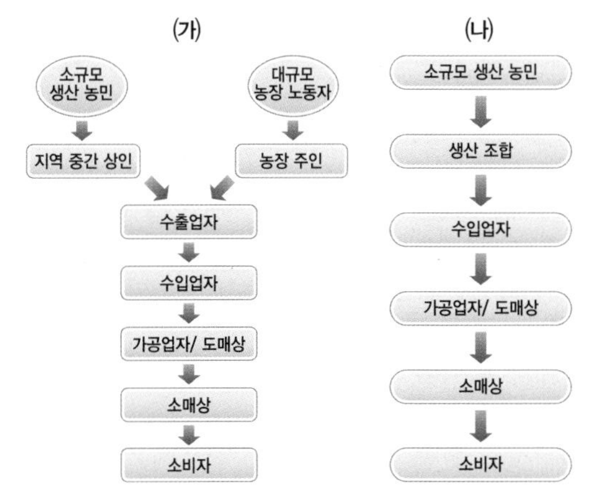

① 유통 단계가 복잡하다.
② 생산 농민에 돌아가는 수익 비중이 높다.
③ 중간 상인과 수출업자의 역할이 중요하다.
④ 다국적 기업들의 영향력이 크게 작용한다.
⑤ 소매상은 가장 저렴한 가격에 상품을 구입하여 소비자에게 판매한다.

18 다음 선생님의 질문에 옳은 답변을 한 학생만을 있는 대로 고른 것은?

① 가현, 다현 ② 가현, 라현
③ 나현, 다현 ④ 가현, 나현, 라현
⑤ 나현, 다현, 라현

19 (가)에 들어갈 내용으로 가장 적절한 것은?

> **수행 평가 보고서**
>
> • 주제: (가)
>
> • 사례 1: 큐 드럼은 공처럼 쉽게 굴어가 멀리서 물을 길어 오는 여성이나 어린이에게 도움을 준다.
>
> • 사례 2: 라이프 스트로에는 세균을 죽이는 필터가 내장되어 있어 오염된 물에 직접 기구를 대면 깨끗한 물을 마실 수 있다.

① 영역을 둘러싼 갈등을 해소하기 위한 방안
② 기아 문제를 줄이기 위한 개인적 차원의 노력
③ 생물 다양성을 지키기 위한 시민 단체의 대응 방안
④ 지역의 경제적·문화적·환경적 조건을 고려하여 만들어진 적정 기술
⑤ 지구촌 곳곳에서 일어나는 지역 불균형 문제를 해결하기 위한 국제기구의 노력

Memo

15개정 교육과정

· 완벽한 자율학습서 ·

완자

완자네 새주소

자율학습시 비상구

정확한 답과 친절한 해설

정답친해로 53

책 속의 가접 별책 (특허 제 0557442호)
'정답친해'는 본책에서 쉽게 분리할 수 있도록 제작되었으므로
유통 과정에서 분리될 수 있으나 파본이 아닌 정상제품입니다.

visang

우리는 남다른 상상과 혁신으로
교육 문화의 새로운 전형을 만들어
모든 이의 행복한 경험과 성장에 기여한다

우리는 남다른 상상과 혁신으로
교육 문화의 새로운 전형을 만들어
모든 이의 행복한 경험과 성장에 기여한다

· 완벽한 자율학습서 ·

자율학습시 비상구 정답친해로 53

중등 사회 2

I. 인권과 헌법

01 인권 보장과 기본권

11, 13쪽

A 1 (1) ○ (2) × (3) ○ 2 (1) – ㉢ (2) – ㉠ (3) – ㉡ (4) – ㉣
3 ㉠ 시민 혁명 ㉡ 세계 인권 선언
B 1 헌법 2 (1) ○ (2) ×
C 1 (1) 기본권 (2) 행복 추구권 2 평등권 3 ㄴ, ㄹ
4 (1) 청구권 (2) 적극적 (3) 참정권
D 1 (1) ○ (2) × 2 법률

실력 탄탄 핵심 문제 14~17쪽

01 ⑤ 02 ② 03 ① 04 ④ 05 ⑤ 06 ① 07 ④ 08 ③
09 ① 10 ③ 11 ② 12 ② 13 ③ 14 ⑤ 15 ① 16 ③
17 ④ 18 ④ 19 ② 20 법률 21 ①

01 인권의 의미와 특징

㉠에 들어갈 용어는 인권이다. ①, ② 인권은 태어나면서부터 당연히 가지는 천부 인권이자, 피부색, 성별, 나이, 사회적 신분 등에 상관없이 모든 사람이 동등하게 누릴 수 있는 보편적 권리이다. ③, ④ 인권은 천부 인권의 성격을 띠기 때문에 국가나 개인이 함부로 침해할 수 없으며, 다른 사람에게 넘겨 줄 수도 없는 권리이다.

바로알기 » ⑤ 인권은 국가에서 법이나 제도로 보장하기 이전에 자연적으로 주어지는 권리이다.

02 인권의 특징

㉠은 천부 인권, ㉡은 보편적 권리에 해당한다. 천부 인권이자 보편적 권리인 인권은 인간이라면 누구나 가지는 기본적인 권리이다.

바로알기 » ①, ⑤ 인권은 국가에서 법이나 제도로 보장하기 이전에 자연적으로 주어진 권리라는 뜻에서 자연권이라고 한다. ④, ⑤ 인권은 국가 권력이나 다른 사람이 함부로 침해할 수 없는 권리라는 뜻에서 불가침의 권리라고 한다.

03 인권 보장의 중요성

제시된 글은 인간이 인간답게 살기 위해서는 인권을 제대로 누릴 수 있도록 하는 것, 즉 인권 보장이 이루어져야 함을 강조하고 있다. 따라서 제시된 글의 주제로는 '인권 보장의 중요성'이 가장 적절하다.

04 인권 보장과 관련한 시민 혁명의 의의

④ 시민 혁명의 결과로 인권 보장에 관한 내용을 담은 문서들이 등장하면서 시민의 자유와 평등이 제도적으로 보장되기 시작하였다.

바로알기 » ① 시민 혁명의 결과로 인권 사상이 성장하였다. ②, ③ 현대에 들어 국제 연합 총회에서 세계 인권 선언이 채택되면서 국제 인권법의 토대가 마련되었다. ⑤ 인권은 국가 권력이나 타인이 함부로 침해할 수 없는 불가침의 권리이다.

└ 모든 사람이 보편적으로 누려야 할 인권의 기준을 제시하였지.

05 헌법의 의미

제시된 내용은 헌법에 대한 설명이다. 헌법은 국민의 기본적 인권을 규정하고 국가 기관의 조직과 운영 방법을 정하는 한 나라의 최고 법으로, 모든 국가 기관은 헌법이 정하는 내용과 절차에 따라 권한을 행사해야 한다.

06 헌법의 특징

ㄱ. 오늘날 대부분의 국가에서는 헌법에 기본적 인권을 규정함으로써 국가의 부당한 간섭이나 침해로부터 국민의 인권을 보장하고 있다. ㄴ. 헌법은 모든 법과 제도의 기초가 되므로, 모든 국가 기관은 권한을 행사할 때 헌법이 정하는 내용과 절차를 따라야 한다.

바로알기 » ㄷ. 헌법은 국가 권력이 개인의 기본적 인권을 침해할 수 없도록 하는 법적 장치로서의 역할을 한다. ㄹ. 헌법의 내용은 매우 추상적이므로, 일상생활에서 개인의 인권을 실질적으로 보장하기 위해서는 구체적인 법과 제도가 필요하다.

07 인권 보호 장치로서의 헌법의 역할

제시된 헌법 조항은 기본적 인권을 국가 기관이나 개인이 침해할 수 없는 권리로 규정하고 있으며, 국가는 개인이 가지는 불가침의 기본적 인권을 보장할 의무가 있음을 밝히고 있다. 이를 통해 헌법은 개인의 기본권 인권을 보장하는 법적 장치로서의 역할을 한다는 것을 알 수 있다.

바로알기 » ① 인권은 국가에서 법이나 제도로 보장하기 이전에 주어지는 자연권이다. ③ 인간의 존엄과 가치를 실현하는 데 필요한 기본적인 권리라면 헌법에 명시되지 않아도 보장된다. ⑤ 인권은 모든 사람이 동등하게 누릴 수 있는 보편적인 권리이다.

08 기본권의 의미

㉠에 들어갈 용어는 기본권이다. 오늘날 대부분의 민주 국가에서는 헌법을 통해 국민의 인권을 보장하는데, 우리나라 헌법은 인간의 존엄과 가치 및 행복 추구권을 기초로 하여 국민의 다양한 기본권을 보장하고 있다.

09 인간의 존엄과 가치 및 행복 추구권

밑줄 친 권리는 인간의 존엄과 가치 및 행복 추구권에 해당한다. 인간의 존엄과 가치 및 행복 추구권은 모든 기본권이 추구해야 할 최고의 가치로, 이를 토대로 자유권, 평등권, 참정권, 사회권, 청구권 등의 기본권이 보장된다.

바로알기 » ㄷ. 인간의 존엄과 가치 및 행복 추구권은 물질적 풍요뿐만 아니라 정신적 만족을 동시에 충족할 수 있는 포괄적 권리를 의미한다. ㄹ. 청구권에 대한 설명이다.

10 자유권의 의미와 특징

종교의 자유와 언론·출판의 자유는 자유권에 속하는 기본권이다. 자유권은 국민이 국가 권력의 간섭을 받지 않고 자유롭게 생활할 수 있는 권리를 말한다.

바로알기 » ①은 사회권, ②는 참정권, ⑤는 평등권에 대한 설명이다. ④ 국가 배상 청구권은 청구권에 속하는 기본권이다.

11 평등권의 실현 사례

첫 번째 사례는 장애의 유무, 두 번째 사례는 성별에 따른 부당한 차별이 해결되고 있는 모습을 보여 준다. 이는 모든 국민이 정치적·경제적·사회적·문화적 생활의 모든 영역에서 합리적인 이유 없이 부당하게 차별받지 않고 동등하게 대우받을 권리인 평등권을 실현한 사례에 해당한다.

12 참정권의 종류

제시된 내용은 참정권에 대한 설명이다. 참정권은 국민 주권주의를 실현하는 수단으로, 대표를 뽑을 수 있는 선거권, 공직을 맡을 수 있는 공무 담임권, 국가의 중요한 일을 국민이 직접 결정할 수 있는 국민 투표권 등이 이에 해당한다.

바로알기 ≫ ㄴ은 청구권, ㄹ은 자유권에 해당한다.

13 사회권의 종류

국가에 대해서 인간다운 생활을 보장해 줄 것을 요구할 수 있는 적극적인 성격의 권리는 사회권이다. 사회권에는 근로의 권리, 교육을 받을 권리, 인간다운 생활을 할 권리, 쾌적한 환경에서 살 권리 등이 있다.

바로알기 ≫ ③ 재판 청구권은 청구권에 해당한다.

14 청구권을 규정한 헌법 조항

헌법 제26조 ①은 청원권, 제28조는 국가 배상 청구권에 대해 규정하고 있는데, 청원권과 국가 배상 청구권은 모두 청구권에 해당한다. 청구권은 국민이 국가에 대하여 일정한 행위를 요구할 수 있는 권리를 말한다.

15 청구권과 평등권

청구권은 국민이 국가에 대하여 일정한 행위를 요구할 수 있는 권리이며, 평등권은 국민이 생활의 모든 영역에서 합리적인 이유 없이 부당한 차별을 받지 않고 동등하게 대우받을 권리이다. ㄱ. 청구권은 다른 기본권이 침해되거나 침해될 우려가 있을 때 이에 대한 구제를 요구할 수 있는 기본권으로, 다른 기본권을 보장하기 위한 수단적 성격을 띤다.

바로알기 ≫ ㄷ. 거주 이전의 자유를 보장하는 것은 자유권을 실현하기 위한 노력에 해당한다. ㄹ. 평등권은 청구권과 마찬가지로 헌법에서 보장하는 기본적인 인권에 해당한다.

16 기본권을 규정한 헌법 조항

(가)는 직업 선택의 자유를 규정한 헌법 조항으로, 이는 국가 권력의 간섭을 받지 않고 자유롭게 생활할 수 있는 권리인 자유권에 해당한다. (나)는 인간다운 생활을 할 수 있는 권리를 규정한 헌법 조항으로, 이는 국가에 인간다운 생활의 보장을 요구할 수 있는 권리인 사회권에 해당한다. (다)는 선거권을 규정한 헌법 조항으로, 이는 국가 기관의 형성과 국가의 정치적 의사 형성 과정에 참여할 수 있는 권리인 참정권에 해당한다.

17 기본권의 제한

자료로 이해하기 ≫

- 가을: 헌법에 따라 모든 국민에게는 경제 활동의 자유가 보장되고 있어. (기본권 중 자유권에 속해.)
- 나을: 하지만, 유해한 환경에서부터 청소년을 보호할 목적으로 청소년이 야간에 찜질방이나 게임방 등에 출입하는 것을 원칙적으로 제한하기도 해. (공공복리에 해당하지. / 경제 활동의 자유를 일부 제한한 것이야.)

제시된 대화를 통해 모든 국민에게 경제 활동의 자유가 기본권으로 보장되지만, 유해한 환경에서부터의 청소년 보호라는 사회 전체의 이익, 즉 공공복리를 위해 필요한 경우에 한하여 경제 활동의 자유가 일부 제한될 수 있음을 알 수 있다.

바로알기 ≫ ①, ⑤ 기본권은 다른 사람의 기본권을 침해하지 않는 범위 내에서만 보장되며, 자신의 기본권을 행사하는 과정에서 다른 사람의 기본권을 침해할 경우 기본권 행사가 일부 제한될 수 있다. ② 기본권은 청소년을 포함한 모든 국민에게 보장된다. ③ 국가는 헌법에 근거하여 국가 안전 보장, 질서 유지, 공공복리를 위하여 필요한 경우에 한하여 국민의 기본권을 제한할 수 있다.

18 기본권의 제한 사유

우리 헌법은 모든 사람이 동등하게 기본권을 누릴 수 있도록 국가 안전 보장, 질서 유지, 공공복리를 위하여 필요한 경우에 한하여 국민의 기본권을 제한할 수 있도록 규정하고 있다.

19 기본권의 제한 내용 및 사유

제시된 그림은 군인이 군사 시설 보호 구역에서 갑이 사진을 찍는 행위를 제한하고 있는 모습을 보여 준다. 이는 국가가 국가 안전 보장을 위하여 군사 시설 보호 구역에서 갑의 사진을 찍을 자유를 제한한 것에 해당한다.

20 기본권 제한의 요건

㉠에 들어갈 용어는 법률이다. 우리 헌법은 국민의 대표 기관인 국회에서 만든 법률로써만 기본권을 제한할 수 있도록 그 요건을 명확히 규정하고 있다.

21 기본권 제한의 한계를 규정한 이유

우리 헌법은 필요한 경우에 한하여 국민의 기본권을 제한하더라도 그 본질적인 내용은 침해할 수 없다고 명시함으로써 기본권 제한의 한계를 명확하게 정하고 있다. 이처럼 기본권 제한의 한계를 명확히 규정한 이유는 국가 권력의 남용을 방지함으로써 국민의 기본권을 최대한 보장하기 위해서이다. (국가 권력이 남용되어 국민의 기본권을 무제한적으로 제한할 경우 국민의 기본권이 온전하게 보장되기 어려워.)

바로알기 ≫ ② 인간의 존엄과 가치를 실현하는 데 필요한 기본적인 권리라면 헌법에 명시되지 않아도 보장된다. ③, ④ 개인이나 집단이 다른 사람의 기본권을 침해하거나 사회 질서 또는 공동체의 이익을 해치는 것을 막기 위해 필요한 경우에 한하여 기본권을 제한할 수 있다.

서술형 문제

17쪽

01 인권의 의미와 특징

(1) 인권
(2) ① 천부 인권, ② 자연, ③ 보편적, ④ 불가침

02 참정권의 의미

예시답안 참정권. 참정권은 국가 기관의 형성과 국가의 정치적 의사 형성 과정에 참여할 수 있는 권리를 말한다.

채점 기준	점수
참정권이라고 쓰고, 그 의미를 정확히 서술한 경우	상
참정권이라고만 쓴 경우	하

03 기본권 제한의 한계

예시답안 기본권은 국회에서 만든 법률로써만 제한할 수 있으며, 기본권을 제한하더라도 자유와 권리의 본질적인 내용을 침해해서는 안 된다.

채점 기준	점수
법률로써만 기본권을 제한할 수 있으며, 기본권을 제한하는 경우에도 자유와 권리의 본질적인 내용은 침해할 수 없다고 정확히 서술한 경우	상
법률로써만 기본권을 제한할 수 있다고 서술한 경우	중
자유와 권리의 본질적인 내용을 침해할 수 없다고 서술한 경우	하

02 인권의 침해 및 구제

19쪽

A 1 인권 침해 2 (1) ○ (2) × (3) ×
B 1 ㉠ 소 ㉡ 재판
2 (1) 법원 (2) 헌법 소원 심판 (3) 국가 인권 위원회 3 ㄴ, ㄹ

실력 탄탄 핵심 문제 20~21쪽

01 ① 02 ⑤ 03 ② 04 ④ 05 ① 06 ③ 07 ⑤ 08 ③ 09 ④ 10 ②

01 인권 침해

인권 침해는 다른 사람이나 단체 또는 국가 기관에 의하여 개인의 인권이 존중받지 못하고 침해되는 것으로, 차별, 집단 따돌림, 사생활 침해, 폭행이나 학대 등이 이에 해당한다.

바로알기 ≫ ㄷ. 인권 침해는 인간으로서 가진 권리가 존중받지 못하는 것을 의미한다. ㄹ. 인권 침해는 개인의 고정 관념이나 편견뿐만 아니라 사회나 집단의 잘못된 관습, 국가의 불합리한 법과 제도 등의 영향을 받아 발생하기도 한다.

02 인권 침해의 사례

제시된 사례에서 가영 씨는 나이, 나혁 씨는 성별을 이유로 부당한 대우를 받고 있다. 따라서 두 사람은 차별을 받지 않고 동등하게 대우받을 권리, 즉 평등권을 침해당하고 있음을 알 수 있다.

03 인권 침해의 특징

제시된 글은 인권 침해가 가정, 학교, 직장 등 우리 주변의 여러 공간에서 다양한 형태로 나타나고 있음을 보여 준다. 이를 통해 오늘날 인권 침해가 일상생활 전반에 걸쳐 나타나고 있음을 알 수 있다.

04 인권 보장을 위한 노력

①, ② 인권을 지키기 위해서는 다양한 인권 침해 상황에 관심을 두고 민감하게 반응해야 한다. ③, ⑤ 인권이 침해되었을 경우에는 적극적으로 대응하고 국가 기관에 구제를 요청해야 하는데, 이를 위해서는 인권 침해 시의 구제 방법과 절차를 미리 알고 있어야 한다.

바로알기 ≫ ④ 인권이 보장되는 사회를 만들기 위해 자신뿐만 아니라 다른 사람의 인권 침해 문제에 대해서도 관심을 가져야 한다.

05 법원

제시된 내용은 법원에 대한 설명이다. 법원은 분쟁이나 범죄가 일어났을 때 사법권을 행사하여 국민의 권리를 보호하는 국가 기관으로, 재판을 통해 국민의 침해된 권리를 구제해 준다.

타인에 의해 권리를 침해당했을 때는 민사 재판을, 행정 기관의 잘못으로 권리를 침해당했을 때는 행정 재판을 청구할 수 있어.

06 헌법 재판소

헌법 재판소는 헌법 질서를 수호하고 국민의 기본권을 보장하는 국가 기관으로, 헌법 소원 심판을 통해 국민의 권리를 보장한다.

바로알기 ≫ ① 법원의 역할에 해당한다. ② 헌법 재판소는 개인이 아닌 법률이나 공권력에 의해 침해된 국민의 기본권을 구제해 주는 역할을 담당한다. ④ 헌법 재판소는 헌법 소원 심판을 통해 공권력의 행사뿐만 아니라 불행사에 의해 침해된 국민의 기본권도 구제한다. ⑤ 국가 인권 위원회의 역할에 해당한다.

07 헌법 재판소를 통한 인권 구제 방법

제시된 사례와 같이 잘못된 법률이나 공권력에 의해 기본권을 침해당한 국민은 헌법 재판소에 헌법 소원(㉠)을 제기할 수 있다.

바로알기 ≫ ①은 국가 인권 위원회 등의 국가 기관, ②, ③은 법원, ④는 행정 기관에 인권 구제를 요청하는 방법에 해당한다.

헌법 소원이 제기되면 헌법 재판소는 헌법 소원 심판을 통해 국민의 기본권을 구제해 주지.

08 국가 인권 위원회

밑줄 친 '이 국가 기관'은 국가 인권 위원회이다. 국가 인권 위원회는 인권 보호를 위한 전반적인 업무를 수행하는 국가 기관으로, 국가 기관에 의해 인권을 침해당하거나 회사 또는 단체 등에 의해 불합리한 차별을 당한 사람이 진정을 내면 이를 조사하여 구제해 준다.

바로알기 ≫ ㄱ. 국가 인권 위원회는 입법부, 행정부, 사법부 등 어디에도 속하지 않는 독립된 국가 기관이다. ㄹ. 법원에 대한 설명이다.

09 국민 권익 위원회

㉠에 들어갈 국가 기관은 국민 권익 위원회이다. 국민 권익 위원회는 국가 기관의 잘못된 법 집행으로 피해를 본 국민이 행정 심판을 제기하면 이를 조사하여 잘못된 부분을 고치도록 조치해 준다.

10 인권 침해 주체별 인권 구제 방법

(가) 국가 기관에 의한 인권 침해 시의 구제 방법에는 헌법 재판소에 헌법 소원 제기, 행정 기관에 행정 심판 제기, 법원에 행정 소송 제기, 국가 기관에 입법 청원 등이 있다. (나) 개인이나 단체에 의한 인권 침해 시의 구제 방법에는 법원에 민사 소송 제기, 수사 기관에 고소 또는 고발, 국가 인권 위원회에 진정 등이 있다.

서술형 문제

21쪽

01 인권 침해의 의미와 발생 원인

(1) 인권 침해

(2) ① 고정 관념, ② 관습, ③ 제도

02 법원을 통한 인권 구제 방법

예시답안 ▶ 법원은 타인이나 국가 기관에 의해 권리를 침해당한 사람이 소를 제기하면 재판을 통해 침해된 권리를 구제해 준다.

채점 기준	점수
제시된 단어 두 가지를 모두 사용하여 법원을 통한 인권 구제 방법을 정확히 서술한 경우	상
제시된 단어 중 한 가지만 사용하여 법원을 통한 인권 구제 방법을 서술한 경우	하

03 근로자의 권리와 노동권 침해 및 구제

23쪽

A 1 (1) × (2) ○ (3) ○ 2 (1) - ㉠ (2) - ㉡ (3) - ㉢

3 (1) 최저 임금제 (2) 근로 조건

B 1 ㄴ, ㄹ 2 노동 위원회

실력 탄탄 핵심 문제

24~25쪽

01 ① 02 ④ 03 ① 04 ⑤ 05 ④ 06 ② 07 ⑤ 08 ③ 09 ② 10 ②

01 근로자의 의미

㉠은 근로자에 해당한다. 근로자는 직업의 종류와 근로 기간에 상관없이 사용자에게 임금을 받고 일하는 모든 사람을 뜻한다. 따라서 회사나 공장에서 일하는 사람뿐만 아니라 국가 기관에서 일하는 공무원이나 일정 기간만 일하는 사람, 편의점에서 아르바이트를 하는 학생 등도 근로자에 포함된다.

바로알기 ≫ ① 스스로 사업을 하는 자영업자는 근로자를 채용하고 근로에 대하여 지휘·감독할 책임이 있는 사용자에 해당한다.

02 헌법에 보장된 근로자의 권리

우리 헌법 제32조 ①은 근로의 권리, 제33조 ①은 단결권, 단체 교섭권, 단체 행동권, 즉 노동 삼권을 규정하고 있다. 이를 통해 우리나라에서는 근로자의 권리로 근로의 권리와 노동 삼권이 보장되고 있음을 알 수 있다. ㄴ. 우리 헌법은 경제적 약자의 위치에 있는 근로자가 사용자와 대등한 위치에서 근로 조건을 협의하고 결정할 수 있도록 노동 삼권을 보장하고 있다. ㄹ. 우리 헌법은 단체 교섭이 원만하게 이루어지지 않은 경우 근로자가 일정한 절차를 거쳐 쟁의 행위를 할 수 있도록 규정하고 있다.

파업, 태업 등이 있지.

바로알기 ≫ ㄷ. 우리 헌법은 일할 의사와 능력을 가진 사람이 국가에 일할 기회를 요구할 권리, 즉 근로의 권리를 보장하고 있다.

03 단결권

근로자가 노동력을 제공하는 조건으로, 우리나라에서는 최저 기준을 법률로 정하도록 하고 있어.

제시된 내용은 단결권에 대한 설명이다. 우리 헌법은 근로자가 임금, 근로 시간, 휴가 등의 근로 조건을 유지 및 개선하고 경제적 지위를 향상하기 위해 노동조합을 조직하고, 이에 가입하여 활동할 수 있도록 근로자의 단결권을 보장하고 있다.

04 단체 행동권과 단체 교섭권

(가)는 단체 교섭이 원만하게 이루어지지 않아 파업과 같은 쟁의 행위를 한 것이므로, 단체 행동권을 행사한 것에 해당한다. (나)는 근로자가 노동조합을 통해 사용자와 근로 조건에 관하여 협의한 것이므로, 단체 교섭권을 행사한 것에 해당한다.

바로알기 ≫ ①, ②, ④ 단결권은 근로자가 근로 조건을 유지 및 개선하고 경제적 지위를 향상할 목적으로 노동조합을 만들고, 이에 가입하여 활동할 수 있는 권리를 말한다.

05 근로 조건의 기준

①, ②, ③ 임금은 원칙적으로 매달 1회 이상 일정한 날짜에 본인에게 직접 통화로 전액을 지급해야 하며, 반드시 최저 임금 이상으로 주어야 한다. ⑤ 원칙적으로 근로 시간이 4시간이면 30분 이상, 8시간이면 1시간 이상의 휴식을 일하는 도중에 주어야 한다.

바로알기 ≫ ④ 근로 기준법에 따라 원칙적으로 근로 시간은 휴식 시간을 제외하고 1일 8시간, 1주 40시간을 초과할 수 없다.

└ 청소년은 원칙적으로 1일 7시간 이상 일할 수 없어.

06 노동권 침해 사례

ㄱ. 육아 휴직을 이유로 해고한 것은 정당한 이유 없이 근로자를 해고하는 부당 해고이므로, 노동권 침해 사례에 해당한다. ㄷ. 4시간 이상 근무하면서 일하는 도중에 최소 30분 이상의 휴식 시간을 주지 않은 것은 근로 조건을 위반한 것이므로, 노동권 침해 사례에 해당한다.

바로알기 ≫ ㄴ. 임금을 최저 임금 이상으로 받은 것은 근로 조건의 기준을 충족한 것이므로, 노동권 침해 사례에 해당하지 않는다. ㄹ. 근로 계약을 할 때 근로계약서를 작성한 것은 근로자의 권리와 최소한의 근로 조건을 보장받기 위한 행위이므로, 노동권 침해 사례에 해당하지 않는다.

07 부당 해고

정당한 이유 없이 근로자를 해고하는 것 또는 적어도 30일 전에 해고 계획을 근로자에게 알리지 않거나 문서를 통해 해고 사유와 시기를 알리지 않은 것처럼 해고의 조건을 갖추지 않은 것은 부당 해고에 해당한다.

바로알기 ≫ ⑤ 노동조합과의 단체 교섭을 거부하는 것은 사용자가 근로자의 노동 삼권을 침해하는 행위인 부당 노동 행위에 해당한다.

08 부당 노동 행위

제시된 그림은 근로자가 노동조합에 가입하여 활동한 것, 즉 단결권을 행사하였다는 이유만으로 상여금을 받지 못하는 불이익을 받고 있음을 보여 준다. 이처럼 사용자가 근로자의 노동 삼권을 침해하는 행위를 부당 노동 행위라고 한다.

09 노동권 구제 기관

부당 해고를 당하거나 부당 노동 행위로 노동 삼권을 침해받은 피해 당사자는 지방 노동 위원회에 구제를 신청할 수 있다. 지방 노동 위원회의 결정에 불만이 있을 경우 중앙 노동 위원회에 재심을 신청할 수 있고, 이에도 불복할 경우 법원(㉠)에 행정 소송을 제기할 수 있다.

10 노동권 침해 사례 및 구제 방법

자료로 이해하기 ≫

임금 미지급에 해당하지.

직장인인 가진 씨는 ㉠ 이유 없이 두 달째 월급을 받지 못하고 있다. 더욱이 동료인 나희 씨가 ㉡ 결혼을 이유로 퇴직을 강요당하고 있다. 이에 가진 씨는 근로 조건의 향상을 위해 ㉢ 노동조합에 가입하여 활동하고자 한다.

└ 부당 해고에 해당하지.

└ 노동 삼권 중 단결권을 행사한 것이야.

㉠과 같이 임금을 제때 주지 않는 것은 임금 미지급, ㉡과 같이 정당하지 않은 이유로 해고하는 것은 부당 해고에 해당한다. ㄱ. 임금 미지급은 고용 노동부에 진정을 넣거나 법원에 소를 제기함으로써 해결할 수 있다.

바로알기 ≫ ㄴ. 노동조합에 가입하여 활동할 권리는 노동 삼권 중 단결권에 해당한다. 단체 행동권은 단체 교섭이 원만하게 이루어지지 않을 경우 일정한 절차를 거쳐 쟁의 행위를 할 수 있는 권리를 말한다. ㄷ. 사용자가 근로자의 단결권 행사를 방해하는 것은 부당 노동 행위에 해당하므로, 노동권 침해 사례에 해당한다.

서술형 문제

25쪽

01 단결권의 의미

① 근로 조건, ② 단결권

02 부당 해고 시의 구제 방법

예시답안 ▶ 부당 해고, 부당 해고를 당한 경우 노동 위원회에 구제를 신청할 수 있고, 노동 위원회의 판결에 불복할 경우 법원에 소를 제기할 수 있다.

채점 기준	점수
부당 해고라고 쓰고, 그 구제 방법을 두 가지 이상 정확히 서술한 경우	상
부당 해고라고 쓰고, 그 구제 방법을 한 가지만 서술한 경우	중
부당 해고라고만 쓴 경우	하

시험 적중 마무리 문제 28~31쪽

01 ④ 02 ③ 03 ③ 04 ⑤ 05 ② 06 ⑤ 07 ① 08 ④
09 ④ 10 ③ 11 ⑤ 12 ① 13 인권 침해 14 ② 15 ③
16 ⑤ 17 ⑤ 18 ④ 19 ② 20 ③ 21 ⑤ 22 ③ 23 ①
24 ④

01 인권의 특징

ㄴ, ㄹ. 인권은 인간이 인간답게 살아가기 위해 마땅히 누려야 할 기본적인 권리를 말하는데, 인권이 제대로 보장될 때 인간이 인간으로서의 존엄을 지키며 최소한의 인간다운 삶을 살 수 있다.

바로알기 » ㄱ. 인권은 일정 나이가 되어야 주어지는 것이 아니라 태어날 때부터 주어지는 천부 인권의 성격을 띤다. ㄷ. 인권은 피부색, 성별, 나이, 사회적 신분 등에 상관없이 모든 사람이 동등하게 누릴 수 있는 보편적인 권리이다.

02 세계 인권 선언

제시된 내용은 세계 인권 선언의 일부 조항을 나타낸 것이다. ①, ②, ④ 1948년 국제 연합(UN)에서 채택된 세계 인권 선언은 자유와 평등 중심의 인권 사상을 강조하였으며, 모든 사람이 보편적으로 누려야 할 인권의 기준을 제시하였다. ⑤ 세계 인권 선언은 국제 인권법의 토대로서 그 이념과 내용은 오늘날 여러 나라의 헌법과 법률에 반영되어 있다.

바로알기 » ③ 수많은 국제 조약과 국제 선언의 바탕이 되는 세계 인권 선언은 개인 차원을 넘어 국제적 차원에서 인권 보장이 이루어져야 함을 강조하였다.

03 인권과 헌법의 관계

(모든 법과 제도가 제정되고 시행되는 근거가 되지.)

오늘날 대부분의 국가에서는 한 나라의 최고 법인 헌법에 기본적 인권을 규정함으로써 국민의 인권을 보장하고 있는데, 이처럼 헌법에 보장된 기본적 인권을 기본권이라고 한다.

바로알기 » 가현. 인권은 법으로 보장하기 이전부터 주어지는 자연권이다. 라현. 헌법은 국가의 부당한 간섭이나 침해로부터 국민의 인권을 보호해 준다.

04 인간의 존엄과 가치 및 행복 추구권

제시된 내용은 인간의 존엄과 가치 및 행복 추구권에 대한 설명이다. 우리 헌법은 인간의 존엄과 가치 및 행복 추구권을 토대로 자유권, 평등권, 참정권, 사회권, 청구권 등을 기본권으로 규정하고 있다.

05 자유권을 규정한 헌법 조항

㉠에 들어갈 기본권은 자유권이다. ② 언론·출판의 자유와 집회·결사의 자유를 규정하고 있는 헌법 조항으로, 자유권에 속한다.

바로알기 » ①은 평등권을, ③은 사회권에 속하는 교육을 받을 권리를, ④는 참정권에 속하는 공무 담임권을, ⑤는 청구권에 속하는 재판 청구권을 규정하고 있는 헌법 조항이다.

06 평등권의 의미와 특징

⑤ 평등권은 성별, 종교, 사회적 신분, 인종 등에 의해 합리적인 이유 없이 부당하게 차별받지 않고 동등하게 대우받을 권리를 말한다.

바로알기 » ①은 자유권, ③은 참정권, ④는 청구권에 대한 설명이다. ② 평등권은 국민이 생활의 모든 영역에서 차별받지 않을 권리를 의미한다.

07 참정권

선거권과 국민 투표권은 참정권에 해당한다. 참정권은 국가 기관의 형성과 국가의 정치적 의사 형성 과정에 참여할 수 있는 권리로, 이를 통해 국민 주권주의를 실현할 수 있다.

08 청구권과 사회권

(가)는 청구권, (나)는 사회권에 대한 설명이다. 청구권은 다른 기본권을 보장하기 위한 수단적 성격을 띠는 기본권으로 청원권, 재판 청구권 등이 해당한다. 사회권은 적극적인 성격을 띠는 기본권으로 교육을 받을 권리 등이 해당한다.

09 일상생활에서 실현된 기본권

장면 2는 승진 과정에서 성별을 이유로 부당한 차별을 받지 않고 동등하게 대우받을 수 있음을 보여 주므로, 평등권이 실현된 모습에 해당한다. 장면 4는 인간다운 생활을 할 권리를 보장받을 수 있음을 보여 주므로, 사회권이 실현된 모습에 해당한다.

바로알기 » 장면 1. 국가 권력의 간섭 없이 자유롭게 직업을 가질 수 있음을 보여 주므로, 자유권이 실현된 모습에 해당한다. 장면 3. 국가에 도로를 정비하는 행위를 요구할 수 있음을 보여 주므로, 청구권이 실현된 모습에 해당한다.

10 기본권 제한의 목적

(가)는 교통질서를 유지하기 위해 개인의 통행의 자유를 일부 제한한 사례이다. (나)는 사회 구성원 전체에 공통되는 이익, 즉 공공복리를 증진하기 위해 개인의 재산권을 일부 제한한 사례이다.

11 기본권 제한의 한계

제시된 글은 공공복리를 위해 집회·결사의 자유를 일부 제한할 수는 있지만, 집회·결사의 자유 자체를 침해할 수는 없음을 나타낸다. 이는 기본권을 제한하더라도 자유와 권리의 본질적인 내용은 침해할 수 없다는 기본권 제한의 한계를 보여 주는 것이다.

바로알기 » ③, ④ 국가는 국가 안전 보장, 질서 유지, 공공복리를 위하여 필요한 경우에 한하여 개인의 기본권을 제한할 수 있다.

12 기본권 제한의 내용과 한계

ㄱ, ㄴ. 우리나라에서는 국회에서 만든 법률로써만 국민의 기본권을 제한할 수 있으며, 국민의 기본권을 최대한 보장하기 위해 기본권 제한의 한계를 명확하게 정하고 있다.

바로알기 » ㄷ, ㄹ. 우리나라에서는 국가 안전 보장, 질서 유지, 공공복리를 위하여 필요한 경우에 한하여 기본권은 제한할 수 있는데, 국민의 기본권을 제한하더라도 자유와 권리의 본질적인 내용을 침해할 수는 없다.

13 인권 침해

제시된 내용은 인권 침해에 대한 설명이다. 인권 침해는 오늘날 일상생활 전반에 걸쳐 다양한 형태로 나타난다.

14 인권 침해의 사례

①은 장애인의 이동권이 침해된 것, ③은 일조권이 침해된 것, ④는 사생활의 자유가 침해된 것, ⑤는 국가 기관이 공권력을 행사하지 않아 교육을 받을 권리가 침해된 것으로, 모두 인간으로서 가진 권리 혹은 기본권이 존중받지 못하는 인권 침해의 사례에 해당한다.

바로알기 ≫ ② 지하철의 손잡이를 다양한 높이로 설치한 것은 개인의 신체적 차이를 존중한 것이므로, 인권 침해의 사례로 볼 수 없다.

15 헌법 재판소의 역할

㉠에 들어갈 국가 기관은 헌법 재판소이다. 헌법 재판소는 헌법 질서를 수호하고 국민의 기본권을 보장하는 국가 기관으로, 공권력에 의해 기본권을 침해당한 국민이 헌법 소원을 제기하면 헌법 소원 심판을 통해 침해된 권리를 구제해 준다.

바로알기 ≫ ①은 국민 권익 위원회, ②는 법원, ④, ⑤는 국가 인권 위원회의 역할에 해당한다.

16 침해된 인권의 종류와 구제 기관

제시된 사례에서 A 씨는 임신·출산과 관련한 별도의 휴학 제도를 만들지 않은 것을 차별이라고 여겨 진정을 제기하였으므로, 평등권(㉠)이 침해되었다고 주장하였음을 알 수 있다. 회사 또는 단체 등에 의해 차별당한 사람이 국가 인권 위원회(㉡)에 진정을 내면 국가 인권 위원회는 사건을 조사하여 침해된 권리를 구제하여 준다.

17 국가 기관에 의한 인권 침해 시의 구제 방법

ㄷ. 행정 기관의 잘못된 처분 등으로 권리나 이익을 침해당한 국민은 국민 권익 위원회에 행정 심판을 제기할 수 있다. ㄹ. 공권력에 의해 기본권을 침해당한 국민은 헌법 재판소에 헌법 소원을 제기할 수 있다.

바로알기 ≫ ㄱ, ㄴ. 고소와 민사 소송은 개인이나 단체에 의해 인권을 침해당한 사람이 구제를 요청하는 방법에 해당한다.

18 인권의 침해 및 구제

문항 1에서 위헌 법률 심판은 헌법 재판소가 담당하는 인권 구제 방법이므로, 답은 '×'이다. 문항 2에서 인권을 침해당했을 때는 법원, 헌법 재판소, 국가 인권 위원회 등의 국가 기관에 구제를 요청하는 것이 바람직하므로, 답은 '×'이다. 문항 3에서 출신 지역을 이유로 한 임금 차별은 인권 침해에 해당하므로, 답은 '×'이다. 문항 4에서 타인에 의해 권리를 침해받은 사람이 법원에 소를 제기하면 법원은 재판을 통해 침해된 권리를 구제해 주므로, 답은 'o'이다. 문항 1, 문항 3, 문항 4만이 정답이므로, 학생이 얻을 총 점수는 3점이다.

19 근로자의 의미와 특징

ㄱ, ㄹ. 근로자는 임금을 받기 위해 사용자에게 근로를 제공하는 사람으로, 근로 조건의 기준을 규정한 근로 기준법에 근거하여 최소한의 근로 기준을 보장받는다. (계약상의 근로 조건은 법률이 정한 기준보다 낮아서는 안 돼.)

바로알기 ≫ ㄴ. 근무 기간에 상관없이 사용자에게 임금을 받고 일하는 사람은 모두 근로자에 해당한다. ㄷ. 근로자는 근로의 권리뿐만 아니라 단결권, 단체 교섭권, 단체 행동권, 즉 노동 삼권도 보장받는다.

20 노동 삼권

(가)는 단결권, (나)는 단체 행동권, (다)는 단체 교섭권에 해당한다. ① 단결권은 근로자가 근로 조건을 유지 및 개선하고 경제적 지위를 향상하기 위해 노동조합을 만들고, 이에 가입하여 활동할 수 있는 권리를 말한다. ② 근로자는 단체 교섭이 원만하게 이루어지지 않을 경우 일정한 절차를 거쳐 파업, 태업 등의 쟁의 행위를 할 수 있다. ④ 사용자가 근로자의 단체 교섭권을 비롯한 노동 삼권을 침해하는 행위는 부당 노동 행위에 해당한다. ⑤ 단결권, 단체 행동권, 단체 교섭권을 일컬어 노동 삼권이라고 한다.

바로알기 ≫ ③ 근로의 권리는 일할 의사와 능력을 가진 사람이 국가에 일할 기회를 요구할 권리를 말한다.

21 노동 삼권의 보장 목적

우리 헌법은 경제적 약자의 위치에 있는 근로자가 사용자와 대등한 위치에서 근로 조건을 협의하고 결정할 수 있도록 노동 삼권, 즉 단결권, 단체 교섭권, 단체 행동권을 보장하고 있다.

바로알기 ≫ ② 최저 임금제의 효율적 운영은 노동 삼권의 보장 목적과 관련이 적다. ③ 근로자의 근로 조건은 법률이 정한 기준보다 낮아서는 안 된다.

22 청소년의 노동권 침해 사례

① 임금을 통화로 주지 않은 것은 근로 조건을 위반한 것이므로, 노동권 침해에 해당한다. ② 청소년도 성인과 같은 최저 임금을 보장받으므로, 청소년에게 최저 임금에 못 미치는 임금을 준 것은 노동권 침해에 해당한다. ④ 청소년은 원칙적으로 1일 7시간 이상 일할 수 없다. 따라서 별도의 협의 없이 1일 8시간 근무하도록 한 것은 근로 조건을 위반한 것이므로, 노동권 침해에 해당한다. ⑤ 근로 계약을 할 때 근로 조건에 관하여 근로 계약서를 작성하지 않은 것은 노동권 침해에 해당한다.

바로알기 ≫ ③ 매달 일정한 날짜에 임금을 전부 받은 것은 법률이 정한 최소한의 근로 조건을 보장받은 것이므로, 노동권 침해에 해당하지 않는다.

23 부당 해고 시의 구제 방법

제시된 상황에서 가람 씨는 결혼을 이유로 해고를 강요받고 있는데, 이는 정당한 이유 없이 근로자를 해고하는 부당 해고에 해당한다. ① 부당 해고를 당한 경우에는 노동 위원회에 구제를 요청하거나 법원에 소를 제기할 수 있다.

24 부당 노동 행위

ㄴ. 노동조합에 가입했다는 이유로 근로자에게 불이익을 주는 것은 사용자가 근로자의 노동 삼권을 침해하는 행위이므로, 부당 노동 행위에 해당한다. ㄹ. 부당 노동 행위로 피해를 입은 당사자는 노동 위원회에 구제 신청을 하거나 법원에 소를 제기함으로써 권리를 구제받을 수 있다.

바로알기 ≫ ㄱ. 부당 노동 행위는 사용자가 근로자의 노동 삼권을 침해하는 행위를 말한다. ㄷ. 사용자가 근로자에게 문서를 통해 해고 사유와 시기를 알리지 않은 것은 해고의 조건을 갖추지 못한 것으로, 부당 해고에 해당한다.

Ⅱ. 헌법과 국가 기관

01 국회

35, 37쪽

A 1 의회 2 (1) 국회 (2) 입법
B 1 (1) – ㉡ (2) – ㉠ 2 국회 의장 3 (1) ○ (2) × (3) ×
C 1 본회의 2 (1) 공개 (2) 상임 위원회 (3) 교섭 단체
D 1 (1) 조약 (2) 법률 2 (1) ○ (2) ○ (3) ×
3 (1) ㄷ, ㅂ (2) ㄱ, ㄹ (3) ㄴ, ㅁ

실력 탄탄 핵심 문제 38~41쪽

01 ① 02 ① 03 ⑤ 04 ④ 05 ③ 06 ② 07 ④ 08 ①
09 ③ 10 ① 11 ③ 12 교섭 단체 13 ③ 14 ④ 15 ②
16 ⑤ 17 ① 18 ④ 19 ② 20 ⑤ 21 ②

01 대의 민주 정치
모든 국민이 한 데 모여 국가 정책을 직접 결정하기 어려운 현대 국가에서는 국민이 선거를 통해 대표자를 선출하고, 그들이 모인 의회에서 법을 만들거나 국가의 중요한 일을 결정하는 제도인 대의 민주 정치를 채택하고 있다.

바로알기 ≫ ② 현대 국가에서 국민은 선거 등을 통해 정치에 참여할 수 있다. ③ 법을 만드는 국가 작용인 입법의 권한은 입법부인 의회에 부여된다. ④ 국민의 다양한 의사를 대변하는 국민의 대표 기관은 의회이다. ⑤ 의회는 국민이 직접 선출한 대표들로 구성된다.
(우리나라의 의회는 국회라고 해.)

02 국회
㉠에 들어갈 국가 기관은 국회이다. 국회는 국민이 선거를 통해 선출한 대표로 구성된 기관으로, 법을 제정 또는 개정하거나 다른 국가 기관을 견제하고 감시하는 등의 역할을 담당한다.

03 국회의 의미와 위상
①, ③ 국회는 국민이 직접 뽑은 대표들로 구성된 국민의 대표 기관으로서 국민의 다양한 의사를 대변한다. ②, ④ 국회는 법을 만드는 국가 작용인 입법을 담당하는 국가 기관으로서 국민의 의사를 반영하여 국가의 조직과 통치의 기초가 되는 법률을 제정 및 개정한다.

바로알기 ≫ ⑤ 국회는 국가 권력의 남용을 막기 위해 행정부, 법원 등 다른 국가 기관을 견제하고 감시하는 국가 권력의 견제 기관으로서의 위상을 지닌다.

04 국회의 위상
㈎는 행정부, 법원 등 다른 국가 기관을 견제하고 감시함으로써 국가 권력의 남용을 막고 국민의 기본권을 보장하는 국가 권력의 견제 기관으로서의 국회의 위상을 나타낸다. ㈏는 국민의 의사를 반영하여 국가의 조직과 통치의 기초가 되는 법률을 제정하거나 개정하는 입법 기관으로서의 국회의 위상을 나타낸다.

05 국회의 구성 방식
국회는 각 지역구에서 선출된 지역구 국회 의원과 정당별 득표율에 비례하여 선출된 비례 대표 국회 의원으로 구성되는데, 국회가 구성되면 국회 의장과 국회 부의장을 선출한다. 국회를 대표하는 국회 의장은 회의장의 질서를 유지하고 본회의를 원활하게 진행하는 역할을 한다.
(재적 의원 과반수의 표를 얻어 선출돼.)

바로알기 ≫ ③ 국회 의장은 국회 의원 중에서 선출한다.

06 지역구 국회 의원과 비례 대표 국회 의원
ㄱ. 지역구 국회 의원은 각 지역구의 후보자 중에서 가장 많은 표를 얻어 선출된다. ㄹ. 우리나라의 국회 의원 선거에서는 지역구 국회 의원을 선출하기 위한 투표와 비례 대표 국회 의원을 선출하기 위한 정당 투표가 동시에 이루어진다.

바로알기 ≫ ㄴ. 국회는 국민이 선거로 뽑은 지역구 국회 의원과 비례 대표 국회 의원으로 구성된다. ㄷ. 비례 대표 국회 의원은 지역별로 선출되는 지역구 국회 의원과 달리 정당별 득표율에 비례하여 선출된다.

07 국회 의원의 특징
④ 우리 헌법은 200명 이상의 국회 의원으로 국회를 구성해야 한다고 규정하고 있다.

바로알기 ≫ ① 국회 의원의 임기는 4년이다. ② 국회 의원은 국민이 선거를 통해 직접 선출한다. ③ 우리 헌법은 국회 의원의 수를 법률로 정하도록 규정하고 있다. ⑤ 국회 의원은 국회에서 직무상 행한 발언과 표결에 관하여 국회 밖에서 책임을 지지 않는다.

08 본회의
제시된 내용은 국회 본회의에 대한 설명이다. 본회의는 국회의 의사를 최종적으로 결정하는 회의로, 각 상임 위원회에서 심사한 법률안, 예산안, 청원 등을 심의하여 의결한다.

09 본회의의 의미와 특징
ㄴ. 본회의는 매년 1회 정기적으로 열리는 정기회와 수시로 열리는 임시회로 구분할 수 있다. ㄷ. 국회의 회의는 공개하는 것을 원칙으로 한다.

바로알기 ≫ ㄱ. 본회의 중 임시회는 필요에 따라 수시로 열리기도 한다. ㄹ. 국회에서는 원칙적으로 재적 의원 과반수의 출석과 출석 의원 과반수의 찬성으로 의사 결정이 이루어진다.

10 상임 위원회의 운영 목적
제시된 글은 상임 위원회에 대한 설명이다. 본회의에서 모든 안건을 처리하기는 힘들기 때문에 국회는 효율적으로 의사를 진행할 목적으로 본회의에서 결정할 안건을 미리 조사하고 심의하는 기관인 상임 위원회를 두고 있다.

11 위원회의 종류
위원회는 크게 상임 위원회와 특별 위원회로 구분할 수 있다. 상임 위원회(㉠)는 본회의에서 결정할 안건을 미리 조사하고 심의하기 위해 항상 활동하며, 특별 위원회(㉡)는 상임 위원회에서 담당하는 사건이 아닌 특별한 안건을 처리할 목적으로 일시적으로 활동한다.

12 교섭 단체

밑줄 친 '이 조직'은 교섭 단체이다. 교섭 단체는 원활한 국회 운영을 위해 마련된 조직으로, 우리나라에서는 20인 이상의 국회 의원으로 교섭 단체를 구성할 수 있다.

13 국회의 입법에 관한 기능

제시된 글은 국회가 법을 만드는 국가 작용, 즉 입법에 관한 기능을 담당한다는 것을 나타낸다. 입법 기관으로서 국회는 모든 국가 작용의 근거가 되는 법률을 제정하고 개정한다. 또한 헌법 개정안을 제안하고 의결할 권한을 가지며, 대통령이 외국과 체결한 조약에 대한 동의권을 행사한다.

외국과 맺은 조약은 국회의 동의를 얻으면 법률과 동일한 효력을 가지게 되지.

바로알기 >> ㄱ. 결산 심사는 국회의 재정에 관한 기능에 해당한다. ㄹ. 국정 감사 및 국정 조사는 국회의 일반 국정에 관한 기능에 해당한다.

14 국회의 법률 제정 및 개정 기능

제시된 사례는 국회 본회의에서 법률의 개정안이 의결되었음을 보여 준다. 이처럼 국회는 입법 기관으로서 법률을 제정하거나 개정하는 기능을 한다.

바로알기 >> ①, ⑤ 헌법 개정안 제안과 조약 체결에 대한 동의는 국회의 입법에 관한 기능에 해당하지만, 제시된 사례와 관련이 없다. ② 대통령의 임명 권한을 견제하는 것은 국회의 일반 국정에 관한 기능에 해당한다. ③ 정부의 살림살이를 감시하고 통제하는 것은 국회의 재정에 관한 기능에 해당한다.

15 법률 제정 및 개정 절차

우리나라에서는 국회 의원 10인 이상이나 정부(㉠)가 법률안을 제출할 수 있다. 한편, 상임 위원회의 심의를 거쳐 본회의에서 의결된 법률안은 대통령(㉡)이 공포함으로써 효력을 발휘한다.

16 법률 제정 및 개정 과정

상임 위원회의 심의를 거친 법률안은 재적 의원 과반수의 출석과 출석 의원 과반수의 찬성으로 의결되지.

자료로 이해하기 >>

(가) 국회에서 이송된 법률안을 대통령이 공포하였다.
(나) 임시회가 개최되어 본회의에 상정된 법률안이 통과되었다.
(다) 상임 위원회 중 여성 가족 위원회에서 법률안을 심의하였다.
(라) 학교에 다니지 않는 청소년들을 지원하기 위해 국회 의원들이 법률안을 제안하였다.

상임 위원회는 전문 분야별로 조직되며, 각 분야에 전문성을 가진 국회 의원들로 구성되지.

우리나라에서 법률의 제정 및 개정은 '(라) 국회 의원 10인 이상 또는 정부의 법률안 제출 → (다) 상임 위원회의 법률안 심의 → (나) 본회의에서의 법률안 의결 → (가) 대통령의 법률안 공포'의 과정을 거쳐 이루어진다.

17 국회의 예산안 심의 및 확정 기능

국민이 낸 세금을 전제로 하는 예산이 낭비되지 않도록 하기 위해 국회는 매년 정부가 제출한 예산안을 심의하여 우선순위와 내용을 확정하는데, 이는 국회의 재정에 관한 기능에 해당한다.

바로알기 >> ②, ③, ④, ⑤ 국회의 일반 국정에 관한 기능에 해당한다.

18 국정 감사 및 국정 조사

첫 번째 내용은 국정 감사, 두 번째 내용은 국정 조사에 대한 설명이다. ④ 국회는 국정 감사나 국정 조사를 통해 국정을 살펴보고, 국정의 잘못된 부분을 찾아내어 바로잡도록 함으로써 국정을 감시하고 통제하는 기능을 한다.

바로알기 >> ① 국정 감사는 일반 국정에 관한 기능에 해당한다. ② 국정 감사는 행정부를 견제하는 기능을 한다. ③ 국회의 가장 대표적인 기능은 법을 만드는 입법 기능이다. ⑤ 결산 심사는 재정에 관한 기능에 해당한다.

19 국회의 일반 국정에 관한 기능

밑줄 친 부분은 국회의 일반 국정에 관한 기능에 해당한다. 국회는 국정 감사 및 국정 조사, 탄핵 소추 의결, 중요 공무원의 해임 건의 등과 같은 일반 국정에 관한 기능을 수행함으로써 국정을 감시하고 견제한다.

바로알기 >> ② 국회의 입법에 관한 기능에 해당한다.

20 국회의 재정에 관한 기능과 일반 국정에 관한 기능

(가)는 대통령이 대법원장 등과 같은 중요 공무원을 임명할 때 국회가 동의권을 행사함으로써 대통령의 임명 권한을 견제한 것으로, 국회의 일반 국정에 관한 기능에 해당한다. (나)는 정부가 제출한 예산안을 국회가 심의하여 확정한 것으로, 국회의 재정에 관한 기능에 해당한다.

21 국회의 기능

ㄱ. 정부가 예산을 제대로 집행하였는지 심사하는 결산 심사는 국회의 재정에 관한 기능에 해당한다. ㄹ. 대통령을 비롯한 고위 공무원이 헌법이나 법률을 위반할 경우 탄핵 소추를 의결하는 것은 국회의 일반 국정에 관한 기능에 해당한다.

바로알기 >> ㄴ. 국정 감사를 실시하여 매년 정기적으로 국정 전반을 감사하는 것은 국회의 일반 국정에 관한 기능에 해당한다. ㄷ. 국가 기관의 조직과 국가 권력 행사의 근거가 되는 법률을 제정하고 개정하는 것은 국회의 입법에 관한 기능에 해당한다.

서술형 문제

41쪽

01 국회의 위상

(1) 국회
(2) ① 대표, ② 입법, ③ 국정

02 본회의에서의 의사 결정 방식

예시답안 ▸ 본회의, 본회의에서는 원칙적으로 재적 의원 과반수의 출석과 출석 의원 과반수의 찬성으로 의사 결정이 이루어진다.

채점 기준	점수
본회의라고 쓰고, 본회의에서의 의사 결정 방식을 정확히 서술한 경우	상
본회의라고만 쓴 경우	하

03 국회의 일반 국정에 관한 기능

예시답안 국회는 일반 국정과 관련하여 국정 감사나 국정 조사를 통해 국정을 살펴보고, 국정의 잘못된 부분을 찾아내어 바로잡도록 한다. 또한 대통령이 중요 공무원을 임명할 때 동의권을 행사하며, 대통령을 비롯한 고위 공무원이 헌법이나 법률을 위반할 경우 탄핵 소추를 의결할 수 있다. 이 밖에도 국회는 대통령의 선전 포고나 국군의 해외 파병에 대한 동의권 행사, 헌법 재판소 재판관과 중앙 선거 관리 위원회 위원 중 3인 선출, 대통령에게 국무총리나 국무 위원의 해임 건의 등 일반 국정에 관한 다양한 기능을 수행한다.

채점 기준	점수
국회의 일반 국정에 관한 기능을 세 가지 이상 정확히 서술한 경우	상
국회의 일반 국정에 관한 기능을 두 가지만 서술한 경우	중
국회의 일반 국정에 관한 기능을 한 가지만 서술한 경우	하

02 행정부와 대통령

43, 45쪽

A 1 행정 2 (1) 행정부 (2) 커

B 1 대통령 2 (1) ㄷ (2) ㄱ (3) ㄴ 3 (1) × (2) ○ (3) ○
4 (1) – ㉠ (2) – ㉡

C 1 (1) 5년 (2) 없다 (3) 직접 2 ㉠ 국가 원수 ㉡ 행정부 수반

D 1 (1) 국회 (2) 국민 투표 2 (1) ○ (2) × (3) ○ 3 대통령령
4 (1) 국 (2) 행 (3) 국 (4) 행

실력 탄탄 핵심 문제 46~49쪽

01 ⑤ 02 ② 03 ② 04 ④ 05 ③ 06 ① 07 ④ 08 ③
09 ⑤ 10 ① 11 ② 12 ① 13 ⑤ 14 ② 15 ⑤ 16 ④
17 ① 18 ③ 19 ③ 20 ⑤ 21 ④

01 행정과 행정부의 의미

㉠은 행정, ㉡은 행정부이다. 행정은 국회에서 만든 법률을 집행하고 공익을 실현할 목적으로 정책을 수립하여 실행하는 국가 작용으로, 행정을 담당하는 국가 기관을 행정부라고 한다.

바로알기 ≫ ①, ③, ④ 국회는 법을 만드는 국가 작용인 입법을 담당하는 국가 기관이며, 법원은 법을 적용하는 국가 작용인 사법을 담당하는 국가 기관이다.

02 행정의 특징

ㄱ, ㄹ. 행정은 국회에서 만든 법률을 집행하는 활동뿐만 아니라 공익을 적극적으로 실현하기 위해 다양한 정책을 만들고 실행하는 국가 작용도 포함한다.

바로알기 ≫ ㄴ. 행정은 특정 집단의 이익이 아닌 사회 전체의 이익을 실현하는 것을 목적으로 한다. ㄷ. 행정은 국민의 대표 기관인 국회가 제정한 법률의 범위 안에서 이루어지는 것을 원칙으로 한다.

03 행정의 사례

①, ③ 국방을 튼튼히 하고 교통질서를 유지하여 국민의 생명과 재산을 지키는 것, ④, ⑤ 민원 업무를 처리하고 도로를 건설하여 국민 생활의 편의를 도모하는 것은 모두 법률을 집행하고 공익 실현을 목적으로 정책을 수립하여 실행하는 것이므로, 행정의 사례에 해당한다.

바로알기 ≫ ② 법률을 만들거나 고치는 것은 입법의 사례에 해당한다.

04 행정부의 의미와 특징

자료로 이해하기 ≫

입법 기관인 국회에서 법률을 제정한 것이야.

「학교 폭력 예방 및 대책에 관한 법률」이 만들어짐에 따라 이 국가 기관은 학교에 배움터 지킴이를 배치하고, 학교 주변에 CCTV를 설치하는 등 법률을 실행에 옮겼다.

공익을 실현할 목적으로 행정부가 법률을 집행한 것이야.

밑줄 친 '이 국가 기관'은 행정부이다. ① 좁은 의미에서 정부는 행정부를 가리킨다. ②, ⑤ 행정부는 사회 질서 유지, 국민 보호, 국민 생활의 편의 도모, 국민의 복지 증진 등을 목적으로 다양한 정책을 수립하여 집행하는 역할을 한다. ③ 행정부는 법률을 집행하고 공익을 실현하기 위해 정책을 수립하여 집행하는 국가 작용인 행정을 담당하는 국가 기관이다.

바로알기 >> ④ 행정부는 공익 실현을 목적으로 치안뿐만 아니라 국방, 교육, 보건, 환경 등 다양한 분야에서 활동한다.

05 현대 복지 국가에서의 행정부

ㄴ, ㄷ. 복지 국가 사상이 강조되고 있는 현대 국가에서는 행정부의 업무가 광범위해지고 있으며, 행정부의 역할이 더욱 커지고 있다.

바로알기 >> ㄱ. 오늘날 복지 국가 사상이 강조되면서 국가의 행정 기능이 강화되고 있다. ㄹ. 현대 복지 국가에서는 행정부의 업무가 전문화됨에 따라 행정부의 전문성이 높아지고 있다.

06 대통령

제시된 내용은 대통령에 대한 설명이다. 우리나라 행정부는 행정부의 최고 책임자인 대통령을 중심으로 국무총리, 행정 각부, 국무 회의, 감사원 등으로 구성된다.

07 국무총리

㉠은 국무총리이다. ④ 국무총리는 대통령을 도와 행정 각부를 관리하고 감독하며, 대통령의 자리가 공석일 경우에는 대통령의 권한을 대행한다.

바로알기 >> ①은 행정 각부, ③, ⑤는 대통령에 대한 설명이다. ② 국무총리는 국무 회의의 부의장으로서 국무 회의에 참석한다.

08 행정 각부와 행정 각부의 장

행정 각부는 교육, 경제, 외교, 국방, 통일 등으로 국가 행정을 나누어 맡아 전문적으로 처리하는 행정부의 조직으로, 각 부서가 맡는 업무의 성격에 따라 교육부, 법무부, 외교부 등 여러 부서로 나뉜다. 행정 각부의 장은 자신이 맡은 부서의 업무를 지휘하고 감독하며, 국무 위원으로서 국무 회의에 참석하여 국정 전반에 관한 의견을 제시하기도 한다.

바로알기 >> ③ 행정 각부의 장은 국무 위원 중에서 국무총리의 제청을 받아 대통령이 임명한다.

09 국무 회의의 구성원

제시된 내용은 국무 회의에 대한 설명이다. ㄴ, ㄷ, ㄹ. 국무 회의는 행정부의 최고 책임자인 대통령과 국무총리, 행정 각부의 장을 비롯한 국무 위원으로 구성된다.

바로알기 >> ㄱ. 대법관은 사법부의 조직에 해당하는 대법원의 구성원이다.

10 감사원

㉠은 감사원이다. 감사원은 행정부의 최고 감사 기관으로, 행정 기관과 공무원의 직무를 감찰하는 등 행정 전반을 감시하는 기능을 한다.

11 감사원의 지위와 기능

감사원은 조직상으로는 대통령에 소속되어 있지만, 업무상으로는 독립적인 지위를 가지는 행정부의 조직으로, 국가의 세입과 세출의 결산을 검사함으로써 국민이 낸 세금이 제대로 쓰이고 있는지 조사한다.

바로알기 >> 나현. 행정부의 최고 심의 기관은 국무 회의이다.

12 행정부의 주요 조직과 기능

① 국무 회의는 행정부의 최고 심의 기관으로, 법률안, 예산안, 외교와 군사에 관한 중요 사항, 중요 공무원 임명 처리 등 정부의 권한에 속하는 주요 정책을 심의한다.

바로알기 >> ② 행정부의 최고 감사 기관은 감사원이다. ③ 대통령, 국무총리, 국무 위원으로 구성되는 행정부의 조직은 국무 회의이다. ④ 감사원장은 국회의 동의를 얻어 대통령이 임명한다. ⑤ 자신이 맡은 행정 각부의 업무를 지휘 및 감독하는 행정부의 조직은 행정 각부의 장이다.

13 우리나라 대통령의 특징

⑤ 우리나라 대통령은 국가 원수로서 외국에 대하여 국가를 대표할 자격을 지닌다.

장기 집권에 따른 독재로 국민의 자유와 권리가 침해될 수 있기 때문이야.

바로알기 >> ① 우리나라 대통령의 임기는 5년이다. ② 우리나라에서는 장기 집권에 따른 독재를 막기 위해 대통령의 임기를 제한하고, 중임할 수 없도록 하고 있다. ③ 우리나라 대통령은 한 차례에 한하여 직무를 수행할 수 있다. ④ 우리나라 대통령은 국민의 직접 선거로 선출된다.

14 우리나라 대통령의 지위

우리나라의 대통령은 국가의 최고 지도자이며 외국에 대하여 국가를 대표할 자격을 지닌 국가 원수이자, 행정부의 최고 책임자이며 행정 작용에 대한 최종적인 권한과 책임을 지닌 행정부 수반으로서의 지위를 동시에 지닌다.

바로알기 >> ㄴ. 국회를 대표하는 지위를 가진 국가 기관은 국회 의장이다. ㄹ. 헌법 재판소장은 대통령이 국회의 동의를 얻어 임명하는 국가 기관이다.

15 국가 원수로서의 대통령의 권한

제시된 헌법 조항은 대통령이 국가 원수의 지위를 지니고 있음을 나타낸다. ⑤ 대통령은 국가 원수로서 전쟁과 같은 비상사태가 발생했을 때 사회 질서를 유지하기 위해 계엄을 선포할 수 있다.

바로알기 >> ① 대통령령 제정, ② 국군 지휘 및 통솔, ③ 법률안 거부권 행사, ④ 행정부 지휘 및 감독은 대통령이 행정부 수반으로서 행사하는 권한에 해당한다.

16 대통령의 외교에 관한 권한

외국과 조약을 체결하거나 외국에 전쟁을 선포하는 것은 대통령의 외교에 관한 권한에 해당한다. ④ 대통령은 국가를 대표하는 국가 원수로서 외교에 관한 여러 권한을 행사하여 외교 활동을 할 수 있다.

바로알기 >> ①, ②, ③ 대통령의 국가 원수로서의 권한에 해당하지만, 제시된 내용과는 관련이 적다. ⑤ 대통령의 행정부 수반으로서의 권한에 해당한다.

17 대통령의 헌법 기관 구성 권한

㉠은 국회, ㉡은 헌법 기관에 해당한다. 우리나라 대통령은 국가

원수로서 국회의 동의를 얻어 헌법 기관의 구성원을 임명할 권한을 가진다.

18 행정부 수반으로서의 대통령의 권한

제시된 글은 우리나라 대통령의 행정부 수반으로서의 지위를 나타낸다. ㄴ, ㄷ. 법률에서 위임받은 사항과 법률을 집행하는 데 필요한 사항에 대하여 대통령령을 제정하는 것과 국무 위원을 비롯한 행정부의 고위 공무원을 임명하거나 해임하는 것은 대통령의 행정부 수반으로서의 권한에 해당한다.

바로알기 » ㄱ, ㄹ. 대통령의 국가 원수로서의 권한에 해당한다.

19 대통령의 행정부 지휘 및 감독 권한

제시된 사례는 대통령이 국무 회의에서 아동 학대 문제의 해결과 관련한 정책을 심의하고, 이를 최종적으로 결정하였음을 보여 준다. 이는 행정부의 수반인 대통령이 국가의 중요한 정책을 심의하고, 최종적으로 결정함으로써 행정부를 지휘하고 감독하는 권한을 행사한 것이다.

바로알기 » ① 대통령이 국무 회의의 의장으로서 국가의 중요한 정책을 심의하고 결정하는 것은 대통령의 행정부 수반으로서의 권한에 해당한다. ②, ④ 법률안을 제출하는 것과 대통령령을 제정하는 것은 대통령의 행정부 수반으로서의 권한에 해당하지만, 제시된 사례와는 관련이 적다. ⑤ 국가의 중요 정책을 결정하기 위해 국민 투표를 실시하는 것은 대통령의 국가 원수로서의 권한에 해당한다.

20 대통령의 국회 견제 권한

㉠에 해당하는 대통령의 권한은 법률안 거부권이다. 권력 분립의 원리에 따라 행정부의 수반인 대통령은 국회에서 의결된 법률안에 이의가 있을 때 법률안 거부권을 행사함으로써 국회를 견제할 수 있다.

바로알기 » ①, ③, ④ 국가 원수로서의 대통령의 권한에 해당한다. ② 행정부 수반으로서의 대통령의 권한에 해당하지만, 국회를 견제하는 권한은 아니다.

21 대통령의 지위에 따른 권한

(가)는 외교, (나)는 헌법 기관 구성과 관련한 대통령의 활동으로, 이는 국가의 최고 지도자로서 외국에 대하여 국가를 대표할 자격을 지닌 국가 원수로서의 대통령의 권한에 해당한다. (다)는 법률안 거부와 관련한 대통령의 활동으로, 행정 작용에 대한 최종적인 권한과 책임을 지는 행정부 수반으로서의 대통령의 권한에 해당한다.

서술형 문제

49쪽

01 행정부의 특징과 역할

(1) 행정부

(2) ① 행정, ② 공익, ③ 정책

02 감사원의 기능

예시답안 ▶ 감사원. 감사원은 국가의 세입과 세출의 결산을 검사함으로써 세금이 제대로 쓰이는지 조사하고, 행정 기관과 공무원의 직무를 감찰하는 등의 기능을 한다.

채점 기준	점수
감사원이라고 쓰고, 그 기능을 두 가지 이상 정확히 서술한 경우	상
감사원이라고 쓰고, 그 기능을 한 가지만 서술한 경우	중
감사원이라고만 쓴 경우	하

03 행정부 수반으로서의 대통령의 권한

예시답안 ▶ 행정부 수반. 행정부 수반으로서 대통령은 행정부를 지휘하고 감독하며, 국무 회의의 의장으로서 국가의 중요한 정책을 심의하고 최종적으로 결정할 권한을 가진다. 국군의 최고 사령관으로서 국군을 지휘하고 통솔할 수 있으며, 국무총리, 국무 위원, 행정 각부의 장 등 행정부의 고위 공무원을 임명하거나 해임할 수 있다. 또한 법률에서 위임받은 사항과 법률을 집행하는 데 필요한 사항에 대하여 대통령령을 만들 수 있고, 국회에서 의결된 법률안에 이의가 있을 때 법률안 거부권을 행사하는 등의 권한을 가진다.

채점 기준	점수
행정부 수반이라고 쓰고, 그에 따른 권한을 두 가지 이상 정확히 서술한 경우	상
행정부 수반이라고 쓰고, 그에 따른 권한을 한 가지만 서술한 경우	중
행정부 수반이라고만 쓴 경우	하

03 법원과 헌법 재판소

51, 53쪽

A 1 (1) × (2) × (3) ○ 2 사법권의 독립
3 ㉠ 법원의 독립 ㉡ 법관의 독립

B 1 (1) – ㉡ (2) – ㉢ (3) – ㉠ 2 (1) 대법원 (2) 가정 법원
3 ㄱ, ㄹ

C 1 (1) 헌법 (2) 헌법 재판소 (3) 법관 2 ㉠ 헌법 ㉡ 기본권

D 1 (1) × (2) ○ 2 헌법 소원 심판 3 (1) ㄷ (2) ㄴ (3) ㄱ

실력 탄탄 핵심 문제 54~57쪽

01 ④ 02 ① 03 ③ 04 ② 05 ⑤ 06 ① 07 ③ 08 ②
09 ① 10 ⑤ 11 ② 12 ① 13 헌법 재판 14 ② 15 ④
16 ⑤ 17 ③ 18 ③ 19 ① 20 ④ 21 ⑤

01 사법

㉠은 사법이다. 사법은 법을 적용하여 판단하는 국가 작용으로, 궁극적으로 사회 질서를 유지하고 국민의 권리를 보호하는 것을 목적으로 한다.

바로알기 ≫ ①, ② 항소는 1심 법원의 판결에 불복하여 2심 법원에 다시 재판을 신청하는 것이고, 상고는 2심 법원의 판결에 불복하여 대법원에 다시 재판을 신청하는 것이다. ③ 입법은 법을 제정하거나 개정하는 국가 작용이다. ⑤ 행정은 법률을 집행하거나 공익을 실현할 목적으로 정책을 세워 실행에 옮기는 국가 작용이다.

02 법원의 의미와 특징

위헌 법률 심판 제청을 통해 입법부를, 명령·규칙·처분 심사를 통해 행정부를 견제하지.

② 우리나라에서는 사법 작용을 법원에서 담당하기 때문에 법원을 사법부라고 한다. ③ 법원은 권력 분립의 원리에 따라 입법부, 행정부 등 다른 국가 기관을 견제할 권한을 행사할 수 있다. ④, ⑤ 법원은 법에 따라 판결하여 분쟁을 해결하고 사회 질서를 유지함으로써 국민의 권리를 보호하는 역할을 한다.

바로알기 ≫ ① 법을 제정하고 개정하는 국가 작용인 입법을 담당하는 국가 기관은 국회이다. 법원은 법을 적용하여 판단하는 국가 작용인 사법 작용을 담당하는 국가 기관이다.

03 사법권의 독립을 위한 전제 조건

사법권의 독립은 법원의 독립과 법관의 독립을 전제 조건으로 한다. 여기서 법원의 독립은 법원이 조직이나 운영에서 입법부와 행정부 등 외부의 영향을 받지 않아야 한다는 것을 의미하며, 법관의 독립은 법관이 헌법과 법률에 의하여 양심에 따라 독립하여 심판할 수 있어야 한다는 것을 의미한다.

바로알기 ≫ ㄱ. 사법권의 독립을 이루기 위해서는 법원을 운영하는 과정에서 행정부를 비롯한 다른 국가 기관의 간섭을 받지 않아야 한다. ㄹ. 법관이 다른 국가 기관의 의견을 수렴하여 재판을 진행할 경우 재판이 독립적으로 이루어지기 어렵다.

04 헌법에 규정된 사법권의 독립

자료로 이해하기 ≫

법을 적용하여 판단하는 국가 작용인 사법의 권한이 법원에 있음을 명시하고 있어.

- 헌법 제101조 ① 사법권은 법관으로 구성된 법원에 속한다.
- 헌법 제103조 법관은 헌법과 법률에 의하여 그 양심에 따라 독립하여 심판한다. — 법관이 외부의 간섭 없이 공정하고 중립적인 위치에서 심판해야 함을 규정하고 있어.

헌법 제101조 ①은 법원의 독립을, 제103조는 법관의 독립을 규정하고 있는 조항이다. 이처럼 우리 헌법은 법원의 독립과 법관의 독립을 규정하여 사법권의 독립을 이룸으로써 공정한 재판을 보장하고 있다.

바로알기 ≫ ③ 법률을 집행하는 것은 행정부의 기능에 해당한다. ④ 법원은 법률을 만드는 입법 작용이 아닌 법을 적용하여 판단하는 사법 작용을 담당하는 국가 기관이다. ⑤ 현대 국가에서는 권력 분립의 원리에 따라 서로 다른 국가 기관이 국가 권력을 나누어 맡는다.

05 국가 기관의 권력 분립

사법부인 법원은 위헌 법률 심판 제청권(㉠)을 행사하여 입법부인 국회를 견제할 수 있고, 명령·규칙·처분 심사권(㉡)을 행사하여 행정부를 견제할 수 있다.

바로알기 ≫ ① 국정 감사 및 조사권은 국회(입법부)가 행정부를 견제하는 수단이다. ② 대법원장 임명 동의권은 국회(입법부)가 법원(사법부)을 견제하는 수단이다. ③ 법률안 거부권은 행정부가 국회(입법부)를 견제하는 수단이다.

06 대법원

㉠에 들어갈 법원은 대법원이다. 대법원은 모든 사건의 최종적인 재판을 담당하며, 대법원장과 대법관으로 구성된다.

07 대법원의 기능과 구성

③ 대법원은 명령, 규칙, 행정 처분이 헌법이나 법률을 위반하는지 여부가 재판의 전제가 될 경우 이를 최종적으로 심사할 권한을 가진다.

바로알기 ≫ ①, ② 대법원은 고등 법원의 판결에 불복하여 상고한 사건과 특허 법원의 판결에 불복하여 상고한 사건을 재판한다. ④, ⑤ 대법원은 국회의 동의를 얻어 대통령이 임명한 대법원장과 대법관으로 구성된다.

08 고등 법원

제시된 글은 고등 법원에 대한 설명이다. ㄱ, ㄹ. 고등 법원은 특허 업무를 담당하는 특허 법원과 동급의 법원으로, 지방 법원, 가정 법원, 행정 법원의 1심 판결에 불복하여 항소한 사건의 2심 재판을 담당한다.

바로알기 ≫ ㄴ. 민사 재판은 지방 법원에서 처음으로 시작된다. ㄷ. 형사 재판의 3심 판결, 즉 최종심을 담당하는 법원은 대법원이다.

09 가정 법원과 지방 법원

(가)는 이혼과 관련한 사건, (나)는 개인 간의 민사 사건에 해당한다. 이혼, 양자, 상속 등 가정에서 일어나는 가사 사건의 1심은 가정 법원에서 담당하며, 민사 사건의 1심은 지방 법원에서 담당한다.

10 우리나라 법원의 조직

(가)는 대법원, (나)는 고등 법원, (다)는 지방 법원이다. ⑤ 고등 법원은 지방 법원, 가정 법원, 행정 법원의 1심 판결에 대한 항소 사건을 재판한다.

바로알기 ≫ ① 행정 법원의 1심 판결에 대한 항소 사건을 재판하는 법원은 고등 법원이다. ②, ③ 사법부의 최고 법원으로서 모든 사건의 최종적인 재판을 담당하는 법원은 대법원이다. ④ 개인 간의 다툼을 해결하는 민사 재판의 1심 판결은 지방 법원에서 담당한다.

11 지방 법원의 기능

② 지방 법원은 개인 간의 다툼과 관련한 민사 사건이나 범죄와 관련한 형사 사건의 1심 판결을 담당한다.

바로알기 ≫ ①, ③은 가정 법원, ④는 헌법 재판소, ⑤는 행정 법원에서 주로 담당하는 사건이다.

12 법원의 권한

㉠은 재판이다. 법원은 분쟁이 발생했을 때 재판을 통해 국민의 권리를 보호하고 분쟁을 해결하는 기능을 수행한다.

바로알기 ≫ ②, ③, ④, ⑤ 법원의 기능에 해당하지만, 제시된 글과 관련이 적다.

13 헌법 재판

(가)에 들어갈 재판은 헌법 재판이다. 법률을 비롯한 하위 법령과 입법, 행정을 비롯한 모든 국가 작용은 최고 법인 헌법에 어긋나서는 안 되는데, 만약 국가 권력이 헌법과 다르게 행사되거나 국회에서 만든 법률이 헌법에 어긋나 국민의 기본권을 침해한다면 헌법 재판을 통해 해결할 수 있다.

14 헌법 재판소의 특징

㉠은 헌법 재판소이다. ㄱ, ㄹ. 헌법 재판소는 헌법의 해석과 관련된 다툼을 해결함으로써 헌법 질서를 보호하는 헌법 수호 기관이자, 헌법에 위반되는 법률이나 국가 기관의 권력 행사에 의해 침해된 국민의 기본권을 구제해 주는 기본권 보장 기관의 위상을 지닌다.

바로알기 ≫ ㄴ. 재판의 결과가 재판을 받은 당사자에게만 효력을 미치는 법원의 재판과 달리 헌법 재판소의 재판 결과는 당사자뿐만 아니라 모든 국가 기관이 따라야 한다. ㄷ. 헌법 재판소는 대통령이 임명한 재판관으로 구성된다.

15 헌법 재판소의 구성

헌법 재판소는 9명(㉠)의 재판관으로 구성된다. 이때 재판관은 모두 대통령(㉡)이 임명하는데, 이 중 3명은 국회에서 선출하고, 3명은 대법원장(㉢)이 지명한 사람을 임명한다.

(임기는 6년이며, 연임할 수 있어.)

16 헌법 재판소의 역할

①은 권한 쟁의 심판, ②는 위헌 법률 심판, ③은 헌법 소원 심판, ④는 탄핵 심판에 대한 설명으로, 모두 헌법 재판소가 담당하는 역할에 해당한다.

바로알기 ≫ ⑤ 상소 제도에 따라 하급 법원의 최종심을 담당하는 것은 대법원의 역할에 해당한다.

17 위헌 법률 심판

제시된 사례는 헌법 재판소가 재판의 전제가 된 법률의 위헌 여부를 판단하는 것이므로, 위헌 법률 심판에 해당한다. 헌법 재판소가 위헌 법률 심판을 통해 해당 법률이 헌법에 위반된다고 판단할 경우 그 법률은 효력을 잃게 된다.

18 위헌 법률 심판의 제청 주체

㉠은 법원이다. 법원이 재판의 전제가 된 법률이 헌법에 위반되는지 여부를 판단해 달라고 헌법 재판소에 제청할 경우 헌법 재판소는 해당 법률의 위헌 여부를 판단하는 위헌 법률 심판을 진행한다.

19 헌법 소원 심판

자료로 이해하기 ≫

(기본권을 침해당한 국민이 헌법 재판소에 직접 기본권의 구제를 요청한 것이야.)

A 씨는 인터넷 실명제가 표현의 자유를 침해한다며 헌법 재판소에 구제를 요청하였다. 이에 헌법 재판소는 인터넷 실명제가 표현의 자유를 과도하게 침해한다며 관련 법 조항에 대해 위헌 결정을 내렸다.

(헌법 소원을 받아들인 것이야.)

제시된 사례는 법률에 의해 기본권을 침해당한 국민이 헌법 재판소에 직접 기본권의 구제를 신청하여 진행된 헌법 소원 심판의 모습을 보여 준다. ㄴ. 헌법 재판소에서 해당 법 조항에 대한 위헌 결정을 내린 것을 고려할 때 법률에 의한 기본권의 침해가 있었음을 알 수 있다.

바로알기 ≫ ㄷ. 국회의 탄핵 소추 의결은 탄핵 심판의 전제가 되므로, 제시된 사례와는 관련 없다. ㄹ. 헌법 재판소에서 헌법 소원을 받아들이는 결정을 할 때는 재판관 6명 이상의 찬성이 있어야 한다.

20 정당 해산 심판과 탄핵 심판

(가)는 정당 해산 심판, (나)는 탄핵 심판에 대한 설명이다. 정당의 목적이나 활동이 민주적 기본 질서에 어긋나는 정당의 해산 결정과 국회의 탄핵 소추 의결 시에 이루어지는 탄핵의 결정을 할 때는 모두 재판관 6명 이상의 찬성이 있어야 한다.

(법률의 위헌 결정과 헌법 소원을 받아들이는 결정도 재판관 6명 이상의 찬성을 필요로 하지.)

21 권한 쟁의 심판

제시된 사례는 지방 자치 단체 간에 발생한 권한을 둘러싼 다툼을 헌법 재판소가 심판하여 해결하는 모습을 보여 준다. 이처럼 국가 기관 간, 국가 기관과 지방 자치 단체 간, 지방 자치 단체 간에 권한에 대한 다툼이 발생했을 때 이를 헌법 재판소가 심판하는 것을 권한 쟁의 심판이라고 한다.

서술형 문제 57쪽

01 사법권의 독립의 의미

(1) 사법권의 독립

(2) ① 재판, ② 독립

02 대법원의 기능

예시답안 대법원. 대법원은 고등 법원의 판결에 불복하여 상고한 사건과 특허 법원의 판결에 불복하여 상고한 사건을 비롯한 모든 사건의 최종적인 재판을 담당한다. 또한 명령, 규칙, 행정 처분이 헌법이나 법률을 위반하는지 여부가 재판의 전제가 될 경우 이를 최종적으로 심사하는 등의 역할을 한다.

채점 기준	점수
대법원이라고 쓰고, 그 기능을 두 가지 이상 정확히 서술한 경우	상
대법원이라고 쓰고, 그 기능을 한 가지만 서술한 경우	중
대법원이라고만 쓴 경우	하

03 헌법 재판소의 위상

예시답안 헌법 재판소. 헌법 재판소는 헌법의 해석과 관련된 다툼이 발생했을 때 헌법을 기준으로 최종적인 판단을 내려 이를 해결함으로써 헌법 질서를 보호하는 헌법 수호 기관이자, 헌법에 위반되는 법률이나 국가 기관의 권력 행사에 의해 침해된 국민의 기본권을 구제해 주는 기본권 보장 기관의 위상을 지닌다.

채점 기준	점수
헌법 재판소라고 쓰고, 그 위상을 헌법 수호 기관과 기본권 보장 기관을 모두 언급하여 정확히 서술한 경우	상
헌법 재판소라고 쓰고, 그 위상을 헌법 수호 기관과 기본권 보장 기관 중 한 가지만 언급하여 서술한 경우	중
헌법 재판소라고만 쓴 경우	하

시험 적중 마무리 문제

60~63쪽

01 ③ 02 ④ 03 ⑤ 04 ① 05 ④ 06 ② 07 ⑤ 08 ②
09 ③ 10 ⑤ 11 ② 12 ④ 13 ③ 14 ① 15 ① 16 ④
17 ③ 18 ㉠ 법원 ㉡ 법관 19 ⑤ 20 ④ 21 ② 22 ⑤
23 ⑤ 24 ①

01 국회의 위상

㉠은 국회이다. ㄴ. 국회는 국민의 의사를 반영하여 국가의 조직과 통치의 기초가 되는 법률을 제정하거나 개정하는 입법 기관으로서의 위상을 지닌다. ㄷ. 국회는 국민이 직접 뽑은 대표들로 구성된 기관으로서 국민의 다양한 의사를 대변하는 국민의 대표 기관으로서의 위상을 지닌다.

바로알기 ›› ㄱ은 행정부, ㄹ은 법원의 위상에 해당한다.

02 국회 의원의 특징

㉡은 국회 의원이다. ①, ⑤ 국회 의원은 4년의 임기 동안 직무를 수행하며, 국회에서 직무상 행한 발언과 표결에 관하여 국회 밖에서 책임을 지지 않는다. ② 본회의에서 결정할 안건을 미리 조사하고 심의하는 상임 위원회는 각 분야에 전문성을 갖춘 국회 의원들로 구성된다. ③ 국회 의원 중 비례 대표 국회 의원은 정당별 득표율에 비례하여 선출한다.

바로알기 ›› ④ 우리나라에서는 국회 의원 10인 이상이나 정부가 법률안을 제출할 수 있다.

03 본회의의 의사 결정 방식

국회의 의사를 최종적으로 결정하는 본회의에서는 원칙적으로 재적 의원 과반수(㉠)의 출석과 출석 의원 과반수(㉡)의 찬성으로 의사 결정이 이루어진다.

04 상임 위원회와 교섭 단체

(가)는 상임 위원회, (나)는 교섭 단체에 대한 설명이다. ① 상임 위원회는 외교·통일, 국방, 보건·복지 등 전문 분야별로 조직되며, 각 분야의 전문성과 관심을 가진 국회 의원들로 구성된다.

바로알기 ›› ② 예산안에 대한 최종적인 의결은 국회 본회의에서 이루어진다. ③ 우리나라에서 교섭 단체는 20인 이상의 국회 의원으로 구성된다. ④ 상임 위원회와 교섭 단체는 모두 효율적인 의사 진행을 돕기 위해 마련된 국회의 조직이다.

05 국회의 입법에 관한 기능

제시된 헌법 조항은 법을 만들고 고치는 국가 작용인 입법에 관한 권한이 국회에 있음을 나타낸다. ④ 외국과 맺은 조약은 국회의 동의를 얻으면 법률과 같은 효력을 지닌다. 따라서 대통령이 외국과 체결한 조약에 대해 국회가 동의권을 행사하는 것은 국회의 입법에 관한 기능에 해당한다.

바로알기 ›› ①, ②, ⑤는 국회의 일반 국정에 관한 기능, ③은 국회의 재정에 관한 기능에 해당한다.

06 국정 감사

㉠에 들어갈 용어는 국정 감사이다. 국회는 국민을 대표하는 기관으로서 국정 운영을 감시하고 견제하는 역할을 담당하는데, 이를 위해 매년 정기 국회 기간에 국정 전반에 대해 감사하는 국정 감사를 실시한다.

바로알기 » ① 결산 심사는 정부가 예산을 제대로 집행하였는지 심사하는 국회의 기능에 해당한다. ③ 국정 조사는 필요한 경우에 특정한 사안에 대하여 국회가 조사하는 것을 말한다. ④ 탄핵 소추는 대통령 등 법률이 정한 공무원이 직무를 수행하는 과정에서 헌법이나 법률을 위반한 경우 해당 직무를 그만두게 하는 심판을 헌법 재판소에 요구하는 것을 말한다. ⑤ 인사 청문회는 대통령이 중요 공무원을 임명하는 과정에서 국회 의원들이 후보자의 능력을 검증하는 회의를 말한다.

07 국회의 재정에 관한 기능과 일반 국정에 관한 기능

필요한 경우에 특정한 사안에 대하여 조사하는 국정 조사를 실시하는 것과 고위 공무원이 헌법이나 법률을 위반할 경우 탄핵 소추를 의결하는 것은 국회의 일반 국정(㉠)에 관한 기능에 해당한다. 결산 심사를 통해 정부가 예산을 제대로 집행하였는지 심사하는 것과 정부가 제출한 예산안을 심의하여 우선순위와 내용을 확정하는 것은 국회의 재정(㉡)에 관한 기능에 해당한다.

08 국회의 조직과 기능

회의장의 질서를 유지하고, 본회의를 원활하게 진행하는 등의 역할을 해.

② 국회는 각 지역구의 후보자 중에서 선출된 지역구 국회 의원과 정당별 득표율에 비례하여 선출된 비례 대표 국회 의원으로 구성되는데, 국회가 구성되면 국회 의원 중에서 국회를 대표하는 국회 의장 1인과 국회 부의장 2인을 선출한다.

바로알기 » ① 헌법 재판을 담당하는 국가 기관은 헌법 재판소이다. ③ 대통령, 국무총리, 국무 위원으로 구성되는 조직은 국무 회의이다. ④ 본회의에서 처리하는 법률안은 교섭 단체가 아닌 상임 위원회의 심사를 거친다. ⑤ 법률을 제정하는 것은 국회의 입법에 관한 권한을 행사한 것이다.

09 행정

제시된 내용은 행정에 대한 설명이다. 도로를 정비하고 건설하는 것, 국방을 유지하는 것, 교통질서를 유지하는 것, 민원 업무를 처리하는 것 등이 행정의 사례에 해당하는데, 이러한 행정 작용은 법률의 범위 안에서 이루어져야 한다.

10 행정부의 특징

㉠은 행정부이다. ㄷ. 현대 복지 국가에서는 행정부의 업무가 점차 전문화되고 있다. ㄹ. 행정부는 법률을 집행하는 국가 작용인 행정을 담당하는 국가 기관이다.

바로알기 » ㄱ. 현대 복지 국가에서는 사회, 복지, 교육 등과 관련한 국민의 요구가 늘어나면서 행정부의 역할이 더욱 커지고 있다. ㄴ. 넓은 의미에서 정부는 입법부, 행정부, 사법부를 포괄하는 통치 기구 전체를 가리킨다.

11 우리나라의 행정부

(가)는 대통령, (나)는 국무총리이다. ① 대통령은 행정부의 최고 책임자로서 행정부의 일을 최종적으로 결정한다. ③ 대통령은 국회의 동의를 얻어 국무총리를 임명한다. ④ 대통령은 국무 위원 중에서 국무총리의 제청을 받아 행정 각부의 장(장관)을 임명한다. ⑤ 국무총리는 대통령의 자리가 공석일 경우 그 권한을 대행한다.

바로알기 » ② 자신이 맡은 행정 부서의 업무를 지휘하는 것은 행정 각부의 장(장관)의 역할에 해당한다. 국무총리는 대통령의 명을 받아 행정 각부를 총괄한다.

12 감사원의 기능

감사원은 대통령 직속 기관으로 행정 기관과 공무원이 직무를 제대로 수행하고 있는지 감찰하고, 국가의 세입과 세출의 결산을 검사함으로써 세금이 제대로 쓰이는지 조사하는 기능을 한다.

바로알기 » ①은 국회, ②는 국무 회의, ③은 행정 각부, ⑤는 국무총리의 기능에 해당한다.

13 우리나라 대통령의 특징

㉠은 대통령이다. ㄴ, ㄷ. 우리나라의 대통령은 국민의 직접 선거로 선출되며, 중임이 금지되기 때문에 5년의 임기 동안 한 차례에 한하여 직무를 수행할 수 있다.

바로알기 » ㄱ. 우리나라의 대통령은 국무 회의의 의장으로서 국무 회의에 참석하여 국가의 중요한 정책을 심의하고 최종적으로 결정할 수 있다. ㄹ. 우리나라의 대통령은 국가의 최고 지도자이며 외국에 대하여 국가를 대표하는 국가 원수이자, 행정부의 최고 책임자인 행정부 수반의 지위를 동시에 지닌다.

14 국가 원수로서의 대통령의 권한

대통령이 국가에 긴급한 일이 발생했을 때 긴급 명령권을 행사하는 것과 국가 비상사태가 발생했을 때 계엄 선포권을 행사하는 것은 국가 원수로서의 대통령의 권한을 행사한 것이다.

바로알기 » ② 국회의 대표인 국회 의장은 국회 의원 중에서 선출된다. ③, ④, ⑤ 행정부 수반으로서의 대통령은 국무 회의의 의장으로서 국가의 중요한 정책을 심의하고 최종적으로 결정할 권한을 가지며, 국군의 최고 사령관으로서 국군을 지휘하고 통솔할 수 있다.

15 행정부 수반으로서의 대통령의 권한

① 대통령은 행정 작용에 대한 최종적인 권한과 책임을 지닌 행정부 수반으로서 법률에서 위임받은 사항과 법률을 집행하는 데 필요한 사항에 대하여 대통령령을 만들 수 있다.

바로알기 » ②, ③, ④ 국가 원수로서의 대통령의 권한에 해당한다. ⑤ 법원의 권한에 해당한다.

16 대통령의 지위에 따른 권한

대통령이 외국과 조약을 체결하고 헌법 재판소장 등의 헌법 기관 구성원을 임명하는 것은 국가의 최고 지도자인 국가 원수로서의 권한을 행사한 것이다. 또한 대통령이 국무 회의의 의장으로서 국가의 중요한 정책을 심의하고 결정하여 행정 작용에 대한 최종적인 권한을 행사하고, 법률안 거부권을 행사하는 것은 행정부의 최고 책임자인 행정부 수반으로서의 권한을 행사한 것이다.

바로알기 » ㄱ. 대통령은 국회의 동의를 얻어 헌법 재판소장 등을 임명함으로써 헌법 기관을 구성할 수 있다. ㄷ. 대통령이 법률안 거부권을 행사하여 국회를 견제하는 것은 권력 분립의 원리를 실현한 사례이다.

17 사법의 의미와 특징

문항 1에서 사법은 재판을 통해 이루어지므로, 답은 'O'이다. 문항 2에서 사법은 사법부인 법원을 통해 실현할 수 있으므로, 답은 '×'이다. 문항 3에서 사법은 법을 적용하고 판단하는 국가 작용이므로, 답은 '×'이다. 문항 4에서 사법은 분쟁을 해결하고 사회 질서를 유지함으로써 궁극적으로 국민의 권리를 보호하는 기능을 하므로, 답은 'O'이다. 문항 1, 문항 2만이 정답이므로, 학생이 얻을 총 점수는 2점이다.

18 사법권의 독립

사법권의 독립이 이루어질 때 공정한 재판을 통해 국민의 기본권을 보호하고 사회 질서를 유지할 수 있지.

㉠은 법원, ㉡은 법관에 해당한다. 재판이 외부의 간섭 없이 독립적으로 이루어지는 것, 즉 사법권의 독립을 이루기 위해서는 법원의 독립과 법관의 독립이 보장되어야 한다.

19 가정 법원과 대법원

자료로 이해하기 »

상속과 같은 가사 사건은 가정 법원에서 담당하지.

- 흥부는 형인 놀부가 부모님의 재산을 모두 상속받아 유산을 받지 못하였다. 흥부는 형에게만 재산이 상속된 것이 억울하여 (㉠)에 재판을 청구하였다.
- 해님이와 달님이는 자신들을 속이고 위협한 호랑이를 경찰에 신고하였다. 증거 불충분으로 호랑이가 2심에서도 무죄로 판결되자 검사는 (㉡)에 다시 재판을 청구하였다.

범죄의 유무와 형량을 결정하는 형사 재판의 최종심을 청구한 것이야.

㉠은 가정 법원, ㉡은 대법원에 해당한다. ②, ③, ④ 대법원장과 대법관으로 구성되는 대법원은 사법부의 최고 법원으로서 특허 법원의 판결에 불복하여 상고한 사건을 비롯한 모든 사건의 최종적인 재판을 담당한다.

바로알기 » ⑤ 가정 법원의 1심 판결에 대한 항소 사건은 고등 법원에서 재판한다.

20 법원의 조직과 기능

④ 지방 법원은 주로 개인 간의 다툼을 해결하는 민사 재판이나 범죄의 유무를 결정하는 형사 재판의 1심 판결을 담당한다.

바로알기 » ① 모든 사건의 최종적인 재판을 담당하는 법원은 대법원이다. ② 소년 보호 사건을 담당하는 법원은 가정 법원이다. 특허 법원은 특허 업무와 관련된 사건을 담당하는 법원이다. ③ 행정과 관련한 사건을 담당하는 법원은 행정 법원이다. ⑤ 지방 법원의 1심 판결에 대한 항소 사건을 재판하는 법원은 고등 법원이다.

21 국가 기관의 권력 분립

국정 감사 및 조사권은 입법부의 행정부 견제 권한, 위헌 법률 심판 제청권은 사법부의 입법부 견제 권한, 대법원장 및 대법관 임명권은 행정부의 사법부 견제 권한에 해당한다. 이처럼 권력 분립의 원리에 따라 입법부, 행정부, 사법부가 국가 권력을 나누어 맡고 서로 견제와 균형을 이룸으로써 국가 권력의 남용을 막고, 국민의 기본권을 보장할 수 있다.

바로알기 » ㄴ. 제시된 권한들이 법원의 독립과 법관의 독립을 보장하는 것은 아니므로, 사법권의 독립 보장을 목적으로 한다고 볼 수 없다. ㄷ. 제시된 권한들은 행정부의 권한 강화가 아닌 국가 기관의 권력 분립을 목적으로 부여된 권한들이다.

22 헌법 재판소

재판을 담당하는 국가 기관에는 법원과 헌법 재판소가 있다. 이 중 재판의 결과가 재판을 받은 당사자에게만 효력을 미치는 법원의 재판과 달리 모든 국가 기관이 재판의 결과를 따라야 하는 헌법 재판을 담당하면서 법관의 자격을 가진 9명의 재판관으로 구성되는 국가 기관은 헌법 재판소이다.

23 헌법 재판소의 위상

ㄷ, ㄹ. 헌법 재판소는 헌법의 해석과 관련된 다툼이 발생했을 때 헌법을 기준으로 최종적인 판단을 내려 이를 해결함으로써 헌법 질서를 보호하는 헌법 수호 기관이자, 헌법에 위반되는 법률이나 국가 기관의 권력 행사에 의해 침해된 국민의 기본권을 구제해 주는 기본권 보장 기관으로서의 위상을 지닌다.

바로알기 » ㄱ은 국회, ㄴ은 행정부의 위상에 해당한다.

24 헌법 재판소의 역할

② 위헌 법률 심판은 재판의 전제가 된 법률의 위헌 여부를 판단해 달라고 법원이 제청한 경우 해당 법률이 헌법에 위반되는지 여부를 심판하는 것이다. ③ 대통령을 포함한 고위 공직자가 헌법이나 법률을 위반한 경우 파면 여부를 심판하는 것은 탄핵 심판이다. ④ 정당 해산 심판은 정부의 청구에 따라 정당의 목적이나 활동이 민주적 기본 질서에 어긋나는 정당의 해산 여부를 심판하는 것이다. ⑤ 권한 쟁의 심판은 국가 기관 간, 국가 기관과 지방 자치 단체 간, 지방 자치 단체 간에 권한에 대한 다툼이 발생했을 때 이를 심판하는 것이다.

바로알기 » ① 법률이나 국가 권력에 의해 기본권을 침해당한 국민이 직접 기본권의 구제를 요청한 경우 법률이나 국가 권력이 국민의 기본권을 침해하였는지를 심판하는 것은 헌법 소원 심판이다.

Ⅲ. 경제생활과 선택

01 경제생활과 경제 문제

67, 69쪽

A 1 경제 활동 2 (1) – ⓒ (2) – ⓛ (3) – ⓐ
3 ㄴ, ㄷ 4 (1) × (2) ○ (3) ×
B 1 희소성 2 (1) × (2) ○
C 1 기회비용 2 (1) 편익 (2) 큰, 적은
D 1 (1) ㄷ (2) ㄱ (3) ㄴ 2 ㉠ 경제 체제 ㉡ 시장 경제 체제
3 (1) 시 (2) 시 (3) 계 (4) 계

실력탄탄 핵심 문제

70~73쪽

01 ① 02 ② 03 ④ 04 ⑤ 05 ③ 06 ① 07 ① 08 ④
09 ② 10 ② 11 ④ 12 ③ 13 ④ 14 ⑤ 15 ⑤ 16 ①
17 ③ 18 ③ 19 ② 20 ① 21 혼합 경제 체제

01 경제 활동의 의미

첫 번째 내용은 소비, 두 번째 내용은 생산, 세 번째 내용은 분배에 대한 설명이다. 이처럼 사람이 살아가는 데 필요한 재화나 서비스를 생산, 분배, 소비하는 모든 활동을 경제 활동이라고 한다.

02 경제 활동의 사례

㉠, ㉢, ㉤ 생활에 필요한 재화와 서비스를 구입하여 사용한 것이므로, 소비에 해당한다. ㉣ 노동을 제공한 대가로 임금을 받은 것이므로, 분배에 해당한다.

바로알기 》 ㉡ 친구에게 인사한 것은 재화와 서비스를 생산, 분배, 소비하는 활동과 관련이 없으므로 경제 활동의 사례로 볼 수 없다.

03 재화와 서비스의 사례

인간의 필요와 욕구를 충족해 주는 경제 활동의 대상에는 재화와 서비스가 있다. 이 중 구체적인 형태를 띠지 않는 인간의 가치 있는 행위는 서비스라고 하는데, 공연, 배달, 수업 등이 이에 해당한다.

바로알기 》 ㄱ, ㄴ, ㅂ. 구체적인 형태가 있는 물건인 재화에 해당한다.

04 소비와 생산

(가)는 인터넷 강의라는 서비스를 구입하여 사용한 것이므로, 소비에 해당한다. (나)는 제조된 상품을 운반함으로써 그 가치를 높인 것이므로, 생산에 해당한다.

05 분배의 사례

제시된 내용은 분배에 대한 설명이다. ③ 은행에 자본을 제공한 대가로 이자를 받는 것은 생산 요소를 제공한 대가를 받는 것이므로, 분배에 해당한다.

바로알기 》 ①은 서비스, ②는 재화를 구입하여 사용하는 활동으로, 소비에 해당한다. ④는 상품의 제조, ⑤는 상품의 저장과 관련 있는 활동으로, 생산에 해당한다.

06 경제 활동의 특징

② 생활에 필요한 재화와 서비스를 만들어 내는 활동뿐만 아니라, 상품의 운반, 저장, 판매와 같이 그 가치를 증대하는 활동도 생산에 포함된다. ③ 인간은 소비 활동을 통해 생활에 필요한 재화나 서비스를 구입하여 사용함으로써 필요와 욕구를 충족할 수 있다. ④ 생산 활동에 참여하여 생산 요소를 제공한 사람들이 대가를 받는 활동인 분배를 통해 얻은 소득은 소비의 기반이 된다. ⑤ 생산, 분배, 소비와 같은 경제 활동은 개인이 행복하게 살아갈 수 있는 기본적인 토대가 된다.

바로알기 》 ① 상품을 판매하는 활동은 생산에 포함된다.

07 경제 주체 간의 상호 작용

(가)는 가계, (나)는 기업, (다)는 정부이다. 가계는 재화와 서비스를 소비하고 그 대가로 기업에 상품 구매 대금을 지불하며, 기업은 가계로부터 제공받은 생산 요소를 이용하고 그 대가로 임금, 지대, 이자 등을 지불한다. 정부는 가계와 기업이 낸 세금으로 공공재를 생산하거나 기업이 생산한 재화와 서비스를 소비한다.

임금은 노동, 지대는 토지, 이자는 자본을 제공한 대가야.

08 자원의 희소성의 특징

자원의 희소성은 인간의 욕구는 무한한 데 비해 이를 충족해 줄 자원은 상대적으로 부족한 현상을 의미한다. ① 자원의 희소성 때문에 개인과 사회는 경제 활동을 할 때 무엇을 얼마나 생산하고 소비할 것인지 선택의 문제에 직면하게 된다. ②, ⑤ 자원의 희소성은 인간의 욕구에 따라 달라지는 상대성을 띠므로, 자원의 양이 매우 적더라도 이를 원하는 사람이 없다면 그 자원은 희소하다고 볼 수 없다. ③ 자원의 희소성은 자원의 가격을 결정하는 중요한 요인으로 작용한다.

바로알기 》 ④ 자원의 희소성은 자원의 절대적인 양이 적음을 의미하는 것이 아니라, 인간의 욕구에 비해 자원의 양이 상대적으로 부족함을 의미한다.

09 자원의 희소성의 상대성

자료로 이해하기 》

인간의 욕구에 비해 자원의 양이 적어 희소성을 띠지.

인간의 욕구보다 자원의 양이 많아 희소성을 띠지 않지.

- 열대 지방에서는 에어컨을 원하는 사람이 많지만, 극지방에서는 에어컨을 원하는 사람이 거의 없다.
- 과거에는 깨끗한 물을 쉽게 구할 수 있었지만, 오늘날에는 깨끗한 물의 가치가 높아져 대가를 지불해야 얻을 수 있게 되었다.

희소성을 띠지 않아 대가를 지불하지 않고도 얻을 수 있었던 거야.

첫 번째 사례는 장소, 두 번째 사례는 시대에 따라 자원의 희소성이 다르게 나타남을 보여 준다. 이처럼 자원의 희소성은 항상 일정하게 유지되는 것이 아니라 시대와 장소에 따라 달라지기도 한다.

바로알기 》 ③, ⑤ 자원의 희소성은 인간의 욕구는 무한한 데 비해 자원은 유한하기 때문에 발생한다. ④ 일반적으로 자원의 희소성이 높을수록 높은 가격에 거래되는데, 자원의 양이 적다고 해서 그 자원이 반드시 희소한 것은 아니다.

10 선택의 문제가 발생하는 근본 원인

제시된 글은 개인과 정부가 경제 활동을 할 때 한정된 자원 안에서 선택해야 함을 보여 준다. 이처럼 개인과 사회가 무엇을 얼마나 생산하고 소비할 것인지 선택의 문제에 직면하게 되는 이유는 인간의 욕구는 무한한 데 비해 이를 충족해 줄 자원은 상대적으로 부족한 현상, 즉 자원의 희소성 때문이다.

바로알기 ①, ⑤ 인간의 욕구는 무한한 데 비해 돈, 시간 등과 같은 자원은 한정되어 있기 때문에 인간의 욕구를 충족해 줄 자원은 항상 부족하다. ③ 자원이 희소성을 띠기 때문에 인간은 항상 선택의 문제에 직면한다. ④ 인간의 욕구는 다양하고 무한하다.

11 기회비용의 특징

모든 선택에는 그 선택을 위해 포기해야 하는 기회비용이 따른다. 따라서 합리적 선택을 하기 위해서는 기회비용을 고려하여 선택한 것의 가치가 포기한 것의 가치보다 크도록 해야 한다.

바로알기 가현. 기회비용은 어떤 것을 선택함으로써 포기하는 여러 대안이 갖는 가치 중 가장 큰 것이다. 다현. 사람마다 필요와 선호도가 다르기 때문에 같은 선택을 하더라도 기회비용은 다를 수 있다.

12 선택에 따른 기회비용

기회비용은 어떤 것을 선택함으로써 포기하는 여러 대안이 갖는 가치 중 가장 큰 것을 의미한다. 라준이가 캠핑을 선택할 경우 포기하는 대안이 갖는 가치 중 가장 큰 것은 영화 관람이므로, 라준이가 캠핑을 선택할 경우의 기회비용은 영화 관람에 따른 편익인 만족감 100이다.

13 합리적 선택

①, ③, ⑤ 합리적으로 선택하기 위해서는 선택으로 치르는 대가인 비용과 선택으로 얻게 되는 이익이나 만족인 편익을 고려해야 하는데, 가장 적은 비용으로 가장 큰 편익을 얻을 수 있는 선택을 합리적 선택이라고 한다. 이러한 합리적 선택을 위해서는 편익이 기회비용보다 크도록 해야 한다. ② '문제 인식 → 대안 탐색 → 대안 평가 → 대안 선택 및 실행 → 대안 평가 및 반성'의 단계로 진행되는 합리적 의사 결정 과정을 따를 때 선택으로 인한 후회를 줄일 수 있다.

바로알기 ④ 같은 비용이 들 경우 편익이 가장 큰 것을 선택하는 것이 합리적이다.

14 기회비용과 합리적 선택

⑤ 마은이가 순대를 선택할 때 포기하는 대안의 가치 중 가장 큰 것은 떡볶이를 먹을 때의 만족감이고, 김밥을 선택할 때 포기하는 대안의 가치 중 가장 큰 것도 떡볶이를 먹을 때의 만족감이다. 이처럼 마은이가 순대를 선택할 때의 기회비용과 김밥을 선택할 때의 기회비용은 모두 떡볶이를 먹을 때의 만족감으로 같다.

바로알기 ①, ④ 마은이는 떡볶이를 먹을 때 가장 만족감이 크므로, 떡볶이를 선택하는 것이 가장 합리적이며, 이때의 기회비용은 순대를 먹을 때의 만족감이다. ② 마은이가 떡볶이를 선택할 때의 기회비용은 순대나 김밥을 선택할 때의 기회비용보다 작다. ③ 마은이가 순대를 선택할 때의 기회비용은 떡볶이를 먹을 때의 만족감이다.

15 기본적인 경제 문제

(가)는 생산 방법을 결정하는 문제, (나)는 생산물을 누구에게 얼마나 지급할 것인가를 결정하는 분배의 문제, (다)는 생산물의 종류와 수량을 결정하는 문제에 해당하는데, 이는 모두 자원의 희소성 때문에 모든 사회가 경제 활동 과정에서 공통으로 해결해야 하는 기본적인 경제 문제에 해당한다.

16 기본적인 경제 문제의 사례

제시된 사례에서 바혁 씨는 생산 인력 충원과 기계 설비 추가 중에서 고민하고 있다. 이는 기본적인 경제 문제 중 '어떻게 생산할 것인가?', 즉 생산 방법을 결정하는 문제에 해당한다.

17 경제 체제의 종류

(가)는 시장 경제 체제, (나)는 계획 경제 체제에 대한 설명이다. 기본적인 경제 문제를 해결하는 방식이 제도적으로 정착된 것을 경제 체제라고 하는데, 경제 체제는 경제 문제를 해결하는 방식에 따라 크게 효율성을 중시하는 시장 경제 체제와 형평성을 중시하는 계획 경제 체제로 구분할 수 있다.

18 시장 경제 체제의 특징

제시된 내용에서 기업과 농부는 시장 가격에 기초하여 자율적으로 의사를 결정하고 있는데, 이는 시장 경제 체제의 특징에 해당한다. 경제 문제가 시장 가격에 기초하여 해결되는 시장 경제 체제에서는 개인의 자유로운 이익 추구가 보장되며, 사유 재산이 인정된다. 하지만, 빈부 격차가 심해지는 등 시장의 가격 기능으로 해결하기 어려운 문제가 발생하기도 한다.

바로알기 ③ 시장 경제 체제에서는 개인의 자유로운 경제 활동이 보장된다.

19 계획 경제 체제의 특징

국가가 경제 활동에 대한 계획을 세우고 개인은 그 목표를 달성하기 위해 활동을 하는 경제 체제는 계획 경제 체제이다. ㄱ. 계획 경제 체제에서는 일반적으로 생산 수단을 국가가 소유한다. ㄹ. 계획 경제 체제는 국가가 채택한 주요 목적을 신속히 달성할 수 있다는 장점이 있다.

바로알기 ㄴ. 계획 경제 체제는 경제적 효율성보다 분배의 평등을 우선시한다. ㄷ. 계획 경제 체제는 국민에게 필요한 것을 적절하게 공급하기 어렵다는 단점이 있다.

국가가 사람들의 다양한 욕구를 모두 파악하여 생산량과 소비량을 결정하는 것이 어렵기 때문이야.

20 시장 경제 체제와 계획 경제 체제의 장단점

① 시장 경제 체제는 개인의 창의성이 최대한 발휘되며, 희소한 자원을 효율적으로 사용할 수 있기 때문에 사회 전체의 생산성이 높아진다는 장점이 있다.

일한 만큼 분배받는 것이 아니기 때문이야.

바로알기 ② 계획 경제 체제는 이윤을 추구할 동기가 부족하기 때문에 근로 의욕이 저하된다는 단점이 있다. ③ 계획 경제 체제에서는 개인의 창의적인 경제 활동이 제한된다. 개인의 창의성이 최대한 발휘되는 것은 시장 경제 체제의 장점에 해당한다. ④ 시장 경제 체제는 희소한 자원을 효율적으로 사용할 수 있어 경제적 효율성이 높다는 장점을 지닌다. ⑤ 개인이 이익을 추구하는 과정에서 공동체의 이익이 침해될 수 있는 것은 시장 경제 체제의 단점에 해당한다.

21 혼합 경제 체제

밑줄 친 '이 경제 체제'는 혼합 경제 체제이다. 오늘날 우리나라를 비롯한 대부분의 국가는 시장 경제 체제와 계획 경제 체제의 요소가 혼합된 혼합 경제 체제를 채택하여 운영하는데, 시장 경제 체제와 계획 경제 체제의 요소가 혼합된 정도는 국가마다 차이가 있다.

서술형 문제

73쪽

01 경제 활동의 의미와 종류

(1) 경제 활동

(2) ① 생산, ② 분배, ③ 소비

02 합리적 선택의 의미

예시답안 ㈎ 비용, ㈏ 편익. 합리적 선택은 가장 적은 비용으로 가장 큰 편익을 얻을 수 있는 선택을 말한다.

채점 기준	점수
㈎ 비용과 ㈏ 편익을 모두 쓰고, 비용과 편익을 모두 포함하여 합리적 선택의 의미를 정확히 서술한 경우	상
㈎ 비용과 ㈏ 편익을 모두 썼지만, 합리적 선택의 의미를 서술하지 못한 경우	중
㈎ 비용과 ㈏ 편익 중 한 가지만 쓴 경우	하

03 계획 경제 체제의 단점

예시답안 계획 경제 체제. 계획 경제 체제는 국민에게 필요한 것을 적절하게 공급하기 어렵고, 근로 의욕이 저하되며 경제적 효율성이 떨어진다는 등의 단점을 지닌다.

채점 기준	점수
계획 경제 체제라고 쓰고, 그 단점을 두 가지 이상 정확히 서술한 경우	상
계획 경제 체제라고 쓰고, 그 단점을 한 가지만 서술한 경우	중
계획 경제 체제라고만 쓴 경우	하

02 기업의 역할과 사회적 책임

75쪽

A 1 (1) 생산 (2) 이윤 (3) 가계 2 세금

B 1 (1) × (2) ○ (3) × 2 기업가 정신 3 ㄱ, ㄴ

실력탄탄 핵심 문제

76~77쪽

01 ② 02 ④ 03 ④ 04 ③ 05 기업의 사회적 책임 06 ⑤ 07 ④ 08 ③ 09 ① 10 ②

01 기업의 의미

㈎에 들어갈 경제 주체는 기업이다. 기업은 생산 활동을 담당하는 경제 주체로, 생산 요소를 투입하여 소비자들이 필요로 하는 재화나 서비스를 만들어 판매한다.

02 기업이 추구하는 목표

시장 경제 체제에서 기업은 재화와 서비스를 팔아 생긴 수입에서 만드는 데 들어간 비용을 뺀 것, 즉 이윤의 극대화를 추구한다.

03 기업의 역할

기업은 이윤을 얻기 위해 재화나 서비스를 생산하여 소비자에게 제공하며, 생산 활동을 위해 근로자를 고용하여 가계에 일자리를 제공한다. 또한 생산 활동으로 벌어들인 수입 중 일부를 국가에 세금으로 납부함으로써 국가의 재정에 기여한다.

바로알기 ≫ ㄹ. 기업은 가계로부터 노동, 토지, 자본 등과 같은 생산 요소를 제공받고, 그 대가로 임금, 지대, 이자 등을 지급하여 가계의 소득을 창출한다.

성공한 기업이 많을수록 재원이 풍부해져 복지 서비스의 질이 높아지지.

04 기업의 역할

제시된 사례는 기업들이 경쟁하는 과정에서 상품의 질이 향상되고, 가격이 낮아졌음을 보여 준다. 이처럼 기업은 혁신적인 생산 활동을 통해 좋은 품질의 상품을 저렴한 가격에 제공함으로써 소비자의 만족감을 높여 준다.

바로알기 ≫ ①, ② 기업은 생산 요소를 사용한 대가를 지급하여 가계의 소득 창출에 기여하는데, 이는 사회 전체의 경제가 활성화되는 기반이 된다. ④, ⑤ 기업의 역할에 해당하지만, 제시된 내용과 관련이 적다.

05 기업의 사회적 책임

제시된 내용에서 설명하는 용어는 기업의 사회적 책임이다. 오늘날 기업의 활동이 사회적으로 큰 영향을 미침에 따라 사회 구성원으로서 기업의 사회적 책임도 강조되고 있다.

06 사회적 책임을 다하기 위한 기업의 노력

① 경영의 투명성 강화, ② 장애인과 여성의 고용 확대, ③ 소비자의 권익 보호, ④ 법에 근거한 경제 활동 수행은 모두 사회적 책임을 다하기 위한 기업의 활동에 해당한다.

바로알기 ⑤ 근로자에게 정당한 임금을 지급하지 않는 것은 근로자의 권리를 침해하는 것이므로, 기업의 사회적 책임을 다하기 위한 활동이라고 볼 수 없다.

07 기업의 사회적 책임의 실현 사례

○○ 기업은 법률 준수, △△ 기업은 아동 지원을 통해 사회 전체의 복지를 증진하는 데 기여하고 있다. 따라서 두 사례를 활용하여 작성한 보고서의 제목은 '사회적 책임을 다하는 기업'이 적절하다.

08 기업가 정신

㉠은 기업가 정신이다. 기업가 정신은 불확실성과 위험을 무릅쓰고, 혁신과 창의성을 바탕으로 한 생산 활동을 통해 이윤을 창출하여 기업을 성장시키려는 기업가의 도전 정신을 말한다.

09 기업가 정신의 특징

ㄱ. 기업의 혁신 과정에서 소비자가 우수한 제품을 보다 싼 가격으로 구입할 수 있게 되고, 기존에 없었던 편리한 상품을 접할 수 있게 되면서 소비자의 삶이 더욱 풍요로워진다. ㄴ. 기업가 정신은 새로운 가치 창출에 이바지하여 경제 발전의 원동력이 되기도 한다.

바로알기 ㄷ. 기업가 정신은 불확실성과 위험을 무릅쓰고 새로운 수익을 내 이윤을 창출하려는 도전적인 자세를 말한다. ㄹ. 빠르게 변화하는 사회 환경에 유연하고 신속하게 대처하기 위해 기업가 정신의 중요성이 더욱 커지고 있다.

10 기업가 정신이 발휘된 사례

제시된 내용은 불확실성을 무릅쓰고 혁신적인 사고를 해야 한다는 기업가 정신을 강조하고 있다. ① 새로운 시장 개척, ③ 새로운 생산 방법 도입, ④ 기술 개발, ⑤ 새로운 경영 조직 구성 등은 기업가 정신을 발휘한 혁신 사례에 해당한다.

바로알기 ② 기존 제품의 생산량을 늘리는 것은 혁신을 바탕으로 한 생산 활동이 아니므로, 기업가 정신을 발휘한 사례로 보기 어렵다.

서술형 문제

77쪽

01 기업의 역할

(1) 기업

(2) ① 생산, ② 소득, ③ 세금

02 기업가 정신의 의미

예시답안 기업가 정신은 불확실성과 위험을 무릅쓰고, 혁신과 창의성을 바탕으로 한 생산 활동을 통해 이윤을 창출하여 기업을 성장시키려는 기업가의 도전 정신을 말한다.

채점 기준	점수
제시된 단어 세 가지를 모두 사용하여 기업가 정신의 의미를 정확히 서술한 경우	상
제시된 단어 중 두 가지만 사용하여 기업가 정신의 의미를 서술한 경우	중
제시된 단어 중 한 가지만 사용하여 기업가 정신의 의미를 서술한 경우	하

03 금융 생활의 중요성

79, 81쪽

A 1 (1) × (2) ○ 2 (1) ㄴ (2) ㄱ (3) ㄹ (4) ㄷ

3 (1) 소득 (2) 유소년기

B 1 자산 관리 2 (1) ○ (2) × (3) ×

C 1 (1) ○ (2) × 2 (1) – ㉡ (2) – ㉢ (3) – ㉠

3 (1) 안전성, 수익성 (2) 채권 4 보험

D 1 ㉠ 신용 ㉡ 신용 거래 2 (1) × (2) ○ (3) ○

실력 탄탄 핵심 문제

82~83쪽

01 ① 02 ④ 03 ⑤ 04 ④ 05 ③ 06 ② 07 ② 08 ① 09 ③ 10 ④

01 청소년기와 노년기의 경제생활

(가)는 청소년기, (나)는 노년기에 이루어지는 경제생활에 대한 설명이다. 청소년기는 취업을 통해 본격적으로 생산 활동에 참여하여 소득이 발생하는 시기로, 저축을 통해 결혼과 자녀 출산 등에 대비해야 한다. 노년기는 직장에서 은퇴한 후 노후 대비 자금이나 연금으로 생활하는 시기로, 고령화 시대에 접어들면서 그 중요성이 커지고 있다.

02 중장년기의 경제생활

㉠은 중장년기에 해당한다. ④ 중장년기에는 소득이 크게 증가하지만, 자녀 출산 및 양육, 주택 마련 등으로 소비도 집중적으로 증가한다.

바로알기 ①, ⑤ 중장년기는 일반적으로 소득이 소비보다 많아 저축이 가능한 시기로, 지속가능한 경제생활을 위해 은퇴 이후의 삶을 준비해야 하는 시기이다. ② 중장년기는 생애 주기 중 소득이 가장 많은 시기이다. ③ 청년기에 대한 설명이다.

03 생애 주기 곡선

자료로 이해하기

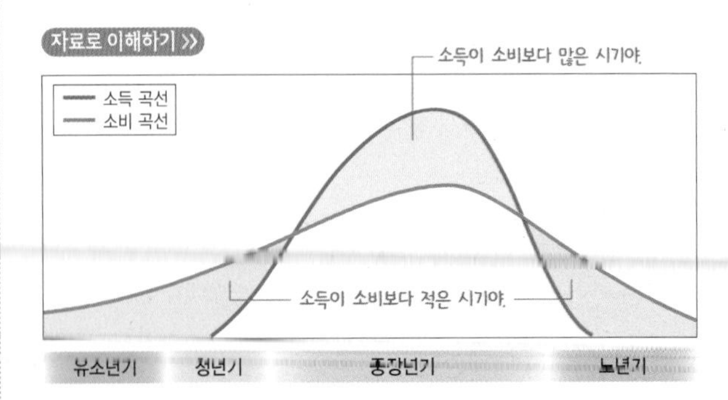

제시된 그래프를 통해 소득이 소비보다 많은 시기가 있는 반면, 소비가 소득보다 많은 시기도 있음을 알 수 있다. 따라서 지속 가능한 경제생활을 하기 위해서는 일생의 소득과 소비를 고려하여 장기적인 관점에서 경제생활 계획을 수립하고 실천해야 한다.

바로알기 ≫ ①, ③ 소득을 얻는 기간은 한정되어 있지만, 소비 생활은 평생에 걸쳐 이루어진다. ④ 소득이 소비보다 많은 시기에 저축하여 소득이 줄어들거나 없어지는 노년기의 소비에 대비해야 한다.

04 자산 관리의 필요성

ㄴ. 소비 생활은 평생에 걸쳐 이루어지지만, 소득을 얻는 기간은 한정되어 있기 때문에 한정된 소득으로 지속적인 소비 생활을 하기 위해 자산 관리의 필요성이 커지고 있다. ㄹ. 평균 수명의 연장으로 은퇴 이후의 생활 기간이 점점 늘어남에 따라 안정적인 노후 생활을 위해 자산을 관리해야 할 필요성이 커지고 있다.

바로알기 ≫ ㄷ. 사고나 질병, 자연재해 등 불확실한 상황에 따른 갑작스러운 지출에 대비하기 위해 자산 관리의 필요성이 커지고 있다.

05 합리적인 자산 관리 방법

합리적으로 자산을 관리하기 위해서는 자산의 특성을 이해하고, 이를 바탕으로 자산 관리의 목적과 기간, 자신의 소득과 소비 등을 고려하여 자산 관리 방법을 선택해야 한다. 또한 자산 관리를 할 때는 자산을 늘리는 것뿐만 아니라 지출을 체계적으로 관리하여 낭비를 줄이는 것도 중요하다.

바로알기 ≫ ③ 합리적인 자산 관리를 위해서는 투자한 원금이 손실되지 않는 정도인 안전성, 투자를 통해 이익을 얻을 수 있는 정도인 수익성, 필요할 때 쉽게 현금으로 바꿀 수 있는 정도인 유동성을 모두 고려하여 자산을 관리해야 한다.

06 분산 투자

제시된 격언은 다양한 유형의 자산에 분산하여 투자해야 함을 강조하고 있다. 분산 투자를 할 경우 적정한 이익을 얻는 동시에 한 곳에서 손해를 보더라도 다른 곳에서 손해를 보충할 수 있어 투자에 따른 위험을 줄여 나갈 수 있다는 장점이 있다.

07 자산의 종류

② 이자 등을 얻기 위해 은행 등과 같은 금융 기관에 맡긴 자산을 예금이라고 한다. 예금은 원금이 손실될 우려가 적어 안전성은 높은 데 비해, 수익성은 낮다는 특징이 있다.

바로알기 ≫ ①, ⑤ 토지나 건물 등과 같이 옮길 수 없는 자산은 부동산에, 주식회사가 자본금을 마련하기 위해 투자자에게서 돈을 받고 발행하는 증서는 주식에 해당한다. ③, ④ 노후 대비를 위해 미리 일정액을 낸 후 노후에 매달 일정액을 받는 금융 상품은 연금에, 정부나 공공 기관, 기업 등이 일정한 이자를 지급할 것을 약속하고 돈을 빌리면서 발행하는 증서는 채권에 해당한다.

08 자산의 수익성과 위험성

(가)는 수익성과 위험성이 모두 낮은 자산으로, 예금과 적금 등이 이에 해당한다. (나)는 수익성과 위험성이 모두 높은 자산으로, 주식과 펀드 등이 이에 해당한다.

(적금: 금융 기관에 일정 금액을 일정 기간 넣은 후 찾는 예금을 말해.)

(펀드: 전문적인 운용 기관이 투자자로부터 모은 자금을 주식이나 채권 등에 투자한 후 그 수익을 투자자에게 돌려주는 간접 투자 상품이야.)

09 신용의 의미와 특징

밑줄 친 '이것'은 신용이다. 신용은 나중에 대가를 지불할 것을 약속하고 현재 상품을 이용하거나 돈을 빌릴 수 있는 능력으로, 신용을 이용할 경우 당장 현금이 없어도 물건을 구매하거나 각종 서비스를 제공받을 수 있으며, 현재의 소득보다 더 많이 소비할 수 있다는 장점이 있다. 이러한 신용을 이용한 사례에는 할부 거래, 신용 카드 사용, 은행 대출 등이 있다.

(미래의 소득을 앞당겨 활용할 수 있기 때문이야.)

바로알기 ≫ ③ 신용을 많이 이용할 경우 나중에 지불해야 할 대가가 많아져 미래에 갚아야 할 빚도 늘어난다.

10 올바른 신용 관리 방법

올바른 신용 관리를 위해서는 자신의 소득과 지불 능력을 고려하여 신용을 이용해야 하며, 돈을 갚기로 하거나 상품 대금을 지불하기로 한 약속을 반드시 지켜야 한다. 또한 평소에 높은 신용도를 유지하도록 꾸준히 신용 관리를 해야 하며, 소득을 초과하는 소비를 자제해야 한다.

바로알기 ≫ ④ 상품 대금을 지불하기로 한 약속을 지키지 않을 경우 신용도가 낮아질 수 있으므로, 상환 기한을 반드시 지켜야 한다.

서술형 문제

83쪽

01 자산 관리의 의미

(1) 자산 관리

(2) ① 소득, ② 소비, ③ 자산

02 신용 관리의 중요성

예시답안 ▸ 신용이 낮아질 경우 높은 이자 지불, 신용 카드 발급 제한, 대출 거절, 취업 제한 등과 같은 불이익을 받을 수 있다.

채점 기준	점수
신용이 낮아질 경우에 받을 수 있는 불이익의 사례를 두 가지 이상 정확히 서술한 경우	상
신용이 낮아질 경우에 받을 수 있는 불이익의 사례를 한 가지만 서술한 경우	하

01 ④ 02 ④ 03 ③ 04 ② 05 ⑤ 06 자원의 희소성
07 ④ 08 ② 09 ③ 10 ① 11 ① 12 ② 13 ④ 14 ③
15 ③ 16 ⑤ 17 ② 18 ⑤ 19 ② 20 ① 21 ⑤ 22 ③
23 ④

01 경제 활동의 의미와 종류

④ 분배는 생산 활동에 참여하여 노동, 토지, 자본 등의 생산 요소를 제공한 사람들이 임금, 지대, 이자 등의 대가를 나누어 가지는 것을 의미한다.

바로알기 >> ① 재화나 서비스를 생산, 분배, 소비하는 모든 활동을 경제 활동이라고 한다. ②, ③ 생산은 재화와 서비스를 만들어 내거나 그 가치를 증대하는 활동으로 상품의 운반, 저장, 판매 등이 해당한다. ⑤ 소비는 분배를 통해 얻은 소득으로 재화나 서비스를 구입하여 사용하는 활동을 말한다.

02 경제 활동의 대상

(가)는 재화, (나)는 서비스에 해당한다. 재화는 구체적인 형태가 있는 물건을 의미하며, 서비스는 구체적인 형태는 없지만 생활에 도움을 주는 인간의 가치 있는 행위를 의미한다.

바로알기 >> ㄷ. 재화와 서비스는 모두 인간의 필요와 욕구를 충족해 준다.

03 경제 활동의 종류

① 재화를 만들어 낸 것이므로, 생산에 해당한다. ② 노동을 제공한 대가로 임금을 받은 것이므로, 분배에 해당한다. ④ 재화를 구입한 것이므로, 소비에 해당한다. ⑤ 서비스를 만들어 낸 것이므로, 생산에 해당한다.

바로알기 >> ③ 재화를 구입한 것이므로, 소비에 해당한다.

04 경제 활동의 순환

제시된 글은 생산이 분배로 이어지고, 분배는 소비의 기반이 되며, 소비는 생산의 밑바탕이 된다는 것을 강조하고 있다. 이를 통해 경제 활동은 생산, 분배, 소비가 서로 긴밀히 연결되어 순환하는 과정에서 이루어진다는 것을 알 수 있다.

바로알기 >> ① 소비는 분배를 통해 얻은 소득을 바탕으로 한다. ⑤ 인간은 경제 활동을 통해 물질적 욕구뿐만 아니라 정신적 욕구도 충족할 수 있다.

05 경제 주체 간의 상호 작용

㉠은 공공재이다. 정부는 가계와 기업이 낸 세금으로 국방 서비스나 도로 등의 공공재를 생산한다.

대가를 내지 않아도 모든 사람이 함께 소비할 수 있는 재화나 서비스를 말해.

바로알기 >> ①, ②, ③, ④ 가계는 기업에 노동을 제공한 대가로 임금을, 토지를 제공한 대가로 지대를 받는다.

06 자원의 희소성

㉠은 자원의 희소성이다. 돈, 시간 등의 자원은 한정되어 있어 대부분 희소성을 가지는데, 이러한 자원의 희소성 때문에 무엇을 얼마나 생산하고 소비할 것인지 선택의 문제에 직면한다.

07 기회비용과 합리적 선택

선택으로 얻게 되는 이익이나 만족감이야.

가희가 등산하기를 선택할 때의 편익은 등산에 따른 즐거움이고, 기회비용은 용돈 3만 원이다. 반면 집안일 돕기를 선택할 때의 편익은 용돈 3만 원이고, 기회비용은 등산에 따른 즐거움이다. ㄹ. 같은 비용이 든다면 편익이 가장 큰 것을 선택하는 것이 합리적이다. 따라서 가희가 등산에 따른 즐거움보다 용돈 3만 원의 가치를 더 크게 생각한다면 집안일 돕기를 선택하는 것이 합리적이다.

바로알기 >> ㄱ. 모든 선택에는 기회비용이 따른다. ㄷ. 용돈 3만 원은 집안일 돕기를 선택할 때 얻을 수 있는 편익이다.

08 경제 문제의 사례

(가)는 생산물의 종류와 수량을 결정하는 문제, 즉 '무엇을 얼마나 생산할 것인가?'와 관련한 경제 문제이다. (나)는 노동을 제공한 대가를 분배하는 문제, 즉 '누구를 위하여 생산할 것인가?(누구에게 분배할 것인가?)'와 관련한 경제 문제이다.

09 시장 경제 체제의 특징

주요한 생산 수단을 국가가 아닌 개인이 소유하고, 개인의 자유로운 경제 활동이 보장되는 경제 체제는 시장 경제 체제이다. ③ 시장 경제 체제는 자신의 이익을 추구하는 개인과 기업의 자율적인 판단에 기초한 시장 거래를 통해 경제 문제를 해결하는 경제 체제를 말한다.

바로알기 >> ① 시장 경제 체제에서는 사유 재산이 인정된다. ②, ④, ⑤ 계획 경제 체제의 특징에 해당한다.

10 계획 경제 체제의 단점

일한 만큼 분배받는 것이 아니기 때문이야.

가국은 정부가 경제 활동에 대한 계획을 세우고, 기업에 명령함으로써 경제 문제를 해결하고 있으므로, 계획 경제 체제를 채택하고 있음을 알 수 있다. ㄱ. 계획 경제 체제에서는 이윤을 추구하려는 동기가 부족하기 때문에 경제적 효율성이 떨어진다. ㄴ. 국가가 사람들의 다양한 욕구를 모두 파악하여 생산량과 소비량을 결정하는 것은 현실적으로 불가능하기 때문에 계획 경제 체제에서는 국민에게 필요한 것을 적절하게 공급하기 어렵다.

바로알기 >> ㄷ. 계획 경제 체제는 분배의 평등을 추구하므로, 부와 소득의 불평등을 완화하는 데 적합하다. ㄹ. 계획 경제 체제는 국가의 계획에 따라 신속하게 경제 활동이 이루어지므로, 국가가 채택한 주요 목적을 신속히 달성할 수 있다는 장점이 있다.

11 우리나라 경제 체제의 특징

자료로 이해하기 >>

헌법 제119조

경제 주체의 자유롭고 창의적인 경제 활동을 보장하는 것은 시장 경제 체제의 특징이야.

① 대한민국의 경제 질서는 개인과 기업의 경제상의 자유와 창의를 존중함을 기본으로 한다.

② 국가는 균형 있는 국민 경제의 성장 및 안정과 적정한 소득의 분배를 유지하고, 시장의 지배와 경제력의 남용을 방지하며, 경제 주체 간의 조화를 통한 경제의 민주화를 위하여 경제에 관한 규제와 조정을 할 수 있다.

국가의 통제에 따르는 계획 경제 체제의 요소를 반영한 것이야.

우리 헌법 제119조 ①은 경제 활동의 자유를 인정하고 있으며, 제119조 ②는 필요한 경우 정부가 경제에 개입하여 규제와 조정을 할 수 있도록 규정하고 있다. 이를 통해 우리나라는 시장 경제 체제를 중심으로 계획 경제 체제의 일부 요소를 받아들인 혼합 경제 체제를 채택하고 있음을 알 수 있다. 시장 경제 체제 요소와 계획 경제 체제 요소의 혼합 정도는 국가마다 차이가 있지.

바로알기 ≫ ② 우리나라는 시장의 가격 기능만으로 해결하기 어려운 문제들을 해결할 목적으로 계획 경제 체제의 일부 요소를 반영하고 있다. ③ 우리나라는 시장 경제 체제를 기반에 두고 있으므로, 분배의 평등보다 경제 활동의 자유를 우선시한다. ④ 시장 경제 체제에서는 개인의 자유로운 이익 추구가 인정되므로, 이익을 얻기 위한 경제 주체 간의 경쟁이 발생한다.

12 기업의 의미와 역할

① 기업은 생산 활동을 통해 이윤의 극대화를 추구한다. ③ 기업은 생산 활동을 위해 근로자를 고용함으로써 가계에 일자리를 제공한다. ④ 기업은 수입 중 일부를 국가에 세금으로 납부함으로써 국가의 재정에 기여한다. ⑤ 기업의 생산 활동이 활발해질수록 사회 전체의 고용과 소득이 늘어 경제가 활성화될 수 있다.

바로알기 ≫ ② 재화나 서비스를 구입하여 사용하는 경제 주체는 가계이다.

13 기업의 역할

기업은 생산 활동을 위해 가계의 생산 요소, 즉 노동, 토지, 자본 등을 사용하고, 그 대가로 임금, 지대, 이자 등을 지급함으로써 가계의 소득을 창출한다.

바로알기 ≫ ⑤ 공공재를 생산하여 제공하는 경제 주체는 정부이다.

14 기업의 사회적 책임을 다한 사례

기업의 사회적 책임은 기업이 이윤을 추구하는 활동 이외에 법령과 윤리를 준수하고 기업의 유지 기반이 되는 소비자, 주주, 지역 사회 등에 대한 역할을 다하는 것을 말한다. ㄴ, ㄷ. 협력 업체와 공정하게 거래한 것과 사회 공헌 활동에 참여한 것은 기업의 사회적 책임을 다한 사례로 적절하다.

바로알기 ≫ ㄱ, ㄹ. 이윤 추구를 위해 아동의 인권을 침해하는 것과 환경 오염을 일으킨 것은 법령과 윤리에 어긋나는 행위이므로, 기업의 사회적 책임을 다한 사례로 보기 어렵다.

15 기업가 정신

제시된 내용은 기업가 정신을 발휘한 사례에 해당한다. 기업가 정신은 불확실성과 위험을 무릅쓰고 혁신과 창의성을 바탕으로 한 생산 활동을 통해 이윤을 창출하여 기업을 성장시키려는 기업가의 도전 정신을 말한다.

16 기업가 정신의 발휘 사례

제시된 글은 혁신적인 사고를 바탕으로 새로운 상품을 개발함으로써 스마트 알림장이라는 새로운 시장을 개척한 모습을 보여 준다. 이는 창조적 파괴를 통해 변화하는 사회 환경에 유연하게 대처함으로써 새로운 가치 창출에 이바지한 사례에 해당한다.

바로알기 ≫ ⑤ 기존과 다른 새로운 생산 방법을 도입하였는지 여부는 제시된 내용만으로는 알 수 없다.

17 일생 동안의 경제생활

② 생애 주기를 고려할 때 유소년기나 노년기와 같이 소비가 소득보다 많은 시기가 존재한다. 소득이 가장 많은 시기야.

바로알기 ≫ ① 저축은 소득이 소비보다 많은 청년기와 중장년기에 주로 이루어진다. ③ 중장년기에는 자녀 출산 및 양육, 주택 마련 등으로 소비가 집중적으로 증가한다. ④ 부모의 소득에 의존하여 소비 활동을 하는 것은 유소년기의 경제생활 모습에 해당한다. ⑤ 지속 가능한 경제생활을 이루기 위해서는 유소년기부터 바람직한 경제생활 태도를 형성하는 것이 중요하다.

18 자산 관리의 필요성

제시된 상황들은 자산 관리의 필요성이 커지고 있는 배경에 해당한다. 지속 가능한 경제생활을 유지하기 위해서는 평생의 소득과 소비를 고려하여 자산을 관리해야 하며, 장기적인 관점에서 경제생활 계획을 수립하고 실천해야 한다. 또한 소득이 줄어들거나 없어지는 노후에 안정적인 생활을 하기 위해 소득이 많은 시기에 충분한 노후 대비 자금을 마련해 두어야 한다.

바로알기 ≫ ⑤ 지속 가능한 경제생활을 위해서는 소득의 일부를 저축하여 미래의 불확실한 상황에 따른 갑작스러운 지출에 대비해야 한다.

19 자산 관리 시 고려해야 할 요인

(가)는 안전성, (나)는 수익성, (다)는 유동성에 대한 설명이다. ㄱ. 예금은 주식에 비해 원금이 손실될 우려가 적어 안전성이 높은 편이다. ㄷ. 자산을 합리적으로 관리하기 위해서는 자산의 안전성, 수익성, 유동성을 고려하여 적절한 자산 관리 방법을 선택해야 한다.

바로알기 ≫ ㄴ. 주식은 예금에 비해 수익성이 높은 편이다.

20 채권

제시된 글에서 설명하는 자산은 채권이다. 채권은 만기일 전에 다른 사람에게 팔아 이익을 얻을 수 있다는 특징이 있다.

21 합리적인 자산 선택

㉠은 수익성이 높지만 원금이 손실될 우려가 있어 안전성이 낮은 자산으로, 주식, 채권 등이 해당한다. ㉡은 노후 대비를 위해 소득의 일부를 미리 낸 후 노후에 매달 일정액을 받는 금융 상품인 연금에 해당한다.

22 신용 거래의 사례

㉠은 신용이다. ① 할부 구입, ② 신용 카드 사용, ④ 은행 대출 이용, ⑤ 휴대 전화 서비스 이용은 모두 나중에 대가를 지불할 것을 약속하고 현재 거래한 것으로 신용을 이용한 사례에 해당한다.

바로알기 ≫ ③ 재화 구매에 대한 대가를 바로 지불한 것이므로, 신용을 이용한 사례에 해당하지 않는다.

23 신용 거래의 장점

ㄴ, ㄹ. 신용 거래는 미래의 소득을 앞당겨서 활용할 수 있기 때문에 현재의 소득보다 더 많이 소비할 수 있으며, 당장 현금이 없어도 물건을 구매하거나 각종 서비스를 제공받을 수 있다는 장점이 있다.

바로알기 ≫ ㄱ. 신용 거래는 현금 없이도 쉽게 상품을 구입할 수 있어 충동구매나 과소비로 이어질 우려가 있다. ㄷ. 신용 거래를 할 경우 미래에 갚아야 할 빚이 늘어나기 때문에 미래의 소비 생활에 부담을 줄 수 있다.

Ⅳ. 시장 경제와 가격

01~02 시장의 의미와 종류 / 시장 가격의 결정

93, 95쪽

A 1 시장 2 ㉠ 교환 ㉡ 분업 3 (1) ○ (2) × (3) ×
B 1 (1) ㄱ, ㄴ (2) ㄷ, ㄹ 2 (1) 생산물 (2) 확대 (3) 보이지 않는
C 1 (1) – ㉡ (2) – ㉠ 2 (1) ○ (2) × 3 ㉠ 수요 ㉡ 공급
D 1 ㉠ 균형 가격(시장 가격) ㉡ 균형 거래량
2 (1) 수요자 (2) 초과 공급 3 (1) – ㉡ (2) – ㉢ (3) – ㉠

실력 탄탄 핵심 문제 96~99쪽

01 ② 02 ⑤ 03 ⑤ 04 ⑤ 05 ④ 06 ② 07 ⑤ 08 ③
09 ② 10 ① 11 ④ 12 ③ 13 ④ 14 ⑤ 15 ④ 16 ②
17 ③ 18 ③ 19 ④ 20 ㉠ 초과 공급 ㉡ 초과 수요 21 ③

01 분업

밑줄 친 ㉠은 분업에 해당한다. 과거에는 필요한 물건을 스스로 만들어 사용하는 자급자족 형태의 경제생활이 이루어졌다. 농사를 짓기 시작하고 잉여 생산물이 발생하면서 사람들은 교환을 시작하였다. 교환을 통해 만족을 얻자 사람들은 자신이 더 만들 수 있는 물건을 더 많이 생산하여 다른 물건과 바꾸는 분업을 시작하였고, 이는 교환을 더욱 촉진하였다.

바로알기 ≫ ① 공급은 일정 가격에 어떤 상품을 판매하고자 하는 욕구이다. ③ 수요는 일정 가격에 어떤 상품을 구매하고자 하는 욕구이다. ④ 시장은 재화나 서비스를 사려는 사람과 팔려는 사람이 만나 거래가 이루어지는 곳이다. ⑤ 화폐는 시장에서의 교환을 더 쉽게 하기 위해 등장한 수단이다.

02 시장의 기능

㉡은 시장에 해당한다. ㄷ. 시장의 등장으로 분업이 촉진되면서 사회 전체의 생산성이 증대되었다. ㄹ. 시장의 등장으로 상품의 종류와 가격, 특징 등의 정보를 쉽게 교환할 수 있게 되었다.

바로알기 ≫ ㄱ, ㄴ. 시장의 등장으로 거래에 드는 시간과 비용이 줄었으며, 상품에 대한 정보를 쉽게 얻게 되면서 다양한 상품을 소비할 기회가 확대되었다.

03 시장의 종류

시장은 거래하는 모습이 구체적으로 드러나는지에 따라 보이는 시장과 보이지 않는 시장으로 구분할 수 있다. ① 편의점, ② 백화점, ③ 문구점, ④ 농산물 시장은 모두 거래하는 모습이 구체적으로 드러나는 시장이므로 보이는 시장에 해당한다.

바로알기 ≫ ⑤ 인터넷 쇼핑몰은 거래하는 모습이 구체적으로 드러나지 않는 시장이므로, 보이지 않는 시장에 해당한다.

04 시장의 종류

㉠은 보이는 시장, ㉡은 보이지 않는 시장에 해당한다. ㉠에는 대형 할인점, 백화점, 재래시장 등이 해당되며, ㉡에는 주식 시장, 외환 시장, 전자 상거래 등이 해당된다.

05 전자 상거래

ㄴ. 전자 상거래는 정보 통신망을 이용하는 거래로서 소비자와 생산자가 시공간의 제약을 받지 않고 거래할 수 있다는 특징이 있다. ㄹ. 전자 상거래는 거래하는 모습이 구체적으로 드러나지 않으므로 보이지 않는 시장에 해당하는데 주식 시장, 외환 시장 등도 이에 해당한다.

바로알기 ≫ ㄱ. 전자 상거래는 소비자와 판매자가 정보 통신망을 이용하므로 직접 만나지 않고 거래한다.

06 생산물 시장

제시된 내용은 생산물 시장에 대한 설명이다. 시장은 거래되는 상품에 따라 생활에 필요한 재화와 서비스를 거래하는 생산물 시장과 상품을 생산하는 과정에서 필요한 노동, 토지, 자본 등의 생산 요소를 거래하는 생산 요소 시장으로 구분할 수 있다. ① 가구 시장, ③ 농수산물 시장, ④ 의류 시장, ⑤ 중고 자동차 시장은 모두 생산물 시장에 해당한다.

바로알기 ≫ ② 노동 시장은 생산 요소 시장에 해당한다.

07 시장의 종류

문구, 영화는 생산물에 해당하고, 노동, 부동산은 상품을 생산하는 과정에 필요한 생산 요소에 해당하므로 거래하는 상품의 종류에 따라 시장을 구분하고 있음을 알 수 있다.

바로알기 ≫ ① 시장은 판매 대상에 따라 상인을 대상으로 하는 도매 시장과 소비자를 대상으로 하는 소매 시장으로 구분할 수 있다. ③ 시장은 거래하는 모습에 따라 보이는 시장과 보이지 않는 시장으로 구분할 수 있다. ④ 시장은 개설 주기에 따라 매일 열리는 상설 시장과 특정 날짜에만 열리는 정기 시장으로 구분할 수 있다.

08 시장의 종류

③ 인터넷 쇼핑몰은 정보 통신망을 이용하여 거래가 이루어지는 시장으로, 시간과 공간의 영향을 받지 않고 상품을 사고팔 수 있다는 특징이 있다.

바로알기 ≫ ① 인터넷 쇼핑몰은 인터넷의 발달로 그 규모가 계속 확대되고 있다. ② 인터넷 쇼핑몰은 매일 열리는 상설 시장에 해당한다. ④ 대형 할인점은 생활에 필요한 재화가 거래되므로 생산물 시장에 해당한다. ⑤ 대형 할인점은 거래하는 모습이 구체적으로 드러나므로 보이는 시장에 해당한다.

09 수요 법칙

일반적으로 상품 가격이 상승하면 수요량이 감소하고(㉠) 상품 가격이 하락하면 수요량이 증가한다.(㉡) 즉 상품의 가격과 수요량은 음(−)의 관계(㉢)에 있다.

10 공급과 공급 법칙

① 일반적으로 상품의 가격이 상승하면 공급량이 증가하고, 상품의 가격이 하락하면 공급량이 감소한다.

바로알기 ≫ ② 공급 곡선은 일반적으로 우상향하는 곡선으로 나타난다. ③ 공급량은 상품의 가격에 따라 변동한다. ④ 공급은 일정 가격에 어떤 상품을 판매하고자 하는 욕구이다. ⑤ 공급량은 일정 가격에 사람들이 팔고자 하는 상품의 양이다.

11 공급 곡선

공급 법칙에 따르면 상품의 가격이 올라가면 공급량이 증가하고, 상품의 가격이 내려가면 공급량이 감소한다. ㄴ, ㄹ. 제시된 그래프는 가격과 공급량의 양(+)의 관계, 즉 공급 법칙을 표현한 공급 곡선이다.

바로알기 ≫ ㄱ. 수요 법칙을 나타낸 그래프는 우하향 곡선을 띤다. ㄷ. 공급 법칙에 따르면 상품의 가격과 공급량은 양(+)의 관계이므로 같은 방향으로 움직이다.

12 수요 법칙과 공급 법칙

①, ②, ⑤ 수요 법칙에 따라 상품 가격이 상승하면 수요량이 감소하고, 상품 가격이 하락하면 수요량이 증가한다. ④, ⑤ 공급 법칙에 따라 상품 가격이 상승하면 공급량이 증가하고, 상품 가격이 하락하면 공급량이 감소한다.

바로알기 ≫ ③ 공급 법칙에 따르면 상품의 가격이 하락할 경우 공급량은 감소한다.

13 가격 변화에 따른 수요량과 공급량의 변동

수요 법칙과 공급 법칙에 따르면 제시된 사례와 같이 상품의 가격이 하락할 경우 수요량은 증가하고, 공급량은 감소한다.

14 균형 가격에서의 시장

㉠은 균형 가격에 해당한다. 제시된 그래프와 같이 수요 곡선과 공급 곡선이 만나는 지점, 즉 수요량과 공급량이 일치하는 지점에서 시장은 균형을 이룬다. 이때의 가격을 균형 가격이라고 하고, 균형 가격에서의 거래량을 균형 거래량이라고 한다.

15 균형 거래량

균형 거래량은 시장의 수요량과 공급량이 일치하는 지점에서 형성된다. 따라서 우유의 균형 거래량은 20만 개이다.

16 시장 균형의 이해

사과의 가격이 2,000원일 경우 사과의 수요량은 400개, 공급량이 200개이므로 수요량이 공급량보다 200개 더 많다.

17 시장 균형의 이해

ㄴ. 사과의 가격이 4,000원일 경우 사과의 수요량은 200개, 공급량은 400개이므로 공급량이 수요량보다 200개가 더 많다. ㄷ. 공급량이 수요량보다 많은 초과 공급 상태이므로 공급자들 간의 판매 경쟁이 일어나 사과의 가격이 하락할 것이다.

바로알기 ≫ ㄱ. 200개의 초과 공급이 발생한다. ㄹ. 초과 수요 상태에서 나타날 수 있는 현상이다.

18 균형 가격과 균형 거래량

균형 가격과 균형 거래량은 시장의 수요량과 공급량이 일치하는 지점에서 결정된다. 따라서 사과의 균형 가격은 3,000원이고, 균형 거래량은 300개이다.

19 시장 균형의 이해

자료로 이해하기 ≫

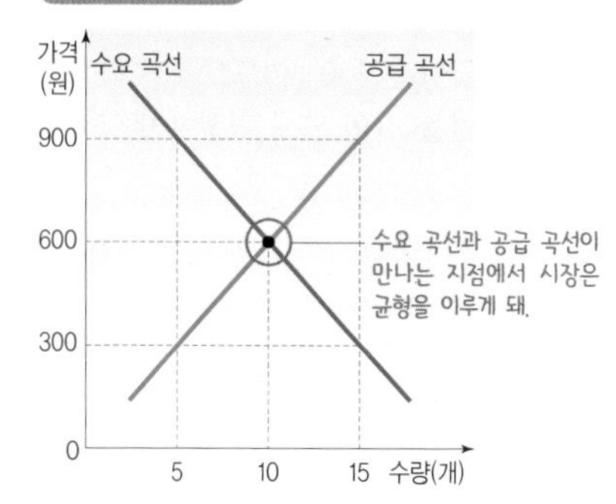

④ 제시된 그래프에서 가격이 300원일 때 수요량은 15개, 공급량은 5개이므로 10개의 초과 수요가 발생한다.

바로알기 ≫ ① 가격이 600원일 때 공급량은 10개이다. ② 시장은 수요량과 공급량이 만나는 지점에서 균형을 이룬다. 제시된 그래프에서는 수요량과 공급량이 10개일 때 일치하므로, 시장 가격이 600원일 때 시장은 균형을 이룬다. ③, ⑤ 가격이 900원일 때 수요량은 5개, 공급량은 15개로 10개의 초과 공급이 발생한다.

20 초과 수요와 초과 공급

㉠은 공급량이 수요량보다 많은 상태이므로 초과 공급, ㉡은 수요량이 공급량보다 많은 상태이므로 초과 수요에 해당한다.

21 시장 균형의 이해

자료로 이해하기 ≫

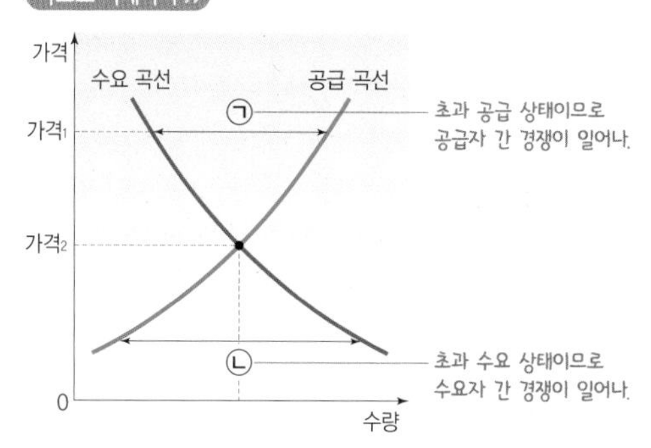

①, ② 가격$_1$일 때에는 공급량이 수요량보다 많은 초과 공급 상태이므로 공급자들 간의 판매 경쟁이 발생할 것이다. ④ 가격$_2$일 때에는 균형 가격이므로 초과 수요나 초과 공급이 발생하지 않고 시장이 균형을 이룬다. ⑤ 초과 공급 상태에서는 공급자들 간의 판매 경쟁으로 가격이 하락할 것이고, 초과 수요 상태에서는 수요자들 간의 구매 경쟁으로 가격이 상승할 것이다.

바로알기 ≫ ③ 가격$_2$는 균형 가격이므로, 가격$_2$일 때에는 시장의 공급량과 수요량이 일치한다.

서술형 문제

99쪽

01 시장의 의미와 기능

(1) 시장

(2) ① 정보, ② 분업

02 시장 균형의 이해

(1) 균형 가격: 1,500원, 균형 거래량: 150개

(2) 예시답안 수요량은 100개, 공급량은 200개이므로 100개의 초과 공급이 발생한다. 따라서 공급자들 간의 판매 경쟁이 발생하여 과자 가격이 하락할 것이다.

채점 기준	점수
초과 공급 상태라고 쓰고, 공급자들 간의 판매 경쟁으로 과자 가격이 하락한다고 정확히 서술한 경우	상
초과 공급 상태라고 쓰고, 과자 가격이 하락한다고만 서술한 경우	중
초과 공급 상태라고만 쓴 경우	하

03 시장 가격의 변동

101, 103쪽

A 1 (1) ○ (2) × (3) × 2 ㉠ 대체재 ㉡ 보완재
3 증가, 감소, 감소, 증가

B 1 ㄱ, ㄹ 2 (1) – ㉠ (2) – ㉡

C 1 ㄷ, ㄹ 2 (1) ○ (2) ○ (3) ×

D 1 시장 가격 2 줄이는, 늘린다 3 (1) × (2) ○

실력 탄탄 핵심 문제

104~107쪽

01 ② 02 ① 03 ③ 04 ⑤ 05 ① 06 ⑤ 07 ② 08 ④
09 ① 10 ② 11 ⑤ 12 ⑤ 13 ③ 14 ① 15 ④ 16 ⑤
17 ⑤ 18 ④ 19 ①

01 수요 변동 요인

수요 변동 요인으로는 소득의 변화, 관련 상품의 가격 변화, 소비자의 기호 변화, 미래 가격에 대한 예상, 인구수의 변화 등이 있다.

바로알기 ≫ ㄴ, ㄹ. 공급자 수의 변화와 생산 요소의 가격 변화는 공급 변동 요인에 해당한다.

02 대체재와 보완재

② 칫솔과 치약, ③ 피자와 콜라, ④ 삼겹살과 상추, ⑤ 승용차와 휘발유는 함께 소비할 때 만족도가 커지는 보완 관계의 재화인 보완재에 해당한다.

바로알기 ≫ ① 쌀과 빵은 서로 용도가 비슷하여 한 상품을 대신해서 사용할 수 있는 경쟁 관계의 재화인 대체재에 해당한다.

03 대체재와 보완재

제시된 글에서 커피와 설탕은 함께 소비할 때 만족도가 커지는 보완 관계의 재화이다. 반면, 커피와 녹차는 서로 용도가 비슷하여 대신해서 사용할 수 있는 경쟁 관계의 재화이다. 따라서 커피의 가격이 상승할 경우 보완재인 설탕의 수요는 감소할 것이며, 대체재인 녹차의 수요는 증가할 것이다.

바로알기 ≫ ㄹ. 커피의 가격이 하락할 경우 대체재인 녹차의 수요는 감소할 것이다.

04 수요 감소 요인

제시된 그래프에서는 공급 곡선은 그대로이고 수요 곡선만 왼쪽으로 이동하였다. 따라서 공급의 변화는 없는 가운데 수요만 감소하였음을 알 수 있다. ⑤ 라면의 나트륨 함유량이 높다고 보도되어 라면에 대한 소비자의 기호가 하락하면 라면에 대한 수요가 감소한다.

바로알기 ≫ ① 기온이 상승하면 팥빙수에 대한 기호가 상승하여 팥빙수의 수요가 증가한다. ② 떡볶이 가게가 증가하면 떡볶이의 공급이 증가한다. ③ 석유 가격이 상승할 것으로 예상되면 석유에 대한 수요가 증가한다. ④ 돼지고기의 가격이 하락하면 돼지고기의 보완재인 상추에 대한 수요가 증가한다.

05 수요 증가 요인

양파의 긍정적인 효능이 보도되어 양파에 대한 소비자들의 선호도가 상승하면 양파의 수요가 증가할 것이다. ① 수요가 증가할 경우 수요 곡선은 오른쪽으로 이동한다.

06 공급 증가 요인

제시된 글은 공급 증가에 대한 내용이다. 공급 증가의 요인으로는 생산 요소의 가격 하락, 생산 기술 발달, 공급자 수 증가, 미래 가격 하락 예상 등이 있다. ⑤ 새로운 기술이 발달하면 공급이 증가한다.

바로알기 ≫ ① 김치의 재료인 배추의 가격이 상승하면 김치의 공급이 감소한다. ② 밀가루 가격이 상승하면 과자를 생산하는 데 드는 생산 비용이 증가하므로 과자의 공급이 감소한다. ③ 태풍 피해로 사과의 수확량이 감소하면 사과의 공급이 감소한다. ④ 가계 소득이 감소하면 휴대 전화에 대한 수요가 감소한다.

07 공급 감소 요인

제시된 글은 날씨의 영향으로 감귤의 수확량이 줄어든 상황을 나타낸다. 감귤의 수확량이 감소하면 결국 감귤의 공급량도 감소하게 된다.

08 시장 가격의 변동

소고기와 돼지고기는 대체재이다. 소고기 가격이 하락하면 소고기에 대한 수요량은 증가하는 반면, 돼지고기에 대한 수요는 감소하게 된다. 수요가 감소하면 균형 가격은 하락하고 균형 거래량은 감소한다.

09 공급 감소 요인

자료로 이해하기 ≫

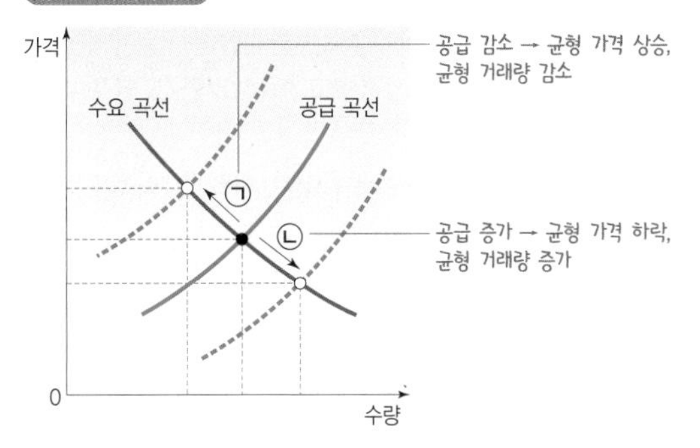

㉠은 공급 감소를 나타낸다. ① 자동차의 부품 가격이 상승하면 자동차의 공급이 감소한다.

바로알기 ≫ ② 휘발유는 자동차의 보완재이므로 휘발유 가격의 하락세가 지속되면 자동차에 대한 수요가 증가한다. ③ 소득이 줄어들면 자동차에 대한 수요가 감소한다. ④ 인구가 감소하면 자동차에 대한 수요가 감소한다. ⑤ 생산 기술이 발달하면 자동차의 공급이 증가한다.

10 공급의 변동

㉡은 공급 증가를 나타낸다. ㄱ. 공급 곡선이 이동하고 있으므로 공급 변동에 해당한다. ㄷ. 공급이 증가하면 균형 거래량은 증가할 것이다.

바로알기 ≫ ㄴ. 공급이 증가하면 균형 가격은 하락할 것이다. ㄹ. 미래 가격이 상승할 것으로 예상되면 공급은 감소한다.

11 시장 가격의 변동 요인

종이책의 수요가 감소하거나 공급이 증가할 경우 종이책의 가격이 하락할 수 있다. ㄷ. 책의 생산 요소인 종이의 가격이 하락하면 책을 만드는 데 드는 생산 비용이 감소하므로 책의 공급이 증가한다. ㄹ. 종이책의 대체재인 전자책의 가격이 하락하면 종이책에 대한 수요가 감소한다.

바로알기 ≫ ㄱ. 서점의 수가 감소하면 책의 공급이 감소한다. ㄴ. 가계 소득이 증가하면 수요가 증가한다.

12 시장 가격의 변동

(가)는 기호 변화로 수요 측면에 영향을 주는 수요 증가 요인이다. (나)는 생산 기술 발달로 공급 측면에 영향을 주는 공급 증가 요인이다. ⑤ 수요와 공급이 증가하면 시장의 균형 거래량이 증가한다.

바로알기 ≫ ① 기호 변화는 수요 변동 요인에 해당한다. ② 기호가 상승하면 수요가 증가하고, 이에 따라 균형 거래량도 증가한다. ③, ④ 생산 기술의 발달은 공급 증가 요인에 해당하는데, 공급이 증가하면 균형 가격은 하락한다.

13 시장 가격의 변동

첫 번째 내용은 생산 요소의 가격 상승, 두 번째 내용은 미래 가격 상승 예상으로 모두 공급 감소 요인으로 작용한다. ㄴ, ㄷ. 스마트폰의 공급이 감소하면 스마트폰의 균형 가격은 상승하는 반면, 균형 거래량은 감소한다.

바로알기 ≫ ㄱ. 스마트폰의 수요가 변화하는지 여부는 제시된 내용으로는 알 수 없다. ㄹ. 스마트폰의 공급이 감소하면 공급 곡선은 왼쪽으로 이동한다.

14 균형 가격과 균형 거래량의 변화

균형 가격이 상승하고 균형 거래량이 증가하는 경우는 수요가 증가하는 경우이다. ① 소득의 증가는 수요 증가 요인에 해당한다.

바로알기 ≫ ② 공급자 수의 증가, ③ 생산 기술의 혁신은 공급 증가 요인에 해당한다. 공급이 증가하면 균형 가격은 하락하고 균형 거래량은 증가한다. ④ 대체재의 가격 하락은 수요 감소 요인에 해당한다. 수요가 감소하면 균형 가격은 하락하고 균형 거래량은 감소한다. ⑤ 미래 가격 하락 예상은 수요 감소 요인이자 공급 증가 요인에 해당하므로 균형 가격이 하락한다.

15 균형 가격의 변화

(가)는 대체재의 가격 하락으로 수요 감소 요인에 해당한다. 수요가 감소하면 균형 가격이 하락한다. (나)는 생산 요소의 가격 상승으로 공급 감소 요인에 해당한다. 공급이 감소하면 균형 가격은 상승한다.

16 시장 가격의 변동

첫 번째 내용은 기호 상승으로 수요 증가 요인에 해당한다. 두 번째 내용은 공급자 수 증가로 공급 증가 요인에 해당한다. ⑤ 수요와 공급이 모두 증가했으므로, 수요 곡선과 공급 곡선이 모두 오른쪽으로 이동할 것이다.

17 시장 가격의 기능

㉠은 시장 가격에 해당한다. 시장 가격은 소비자가 상품을 얼마나 구매할지, 생산자가 상품을 얼마나 생산할지 알려 주는 신호등과 같은 역할을 한다. 또한 그 사회에서 필요로 하는 적당한 양의 상품이 생산되어 적절히 나누어지도록 하여 한정된 자원을 효율적으로 배분하는 역할을 한다.

18 시장 가격의 기능

시장 가격은 소비자와 생산자에게 경제 활동의 방향을 알려 준다. 시장 가격이 오르면 소비자는 소비를 줄이게 되고, 생산자는 생산을 늘리게 된다.

19 시장 가격의 기능

시장 가격은 같은 상품에 대해 가장 큰 만족을 얻는 소비자가 상품을 구매하게 한다. 높은 가격을 지불하고서라도 어떤 상품을 구매할 의사가 있다는 것은 그만큼 그 상품에 대한 만족도가 크다는 것을 의미한다. ① 뮤지컬에 대한 만족도가 높은 사람은 비싼 돈을 주고서라도 뮤지컬을 볼 것인데, 이는 시장 가격이 지닌 자원의 효율적 배분 기능이 작용한 것이다.

서술형 문제 107쪽

01 대체재의 의미

① 대체재, ② 경쟁

02 수요 증가 요인

예시답안 제시된 그래프에서 공급 곡선은 그대로이고 수요 곡선만 오른쪽으로 이동하였다. 따라서 공급의 변화는 없는 가운데 수요만 증가하였음을 알 수 있다. 수요 증가 요인으로는 소득 증가, 대체재 가격 상승, 보완재 가격 하락, 기호 상승, 미래 가격 상승 예상, 인구 증가 등이 있다.

채점 기준	점수
수요 증가 요인을 세 가지 이상 정확히 서술한 경우	상
수요 증가 요인을 두 가지 이상 서술한 경우	중
수요 증가 요인을 한 가지만 서술한 경우	하

03 시장 가격의 변동

예시답안 카네이션의 수요 증가로 인해 균형 가격은 상승하고 균형 거래량은 증가할 것이다.

채점 기준	점수
수요 증가에 따른 균형 가격의 변동과 균형 거래량의 변동을 모두 정확히 서술한 경우	상
균형 가격의 변동과 균형 거래량의 변동 중 한 가지만 서술한 경우	하

시험 적중 마무리 문제 110~113쪽

01 시장 02 ④ 03 ⑤ 04 ④ 05 ③ 06 ③ 07 ① 08 ⑤ 09 ② 10 ④ 11 ⑤ 12 ③ 13 ② 14 ③ 15 ⑤ 16 ③ 17 ① 18 ② 19 ③ 20 ② 21 ③ 22 시장 가격 23 ②

01 시장의 의미

㉠은 시장에 해당한다. 시장은 거래가 이루어지는 구체적 장소뿐만 아니라 가격이 형성되고 교환이 이루어지는 모든 거래 활동 자체를 의미한다.

02 시장의 기능

ㄱ. 시장은 분업을 촉진하여 특정 분야를 전문적으로 생산하도록 함으로써 사회 전체의 생산성 증대에 기여한다. ㄴ. 시장은 거래할 상대방을 찾는 데 드는 시간과 비용, 즉 거래 비용을 절약할 수 있도록 해 준다. ㄹ. 시장은 거래하는 모습이 구체적으로 드러나는가에 따라 거래하는 모습이 구체적으로 드러나는 시장인 보이는 시장과 거래하는 모습이 구체적으로 드러나지 않는 시장인 보이지 않는 시장으로 구분할 수 있다.

바로알기 ≫ ㄷ. 상품 생산 과정에서 사용되는 토지, 자본 등도 생산 요소 시장에서 거래된다.

03 시장의 형성과 발달

과거에는 필요한 물건을 스스로 만들어 사용하는 자급자족 형태의 경제생활이 이루어졌다. 그러나 농사를 짓기 시작하고 남는 생산물이 발생하면서 사람들은 교환을 시작하였다. 교환을 통해 만족을 얻자 사람들은 자신이 더 잘 만들 수 있는 물건을 더 많이 생산하여 다른 물건과 바꾸는 분업을 시작하였고 이는 교환을 더욱 촉진하였다.

바로알기 ≫ ⑤ 화폐의 등장으로 거래가 편해져 시장이 더욱 확대되었다.

04 시장의 종류

(가)는 거래하는 모습이 구체적으로 드러나지 않는 시장인 주식 시장, (나)는 거래하는 모습이 구체적으로 드러나는 대형 할인점이다. ② 외환 시장, 인터넷 쇼핑몰은 주식 시장과 마찬가지로 보이지 않는 시장에 해당한다. ⑤ 주식 시장과 대형 할인점은 모두 수요자와 공급자 간에 거래가 이루어진다.

바로알기 ≫ ④ 대형 할인점은 일반적으로 재화나 서비스 등의 생산물 거래가 이루어지는 시장이다. 노동은 생산 요소로서 토지, 자본과 함께 생산 요소 시장에서 거래된다.

05 전자 상거래

최근에는 효율적인 거래를 위해 새로운 형태의 시장이 생겨나고 있다. 특히 정보 통신 기술과 인터넷의 발달로 전자 상거래가 활발해지고 있으며, 이에 따라 정보 통신망을 이용하여 시간과 공간의 제약을 받지 않고 상품을 사고팔 수 있다.

06 시장의 종류

시장은 어떤 상품을 거래하는지에 따라 생산물 시장과 생산 요소 시장으로 분류할 수 있다. 생산물 시장은 꽃, 수산물 등과 같은 재화나 서비스가 거래되는 시장이며, 생산 요소 시장은 생산에 필요한 노동, 토지, 자본 등이 거래되는 시장이다.

07 수요와 공급

② 일반적으로 상품의 가격이 하락하면 공급량은 감소한다. ③ 일반적으로 상품의 가격이 상승하면 공급량이 증가하고, 상품의 가격이 하락하면 공급량이 감소한다. 즉 가격과 공급량은 양(+)의 관계에 있으므로 공급 곡선은 우상향하는 형태로 표현된다. ④ 일반적으로 상품의 가격이 상승하면 수요량은 감소하고, 상품의 가격이 하락하면 수요량은 증가한다. 즉 가격과 수요량은 음(−)의 관계에 있으므로 수요 곡선은 우하향하는 형태로 표현된다. ⑤ 수요 곡선과 공급 곡선이 만나 균형을 이루는 지점의 가격을 균형 가격이라고 한다.

바로알기 » ① 일반적으로 상품의 가격이 상승하면 수요량은 감소한다.

08 수요 법칙과 공급 법칙

㉠, ㉡, ㉢ 수요 법칙에 따라 상품 가격이 상승하면 수요량이 감소하고, 상품 가격이 하락하면 수요량이 증가한다. ㉣ 공급 법칙에 따라 상품 가격이 상승하면 공급량이 증가한다.

바로알기 » ㉤ 공급 법칙에 따르면 떡볶이 가격이 하락할 경우 공급량은 감소한다.

09 공급 곡선

제시된 그래프는 가격이 하락하면 공급량은 감소하고, 가격이 상승하면 공급량은 증가하는 모습을 보여 주는데, 이는 공급 법칙을 나타낸다. 공급 법칙을 그래프로 표현하면 제시된 그래프와 같이 우상향하는 곡선으로 나타난다.

바로알기 » ① 공급 법칙은 가격과 공급량이 양(+)의 관계임을 나타낸다.

10 수요량과 공급량의 변화

초콜릿 가격이 오르면 수요량은 감소하고, 공급량은 증가한다. 이러한 초과 공급 상태는 공급자 간 경쟁으로 이어지는데, 이때 공급자들은 가격을 낮춰서라도 상품을 팔려고 하므로 결국 상품 가격은 하락할 것이다.

11 초과 수요와 초과 공급

⑤ 가격이 900원일 경우 수요량은 50개, 공급량은 250개이므로 200개의 초과 공급이 발생한다.

바로알기 » ① 가격이 500원일 경우 수요량은 250개이지만, 공급량은 50개이다. 따라서 거래량은 50개이고, 200개의 초과 수요가 발생한다. ② 가격이 700원일 경우 수요량과 공급량이 150개로 일치하므로 거래량은 150개이다. ③ 가격이 600원일 경우 수요량은 200개, 공급량은 100개이므로 100개의 초과 수요가 발생한다. ④ 가격이 800원일 경우 수요량은 100개, 공급량은 200개이므로 100개의 초과 공급이 발생한다.

12 균형 가격과 균형 거래량

균형 가격과 균형 거래량은 시장의 수요량과 공급량이 일치하는 지점에서 결정된다. 그러므로 공책의 균형 가격은 수요량과 공급량이 일치하는 700원에서 결정되며, 이때의 균형 거래량은 150개이다.

13 시장 균형의 이해

자료로 이해하기 »

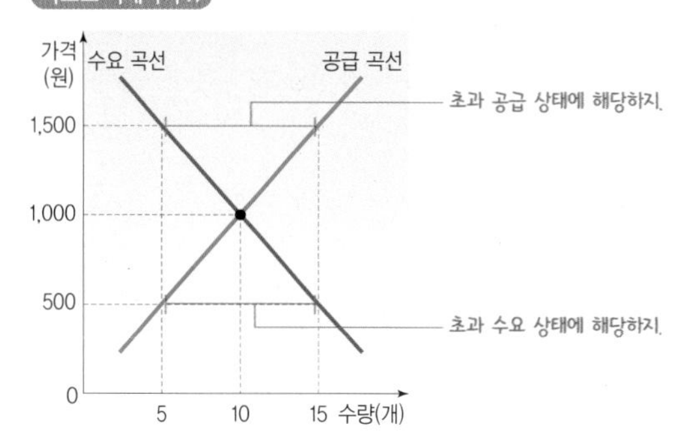

ㄱ. 균형 가격은 시장의 수요량과 공급량이 일치하는 지점에서 결정된다. 따라서 빵의 균형 가격은 1,000원이다. ㄷ. 빵 가격이 1,500원에서 1,000원으로 하락할 경우 수요량은 5개에서 10개로 5개가 증가한다.

바로알기 » ㄴ. 빵 가격이 1,500원일 경우의 수요량은 5개이다. ㄹ. 빵 가격이 500원에서 1,000원으로 상승할 경우 공급량은 5개에서 10개로 5개가 증가한다.

14 시장 균형의 이해

빵 가격이 500원일 경우 빵의 수요량은 15개, 공급량은 5개이므로 수요량이 공급량보다 10개가 더 많다. 즉, 초과 수요 상태이므로 수요자들 간의 구매 경쟁이 일어나 빵의 가격이 상승할 것이다.

15 초과 수요와 초과 공급

①, ③ 상품의 수요량이 공급량보다 많은 상태를 초과 수요라고 한다. 초과 수요는 균형 가격보다 낮은 가격 상태에서 형성되며, 이 경우 소비자들 간의 구매 경쟁이 일어나 상품의 가격이 상승한다. ②, ④ 상품의 가격이 균형 가격보다 높으면 공급량이 수요량보다 많은 초과 공급이 나타나게 되며, 이 경우 공급자들 간의 판매 경쟁이 일어나 상품 가격이 하락한다.

바로알기 » ⑤ 초과 수요와 초과 공급이 사라질 때 시장은 균형 상태에 도달한다.

16 수요 변동 요인

수요 변동 요인으로는 소득의 변화, 관련 상품의 가격 변화, 소비자의 기호 변화, 미래 가격에 대한 예상, 인구수의 변화 등이 있다. ㄴ. 날씨가 더워지면 팥빙수에 대한 사람들의 기호가 상승하므로 팥빙수의 수요가 증가한다. ㄷ. 아이스크림은 팥빙수의 대체재이므로, 아이스크림의 가격이 하락하면 팥빙수의 수요가 감소한다.

바로알기 » ㄱ. 팥빙수의 생산 요소인 팥의 가격이 상승하면 팥빙수의 공급이 감소한다. ㄹ. 팥빙수를 판매하는 카페 수가 늘어 팥빙수의 공급자 수가 증가하면 팥빙수의 공급이 증가한다.

17 보완재의 가격 변화에 따른 수요의 변동

제시된 내용은 커피와 시럽이 함께 소비할 때 만족도가 커지는 보완 관계의 재화임을 보여 준다. ② 커피의 수요가 늘어나면서 커피의 보완재인 시럽의 수요도 늘어날 것이다. 따라서 시럽의 수요 곡선은 오른쪽으로 이동한다.

18 수요 감소 요인

자료로 이해하기 »

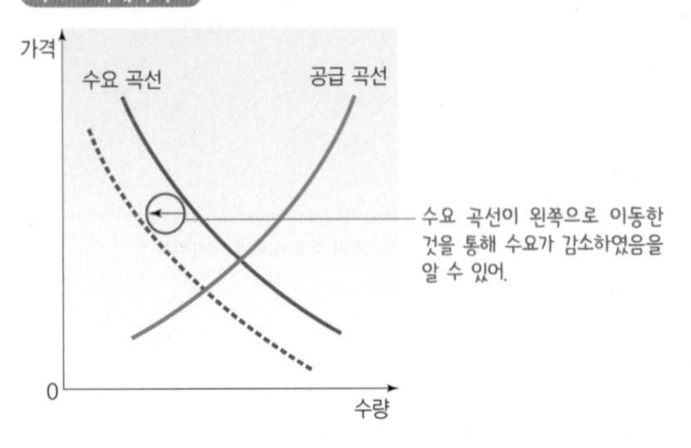

제시된 그래프는 수요가 감소하고 있음을 보여 준다. 수요 감소 요인으로는 소득 감소, 대체재 가격 하락, 보완재 가격 상승, 기호 하락, 미래 가격 하락 예상, 인구 감소 등이 있다. ② 닭고기의 대체재인 돼지고기의 가격이 하락하면 닭고기의 수요가 감소한다.

바로알기 » ① 가구의 생산 요소인 목재 가격이 하락하면 가구를 생산하는 데 드는 비용이 감소하므로 가구의 공급이 증가한다. ③ 돼지 사육 농가와 돼지고기 수입 업체는 돼지고기의 공급자에 해당하므로 돼지고기의 공급이 증가한다. ④ 화장지의 미래 가격이 인상될 것으로 예상되면 화장지에 대한 수요는 증가하고 공급은 감소한다. ⑤ 호두의 좋은 효능이 보도되어 소비자들의 선호도가 상승하면 호두에 대한 수요가 증가한다.

19 공급 증가 요인

공급 증가 요인으로는 생산 요소의 가격 하락, 생산 기술 발달, 공급자 수 증가, 미래 가격 하락 예상 등이 있다. 이러한 요인들로 인해 공급이 상승하면 공급 곡선은 오른쪽으로 이동한다.

바로알기 » ③ 관련 상품의 가격 변화는 수요 변동 요인에 해당한다. 일반적으로 상호 보완 관계에 있는 상품의 가격이 상승하면 해당 상품의 수요는 감소한다.

20 균형 가격의 상승 요인

균형 가격의 상승은 수요가 증가하거나 공급이 감소할 때 나타난다. ㄱ, ㄹ은 수요 증가 요인, ㅂ은 공급 감소 요인에 해당한다.

바로알기 » ㄴ, ㄷ은 공급 증가 요인, ㅁ은 수요 감소 요인에 해당한다.

21 시장 가격 변동

자장면을 생산하는 데 필요한 생산 요소인 밀가루의 가격이 상승하면 자장면의 생산비가 상승하기 때문에 자장면의 공급은 감소한다. 따라서 공급 곡선은 왼쪽으로 이동하며 이에 따라 균형 가격은 상승하고 균형 거래량은 감소한다.

22 시장 가격의 기능

시장에서 가격이 결정되면 소비자들은 해당 상품의 구매 여부를 결정하고, 생산자들은 해당 상품의 생산 여부를 결정한다. 이처럼 시장 가격은 소비 활동과 생산 활동을 어떻게 조절할 것인지 알려 주는 경제 활동의 신호등과 같은 역할을 한다.

23 시장 가격의 기능

제시된 글에 따르면 시장 가격은 상품에 대해 가장 큰 만족을 얻는 소비자가 상품을 소비하게 하며, 시장에서 가장 적은 비용으로 상품을 생산할 수 있는 생산자가 상품을 공급하도록 한다. 이처럼 시장 가격은 그 사회에 필요한 적당한 양의 상품을 가장 효율적인 방법으로 생산하게 하고 이를 효율적으로 배분하는 기능을 한다.

V. 국민 경제와 국제 거래

01 국내 총생산과 경제 성장

117쪽

A 1 ㄱ, ㄹ 2 (1) ○ (2) × (2) ×

B 1 경제 성장 2 ㉠ 물가 ㉡ 경제 성장률 3 (1) ○ (2) ×

실력 탄탄 핵심 문제 118~119쪽

01 ④ 02 ① 03 ② 04 1인당 국내 총생산 05 ① 06 ② 07 ⑤ 08 ⑤ 09 ④

01 국내 총생산(GDP)

국내 총생산(GDP)은 일정 기간(보통 1년) 동안 한 나라 안에서 새롭게 생산된 최종 생산물의 시장 가치를 모두 합한 것이다.

바로알기 » ④ 생산 과정에서 사용된 중간 생산물의 가치는 국내 총생산에 포함되지 않는다.

02 국내 총생산(GDP)의 특징

가현. 국내 총생산(GDP)은 한 나라 안에서 생산된 재화와 서비스를 포함하므로, 생산자의 국적과는 상관이 없다. 나현. 국내 총생산은 보통 1년 동안 생산된 최종 생산물만을 포함한다.

바로알기 » 다현. 국내 총생산은 새롭게 생산된 것을 대상으로 하므로, 그 전에 생산되어 이미 사용하고 있던 중고품은 그해의 국내 총생산에 포함되지 않는다. 라현. 국내 총생산은 한 나라의 전체적인 경제 규모만을 나타내므로, 이를 통해 국민의 평균적인 소득 분배 상태를 파악하기는 어렵다.

03 국내 총생산(GDP)의 측정

ㄱ, ㄷ. 국내 총생산(GDP)은 한 나라 안에서 생산된 것을 포함하므로, 외국인이 우리나라에서 하는 영어 회화 강의의 가치와 외국 회사의 우리나라 지점에서 근무하는 회사원의 연봉은 우리나라의 국내 총생산에 포함된다.

바로알기 » ㄴ. 국내 총생산은 그 나라 안에서 생산된 재화와 서비스가 포함되므로 우리나라 기업이 외국에서 벌어들인 영업 소득은 우리나라 국내 총생산에 포함되지 않는다. ㄹ. 우리나라에서 스마트폰을 생산하는 데 사용된 부품은 중간재로서, 국내 총생산에 포함되지 않는다.

04 1인당 국내 총생산

국가 간 전체적인 경제 규모를 비교할 때는 국내 총생산을 국민의 평균적인 생활 수준을 비교하기 위해서는 1인당 국내 총생산을 이용해.

㉠은 1인당 국내 총생산이다. 1인당 국내 총생산은 한 나라 국민들의 평균적인 생활 수준을 파악하는 데 도움을 준다.

05 국내 총생산(GDP)의 한계

아버지가 가족을 위해 텃밭에서 직접 재배한 상추는 시장에서 거래되는 상품이 아니기 때문에 국내 총생산에 포함되지 않는다.

06 경제 성장의 의미와 영향

문항 1에서 경제 성장은 국내 총생산이 증가하는 것을 의미하므로, 답은 '×'이다. 문항 2에서 경제 성장률은 경제 성장의 정도를 보여 주는 지표이므로, 답은 'o'이다. 문항 3에서 경제 성장률을 측정할 때는 물가의 변동을 제거해야 하므로, 답은 '×'이다. 문항 4에서 경제 성장은 한 나라의 생산 능력과 경제 규모가 커진 것을 의미하므로, 답은 'o'이다. 문항 4만이 정답이므로, 학생이 얻을 총 점수는 1점이다.

07 경제 성장이 우리 생활에 미치는 영향

제시된 표에 따르면 브라질과 우리나라는 오스트레일리아와 아이슬란드보다 국내 총생산 순위는 높지만, 삶의 질을 종합적으로 산출하는 더 나은 삶 지수 순위는 낮게 나타나고 있다. 이를 통해 삶의 질이 반드시 경제 성장 정도에 비례하여 높아지는 것은 아님을 알 수 있다.

바로알기 » ① 국내 총생산은 빈부 격차 정도를 반영하지 않는다. ② 더 나은 삶 지수는 삶의 질을 물질적·정신적 측면에서 종합적으로 측정한다. ③ 브라질은 국내 총생산 순위에 비해 삶의 질 순위는 낮은 편이다. ④ 아이슬란드는 국내 총생산 순위에 비해 삶의 질 순위는 높은 편이다.

08 경제 성장의 긍정적 영향

경제 성장은 가계의 소득 증가를 가져와 물질적 풍요를 가능하게 해 준다. 또한 경제 성장은 질 높은 교육과 의료 혜택, 다양한 문화생활 등을 가능하게 하여 사회적·문화적 욕구를 충족시켜 줌으로써 삶의 질 향상에 기여한다.

바로알기 » ⑤ 경제 성장의 혜택이 모든 계층에 완전 평등하게 분배되는 것은 아니며, 일부 계층에 편중될 경우 계층 간 갈등이 나타날 수 있다.

09 경제 성장의 부정적 영향

ㄴ. 경제 성장의 혜택이 일부 계층에 편중될 경우 빈부 격차가 커져 갈등이 발생할 수 있다. ㄹ. 경제 성장 과정에서 환경 오염이 심해지고 자원이 고갈되어 쾌적한 생활을 방해할 수 있다.

바로알기 » ㄱ. 경제가 성장하면 가계의 소득이 증가하여 물질적으로 풍요로워진다. ㄷ. 경제 성장으로 재화와 서비스의 생산량이 늘어나 일자리가 많아지면서 실업이 줄어들 수 있다.

서술형 문제

119쪽

01 국내 총생산(GDP)의 한계

① 시장, ② 삶의 질

02 경제 성장의 긍정적 영향

예시답안 ▶ 국내 총생산의 증가는 경제 성장을 의미한다. 경제가 성장하면 소득이 증가하여 물질적으로 풍요로운 생활을 누릴 수 있으며, 질 높은 교육과 의료 혜택으로 삶의 질이 향상될 수 있다.

채점 기준	점수
경제 성장의 긍정적 영향을 두 가지 이상 정확히 서술한 경우	상
경제 성장의 긍정적 영향을 한 가지만 서술한 경우	하

02 물가와 실업

121, 123쪽

A 1 물가 2 (1) ○ (2) × (3) × (4) ○

B 1 인플레이션 2 (1) ㄱ, ㄷ, ㅂ (2) ㄴ, ㄹ, ㅁ

3 (1) – ㉡ (2) – ㉣ (3) – ㉢ (4) – ㉠

C 1 (1) × (2) ○ 2 (1) – ㉡ (2) – ㉢ (3) – ㉠ (4) – ㉣

3 경제 활동 인구

D 1 ㄴ, ㄷ 2 (1) × (2) ○ 3 (1) 협력 (2) 확대

실력 탄탄 핵심 문제 124~127쪽

01 물가 02 ② 03 ① 04 ② 05 ④ 06 ③ 07 ②
08 ② 09 ① 10 ⑤ 11 ② 12 ⑤ 13 ④ 14 ② 15 ⑤
16 ③ 17 ② 18 ③ 19 ⑤ 20 ④ 21 ②

01 물가의 의미

㉠은 물가이다. 물가란 시장에서 거래되는 여러 상품의 가격을 종합하여 평균한 것으로, 한 나라의 전반적인 가격 수준을 나타낸다.

02 물가와 물가 지수

물가의 변동은 가계의 소비 활동, 기업의 생산 활동뿐 아니라 국민 경제에 큰 영향을 미친다. 따라서 정부는 국민 경제의 안정적인 성장을 위해 물가의 움직임을 한눈에 볼 수 있도록 물가 지수를 작성한다.

바로알기 ≫ ② 가격에 대한 설명이다.

03 물가 지수

물가 지수는 기준 시점의 물가를 100으로 했을 때, 비교 시점의 물가 수준을 나타낸 것이다. 물가 지수가 110이라는 것은 기준 연도를 100으로 놓았을 때, 물가가 기준 연도에 비해 10% 상승하였음을 의미한다.

04 물가 상승의 원인

② 임금이나 임대료 등 생산비가 오를 경우 기업이 상품의 공급을 줄이거나 상품의 가격을 올리게 되면 물가가 상승할 수 있다.

바로알기 ≫ ①, ③, ④, ⑤의 경우에는 물가가 하락할 수 있다.

05 물가 상승의 원인

ㄱ. 가계의 소비, ㄴ. 기업의 투자, ㄹ. 정부의 재정 지출 증가는 경제 전체의 수요를 증가시키는 요인이다.

바로알기 ≫ ㄷ. 원자재의 가격이 상승하면 생산비가 올라 기업이 공급을 줄이게 되는데, 이는 경제 전체의 총공급을 감소시키는 요인이 된다.

06 인플레이션

제시된 사례는 통화량 증가로 인해 물가가 높은 수준으로 상승하였음을 보여 준다. 이처럼 물가가 지속적으로 상승하는 현상을 인플레이션이라고 한다.

07 인플레이션의 영향

① 인플레이션이 발생하면 자국 상품의 가격이 외국 상품에 비해 상대적으로 비싸지므로, 수출은 감소하고 수입은 증가하는 등 무역 불균형이 발생한다. ③ 인플레이션이 발생하면 대부분의 사람들은 경제생활에 대한 예측이 어려워져 불안정해진다. ④, ⑤ 인플레이션이 발생하면 화폐의 가치는 하락하는 반면, 화폐에 비해 재화와 서비스의 가치는 상대적으로 상승하기 때문에 일정한 금액으로 살 수 있는 상품의 양이 감소한다.

바로알기 ≫ ② 인플레이션이 발생하면 화폐 가치가 떨어져 봉급생활자, 연금 생활자 같이 고정된 소득을 받아 생활하는 사람들이 불리해진다.

08 인플레이션의 영향

ㄱ. 국내 물가가 상승하면 우리나라 상품의 가격이 비싸져 상대적으로 저렴해진 외국 상품의 수입이 증가하므로, 수입업자는 유리해진다. ㄷ. 인플레이션이 발생하면 화폐의 가치가 하락하고 상대적으로 실물 자산의 가치가 상승하므로, 따라서 실물 자산 소유자는 유리해진다.

바로알기 ≫ ㄴ, ㄹ. 인플레이션이 발생하면 화폐의 가치가 하락하기 때문에 봉급 생활자와 연금 생활자는 불리해진다.

09 인플레이션이 국제 거래에 미치는 영향

인플레이션은 국내 물가의 상승을 의미하므로, 인플레이션이 발생할 경우 자국 상품의 가격이 비싸지므로 수출이 감소하고, 외국 상품의 가격은 상대적으로 저렴해져 수입이 증가한다.

10 인플레이션의 영향

다현. 인플레이션이 발생하면 화폐의 가치가 하락한다. 돈을 돌려받을 때의 가치가 그것을 빌려줬을 때의 가치보다 낮아지므로 돈을 빌려준 사람은 돈을 빌린 사람에 비해 상대적으로 불리해진다. 라현. 인플레이션이 발생할 경우 화폐의 가치가 하락하면서 일정한 금액으로 살 수 있는 상품의 양이 감소한다. 따라서 상품 구매력이 감소한 국민들의 생활 수준 역시 떨어진다.

바로알기 ≫ 가현, 나현. 인플레이션이 발생하면 화폐의 가치가 하락하고 상대적으로 실물 자산의 가치가 상승한다. 따라서 실물 자산 소유자는 유리해지고 봉급 생활자는 불리해지는 등 부와 소득이 불평등한 재분배가 나타날 수 있다.

11 물가 안정을 위한 노력

② 물가 안정을 위해 기업은 기술 혁신과 경영 혁신을 통해 생산의 효율성을 높여야 한다.

바로알기 ≫ ① 물가 안정을 위해 소비자는 과소비를 자제하고 합리적인 소비 생활을 해야 한다. ③ 물가 안정을 위해 정부는 재정 지출을 줄이고 조세를 인상해야 한다. ④ 지나친 임금 인상은 기업의 생산비를 올려 상품의 가격을 인상함

으로써 물가 상승을 유발할 수 있다. 따라서 근로자는 물가 안정을 위해 과도한 임금 인상 요구를 자제해야 한다. ⑤ 중앙은행은 시중에 유통되는 통화량을 줄이고 이자율을 인상하는 정책을 펼쳐 물가 안정을 이끌 수 있다.

12 실업의 의미

⑤ 실업은 일할 능력과 의사가 있음에도 불구하고 일자리를 구하지 못하는 상태를 의미한다.

13 실업자의 분류

ㄴ. 경제 활동 인구는 일할 능력과 의사가 있는 사람을 의미한다. 구직 활동 중인 취업 준비생은 일할 능력과 의사가 있지만 일자리를 구하지 못하는 상태로서 실업자에 해당하므로 경제 활동 인구에 포함된다. ㄹ. 실업률은 경제 활동 인구 중 실업자가 차지하는 비율을 측정한 것이다.

바로알기 ≫ ㄱ. 노동 가능 인구는 15세 이상의 모든 인구를 의미하므로, 일할 능력과 의사가 없는 사람도 포함된다. ㄷ. 겨울철이 되어 일자리를 잃은 수상 안전 요원은 실업자에 해당한다. (계절적 실업에 해당하지.)

14 실업률의 계산

실업률은 한 나라의 경제 활동 인구 중 실업자가 차지하는 비율로 측정한다. 제시된 내용에 따르면 A국의 노동 가능 인구 가운데 경제 활동 인구는 80명이고, 실업자는 4명이다. 따라서 A국의 실업률은 '(4명 / 80명) × 100 = 5%'이다.

15 실업의 발생 원인

① 경제 상황이 좋지 않을 경우 기업들이 고용을 감소하면 실업이 발생한다. ② 농업, 건설업, 관광업 등 계절의 영향을 받는 업종의 경우 계절의 변화에 따라 고용이 줄어 실업이 발생한다. ③ 생산 과정에 새로운 기술이 도입되어 관련 부문의 일자리가 사라질 경우 실업이 발생한다. ④ 더 나은 일자리를 구하는 과정에서 직장을 그만두고 일시적으로 실업 상태가 되기도 한다.

바로알기 ≫ ⑤ 국내외 원자재 가격이 하락하여 생산비가 절감될 경우 기업의 상품의 공급을 확대하기 위해 고용이 증가할 수 있다.

16 실업의 유형

(가)는 계절의 변화에 따라 고용 기회가 줄어들어 발생하는 계절적 실업, (나)는 신기술의 도입으로 기존 기술을 가진 사람들이 일자리를 잃는 구조적 실업에 해당한다.

17 실업의 유형

ㄱ. 계절적 실업은 계절의 변화에 따라 발생하는 실업으로, 계절의 영향을 많이 받는 농업, 건설업, 관광업 직종에서 주로 나타난다. ㄷ. 구조적 실업은 자동화나 산업 구조의 변화에 의해 발생한다.

바로알기 ≫ ㄴ. 마찰적 실업에 대한 설명이다. ㄹ. 경기적 실업에 대한 설명이다.

18 마찰적 실업

제시된 사례에서 비상 씨는 이직을 위해 자발적으로 실업 상태가 되었다. 이처럼 더 나은 조건의 직장을 구하기 위해 자발적으로 일시적인 실업 상태가 되는 것을 마찰적 실업이라고 한다.

19 실업의 영향

① 실업은 사회적 측면에서 노동력이라는 경제적 자원, 즉 인적 자원의 낭비를 가져온다. ② 실업은 실업자 개인의 소득을 감소시켜 생계유지를 어렵게 한다. ③ 실업은 직업을 통한 자아실현의 기회를 잃게 하여 개인으로 하여금 자아 상실감과 심리적 불안을 겪게 한다. ④ 실업으로 인한 가계의 위기는 빈부 격차, 생계형 범죄 증가와 같은 사회 문제를 유발하여 사회 불안을 초래한다.

바로알기 ≫ ⑤ 실업으로 가계의 소득이 감소하여 소비 활동이 줄어들면 기업의 생산 활동과 투자 역시 위축된다.

20 고용 안정을 위한 정부의 노력

ㄱ. 정부는 실업이 발생할 경우 공공사업을 실시하는 등 재정 지출을 확대하여 투자와 소비를 활성화하기 위해 노력한다. ㄷ, ㄹ. 정부는 고용 안정을 위해 실업자들을 대상으로 직업 교육을 실시하기도 하고, 취업 박람회를 개최하여 기업과 근로자의 일자리 탐색을 지원한다.

바로알기 ≫ ㄴ. 고용 안정을 위한 근로자의 노력에 해당한다.

21 고용 안정을 위한 기업과 근로자의 노력

① 기업은 고용 안정과 일자리를 창출하기 위한 경영 방안을 모색해야 한다. ③, ④ 근로자는 자기 계발과 기술 습득을 통해 생산성과 업무 처리 능력을 향상하고 변화하는 작업 환경에 적응해야 한다. ⑤ 기업과 근로자는 상호 공존하는 관계임을 깨닫고 협력적인 노사 관계를 확립해야 한다.

바로알기 ≫ ② 비정규직은 고용 계약 기간이 정해져 있는 근로자를 의미한다. 따라서 비정규직 고용을 늘리는 것은 고용 안정을 위한 노력으로 보기 어렵다.

서술형 문제

127쪽

01 인플레이션의 의미와 영향

(1) 인플레이션

(2) ① 화폐, ② 수출, ③ 수입

02 실업의 영향

(1) 경기적 실업

(2) 예시답안 실업이 발생하면 사회적으로는 인적 자원이 낭비되며, 실업 인구를 부양하기 위한 사회 보장비 지출이 늘어나 정부의 재정 부담이 증가한다. 또한 빈부 격차, 생계형 범죄의 증가 등으로 사회 불안을 초래할 수 있고, 가계의 소비 활동과 기업의 생산 활동이 위축되어 경기가 침체될 수 있다.

채점 기준	점수
실업이 사회에 미치는 영향을 두 가지 이상 정확히 서술한 경우	상
실업이 사회에 미치는 영향을 한 가지만 서술한 경우	하

03 국제 거래와 환율

129, 131쪽

A **1** (1) 관세 (2) 국제 거래 **2** ㄷ, ㄹ **3** (1) ○ (2) × (3) ×

B **1** (1) 확대 (2) 심화 **2** ㉠ 지역 경제 협력체 ㉡ 자유 무역 협정(FTA)

C **1** 환율 **2** (1) 공급, 하락 (2) 오른쪽, 상승

3 (1) ㄴ, ㄷ (2) ㄱ, ㄹ

D **1** (1) – ㉡ (2) – ㉠ **2** (1) ○ (2) × (3) ○

실력탄탄 핵심 문제 132~135쪽

01 ② **02** ⑤ **03** ② **04** ① **05** ③ **06** ④ **07** ② **08** ④
09 ⑤ **10** ⑤ **11** ② **12** ③ **13** ④ **14** ① **15** ⑤ **16** ①
17 ① **18** ④ **19** ① **20** ③ **21** ②

01 국제 거래의 특징

국제 거래는 생산물이나 생산 요소가 국경을 넘어 거래되는 것으로서 전 세계를 대상으로 하며 그 규모가 매우 크다. 국제 거래는 재화나 서비스의 수출입 과정에서 관세가 부과되며, 국가마다 다른 화폐를 사용하므로 서로 다른 화폐를 교환하는 과정이 필요하다. 오늘날 국제 거래는 재화와 서비스뿐만 아니라 노동, 자본, 기술 등의 생산 요소에 이르기까지 다양한 측면에서 이루어지고 있다.

바로알기 ≫ ② 나라마다 법과 제도가 다르기 때문에 재화와 서비스의 이동이 국내 거래에 비해 자유롭지 못하다.

02 국제 거래의 특징

⑤ 오늘날 재화뿐만 아니라 서비스 및 기술 등의 국가 간 이동이 활발해지며 국제 거래의 대상이 확대되고 있다.

03 국제 거래의 필요성

나라마다 자연환경이 서로 다르고 보유한 천연자원이나 노동, 자본, 기술 수준 등 생산 여건의 차이가 있기 때문에 생산비의 차이가 발생하고, 생산에 유리한 품목과 불리한 품목이 생겨난다. 따라서 각국은 생산에 유리한 품목에 특화하여 교역을 함으로써 더 큰 경제적 이익을 얻을 수 있다. 또한 국제 거래가 활발해지면 소비자는 상품을 선택할 수 있는 기회가 확대되어 더욱 풍요로운 소비 생활을 할 수 있게 되며, 기업은 더 넓은 해외 시장을 확보하여 더 많은 이윤을 얻을 수 있게 된다.

바로알기 ≫ ㄴ. 국제 거래를 통해 소비자의 상품 선택 기회가 확대된다. ㄷ. 국제 거래를 통해 모든 나라가 동일한 이익을 얻는 것은 아니다.

04 국제 거래의 필요성

각 나라는 다른 국가에 비해 상대적으로 더 효율적으로 생산할 수 있는 상품을 특화하여 수출하고, 생산에 불리한 품목을 수입한다. 이렇듯 각 국가는 비교 우위를 가진 상품을 특화하여 교역함으로써 상호 이익을 얻을 수 있다.

바로알기 ≫ ③, ④, ⑤ 분업은 하나의 상품을 만드는 데 일을 나누어서 하는 것이다.

05 국제 거래의 필요성

밑줄 친 '생산 여건'은 각국이 생산에 유리한 품목과 불리한 품목을 결정하는 데 영향을 미치는 것으로 자연환경, 기술 수준, 노동력과 천연자원의 보유 상태 등이 이에 해당한다.

바로알기 ≫ ③ 사용하는 화폐의 종류는 생산 여건에 해당하지 않는다.

06 우리나라의 주요 수출 품목 변화

우리나라는 경제 발전 초기에 섬유, 의류 등 노동 집약적인 상품을 주로 수출하였다. 그러나 자본과 기술이 축적되면서 1990년대에는 자동차, 반도체와 같은 기술 집약적인 제품을 주로 수출하게 되었다. 이를 통해 우리나라가 더 효율적으로 생산할 수 있는 품목, 즉 비교 우위를 가진 품목이 변화한 것을 알 수 있다.

07 국제 거래의 양상

② 오늘날 세계화와 개방화, 세계 무역 기구(WTO)의 출범, 지역 경제 협력체, 자유 무역 협정(FTA) 등으로 국가 간의 경제적 의존과 협력이 증가하고 있다.

바로알기 ≫ ①, ④ 오늘날 국제 거래에서 재화뿐만 아니라 서비스도 거래되고 있으며, 생산 요소의 거래도 증가하고 있다. ③ 교통 및 통신 수단의 발달로 국경의 의미가 약화되고 있다. ⑤ 국가 간 상호 의존성이 증가하면서 다른 국가의 경제 상황이 국내 경제에 미치는 영향이 증가하고 있다.

08 국제 거래의 양상

외국인 근로자의 국내 취업, 수입 농산물 증가, 국내 기업의 해외 이전은 모두 국가 간 경제 협력이 증가하고 있음을 보여 주는 사례이다. ㄴ. 정보 통신 기술의 발달로 국가 간의 시간적·공간적 거리가 축소되면서 국경을 넘어 전 세계가 하나로 통합되는 세계화 현상이 나타났다. ㄹ. 국가 간에 자유 무역 협정(FTA)을 통해 관세 및 비관세 장벽을 제거하거나 완화함으로써 국제 거래가 더욱 확대되었다.

바로알기 ≫ ㄱ. 국제 거래의 규모와 대상은 점차 확대되고 있다. ㄷ. 세계화로 국가 간의 시간적·공간적 거리는 축소되고 있다.

09 세계 무역 기구(WTO)의 역할

국가 간의 무역 분쟁을 조정하고, 각종 불공정 무역 행위를 규제하는 세계 무역 기구(WTO)의 출범으로 공산품뿐만 아니라 농산물, 서비스, 자본, 노동, 기술, 지적 재산권 등에 이르기까지 국제 거래의 대상이 확대되고, 자유 무역이 활성화되었다.

바로알기 ≫ ⑤ 세계 무역 기구는 국가 간 상호 협력 및 의존 관계를 강화한다.

10 지역 경제 협력체

제시된 지도는 세계의 주요 지역 경제 협력체를 나타낸다. ㄷ, ㄹ. 지리적으로 인접하고 경제적으로 상호 의존도가 높은 국가들이 경쟁력을 강화하고 무역 증진을 통해 공동의 이익을 추구하기 위해 지역 경제 협력체를 구성하고 있다.

바로알기 ≫ ㄱ, ㄴ. 지역 경제 협력체는 경제적 이익을 추구하며, 군사적 동맹이나 인권 보호 등과는 거리가 멀다.

11 자유 무역 협정(FTA)

자유 무역 협정은 개별 국가 간 또는 개별 국가와 지역 경제 협력체 간에 관세 및 비관세 장벽을 없애거나 완화함으로써 국제 거래의 대상 확대 및 상호 경제적 이득을 추구한다.

12 환율의 의미

환율이란 서로 다른 나라 간 화폐의 교환 비율이자 외국 화폐와 비교한 자국 화폐의 값어치이다.

13 환율의 의미와 특징

ㄱ. 환율은 외화 시장에서 외화의 수요와 공급에 의해 결정된다. ㄴ. 환율은 외국 화폐 한 단위와 교환되는 자국 화폐로 표시한다. 따라서 우리나라의 원화와 미국 달러의 환율이 1달러당 1,100원일 경우 '1,100원/달러'와 같은 형태로 나타낸다. ㄹ. 환율이 상승하면 원화의 가치는 하락하며, 환율이 하락하면 원화의 가치는 상승한다. 이렇듯 환율의 변동은 우리나라의 원화 가치에 영향을 미친다.

바로알기 ≫ ㄷ. 외환의 수요가 공급보다 많으면 외화의 가치가 높아지므로 환율은 상승한다.

14 외화 공급의 발생

외국인의 국내 투자가 증가하면 외화가 국내로 들어오게 되므로 외화의 공급이 증가한다.

15 외화 수요의 발생

제시된 그래프는 외화의 수요가 증가하여 수요 곡선이 오른쪽으로 이동함으로써 환율이 상승했음을 보여 준다. ⑤ 외국 상품을 수입할 경우 외화가 해외로 나가기 때문에 외화의 수요가 증가한다.

바로알기 ≫ ①, ② 외화의 공급 증가 요인이다. ③ 외화의 수요 감소 요인이다. ④ 외화의 공급 감소 요인이다.

16 외화 공급의 발생

ㄱ, ㄴ. 외화의 공급은 외화가 국내로 들어오는 것으로 외채 도입, 외국인 관광객 유치 등으로 발생한다.

바로알기 ≫ ㄷ, ㄹ. 해외 투자의 확대, 외국 상품의 수입은 외화의 수요 증가 요인에 해당한다.

17 환율의 변동

자국민의 해외여행은 외화가 해외로 나가는 경우에 해당한다. 이로 인해 외화의 수요를 발생하면 환율이 상승힌다.

바로알기 ≫ ④ 자국민의 해외여행이 감소하면 외화의 수요가 감소하여 환율이 하락한다.

18 환율 하락의 영향

제시된 그래프에서는 외화의 공급이 증가하여 공급 곡선이 오른쪽으로 이동함으로써 환율이 하락하였다. ㄴ. 환율이 하락하면 수입 원자재의 가격이 하락하여 국내 물가가 안정된다. ㄹ. 환율이 하락하면 외화로 빚을 졌을 때 갚아야 할 금액이 줄어들어 상환 부담이 감소한다.

바로알기 ≫ ㄱ. 환율이 하락하면 원화의 가치는 상승하며, 상대적으로 외화의 가치는 하락한다. ㄷ. 환율이 하락하면 우리나라 국민의 해외여행 경비 부담이 감소하므로, 해외여행이 증가할 것이다.

19 환율 상승의 영향

제시된 사례는 환율이 상승하고 있음을 나타낸다. ② 환율이 상승하면 수입 원자재 가격이 상승하여 국내 물가가 상승한다. ③ 환율이 상승하면 달러화의 가치 상승으로 우리나라에 여행 온 외국인 관광객의 여행 경비 부담이 감소하므로, 외국인 관광객이 증가한다. ④ 환율이 상승하면 국산품의 수출 가격은 낮아지고 수입품의 가격이 높아지므로, 수출은 증가하고 수입은 감소한다. ⑤ 환율이 상승하면 외화로 빚을 진 경우 갚아야 할 금액이 늘어나므로 외채 상환에 대한 부담이 증가한다.

바로알기 ≫ ① 환율이 상승하면 원화의 가치는 하락한다.

20 환율 상승의 영향

ㄴ. 환율이 상승하면 국산품의 가격이 낮아져 수출이 증가하므로 수출업자는 유리해진다. (외화로 표시되는 상품의 가격이 하락하기 때문이야.) ㄷ. 환율이 상승하면 달러화로 교환할 수 있는 원화의 액수가 증가하므로, 달러화로 돈을 받는 우리나라 선수는 유리해진다.

바로알기 ≫ ㄱ. 환율이 상승하면 수입품의 가격이 상승하여 수입이 감소하므로 수입업자는 불리해진다. ㄹ. 환율이 상승하면 원화로 교환할 수 있는 달러화의 액수가 적어지므로, 미국으로 돈을 송금하는 미국인은 불리해진다.

21 환율 변동의 영향

환율의 상승은 외국 화폐 1단위를 얻기 위해 더 많은 원화가 필요하다는 것으로, 이는 원화 가치의 하락을 뜻한다. 따라서 환율이 상승하면 외화로 표시되는 우리나라 상품의 가격이 하락하여 수출이 증가하고, 상대적으로 수입품의 국내 가격은 상승하여 수입은 감소한다.

서술형 문제

135쪽

01 국제 거래의 의미와 필요성

(1) 국제 거래

(2) ① 생산비, ② 특화

02 환율의 결정과 변동

예시답안 ▶ 우리나라 식품의 수출이 증가하면 외화의 공급이 증가하게 된다. 외화의 공급이 증가하면 외화의 가치가 낮아지므로 환율이 하락한다.

채점 기준	점수
수출로 외화의 공급이 증가하여 환율이 하락한다고 정확히 서술한 경우	상
환율이 하락한다고만 서술한 경우	하

03 환율 하락의 영향

예시답안 나영. 환율이 하락하면 원화의 가치는 상승하는 반면, 외화의 가치는 하락한다. 따라서 해외여행 경비 부담이 지속적으로 감소할 것이므로 나영 씨의 판단이 합리적이다.

채점 기준	점수
환율 하락이 원화와 외화의 가치에 미치는 영향을 쓰고, 해외여행 경비 부담이 감소하기 때문에 나영 씨의 판단이 합리적이라고 정확히 서술한 경우	상
해외여행 경비 부담이 감소하기 때문에 나영 씨의 판단이 합리적이라고 서술한 경우	중
나영 씨의 판단이 합리적이라고만 쓴 경우	하

시험 적중 마무리 문제

138~141쪽

01 ④ 02 ⑤ 03 ② 04 ⑤ 05 ④ 06 ① 07 ⑤ 08 ③
09 ② 10 ① 11 ② 12 ⑤ 13 ② 14 ① 15 ② 16 ⑤
17 ③ 18 ③ 19 ① 20 ② 21 ④ 22 ③ 23 ① 24 ②

01 국내 총생산(GDP)의 의미

④ 국내 총생산은 생산자의 국적과 관계없이 한 나라의 국경 안에서 새롭게 생산된 최종 생산물을 포함한다.

바로알기 ① 보통 1년 동안 생산된 것만 포함한다. ② 시장에서 거래되지 않는 것은 포함하지 않는다. (가사 노동, 봉사 활동 등이 있지.) ③ 생산 과정에서 사용된 중간재는 제외한다. ⑤ 국내 총생산은 새롭게 생산된 것을 대상으로 하며, 그 전에 생산되어 이미 사용하고 있던 중고품은 그해의 국내 총생산에 포함되지 않는다.

02 국내 총생산(GDP)의 측정

ㄷ, ㄹ. 외국인이나 외국 기업이 생산했더라도 우리나라 안에서 생산되었다면 우리나라의 국내 총생산에 포함된다.

바로알기 ㄱ. 중학생의 봉사 활동은 시장에서 거래된 상품이 아니다. ㄴ. 밀가루는 생산 과정에서 사용된 중간재로, 최종 생산물이 아니다.

03 국내 총생산(GDP)의 한계

환경 오염으로 인해 삶의 질은 떨어질 수 있지만, 이를 복구하는 데 드는 비용으로 인해 국내 총생산(GDP)은 오히려 증가할 수 있다. 따라서 국내 총생산으로는 삶의 질을 정확하게 파악하기 어렵다.

바로알기 ① 국내 총생산은 국가 경제의 규모를 나타내는 지표이다. ③, ④, ⑤ 국내 총생산의 한계에 해당하지만, 제시된 내용을 통해서는 알 수 없다.

04 경제 성장의 의미

경제 성장이란 한 나라가 생산하는 재화와 서비스의 총량인 국내 총생산(GDP)의 증가를 의미한다. 즉, 국가의 생산 능력과 경제 규모가 커져 국민 소득이 증가하는 것이다. 경제 성장은 물가의 변동을 제거한 실질 국내 총생산의 증가율로 나타낸다.

바로알기 ③ 경제 성장률을 통해 국가 경제의 성장 여부는 알 수 있지만, 계층별 소득 분배 수준은 알 수 없다.

05 경제 성장의 긍정적 측면

경제가 성장하면 재화와 서비스의 생산이 늘어나므로 고용과 국민 소득이 증가하여 물질적으로 풍요로워진다. 또한 교육과 의료 혜택의 확대 및 문화 시설의 확산으로 사회적·문화적 욕구가 충족되어 삶의 질이 향상될 수 있다.

바로알기 다현. 경제 성장의 혜택이 일부 계층에게 편중될 경우 빈부 격차가 확대될 수 있다.

06 물가와 물가 지수

물가 지수란 물가의 움직임을 한눈에 알아볼 수 있도록 수치로 표현한 것이다. 기준 시점의 물가를 100으로 했을 때 비교 시점의 물가가 100보다 크면 물가가 상승한 것, 100보다 작으면 물가가 하락한 것을 의미한다.

바로알기 ≫ ① 물가란 시장에서 거래되는 여러 상품의 가격을 종합하여 평균한 것으로, 한 나라의 전반적인 가격 수준을 나타내는 지표이다.

07 물가 상승의 원인

ㄷ. 정부의 재정 지출이 증가하면 경제 전체의 수요가 증가하여 물가가 상승할 수 있다. ㄹ. 시중에 공급되는 통화량이 많아지면 소비나 투자가 활발해져 화폐의 가치가 하락하고 물가가 상승할 수 있다.

바로알기 ≫ ㄱ. 가계의 소비가 감소하면 경제 전체의 수요가 감소하여 물가가 하락할 수 있다. ㄴ. 임금과 임대료가 하락하여 생산비가 감소하면 상품의 가격이 낮아져 물가가 하락할 수 있다.

08 물가 상승의 원인

원유와 같은 원자재 가격이 상승하여 생산비가 높아지면 이에 따라 많은 기업이 공급을 줄이기 때문에 물가가 상승한다.

09 인플레이션의 영향

ㄱ. 인플레이션이 발생할 경우 화폐의 가치가 하락한다. 따라서 돈을 갚을 때의 가치가 그것을 빌렸을 때의 가치보다 높아지므로, 돈을 빌린 사람은 상대적으로 유리해진다. ㄷ. 인플레이션이 발생할 경우 실물 자산의 가치가 높아지므로, 건물과 토지 같은 실물 자산을 보유하고 있는 사람이 유리해진다.

바로알기 ≫ ㄴ. 인플레이션이 발생할 경우 외국 상품에 비해 자국 상품의 가격이 상대적으로 비싸진다. 따라서 수출이 감소하고 수입은 증가하기 때문에 수출업자는 불리해진다. ㄹ. 인플레이션이 발생할 경우 화폐 가치가 하락하기 때문에 연금 생활자는 불리해진다.

10 물가 안정을 위한 노력

가현. 정부는 물가 안정을 위해 과도한 재정 지출을 줄이고 조세를 늘리며, 생활필수품의 가격 상승을 규제해야 한다. 나현. 기업은 경영과 기술 혁신을 통해 생산비를 절감하고 생산의 효율성을 높여야 한다.

바로알기 ≫ 다현. 소비자는 과소비를 자제하고 합리적인 소비 생활을 함으로써 물가 안정에 기여할 수 있다. 라현. 중앙은행은 물가 안정을 위해 통화량을 줄여 시중 은행의 이자율이 높아지도록 해야 한다.

11 실업의 의미

자료로 이해하기 ≫

- ㉠ = ㉡ + ㉢ (㉡ 비경제 활동 인구, ㉢ 경제 활동 인구)
- ㉢ = ㉣ + ㉤ (㉣ 취업자, ㉤ 실업자)
- 실업률 =(㉤/㉢) × 100 (경제 활동 인구 가운데 실업자가 차지하는 비율이야.)
- ㉠은 15세 이상의 노동 가능 인구이다.

실업률은 경제 활동 인구 가운데 실업자가 차지하는 비율을 나타내므로, ㉢은 경제 활동 인구, ㉤은 실업자에 해당한다. 노동 가능 인구는 비경제 활동 인구와 경제 활동 인구로 구분할 수 있으며, 경제 활동 인구는 취업자와 실업자로 구분된다. 따라서 ㉡은 비경제 활동 인구, ㉣은 취업자에 해당한다. ② 노동 인구가 일정할 때 비경제 활동 인구에 속하는 구직 단념자가 증가하면 경제 활동 인구는 감소한다.

바로알기 ≫ ①, ③ 학생, 노약자, 가정주부와 같이 일할 능력과 의사가 없는 사람은 비경제 활동 인구에 속한다. ④ 노동 인구가 일정할 때 비경제 활동 인구가 실업자로 이동하면 경제 활동 인구의 수가 증가한다. ⑤ 실업자가 취업자로 이동하면 경제 활동 인구 가운데 실업자가 줄어 실업률이 감소한다.

12 실업자의 분류

경제 활동 인구에는 취업자와 실업자가 포함된다. ㄷ. 국내 기업에서 과장으로 근무하는 사람은 취업자에 해당한다. ㄹ. 회사에 사직서를 제출하고 다른 직장을 알아보는 사람은 실업자에 해당한다.

바로알기 ≫ ㄱ, ㄴ. 구직 단념자와 학생은 일할 의사 또는 능력이 없는 상태이므로 비경제 활동 인구에 포함된다.

13 실업의 유형

(가)는 산업 구조의 변화로 발생하는 구조적 실업, (나)는 경기 침체로 발생하는 경기적 실업에 해당하는 사례이다. 실업은 개인으로 하여금 생계유지에 어려움을 겪게 하고 직업을 통한 자아실현의 기회를 상실하게 한다. 또한 사회적 차원에서는 인적 자원의 낭비를 가져오며, 빈부 격차나 가족 해체 등으로 사회 불안을 초래하는 등 개인과 사회에 부정적 영향을 미친다.

바로알기 ≫ ② 마찰적 실업에 대한 설명이다.

14 실업의 영향

실업은 국민 개개인의 삶뿐만 아니라 사회적 안정 및 경제 성장에도 큰 영향을 미친다.

바로알기 ≫ ① 실업이 발생하면 정부의 세수는 줄어드는 반면, 실업 인구를 부양하기 위한 정부의 지출은 증가하여 재정 부담은 증가한다.

15 고용 안정을 위한 노력

ㄱ. 정부는 체계적인 인력 개발 프로그램과 직업 훈련 등을 통해 실업자들의 재취업을 도울 수 있다. ㄷ. 근로자는 자기 계발과 기술 습득을 통해 생산성과 업무 처리 능력을 향상할 수 있다.

바로알기 ≫ ㄴ. 정부는 재정 지출을 확대하여 투자와 소비를 활성화해야 한다. ㄹ. 기업은 근로자와 상호 협력적인 노사 관계를 유지해야 한다.

16 국제 거래의 의미와 특징

① 나라마다 서로 다른 법과 제도를 가지고 있기 때문에 국제 거래는 국내 거래에 비해 상품 및 생산 요소의 이동이 자유롭지 못하다. ② 오늘날 국제 거래는 재화와 서비스뿐만 아니라 노동, 자본, 기술 등 상품을 생산하는 데 필요한 생산 요소의 거래도 증가하고 있다. ③ 국제 거래 시에는 외국에서 수입하는 재화와 서비스에 내해 관세라는 세금을 부과한다. ④ 나라마다 동일한 상품을 생산하더라도 생산비의 차이가 발생하기 때문에 각국이 비교 우위를 가진 상품을 특화하여 거래하면 상호 이익이 된다.

바로알기 ≫ ⑤ 어떤 나라가 다른 나라에 비해 상대적으로 더 낮은 비용으로 상품을 생산할 수 있을 때 그 나라가 비교 우위를 가진다고 한다.

17 국제 거래의 필요성

나라마다 자연환경, 천연자원, 노동, 자본, 기술 등 생산 여건이 다르기 때문에 동일한 상품을 생산하더라도 생산비(㉠)의 차이가 나타난다. 따라서 각국은 생산에 유리한 조건을 갖춘 상품을 특화(㉡)하여 교역함으로써 경제적 이익을 얻을 수 있다.

18 세계 무역 기구(WTO)의 역할

㉠은 세계 무역 기구(WTO)에 해당한다. ㄴ, ㄷ. 세계 무역 기구는 각종 불공정 행위를 규제하고 국가 간 무역 마찰을 조정함으로써 자유 무역의 활성화에 앞장서고 있다.

바로알기 ›› ㄱ. 세계 무역 기구(WTO)는 자유 무역의 확대를 추구한다. ㄹ. 세계 무역 기구(WTO)는 공산품뿐만 아니라 농산물, 서비스, 자본, 노동, 기술, 지적 재산권 등까지 무역의 대상에 포함시키며 거래 대상을 확대하는 데 기여했다.

19 지역 경제 협력체와 자유 무역 협정(FTA)

국제 거래가 확대되며 지리적으로 가깝고 경제적으로 상호 의존도가 높은 국가들이 경제적 협력을 강화하기 위해 지역 경제 협력체를 구성하고 있다. 또한 체결 당사국 간 관세 또는 비관세 장벽을 없애거나 완화하기 위한 자유 무역 협정(FTA)의 체결도 증가하고 있다. ② 주요 지역 경제 협력체로는 아시아·태평양 경제 협력체(APEC), 유럽 연합(EU), 동남아시아 국가 연합(ASEAN)등이 있다. ③, ④ 우리나라는 칠레, 인도, 페루, 튀르키예, 미국, 유럽 연합(EU)등과 자유 무역 협정(FTA)을 맺고 활발한 무역 활동을 전개하고 있다. ⑤ 지역 경제 협력체와 자유 무역 협정(FTA)은 모두 국가 간 경제 협력을 강화하는 것을 목적으로 한다.

바로알기 ›› ① 지역 경제 협력체는 지리적으로 가깝고 경제적 상호 의존도가 높은 나라들이 경제 협력을 강화하기 위해 구성한다.

20 환율의 의미와 특징

ㄱ. 환율은 서로 다른 나라 간 화폐의 교환 비율로서 자국 화폐와 외국 화폐의 교환 비율이다. ㄹ. 재화와 서비스의 시장 가격이 해당 상품에 대한 수요량과 공급량이 일치하는 지점에서 결정되듯이 환율 역시 외화에 대한 수요와 공급이 일치하는 지점에서 결정된다.

바로알기 ›› ㄴ. 환율의 상승은 원화 가치의 하락을 의미한다. ㄷ. 외화의 공급보다 수요가 많으면 환율은 상승한다.

21 환율의 결정

ㄴ, ㄷ. 외화의 수요는 외화가 해외로 나가는 경우 발생한다. 외국 상품의 수입, 자국민의 해외여행, 해외 투자와 유학, 외채 상환 등이 이에 해당한다. ㄱ, ㄹ. 외화의 공급은 외화가 국내로 들어오는 경우 발생한다. 우리나라 상품의 수출, 외국인 관광객 유치, 외국인의 국내 투자, 외채 도입 등이 이에 해당한다.

22 환율 상승의 영향

환율이 상승하면 원화의 가치는 하락하며, 상대적으로 외화의 가치는 상승한다. ① 환율이 상승하면 수입품의 국내 가격이 상승하여 수입이 감소한다. ②, ⑤ 환율이 상승하면 외화로 표시되는 우리나라 수출 상품의 가격이 하락하여 수출이 증가한다. ④ 환율이 상승하면 수입 원자재 가격이 상승하여 국내 물가가 상승한다.

바로알기 ›› ③ 환율이 상승하면 외화로 빚을 진 경우 갚아야 할 금액이 증가한다.

생산비를 높여 물가 상승을 유도하지.

23 환율 변동의 영향

제시된 그래프에서는 외화의 공급이 증가하여 환율이 하락하였다. ① 우리나라 상품의 수출이 증가하면 외화의 공급이 증가하여 환율이 하락한다.

바로알기 ›› ② 우리나라 국민들의 해외 여행 증가, ③ 수입 증가, ④ 우리나라 학생들의 해외 유학 증가, ⑤ 외채 상환은 외화의 수요 증가 요인으로 환율의 상승을 가져온다.

24 환율 하락의 영향

원화를 외화로 교환할 때 받을 수 있는 외화의 양이 많아지기 때문이야.

ㄱ. 환율이 하락하면 원화로 교환할 수 있는 외화의 액수가 증가하므로 미국에서 밀을 수입하는 식료품 업자는 유리해진다. ㄹ. 환율이 하락하면 원화의 가치가 상승하여 유학비 부담이 감소하므로 유학 중인 자녀에게 돈을 송금하는 학부모는 유리해진다.

바로알기 ›› ㄴ. 환율이 하락하면 우리나라에 여행 온 외국인 관광객들의 경비 부담이 증가하므로 불리해진다. ㄷ. 환율이 하락하면 외화로 교환할 수 있는 원화의 액수가 감소하므로 외국에서 활동하는 우리나라 운동선수는 불리해진다.

Ⅵ. 국제 사회와 국제 정치

01 국제 사회의 이해 ~ 02 국제 사회의 모습과 공존 노력

145, 147, 149쪽

A 1 (1) × (2) × 2 힘

B 1 국가 2 (1) – ㉠ (2) – ㉡ 3 (1) 국가 (2) 국제 비정부 기구
4 (1) ○ (2) ×

C 1 ㉠ 이익 ㉡ 세계화 2 (1) × (2) ○ (3) × (4) ○
3 (1) – ㉠ (2) – ㉢ (3) – ㉡

D 1 (1) ○ (2) × 2 공적 개발 원조

E 1 ㉠ 외교 ㉡ 외교 정책 2 (1) 확대 (2) 정부
3 (1) × (2) ○ (3) ○ (4) ○

F 1 (1) ○ (2) × 2 세계 시민 의식

실력 탄탄 핵심 문제

150~153쪽

01 국제 사회 02 ⑤ 03 ② 04 ④ 05 ① 06 ③ 07 ⑤
08 ② 09 ① 10 ② 11 ② 12 ① 13 ② 14 ④ 15 ③
16 ③ 17 외교 18 ④ 19 ⑤ 20 ⑤

01 국제 사회의 의미

㉠은 국제 사회에 해당한다. 국제 사회는 주권을 지닌 국가들을 기본 단위로 하여 형성된다.

02 국제 사회의 특성

국제 사회에서 각국은 자국의 이익을 우선적으로 추구한다. 또한 국제 사회에서 각국은 원칙적으로 평등한 주권을 지니지만, 실제로는 군사력과 경제력이 큰 강대국이 약소국에 비해 많은 영향력을 행사한다.

바로알기 ≫ ㄱ. 국제 사회에는 국가 간의 대립이나 분쟁을 조정하거나 해결할 수 있는 중앙 정부가 존재하지 않는다. ㄴ. 국가 간 상호 의존성이 깊어지면서 국제 사회에서 국제 협력의 필요성이 점차 강화되고 있다.

03 국제 사회의 특성

제시된 사례에서 영국은 자국의 경제적 이익을 위해 지역 간 협력을 목적으로 만들어진 유럽 연합(EU)을 탈퇴하였다. 이를 통해 국제 사회에서 각국은 국가 간 협력보다 자국의 이익을 우선시한다는 것을 알 수 있다.

04 국제 사회의 특성

국제 연합(UN) 안전 보장 이사회에서 상임 이사국이 거부권을 행사하는 것은 국력에 따라 국제 사회에서의 영향력이 달라지는 힘의 논리를 보여 주는 대표적인 사례이다.

바로알기 ≫ ㄱ. 제시된 사례를 통해서는 알 수 없는 내용이다. ㄷ. 국제 사회에는 강제성을 지닌 중앙 정부가 존재하지 않는다.
└ 이 때문에 국제 사회에서 국가 간 분쟁이 발생했을 때 조정이나 해결이 어려운거야.

05 국가

제시된 내용은 국가에 대한 설명이다. 국가는 국제 관계에 영향을 미치는 가장 기본적이고 전통적인 행위 주체로 주권을 지닌 국가는 국제 사회에서 국제법에 따라 독립적인 지위를 보장받으며 외교 활동의 주체가 된다.

06 국제기구

① 국제 연합(UN)과 같은 국제기구는 국제 사회의 질서와 평화유지에 기여하기도 한다. ②, ④ 국제적인 목적이나 활동을 위해 조직된 국제기구는 정치, 경제, 환경 등 다양한 영역에 걸쳐 활동한다. ⑤ 국제기구는 각국 정부를 회원으로 하는 정부 간 국제기구와 개인이나 민간단체를 회원으로 하는 국제 비정부 기구로 구분할 수 있다.

바로알기 ≫ ③ 국가에 대한 설명이다.

07 국제기구의 종류

국제 기구는 회원 자격에 따라 정부 간 국제기구와 국제 비정부 기구로 구분할 수 있다. 정부 간 국제기구에는 대표적으로 국제 연합(UN), 국제 통화 기금(IMF), 세계 무역 기구(WTO), 경제 협력 개발 기구(OECD) 등이 있다. 국제 비정부 기구에는 대표적으로 그린피스, 국제 적십자사, 국경 없는 의사회, 국제 사면 위원회 등이 있다.

08 정부 간 국제기구

제시된 단체들은 모두 각국 정부를 회원으로 하는 정부 간 국제기구에 해당한다.

바로알기 ≫ ① 국제기구는 국경의 범위를 넘어 국제적으로 활동한다. ③, ④ 국가에 대한 설명이다. ⑤ 다국적 기업과 강대국에 대한 설명이다.

09 국제 비정부 기구

의료와 관련된 긴급 구호 활동을 펼치는 국경 없는 의사회는 개인이나 민간단체를 회원으로 하는 국제 비정부 기구이다.

바로알기 ≫ ②, ⑤ 국가에 대한 설명이다. ③ 시민 참여가 활발해짐에 따라 국제 비정부 기구의 역할이 증대되고 있다. ④ 다국적 기업에 대한 설명이다.

10 다국적 기업

㉠은 다국적 기업에 해당한다. ㄱ. 다국적 기업의 국경을 초월한 경영 활동으로 국가 간 상호 의존성이 확대되면서 국경의 의미가 약화되고 있다. ㄹ. 세계화에 따라 다국적 기업의 규모와 영향력은 점점 확대되고 있다.

바로알기 ≫ ㄴ. 정부 간 국제기구에 대한 설명이다. ㄴ. 국가에 대한 설명이다.

11 국제 사회의 행위 주체

㉠은 정부 간 국제기구, ㉡은 국가, ㉢은 국제 비정부 기구, ㉣은 국제적으로 영향력이 있는 개인에 해당한다. ② 국제 사회에서 국가는 국제법에 따라 독립적인 지위를 보장받으며 다양한 활동을 한다.

바로알기 ≫ ① 국가에 대한 설명이다. ③ 다국적 기업에 대한 설명이다. ④ 교황과 같이 국제적으로 영향력이 있는 개인도 국제 사회의 행위 주체가 될 수 있다. ⑤ 국제 적십자사는 국제 비정부 기구로서 개인이나 민간단체를 회원으로 한다.

12 국제 사회의 경쟁과 갈등

국제 사회에서 각국은 자국의 이익을 우선적으로 추구하며, 더 많은 이익을 얻기 위해 끊임없이 경쟁하고 갈등한다. 이러한 경쟁과 갈등의 원인은 다양하며 특히 정보 사회의 발달로 사이버 공간에서의 국가 간 분쟁이 증가하고 있다. 더욱이 국가 간의 지나친 경쟁과 갈등은 전쟁으로 이어지기도 한다.

바로알기 ≫ ① 세계화로 국가 간 경쟁은 더욱 치열해지고 있다.

13 국제 사회의 갈등

가현. 국제 사회의 갈등은 국가, 국제기구, 다국적 기업 등 여러 행위 주체의 이해관계를 둘러싸고 다양한 양상으로 나타난다. 라현. 온실가스 배출 문제는 환경을 둘러싼 대표적인 갈등 사례에 해당한다.

바로알기 ≫ 나현. 국가 간 갈등을 해결하지 않으면 테러나 전쟁으로 이어질 수 있으므로 이를 평화적으로 해결하기 위한 노력이 필요하다. 다현. 카스피해는 석유와 천연가스 매장량이 높은 지역으로, 이 지역에서 나타나는 갈등은 자원을 둘러싼 갈등 사례에 해당한다.

14 국제 사회의 경쟁과 갈등

(가)는 자원, (나)는 민족·종교를 둘러싼 갈등 모습을 나타낸다. ㄹ. 국가 간 갈등 상황을 평화적으로 해결하지 못할 경우 전쟁으로 이어지기도 한다.

바로알기 ≫ ㄷ. 영유권 분쟁과 민족·종교의 차이에서 비롯된 갈등은 모두 국제 사회의 갈등 사례에 해당한다.

15 국제 사회의 협력

제시된 사례는 국제 사회의 환경 문제를 해결하기 위한 국제 협력의 사례에 해당한다. 오늘날 국가 간 상호 의존성이 높아지면서 지구촌 곳곳에서 발생하는 문제가 전 세계에 영향을 미치고 있다. 따라서 국제 사회에서는 문제가 발생하였을 때 국제 협력을 바탕으로 문제 해결 과정에 적극적으로 참여하는 자세가 필요하다.

바로알기 ≫ ③ 세계 여러 국가들이 협약을 체결함으로써 국제 사회의 환경 문제 해결에 기여하였다.

16 국제 사회의 협력

제시된 사례들은 모두 국제 사회의 문제를 해결하고, 국제 협력을 증진하기 위한 활동에 해당한다.

17 외교의 의미

제시된 내용은 외교에 대한 설명이다. 외교란 국가가 국제 사회에서 자국의 이익을 평화적으로 달성하기 위해 수행하는 모든 활동을 의미한다. 외교는 국가 간의 분쟁을 해결하거나 예방하기 위한 수단으로 활용되며, 외교를 통해 국가 간 우호를 증진하고 자국의 대외적 위상을 높일 수 있다.

18 국제 사회의 외교

외교는 국가 간의 분쟁을 해결하거나 예방하기 위한 수단으로 활용되며, 외교를 통해 국가 간 우호를 증진하고 자국의 대외적 위상을 높일 수 있다. 오늘날에는 스포츠나 문화 등 다양한 분야에서 외교 활동이 활발하게 이루어지고 있으며, 국제 사회의 공존을 위한 외교의 중요성은 점차 증가하고 있다.

바로알기 ≫ ㄹ. 오늘날에는 국가 간 정상을 중심으로 한 외교 활동은 물론 다양한 주체가 참여하는 민간 차원의 외교 활동이 활발하게 이루어지고 있다.

19 우리나라의 외교 정책

제시된 사례에서 우리나라는 해외에서 발생하는 재난 피해에 대한 복구를 위해 긴급 구호를 결정하였다. 이처럼 우리나라는 적극적으로 외교 정책을 펼침으로써 국제 사회의 공존에 이바지하고 있다.

20 국제 사회의 공존 노력

국제 사회가 공존하기 위해서는 국제 사회의 행위 주체들이 세계 시민으로서의 의식을 공유해야 한다. 세계 시민 의식은 공동체 의식을 바탕으로 국제 사회 문제에 관심을 가지고, 그 문제를 해결하기 위해 적극적으로 행동하는 참여 의식과 책임 의식을 의미한다.

바로알기 ≫ ⑤ 국제 사회의 공존을 위해서는 세계의 다양한 문화를 편견 없이 이해하고 존중해야 한다.

서술형 문제

153쪽

01 국제 사회의 특성

① 평등한, ② 힘

02 국제기구

(1) (가) 정부 간 국제기구 (나) 국제 비정부 기구

(2) 예시답안 정부 간 국제기구는 각국 정부를 회원으로 하며, 국제 비정부 기구는 개인이나 민간단체를 회원으로 한다.

채점 기준	점수
정부 간 국제기구와 국제 비정부 기구의 회원 자격을 모두 정확히 서술한 경우	상
정부 간 국제기구와 국제 비정부 기구의 회원 자격 중 한 가지만 서술한 경우	하

03 외교의 중요성

예시답안 외교를 통해 국가 간의 분쟁을 해결하거나 예방할 수 있다. 또한 외교를 통해 각국은 자국의 정치적·경제적 이익을 실현하고, 자국의 위상을 높일 수 있다.

채점 기준	점수
외교의 중요성을 세 가지 이상 정확히 서술한 경우	상
외교의 중요성을 두 가지만 서술한 경우	중
외교의 중요성을 한 가지만 서술한 경우	하

03 우리나라의 국가 간 갈등 문제

155쪽

A 1 동북 공정 2 (1) 우리나라 (2) 중국 3 (1) × (2) ○

B 1 ㄴ, ㄷ 2 (1) ○ (2) × (3) ×

실력탄탄 핵심 문제 156~157쪽

01 ① 02 ⑤ 03 ② 04 동북 공정 05 ⑤ 06 ⑤ 07 ①
08 ④ 09 ③ 10 ①

01 우리나라와 일본의 갈등

우리나라는 독도 영유권 주장, 역사 교과서 왜곡, 야스쿠니 신사 참배, 세계 지도에 동해 표기 등과 관련하여 일본과 갈등을 겪고 있다.

바로알기 》 ① 중국 동북 지방을 연구하는 동북 공정은 우리나라와 중국 간 갈등의 원인이 되고 있다.

02 일본의 독도 영유권 주장

독도는 역사적, 지리적, 국제법적으로 명백한 우리나라의 영토로서 현재 우리나라가 주권을 행사하고 있다. 일본은 독도의 경제적·군사적 가치를 선점하기 위해 독도에 대한 영유권을 주장하고 있다.

바로알기 》 ⑤ 일본은 국제 사법 재판소에 제소하여 독도를 영토 분쟁 지역으로 만드려는 노력을 하고 있다.

03 일본의 역사 교과서 왜곡

일본은 자국 교과서에 독도에 대한 영유권 주장을 강화하고 있으며, 일본군 '위안부'에 대한 기술을 삭제하고 있다.

바로알기 》 ㄴ. 현재 우리나라가 독도에 대한 영토 주권을 행사하고 있지만, 일본은 이를 인정하지 않고 있다. ㄹ. 일본은 자국 교과서에 고대 한일 관계에 대해서도 왜곡된 내용을 싣고 있다.

04 동북 공정

중국은 동북 공정을 통해 고조선, 고구려, 발해 등 우리나라 역사를 고대 중국의 지방 정부로 인식하고, 이를 모두 중국사 속에 포함하여 역사를 왜곡하고 있다. 중국은 현재 중국 영토에 속하는 과거사는 모두 중국사라는 왜곡된 주장을 펼치고 있다.

05 동북 공정의 목적

동북 공정은 중국 내 소수 민족의 독립을 막아 현재와 같은 영토를 유지하고, 한반도 통일 이후 발생할 수 있는 영토 분쟁을 막기 위해 중국이 추진했던 사업이다.

바로알기 》 ㄱ, ㄴ. 동북 공정은 고대사를 현재의 중국에게 유리한 방향으로 왜곡하였다.

06 동북 공정 문제에 대한 대응

동북 공정 문제를 해결하기 위해서는 정부와 시민 사회의 노력이 필요하다. 우선 중국이 동북 공정 사업을 추진하는 의도를 파악하고, 이에 대응하기 위해 국가적 차원에서 우리 고대사 연구를 지원해야 한다. 또한 우리 영토를 지키려는 자세를 가지고 국제 사회에 우리 입장의 정당성을 널리 알려야 한다.

바로알기 》 ⑤ 동북 공정과 같은 국가 간 갈등을 해결하기 위해서는 정부 차원의 노력뿐만 아니라 민간 차원의 노력도 필요하다.

07 국가 간 갈등 해결을 위한 정부의 활동

국가 간 갈등을 해결하기 위해서 정부는 국가 간 갈등 문제를 평화적으로 해결하기 위한 외교 정책을 추진하고 국제 사회에 우리의 입장을 알릴 필요가 있다. 또한 전문 기관을 운영하여 국가 간 문제에 대한 자료를 수집하고 연구해야 한다.

바로알기 》 ① 국제 사법 재판소는 국제법을 적용하여 국가 간의 분쟁을 해결하는 국제 연합(UN)의 사법 기관이다. 국가 간 갈등 문제는 당사국의 평화적 협상을 통해 해결하는 것이 가장 바람직하다.

08 국가 간 갈등 해결을 위한 시민 사회의 활동

제시된 사례는 민간 차원에서 국가 간 갈등의 소지가 있는 문제에 대한 우리 입장의 정당성을 국제 사회에 널리 알리는 민간 외교 활동에 해당한다.

09 국가 간 갈등 해결을 위한 시민 사회의 활동

자료로 이해하기 》

공동 연구를 통해 역사적 사실 관계를 밝히기 위해 조직한 단체야.

> 한국, 중국, 일본의 지식인과 시민은 한·중·일 3국 공동 역사 편찬 위원회를 만들었다. 위원회는 『미래를 여는 역사(2005)』, 『한·중·일이 함께 쓴 동아시아 근현대사(2012)』를 편찬하였다.

제시된 글에서 학자들은 공동 연구를 통해 역사적 사실 관계를 밝히고, 함께 책을 편찬하는 등 객관적 근거를 바탕으로 상호 이해의 폭을 확대하기 위해 노력하고 있다.

바로알기 》 ㄱ. 국가 간 공동 역사 연구는 강대국의 입장을 강화하기보다는 객관적 근거를 바탕으로 왜곡된 역사를 바로잡기 위한 노력에 해당한다. ㄹ. 학자들의 공동 연구는 시민 사회에서 이루어지는 노력에 해당한다.

10 국가 간 갈등 해결 방안

국가 간 갈등을 해결하기 위해서는 우리의 입장을 뒷받침할 논리적 근거를 확립하고 우리 입장의 정당성을 국제 사회에 널리 알려야 한다. 또한 정부는 연구를 지원하고 외교 활동 등을 통해 관련 문제에 적극적으로 대응해야 한다.

바로알기 》 ① 국가 간의 갈등은 군사력이 아닌 평화적 방법으로 해결하는 것이 바람직하다.

서술형 문제 157쪽

01 일본과의 갈등

(1) 국제 사법 재판소

(2) ① 경제적, ② 분쟁

02 국가 간 갈등 해결을 위한 시민 사회의 활동

예시답안 ▶ 시민 사회는 민간 외교를 강화하여 국가 간 갈등 문제를 전 세계에 알리고, 다양한 홍보와 교육을 통해 우리나라가 직면한 국가 간 갈등을 국민들에게 알리고자 한다. 또한 관련 분야의 학자들은 국가 간 공동 연구를 통해 갈등 상황의 사실 관계를 밝히기 위해 노력한다.

채점 기준	점수
국가 간 갈등 해결을 위한 시민 사회의 노력을 두 가지 이상 정확히 서술한 경우	상
국가 간 갈등 해결을 위한 시민 사회의 노력을 한 가지만 서술한 경우	하

시험 적중 마무리 문제 160~163쪽

01 ④ 02 ④ 03 ① 04 ① 05 ④ 06 ⑤ 07 ④ 08 ②
09 ⑤ 10 ⑤ 11 ② 12 ⑤ 13 ① 14 ④ 15 ④ 16 ①
17 ② 18 ② 19 ③ 20 ① 21 ② 22 ⑤ 23 ③

01 국제 사회의 이해

④ 국제 사회는 독립적인 주권을 가진 국가를 기본 단위로 구성되며, 독립적인 주권을 가진 모든 국가는 원칙적으로 평등한 주권을 가진다.

바로알기 ≫ ① 국제 협력의 필요성은 점차 강화되고 있다. ② 국제법은 개별 국가의 행위에 일정한 제약을 줄 수 있다. ③ 국제 사회에서 각국은 원칙적으로 평등한 주권을 지니지만, 실제로는 군사력과 경제력이 큰 강대국이 더 많은 영향력을 행사한다. ⑤ 국제 사회에는 중앙 정부가 존재하지 않는다.

02 국제 사회의 특성

제시된 사례는 중국이 상설 중재 재판소의 판결을 무시하고, 자국의 이익을 추구하기 위해 군사 활동을 강화하였음을 보여 준다. 이처럼 국제 사회에서는 각국이 자국의 이익을 우선시하는 과정에서 국가 간 분쟁이 발생하기도 하지만, 강제성을 가진 중앙 정부가 존재하지 않아 국가 간 분쟁이나 갈등의 해결이 쉽지 않다.

바로알기 ≫ ㄴ. 제시된 사례에서 중국은 상설 중재 재판소의 판결을 따르지 않았다. 이처럼 국제법이 각국의 행위를 엄격히 제한한다고 보기는 어렵다.

03 국제 사회의 특성

제시된 사례는 각국이 난민 수용에 대한 부담을 공평하게 부담함으로써 국제 협력이 이루어졌음을 보여준다. 이처럼 국가 간 상호의존성이 깊어지고 국제 사회의 문제에 공동으로 대응해야 할 필요성이 커지면서 국제 협력의 필요성은 점차 커지고 있다.

04 국제 사회의 특성

국제 사회에는 분쟁이나 갈등이 발생했을 때 이를 해결해 줄 중앙 정부가 존재하지 않는다. 그렇지만 국제법, 국제기구, 세계 여론 등을 통해 국제 사회의 질서를 일부 유지하고 있기 때문에 국제 사회를 완전한 무정부 상태로 보기는 어렵다.

바로알기 ≫ ㄷ. 개별 국가는 국제 사회의 이익보다 자국의 이익을 우선적으로 추구한다. ㄹ. 국제 사회에서 각 국가는 원칙적으로 동등한 주권을 가지지만 실질적으로 행사하는 영향력에는 차이가 있다.

05 국가

국가는 국제 사회에서 가장 기본적이고 전통적인 행위 주체이다. 국제 사회에서 국가는 평등하고 독립적인 법적 지위를 인정받으며, 이를 바탕으로 외교 활동을 하고 다양한 국제기구에 가입하여 활동한다.

바로알기 ≫ ④ 국제 사회에 다양한 행위 주체가 등장하고 있지만 국가는 여전히 가장 중요한 행위 주체이다.

06 국제 비정부 기구

제시된 그린피스, 국제 적십자사, 국경 없는 의사회는 모두 국제 비정부 기구에 해당한다. ⑤ 시민 사회의 영향력이 증가함에 따라 국제 비정부 기구의 역할은 확대되고 있다.

바로알기≫ ① 정부 간 국제기구에 대한 설명이다. ② 국제 비정부 기구는 국경을 초월하여 활동한다. ③ 국가에 대한 설명이다. ④ 다국적 기업에 대한 설명이다.

07 국제 사회의 행위 주체

(가)는 각국 정부를 회원으로 하는 정부 간 국제기구, (나)는 국제적인 규모로 상품을 생산하고 판매하는 다국적 기업에 대한 설명이다.

08 다국적 기업

ㄱ. 다국적 기업은 국경을 초월한 경영 활동으로 국가 간 상호 의존성을 강화하는 데 기여한다. ㄹ. 다국적 기업은 국경을 초월한 경영 활동을 바탕으로 국제 관계에 영향력을 행사한다.

바로알기≫ ㄴ. 국가에 대한 설명이다. ㄷ. 세계화에 따라 다국적 기업의 규모는 점차 확대되고 있다.

09 국제 사회의 행위 주체

①, ③은 국제 사회에 미치는 영향력이 큰 개인, ②, ④는 국제기구의 활동 사례이다.

바로알기≫ ⑤ 중학생은 국제 사회의 행위 주체로 보기 어렵다.

10 국제 사회의 경쟁과 갈등

국제 사회에서 각국이 자국의 이익을 우선적으로 추구하기 때문에 국가 간에 경쟁과 갈등이 일어나기도 하는데, 국가 간 갈등을 평화적으로 해결하지 못할 경우 전쟁이 발생하기도 한다.

바로알기≫ 가현. 국제 사회의 갈등은 국가, 국제기구, 다국적 기업 등 여러 행위 주체의 이해관계를 둘러싸고 일어난다. 나현. 세계화로 국가 간 경쟁은 더욱 치열해지고 있다.

11 국제 사회의 경쟁과 갈등

석유 개발 가능성이 높은 포클랜드를 둘러싼 갈등과 석유·천연가스 매장지인 카스피 해를 둘러싼 갈등은 모두 자원을 둘러싼 갈등에 해당한다. 국제 사회에서 각국은 더 많은 이익을 얻기 위해 끊임없이 경쟁하며, 세계화로 국가 간 경쟁은 더욱 치열해지고 있다.

12 외교 활동의 이해

외교란 한 국가가 국제 사회에서 자국의 이익을 평화적으로 달성하려는 활동이다. 외교 활동은 과거에는 주로 대사의 교환, 정상 회담과 같이 정부 간 활동을 중심으로 이루어졌으나, 오늘날에는 정부 간 활동을 포함하여 민간 차원의 외교도 활발하게 이루어지고 있다. 외교를 통해 국가 간의 분쟁을 해결하거나 예방할 수 있으며, 각국은 자국의 정치적·경제적 이익을 실현하여 자국의 대외적 위상을 높일 수 있다.

바로알기≫ ⑤ 외교 활동은 개별 국가가 자국의 이익을 실현하기 위해 수행하는 행동이므로, 개별 국가의 이익을 국제 사회에 분배하기 위한 활동이라고 볼 수 없다.

13 국제 사회의 공존에 기여하는 외교

제시된 내용에서 주요 6개국과 이란은 외교 활동을 통해 국가 간의 분쟁을 평화적으로 해결함으로써 국제 사회의 공존에 이바지하였다.

바로알기≫ ㄷ. 국제 안보를 위협하는 요인을 제거함으로써 국제 평화에 기여하였다. ㄹ. 이란에 대한 경제·금융 제재가 해제된 것에 비추어볼 때 이란의 국제적 고립이 심화되었다고 보기 어렵다.

14 국제 사회의 공존을 위한 노력

국제 사회의 공존을 위해 각국은 다양한 국제기구에 참여하여 국제 협력 증진을 위해 노력하며, 민간단체와 국제 비정부 기구는 환경, 보건 등 다양한 영역에서 국제 사회의 문제를 해결하기 위해 노력한다.

바로알기≫ ㄴ. 국제 사회의 공존을 위해 각국은 국가 간 상호 합의를 통해 만든 국제법을 준수하고, 이에 따라 분쟁을 해결해야 한다.

15 세계 시민 의식

제시된 글은 세계 시민 의식에 대한 설명이다. 국제 사회의 공존을 위해서는 세계 시민 의식을 가지고 국제 사회의 상호 의존성과 보편적 가치를 이해해야 하며, 자원봉사나 후원 등을 통해 국제 사회의 문제를 해결하기 위해 노력해야 한다.

바로알기≫ ④ 세계 시민 의식은 공동체 의식을 바탕으로 지구촌 곳곳의 문제에 관심을 가질 것을 강조한다.

16 일본의 독도 영유권 주장

일본은 독도가 보유한 풍부한 해양 자원을 선점하고 독도를 군사적 거점으로 활용할 목적으로 독도에 대한 영유권을 일방적으로 주장하고 있다.

바로알기≫ ㄷ. 일본은 독도를 영토 분쟁 지역으로 만들어 국제 사법 재판소에서 독도 문제를 해결하려 하고 있다. ㄹ. 독도는 역사적, 지리적, 국제법적으로 우리나라가 주권을 행사해 온 우리의 고유한 영토이다.

17 중국의 동북 공정

중국은 한반도 통일 후 일어날 수 있는 영토 분쟁을 방지하고, 중국 내 소수 민족의 독립을 막아 현재의 중국 영토를 유지하기 위해 동북 공정 사업을 펼쳤다.

바로알기≫ ② 중국의 동북 공정은 역사를 왜곡함으로써 관련 국가의 민족 정체성을 훼손할 수 있다는 문제점을 지닌다.

18 중국과의 갈등

북한과 우리나라가 대치하는 상황이라 우리나라 해군이 단속하기 어려운 상황을 악용하여 중국의 어선들이 불법으로 조업을 하고 있다.

19 국가 간 갈등 해결을 위한 시민 사회의 활동

시민 사회 차원에서는 국가 간 갈등을 해결하기 위해 민간 외교 강화, 시민 단체의 홍보와 교육 활동, 학자들의 공동 연구, 정부와의 협력 등을 할 수 있다.

바로알기 ≫ ③ 국가 간 갈등을 해결하기 위해서는 상대 국가의 활동에도 관심을 갖고 갈등 해결을 위한 방안을 모색해야 한다.

20 국가 간 갈등 해결을 위한 시민 사회의 활동

제시된 글은 민간 차원에서 관련 문제에 대한 우리 입장의 정당성을 국제 사회에 널리 알리기 위한 홍보 활동에 대한 설명이다.

21 국가 간 갈등 해결을 위한 자세

국가 간 갈등을 해결하기 위해서는 갈등의 원인과 실태를 정확하게 파악하여 합리적인 해결 방안을 모색해야 한다.

바로알기 ≫ ㄴ, ㄹ. 국가 간 갈등 해결을 위해 문제 해결 과정에 정부와 시민 사회가 적극적으로 참여해야 하며, 객관적 근거에 따라 상호 협력과 이해를 통해 국가 간 갈등을 해결해야 함을 인식해야 한다.

22 국가 간 갈등 해결을 위한 노력

시민 단체는 민간 외교 강화, 공동 연구, 홍보와 교육 등의 활동을 통해 국가 간 갈등 해결에 기여할 수 있다. 대학과 연구 기관은 연구 활동을 통해 정부의 입장을 뒷받침할 수 있다. 또한 정부는 국가 간 갈등 해결을 위해 전문 기관을 운영하여 체계적으로 역사를 연구하고 국제 사회에 우리의 입장을 알릴 수 있다. 개인 역시 국가 간 갈등 상황에 관심을 두고, 이를 해결하는 과정에 적극 참여해야 한다.

바로알기 ≫ ⑤ 학자들은 관련 국가와의 공동 연구와 공동 저술을 통해 갈등 상황의 사실 관계를 밝히기 위해 노력하고 상호 간의 이해를 넓히는 노력을 할 필요가 있다.

23 우리나라의 국가 간 갈등과 해결 방안

문항 1에서 우리나라는 동해 표기를 둘러싸고 일본과 갈등을 겪고 있으므로, 답은 '×'이다. 문항 2에서 중국은 동북 공정 등 역사 왜곡 문제를 두고 우리나라와 갈등을 빚고 있으므로, 답은 'o'이다. 문항 3에서 독도는 역사적, 지리적, 국제법상 명백한 우리의 영토이므로, 답은 'o'이다. 문항 4에서 국가 간 갈등을 해결하기 위해서는 정부와 시민 사회가 적극적으로 협력해야 하므로, 답은 'o'이다. 문항 5에서 국가 간 갈등을 해결하기 위해서는 객관적 근거를 바탕으로 한 상호 이해가 필요하므로, 답은 '×'이다. 문항 3, 문항 4, 문항 5만이 정답이므로, 학생이 얻을 총 점수는 6점이다.

Ⅶ. 인구 변화와 인구 문제

01 인구 분포

167쪽

A 1 (1) 아시아 (2) 북반구 2 ㄴ, ㄷ, ㅁ
3 (1) A, C, E (2) B, D, F

B 1 이촌 향도 2 ㉠ 수도권 ㉡ 북동부 ㉢ 자연적

실력 탄탄 핵심 문제 168~169쪽

01 ① 02 ④ 03 ③ 04 ④ 05 ⑤ 06 ④
07 이촌 향도 현상 08 ⑤ 09 ④ 10 ②

01 세계의 인구 분포

세계 인구의 90% 이상은 북반구에 거주하여 공간상에 불균등하게 분포하는데, 주로 기후가 온화한 북반구 중위도 지역에 인구가 밀집되어 있다. 해발 고도가 낮은 하천 주변의 평야 지역과 해안 지역은 인구 밀도가 높다. (인구 밀도: 총인구를 총면적으로 나눈 값이야.)

바로알기 ≫ ① 적도 부근은 너무 덥기 때문에, 극지방은 너무 춥기 때문에 인구 밀도가 낮다.

02 대륙별 인구 분포

세계에서 인구가 가장 적게 분포하는 A는 국토의 대부분이 건조 기후가 나타나는 오세아니아이다. 세계에서 인구가 가장 많이 분포하는 B는 중국, 인도, 방글라데시 등이 위치한 아시아이다.

03 인구 분포에 영향을 미치는 요인

지도를 보면 중국의 동남부 지역에 인구가 밀집해 있는데 이는 온대 기후가 나타나고 평야가 발달해 벼농사에 유리하기 때문이다. 반면, 북서부 지역은 해발 고도가 높은 산지 지역으로 인구가 희박하다.

바로알기 ≫ ㄹ. 서부 지역은 해발 고도가 높아 농업 활동에 불리한 반면 동부 지역은 해발 고도가 낮고 평야가 발달해 있어 농업에 유리하다. 이를 통해 해발 고도가 인구 밀도에 영향을 주는 것을 알 수 있다.

04 인구 밀집 지역

인구 분포는 기후, 지형 등의 자연적 요인의 영향을 받아 지역별로 다르게 나타난다. 평야가 발달한 지역과 온대 기후 지역은 인구가 밀집하여 분포한다.

바로알기 ≫ ㄱ, ㄷ. 건조 기후 지역은 물이 부족하여 농업 활동이 불리하고, 험준한 산지 지역은 경사가 급해 농경지 조성이 어려우며 기후가 농업에 적합하지 않아 인구가 희박하다.

05 인구 분포에 영향을 주는 요인

A는 서부 유럽, B는 사하라 사막, C는 동남아시아, D는 미국 북동부 대서양 연안, E는 브라질의 아마존강 유역이다. A, D 지역은 산업이 발달하여 인구 밀도가 높은 지역이다. C 지역은 벼농사가 발달해 인구가 밀집하였다. B, E 지역은 자연환경이 불리하여 인구가 희박하다. 따라서 B, C, E 지역은 자연적 요인의 영향을 받은 지역, A, D 지역은 인문·사회적 요인의 영향을 받은 지역이라 볼 수 있다.

06 세계 인구 분포의 특징

미국 북동부 대서양 연안(D)은 산업이 발달하여 일자리가 풍부하고 생활 환경이 편리하여 인구가 밀집하였다.

바로알기 ≫ ① 서부 유럽(A)은 산업이 발달하여 인구가 밀집하였다. ② 사하라 사막(B)은 건조 기후가 나타나 농업 활동에 불리하고 물이 부족하여 인구가 희박하다. ③ 동남아시아(C) 지역은 계절풍 기후가 나타나고 평야가 발달해 벼농사에 유리하여 인구가 밀집하였다. ⑤ 브라질의 아마존강 유역(E)은 기온이 너무 높아 인간 활동에 불리하여 인구가 희박하다.

07 우리나라 인구 분포의 변화

우리나라는 1960년대 이후 도시를 중심으로 산업화가 진행됨에 따라 농촌의 인구가 일자리를 찾아 도시로 이동하는 이촌 향도 현상이 뚜렷하게 나타났다.

08 우리나라의 인구 분포

자료로 이해하기 ≫

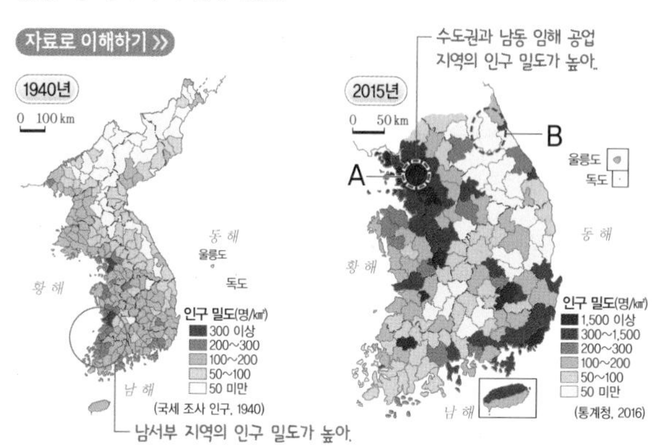

우리나라의 인구 분포는 급격히 산업화가 이루어진 1960년대 전후로 뚜렷하게 구분된다. 산업화 이전에는 자연적 요인이 인구 분포에 많은 영향을 주어 기후가 온화하고 평야가 발달한 남서부 지역에 인구가 밀집하였다. 태백산맥과 같은 산지 지역은 경사가 급하고 기후가 한랭해 농업에 불리하여 산업화 이전부터 인구가 희박하였다. 1960년대 이후 산업화가 이루어지면서 농촌의 인구가 도시로 이동하는 이촌 향도 현상에 의해 수도권과 남동 임해 공업 지역에 인구가 집중되었다.

바로알기 ≫ ⑤ 산업화 이후에는 일자리가 풍부한 대도시와 남동 임해 공업 지역에 인구가 밀집하였다.

09 우리나라의 인구 분포에 영향을 미친 요인

A는 우리나라의 수도인 서울이다. 서울은 우리나라의 정치·문화·경제의 중심지로 우리나라에서 인구 밀도가 가장 높은 도시이다. B는 강원도 인제군으로 태백산맥에 위치하여 전체 면적의 90% 이상이 산지로 이루어져 인구 밀도가 낮다.

10 우리나라의 시도별 인구 분포

우리나라 전체 인구의 절반가량이 일자리와 교육 기회가 다른 지역에 비해 풍부한 수도권에 살고 있다. 또한 부산을 비롯한 광역시에도 많은 사람들이 거주하고 있다.

바로알기 » ① 지역별로 인구가 불균등하게 분포하고 있다. ③, ④ 산간 지역과 농어촌 지역은 인구 밀도가 낮은 편이다. ⑤ 인구가 가장 많은 곳은 경기도, 적은 곳은 강원도이다.

서술형 문제

169쪽

01 몽골과 방글라데시의 인구 분포

① 초원, ② 벼농사

02 인구 분포에 영향을 미치는 요인

예시답안 ▸ 기후, 지형, 식생, 토양 등은 인구 분포에 영향을 주는 자연적 요인이고, 정치, 경제, 교통, 문화, 산업 등은 인문·사회적 요인이다.

채점 기준	점수
자연적 요인과 인문·사회적 요인을 각각 두 가지 이상 정확히 서술한 경우	상
자연적 요인과 인문·사회적 요인을 각각 한 가지씩 서술한 경우	중
자연적 요인이나 인문·사회적 요인 중 한 가지만 서술한 경우	하

02 인구 이동

171, 173쪽

A 1 흡인 요인 2 (1) – ㉡ (2) – ㉠

B 1 (1) ㄷ (2) ㄴ (3) ㄱ 2 (1) 경제적 (2) 일시적

3 ㉠ 개발 도상국 ㉡ 선진국

C 1 (1) 유입 (2) 이슬람교 2 (1) 유럽, 오세아니아, 북아메리카

(2) 아프리카, 아시아, 남아메리카

D 1 ㉠ 일제 강점기 ㉡ 6·25 전쟁 ㉢ 1990년대

2 ㉠ 중국 ㉡ 다문화 사회

실력탄탄 핵심 문제

174~177쪽

01 ① 02 ③ 03 ① 04 ④ 05 ④ 06 ③ 07 ⑤ 08 ②
09 역도시화 현상 10 ④ 11 ③ 12 ③ 13 ① 14 ③
15 ② 16 ① 17 ⑤ 18 ③ 19 ③

01 인구 이동의 요인

흡인 요인은 사람들을 끌어들여 머무르게 하는 긍정적인 요인으로 풍부한 일자리, 높은 임금, 다양한 교육·문화·의료 시설, 쾌적한 주거 환경 등이 해당한다.

바로알기 » ① 낮은 임금, 열악한 주거 환경, 전쟁과 분쟁, 자연재해, 기아, 종교적 박해 등은 인구 이동의 배출 요인이다.

02 인구 이동의 유형

(가)는 내전에 따른 난민의 이동으로, 이는 정치적 이동에 해당한다. (나)는 필리핀과 인도네시아에서 일자리를 찾아 홍콩, 싱가포르로 이동한 것으로, 이는 경제적 이동에 해당한다.

03 인구 이동의 유형

A는 강제적 이동, B는 국내 이동, C는 일시적 이동이다. ㄱ. 노예 무역에 의한 아프리카인들의 아메리카로의 이동은 강제적 이동(A)이다. ㄴ. 따뜻한 기후와 풍부한 일자리가 있는 남부 태평양 연안으로의 이동은 국내 이동(B)이다. ㄷ. 여행은 일시적 이동(C)이다.

04 세계 인구의 국제 이동

신항로 개척 이후 세계 인구의 국제 이동은 종교적·강제적 이동의 비중이 컸으나, 오늘날에는 경제적·자발적 이동의 비중이 높아지고 있다. 특히 개발 도상국에서 선진국으로 이동하는 경제적 이동의 비중이 높다. 최근에는 교통의 발달로 이동의 범위가 넓어지고 이동량이 증가하면서 유학, 여행, 단기 취업 등의 일시적 이동의 비중이 높아지고 있다.

바로알기 » ④ 오늘날 세계의 인구는 남아메리카, 아프리카, 아시아 등의 개발 도상국에서 일자리를 찾아 서부 유럽, 앵글로아메리카 등의 선진국으로 이동하는 경우가 많다.

05 세계 인구의 국제 이동

자료로 이해하기 »

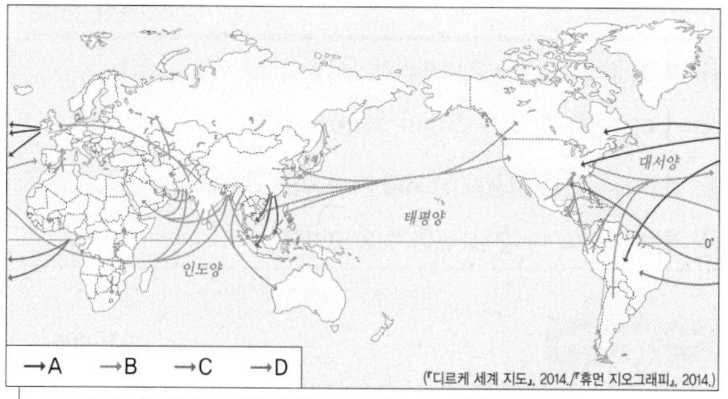

(『디르케 세계 지도』, 2014./『휴먼 지오그래피』, 2014.)

└ A, B, C 이동은 경제적 목적을 위한 자발적 이동, D는 강제적 이동이야.

A는 유럽인들의 신대륙으로의 이동, B는 오늘날 경제적 목적에 의한 이동, C는 중국인들의 경제적 목적에 의한 동남아시아로의 이동, D는 유럽인들에 의한 아프리카인들의 강제적 이동이다. 따라서 A, B, C는 자발적 이동에 해당하며 D는 강제적 이동에 해당한다.

06 세계 인구의 국제 이동

ㄴ. B는 오늘날 경제적 목적에 의한 이동으로 주로 개발 도상국에서 선진국으로 이동하고 있다. ㄷ. C는 19세기 일자리를 찾기 위한 중국인들의 동남아시아로의 이동이다.

바로알기 » ㄱ. A는 유럽인들의 식민지 개척을 위한 신대륙으로의 이동이다. ㄹ. D는 아메리카에 정착한 유럽인들이 대규모 농장과 광산의 부족한 노동력을 보충하기 위해 아프리카 흑인들을 신대륙으로 이주시킨 강제적 이동이다.

07 정치적 이동

지도는 전쟁이나 분쟁을 피해 정치적 이동을 하는 인구를 나타낸다. 정치적 요인에 의한 인구 이동이 빈번한 지역은 정치적으로 불안정한 아프리카와 서남아시아 등지이다.

바로알기 » ① 일시적 이동에 해당한다. ② 경제적 이동에 해당한다. ③, ④ 국내 이동이면서 자발적 이동에 해당한다.

08 세계 인구의 국내 이동

개발 도상국에서는 이촌 향도 현상이 활발하게 나타나며, 선진국에서는 쾌적한 환경을 찾아 대도시에서 도시 주변 지역이나 농촌으로 이동하는 역도시화 현상이 나타난다.

바로알기 » ② 개발 도상국에서는 농촌 인구가 일자리를 찾아 도시로 이동하는 이촌 향도 현상이 나타난다.

09 역도시화 현상

역도시화 현상은 쾌적한 환경을 찾아 도시의 인구가 도시 주변 지역이나 농촌으로 이동하는 것으로, 주로 선진국에서 나타난다.

유출 인구보다 유입 인구가 많아.

10 인구 유입 지역과 인구 유출 지역

└ 유입 인구보다 유출 인구가 많아.

지도의 A는 인구의 순유입, B는 인구의 순유출 경향을 보이는 지역이다. 개발 도상국이 많은 아시아, 중앙 및 남아메리카, 아프리카는 인구의 순유출 경향을 보인다. 반면, 선진국이 많은 북아메리카, 유럽, 오세아니아는 인구의 순유입 경향을 보인다. 따라서 개발 도상국에서 선진국으로 일자리를 찾아 떠나는 경제적 이동이 활발하다는 것을 알 수 있다.

바로알기 » ④ 인구는 순유출이 일어나는 개발 도상국(B)에서 순유입이 일어나는 선진국(A)으로 이동하는 경향이 강하다.

세계에서 인구 유입이 가장 활발한 지역이야.

11 인구 유입 지역과 인구 유출 지역

미국은 지리적으로 가까운 멕시코를 비롯한 라틴 아메리카 출신의 이주민이 많다. 이들은 자국의 높은 실업률 때문에 일자리를 찾아 미국으로 이주하고 있다. 이들로 인해 새로운 문화가 전파되어 다양한 문화적 경관이 나타나기도 한다.

바로알기 » ㄴ. 일자리를 찾기 위한 경제적 인구 이동이 대부분을 차지한다.

12 인구 유입 지역의 변화

프랑스는 노동력 부족 문제를 해결하기 위해 일찍부터 이민을 받아들였다. 주로 북부 아프리카와 튀르키예로부터 많은 인구가 유입되었다. 이들은 대부분 이슬람교도로, 크리스트교의 전통이 강한 현지인 간 종교적 갈등을 겪고 있다. 히잡과 부르카, 니캅 등은 이슬람교도 여성들이 착용하는 베일로, 종교적 성향, 나이, 계층 등에 따라 모양이 다르다.

바로알기 » ③ 프랑스는 높은 임금, 풍부한 일자리 등이 흡인 요인으로 작용하여 많은 인구가 유입되고 있다.

└ 최근에는 아프리카나 서남아시아에서 난민이 대규모로 유입되고 있어.

13 우리나라의 인구 이동

일제 강점기에는 북부 지방에 광공업이 발달하면서 많은 사람이 일자리를 찾아 함경도 지방으로 이동하였다.

바로알기 » ② 6·25 전쟁 당시에는 북한 주민과 피난민이 부산 등 남쪽 지방으로 이동하였다. ③ 취업 등 경제적인 이유로 서남아시아, 독일 등으로 국제 이동이 발생한 것은 1960년대 이후이다. ④ 1960년대에는 산업화에 따른 이촌 향도 현상으로 수도권, 대도시 등으로 인구가 이동하였다. ⑤ 1990년대 이후에는 역도시화 현상이 나타나 도시에서 촌락으로 인구가 이동하였다.

14 우리나라 인구의 국제 이동

1960년대 우리나라 인구의 독일로의 이동은 이동 범위에 따른 구분에서 국제 이동에, 목적에 따른 구분에서 경제적 이동에 해당한다.

15 우리나라의 시기별 인구 이동

(가)는 광복 후의 인구 이동, (나)는 6·25 전쟁 때의 인구 이동, (다)는 일제 강점기의 인구 이동, (라)는 1960년대 이후의 인구 이동, (마)는 1990년대 이후의 인구 이동이다. 따라서 이를 시대 순으로 나열하면 (다) → (가) → (나) → (라) → (마)로, 세 번째에 해당하는 지도는 (나)이다.

16 우리나라의 시기별 인구 이동

제시된 대중가요는 1946년에 발표된 '귀국선'이라는 노래로, 일본, 미국, 중국 등으로 이주하였던 동포들이 귀국한 1945년 직후의 인구 이동 상황을 잘 보여 주고 있다.

└ 광복 후의 인구 이동은 정치적 요인에 의한 인구 이동에 해당해.

17 우리나라의 시기별 인구 이동

(마)는 1990년대 이후의 인구 이동이다. 이 시기에는 서울과 같은 대도시에 인구가 밀집하여 교통 혼잡, 집값 상승, 환경 오염 등으로 생활 환경이 악화되고, 대도시 주변에 신도시가 건설되면서 도시 인구가 주변 지역으로 이동하는 역도시화 현상이 나타나고 있다.

18 체류 외국인 증가에 따른 우리나라의 변화

1990년대부터 취업이나 결혼을 하기 위해 중국과 동남아시아 등지에서 우리나라로 들어오는 외국인이 증가하였다. 이로 인해 문화적 다양성이 증가하는 긍정적인 변화가 나타난다. 그러나 우리나라 사람과 체류 외국인 간의 문화적 차이로 갈등이 발생할 수도 있다.

바로알기 ≫ ㄱ. 체류 외국인이 증가하면 노동력이 풍부해진다. ㄹ. 체류 외국인이 본국으로 송금하는 외화가 늘어나면 해당 국가의 경제가 활성화된다.

19 우리나라의 인구 유입 지역과 인구 유출 지역

제시된 그래프를 보면 순유입이 나타난 지역은 경기도, 세종특별자치시, 제주특별자치도이고, 반면, 순유출이 나타난 지역은 서울특별시, 대전광역시, 부산광역시 등이다.

바로알기 ≫ ③ 서울을 떠난 인구는 대부분 경기도로 유입되었다. 서울의 비싼 주거비 감당이 어려운 사람들이 인근 지역으로 빠져나갔기 때문이다.

└ 서울의 인구를 수용하기 위한 신도시가 건설되면서 경기도의 인구가 증가하였어.

서술형 문제

177쪽

01 인구 유출 지역의 변화

(1) 경제적 이동

(2) ① 외화, ② 노동력

02 인구 이동의 배출 요인

예시답안 사람들을 다른 지역으로 밀어내는 배출 요인으로는 낮은 임금, 열악한 주거 환경, 전쟁, 자연재해 등이 있다.

채점 기준	점수
인구 이동의 배출 요인 세 가지를 정확히 서술한 경우	상
인구 이동의 배출 요인 두 가지를 서술한 경우	중
인구 이동의 배출 요인을 한 가지만 서술한 경우	하

03 세계 인구의 국제 이동

예시답안 신항로 개척 이후 유럽인들은 식민지 개척을 위해 아메리카와 오스트레일리아로 이동하였으며, 19세기에는 중국인들이 일자리를 찾기 위해 동남아시아로 이동하였다.

채점 기준	점수
세계 인구의 국제 이동 중 경제적 이동에 해당하는 사례를 두 가지 모두 정확히 서술한 경우	상
세계 인구의 국제 이동 중 경제적 이동에 해당하는 사례를 한 가지만 서술한 경우	하

03 인구 문제

179, 181쪽

A 1 ① 인도 ② 중국 ③ 아프리카 2 (1) ○ (2) ○

B 1 아프리카 2 (1) – ㉡ (2) – ㉢ (3) – ㉠

C 1 ㄱ, ㄴ 2 ㉠ 고령화 ㉡ 고령 ㉢ 초고령 3 감소

D 1 (가), (라), (다), (나) 2 (1) 높이기 (2) 고령화

실력탄탄 핵심 문제

182~185쪽

01 ① 02 ⑤ 03 ③ 04 ⑤ 05 ③ 06 ② 07 ④ 08 ⑤ 09 ④ 10 ④ 11 ③ 12 ② 13 ① 14 ② 15 ⑤ 16 ③ 17 ① 18 ②

01 세계 인구의 성장

18세기 후반 산업 혁명 이후 의료 기술 및 생활 수준이 향상하여 평균 수명이 연장되고 영아 사망률이 감소하면서 세계 인구가 빠른 속도로 증가하기 시작하였다.

바로알기 ≫ ① 전염병이 발생하면 사망률이 높아져 인구가 감소한다.

02 선진국과 개발 도상국의 인구 성장

그래프의 A는 개발 도상국, B는 선진국을 나타낸다. (가) 시기 이후 인구가 증가하는 것으로 볼 때 이는 산업 혁명을 나타낸다. ⑤ 세계 인구는 농경 생활 이래 지속적으로 증가하였으나 기아, 질병 등으로 사망률이 높아 인구 증가 속도가 빠르지 않았다.

바로알기 ≫ ① A는 개발 도상국, B는 선진국이다. ②, ③, ④ 개발 도상국은 제2차 세계 대전 이후 선진국의 의료 기술을 받아들이고 위생 조건을 개선하여 인구가 급증하였다. 오늘날 세계의 인구 성장을 주도하고 있다.

03 개발 도상국의 인구 문제

개발 도상국은 생활 수준의 향상과 의료 기술의 발달로 사망률이 감소하였으나, 출생률이 여전히 높아 인구가 증가하고 있다. 그러나 인구 증가에 따른 인구 부양 능력이 함께 성장하지 못해 식량 부족, 빈곤과 기아 문제를 겪고 있다. 한편 중국과 인도 등 아시아 일부 국가에서는 남아 선호 사상으로 출생 성비의 불균형이 나타난다.

바로알기 ≫ ㄱ, ㄹ은 선진국에서 주로 발생하는 인구 문제이다.

04 개발 도상국의 인구 문제

┌ 한 여성이 평생 동안 낳을 수 있는 아이의 수

지도에 표시된 지역은 합계 출산율이 4.0 이상인 국가로, 아프리카와 아시아의 개발 도상국이다. 이들 국가에서는 농촌 인구의 도시 집중과 도시 자체의 인구 성장으로 주택 부족, 교통 혼잡, 일자리 부족, 환경 오염 등의 도시 문제가 발생하고 있다.

바로알기 ≫ ① 남아 선호 사상이 있는 중국, 인도 등의 일부 아시아 국가에서는 출생 성비 불균형 문제가 나타나 남성이 결혼 적령기에 배우자를 구하지 못하는 등의 사회 문제가 발생할 수 있다. ②, ③, ④ 선진국에서 주로 발생하는 인구 문제에 대한 설명이다.

05 중국의 성비 불균형

자료로 이해하기 ≫

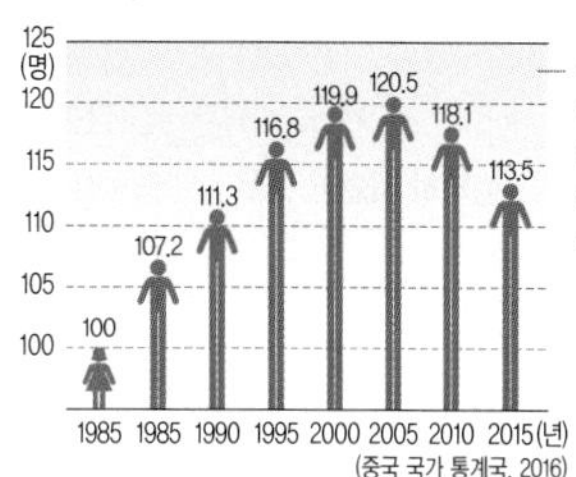

남아 선호 사상이 있는 중국에서는 여자아이보다 남자아이의 출생률이 높게 나타나는 성비 불균형 문제가 나타난다. 이로 인해 남성이 결혼 적령기에 배우자를 구하지 못하는 등의 사회 문제가 발생할 수 있다. 이를 해결하기 위해서는 남아 선호 사상을 타파하고, 양성평등 문화를 정착시켜야 한다.

바로알기 ≫ ㄴ. 출생 성비 불균형은 남아 선호 사상이 있는 중국, 인도 등 아시아 일부 국가에서 나타난다.

06 개발 도상국의 인구 문제

개발 도상국에서는 식량 증산과 경제 성장을 위한 정책을 시행하여 인구 부양력을 높이기 위해 노력해야 한다. 동시에 가족계획 사업을 시행하여 출산율을 낮춰야 한다. 또한 대도시로 집중된 인구를 분산시키기 위해 농촌 지역의 생활 환경을 개선하여 도시로의 인구 유입을 막아야 한다.

바로알기 ≫ ② 개발 도상국은 가족계획 사업을 시행하여 인구 증가 속도를 완화해야 한다.

07 선진국의 고령화 현상

일찍 산업화를 이룬 선진국에서는 경제 수준의 향상과 의료 기술의 발달로 평균 수명이 연장되면서 노년층 인구 비중이 커지고 있다. 일본은 2015년 기준 65세 이상 인구 비율이 26.4%로 초고령 사회에 해당한다.

바로알기 ≫ ① 2015년 기준 미국은 65세 이상 인구 비율이 14.7%로 고령 사회에 해당한다. ②, ③ 제시된 국가들 중 노년층의 비율이 가장 낮은 국가는 중국으로, 세계 평균보다는 높다. ⑤ 제시된 그래프를 통해 알 수 없다.

08 선진국의 인구 문제

오늘날 일본, 유럽, 북아메리카의 선진국은 출생률과 사망률이 모두 낮아 인구 증가율이 매우 낮거나 정체되어 있어 저출산·고령화 현상이 나타나고 있다. 그 결과 생산 가능 인구가 감소하여 경제 성장이 둔화하고, 노년층을 부양해야 하는 청장년층의 부담이 늘어나고 있다. 저출산·고령화 현상을 해결하기 위해서는 출산 장려 정책과 보육 시설 확대, 노인의 재취업 기회 제공과 정년 연장 등의 대책이 필요하다.

바로알기 ≫ ⑤ 아시아, 아프리카, 남아메리카 등의 개발 도상국에서는 인구 부양력이 인구 증가 속도에 미치지 못해 식량 부족, 빈곤, 기아 등의 문제가 발생한다. 이를 위해 출산 억제 정책이나 경제 성장 및 식량 증산 정책 추진 등의 대책이 필요하다.

09 개발 도상국과 선진국의 인구 구조

자료로 이해하기 ≫

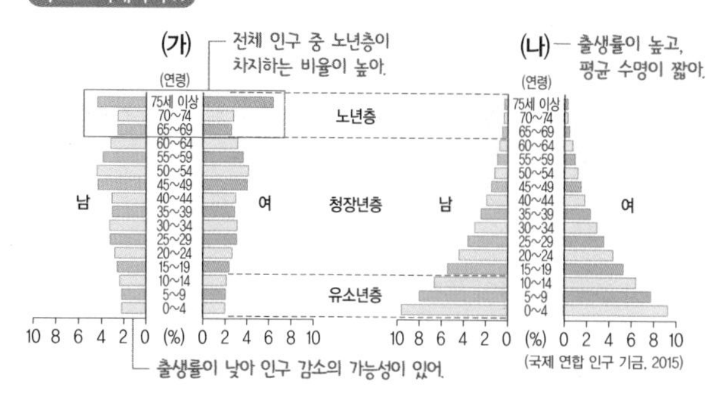

(가) 국가는 합계 출산율이 낮고, 기대 수명이 긴 편이므로 선진국(독일)이고, (나) 국가는 합계 출산율이 높고 기대 수명이 짧은 편이므로 개발 도상국(앙골라)이다. 선진국은 고령화 현상이 나타나 개발 도상국에 비해 65세 이상의 노년층 인구 비율이 높다.

바로알기 ≫ ①, ②, ③, ⑤는 선진국보다 개발 도상국에서 높게 나타나는 수치이다.

10 개발 도상국과 선진국의 인구 문제

독일은 노년층의 비율이 높은 것으로 볼 때 의료 시설이 발달하여 평균 수명이 긴 것을 알 수 있다. 또한 유소년층 비율이 낮은 것을 통해 여성의 사회 진출이 활발하여 출산율이 낮은 것을 추론할 수 있다. 앙골라는 유소년층의 비율이 노년층 비율보다 높으며, 독일에 비해 노년층을 부양해야 하는 청장년층의 부담이 높지 않다.

바로알기 ≫ ㄴ. 앙골라와 같은 개발 도상국에서는 의료 기술이 발달하면서 사망률은 빠르게 감소하고 있으나, 농업, 종교, 전통문화 등의 영향으로 출생률이 높다. 평균 수명과는 관련이 없다.

11 일본의 고령화 현상

그래프를 보면 일본의 유소년층 비율은 감소하고, 노년층 비율은 증가하는 것을 볼 수 있다. 이는 출생률 감소와 평균 수명의 연장으로 사망률이 감소하였기 때문이다. 주요 생산 가능 인구인 청장년층이 감소하여 청장년층이 노인 인구를 부양하기 위한 세금과 복지 비용의 부담이 증가할 것으로 보인다. 또한 부족한 노동력을 확보하기 위해 외국인 근로자를 받아들일 것이다.

바로알기 ≫ ③ 일본은 1995년 당시 '고령 사회'였으며, 현재는 세계 최고령 국가이다.

12 선진국의 출산 장려 정책

산업화가 일찍 진행된 선진국에서는 자녀에 대한 가치관이 변화하고 여성의 사회 진출이 증가하면서 출산율이 낮아져 인구가 정체하거나 감소하는 저출산 현상이 나타나고 있다. 이를 해결하기 위해 스웨덴과 프랑스에서는 적극적인 출산 장려 정책을 실시하고 있다.

13 우리나라 인구 정책의 변화

6·25 전쟁 이후 출생률은 높아지고 사망률이 낮아지면서 인구 급증 문제가 발생하고, 1990년대에는 출생 성비 불균형 문제, 그 이후에는 저출산 문제가 발생하였다((가) → (나) → (다)).

14 우리나라 저출산 현상의 원인

그래프를 보면 우리나라의 합계 출산율은 점차 감소하여 오늘날 저출산 현상이 진행되고 있음을 알 수 있다. 이처럼 출산율이 낮아지고 있는 까닭은 육아와 가사 노동에 대한 부담, 결혼 연령 상승 및 미혼 인구 증가 등의 사회적·경제적 요인과 결혼 및 가족에 관한 가치관 변화 등이 복합적으로 작용하기 때문이다.

바로알기 ≫ ② 의료 기술의 발달은 고령화 현상의 원인이다.

15 우리나라 고령화의 특징

그래프를 보면 다른 국가는 고령화 사회에서 초고령 사회가 되기까지 100년 정도 걸리는 반면, 우리나라는 30년도 안 되는 기간에 급속도로 진행될 것으로 보인다.

바로알기 ≫ ① 생산 가능 인구는 주로 청장년층을 일컫는 말로, 오늘날 감소하고 있다. ② 고령화 현상은 농촌에서 더욱 심하게 나타난다. ③ 우리나라에서 고령화는 2000년에 시작되었으며, 다른 국가에 비해 시작된 시기는 늦다. ④ 유소년층은 저출산 현상으로 인해 오히려 감소하고 있다.

16 우리나라의 연령별 인구 비율 변화

우리나라는 유소년층의 비율이 감소하고 노년층의 인구 비율이 증가하는 형태로 변화하고 있다. 65세 이상 인구의 비율이 높아져 노인 복지 비용의 증가, 저출산에 따른 생산 가능 인구 감소 등의 문제가 발생한다.

17 우리나라의 인구 구조 변화

1970년에는 높은 출산율로 인해 유소년층의 비율이 높았으나 점차 출산율이 낮아지면서 유소년층의 비중이 줄어들고 있다. 오늘날에는 저출산·고령화 문제가 나타나고 있다.

바로알기 ≫ ① 저출산·고령화 현상이 지속되면 생산 가능 인구가 감소한다.

18 저출산·고령화에 대한 대책

2060년 우리나라의 인구 구조는 노년층 비율이 유소년층 비율보다 높아질 것으로 예상된다. 이러한 저출산 현상은 노년층을 부양해야 하는 청장년층의 부담을 증가시키며 생산 가능 인구가 감소하여 경제 성장이 둔화할 수 있다. 이에 대한 대책으로는 출산 장려 정책 시행, 영·유아 보육 시설 확충, 청년층의 고용 안정 등이 있다.

바로알기 ≫ ③ 출생 성비 불균형 문제를 해결하기 위한 대책이다. ④, ⑤ 개발 도상국에서 주로 나타나는 문제를 해결하기 위한 대책이다.

서술형 문제

185쪽

01 영국의 인구 피라미드

① 유소년층, ② 노년층, ③ 저출산·고령화

02 개발 도상국의 인구 문제

예시답안 ▸ 제2차 세계 대전 이후 경제가 성장하고, 의료 기술과 생활 환경이 개선되었기 때문이다.

채점 기준	점수
경제 성장, 의료 기술과 생활 환경의 개선이라고 정확히 서술한 경우	상
의료 기술이 개선되었다고만 서술한 경우	하

03 우리나라의 저출산 문제

예시답안 ▸ 저출산 문제, 출산 장려 정책을 시행하고, 영·유아 보육 시설을 확충하는 등의 대책이 필요하다.

채점 기준	점수
저출산 문제라고 쓰고, 저출산 문제의 대책을 두 가지 정확히 서술한 경우	상
저출산 문제라고 썼으나, 저출산 문제의 대책을 한 가지만 서술한 경우	중
저출산 문제라고만 쓴 경우	하

시험 적중 마무리 문제 188~191쪽

01 ⑤ 02 ⑤ 03 ③ 04 ④ 05 ① 06 ③ 07 ⑤ 08 ④
09 ② 10 ② 11 ⑤ 12 ① 13 ⑤ 14 ① 15 ③ 16 ④
17 ⑤ 18 ③ 19 ④ 20 ⑤ 21 ③ 22 ④

01 세계의 인구 분포

세계 인구의 약 90%는 북반구, 약 10%는 남반구에 거주하여 공간상에 불균등하게 분포한다. 위도별로 살펴보면, 북위 20°~40° 지역에 가장 많은 인구가 분포하고, 적도 부근이나 극지방은 인구가 적게 분포한다. 대륙별로 살펴보면, 중국, 인도, 방글라데시 등지가 있는 아시아와 유럽에 인구가 밀집하였다.

바로알기 ⑤ 인구가 가장 적게 분포하는 대륙은 오세아니아이다.
└ 국토 대부분 건조 기후가 나타나기 때문이야.

02 인구 분포에 영향을 미치는 요인

과거부터 인구 분포는 기후, 지형 등 자연적 요인의 영향을 많이 받았다. 특히, 기후가 온화하고 물이 풍부하며 비옥한 평야 지역에 인구가 밀집하였다. 또한 인문·사회적 요인인 경제, 산업, 교통 등도 인구 분포에 영향을 미친다. 전쟁과 분쟁이 자주 발생하는 지역은 인구 밀도가 낮다.

바로알기 ⑤ 오늘날 산업화와 도시화가 진행되면서 인문·사회적 요인의 영향력은 커지고 있다.

03 세계의 인구 밀집 지역

중국, 인도, 방글라데시를 포함하는 동아시아에서 남아시아에 이르는 지역은 계절풍 기후가 나타나고, 하천 유역에 넓은 평야가 발달하여 벼농사에 유리하다. 벼농사는 많은 노동력을 필요로 하며, 쌀은 인구 부양력이 높아 이들 지역에 인구가 밀집해 있다.

04 세계의 인구 밀집 지역과 희박 지역

ㄱ. A는 서부 유럽 지역으로 일찍부터 산업이 발달하여 일자리가 풍부하고 생활 환경이 편리해 인구가 밀집해 있다. ㄴ. B는 사하라 사막으로 강수량이 매우 적어 물을 구하기 어려워 인구가 희박하다. ㄹ. D는 캐나다 북부 지역으로 기온이 매우 낮아 농업에 불리해 인구가 희박하다.

바로알기 ㄷ. C는 아마존 분지로 고온 다습하고 열대 밀림이 우거져 있어 인구가 희박하다.

05 우리나라의 인구 분포

지도는 2015년의 인구 분포를 나타낸 것이다. A는 수도권, B는 태백산맥 일대이다. 1960년대 이후 도시를 중심으로 산업화가 진행됨에 따라 농촌의 인구가 일자리를 찾아 도시로 이동하였다. 그 결과 서울, 인천, 경기도에 해당하는 수도권에 우리나라 전체 인구의 약 50%가 분포한다.

바로알기 ㄷ. 태백산맥 일대의 산지 지역으로 평야가 부족하고 기후가 농업에 불리해 인구 밀도가 낮다. ㄹ. 우리나라는 오랫동안 벼농사 중심의 농업 사회로 인구 분포에 자연적 요인이 크게 작용하였다. 그러나 1960년대 이후 산업화가 본격적으로 이루어지면서 경제, 산업, 교통과 같은 인문적 요인이 인구 분포에 더 크게 작용하고 있다.

06 인구 밀집 지역과 인구 희박 지역

A는 방글라데시, B는 몽골이다. 방글라데시는 기온이 높고 강수량이 많은 열대 계절풍 기후 지역으로 벼농사에 유리하여 인구가 밀집하였다. 몽골은 국토 대부분이 사막 또는 초원 지대로 이루어져 있고, 기온이 낮고 건조하기 때문에 주민들은 목축업과 유목 생활을 한다.

바로알기 ㄱ. 열대 우림 지역은 고온 다습하여 인간 거주에 불리하다. ㄹ. 그린란드는 한대 기후 지역으로 기온이 너무 낮아 농업 활동과 인간 거주에 불리하다.

07 인구 이동

인구 이동은 사람들이 거주를 위해 한 장소에서 다른 장소로 옮겨 가는 현상이다. 인구 이동은 이동하여 머무르는 시간에 따라 일시적 이동과 영구적 이동으로 나뉜다. 오늘날 세계화와 교통·통신 등의 발달로 인구 이동이 더욱 활발해지고 있다. 최근 아프리카에서는 민족 탄압, 독재 정치, 내전 등의 정치적 이유로 난민이 발생하고 있으며, 이들은 주로 이웃한 국가로 이동한다.

바로알기 ⑤ 개발 도상국에서는 일자리를 찾아 촌락 인구가 도시로 이동하는 이촌 향도 현상이 주로 나타난다.

08 인구 이동의 흡인 요인과 배출 요인

사람들을 끌어들이는 흡인 요인에는 풍부한 일자리, 높은 임금, 다양한 교육·문화 시설, 쾌적한 주거 환경 등이 있다. 사람들을 다른 지역으로 밀어내는 배출 요인에는 낮은 임금, 전쟁과 분쟁, 자연재해, 종교적 박해, 열악한 주거 환경 등이 있다.

09 경제적 이동

신항로 개척 이후 유럽인들의 이동과 중국인들의 이동은 모두 경제적 기회를 찾아 이동한 사례이다.

10 세계 인구의 국제 이동

A는 일자리를 찾기 위한 경제적 이동으로, 비교적 소득이 낮고 고용 기회가 적은 개발 도상국에서 일자리가 많고 생활 기반 시설이 잘 갖추어진 선진국으로 이동한다. B는 정치적 이동으로, 아프리카와 서남아시아 등지는 민족 탄압, 내전, 분쟁 등으로 인해 난민의 발생이 많다. 난민은 주로 이웃한 국가로 이동하는 경우가 많다. 인구 유입이 많은 지역은 이주민과 현지인 간의 문화적 차이로 갈등이 발생하기도 한다.

바로알기 ② 세계 인구의 경제적 이동은 대부분 개발 도상국에서 선진국으로 향하고 있다.

11 인구 유출 지역의 변화

필리핀과 같이 인구 유출이 많은 지역은 이주민들이 고국으로 송금하는 외화가 늘어나면서 경제가 활성화되는 긍정적인 효과가 나타난다.

바로알기 ≫ ①, ②, ③, ④ 인구 유출 지역에서는 노동력 유출로 실업률은 낮아지나, 젊고 우수한 고급 기술 인력이 지속해서 빠져나가면 노동력 부족 문제가 나타나고 장기적으로 경제 성장이 둔화할 수도 있다.

12 우리나라 인구의 국내 이동

①은 1990년대 이후, ②는 일제 강점기, ③은 1960~80년대, ④는 6·25 전쟁, ⑤는 광복 직후의 인구 이동을 나타낸다. 도시 인구가 농촌으로 이동하는 역도시화 현상은 1990년대 이후에 나타났다.

13 우리나라의 인구 이동

우리나라 인구의 국제 이동은 일제 강점기를 전후로 나타났다. 일제 강점기에 징병이나 징용에 의해 중국 만주 지역과 구소련의 연해주 지역으로 많은 사람이 이동하였다. 1960 ~ 70년대에는 취업을 위해 서남아시아, 독일, 미국 등으로의 이동이 두드러졌으며, 1980년대 이후에는 유학, 취업 등 일시적 이동이 증가하였다. 한편 우리나라로 유입되는 외국인은 빠르게 증가하고 있으며, 국제결혼의 증가로 우리나라는 다문화 사회로 변화하고 있다.

바로알기 ≫ ⑤ 일제 강점기에는 일자리를 찾아 많은 사람들이 광공업이 발달한 북부 지방으로 이동하였다.

14 세계의 인구 성장

태어난 지 일 년 미만의 아이가 사망하는 비율이야.

산업 혁명 이후 의료 기술이 발달하고 생활 수준이 향상되면서 평균 수명이 연장되고 영아 사망률이 낮아져 인구가 급증하였다. 산업화가 일찍 진행된 선진국은 산업 혁명 이후부터 인구가 성장하였으나, 현재는 증가 속도가 완만하거나 정체되어 있다. 반면, 개발 도상국은 제2차 세계 대전 이후 경제 성장과 의료 기술 및 생활 환경의 개선 등으로 짧은 시간 동안 인구가 빠르게 증가하고 있다.

바로알기 ≫ ① 오늘날 세계의 인구는 증가하고 있다.

15 선진국과 개발 도상국의 인구 변화

그래프의 A는 선진국, B는 개발 도상국이다. 제2차 세계 대전 이후 개발 도상국이 인구 성장을 주도하고 있다.

바로알기 ≫ ㄱ, ㄹ. 인구 증가율은 경제 발전 정도에 따라 지역별로 차이가 크게 나타난다. 오늘날 선진국은 인구가 천천히 증가하거나 정체되어 있고, 개발 도상국은 인구가 빠르게 증가하고 있다.

16 개발 도상국과 선진국의 인구 특성

오늘날 선진국에서는 총인구에서 65세 이상 노년층 인구 비율이 높아지는 고령화 현상이 나타나고 있다.

바로알기 ≫ ① 출산율 – 개발 도상국은 높고, 선진국은 낮다. ② 평균 수명 – 개발 도상국은 짧고, 선진국은 길다. ③ 인구 증가율 – 개발 도상국은 높고, 선진국은 낮다. ⑤ 영아 사망률 –개발 도상국은 높고, 선진국은 낮다.

17 개발 도상국의 인구 문제

개발 도상국은 인구 부양력이 인구 증가에 미치지 못하기 때문에 기아, 빈곤과 같은 문제를 겪고 있다. 이러한 문제를 해결하기 위해서는 가족계획 사업 실시와 함께 인구 부양력을 증대하기 위한 식량 증산 정책, 농업의 기계화 등의 대책이 필요하다.

18 중국의 인구 문제

중국은 남아 선호 사상의 영향으로 여자아이보다 남자아이가 많은 성비 불균형 문제가 나타난다. 이로 인해 남성이 결혼 적령기에 배우자를 구하지 못하는 등의 사회 문제가 발생하고 있다.

19 선진국의 인구 문제

A 지역은 65세 이상 인구 비율이 높은 선진국이다. 오늘날 선진국에서는 여성의 지위 향상과 평균 수명의 연장으로 저출산·고령화 문제를 겪고 있다. 이로 인해 청장년층이 줄어들어 노동력 부족 문제가 발생하고 있다.

바로알기 ≫ ㄷ. 인구 부양력 부족에 따른 빈곤 문제는 개발 도상국에서 주로 나타나는 문제이다.

20 우리나라의 시기별 인구 특성

1990년대에는 출생 성비 불균형 문제가 발생하였으며, 오늘날에는 출생 성비 불균형은 해소되었으나 저출산 문제가 나타나고 있다.

바로알기 ≫ 가현. 6·25 전쟁 이후에는 사망률이 감소하여 인구가 급증하였다. 나현. 1970~1980년대에는 가족계획 사업의 적극적인 추진으로 출생률이 감소하였다.

21 우리나라의 고령화 현상

우리나라는 생활 수준의 향상과 의료 기술의 발달, 저출산 현상으로 전체 인구에서 노년층이 차지하는 비중이 높아지면서 세계에서 가장 빠른 속도로 고령화가 진행되고 있다. 그 결과 경제 활동이 가능한 인구가 줄어들어 경제 침체와 같은 다양한 문제가 발생할 수 있다. 이를 해결하기 위해서 연금 제도와 사회 보장 제도를 정비하는 노력이 필요하다. 2015년 우리나라는 65세 이상 인구 비율이 13.2%로 고령화 사회에 해당한다.

바로알기 ≫ ③ 고령화 현상으로 노년층을 부양해야 하는 청장년층의 부담이 늘어나고 있다.

22 우리나라 인구 문제의 대책

우리나라는 저출산으로 인해 각종 문제가 나타나고 있다. 저출산 문제를 해결하기 위해서는 출산 장려 정책, 공공 교육 서비스 지원, 남성의 육아 참여 확대와 같은 대책이 필요하다.

바로알기 ≫ ④ 정년 연장과 연금 확대는 고령화 문제의 대책에 해당한다.

Ⅷ. 사람이 만든 삶터, 도시

01 도시의 위치와 특징

195쪽

A 1 도시 2 (1) ○ (2) × 3 (1) – ㉠ (2) – ㉡ (3) – ㉢
B 1 (1) – ㉠ (2) – ㉢ (3) – ㉡ 2 세계 도시
3 ① 런던 ② 도쿄 ③ 뉴욕

실력 탄탄 핵심 문제

196~197쪽

01 ④ 02 ③ 03 ② 04 ④ 05 ② 06 ③ 07 ② 08 ②
09 ①

01 도시의 의미

도시는 인구가 밀집한 곳으로 사회적·경제적·정치적 활동의 중심지이다. 도시는 촌락과 함께 인간이 살아가는 대표적인 거주 공간으로 오늘날 세계 인구의 절반가량이 도시에 거주하고 있다.

바로알기 》 ④ 취락은 인구를 기준으로 도시와 촌락으로 구분된다.

02 도시의 특징

도시는 인구가 밀집한 곳으로 한정된 공간을 효율적으로 활용해야 하기 때문에 고층 건물이 많고 토지 이용이 집약적이다. 또한 도시에는 생활 편의 시설과 각종 기능이 집중되어 있어 주변 지역에 다양한 상품과 서비스를 제공하는 중심지 역할을 한다.

바로알기 》 ㄱ. 도시는 2·3차 산업에 종사하는 인구의 비율이 높다. ㄹ. 도시는 좁은 지역에 많은 사람들이 모여 있어 인구 밀도가 높다.

03 도시의 형성과 발달

역사상 최초의 도시는 티그리스강과 유프라테스강 유역의 농업에 유리한 조건을 갖춘 문명의 발상지에서 발달하였다. 중세에는 상업이 발달하면서 교역과 교환이 활발한 시장을 중심으로 상업 도시가 발달하였다. 또한 근대에는 산업 혁명 이후 석탄 산지를 중심으로 공업 도시가 발달하였다. 따라서 ㉠은 농업, ㉡은 상업, ㉢은 공업이다.

04 세계의 주요 도시

유럽에 위치해 있으며 국제적으로 물류 기능이 발달한 항구 도시는 네덜란드의 로테르담이다.

05 생태 도시

㉠에 들어갈 내용은 생태 도시이다. 생태 도시란 인간과 자연이 조화를 이루며 공생할 수 있는 체계를 갖춘 지속 가능한 도시를 말한다. 브라질의 쿠리치바, 독일의 프라이부르크 등은 대표적인 생태 도시에 해당한다.

06 역사·문화 도시

이탈리아의 로마, 튀르키예의 이스탄불, 그리스의 아테네, 중국의 시안 등은 오랜 시간에 걸쳐 형성되어 역사 유적이 많은 역사·문화 도시이다.

07 관광 도시

(가)는 프랑스의 파리, (나)는 오스트레일리아의 시드니이다. 제시된 지도에서 A는 프랑스의 파리, B는 튀르키예의 이스탄불, C는 중국의 상하이, D는 오스트레일리아의 시드니, E는 에콰도르의 키토이다.

08 세계 주요 도시

(가)는 미국의 뉴욕으로 국제 연합의 본부가 있어 국제 정치의 중심지 기능을 수행한다. (나)는 중국의 상하이로 세계적인 규모의 무역항을 가진 산업·물류 도시이다. 뉴욕은 세계의 경제, 문화, 정치의 중심지 역할을 수행하는 세계 도시로 상하이보다 세계 경제에 미치는 영향력이 크다.

09 세계 도시

뉴욕, 런던, 도쿄는 세계 경제, 문화, 정치의 중심지로 세계 도시에 해당한다. 세계 도시에는 세계적 영향력을 가진 금융 기관, 다국적 기업의 본사가 위치하고 각종 국제기구의 활동이 활발히 이루어진다.

서술형 문제

197쪽

01 세계 도시

① 세계 도시, ② 다국적, ③ 국제기구

02 도시의 특징

예시답안 도시는 좁은 지역에 많은 사람이 모여 살아 인구 밀도가 높고, 토지 이용이 집약적이며, 주민들의 직업과 생활 모습이 다양하게 나타난다.

채점 기준	점수
도시의 특징에 대해 제시어 세 가지를 모두 활용하여 정확히 서술한 경우	상
도시의 특징에 대해 제시어 두 가지를 활용하여 서술한 경우	중
도시의 특징에 대해 제시어 한 가지만 활용하여 서술한 경우	하

02 도시 내부의 경관

199, 201쪽

A 1 ㉠ 중심부 ㉡ 주변 지역 2 같은, 다른

B 1 지역 분화 2 접근성 3 (1) ○ (2) × (3) ○ (4) ○
4 (1) – ㉡ (2) – ㉠

C 1 도심 2 인구 공동화 3 (1) – ㉡ (2) – ㉠

D 1 ㉠ 개발 제한 구역 ㉡ 위성 도시 2 (1) ㄷ, ㄹ (2) ㄱ, ㄴ

실력 탄탄 핵심 문제 202~205쪽

01 ⑤ 02 ⑤ 03 ③ 04 ③ 05 ③ 06 ① 07 ② 08 ④
09 ⑤ 10 중심 업무 11 ③ 12 ④ 13 ② 14 ③ 15 ⑤
16 ④ 17 ④ 18 ② 19 ② 20 ②

01 도시의 경관 변화

도시의 규모가 작을 때에는 도시 내부에 여러 기능이 섞여 있다. 그러나 인구가 증가하고 산업이 발달하면서 도시 규모가 커지게 되면, 같은 종류의 기능은 모이고 다른 종류의 기능은 분리되면서 도시 내부가 중심 업무 지역, 상업 지역, 공업 지역, 주거 지역 등으로 나뉘게 된다.

02 도시 내부의 지역 분화 원인

㉠은 접근성, ㉡은 지대이다. 도시 내부의 지역 분화는 도시 내부 지역별 접근성과 지대의 차이 때문에 나타나며, 교통이 편리한 지역일수록 접근성이 높다.

바로알기 》 지가는 토지의 시장 거래 가격, 즉 땅값을 말한다. 일반적으로 접근성이 높은 지역일수록 지가가 비싸다.

03 도시 내부의 지역 분화

도시 내부는 집심 현상과 이심 현상을 통해 지역이 분화된다. 도심은 접근성과 지대가 높아 비싼 땅값을 지급하고도 이익을 낼 수 있는 상업·업무 기능이 집중된다. 반면, 비싼 땅값을 지급하기 어려운 주택이나 넓은 건물 터가 필요한 공장 등은 외곽으로 빠져나간다.

바로알기 》 ③ 상업 기능은 주거 기능보다 접근성을 중요시한다.

04 도시 내부의 지역 분화

지역 분화란 도시 내부가 기능에 따라 여러 지역으로 나뉘는 현상이다. 지역 분화는 도시 내부 지역별 접근성과 지대의 차이로 발생하며, 집심 현상과 이심 현상을 거치면서 도시 내부에 상업· 업무 기능, 공업 기능, 주거 기능이 각각 적절한 위치에 입지한다. ㄴ. 접근성은 도시 중심부가 가장 높다. ㄷ. 행정·금융 기관이나 대기업의 본사는 접근성이 좋은 도심에 입지한다.

바로알기 》 ㄱ. 지역 분화는 규모가 큰 도시에서 뚜렷하게 나타난다. ㄹ. 주거 기능은 비싼 땅값을 지급하기 어려워 주변 지역에 입지한다.

05 도시 내부의 지역 분화

A는 도심, B는 주변 지역이다. 도심은 주변 지역보다 접근성과 지대가 높으며, 주변 지역에는 이심 현상에 의해 주거 단지가 조성되어 있다.

바로알기 》 ㄱ. 공장은 지가가 낮고 넓은 용지를 확보할 수 있는 주변 지역에 주로 입지한다. ㄹ. 중심 업무 기능은 주변 지역보다는 접근성이 높은 도심에 발달해 있다.

06 도시 내부 구조

자료로 이해하기 》

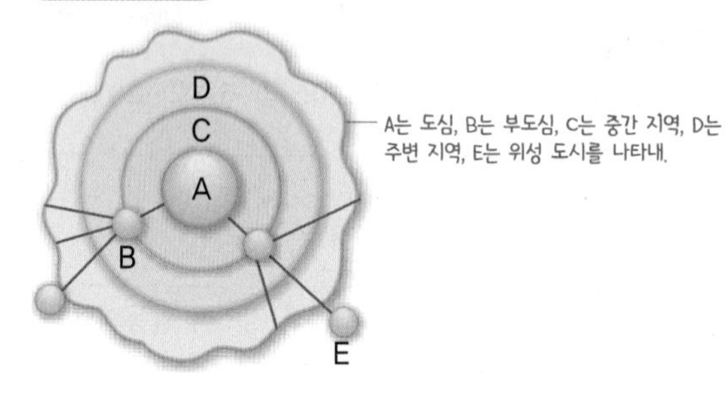

제시문은 ○○구에 위치한 초등학교의 학생 수가 줄고, 학교 규모가 작아졌다는 내용으로, 이러한 현상은 도심(A)에서 가장 뚜렷하게 나타난다.

07 도시 내부 구조

부도심은 상업 기능이 발달하여 주변 지역보다 지가가 높아.

(가)는 부도심(B), (나)는 중간 지역(C)에 해당한다. 부도심은 도심과 주변 지역을 연결하는 교통의 요지에 형성되어 도심의 기능을 분담하고 있으며, 중간 지역에는 오래된 주택, 상가, 공장이 혼재되어 나타난다.

08 도시 내부 구조

도심(A)은 지가가 높아 집약적인 토지 이용이 나타난다. 부도심(B)은 도심에 집중된 상업 및 서비스 기능을 분담하여 도심의 교통 혼잡을 완화하는 역할을 한다. 중간 지역(C)은 도심과 주변 지역 사이에서 나타나며, 위성 도시(E)는 대도시 주변에서 대도시의 일부 기능을 분담한다.

바로알기 》 ④는 개발 제한 구역에 대한 설명이다.

09 인구 공동화 현상

㉠에 들어갈 용어는 인구 공동화 현상이다. 도심은 주간에는 유동 인구가 많지만 야간에는 유동 인구가 주거 지역으로 빠져나가 인구 공동화 현상이 나타난다.

10 중심 업무 지구

도심은 접근성이 좋은 곳으로 행정 및 금융 기관, 백화점, 대기업의 본사 등이 모여 중심 업무 지구를 형성한다. 중심 업무 지구(CBD)란 대도시에서 중추 관리 기능을 비롯하여 상업 기능 및 고급 서비스 기능 등이 밀집된 지역을 말한다.

11 도시 내부 구조

(가)는 도심, (나)는 주변 지역이다. 따라서 제시된 그래프에서 A는 도심에서는 높게 나타나지만 주변 지역에서는 낮게 나타나는 지표이고, B는 주변 지역에서는 높게 나타나지만 도심에서는 낮게 나타나는 지표이다. 주간 인구 밀도, 백화점 수, 대기업 본사 수는 도심에서 높거나 많으며, 초등학교 학생 수는 주변 지역이 도심보다 많다.

12 서울의 도시 경관

(가)는 부도심, (나)는 도심에 대한 설명이다. 제시된 지도에서 지가가 가장 낮은 노원구(A)는 주변 지역, 지가가 가장 높은 중구(B)는 도심에 해당하며, 영등포구(C)는 부도심, 구로구(D)는 주변 지역이다.

13 서울의 도시 경관

노원구(A)는 서울의 주변 지역에 해당하며, 땅값이 상대적으로 저렴하여 대규모 주택 단지나 아파트 단지, 학교 등이 조성되어 있다. 따라서 아침에 등교하는 학생들의 모습을 많이 볼 수 있다.

바로알기 ≫ ①, ③, ④, ⑤ 도심에서 주로 볼 수 있는 모습이다.

14 서울의 도시 경관과 토지 이용

서울의 도심에 해당하는 중구는 상업·업무 기능이 발달하여 행정 기관 및 금융 기관이나 대기업 본사 등이 밀집해 있다. 반면, 주변 지역에 해당하는 노원구는 주거 기능이 발달하여 주택 단지와 학교를 많이 볼 수 있으며, 공원·녹지 면적이 넓게 나타난다.

15 도시 중심부와 주변 지역의 경관

일반적으로 도시 중심부는 건물의 높이가 높고, 주변으로 나갈수록 높이가 낮아진다. 또한 도시의 중심에 위치하거나 교통이 편리한 지역일수록 접근성이 좋아 지가와 지대가 높다.

바로알기 ≫ ⑤ 야간의 인구 밀도는 주변 지역에서 더 높게 나타난다.

16 도시 내부 구조

(가)는 도심, (나)는 주변 지역이다. 도심에는 행정·업무 기능, 상업 기능이 집중되고, 주변 지역에는 주거 기능, 공업 기능 등이 집중된다.

17 주변 지역

구로구는 서울의 주변 지역에 해당하는 곳으로 과거에는 경공업이 주로 이루어졌으나 최근에는 첨단 산업 단지가 형성되어 정보 기술(IT) 업체가 모여 있는 아파트형 공장이 많다. 이러한 산업 단지는 넓은 용지를 필요로 하기 때문에 도시 외곽에 위치하는 경향이 있다.

바로알기 ≫ ㄱ. 도심의 서비스 기능을 분담하는 곳은 부도심이다. ㄷ. 주변 지역은 도심에서 멀리 떨어져 있어 접근성이 낮으므로 교통이 불편하고 땅값이 상대적으로 저렴하다.

18 개발 제한 구역

개발 제한 구역이란 일부 대도시에서 도시의 무질서한 팽창을 막고 녹지 공간을 확보하기 위해 지정한 것이다.

19 위성 도시

위성 도시란 교통이 편리한 대도시 인근에 있으면서 주거, 공업, 행정 등과 같은 대도시의 일부 기능을 분담하는 도시이다.

바로알기 ≫ ① 위성 도시는 대도시 주변에 나타난다. ③ 부도심에 대한 설명이다. ④ 도심에 대한 설명이다. ⑤ 개발 제한 구역에 대한 설명이다.

20 도시 내부 구조

(가)는 도심, (나)는 위성 도시, (다)는 주변 지역이다.

서술형 문제

205쪽

01 도시 내부의 지역 분화 과정

① 집심, ② 이심

02 인구 공동화 현상

예시답안 ▶ 도심의 지가가 상승하여 도심의 주거 기능이 외곽 지역으로 빠져나가면서 이곳에 주소를 두고 거주하는 상주인구의 수가 줄어들었기 때문이다.

채점 기준	점수
도심의 주거 기능이 약화되어 상주인구가 줄어들었다는 내용을 정확히 서술한 경우	상
단순히 상주인구가 줄어들었기 때문이라고 서술한 경우	하

03 서울의 도시 경관

예시답안 ▶ 부도심. 도시 내부 구조에서 부도심의 위치는 도심과 주변 지역을 연결하는 교통의 요지이다. 부도심의 역할은 도심에 집중된 상업 기능과 서비스 기능을 분담하는 것이다.

채점 기준	점수
부도심이라고 쓰고, 도시 내부 구조에서 부도심의 위치와 역할에 대해 모두 정확히 서술한 경우	상
부도심이라고 쓰고, 도시 내부 구조에서 부도심의 위치 또는 역할 중 한 가지만 서술한 경우	중
부도심이라고만 쓴 경우	하

03 도시화와 도시 문제 ~ 04 살기 좋은 도시

207, 209쪽

A 1 도시화 2 ① 초기 단계 ② 가속화 단계 ③ 종착 단계
B 1 (1) ○ (2) × (3) × 2 ㉠ 이촌 향도 ㉡ 종착
C 1 (1) ㄱ, ㄴ (2) ㄷ, ㄹ 2 슬럼
D 1 삶의 질 2 ㄱ, ㄴ, ㄹ 3 빈

실력 탄탄 핵심 문제 210~213쪽

01 ④ 02 ③ 03 ④ 04 ⑤ 05 ② 06 수위 도시 07 ③
08 ④ 09 ⑤ 10 ③ 11 ① 12 ⑤ 13 ⑤ 14 ⑤ 15 ③
16 도시 기반 시설 17 ⑤ 18 ⑤ 19 ⑤ 20 ④ 21 ③
22 ④

01 도시화의 영향
도시화가 진행되면 도시의 수가 증가하고 도시의 면적이 넓어진다. 또한 도시 지역으로 인구 유입이 활발해지며, 제조업과 서비스업 위주로 주민 경제 활동이 변화한다.

바로알기 >> ④ 전체 인구 중 도시에 거주하는 인구의 비율이 늘어난다.

02 도시화 과정
제시된 그래프에서 A는 초기 단계, B는 가속화 단계, C는 종착 단계에 해당한다. 초기 단계에서는 대부분의 인구가 촌락에 분포한다. 현재 대부분의 선진국과 우리나라는 도시화의 종착 단계에 해당한다.

바로알기 >> ㄴ. 가속화 단계(B)에서는 도시로의 인구 이동이 급격히 이루어지면서 빠른 속도로 도시화가 진행된다. ㄷ. 종착 단계(C)에 이르면 도시 인구의 증가 속도는 느려진다.

03 도시화 과정
(가)는 촌락의 인구가 일자리를 찾아 도시로 이동하는 이촌 향도 현상이다. 도시화의 가속화 단계(B)에서는 산업화가 본격적으로 진행되면서 이촌 향도 현상이 활발하게 나타난다. (나)는 도시의 인구가 촌락으로 이동하는 역도시화 현상이다. 역도시화 현상은 도시화의 종착 단계(C)에서 주로 나타나며, 역도시화 현상으로 도시 인구가 감소하기도 한다.

04 선진국의 도시화
선진국은 18세기 산업 혁명 이후 도시화가 시작되었다. 선진국의 도시화는 200여 년 동안 점진적으로 진행되어 20세기 중반 이후 종착 단계에 이르렀다. 현재에는 도시화의 정체 또는 역도시화 현상이 나타나기도 한다.

바로알기 >> ⑤는 개발 도상국의 도시화 과정에서 나타나는 현상이다.

05 개발 도상국의 도시화
개발 도상국의 도시화는 20세기 중반 이후 단기간에 매우 급속하게 진행되었으며, 현재 가속화 단계에 해당한다. 이촌 향도 현상과 함께 청장년층 중심의 이동으로 자연적 증가도 급속하게 이루어진다는 특징이 있다.

06 수위 도시
인구가 가장 많은 제1의 도시를 수위 도시라고 한다. 개발 도상국에서는 수위 도시가 수도인 경우가 많다. 개발 도상국은 도시화가 급속도로 이루어졌기 때문에 경제 발전이나 기술 혁신을 동반하지 못한 채 수위 도시로 인구가 집중하면서 각종 도시 문제가 나타나고 있다.

07 선진국과 개발 도상국의 도시화
A는 선진국에 해당하는 스위스, B는 개발 도상국에 해당하는 코스타리카의 도시화를 나타낸 것이다. 선진국은 개발 도상국보다 산업화의 역사가 오래되었으며, 도시화가 점진적으로 진행되어 현재에는 도시화 진행 속도가 느려졌다. 개발 도상국은 급속한 도시화로 인해 도시 문제가 많이 나타나고 있으며 청장년층의 유입으로 도시 내에서의 인구의 자연적 증가도 급속히 일어나고 있다.

바로알기 >> ③ 오늘날 도시화 진행 속도는 B(개발 도상국)가 A(선진국)보다 빠르다.

08 과도시화
도시화는 산업화와 함께 진행되는데, 이 과정에서 산업 또는 경제 성장 수준을 초월하여 도시 인구가 지나치게 급증하는 현상을 과도시화라고 한다.

09 우리나라의 도시화
자료로 이해하기 >>

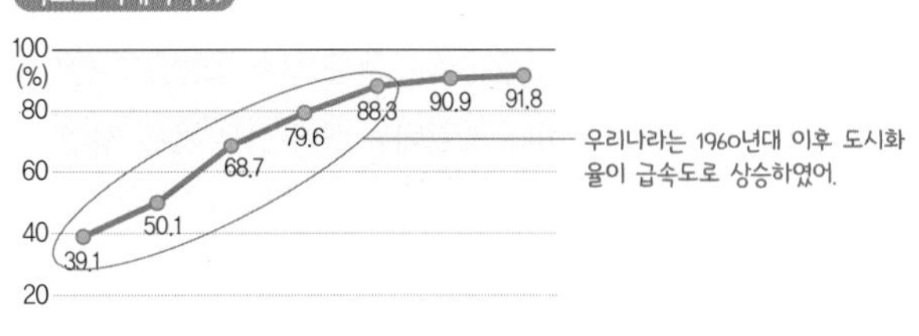

우리나라의 도시화는 1960년대 이후 산업화를 본격적으로 추진하면서 시작되었다. 촌락 지역의 사람들이 일자리를 찾아 대도시, 공업 도시로 이동하면서 도시화가 빠르게 진행되어 1970년대 이후 우리나라 인구의 절반 이상이 도시에 살게 되었다. 1990년대 이후에는 도시화의 속도가 느려지면서 서울과 부산 등 대도시 주변에 위성 도시가 발달하였다. 현재 우리나라는 총인구의 90% 이상이 도시에 거주하고 있어 도시화의 종착 단계에 해당한다.

바로알기 >> ① 1960년에는 인구의 절반 이상이 촌락에 거주하였다. ② 1970년~1980년은 도시화의 속도가 가장 빠른 시기이다. ③, ④ 1990년 이후 도시화의 속도가 느려지면서 종착 단계에 접어들었다.

10 우리나라의 도시화

우리나라는 1960년대 이후 산업화에 따른 이촌 향도 현상이 나타나며 대도시와 공업 도시 위주로 인구가 집중하였다. 1990년대 이후부터는 도시화의 속도가 느려지면서 서울 주변에 위성 도시가 발달하였다.

바로알기 » ㄹ. 현재 우리나라의 도시화율은 약 90% 정도로, 도시화의 종착 단계에 해당한다.

11 선진국의 도시 문제

선진국에서 나타나는 도시 문제로는 높은 지가로 인한 주거 비용 상승, 인구 감소, 시설의 노후화 등으로 인한 도시의 활력 감소, 도심 지역에 불량 주거 지역 형성, 범죄 문제, 노숙자 문제 등이 있다.

바로알기 » ㄷ, ㄹ은 개발 도상국의 도시 문제이다.

12 개발 도상국의 도시 문제

개발 도상국에서는 도시 기반 시설이 갖추어지지 않은 상태에서 많은 인구와 기능이 도시로 지나치게 집중하면서 무허가 주택과 빈민촌 형성과 같은 주택 문제 등이 나타나고 있다.

바로알기 » ①, ③, ④ 개발 도상국의 도시 문제를 해결하기 위한 방안이다.

13 도시 문제

(가) 쓰레기 문제, (나) 교통 문제는 대표적인 도시 문제이다. (가)를 해결하기 위해서는 쓰레기 분리수거를 생활화해야 하며, (나)를 해결하기 위해서는 대중교통 이용을 장려하고 혼잡 통행료를 부과하는 정책이 필요하다.

바로알기 » ⑤ (가), (나)는 특정 지역에서만 일어나는 도시 문제가 아니다.

14 도시 재개발 사업

낙후된 도심에 업무용 고층 건물과 고급 주거지가 들어서게 되면 주거 환경이 개선되고 지역이 활기를 띠어 경쟁력이 높아지게 된다. 그러나 도심 재활성화로 이주민이 증가하면서 개발 이전부터 거주해 온 사람들과 갈등이 발생하기도 한다.

바로알기 » ㄱ. 도심 재활성화 산업이 이루어지게 되면 주택 환경 개선과 함께 도로 환경 역시 개선된다.

15 주택 문제

사진이 나타내는 도시 문제는 주택 문제이다. 대도시 내에서 빈민이 주로 거주하고 주거 환경이 나쁜 지역으로, 도시 내부의 다른 지역과 빈부 격차가 매우 큰 지역을 슬럼(slum)이라고 한다. 슬럼에는 무허가 주택이 형성되기도 하는데, 이러한 주택 문제의 해결 방안은 ㄱ. 공공 주택 건설, ㄹ. 상하수도 시설 확충 등이 있다.

바로알기 » ㄴ, ㄷ은 도시의 교통 문제에 대한 해결 방안이다.

16 도시 기반 시설

도시 기반 시설이란 도로, 전기, 상하수도 등 도시의 기능을 수행하는 데 바탕이 되는 시설을 말한다.

17 살기 좋은 도시의 조건

살기 좋은 도시는 거주민의 삶의 질이 높은 도시이다. 삶의 질은 경제적 조건뿐만 아니라 개인의 행복감과 정치·경제·사회적 조건에 따라 결정되는 주관적 개념이다.

18 살기 좋은 도시의 조건

살기 좋은 도시는 자연환경이 쾌적하고, 경제 활동이 다양하고 활발하다. 또한 도시 기반 시설이 잘 구축되어 있으며 범죄율이 낮고 정치적으로 안정되어 있다.

바로알기 » ⑤ 적정 규모를 넘어선 많은 인구가 도시에 집중하면 삶의 질이 떨어지므로 살기 좋은 도시라고 보기 어렵다.

19 살기 좋은 도시를 만들기 위한 노력

에스파냐의 빌바오는 공업이 발달한 도시였으나 산업이 쇠퇴하면서 지역 경제가 어려워졌다. 그러나 구겐하임 미술관을 유치하는 등 문화와 예술이 살아 있는 공간을 조성하면서 세계적인 관광 도시가 되었다. 에스파냐의 빌바오는 공업에서 관광 산업으로 산업 구조를 바꾸면서 성공한 도시이다.

20 브라질의 쿠리치바

브라질의 쿠리치바는 1960년대 급속한 도시화와 산업 개발로 인구와 자동차가 급격하게 늘어나면서 여러 도시 문제가 나타났다. 쿠리치바는 이를 해결하기 위해 다양한 교통 정책을 실시하고 인간과 자연이 조화를 이루기 위한 노력을 기울였다. 오늘날 쿠리치바는 독일의 프라이부르크와 함께 세계적인 생태 도시가 되었다.

21 우리나라의 순천시

전라남도 순천시는 광활한 갯벌과 갈대숲, 철새들이 어우러진 곳으로 생태 관광지로 주목을 받게 되었다. 순천만 정원은 연안 습지인 순천만의 훼손을 방지하기 위해 시내와 연안 습지 사이에 조성한 공원으로 2013년 우리나라 국가 정원 1호로 지정되었다.

22 살기 좋은 도시를 만들기 위한 노력

최근 경제 발전과 함께 쾌적한 자연환경에 대한 관심이 증가하면서 생태적으로 안정된 도시를 만들기 위한 노력이 세계 곳곳에서 이루어지고 있다. 미국의 오스틴은 도시 내에 녹지 공간을 확보하고 도시공원과 산책로를 조성하는 등 쾌적한 자연환경을 가꾸어 삶의 질을 높이고 있다.

서술형 문제

213쪽

01 선진국과 개발 도상국의 도시화

① 산업 혁명, ② 종착, ③ 가속화

02 선진국의 도시 문제

예시답안 선진국은 인구 감소, 시설의 노후화 등으로 도시의 활력이 줄어들고, 도심 지역에 불량 주거 지역이 형성되며, 높은 지가로 주거 비용이 상승하는 등의 도시 문제가 나타나고 있다.

채점 기준	점수
선진국에서 나타나는 도시 문제를 세 가지 이상 정확히 서술한 경우	상
선진국에서 나타나는 도시 문제를 두 가지만 서술한 경우	중
선진국에서 나타나는 도시 문제를 한 가지만 서술한 경우	하

03 살기 좋은 도시의 조건

예시답안 살기 좋은 도시는 적정 규모의 인구가 거주하고 있으며 다양한 경제 활동이 활발하게 이루어지는 도시이다. 또한 살기 좋은 도시는 범죄율이 낮고 정치적으로 안정되어 있어 사회적 안정성이 높은 곳이다.

채점 기준	점수
살기 좋은 도시의 조건을 인구, 경제, 사회적 측면에서 정확히 서술한 경우	상
살기 좋은 도시의 인구, 경제, 사회적 조건 중 두 가지만 서술한 경우	중
살기 좋은 도시의 인구, 경제, 사회적 조건 중 한 가지만 서술한 경우	하

시험 적중 마무리 문제

216~219쪽

01 ③ 02 ⑤ 03 세계 도시 04 ③ 05 ② 06 ② 07 ③
08 접근성 09 ① 10 ② 11 ④ 12 ④ 13 ① 14 ②
15 ⑤ 16 ④ 17 ① 18 ⑤ 19 ① 20 ③ 21 ④ 22 ④

01 도시의 특징

도시는 비교적 좁은 공간에 많은 사람이 모여 살기 때문에 인구 밀도가 높고, 토지 이용이 집약적으로 이루어진다. 또한 각종 업무나 상업 기능이 발달하여 주변 지역에 다양한 상품과 서비스를 제공하며, 정치·경제·사회·문화의 중심지 역할을 한다.

바로알기 ③ 도시에는 2차 산업과 3차 산업에 종사하는 사람들이 많아 다양한 직업과 생활 모습이 나타난다.

02 세계의 주요 도시

㈎는 일본의 수도이며 뉴욕, 런던과 함께 세계의 경제, 문화, 정치의 중심지 역할을 수행하는 세계 도시는 도쿄(D)이다. ㈏는 프랑스의 수도로 루브르 박물관, 에펠 탑과 같은 세계적인 예술품과 아름다운 건축물이 많은 도시인 파리(A)이다. 지도의 A는 파리, B는 로마, C는 상하이, D는 도쿄, E는 뉴욕이다.

03 세계 도시

세계 도시는 세계 경제, 문화, 정치의 중심지로 세계적 영향력을 가진 금융 기관, 다국적 기업의 본사, 각종 국제기구의 활동이 활발히 이루어지는 도시이다. 미국의 뉴욕, 영국의 런던, 일본의 도쿄 등이 세계 도시에 해당한다.

04 세계의 주요 도시

중국의 상하이는 세계 1위 규모의 항만이 발달한 국제 물류의 중심 도시이고, 이탈리아의 로마는 오랜 세월에 걸쳐 형성되어 역사 유적이 많고 문화가 발달한 도시이다. 영국의 런던은 금융 시장을 기반으로 국제 자본의 연결망을 갖춘 세계 도시이며, 에콰도르의 키토는 적도상에 위치하지만 해발 고도가 높아 연중 봄과 같은 기후가 나타나는 고산 도시이다.

바로알기 ③ 독일의 프라이부르크는 인간과 자연환경이 조화를 이루며 공생할 수 있는 체계를 갖춘 생태 도시이다.

05 세계의 주요 도시

㈎는 프랑스 파리의 에펠 탑, ㈏는 영국 런던의 빅벤, ㈐는 오스트레일리아 시드니의 오페라 하우스로, 모두 각 도시의 랜드마크에 해당한다.

06 세계의 주요 도시

㉠에 들어갈 도시는 뉴욕이다. 뉴욕은 대서양에서 태평양을 가는 길을 찾으려는 이탈리아 항해사에 의해 유럽에 처음 알려졌다. 뉴욕의 옛 이름은 뉴암스테르담이며, 영국 함대가 이 도시를 점령하

면서 이름이 뉴욕으로 바뀌었다. 오늘날 뉴욕은 미국에서 가장 인구가 많은 도시로 세계 경제, 문화, 정치의 중심지이다.

07 도시 내부의 지역 분화

도시 내부의 지역 분화는 다양한 기능들의 입지 조건이 서로 다르기 때문에 발생한다. 이러한 지역 분화는 접근성과 지대의 영향을 크게 받는데, 도시의 중심부에는 비싼 땅값을 지급하고도 이익을 낼 수 있는 중심 업무 기능과 상업 기능이 입지한다. 반면, 비싼 땅값을 지급하기 어려운 주택이나 학교, 넓은 터가 필요한 공장 등은 도시 외곽으로 빠져나간다.

바로알기 ≫ ㄱ. 도심에 가까울수록 접근성과 지대가 높다. ㄹ. 중심 업무 기능이나 상업 기능이 도시 중심부로 집중되는 현상은 집심 현상이라고 한다.

08 접근성

접근성이란 어느 한 장소에서 다른 장소까지 도달하기 쉬운 정도를 의미하며, 교통 발달의 영향을 많이 받는다.

09 도심

사진의 지역은 서울특별시 중구로, 도심에 해당한다. 도심은 접근성이 높고 지가가 비싼 지역이다. 도심에는 행정·금융 기관과 백화점, 대기업 본사 등이 모여 있어 중심 업무 지구(CBD)를 형성하며 고층 건물이 밀집한다.

바로알기 ≫ ㄷ은 대도시 주변에 형성되는 위성 도시에 대한 설명이다. ㄹ은 도시 외곽에 위치하는 주변 지역에 대한 설명이다.

10 도시 내부 구조

제시된 내용은 부도심(B)에 대한 설명이다. 부도심은 도심과 주변 지역을 연결하는 교통의 요지에 형성되어 도심에 집중된 상업·서비스 기능을 분담하며, 도심의 교통 혼잡을 완화하는 역할을 한다. 그림의 A는 도심, B는 부도심, C는 중간 지역, D는 주변 지역, E는 위성 도시에 해당한다.

11 주변 지역

제시된 지역은 모두 서울의 주변 지역(D)에 해당하는 곳들이다. 주변 지역은 상대적으로 땅값이 저렴하여 공업 지역, 대규모 주택 단지 등이 분포한다.

12 토지 이용별 지가 그래프

자료로 이해하기 ≫

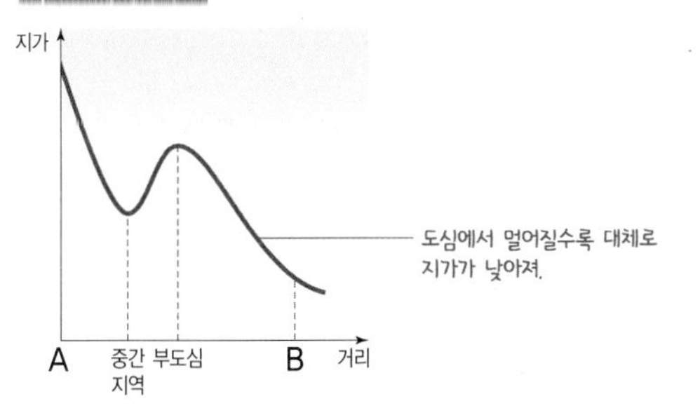

A는 도심, B는 주변 지역에 해당한다. 도심에서는 주거 기능의 약화로 낮과 밤의 인구 밀도 차이가 큰 인구 공동화 현상이 나타난다. 이러한 현상은 주거 지역이 이심 현상에 의해 주변 지역으로 빠져나갔기 때문에 나타나며 이로 인해 출퇴근 시간에 교통 혼잡 문제가 발생한다.

바로알기 ≫ ④ 출근 시간에는 주로 주변 지역(B)에서 도심(A)으로 인구가 이동한다.

13 도심과 주변 지역의 경관

(가)는 도심, (나)는 주변 지역이다. 도심보다 주변 지역에서 주로 분포하는 시설은 공장, 학교, 대규모 주택 단지 등 있다.

바로알기 ≫ ㄷ, ㄹ. 백화점이나 은행 본점은 도심에 주로 분포한다.

14 도심과 주변 지역

㉠은 도심, ㉡은 지가, ㉢은 주변 지역이다. 제시문과 같이 학교의 규모가 작아진 가장 큰 원인은 도심의 지가가 꾸준히 상승하면서 주거 기능이 약화되어 도심의 인구가 주변 지역으로 이동했기 때문이다.

15 개발 제한 구역

일부 대도시에서는 도시의 무질서한 팽창을 막고 녹지 공간을 확보하기 위해 개발 제한 구역(greenbelt)을 설정하고 있다.

16 도시화의 과정

A는 초기 단계, B는 가속화 단계, C는 종착 단계이다. 초기 단계(A)에는 대부분의 인구가 1차 산업에 종사하며 도시화율이 매우 낮고 완만하게 상승하며, 가속화 단계(B)에서는 산업화가 진행되고 서비스업이 발달한다. 종착 단계(C)에 이르면 도시의 성장 속도가 느려지고 역도시화 현상으로 도시 인구가 감소하는 곳이 나타나기도 한다.

바로알기 ≫ ④ 가속화 단계(B)에는 이촌 향도 현상으로 도시화율이 급격하게 상승한다. 도시화율이 가장 높은 단계는 종착 단계(C)이다.

17 선진국과 개발 도상국의 도시화

(가)는 캐나다(선진국), (나)는 중국과 나이지리아(개발 도상국)이다. 선진국은 18세기 산업 혁명 이후 도시화가 시작되어 서서히 진행되었으며, 개발 도상국은 20세기 중반 이후 도시화가 급속하게 진행되었다.

바로알기 ≫ ㄷ. 역도시화 현상은 도시화의 역사가 긴 선진국에서 주로 나타난다. ㄹ. 개발 도상국은 도시화 과정에서 많은 청장년층 인구가 도시로 유입되면서 자연적 증가도 급속하게 함께 이루어졌다.

18 도시의 교통 문제 해결 방안

도시의 교통 혼잡과 같은 문제를 해결하기 위해서는 도심에 진입하는 차량에 대해 혼잡 통행료를 부과하거나 자전거 도로 건설, 대중교통 수단 확충 등과 같은 정책이 필요하다.

바로알기 ≫ 가현, 나현. 성장이 정체된 오래된 도시를 재개발하기 위한 방안이다.

19 선진국의 도시 문제와 해결 방안

선진국의 대도시에서는 각종 시설이 노후화되고 교외화로 인해 도시 내부 지역의 기능이 약해지면서 도시의 활력이 줄어드는 문제점이 나타난다. 또한 세계화에 따른 경제 환경의 변화로 일부 도시에서는 공업이 쇠퇴하여 실업자가 증가하기도 한다. 이러한 문제를 해결하기 위해 선진국은 노후화된 시설을 문화 공간으로 조성하는 등 도시 재개발 사업을 진행하고 있다.

20 생태 도시

전라남도의 순천시, 브라질의 쿠리치바, 독일의 프라이부르크는 인간과 자연이 조화를 이루며 공생할 수 있는 체계를 갖춘 지속 가능한 생태 도시에 해당한다.

21 살기 좋은 도시의 조건

(가)의 오스트리아 빈은 음악이 유명한 문화와 예술의 도시로 박물관, 오페라 하우스 등 문화 시설이 풍부하게 갖추어져 있다. (나)의 오스트레일리아 멜버른은 전 세계에서 가장 살기 좋은 도시 중 하나로 범죄율이 낮고 치안이 매우 좋아 사회적 안정성이 높다.

22 살기 좋은 도시를 만들기 위한 노력

최근 도시민들의 생활 수준이 향상되면서 삶의 질에 대한 기대가 높아지게 되었다. 이에 따라 경제 성장과 일자리 창출 외에도 녹지 공간 확보, 생태 환경 조성, 환경친화적인 신·재생 에너지 개발 등의 노력이 이루어지고 있다.

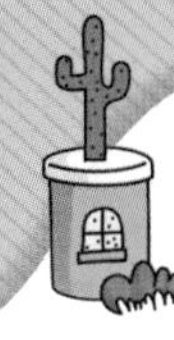

Ⅸ. 글로벌 경제 활동과 지역 변화

01 농업 생산의 기업화와 세계화

223, 225쪽

A 1 (1) × (2) ○ 2 (1) - ㉡ (2) - ㉠

B 1 (1) × (2) ○ (3) ○ 2 (1) 기업적 목축 (2) 기업적 곡물 농업
3 다국적 농업 기업

C 1 (1) × (2) ○ (3) ○ 2 (1) 기호, 커피 (2) 인도네시아
3 ㉠ 옥수수 ㉡ 바이오 에너지

D 1 (1) × (2) × 2 ㄴ, ㄷ, ㄹ

실력 탄탄 핵심 문제 226~227쪽

01 ④ 02 ③ 03 ④ 04 ④ 05 ③ 06 ① 07 ② 08 ④
09 ③

01 농업의 세계화의 배경

교통·통신의 발달로 지역 간 교류가 증가하고 경제 성장으로 생활 수준이 향상되면서 다양한 농산물에 대한 수요가 증가하게 되었다. 이로 인해 전 세계를 대상으로 농작물이 생산되는 등 농업의 세계화가 진행되고 있다.

02 세계의 기업적 농업 지역

제시된 지도는 세계의 기업적 농업 분포를 나타낸다. A는 기업적 목축, B는 기업적 곡물 농업이 주로 이루어지는 지역이다.

바로알기 ≫ 플랜테이션은 선진국의 자본과 개발 도상국의 노동력이 결합하여 상품 작물을 대규모로 재배하는 농업 방식으로, 열대 기후 지역에서 주로 이루어진다. 자급적 곡물 농업은 소규모로 곡물을 재배하여 농가에서 직접 소비하는 형태의 농업이다.

03 기업적 목축과 기업적 곡물 재배의 특징

A는 기업적 목축, B는 기업적 곡물 농업 지역이다. 기업적 목축은 대규모 목장을 마련하고 가축을 사육하는 방식으로, 생활 수준이 향상되고 전 세계적으로 육류 소비량이 증가하면서 발달하였다. 기업적 곡물 농업은 넓은 평원에서 농기계와 화학 비료를 사용하여 대규모로 이루어진다.

바로알기 ≫ ㄱ. 기업적 농업은 대량 생산 방식이며 시장에 판매할 목적으로 이루어지는 상업적 농업이다. ㄷ. 기업적 농업은 농작물을 대량으로 생산하여 가격 경쟁력을 확보할 수 있다.

04 농업 생산의 기업화

경제 활동의 세계화가 진행되고 상업적 농업이 발달함에 따라 대규모 기업적 농업이 발달하게 되었다. 이러한 대규모 농업 기업은 대형 농기계와 화학 비료 사용, 품종 개량 등을 통해 농작물을 대량 생산하여 전 세계에 판매하고 있으며, 이를 통해 세계 농산물의 가격뿐만 아니라 농작물의 생산 구조와 소비 부문에도 많은 영향을 끼친다.

바로알기 ≫ ④ 다국적 농업 기업은 농작물의 생산부터 수확한 농작물의 가공, 상품화, 유통까지 전 과정을 담당하는 경우가 많다.

05 농업 생산의 기업화와 세계화에 따른 생산 구조 변화

기업적 농업으로 농작물이 대량 생산되어 싼값에 판매되면서 소규모로 농작물을 생산하는 국가는 큰 타격을 입기도 한다. 이에 따라 곡물 농업을 하는 자영농이 줄어들고 상품 작물 재배가 늘면서 상업적 농업이 확대되고 있다. 또한 육류 소비가 증가하면서 가축의 사료 작물을 재배하기 위한 목초지가 증가하고 있으며, 대규모로 밀을 재배하던 지역에서도 최근 수익성이 높은 옥수수나 콩을 재배하는 등 토지 이용에 변화가 나타나고 있다. (미국 캔자스주의 콘벨트 지역이 대표적이야.)

바로알기 ≫ ③ 오늘날 세계 여러 국가에서는 농업 경쟁력을 높이기 위해 한 종류의 곡물을 재배하는 농업에서 벗어나 원예 작물, 기호 작물을 다양하게 재배하는 등 생산 방식에 변화를 보이고 있다.

06 베트남의 농업 생산 구조 변화

베트남은 대표적인 쌀 생산국이었으나 세계 곡물 시장에서 쌀의 가격 변동성이 커지고 기호 작물의 수요가 증가하면서 수익성이 좋은 커피를 생산하기 시작하였다. 그 결과 브라질에 이어 세계 2위의 커피 생산국이 되었으나, 커피 농장을 만드는 과정에서 열대림이 파괴되었고 다량의 화학 비료, 농약 사용 등으로 환경 문제를 겪는 등 부작용도 나타나고 있다.

07 우리나라의 식량 자급률

자료로 이해하기 ≫

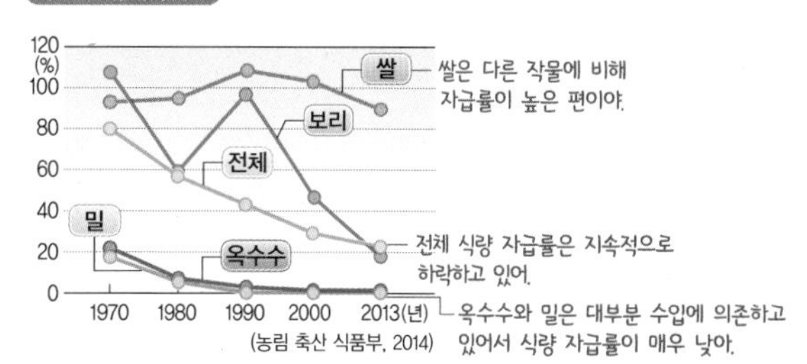

(농림 축산 식품부, 2014)

식량 자급률이란 한 국가의 식량 소비량 중 국내에서 생산하고 공급하는 식량의 비율을 말한다. 그래프를 보면 다른 작물에 비해 쌀의 자급률은 비교적 높은 편이지만, 옥수수와 밀은 대부분 수입에 의존하기 때문에 식량 자급률이 매우 낮음을 알 수 있다.

바로알기 ≫ 나현. 옥수수와 밀의 수입 비중은 계속 늘어나 현재는 95% 이상을 수입하고 있다. 리현. 그래프와 같은 상황이 지속되어 식량 자급률이 낮은 상태가 유지된다면 우리나라는 국제 곡물 시장의 작은 변화에도 쉽게 흔들리게 되며, 세계 곡물 생산에 차질이 생기면 식량 부족 위기에 직면할 수도 있다.

08 다국적 농업 기업

곡물 메이저는 농산물 생산, 유통, 식품 가공에 이르는 전체 과정에서 세계적 차원의 시스템을 형성한다. 이들 기업은 국제적인 분업 체계와 대량 생산 체제를 갖추고 있어 대규모로 농산물을 생산하고 공급하는 것이 가능하다. 오늘날 곡물 메이저가 세계 곡물 시장에 미치는 영향력은 매우 커서 이들이 곡물 가격과 생산량을 조절하면 곡물 자급률이 낮아 수입에 의존하는 국가들은 식량 위기를 겪을 수도 있다.

바로알기 ④ 곡물 메이저의 농산물 생산 수익은 대부분 본사가 있는 선진국으로 돌아가기 때문에 선진국과 개발 도상국 간의 경제적 격차가 심화되는 문제가 발생하기도 한다.

09 농업의 세계화에 따른 소비 특성의 변화

농업의 세계화에 따라 오늘날 우리는 세계 각지에서 생산되는 다양한 농산물을 쉽게 구할 수 있게 되었다. 이에 따라 우리 식탁의 먹거리가 풍성해졌지만, 농산물 이동 과정에서 방부제를 사용하는 경우가 많아 이에 대한 안전성 문제가 제기되기도 한다.

바로알기 ㄱ. 생활 수준이 향상되면서 채소, 과일, 육류의 소비량은 꾸준히 증가하고 있다. ㄹ. 패스트푸드를 비롯한 식단의 서구화로 식량 작물인 쌀의 소비 비중은 감소하고 있다. 이에 따라 쌀을 주로 생산하던 지역의 농경지가 주거지나 상업 용지로 변경되고 쌀을 수입에 의존하는 경우도 생기게 되었다.

서술형 문제

227쪽

01 세계화에 따른 농업 생산 방식의 변화

① 상업적, ② 기업화

02 농업의 세계화가 생활에 미친 영향

예시답안 농업의 세계화에 따라 세계 각지에서 생산되는 다양한 농산물을 쉽게 구할 수 있게 되었고, 대량 생산된 값싼 농산물들을 접할 수 있게 되었다. 하지만 농산물이 이동하는 과정에서 부패를 막기 위해 방부제를 사용하는 경우가 많아 이에 대한 안전성 문제가 제기되기도 한다.

채점 기준	점수
농업의 세계화가 우리 생활에 미친 긍정적 영향과 부정적 영향을 한 가지씩 정확하게 서술한 경우	상
농업의 세계화가 우리 생활에 미친 긍정적 영향과 부정적 영향 중 한 가지만 서술한 경우	하

02 다국적 기업과 생산 공간 변화 ~ 03 세계화에 따른 서비스업의 변화

229, 231쪽

A 1 (1) × (2) ○ 2 다국적 기업 3 ㉡ - ㉠ - ㉢ - ㉣

B 1 (1) 무역 장벽 (2) 공간적 분업 2 (1) - ㉡ (2) - ㉢ (3) - ㉠

C 1 (1) ○ (2) ○ 2 산업 공동화

D 1 (1) ○ (2) × (3) ○ 2 ㄱ, ㄷ 3 (1) 고유문화 (2) 공정 여행 (3) 콜센터

실력 탄탄 핵심 문제

232~235쪽

01 ⑤ 02 ② 03 ④ 04 ② 05 ② 06 ⑤ 07 ① 08 ④ 09 ③ 10 ⑤ 11 ② 12 ③ 13 ⑤ 14 ② 15 ⑤ 16 ④ 17 ①

01 경제 활동의 세계화

교통과 통신의 발달로 국가 간 교류가 활발해지면서 기업들은 전 세계를 무대로 경제 활동을 할 수 있게 되었다. 이에 따라 상품, 자본, 노동, 기술, 서비스 등이 국경을 초월하여 자유롭게 이동하면서 세계가 하나의 시장으로 통합되는 경제 활동의 세계화가 이루어졌다.

바로알기 ⑤ 지역 간 교류가 확대되면서 경제적 상호 의존도는 높아졌다.

02 다국적 기업의 특징

다국적 기업은 본사가 있는 국가를 포함하여 해외의 여러 국가에 판매 지사, 생산 공장 등을 운영하면서 전 세계를 대상으로 생산과 판매 활동을 하는 기업이다.

1995년 세계 무역의 관리 및 자유화를 촉진하기 위해 설립된 국제기구야.

바로알기 ㄴ. 세계 무역 기구(WTO)의 출범으로 국가 간 무역 장벽이 낮아지면서 다국적 기업의 활동 범위는 확대되고 있다. ㄷ. 최근 다국적 기업은 공산품을 생산하고 판매하는 활동을 넘어 농산물 생산 및 가공, 광물·에너지 자원 개발, 유통·금융 서비스에 이르기까지 그 역할과 범위를 확대해 나가고 있다.

03 다국적 기업의 성장 과정

다국적 기업은 처음에 단일 공장이 위치한 지역에서 기업이 성장한다. 이후 규모가 커짐에 따라 타 지역에 공장을 건설하여 생산 기능을 분리한다. 그리고 해외에 판매 지점을 개설하여 해외 시장을 개척하고 제품에 대한 수요가 늘어남에 따라 해외에 생산 공장을 건설하여 제품을 직접 공급하게 되면서 다국적 기업으로 성장한다.

바로알기 ④ 생산 공장은 지가와 임금이 저렴하여 생산비를 줄일 수 있는 개발 도상국에 주로 위치한다.

04 다국적 기업의 공간적 분업

다국적 기업은 규모가 커지면서 기능을 세계 여러 지역으로 분산하는 공간적 분업 현상이 나타나는데, 본사와 연구·개발 기능을 수행하는 연구소는 주로 선진국에, 생산 공장은 지가가 낮고 저임금 노동력이 풍부한 개발 도상국에 주로 입지한다.

05 다국적 기업의 공간적 분업

자료로 이해하기 »

연구소는 주로 독일, 일본, 미국 등 선진국에 위치하고, 조립 공장은 동남아시아를 비롯한 개발 도상국에 주로 위치해.

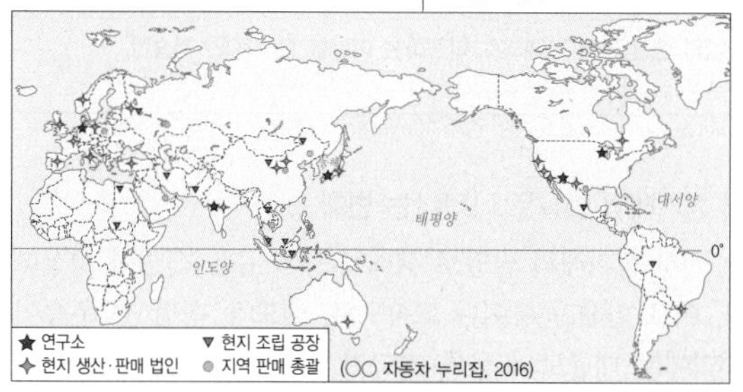

(OO 자동차 누리집, 2016)

다국적 기업은 경영의 효율성을 높이고 이윤을 극대화하기 위해 본사와 연구소, 공장 등의 시설을 각각의 기능을 수행하는 데 적합한 지역에 분리하여 배치한다.

바로알기 » ㄴ, ㄷ. 연구 및 개발 기능을 담당하는 연구소는 대학과 연구 시설이 밀집하고 고급 인력이 풍부한 선진국에 입지하는 경우가 많다. 지도에서 보면 미국과 유럽 등의 선진국과 해당 국가에서 고급 인력이 풍부한 대도시에 입지한 모습을 볼 수 있다. 반면, 조립 공장은 지가와 임금이 저렴한 개발 도상국에 주로 분포하여 연구소와 입지 조건이 다르다.

06 다국적 기업의 활동

최근 다국적 기업은 공산품을 생산하고 판매하는 제조업뿐만 아니라 농산물 생산과 가공, 광물 및 에너지 자원 개발, 유통 및 금융 서비스 상품 제공에 이르기까지 다양한 산업 분야에서 역할과 범위를 확대해 나가고 있다.

바로알기 » ⑤ 공정 무역은 규모가 큰 다국적 기업과 소비자 간의 거래보다는 개발 도상국의 소규모 농·공업자와 소비자 간의 거래에서 주로 이루어진다.

07 다국적 기업의 공장 입지 조건

다국적 기업의 생산 공장은 생산비를 줄이기 위해 인건비가 저렴한 개발 도상국에 입지하는 경우가 많다. 그러나 판매 시장 확보를 위해 수요가 많은 국가로 이전하거나 무역 장벽을 극복하기 위해 선진국으로 진출하기도 한다.

바로알기 » 다현. 전문 기술을 갖춘 고급 인력의 확보는 연구소 입지에서 중요한 조건이다. 라현. 의사 결정에 필요한 다양한 정보와 자본을 확보하는 데 유리한 지역이라는 점은 본사 입지에 중요한 조건이다.

08 다국적 기업의 생산 공장 입지에 따른 지역 변화

다국적 기업의 생산 공장이 들어선 국가나 지역은 새로운 산업 단지가 조성되어 일자리가 생기고, 기술을 이전받아 관련 산업이 발달하는 등 경제가 활성화될 수 있다. 그러나 다국적 기업의 확대로 유사한 제품을 생산하는 국내 기업이 어려움을 겪을 수 있으며, 이윤의 상당 부분을 다국적 기업의 본사가 있는 곳으로 가져가면 경제 발전을 기대하기 어렵다는 단점이 있다.

09 다국적 기업의 생산 공장 이전

다국적 기업이 중국에서 베트남으로 생산 공장을 이전하는 가장 큰 이유는 베트남의 인건비가 중국보다 싸 저임금 노동력을 확보하는 데 유리하기 때문이다.

바로알기 » ①, ④ 다국적 기업의 생산 공장 중 일부는 판매 시장을 확대하고 무역 장벽을 피하기 위해 선진국에 세우기도 한다. ②, ⑤ 다국적 기업의 본사나 연구소의 입지 조건에 해당한다.

10 다국적 기업의 생산 공장 이전으로 인한 변화

미국의 디트로이트시는 다국적 기업의 공장들이 많이 들어서면서 번창했던 도시였으나, 20세기 후반부터 다국적 기업이 생산 비용을 절감하기 위해 지가와 임금이 싼 개발 도상국으로 생산 공장을 이전하면서 실업률이 증가하고 지역 경제가 침체되기 시작하였다.

바로알기 » ⑤ 다국적 기업이 국내 생산 공장을 이전하면 생산 공장이 있던 기존 지역은 산업 공동화 현상으로 산업의 기반을 잃어 지역 경제가 침체될 수 있다. 반면 다국적 기업의 생산 공장이 들어선 국가는 새로운 산업 단지가 조성되어 일자리가 생기고, 관련 산업이 발달하는 등 지역 경제가 활성화될 수 있다.

11 세계화에 따른 서비스업의 변화

정보 통신 기술의 발달로 업무 수행에 따른 시·공간적 제약이 완화되면서 서비스 산업이 공간적으로 분산되고 있다. 이에 따라 선진국과 개발 도상국 간의 분업이 늘어났는데, 선진국의 기업들은 비용을 절감하고 업무의 효율성을 높이기 위해 업무의 일부를 개발 도상국으로 분산하여 운영하기도 한다. 또한 교통과 통신의 발달로 물자나 정보의 이동을 돕는 택배업, 통신 산업, 운수업 등의 유통 서비스가 크게 성장하여 유통의 세계화가 진행되고 있으며, 여가 및 관광 기회의 증가로 관광 산업의 세계화가 진행되고 있다.

12 정보 통신 기술 발달에 따른 유통 분야의 변화

정보 통신의 발달은 생산과 소비를 연결하는 유통 분야의 세계화를 가속화한다. 특히 인터넷이나 텔레비전 등을 통한 온라인 쇼핑으로 상품을 사는 사람들이 늘고 있다. 이러한 전자 상거래는 시간과 공간의 제약을 거의 받지 않고 온라인 해외 상점도 쉽게 접속할 수 있기 때문에 소비 활동의 범위가 전 세계로 확대되고 있다.

13 전자 상거래의 발달에 따른 변화

제시된 그래프를 보면 세계 전자 상거래 시장은 꾸준히 확대되고 있다. 이로 인해 소비자가 직접 찾아가 구매하는 상점은 줄어들고 있으며, 외식업체들도 배달 위주의 매장으로 바뀌고 있다. 또한 온라인 쇼핑이 늘어나면서 소비자에게 물건을 배송해 주는 택배업 등의 유통 산업이 성장하게 되었다.

바로알기 » ⑤ 택배업과 같은 유통 서비스가 확대되면서 공항, 항만, 고속도로 등 운송이 유리한 지역에는 대규모 물류 창고가 들어서는 경향이 나타나고 있다.

14 선진국과 개발 도상국 간의 분업

제시문은 미국에 본사를 둔 핸드폰 회사가 필리핀에 콜센터를 운영하면서 분업이 이루어지는 상황을 보여 준다. 최근 선진국의 기업들은 비용을 절감하고 업무의 효율성을 높이기 위해 업무의 일부를 개발 도상국으로 분산하여 운영한다. 대표적인 사례로 콜센터를 들 수 있는데, 주로 전화와 온라인으로 업무를 처리하기 때문에 고객과 가까운 거리에 있을 필요가 없기 때문이다. 특히 싼 인건비와 영어 회화 능력을 갖춘 곳이 사업 지역으로 선호되면서 영어를 공용어로 사용하는 필리핀이 다국적 기업들의 콜센터로 주목받고 있다. 필리핀은 콜센터의 유치로 일자리가 많이 창출되었고, 농어업이 중심이었던 산업 구조에서 3차 산업 비중이 급격히 증가하였다.

바로알기 》 ② 제시문과 같이 서비스 산업이 공간적으로 분산될 수 있었던 이유는 정보 통신 기술의 발달로 업무 수행에 따른 시·공간적 제약이 완화되었기 때문이다.

15 관광의 세계화

교통의 발달로 이동이 편리해지고 정보 통신의 발달로 관광과 관련된 정보를 쉽게 얻을 수 있게 되면서 전 세계적으로 관광 활동이 확대되고 이에 따라 관광 산업이 발달하였다.

바로알기 》 ㄱ. 소득 수준 향상과 여가의 증대로 국내 및 해외 관광에 대한 사람들의 관심이 높아지면서 관광에 대한 수요가 늘어나고 있다. ㄴ. 관광의 세계화에 따라 다양한 유형의 관광 산업이 발달하고 있다. 관광객들이 단순히 여행을 즐기는 차원에서 벗어나 음악, 영화, 드라마, 축제 등의 소재를 직접 체험해보는 관광이 발달하거나 지역의 특성을 살린 관광 자원이 개발되고 있다.

16 전자 상거래의 발달에 따른 변화

제시된 신문 기사는 전자 상거래의 발달에 따라 무점포 소매업은 증가한 반면 오프라인으로 운영되는 서점이나 문구용품 소매업 등은 크게 감소하고 있다는 내용을 담고 있다.

바로알기 》 ㄱ. 전자 상거래의 발달로 온라인 쇼핑이 증가하면서 소비자가 직접 찾아가 구매하는 오프라인 상점은 줄어들고 있다. ㄷ. 정보 통신의 발달로 성장한 전자 상거래는 시간과 공간의 제약을 거의 받지 않는다.

17 관광 산업의 효과

제시된 자료는 영화 속 배경이 된 장소들이 현재 전 세계 사람들이 찾는 유명한 관광지가 된 사례를 소개하고 있다. 영화가 흥행한 뒤 촬영지를 찾는 관광객들이 많아지면서 해당 지역은 관광 산업을 중심으로 음식, 숙박 등의 3차 산업이 발달하게 된다. 또한 새로운 일자리가 창출되고 관광 수입이 늘어나 지역 경제가 활성화된다.

바로알기 》 ① 기존에 1차 산업이 주로 이루어지던 지역들도 관광 산업이 발달하게 되면 3차 산업이 발달하면서 1차 산업 비중이 줄어들게 된다.

서술형 문제

235쪽

01 다국적 기업의 공간적 분업

① 본사, ② 선진국, ③ 생산 공장, ④ 개발 도상국

02 다국적 기업의 생산 공장 이전

예시답안 ▶ 다국적 기업은 생산 비용을 줄이기 위해 지가와 임금이 싼 개발 도상국으로 생산 공장을 이전한다. 또한 생산 공장의 일부는 시장을 확대하고 무역 장벽을 피하기 위해 선진국으로 진출하기도 한다.

채점 기준	점수
다국적 기업의 생산 공장이 해외로 이전하는 이유 두 가지를 정확하게 서술한 경우	상
다국적 기업의 생산 공장이 해외로 이전하는 이유를 한 가지만 서술한 경우	하

03 전자 상거래의 발달로 나타나는 변화

예시답안 ▶ 전자 상거래의 발달로 택배업 등의 유통 산업이 성장하게 되었다. 이로 인해 공항이나 고속도로, 철도역, 항만 등 운송이 유리한 지역에는 대규모의 물류 창고가 발달하기도 한다. 하지만 소비자가 직접 찾아가 구매하는 상점은 줄어들게 되고, 외식업체들도 배달 위주의 매장으로 바뀌면서 오프라인 매장은 쇠퇴하게 되었다.

채점 기준	점수
전자 상거래의 발달로 나타나는 변화를 긍정적·부정적 측면에서 한 가지씩 정확하게 서술한 경우	상
전자 상거래의 발달로 나타나는 변화를 긍정적·부정적 측면 중 한 가지만 서술한 경우	하

시험 적중 마무리 문제 238~241쪽

01 ④ 02 ④ 03 ③ 04 ⑤ 05 ① 06 ③ 07 ⑤ 08 ②
09 ④ 10 ③ 11 ④ 12 ⑤ 13 ③ 14 ② 15 전자 상거래
16 ④ 17 ③ 18 ④ 19 ⑤ 20 ③

01 자급적 농업과 상업적 농업

(가)는 기업적 곡물 재배, (나)는 전통적인 벼농사 모습이다. 과거의 농업은 곡물을 재배하여 농가에서 직접 소비하는 형태로 자급적 농업의 성격이 강했으나, 오늘날에는 시장에 판매할 목적으로 작물을 재배하는 상업적 농업이 발달하였다.

바로알기 ≫ ①, ② 과거의 전통적인 농업은 (나)와 같은 방식으로 이루어졌으나 산업화와 도시화가 진행되면서 (가)와 같은 상업적 농업이 발달하였다. ③, ⑤ (가)는 농기계를 활용하여 곡물을 대규모로 재배하며, (나)는 인간의 노동력을 이용하므로 (가)에 비해 소규모로 농업이 이루어진다.

02 농업의 기업화

농업의 세계화로 상업적 농업이 발달하면서 적은 비용을 들여 많은 수확량을 얻기 위해 농기계의 사용이 늘어나게 되었다. 이 과정에서 곡물 메이저라 불리는 다국적 농업 기업이 발달하게 되었는데 세계 농산물 시장에서 이들의 영향력은 갈수록 커지고 있다. 생활 수준이 높아지면서 다양한 농산물에 대한 수요가 증가하여 원예 작물, 기호 작물의 생산도 활발해지고 있으며, 열대 기후 지역에서는 수출용 상품 작물을 재배하는 플랜테이션이 확대되고 있다.

바로알기 ≫ ④ 과거에는 필요한 만큼만 소규모로 생산하는 자급적 곡물 농업이 주를 이루었으나 농업이 세계화되면서 상업적 농업이 발달하게 되었다.

03 세계화에 따른 농업 생산의 변화

경제 활동의 세계화가 진행되고 상업적 농업이 발달함에 따라 인간의 노동력에 의존하여 소규모로 이루어지던 농업은 농기계와 화학 비료를 사용하는 대규모 기업적 농업으로 변화하고 있다. 자본과 기술을 갖춘 큰 규모의 다국적 농업 기업은 기업적 농업을 통해 농작물을 대량으로 생산하여 가격 경쟁력을 확보하려고 한다.

바로알기 ≫ ㄱ. 교통의 발달로 지역 간 교류가 증가하고 세계 시장이 하나로 통합되면서 농작물의 국제 거래도 증가하고 있다. ㄹ. 다국적 농업 기업은 농작물의 생산, 가공, 상품화, 유통 등의 전 과정을 담당하는 경우가 많아 세계 농산물 시장에 큰 영향을 끼친다.

04 기업적 목축과 기업적 곡물 농업

제시된 지도에서 A는 기업적 목축, B는 기업적 곡물 재배가 주로 이루어지는 지역이다. 기업적 목축은 대규모 목장에서 가축을 사육하는 방식으로, 생활 수준의 향상으로 전 세계적으로 육류 소비가 증가하면서 더욱 발달하게 되었다. 기업적 곡물 농업은 농기계와 화학 비료를 사용하여 농작물을 대량 생산하는 방식이다. 이러한 기업적 농업은 미국, 캐나다, 오스트레일리아 등 넓은 평원이 있는 국가에서 주로 이루어진다.

바로알기 ≫ ⑤ A와 B는 모두 시장에 판매할 목적으로 이루어지는 농업이다.

05 다국적 농업 기업의 생산 시스템

다국적 농업 기업은 세계 여러 지역에 곡물 생산지를 두고 먹거리의 생산, 유통, 가공 과정에서 세계적 차원의 시스템을 형성하여 운영한다. 최근에는 이들 기업을 통하지 않고서는 곡물의 국제 거래가 쉽지 않을 만큼 세계 곡물 시장에서 큰 영향력을 행사한다.

바로알기 ≫ ㄷ. 다국적 농업 기업은 국제적인 분업 체계와 대량 생산 체제를 갖추고 있어 값싼 농산물을 대량으로 생산하고 공급할 수 있다. ㄹ. 다국적 농업 기업에서 생산한 농산물의 국내 수입이 많아지면 우리나라의 농산물은 가격 경쟁력에서 밀려 생산이 줄어들고 식량 자급률이 낮아질 수 있다.

06 농업 생산의 기업화와 세계화로 인한 변화

농업 생산의 세계화에 따라 세계 여러 국가는 농업 경쟁력을 높이기 위해 한 종류의 곡물을 재배하는 농업에서 벗어나 원예 작물이나 기호 작물을 재배하는 등 농업 생산에 변화를 보이고 있다. 특히 세계적인 쌀 생산지인 동남아시아에서는 커피, 바나나와 같은 상품 작물의 재배 비중이 늘어나게 되었다. 전 세계적으로 육류 소비가 늘면서 남아메리카 지역의 열대림은 가축의 사료 작물을 재배하기 위한 목초지로 변화하는 경우가 많다.

바로알기 ≫ ③ 기업적으로 밀을 재배하던 지역에서도 최근 수익성이 높은 옥수수나 콩을 재배하는 등의 토지 이용 변화가 나타나고 있다.

07 농업의 세계화에 따른 소비 구조의 변화

농업의 세계화로 우리는 세계 각지에서 생산한 농산물을 쉽게 먹을 수 있게 되었다. 그러나 수입 과정에서 농산물의 부패를 막기 위해 사용한 화학 약품 때문에 안전성 문제가 제기되기도 한다. 패스트푸드를 많이 먹으면서 육류와 기호 작물의 소비가 증가하였으며, 이러한 식생활의 변화로 주곡 작물인 쌀의 소비는 줄어들고 있다.

바로알기 ≫ ⑤ 생활 수준이 향상되면서 채소, 과일, 육류의 소비량은 꾸준히 증가하고 있다.

08 경제 활동의 세계화

교통과 통신의 발달로 국가 간 교류가 활발해지면서 생산, 소비와 같은 경제 활동은 전 세계를 대상으로 하게 되었다. 따라서 세계적 차원에서 경제적 상호 의존도가 높아지는 경제 활동의 세계화가 이루어졌다.

바로알기 ≫ ② 국가 간 교류가 활발해지고 무역 장벽이 낮아지면서 과거에 비해 상품, 자본, 노동, 기술, 서비스 등이 국경을 초월하여 자유롭게 이동할 수 있게 되었다.

09 다국적 기업의 특징

제시문의 ㉠은 다국적 기업이다. 세계 무역 기구(WTO)의 출범으로 국가 간 무역 장벽이 낮아지면서 다국적 기업의 수는 빠르게 증가하고 있다. 최근 다국적 기업은 공산품 생산 및 판매 활동을 넘어 농산물 생산 및 가공, 광물·에너지 자원 개발, 유통·금융 서비스 상품 제공에 이르기까지 그 역할과 범위가 확대되고 있다.

바로알기 ≫ ㄹ. 세계화에 따라 다국적 기업의 수가 증가하고 규모가 커지면서 본사, 연구소, 생산 공장 등의 공간적 분업이 늘어나고 있다.

10 다국적 기업의 성장 단계

다국적 기업은 처음에 단일 공장이 위치한 지역에서 기업이 성장한 후 규모가 커짐에 따라 타 지역에 공장을 건설하여 생산 공장을 분리한다. 그리고 해외에 판매 지점을 개설하여 해외 시장을 개척하고 제품에 대한 수요가 늘어남에 따라 해외에 생산 공장을 건설하여 제품을 직접 공급하면서 다국적 기업으로 성장한다.

11 다국적 기업의 공간적 분업

다국적 기업은 주로 의사 결정에 필요한 다양한 정보와 자본을 확보하는 데 유리한 지역에 본사를 두며, 기술을 갖춘 고급 인력이 풍부한 지역에 연구소를 둔다. 생산 공장은 생산 비용을 줄이기 위해 지가와 임금이 싼 개발 도상국에 두는 경우가 많다. 그러나 판매 시장을 확보하기 위해 수요가 많은 국가로 이전하기도 한다.

바로알기 » ㄱ. 다국적 기업의 본사는 선진국의 대도시에 주로 위치한다. ㄷ. 연구소는 기술을 갖춘 고급 인력이 풍부한 지역에 주로 입지하며 지가와 임금이 싼 개발 도상국에는 생산 공장이 입지하는 경우가 많다.

12 다국적 기업의 생산 공장 이전으로 인한 지역 변화

제시문의 플린트시는 다국적 기업인 한 자동차 회사가 입지하여 번영을 누리다가 생산 공장이 멕시코로 이전하게 되면서 대량 실업 문제가 생기고 지역 경제가 침체되는 상황을 겪게 되었다. 이처럼 지역의 기반을 이루던 산업이 경쟁력을 상실하여 없어지거나 해외로 이전하면 산업 공동화 현상이 발생할 수 있다.

바로알기 » ⑤ 다국적 기업의 생산 공장은 주로 생산 비용을 절감하기 위해 지가와 임금이 싼 개발 도상국으로 이전한다.

13 다국적 기업의 생산 공장 입지로 인한 지역 변화

다국적 기업의 생산 공장이 들어선 지역은 새로운 산업 단지가 조성되어 일자리가 생기고, 기술을 이전받아 관련 산업이 발달하는 등 경제가 활성화될 수 있다. 하지만 다국적 기업의 확대로 유사한 제품을 생산하는 국내 기업이 어려움을 겪을 수 있으며 생산 공장에서 배출되는 유해 물질로 인한 환경 오염이 발생할 수 있다.

바로알기 » ③ 이윤의 상당 부분을 다국적 기업의 본사가 있는 곳으로 가져가면 지역의 경제 발전을 기대하기 어렵다.

14 서비스업의 세계화

교통과 통신의 발달은 경제 활동의 시간적·공간적 제약을 감소시켜 서비스업의 확대를 촉진하였다. 이에 따라 선진국과 개발 도상국 간에 분업이 이루어졌다. 선진국은 기업들의 비용을 절감하고 업무의 효율성을 높이기 위해 업무의 일부를 개발 도상국으로 분산하여 운영하기도 한다.

바로알기 » ㄴ, ㄷ. 정보 통신 기술의 발달로 업무 수행에 따른 시·공간적 제약이 완화되면서 서비스 산업이 공간적으로 분산되고 있다.

15 전자 상거래의 의미

전자 상거래는 소비자가 상점을 방문할 필요 없이 상품을 구매하고 원하는 곳에서 받을 수 있다는 편리성 때문에 전 세계에서 성장하고 있다.

16 선진국과 개발 도상국의 분업

정보 통신 기술의 발달로 세계의 기업들은 인터넷이 갖춰지고 물류 배송이 가능하다면 어느 곳에서나 서비스를 제공할 수 있게 되었다. 다국적 기업이 세계 여러 지역에 콜센터를 설치하는 것도 이러한 변화를 잘 보여 준다. 특히 필리핀은 선진국에 비해 인건비가 저렴하면서 영어로 의사소통이 가능하여 많은 다국적 기업들이 필리핀에 콜센터를 설치하고 있다. 콜센터가 들어서면서 필리핀에서는 일자리 증가와 서비스업의 성장을 기대할 수 있게 되었다.

바로알기 » ④ 다국적 기업의 업무가 분산되는 곳은 대체로 저렴한 인건비와 건물 임대료로 업무 처리가 가능한 곳이다.

17 전자 상거래의 발달로 인한 변화

전자 상거래의 발달로 소비자에게 물건을 배송해주는 택배업 등의 유통 산업이 성장하게 되었다. 이로 인해 공항, 철도역, 항만 등 운송이 유리한 지역에 대규모 물류 창고가 들어서고 있다. 반면 전자 상거래가 확대되면서 소비자가 직접 찾아가 구매하는 상점은 줄어들고, 외식업체들도 배달 위주의 매장으로 바뀌고 있다.

18 전자 상거래와 유통 분야의 변화

최근 인터넷이나 텔레비전 등을 통한 온라인 쇼핑이 늘고 있다. 이러한 전자 상거래는 전통적 방식의 상거래와는 달리 시간과 공간의 제약을 거의 받지 않으며, 온라인 해외 상점도 쉽게 접속할 수 있기 때문에 소비 활동의 범위가 전 세계로 확대되고 있다.

바로알기 » ㄴ. 정보 통신의 발달은 유통 분야의 세계화를 가속화한다.

19 관광의 세계화

관광 산업은 지역 주민의 일자리를 늘리고 소득을 증가시키는 등 다양한 경제 효과를 가져오기 때문에 세계 각국은 지역의 고유한 문화와 자연환경을 활용한 관광지 개발에 힘쓰고 있다. 최근에는 영화 촬영지나 축제 등 그 지역에서만 경험할 수 있는 체험 관광이 발달하고 있으며, 지역 주민에게 이익이 돌아가면서 환경 피해도 최소화할 수 있는 공정 여행을 선택하는 사람이 늘고 있다.

바로알기 » ⑤ 교통과 통신의 발달로 이동이 편리해지고, 관광 관련 정보를 쉽게 얻을 수 있게 되면서 전 세계적으로 관광 활동이 확대되고 있다.

20 서비스업의 세계화

교통과 통신의 발달은 다양한 서비스 산업의 세계화를 촉진시킨다. 물자나 정보의 이동을 돕는 유통 서비스가 크게 성장하여 유통의 세계화가 진행되고 있으며 여가 및 관광 기회의 증가에 따른 관광 수요의 증가로 관광의 세계화가 진행되고 있다. 서비스업의 세계화는 지역 경제와 주민 생활에 많은 변화를 가져올 수 있다. 학생은 (3), (4)번에 대해 옳은 답을 표시했으므로, 학생이 받을 점수는 4점이다.

X. 환경 문제와 지속 가능한 환경

01 전 지구적 차원의 기후 변화

245, 247쪽

A 1 (1) × (2) ○ (3) ○ 2 (1) 이산화 탄소 (2) 화석 연료

B 1 지구 온난화 2 (1) ○ (2) × 3 ㄴ, ㄷ, ㄹ

C 1 (1) ○ (2) ○ 2 (1) 증가 (2) 상승, 낮게 3 ㄱ, ㄷ, ㄹ
4 ㉠ 해수면 ㉡ 북극 항로

D 1 (1) × (2) ○ 2 ㉠ 기후 변화 협약 ㉡ 파리 협정

실력 탄탄 핵심 문제 248~251쪽

01 ⑤ 02 ⑤ 03 ② 04 ② 05 ② 06 ① 07 ② 08 ④
09 ⑤ 10 ⑤ 11 ② 12 ④ 13 ② 14 ② 15 ② 16 ④
17 ③ 18 ⑤

01 온실가스의 종류

제시된 그래프는 온실 효과를 일으키는 온실가스의 종류와 비중을 나타낸 것이다. ㉠은 가장 큰 비중을 차지하는 온실가스로 석탄·석유 등 화석 연료 사용시 배출되는 이산화 탄소이다.

02 기후 변화

기후 변화는 기후의 평균적인 상태가 변화하는 것으로 홍수나 가뭄, 폭염 등과 같은 비정상적인 기상을 일으킨다. 기후에 인간의 활동이 강하게 영향을 미치기 시작한 것은 산업 혁명 이후부터로, 화석 연료 사용에 따라 온실가스 배출량이 늘면서 지구의 기온이 급격히 상승하는 기후의 이상 현상이 증가하였다.

바로알기 ≫ ⑤ 기후는 지구가 생긴 이래 태양의 활동 변화, 화산 분화 등 자연적 요인에 따라 계속해서 변하고 있다.

03 온실 효과

온실 효과란 지구가 태양에서 받은 에너지를 다시 방출할 때 에너지가 온실가스에 막혀 대기를 빠져나가지 못하고 남아 기온이 상승하는 현상이다. 따라서 온실가스가 많아지면 온실 효과는 강화될 것이다.

바로알기 ≫ ㄴ. 온실가스가 급증하면 지구의 에너지 균형이 무너지면서 지구 평균 기온이 높아지는 지구 온난화 현상이 발생한다. ㄷ. 과도한 온실 효과는 지구 온난화를 유발하지만, 적절한 온실 효과는 인간과 동물이 적당한 온도에서 살아갈 수 있도록 한다.

04 온실가스 증가의 원인

이산화 탄소 등의 온실가스 농도가 증가하는 원인은 석탄, 석유 등 화석 연료의 사용이 많아졌기 때문이다. 대표적으로 화력 발전소, 자동차 사용의 증가, 산업 발달에 따른 공장의 증가, 가정용 난방 사용의 증가 등이 원인이다.

바로알기 ≫ ② 열대림은 이산화 탄소를 흡수하는 역할을 하기 때문에 열대림 면적이 증가하면 지구 온난화 현상을 줄일 수 있다.

05 지구 온난화의 원인

자료로 이해하기 ≫

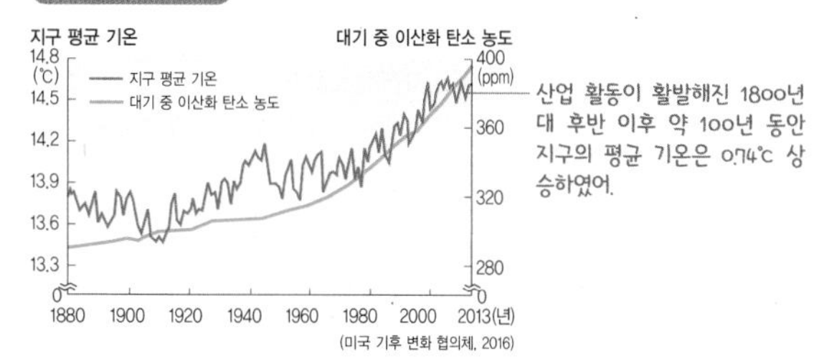

(미국 기후 변화 협의체, 2016)

제시된 그래프를 보면 이산화 탄소의 농도가 증가함에 따라 지구의 평균 기온도 상승하고 있음을 알 수 있다. 이는 이산화 탄소 등의 온실가스 증가로 인해 지구 온난화 현상이 심해지고 있음을 나타내는 것이다.

바로알기 ≫ ② 이산화 탄소의 농도가 증가할수록 온실 효과는 강화될 것이다.

06 지구 온난화의 영향

그래프와 같이 지구의 기온이 앞으로 계속 상승한다면 지표면의 온도가 올라 빙하가 녹으면서 면적이 줄어들 것이다. 또한 많은 양의 물이 증발하여 건조한 땅이 많아지고 물이 부족해질 수 있다.

바로알기 ≫ ㄷ. 빙하의 면적이 줄어들면서 북극곰이 서식할 수 있는 지역이 줄어들어 멸종 위기에 놓이게 된다. ㄹ. 지표면의 온도가 올라 빙하가 녹은 물이 바다로 흘러들면 해수면이 상승한다. 이로 인해 몰디브, 투발루 등의 섬나라는 국토가 바닷물에 잠겨 지구상에서 사라질 위기에 처해 있다.

07 지구 온난화의 원인과 영향

제시된 자료는 지구 온난화 현상으로 인해 앞으로 동계 올림픽을 개최할 수 있는 지역이 줄어들 것이라는 내용의 신문 기사이다. ㉠에 들어갈 말은 지구 온난화로, 대기 중에 온실가스 농도가 급격히 올라 지구의 에너지 균형이 무너지면서 지구의 평균 기온이 높아지는 현상을 말한다.

바로알기 ≫ ㄴ. 최근 지구 온난화는 화석 연료 사용의 증가 등 인간의 활동에 의해 심화되고 있다. ㄹ. 기후는 태양의 활동 변화, 화산 분화 등 자연적 요인에 의해 계속해서 변화해 왔으며, 산업 혁명 이후 인간의 활동이 기후 변화에 강력하게 영향을 미치게 되었다.

08 기후 변화에 따른 지역 변화

평균 기온이 영하인 달이 6개월 이상 계속되어 일 년 내내 얼어 있는 상태로 있는 토양층

제시문은 지구 평균 기온의 상승으로 한대 기후 지역의 영구 동토층이 녹아 건물이 무너지고, 얼음이 줄어들면서 낚시를 하기 어려워져 지역 주민들이 이주하게 된 사례이다.

09 지구 온난화로 인해 발생하는 주요 변화

제시된 자료는 빙하가 후퇴하고 영구 동토층이 녹으며 섬나라가 바닷물에 잠길 위험에 있는 등 지구 온난화로 인한 세계 여러 지역의 변화 사례를 보여 준다.

10 지구 온난화로 인해 발생하는 주요 변화

기후 변화는 인간 생활과 생태계에 많은 영향을 미친다. 지구의 기온이 상승하면 생물들의 서식 환경이 달라져 개체 수가 감소하거나 멸종되기도 한다. 이러한 기후 변화는 전 지구적 차원에서 일어나기 때문에 이를 해결하기 위해서는 국제적 차원의 노력과 협력이 필요하다.

바로알기 » 가현. 기후 변화는 과거에는 자연적 요인에 의해 발생했지만, 최근에는 인간의 활동이 주요 원인이 되고 있다. 나현. 기후 변화의 영향으로 지구 곳곳에서 가뭄, 홍수, 폭설 등의 자연재해가 잦아지고 피해 규모도 커지고 있다.

11 기후 변화에 따른 세계 여러 지역의 변화

지구의 평균 기온이 상승하면서 그린란드를 비롯한 일부 극지방에서는 농사가 가능해지는 등 긍정적인 효과가 나타났다. 그러나 기후 변화는 대부분의 지역에서 인간 생활에 부정적인 영향을 미치고 있다. 빙하가 녹아 해수면이 상승하면서 섬나라들은 국토가 바닷물에 잠겨 사라질 위기에 놓여 있으며, 우리나라도 폭염과 열대야 같은 여름철 고온 현상이 증가하고 있다. 알프스산맥에 위치해 스키장이 발달한 스위스에서도 12월에 기온이 내려가지 않아 인공 눈으로 스키장을 운영하고 있다.

바로알기 » ② 지구의 평균 기온이 상승하여 빙하가 녹으면서 북극해를 운항할 수 있는 항로가 열리는 등 긍정적인 변화도 나타나고 있다.

12 기후 변화가 인간 생활에 미친 영향

(가)와 (나)는 모두 기후 변화가 인간 생활에 미친 영향을 보여 주는 사례이다. (가)는 지구의 평균 기온이 상승하면서 기상 이변이 발생하여 파리에 폭우가 강하게 내린 모습이다. (나)는 지구의 평균 기온이 상승하여 빙하가 녹으면서 스키장이 없어진 사례이다.

바로알기 » ㄴ. 기후 변화는 자연적 요인에 따라 변하기도 하지만 최근 발생하고 있는 지구 온난화 현상은 석탄, 석유 등의 화석 연료 사용과 같은 인간의 활동이 강하게 영향을 미쳐 나타나게 된 것이다.

13 기후 변화에 따른 지역 변화

제시된 사진은 노르웨이의 빙하가 축소된 모습을 보여 준다. 이는 지구의 평균 기온이 상승하면서 빙하가 녹은 것인데, 최근 지구의 평균 기온이 상승하는 것은 석탄, 석유 등의 화석 연료의 사용이 많아진 것이 주된 원인이다.

바로알기 » ② 지구의 평균 기온이 상승하여 빙하가 녹게 되면, 녹은 물이 바다로 흘러들어 해수면이 상승하고 해안 저지대가 침수되는 문제가 발생한다.

14 기후 변화에 따른 생태계 변화

지표면의 기온 상승은 식생 분포에 영향을 주는데, 고산 식물의 경우 분포 범위가 줄거나 멸종할 위험이 커진다. 또한 바닷물의 온도가 올라가 수온 변화에 적응이 어려운 물고기들이 죽거나 수온이 낮은 지역으로 이동하기도 한다.

바로알기 » ㄴ. 지구 온난화로 식물의 개화 시기가 빨라지고 아열대 과일의 재배 지역이 확대될 수 있다. ㄹ. 기온이 올라 날씨가 덥고 습해지면 모기나 파리 등 전염병을 옮기는 매개체가 살기에 더 좋은 환경이 만들어져 질병이 확산될 수 있다.

15 파리 협정

온실가스를 줄이기 위한 기후 변화 협약은 1992년 브라질에서 열린 국제 연합 환경 개발 회의에서 최초로 채택되었으며, 이에 대한 구체적 이행 방안으로 1997년 교토 의정서가 채택되었다. 이후 2015년 프랑스 파리에서 개최된 제21차 국제 연합 기후 변화 협약 당사국 총회에서는 2020년 이후의 기후 변화 대응을 담은 파리 협정을 채택하였다.

바로알기 » ① 바젤 협약은 유해 폐기물의 국가 간 이동 및 처리에 관한 국제 협약이다. ③ 람사르 협약은 습지 보호를 위해 1971년 이란의 람사르에서 채택된 협약이다.

16 파리 협정의 내용

파리 협정은 2020년 만료 예정인 교토 의정서를 대체하여 2020년 이후의 기후 변화 대응을 담은 협정이다. 교토 의정서가 주요 선진국들에게만 온실가스 배출 감축 의무를 준 것과 달리 195개 당사국 모두가 자국이 스스로 정한 방식에 따라 의무적으로 온실가스 배출 감축에 나서기로 합의하였다.

└ 우리나라는 2030년의 목표 연도 배출 전망치 대비 37% 감축 목표를 제출했어.

바로알기 » ① 파리 협정에는 미국과 중국을 포함하여 총 195개국이 서명을 했으며, 우리나라도 이에 포함된다. ② 기후 변화 협약은 1992년 국제 연합 환경 개발 회의에서 최초로 채택되었다. ③, ⑤ 교토 의정서에서 합의한 내용이다.

17 기후 변화를 해결하기 위한 노력

온실가스 배출을 줄이고 지구 온난화 현상을 막기 위해서는 화석 연료의 사용을 줄여야 한다. 따라서 화석 연료를 대체할 수 있는 신·재생 에너지를 개발할 필요가 있다. 또한 전 세계적으로 지구촌 불 끄기 등의 환경 캠페인을 진행하여 기후 변화에 관한 인식을 확산시켜야 한다.

바로알기 » ㄱ. 휘발유를 사용하는 자동차는 온실가스 배출이 많기 때문에 전기 자동차 등 친환경 자동차를 개발하고 이용해야 한다. ㄹ. 열대림은 온실가스를 흡수하는 역할을 할 수 있으므로 열대림을 보호하는 것이 지구 온난화 현상을 막는 방법 중 하나이다.

18 기후 변화를 해결하기 위한 노력

기후 변화에 따른 피해는 모든 국가에서 나타나고 있다. 따라서 이에 대처하기 위해서는 특정 지역이나 국가에 한정되지 않은 전 지구적 차원에서의 공동 노력이 필요하다.

바로알기 » ⑤ 교토 의정서는 선진국에만 감축 의무를 부여했지만, 파리 협정에서는 모든 국가에게 자국이 스스로 정한 방식에 따라 온실가스 배출을 감축하도록 하였다.

서술형 문제

251쪽

01 기후 변화의 영향

① 지구 온난화, ② 해수면

02 기후 변화의 원인과 영향

(1) 예시답안 기후는 자연적 요인에 따라 계속 변화하고 있다. 하지만 산업 혁명 이후 인간의 활동이 기후 변화에 강한 영향을 미치게 되었는데, 특히 석탄, 석유 등 화석 연료 사용이 증가함에 따라 온실가스 배출량이 늘면서 온실 효과를 강화하여 지구의 기온이 급격하게 상승하는 현상이 나타나게 되었다.

채점 기준	점수
제시된 단어를 모두 포함하여 지구의 기온이 상승한 원인을 정확하게 서술한 경우	상
제시된 단어 중 두 가지를 포함하여 지구의 기온이 상승한 원인을 서술한 경우	중
온실가스가 증가하여 기온이 상승했다고만 서술한 경우	하

(2) 예시답안 바닷물 온도가 올라가 수온 변화에 적응하기 어려운 물고기들이 죽거나 수온이 낮은 고위도 수역으로 옮겨가는 등 해양 생태계의 변화가 일어난다. 고산 식물의 분포 범위가 줄어들거나 멸종할 위험이 커진다. 농작물의 재배 환경에 영향을 미쳐 인류의 생존에 심각한 문제를 발생시킬 수 있다. 기온이 올라 날씨가 덥고 습해져 모기, 파리 등 전염병을 옮기는 매개체가 살기 더 좋은 환경이 만들어지므로 질병이 널리 퍼질 수 있다.

채점 기준	점수
지구 온난화에 따른 생태계 변화 사례를 두 가지 모두 정확하게 서술한 경우	상
지구 온난화에 따른 생태계 변화 사례를 한 가지만 서술한 경우	하

02 환경 문제 유발 산업의 이동

253쪽

A 1 (1) 바젤 협약 (2) 전자 쓰레기 2 (1) × (2) ○ 3 (1) 개 (2) 선
B 1 (1) ○ (2) × (3) × 2 (1) - ㉡ (2) - ㉠

실력 탄탄 핵심 문제

254~255쪽

01 ② 02 ② 03 ② 04 ④ 05 ③ 06 ⑤ 07 ④ 08 ②

01 전자 쓰레기

전자 쓰레기란 더 이상 가치가 없거나 수명이 다 된 전자 제품이나 부품에서 나오는 쓰레기를 말한다. 전자 쓰레기는 재활용이 가능한 일부를 제외하고는 정부의 허가를 받은 안전 설비가 갖추어진 곳에서 매립·소각 등의 방법으로 폐기해야 한다.

바로알기 ≫ ㄴ. 전자 쓰레기에는 수은, 카드뮴 등이 포함되어 있어 적절한 방법으로 처리하지 않으면 심각한 환경 오염을 일으킨다. ㄷ. 과학 기술의 발달로 전자 제품의 사용 주기가 짧아지면서 전자 쓰레기의 양은 증가하고 있다.

02 전자 쓰레기의 국제적 이동

제시문은 일부 선진국에서 가나로 전자 쓰레기가 이동하는 사례를 보여 준다. 선진국은 자국에서 안전하게 전자 쓰레기를 처리할 수 있지만 환경 및 경제적 부담을 줄이기 위해 개발 도상국에 불법적으로 전자 쓰레기를 이전하고 있다. 반면 개발 도상국은 전자 쓰레기의 부품을 분리하여 금속 자원을 채취하는 등 경제적 이익을 얻을 수 있다는 점에서 선진국의 전자 쓰레기를 수입하고 있다.

바로알기 ≫ ② 전 세계적으로 전자 쓰레기를 비롯한 유해 폐기물의 국제적 이동에 대한 규제는 강화되고 있는 추세이다.

03 바젤 협약

바젤 협약은 유해 폐기물에 대한 국제적 이동의 규제를 목적으로 체결된 협약이다. 유해 폐기물의 처리에 있어서 제대로 된 관리가 필요하며, 유해 폐기물의 수출·수입 경유국, 수입국에 사전 통보를 의무화한다는 내용을 담고 있다.

04 환경 문제 유발 산업의 국제적 이동

오늘날 개발보다 환경을 중시하는 선진국은 환경 문제 유발 산업에 대한 규제가 엄격한 반면 경제 성장을 중시하는 개발 도상국은 환경 규제가 느슨한 편이다. 따라서 공해를 유발하는 오래된 공장들이 선진국에서 개발 도상국으로 이전하고 있다. 이를 통해 선진국은 저임금 노동력을 활용하고 환경 문제를 해결할 수 있지만 개발 도상국은 경제적 효과를 얻는 대신 환경 오염이 발생할 수 있다

05 석면 산업체의 국제적 이동

지도를 통해 독일과 일본이 우리나라 기업에 석면 방직 기계를 수출하였고, 이후 우리나라의 석면 산업은 인도네시아, 말레이시아, 중국 등 개발 도상국으로 이전하였음을 알 수 있다.

바로알기 ›› 가형, 라형. 개발 도상국은 선진국에 비해 환경 문제 유발 산업을 규제하는 법적 장치를 제대로 갖추고 있지 않은 경우가 많아 선진국은 환경 문제를 일으키는 오래된 공장들을 개발 도상국으로 이전하고 있다.

06 화훼 농장의 국제적 이동

과거 세계 화훼 시장의 중심지는 네덜란드였지만, 최근 화훼 농장들이 기후가 온화하고 인건비가 싼 케냐로 이전하고 있다. 케냐는 화훼 농장 이전으로 경제가 성장했지만, 농장이 들어선 지역은 호수가 오염되어 어획량이 줄고 주민들이 생활 터전을 상실하게 되었다.

바로알기 ›› ⑤ 네덜란드 화훼 농장이 케냐로 이전한 것은 저임금 노동력을 통해 생산 비용을 줄이면서 환경 오염 문제를 해결할 수 있기 때문이다.

07 환경 문제의 지역적 불평등

제시된 사례에 나타난 유독 가스 누출 사고는 미국의 농약 제조 회사가 비용 절감을 위해 안전 기준을 제대로 적용하지 않은 채 공장을 운영하면서 발생한 것이다. 이는 개발 도상국이 경제적 효과를 얻기 위해 공해 유발 산업을 유치하는 일이 주민들의 건강과 안전을 위협할 수 있음을 보여 준다.

바로알기 ›› ㄱ. 제시된 사례는 환경 문제에 있어서 선진국과 개발 도상국의 지역적 불평등이 존재함을 보여 준다. ㄷ. 개발 도상국은 선진국에 비해 공해 유발 산업을 규제하는 법적 장치를 제대로 갖추고 있지 못한 경우가 많다.

08 환경 문제의 지역적 불평등 해결 방안

지역적으로 불평등하게 발생하는 환경 문제는 공해 산업의 유출 지역과 유입 지역이 함께 노력하여 해결해야 한다. 선진국은 환경 오염을 최소화하고 안전한 생산 환경을 만들기 위해 노력해야 하며, 개발 도상국에서도 기업에 대한 환경 규제와 감시를 강화해야 한다. 이와 더불어 국제 사회는 유해 폐기물이나 공해 산업이 다른 지역에 불법적으로 확산되지 않도록 공동으로 대처해야 한다.

바로알기 ›› ② 공해 산업의 불법 이동을 막는 방안으로 환경 기준을 완화하는 것은 적절하지 않으며, 현재와 같은 엄격한 규제는 계속 유지되어야 한다.

서술형 문제

255쪽

01 전자 쓰레기의 국제적 이동

① 선진국, ② 개발 도상국, ③ 경제

02 환경 문제 유발 산업이 지역에 미치는 영향

예시답안 공해 유발 공장이 들어선 지역은 토양과 물이 오염되어 주민들이 생계의 위협을 받고 각종 질병에 노출된다. 공장 근로자들은 유해 물질로 인한 직업병으로 고통받을 수 있으며, 유해 물질 누출 사고가 발생하여 해당 지역이 큰 피해를 입기도 한다.

채점 기준	점수
공장을 유치한 지역이 받는 피해를 두 가지 모두 정확하게 서술한 경우	상
공장을 유치한 지역이 받는 피해를 한 가지만 서술한 경우	하

03 생활 속의 환경 이슈

257, 259쪽

A 1 환경 이슈 2 ㄴ, ㄷ

B 1 ㉠ 미세 먼지 ㉡ 화석 연료 2 (1) × (2) ○ (3) ○ 3 ㄱ, ㄴ, ㄹ

C 1 유전자 변형(재조합) 식품(GMO) 2 ㄱ, ㄷ 3 (1) × (2) × (3) ○ 4 ㉠ 푸드 마일리지 ㉡ 온실가스

D 1 (1) × (2) ○ 2 높은, 일회용품

실력탄탄 핵심 문제

260~261쪽

01 ③ 02 ④ 03 ② 04 ⑤ 05 ⑤ 06 ③ 07 ⑤ 08 ④ 09 ⑤

01 환경 이슈를 바라보는 다양한 입장

우리가 접할 수 있는 환경 문제 중에서 원인이나 해결 방안이 입장에 따라 서로 달라 논쟁이 벌어지는 환경 문제를 환경 이슈라고 한다. 환경 이슈는 전 지구적 규모로 나타나는 기후 변화 문제를 비롯해 일상생활과 관련한 문제까지 다양하며, 하나의 환경 문제를 두고 입장에 따라 관점이 서로 달라 다양한 의견이 대립하는 경우도 많다. 따라서 환경 이슈에 관심을 가지고 합리적인 해결책을 찾으려는 노력이 필요하다.

바로알기 ›› ③ 오늘날 환경에 대한 관심이 커지면서 이슈가 되는 환경 문제는 늘어나고 있다.

02 미세 먼지

미세 먼지는 공기 중에 떠다니는 먼지 중 우리 눈에 보이지 않을 정도로 가늘고 작은 먼지 입자를 말하는 것으로, 크기에 따라 미세 먼지와 초미세 먼지로 구분한다.

03 미세 먼지의 특징

미세 먼지의 농도는 날씨와 밀접한 관련이 있다. 비가 내리면 공기 중에 있는 각종 오염 물질들이 빗물에 씻겨 내려가기 때문에 대기가 깨끗해지고, 바람이 부는 날에도 미세 먼지가 흩어지기 때문에 농도가 낮아질 수 있다. 반면 대기가 안정되어 확산이 잘 일어나지 않으면 오염 물질이 축적되어 미세 먼지의 농도가 높아질 수 있다. 우리나라의 경우 강수가 주로 여름철에 집중되어 미세 먼지 농도가 상대적으로 높은 편이다.

04 미세 먼지의 발생 원인과 영향

미세 먼지는 자연적 요인에 의해 발생하기도 하지만 화석 연료를 태울 때 생기는 매연, 자동차 배기가스 등 인위적 요인에 의해 생성되기도 한다. 최근에는 노후된 경유 차량과 석탄을 사용하는 화력 발전소 등이 주요 원인으로 알려지면서 대책 마련을 위해 노력하고 있다. 미세 먼지는 건강에 나쁜 영향을 미칠 뿐만 아니라 가시거리를 떨어뜨리기 때문에 비행기나 여객선 운항에도 지장을 준다.

바로알기 》 가현. 미세 먼지는 입자가 매우 작아 호흡기에서 걸러지지 않고 우리 몸속까지 스며들어 질병을 유발한다. 나현. 미세 먼지의 발생에는 중국발 요인과 국내 요인이 복합적으로 작용한다.

05 유전자 변형 식품(GMO)

유전자 변형 식품은 본래의 유전자를 변형하여 새로운 성질의 유전자를 지니도록 개발한 것으로, 세계 식량 문제 해결에 도움을 주지만 인체 유해성 및 생물 다양성 훼손에 대한 논란이 있다.

06 푸드 마일리지

푸드 마일리지란 먹을거리가 생산되어 소비자의 식탁에 오르기까지 소요된 총거리를 나타낸 것으로, 식품의 중량(t)과 생산지에서 소비지까지의 이동 거리(km)를 곱하여 계산한다. 식품의 이동 거리가 길면 수송 과정에서 배출되는 온실가스의 양이 많기 때문에 푸드 마일리지는 식품이 환경에 부담을 미치는 정도를 파악하는 데 중요한 자료가 된다. 또한 푸드 마일리지가 높은 식품일수록 신선도를 유지하기 위해 살충제나 방부제를 사용하는 경우가 많으므로 식품의 안전성을 파악하는 데 도움이 된다.

바로알기 》 ③ 푸드 마일리지가 높은 식품일수록 수송 과정에서 배출되는 온실가스의 양이 많다.

07 유전자 변형 식품의 부정적 측면

유전자 변형 식품에 대한 부정적 시각으로는 이러한 농산물이 인체에 어떤 영향을 미치는지 안전성에 대한 명확한 검증이 이루어지지 않아 위험하다는 의견이 있다. 또한 새로운 생물체를 인위적으로 만든 것이기 때문에 생태계를 교란시킬 수 있다는 우려가 있다.

바로알기 》 ㄱ. 유전자 변형 식품은 과학 기술을 이용해 해충과 잡초에 강한 농작물을 개발한 것이므로 살충제와 농약 사용을 줄일 수 있다. ㄴ. 유전자 변형 식품은 노동력과 비용을 적게 들이고도 많은 양을 수확할 수 있다는 장점이 있다.

08 로컬 푸드 운동

로컬 푸드란 장거리 운송을 거치지 않은 지역 농산물을 말하며 흔히 반경 50km 이내에서 생산된 농산물을 의미한다. 환경에 대한 관심이 커지면서 글로벌 푸드의 대안으로 지역에서 생산된 농산물을 지역에서 소비하자는 로컬 푸드 운동이 전개되고 있다. 이를 통해 소비자는 신선하고 안전한 먹을거리를 제공받을 수 있으며, 농민들은 안정적인 소득을 보장받을 수 있다.

바로알기 》 ㄹ. 로컬 푸드는 장거리 운송을 거치지 않았기 때문에 로컬 푸드를 구매하는 것은 지구 온난화를 줄이기 위한 방안이기도 하다.

09 일상생활에서의 환경 보전 활동

일상생활에서 우리가 실천할 수 있는 환경 보전 활동은 매우 다양하다. 음식을 먹을 만큼만 덜어 먹고 음식물을 남기지 않으며 재활용품 분리 배출을 생활화하면 쓰레기 배출량을 줄일 수 있다. 이밖에도 저탄소 제품이나 에너지 효율이 높은 제품을 사용하고 일회용품 사용을 자제해야 한다.

└ 에너지 효율은 1등급이 3등급보다 높은 것으로, 환경을 위해서는 1등급 제품을 사용하는 것이 좋아.

바로알기 》 ⑤ 전기를 낭비하지 않으려면 사용하지 않는 가전제품의 코드는 뽑아 두는 것이 좋다.

서술형 문제

261쪽

01 일상생활에서의 환경 보전 활동

① 대중교통(자전거), ② 높은, ③ 일회용품

02 유전자 변형 식품(GMO)의 양면성

예시답안 ▶ 유전자 변형 식품과 농산물은 장기 보관과 대량 생산이 가능하기 때문에 세계 식량 부족 문제를 해결하는 데 도움이 될 수 있다. 하지만 유전자 변형 식품과 농산물이 인간에게 어떤 영향을 미치는지 안전성에 대한 명확한 검증이 되지 않아 위험하다는 시각이 있다. 또한 새로운 생물체를 인위적으로 만들어 냈기 때문에 생물 다양성이 파괴될 수 있고, 유전자 변형 농산물에 대항한 더욱 강력한 해충이 등장하여 생태계의 먹이사슬이 교란될 수 있다는 문제점이 제기되고 있다.

채점 기준	점수
유전자 변형 식품의 긍정적인 면과 부정적인 면을 한 가지씩 정확하게 서술한 경우	상
유전자 변형 식품의 긍정적인 면과 부정적인 면 중 한 가지만 서술한 경우	하

시험 적중 마무리 문제 204~207쪽

01 ② 02 ② 03 ② 04 ④ 05 ① 06 파리 협정 07 ④
08 ③ 09 ③ 10 ⑤ 11 ④ 12 ① 13 ④ 14 ⑤ 15 ⑤
16 ⑤ 17 ④ 18 로컬 푸드 19 ② 20 ④

01 지구의 기온 변화

그래프는 1880년부터 2013년까지 지구의 연평균 기온 변화를 나타낸 것으로, 약간의 변동이 있으나 지속적으로 기온이 상승하고 있음을 알 수 있다. 이러한 지구의 기온 변화는 온실가스 배출과 큰 관련이 있는데, 화석 연료 사용으로 대기 중 온실가스의 양이 많아지면서 온실 효과를 강화하여 지구의 기온이 급격하게 상승하는 지구 온난화 현상을 불러온 것이다.

바로알기 ≫ ㄴ. 1880년에 비해 2013년에 지구의 평균 기온이 0.85℃ 이상 올랐고, 이로 인해 빙하가 녹아 평균 해수면은 상승했다. ㄹ. 최근 지구의 연평균 기온 상승 현상은 자연적 요인보다는 화석 연료 사용에 따른 온실가스 배출량 증가 등 인간의 활동이 강하게 영향을 미치고 있다.

02 온실 효과

(가)는 적정한 온실 효과, (나)는 과도한 온실 효과가 나타났을 때의 모습이다. 산업 혁명 이후 석탄, 석유 등 화석 연료 사용이 증가함에 따라 온실가스의 배출량이 늘면서 지구 밖으로 나가지 못하는 복사열이 증가하여 (나)와 같은 과도한 온실 효과가 나타나게 되었다.

바로알기 ≫ ①, ③, ④ (가)의 적당한 온실 효과는 지구의 온도를 유지해 주는 매우 중요한 현상이다. 온실 효과가 존재하지 않는다면 지구 평균 기온은 영하로 내려갔을 것이다. ⑤ (나)와 같이 온실 효과가 과도하게 나타나면 지구의 평균 기온이 높아지는 지구 온난화 현상이 발생한다.

03 기후 변화

지구가 생긴 이래 기후는 태양의 활동 변화, 화산 분화, 태양과 지구의 상대적 위치 변화 등 자연적 요인에 따라 끊임없이 변화하고 있다.

04 지구 온난화의 영향

제시된 지도를 보면 세계 곳곳에서 빙하와 만년설이 녹아 줄어들고 일부 섬나라가 물에 잠길 위험에 처해 있음을 알 수 있다. 이는 지구 온난화로 지표면의 온도가 상승하면서 나타난 변화이다. 특히, 최근의 기온 상승은 인위적 영향을 많이 받은 것으로, 대기 중으로 배출되는 온실가스의 양이 증가한 영향이 크다. 지구 온난화는 전 지구적으로 다양한 환경 문제에 영향을 미친다. 태풍, 홍수, 폭설, 가뭄, 사막화 등 자연재해가 더욱 넓은 지역에서 빈번하게 발생하며, 피해 규모도 커지는 경향을 보인다.

바로알기 ≫ ㄴ. 지표면의 온도가 올라 빙하의 면적이 줄어들고 빙하가 녹은 물이 바다로 흘러들어가면 해수면이 상승한다.

05 지구 온난화로 인한 생태계의 변화

지구 온난화로 지표면의 기온이 상승하면 고산 식물의 분포 범위는 줄어들고 아열대 과일의 재배 지역은 확대된다. 또한 수온 변화에 적응이 어려운 물고기들이 죽거나 수온이 낮은 고위도 지역으로 옮겨 가는 등의 변화가 생길 수 있다. 지구 온난화로 기온이 올라 날씨가 덥고 습해지면 모기, 파리 등 전염병을 옮기는 매개체가 살기 더 좋은 환경이 만들어져 특정 지역에서만 발생하던 질병이 다른 지역으로 퍼질 수 있다.

바로알기 ≫ ① 지구 온난화 현상으로 봄꽃의 개화 시기는 빨라진다.

06 파리 협정

2015년 프랑스 파리에서 개최된 국제 연합 기후 변화 협약 당사국 총회에서는 2020년 이후의 기후 변화 대응을 담은 파리 협정을 채택하였다.

2020년에 만료되는 교토 의정서를 대체하는 새로운 기후 체제로 2021년 1월부터 적용돼.

07 파리 협정의 내용

파리 협정에서는 장기 목표로 산업 혁명 이전과 비교해 지구 평균 온도 상승 폭을 2℃ 이내로 제한하고, 가능한 한 1.5℃ 이하로 제한하기 위한 노력을 추구하기로 했다. 파리 협정은 주요 선진국들만 대상으로 했던 교토 의정서와 달리 선진국과 개발 도상국 구분 없이 모든 국가가 자국이 스스로 정한 방식에 따라 2020년부터 의무적으로 온실가스 배출 감축에 나서기로 한 점에서 의미가 있다. 우리나라는 2030년 온실가스 배출 전망치 대비 37%를 줄이겠다는 내용의 감축 목표를 2015년 6월에 제출하였다.

08 지구 온난화의 영향

제시된 신문 기사는 지구 온난화로 북극의 빙하 면적이 줄어들어 북극곰 생태계가 위기에 처했다는 내용이다. 지구 온난화 현상은 화석 연료 사용에 따른 온실가스 배출량 증가로 가속화하고 있는데, 이러한 변화가 지속된다면 북극곰의 개체 수가 줄어들고 결국 멸종할 수도 있다.

바로알기 ≫ ③ 지구 온난화를 막기 위해서는 지구의 허파 역할을 하는 열대림을 보호해야 한다.

09 전자 쓰레기의 국제적 이동

전자 쓰레기의 대부분은 전자 제품 사용이 많은 선진국에서 배출된다. 일부 선진국들은 환경 규제를 피하고 경제적 부담을 줄이기 위해 개발 도상국에 불법적으로 전자 쓰레기를 수출하고 있으며, 개발 도상국은 전자 쓰레기에서 금속 자원을 채취할 수 있기 때문에 경제적 이익을 얻을 목적으로 전자 쓰레기를 수입하고 있다.

바로알기 ≫ ① 전자 쓰레기는 주로 선진국에서 개발 도상국으로 이동한다. ② 전자 쓰레기 유입 지역이 유출 지역보다 환경 규제가 느슨하다. ④ 전자 쓰레기는 처리 과정에서 유해 물질이 배출되기 때문에 국제적으로 협약을 맺어 이러한 폐기물의 이동을 금지하고 있다. ⑤ 기술이 발달할수록 전자 제품의 사용 주기는 짧아진다.

10 공해 유발 산업의 국제적 이동

오늘날 개발보다는 환경에 많은 관심을 갖고 있는 선진국은 공해 유발 산업을 개발 도상국으로 이전함으로써 환경 문제를 해결하려 한다. 반면 개발 도상국은 빠른 산업화를 통한 경제 성장을 우선시하여 선진국의 산업을 가리지 않고 유치하였다. 그 결과 개발 도상국은 경제적 효과를 얻었지만 주민들의 건강을 위협하는 심각한 환경 오염을 겪고 있다.

바로알기 » ㄱ. 선진국은 산업 폐기물을 배출하는 공장에 대해 엄격한 규제를 적용하고 있다. 반면 개발 도상국은 공해 유발 산업을 규제하는 법적 장치를 제대로 갖추지 못한 경우가 많다.

11 화훼 농장의 국제적 이동

최근 화훼 농장은 기후가 온화하고 인건비가 싼 아프리카 지역으로 많이 이전하고 있으며, 그중에서도 케냐의 장미 재배가 많은 비중을 차지한다. 장미 농장이 들어오면서 케냐는 새로운 일자리가 생기고, 외화 수입이 늘어 지역 경제가 성장하는 긍정적인 효과가 나타났다. 하지만 장미 농장에서 배출되는 화학 물질과 농약이 토양과 호수에 흘러들어 어획량이 감소하고 수질이 악화되면서 주민들이 건강과 생활에 위협을 받기도 한다.

바로알기 » ④ 케냐 정부는 일자리를 창출하고 수출로 인한 경제적 이익을 얻기 위해 환경 기준을 완화시키면서 화훼 산업 유치에 힘쓰고 있다.

12 바젤 협약

선진국에서 개발 도상국으로 공해 유발 산업이 이전하면서 개발 도상국은 심각한 환경 오염이 발생하였다. 또한 개발 도상국에서 유해 물질 누출로 인한 사고가 잇따르자 국제 사회에서는 유해 화학 물질과 산업 폐기물의 유통을 규제하는 바젤 협약을 체결하였다.

13 환경 이슈

환경 이슈는 세계 수준에서 제기되는 아마존 개발과 같은 쟁점부터 국가 및 지역적 수준에서의 원자력 발전소 건설, 쓰레기 매립지 조성 등을 둘러싼 대립과 갈등에 이르기까지 다양하게 나타난다. 최근에는 식품의 안전성 확보와 환경 부담을 줄이려는 움직임이 나타남에 따라 유전자 변형 식품과 관련한 논란도 환경 이슈로 등장하였다.

바로알기 » ④ 미세 먼지를 유발하는 것은 화석 연료를 사용하는 화력 발전소이며, 원자력 발전소는 핵폐기물이나 방사능 유출과 관련하여 논란이 되고 있다.

14 미세 먼지의 발생 원인 및 영향

미세 먼지는 자연적 요인에 의해 발생하기도 하지만 주로 매연, 자동차 배기가스 등의 인위적 요인에 의해 발생한다. 미세 먼지는 입자가 매우 작아 호흡기에서 걸러지지 않고 우리 몸속까지 스며들어 각종 호흡기 질환과 심혈관 질환을 유발하고, 장기간 미세 먼지에 노출될 경우 피부 질환, 안구 질환 등 각종 질병의 위험도 높아진다. 또한 가시거리를 떨어뜨리기 때문에 비행기나 여객선 운항에도 지장을 준다.

바로알기 » ⑤ 반도체와 같이 정밀한 작업이 요구되는 산업은 미세 먼지에 노출되면 불량률이 높아질 수 있다.

15 유전자 변형 식품(GMO)

유전자 변형 식품(GMO)이란 본래의 유전자를 변형시켜 기존의 번식 방법으로는 나타날 수 없는 새로운 성질의 유전자를 지니도록 개발된 농산물이나 식품을 말한다.

16 유전자 변형 식품(GMO)의 특징

유전자 변형 농산물은 환경에 잘 버틸 수 있도록 유전자를 변형하여 품종을 개발한 것으로, 잡초에 강한 옥수수, 잘 무르지 않는 토마토, 카페인이 제거된 커피 등이 대표적이다. 이러한 농작물은 세계 식량 부족 문제를 해결해 줄 수 있다는 긍정적인 면도 있지만, 유전자 재조합을 통해 해충을 견디는 작물을 만든 후, 다시 그 작물을 이기는 돌연변이 해충이 등장할 가능성이 제기되기도 한다.

바로알기 » ㄱ. 유전자 변형 농산물과 식품은 적은 노동력으로 대량 생산이 가능하다는 장점이 있다. ㄴ. 유전자 변형 농산물과 식품이 인간에게 어떤 영향을 미치는지 명확한 검증 결과가 없기 때문에 위험하다는 시각이 존재한다.

17 푸드 마일리지

푸드 마일리지는 먹을거리가 생산되어 소비자의 식탁에 오르기까지 소요된 총거리를 나타낸 것으로, 그 수치를 통해 식품의 수입 의존도나 신선도, 방부제 사용 정도, 온실가스 배출량 등을 알 수 있다. 푸드 마일리지는 식품 수송량과 수송 거리를 곱한 값으로 나타내며, 푸드 마일리지가 높을수록 배출되는 온실가스의 양은 많아지고 긴 운송 기간으로 인해 식품 안전성은 낮아진다.

18 로컬 푸드

로컬 푸드란 흔히 반경 50㎞ 이내에서 생산된 농산물을 말한다. 최근 환경에 대한 관심이 커지고 안전하고 건강한 먹을거리를 찾는 소비자들이 늘어나면서 로컬 푸드가 많은 관심을 받고 있다.

19 로컬 푸드의 장점

로컬 푸드 운동을 통해 소비자는 신선하고 안전한 먹거리를 제공받을 수 있고, 농민은 안정적인 소득을 보장받을 수 있다. 또한 지역의 자연환경 조건에 맞는 친환경 농업을 발전시킬 수 있어 지역 경제 활성화에 도움을 줄 수 있다.

바로알기 » ㄴ. 푸드 마일리지는 장거리 운송을 하는 경우 더 높아지기 때문에 지역 농산물인 로컬 푸드는 푸드 마일리지가 낮은 편이다. ㄹ. 로컬 푸드는 살충제나 방부제를 되도록 쓰지 않는 안전하고 건강한 먹을거리이다.

20 생활 속 환경 보전 활동

일상생활에서 우리가 실천할 수 있는 환경 보전 활동은 매우 다양하다. 평소 자가용보다는 자전거나 대중교통을 이용하면 대기 오염을 줄일 수 있으며, 승강기 대신 계단을 이용하여 전기를 아낄 수 있다. 또한 일회용품 사용을 자제하고 재활용품 분리 배출을 잘 하여 쓰레기 배출량을 줄일 수 있다.

바로알기 » 나현. 에너지를 절약하기 위해서는 에너지 효율이 높은 가전제품을 사용해야 한다.

XI. 세계 속의 우리나라

01 우리나라의 영역과 독도

271, 273쪽

A 1 영역 2 ① 영공 ② 영토 ③ 영해

B 1 (1) ○ (2) ○ (3) × 2 ㉠ 12 ㉡ 통상 기선 ㉢ 직선 기선 ㉣ 3
3 어업 협정

C 1 (1) × (2) ○ (3) × 2 (1) 급경사, 불리 (2) 해양성

D 1 ㉠ 영해 ㉡ 배타적 경제 수역 2 (1) ○ (2) ×
3 천연 보호 구역 4 일본

실력 탄탄 핵심 문제

274~277쪽

01 ① 02 ② 03 ③ 04 ⑤ 05 ③ 06 ⑤ 07 ③ 08 ②
09 ① 10 ⑤ 11 ④ 12 ⑤ 13 ③ 14 ② 15 ④ 16 ②
17 ⑤ 18 ① 19 ⑤

01 영역의 의미와 구성

영역이란 한 국가의 주권이 미치는 범위로, 국제법상 한 국가가 다른 국가의 간섭을 받지 않고 지배할 수 있는 공간이다. 영역은 영토, 영해, 영공으로 구성된다. 영토는 한 국가에 속한 육지의 범위로, 영토가 없으면 영해와 영공도 있을 수 없기 때문에 국가의 영역 중 가장 중요하다.

바로알기 ≫ ① 배타적 경제 수역은 영해 기선으로부터 200해리에 이르는 수역 중 영해를 제외한 바다로, 영역에 포함되지 않는다.

02 영역의 구성

자료로 이해하기 ≫

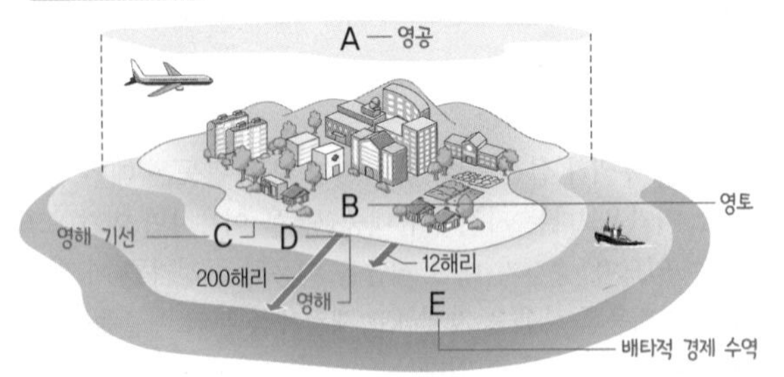

A는 영공, B는 영토, C는 영해 기선, D는 영해, E는 배타적 경제 수역에 해당한다. 영역은 영토(B), 영해(D), 영공(A)으로 구성된다. 영토는 한 국가에 속한 육지로, 국토 면적과 일치하며 영해와 영공 설정의 기준이 된다.

바로알기 ≫ ① 영공(A)은 영토(B)와 영해(D)의 수직 상공이다. ③ 영해 기선(C)에서부터 200해리에 이르는 수역 중 영해를 제외한 바다를 배타적 경제 수역으로 설정한다. ④ 영해(D)에서는 외국 어선이 자유롭게 조업 활동을 할 수 없다. ⑤ 영해(D)는 영역의 범위 안에 속하지만, 배타적 경제 수역(E)은 영역에 포함되지 않는다.

03 영해 기선

C는 영해 기선이다. 영해 기선을 기준으로 영토와 영해를 나눌 수 있다. 또한 영해 기선은 영해와 배타적 경제 수역을 설정할 때 적용되는 기준선이다. 영해 기선은 해안에 따라 설정하는 방법이 다르며, 통상 기선과 직선 기선 등으로 구분할 수 있다.

바로알기 ≫ ㄷ. 영해 기선은 일반적으로 해안선의 최저 조위선을 말하는데, 최저 조위선은 해수면이 가장 낮은 썰물 때의 해안선이다.

04 우리나라 영토

우리나라는 압록강과 두만강을 경계로 중국, 러시아와 국경을 접하고 있으며, 삼면이 바다로 둘러싸여 있는 반도국이다. 우리나라의 위도는 북위 33°~43°이고, 경도는 동경 124°~131°이다. 우리나라의 극동(C)과 극서(A)의 경도 차이는 약 7°, 극북(B)과 극남(D)의 위도 차이는 약 10°이다.

바로알기 ≫ ⑤ 우리나라의 영토는 한반도와 부속 도서로 구성되어 있다.

05 우리나라의 영해

영해는 국가의 주권이 미치는 영토 주변의 바다로, 그 범위는 기선에서부터 12해리까지이다. 반도국인 우리나라는 해안에 따라 적용되는 영해 기선이 다르다. 동해안과 제주도, 울릉도, 독도 등은 통상 기선(최저 조위선)에서부터 12해리까지의 수역을 영해로 설정하고, 해안선이 복잡하고 섬이 많은 서해안, 남해안 등은 직선 기선에서부터 12해리까지의 수역을 영해로 설정한다. 다만, 일본과의 거리가 가까운 대한 해협에서는 직선 기선에서부터 3해리까지의 수역을 영해로 설정한다.

바로알기 ≫ ① 독도의 통상 기선에서부터 주변 12해리까지의 수역이 우리나라의 영해이다. ② 서해안은 영해 설정의 기준으로 직선 기선을 적용한다. ④ 남해안은 해안선이 복잡하고 섬이 많기 때문에 직선 기선을 적용한다. ⑤ 일본과 거리가 가깝기 때문에 예외적으로 직선 기선으로부터 3해리까지를 영해로 설정하는 곳은 대한 해협이다.

06 우리나라의 영해 기선

우리나라는 해안선의 특징에 따라 통상 기선과 직선 기선을 적용하고 있다. 독도, 울릉도, 제주도는 모두 해안선 자체의 통상 기선을 적용한다.

07 우리나라의 영해

A는 배타적 경제 수역의 한 지점, B는 직선 기선과 영해선 사이의 한 지점(영해), C는 직선 기선과 육지 사이의 한 지점(내수), D는 직선 기선이다. 지도의 영해선 안쪽 지역을 우리나라의 주권이 미치는 영역이라고 볼 수 있다. 직선 기선 바깥쪽의 우리나라 영해(B)에서 다른 국가의 어선은 어업 활동을 할 수 없다. 내수(C)에서 간척 사업이 이루어지면 영토가 넓어진다.

바로알기 ≫ ㄱ. A의 수직 상공은 우리나라의 영공에 해당하지 않는다. ㄹ. D는 가장 바깥쪽 섬들을 연결한 직선(직선 기선)으로, 이 선에서부터 바깥으로 12해리 또는 3해리까지의 수역을 우리나라의 영해로 설정한다.
서해안, 남해안 등
대한 해협

08 우리나라의 영토와 영해

우리나라의 영토 총면적은 약 22.3만 ㎢로, 남한 면적은 약 10만 ㎢이다. 우리나라의 영해는 해안에 따라 그 기준선이 다르게 설정되는데, 통상 기선 또는 직선 기선을 영해 기선으로 삼는다. 일반적으로 영해는 영해 기선에서부터 12해리까지의 수역으로 설정하는데, 직선 기선에서부터 3해리까지로 설정되는 대한 해협과 같이 가까운 국가와의 거리 등에 따라 영해의 범위가 조정될 수 있다.

바로알기 ≫ ② 서해안 갯벌은 우리나라의 영토에 속한다.

09 배타적 경제 수역

배타적 경제 수역은 영해 기선에서부터 200해리에 이르는 수역 중에서 영해를 제외한 바다이다. 배타적 경제 수역에서 연안국은 천연자원의 탐사와 개발, 보존 등에 관한 경제적 권리를 보장받는다. 연안국은 인공 섬을 만들거나 바다에 시설물을 설치하고 활용할 수 있다. 그러나 경제적 목적이 없다면 다른 국가의 케이블 설치 등은 가능하다. 또한 배타적 경제 수역은 한 국가의 영역에 포함되지 않아 다른 국가의 선박과 항공기가 자유롭게 통행할 수 있다.

바로알기 ≫ ① 배타적 경제 수역에서의 경제적 권리는 연안국에게 보장되므로 다른 국가의 어선이 어업 활동을 할 수 없다.

10 배타적 경제 수역

㉠에 들어갈 용어는 배타적 경제 수역이다. 일반적으로 배타적 경제 수역은 기선에서부터 200해리까지로 설정하지만 우리나라는 중국, 일본과 거리가 가까워 많은 수역이 겹치게 되는 문제가 발생한다.

11 한·중 잠정 조치 수역과 한·일 중간 수역

A는 한·중 잠정 조치 수역, B는 한·일 중간 수역이다. 우리나라는 중국, 일본과의 거리가 가까워 배타적 경제 수역을 200해리로 설정하면 중국, 일본과 많은 해역에서 수역이 겹치게 되는 문제가 발생한다. 이에 따라 우리나라는 중국, 일본과 어업 협정을 체결하여 겹치는 수역의 어족 자원을 공동으로 관리하고 있다. 우리나라와 중국 간에는 한·중 어업 협정을 맺어 한·중 잠정 조치 수역을 설정하였고, 우리나라와 일본 간에는 한·일 어업 협정을 맺어 한·일 중간 수역을 설정하였다.

바로알기 ≫ ① 한·중 잠정 조치 수역(A)에서는 우리나라와 중국이 어업 활동을 할 수 있다. ② 한·중 잠정 조치 수역(A)에서는 일본 어선이 자유롭게 어업 활동을 할 수 없다. ③ 한·일 중간 수역(B)에는 독도 주변 12해리의 우리나라 영해가 포함되지 않는다. ⑤ 한·중 잠정 조치 수역(A)과 한·일 중간 수역(B)은 어느 국가의 영해와도 겹치지 않는다.

12 독도의 위치

제시된 내용은 독도(E)에 대한 설명이다. 독도는 우리나라 영토 중 가장 동쪽에 위치하며, 2개의 큰 섬과 89개의 부속 도서로 이루어져 있다.

바로알기 ≫ A는 마안도, B는 백령도, C는 마라도, D는 거제도이다.

13 독도의 자연환경

자료로 이해하기 ≫

사진이 나타내는 지역은 독도이다. 독도는 거대한 화산체의 일부가 해수면 위로 올라와 있는 것이며, 대부분의 해안이 급경사를 이룬다. 난류의 영향을 받아 기후가 온화한 편이다. 날씨가 맑은 날에는 울릉도에서 육안으로 볼 수 있다.

바로알기 ≫ ③ 독도가 제주도, 울릉도보다 먼저 형성되었다.

14 독도의 자연환경

독도는 해저에서 분출한 용암이 굳어져 형성된 화산섬이다. 독도는 동도와 서도, 89개의 부속 도서로 이루어져 있으며 이중 동도와 서도는 약 150m 정도 떨어져 있다.

바로알기 ≫ ㄴ. 갯벌은 밀물과 썰물의 차이가 큰 우리나라의 서·남해안에서 주로 발달한다. ㄹ. 독도는 난류의 영향을 받는 해양성 기후가 나타난다.

15 독도의 환경 및 생태적 가치

자료가 나타내는 독도의 가치는 환경 및 생태적 가치이다. 독도에는 식물, 조류, 곤충 등 290여 종의 다양한 동식물이 서식한다.

16 독도의 가치

독도는 주변국의 정세를 파악할 수 있는 동해 한가운데에 있어 군사적 요충지로서 중요한 가치와 의미를 지니며 방어 기지로서 사용할 수 있다. 또한 천연 보호 구역으로 지정될 만큼 다양한 생물이 서식하는 생태계의 보고이다. 그 뿐만 아니라 주변 바다에 조경 수역이 형성되어 수산 자원이 풍부하다. 이 밖에도 여러 단계의 화산 활동으로 형성되어 해저 화산의 형성과 진화 과정을 살펴볼 수 있다.

바로알기 ≫ ② 독도는 우리나라 영해의 동쪽 끝이 어디인지 확정한다는 점에서 매우 중요하다.

17 독도의 경제적 가치

독도 주변 해저에는 미래 에너지 자원으로 주목받는 메탄 하이드레이트가 매장되어 있다. 메탄 하이드레이트는 천연가스의 주성분인 메탄이 해저의 저온·고압 상태에서 물 분자와 결합하여 형성된 고체 에너지이다.

18 독도의 경제적 가치

독도 주변 바다는 한류와 난류가 교차하는 조경 수역으로 플랑크톤과 수산 자원이 풍부하다. 또한 해저에는 해양 심층수가 매장되어 있다. 이는 수심 200m 이하의 깊은 곳에 있는 바닷물로, 식수와 식품, 의약품 등의 개발에 활용할 수 있다.

19 독도를 지키기 위한 방안

독도를 지키기 위해서는 독도를 사랑하는 마음을 갖고 독도에 대한 올바른 지식을 함양해야 한다. 또한 국제 사회에 일본의 주장에 대한 부당성을 알려야 하며 일본의 주장에 대해 논리적으로 대응해야 한다.

서술형 문제

277쪽

01 배타적 경제 수역

(1) 배타적 경제 수역(EEZ)

(2) ① 경제적, ② 영역

02 독도의 위치

예시답안 독도는 우리나라의 영토 중 가장 동쪽에 위치하며, 울릉도에서 동남쪽으로 87.4km 떨어져 있다.

채점 기준	점수
우리나라의 영토 중 가장 동쪽에 위치하고, 울릉도의 동남쪽에 있다고 정확히 서술한 경우	상
우리나라의 영토 중 가장 동쪽에 있다고만 서술한 경우	하

03 독도의 경제적 가치

예시답안 독도 주변의 바다는 난류와 한류가 만나 조경 수역을 형성하는 곳으로 수산 자원이 풍부하다. 또한 주변 바다에는 미래 에너지 자원으로 주목받는 메탄 하이드레이트가 있다.

채점 기준	점수
독도의 경제적 가치를 두 가지 정확히 서술한 경우	상
독도의 경제적 가치를 한 가지만 서술한 경우	하

02 세계화 시대의 지역화 전략

279쪽

A 1 (1) × (2) ○ 2 지역성

B 1 지역화 전략 2 (1) – ㉢ (2) – ㉡ (3) – ㉠

3 ① 쌀 ② 한우 ③ 녹차

실력 탄탄 핵심 문제

280~281쪽

01 ① 02 ④ 03 ⑤ 04 ① 05 ④ 06 ⑤ 07 ④ 08 ⑤ 09 ④ 10 ③

01 지역성

지역성이란 지역의 자연환경과 그곳에서 거주해 온 주민이 오랜 시간에 걸쳐 상호 작용하여 형성된 것으로, 다른 지역과 구별되는 특성을 말한다.

02 지역 경쟁력을 높이기 위한 노력

전라북도 전주시를 비롯한 우리나라의 여러 지역들은 지역 경쟁력을 높이기 위해 다른 지역과 차별화할 수 있는 전통 산업과 문화, 예술 등을 활용하여 긍정적인 이미지를 구축하고자 노력하고 있다.

03 지역 경쟁력을 높이기 위한 노력

우리나라의 여러 지역은 지역 경쟁력을 높이기 위해 매력적인 지역의 이미지를 구축하였다. 대표적으로 판소리의 도시 전주, 국제 영화제의 도시 부산, 친환경적인 생태 도시 순천 등이 있다.

04 지역화 전략

지역화 전략은 세계화로 인해 지역 간 경쟁이 심화되면서 다른 지역과 경제적·문화적 측면에서 차별화하고자 등장한 것으로, 그 목적은 지역의 경쟁력을 높이는 데에 있다. 지역화 전략의 대표적인 사례로는 지역 브랜드, 장소 마케팅, 지리적 표시제 등이 있다.

바로알기 ① 장소 마케팅은 지역화 전략의 대표적인 사례이다.

05 지역 브랜드

지역 브랜드는 지역 또는 지역의 상품과 서비스를 소비자에게 특별한 브랜드로 인식시켜 지역의 이미지를 높이고 지역 경제를 활성화하는 모든 것이다. 대표적으로 충청남도 보령시의 캐릭터 '머돌이'와 '미숙이', 미국 뉴욕의 'I♥NY' 등이 있다. 지역 브랜드는 지역의 이미지를 높이고 지역 경제를 활성화하는 효과가 있다.

바로알기 ㄱ. 지역 또는 지역의 상품과 서비스 등을 대상으로 한다.

06 지역 브랜드

지역 브랜드는 지역의 독특한 자연환경과 인문 환경을 활용하여 지역의 긍정적인 이미지를 강화하거나 지역의 부정적인 이미지를 긍정적 이미지로 변화시켜 지역의 가치를 높이는 것을 말한다. 지역의 상품이나 서비스에 그 지역의 이미지를 결합하여 지역 그 자체를 브랜드처럼 만드는 것을 말한다. 강원도 평창의 'HAPPY 700'이 대표적인 사례이다. 지역 브랜드의 가치가 높아지면 그 지명을 붙인 상품의 판매량이 증가하고, 서비스에 대한 신뢰도가 높아져 지역 경제가 활성화된다.

바로알기 ⑤ 지역을 경제적·문화적 측면에서 다른 지역과 차별화하는 것이 목적이다.

07 지역 브랜드의 개발 과정

지역 브랜드의 개발은 다른 지역과 차별화되는 해당 지역의 다양한 특성을 파악한 후 이 중에서 핵심적인 지역 정체성을 요약하여 이를 바탕으로 슬로건, 로고, 캐릭터를 만드는 과정으로 이루어진다. 지역 브랜드 개발 후에는 이를 이용한 장소 마케팅을 활발히 전개해야 한다.

08 장소 마케팅

장소 마케팅은 특정 장소가 가지고 있는 자연환경이나 역사적·문화적 특성을 드러내어 장소를 매력적인 상품으로 만들어 이를 판매하려는 활동이다. 지역의 이미지를 대표하는 상징물인 랜드마크를 활용하거나 지역 축제를 이용하기도 한다.

바로알기 ⑤ 장소 마케팅을 통해 관광객이나 투자자를 유치하는 효과도 있지만, 지역 주민들의 소속감과 자긍심 높일 수 있다.

09 지리적 표시제

자료로 이해하기

— 지리적 표시제 인증 마크야.

제시된 그림은 지역화 전략 중 지리적 표시제와 관계가 깊다. 지리적 표시제는 상품의 품질, 명성, 특성 등이 근본적으로 해당 지역에서 비롯한 경우 지역 생산품임을 증명하고 표시하는 제도이다. 이를 통해 우수한 지리적 특성을 지닌 농산물과 가공품을 보호하여 특산물의 품질 향상과 지역 특화 산업으로의 육성을 도모할 수 있다. 또한 생산자에게 안정적인 생산 활동을 할 수 있게 하고, 소비자에게는 믿을 수 있는 제품을 살 기회를 제공한다는 장점이 있다.

바로알기 ㄷ. 2002년 전라남도 보성의 녹차가 최초로 우리나라의 지리적 표시 상품으로 등록되었다.

10 지리적 표시 상품

경상북도 청송군은 사과가 지리적 표시제에 등록되어 있다.

바로알기 ① 약쑥, ② 참외, ④ 전통 고추장, ⑤ 녹차가 지리적 표시제에 등록되었다.

서술형 문제

281쪽

01 세계화 시대의 지역 경쟁력

① 국경, ② 지역성

02 지역 브랜드 개발의 효과

예시답안 지역 브랜드의 가치가 높아지면 그 지명을 붙인 상품의 판매량이 증가하고 서비스에 대한 신뢰도가 높아진다. 지역 이미지가 향상되고 지역 경제가 활성화된다.

채점 기준	점수
지역 브랜드 개발의 효과를 두 가지 정확히 서술한 경우	상
지역 브랜드 개발의 효과를 한 가지만 서술한 경우	하

03 국토 통일과 통일 한국의 미래

283쪽

A 1 (1) ○ (2) × (3) × 2 ㄱ, ㄷ

B 1 (1) 완화 (2) 향상 2 (1) ○ (2) × (3) ○

실력 탄탄 핵심 문제 284~285쪽

01 ③ 02 ③ 03 ⑤ 04 ② 05 ④ 06 ③ 07 ① 08 ⑤ 09 ①

01 우리나라의 위치 특성

우리나라는 삼면이 바다로 둘러싸인 반도국으로, 유라시아 대륙과 태평양을 연결하는 지리적 요충지이다. 또한 유라시아 대륙 동쪽 끝에 위치하여 북쪽으로는 중국, 러시아를 통해 유럽까지 갈 수 있고, 바다를 통해서는 태평양을 비롯한 해양 진출에 유리하다.

바로알기 ≫ ③ 국토가 분단되어 대륙으로 진출하는 데 어려움이 있다.

02 우리나라 위치의 중요성

우리나라는 삼면의 바다를 통해 태평양을 비롯한 해양 진출에 유리하며, 유라시아 대륙과 태평양을 연결하는 동아시아 교통의 요충지에 위치한다.

바로알기 ≫ 가은. 중국, 러시아를 통해 유럽 대륙과 연결될 수 있다. 라은. 남북 분단으로 인해 남한은 대륙으로의 진출에 제약을 받고 있다.

03 국토 분단으로 인한 문제

국토 분단으로 인해 이산가족과 실향민이 발생하였다. 또한 민족의 동질성이 약화되고, 언어를 포함한 남북 문화의 이질화가 진행되었다. 군사적 대립과 갈등으로 군사비를 과도하게 지출하고 있다.

바로알기 ≫ ⑤ 남북 분단으로 균형 있는 국토 발전이 어려워졌다.

04 국토 분단으로 인한 문제

제시된 자료는 분단으로 남북한의 언어가 달라지는 것을 보여 준다. 분단이 장기화되면서 언어를 비롯한 생활양식 등 민족 문화의 이질화가 심화되고 있다. 국토 통일을 이루면 남북 간의 이질성을 극복하여 민족의 동질성을 회복할 수 있다.

05 국토 통일의 필요성

우리나라는 국제 사회에서 '민족이 분단된 국가', '전쟁의 위험이 있는 국가'라는 이미지로 인식되어 한반도의 위상을 높이는 데 방해가 된다. 통일이 되면 분단 국가의 부정적 이미지를 해소하고 국제 사회에서의 위상을 높일 수 있다.

06 통일 한국의 미래

국토 통일은 반도국의 이점을 살리고 국토 공간의 균형 발전을 가능하게 해 준다. 또한 분단 국가의 부정적 이미지를 해소하고 국제 사회에서의 위상을 높일 수 있고, 세계 평화에도 이바지할 수 있다. 분단에 따른 비용이 줄어 경제적으로 도약할 수 있다. 아울러 남북 문화의 이질성을 극복하여 민족의 동질성을 회복할 수 있다.

바로알기 ≫ ③ 통일을 이루면 이산가족의 아픔을 치유할 수 있다.

07 통일 한국의 미래

통일이 되면 기찻길로는 한반도 종단 철도가 유라시아 대륙 철도에 연결될 것이고, 자동차 길로는 아시아 대륙을 동서로 횡단하는 아시안 하이웨이가 연결될 수 있다. 이를 통해 우리나라에서 유럽까지 육로로 갈 수 있게 되며, 한반도는 해양을 연결하는 물류 중심지로 성장할 수 있다.

바로알기 ≫ ① 육로를 통한 교역이 증가할 것이다.

08 통일 한국의 미래

통일을 이루면 남한의 우수한 기술, 자본과 북한의 풍부한 지하자원, 노동력이 결합하여 경제적으로 크게 발전할 수 있을 것이다.

09 통일 한국의 미래

통일이 되면 주민들의 생활 공간이 확대되며, 북한 지역의 자원을 개발하여 새로운 산업이 발달하게 될 것이다. 또한 백두산, 비무장지대의 아름다운 생태 지역을 방문할 수도 있다. 분단 비용이 경제와 복지 분야에 투입되면서 삶의 질이 높아질 것이다.

바로알기 ≫ 가희. 통일이 되면 군사적 긴장이 사라지고 정치적으로 안정되어 군사비 지출이 감소할 것이다.

서술형 문제 285쪽

01 우리나라 위치의 중요성

① 반도국, ② 유라시아, ③ 태평양

02 국토 분단으로 인한 문제점

예시답안 ▶ 과도한 군사비가 지출되고, 균형 있는 국토 발전이 어려워졌다. 이산가족의 아픔이 심화되고 있으며, 군사적 긴장 상태로 한반도의 위상이 약화되었다.

채점 기준	점수
국토 분단으로 발생하는 문제를 세 가지 이상 정확히 서술한 경우	상
국토 분단으로 발생하는 문제를 두 가지 서술한 경우	중
국토 분단으로 발생하는 문제를 한 가지 서술한 경우	하

시험적중 마무리 문제 288~291쪽

01 ③ 02 ⑤ 03 ④ 04 ③ 05 ② 06 ⑤ 07 ③ 08 ③ 09 ④ 10 ③ 11 ② 12 ② 13 ⑤ 14 ④ 15 ④ 16 ③ 17 ⑤ 18 ⑤ 19 ② 20 ① 21 ③

01 영역의 구성

A는 영공, B는 영토, C는 영해, D는 배타적 경제 수역이다. 영역은 영토, 영해, 영공으로 구성된다. 배타적 경제 수역은 영역에 포함되지 않는다.

02 영역의 구성

㉠은 영역, ㉡은 영토이다. 영역은 한 국가의 주권이 미치는 범위로, 영토, 영해, 영공으로 구성된다. 영토는 한 국민들의 삶의 터전이 되는 땅으로 국토 면적과 일치한다. 또한 영해와 영공 설정의 기준이 된다.

바로알기 ≫ ⑤ 최근 항공 교통의 발달로 중요성이 커지고 있는 것은 영공이다.

03 우리나라의 영해

(가)는 황해, (나)는 대한 해협, (다)는 동해이다. 영해는 영토 주변의 바다로 그 범위는 일반적으로 기선으로부터 12해리까지의 수역이다. 동해는 통상 기선인 최저 조위선을 기준으로 영해를 설정한다. 섬이 많고 해안선이 복잡한 황해와 남해는 주로 가장 바깥쪽 섬들을 연결한 직선 기선을 기준으로 영해의 범위를 설정한다. 대한 해협에서는 직선 기선을 기준으로 3해리까지의 수역을 영해로 삼는다.

바로알기 ≫ ① (가)는 직선 기선을 영해 기선으로 삼는다. ② (나)는 직선 기선을 영해 기선으로 삼는다. ③ (다)의 기선은 해수면이 가장 낮을 때의 해안선이다. ⑤ 해안선의 특징에 따라 (가), (나)는 직선 기선, (다)는 통상 기선을 영해 기선으로 설정한다.

04 배타적 경제 수역(EEZ)

배타적 경제 수역은 기선으로부터 200해리에 이르는 수역 중 영해를 제외한 수역을 말한다. 연안국은 이곳의 천연자원 탐사, 개발, 보존 등에 대한 경제적 권리를 갖는다.

바로알기 ≫ ③ 경제적 목적이 없다면 다른 국가의 선박 항해나 케이블 설치가 가능하다.

05 독도의 위치

㉠에 들어갈 지역은 독도이다. 독도는 울릉도에서 동남쪽으로 약 87.4㎞ 떨어져 있다. 신라가 우산국을 편입하면서 우리나라의 영토가 되었다.

06 독도의 위치

A 지역은 독도이다. 독도는 약 460만~250만 년 전에 해저에서 용암이 분출한 후 굳어져 형성된 화산섬이다. 날씨가 맑은 날에는 울릉도에서 육안으로 독도를 볼 수 있다.

바로알기 ≫ ㄱ. 독도는 울릉도보다 먼저 만들어졌다. ㄴ. 독도는 해양성 기후가 나타난다.

07 독도의 위치와 자연환경

지도가 나타내는 섬은 독도로, 동도와 서도 두 개의 큰 섬과 89개의 부속 도서로 이루어져 있다. 독도는 512년 신라가 우산국을 편입하면서부터 우리나라의 영토가 되었으며, 현재 행정 구역상 주소는 경상북도 울릉군 울릉읍 독도리에 속해 있다. 주변 해역은 한류와 난류가 교차하는 곳으로, 수산 자원이 풍부하다.

바로알기 ≫ ③ 독도는 대부분 해안의 경사가 매우 가파르기 때문에 거주 환경이 불리한 편이다.

08 독도의 영역적 가치

독도는 군사적 요충지로 항공 및 방어 기지 역할을 수행하고 있으며, 우리의 영토이기 때문에 주변 바다에 대한 영유권을 주장할 수 있는 중요한 기점이 되고 있다. 한편 독도는 해양 과학 기지를 설치한다면 주변 해역의 해양 상태 등을 관측하고 예보하기에 적합하다.

바로알기 ≫ 라현. 독도는 동해에 있는 섬으로, 우리나라 영해의 동쪽 끝을 확정 짓는다.

09 독도의 경제적 가치

제시된 그림의 A는 해양 심층수, B는 메탄 하이드레이트이다. 해양 심층수는 태양광이 미치지 못하는 수심 200m 이하의 깊은 곳에 있는 바닷물로, 식수와 식품, 화장품, 의약품 등의 개발에 활용할 수 있다. 메탄 하이드레이트는 메탄과 물이 해저에서 높은 압력을 받아 형성된 자원으로, 미래 에너지 자원으로 주목받고 있다.

바로알기 ≫ ㄷ. 메탄 하이드레이트는 메탄이 주성분인 천연가스가 높은 압력을 받아 얼음처럼 고체화된 자원이다.

10 독도의 환경 및 생태적 가치

독도는 환경 및 생태적 가치가 매우 높다. 독도는 여러 단계의 화산 활동으로 형성된 섬으로 독특한 암석과 지질 경관이 나타난다. 독도를 통해 해저 화산의 형성과 진화 과정을 살펴볼 수 있다. 독도는 암석으로 이루어져 있어 토양이 척박하지만 섬초롱꽃, 해국 등 50~60여 종의 식물이 분포한다. 독도는 동해를 건너는 조류와 철새들의 중간 피난처 및 휴식처 역할을 하고 있다.

바로알기 ≫ ③ 독도는 토양이 부족하고 척박해 동식물이 서식하기에 유리한 환경은 아니다.

11 세계화 시대의 지역 경쟁력

세계화에 따라 각 지역은 다른 지역과 차별화할 수 있는 전략이 필요하게 되었다. 다른 지역과 구별되는 특성인 지역성은 그 지역만의 경쟁력으로 작용하여 지역의 가치를 높여 준다.

바로알기 ≫ ㄴ. 교통과 통신이 발달하면서 지역 간 경쟁이 심화되었다. ㄹ. 지역 경쟁력을 높이기 위해서 각 지역은 그 지역만의 독특한 지역성을 갖추어야 한다.

12 지역 브랜드와 장소 마케팅

(가)는 보령시를 대표하는 캐릭터로서, 지역을 특별한 브랜드로 인식시키는 역할을 한다. (나)는 지역의 정체성을 담은 지역 축제 포스터로, 장소를 매력적인 상품으로 만들어 관광객을 유치하는 역할을 한다.

바로알기 >> ㄴ. 랜드마크는 지역의 이미지를 대표하는 상징물로, 프랑스 파리의 에펠 탑 등이 대표적이다. ㄷ. (나)가 나타내는 지역화 전략은 장소 마케팅이다.

13 지역 브랜드 개발 시 주의 사항

지역 브랜드를 개발하기 위해서는 우선 지역의 특성을 파악하는 것이 중요하다. 지역의 특성을 다양하게 파악한 후 핵심적인 정체성을 요약하여 브랜드화하고 이를 잘 드러낼 수 있는 슬로건, 로고, 캐릭터 등을 개발해야 한다. 이후에는 지역 브랜드를 장소 마케팅에 적극적으로 활용해야 한다.

바로알기 >> ⑤ 지역 브랜드 개발 과정에서 국가가 아닌 지역 주민들의 적극적이고 자발적인 참여가 필요하다.

14 장소 마케팅

장소 마케팅이란 특정 장소가 가지고 있는 자연환경이나 역사적·문화적 특성을 드러내어 장소를 매력적인 상품으로 만들어 이를 판매하려는 활동이다. 지역의 상징성을 이용한 축제를 장소 마케팅에 활용하기도 한다.

15 지리적 표시제

지도와 관계 깊은 지역화 전략은 지리적 표시제이다. 지리적 표시제는 상품의 품질, 명성, 특성 등이 근본적으로 해당 지역에서 비롯한 경우 지역 생산품임을 증명하고 표시하는 제도이다. 우리나라는 2002년에 보성 녹차가 최초로 지리적 표시 상품으로 등록된 이후 이천 쌀, 횡성 한우 등 다양한 농산물과 임산물 등이 지리적 표시 상품으로 등록되었다.

바로알기 >> ①, ③, ⑤ 장소 마케팅에 대한 설명이다. ② 지역 브랜드에 대한 설명이다.

16 지리적 표시제

사진은 지역화 전략 중 지리적 표시제와 관계가 깊다. 지리적 표시제는 우수한 지리적 특성을 지닌 농산물과 가공품을 보호하여 지리적 특산물의 품질 향상을 도모할 수 있다. 또한 유명 상품의 경우 유사품이 시장에 유통되는 것을 막을 수 있고, 소비자에게 믿을 수 있는 제품을 살 기회를 제공한다. 지리적 표시제는 우리나라뿐만 아니라 세계 각국에서 시행되고 있으며 대표적인 예가 미국 플로리다 오렌지 등이다.

바로알기 >> ② 지리적 표시 상품으로 등록하면 다른 곳에서는 임의로 상표권을 이용하지 못하게 할 수 있는 법적 권리가 주어진다.

17 우리나라의 위치 특성

제시된 지도는 우리나라의 위치 특성을 나타낸다. 우리나라는 대륙과 해양의 가교 역할을 할 수 있는 반도국이고 동아시아의 중심에 위치하여 인적·물적·문화적 교류에 유리하다.

바로알기 >> ①, ② 삼면이 바다로 둘러싸인 반도국으로, 해양으로의 진출에 유리하다. ③ 발전 잠재력이 매우 높은 국가들 사이에 위치한다. ④ 유라시아 대륙과 태평양을 연결하는 곳에 위치하여 외부와 교류하기 쉽다.

18 국토 분단의 문제점

남북 분단으로 인해 남북한 모두 막대한 국방비가 지출되고 있다. 또한 분단이 지속되면서 이산가족과 실향민의 아픔이 심화되고 있고, 남북 문화의 이질화가 진행되어 민족의 동질성이 약화되고 있다.

바로알기 >> ⑤ 남북 분단으로 인해 전쟁에 대한 불안감으로 한반도의 위상이 약화되고 있다.

19 아시안 하이웨이

아시안 하이웨이는 유라시아 대륙을 동서로 연결해주는 횡단 도로이다. 국토가 통일되어 아시안 하이웨이가 모두 연결되면 육로를 이용하여 아시아를 거쳐 유럽까지 물자를 이동시킬 수 있게 된다.

바로알기 >> ② 아시안 하이웨이는 유라시아 대륙을 동서로 이어 준다.

20 통일 한국의 미래

통일이 되면 남한의 풍부한 자본과 기술, 북한의 지하자원과 노동력이 결합하여 국토의 효율적인 이용이 가능해져 경제적 도약을 할 수 있다.

21 통일 이후 우리의 생활 변화

남북한이 통일되면 생태·환경·문화가 어우러진 매력적인 국토 공간을 만들 수 있다. 그리고 분단 시대의 이념과 갈등에 따른 긴장이 완화되고 자유 민주주의적 이념이 확대되어 개인의 다양한 생각과 가치가 존중받게 될 것이다.

바로알기 >> ③ 생활 공간이 확대되면서 새로운 직업과 일자리가 늘어나 경제가 발전하고 분단으로 소요된 비용이 경제 개발과 복지 분야에 투입되면 삶의 질이 향상될 것이다.

XII. 더불어 사는 세계

01 지구상의 지리적 문제

295, 297쪽

A 1 지리적 문제 2 (1) ○ (2) ○

B 1 기아 2 (1) 아프리카 (2) 상승 3 (1) ○ (2) ×

C 1 생물 다양성 2 ㄱ, ㄴ, ㄷ

D 1 (1) × (2) ○ (3) ○ 2 (1) - ㉡ (2) - ㉠

3 ① 난사 군도 ② 센카쿠 열도 ③ 쿠릴 열도

실력 탄탄 **핵심 문제** 298~299쪽

01 ④ 02 ④ 03 ① 04 ② 05 ① 06 ⑤ 07 ⑤ 08 ③ 09 ①

01 지구상의 지리적 문제

지구상에는 다양한 모습과 가치관, 생활 양식을 가진 사람들이 함께 어우러져 살아가고 있다. 이러한 다양성은 세계 여러 곳에서 발생하는 지리적 문제의 원인이 되기도 한다. 대표적인 지리적 문제로는 기아 문제, 생물 다양성 감소, 영역 분쟁 등이 있다. 지리적 문제는 특정 지역의 문제가 다른 지역의 문제와 연관되어 있는 경우가 많고, 여러 요인이 복합적으로 결합되어 나타난다.

바로알기 ④ 세계화로 여러 지역 간 상호 작용이 활발해지면서 지리적 문제는 어느 한 지역만이 아닌 공통의 문제가 되는 경우가 많아졌다.

02 기아 문제의 발생 원인

기아는 식량 부족으로 주민들이 충분한 영양을 섭취하지 못하여 발생한다. 식량 부족 문제는 전 세계적으로 불공평한 식량 분배, 잦은 분쟁으로 식량 생산 및 공급 차질 발생, 곡물 가격의 상승, 개발 도상국의 급격한 인구 증가에 따른 식량 수요의 증가 등으로 나타난다.

바로알기 ④ 식량 생산량이 감소할 때 기아 문제가 발생한다.

03 세계의 기아 현황

자료로 이해하기 ≫

분쟁에 따른 잦은 이주로 안정적인 식량 생산이 어렵기 때문이야.

태평양
대서양
인도양
0°

전체 인구 중 영양 결핍 비율
1단계(5 % 미만, 극히 낮은 국가)
2단계(5 ~ 9 %, 아주 낮은 국가)
3단계(10 ~ 19 %, 비교적 낮은 국가)
4단계(20 ~ 34 %, 비교적 높은 국가)
5단계(35 % 이상, 아주 높은 국가)
자료 없음.

(국제 연합 세계 식량 계획, 2015)

지도는 지리적 문제 중 기아와 관계가 깊다. 기아는 인간이 생존하기 위해 필요한 물과 영양소를 충분히 섭취하지 못하는 상태로 특히 성장하는 어린이에게 피해를 주고 결국은 사망에 이르게 한다. 기아는 자연재해, 농작물 병충해 등 자연적 요인과 전 세계적으로 불공평한 식량 분배, 분쟁으로 인한 식량 생산 및 공급의 어려움 등 인위적 요인에 의해 발생한다.

바로알기 ① 기아 문제는 사하라 이남 아프리카와 남부 아시아 지역에서 가장 심각하게 나타난다.

04 생물 다양성이 풍부한 지역

제시된 지도를 보면 생물 다양성이 가장 풍부한 지역은 적도 주변의 열대 우림 분포 지역임을 알 수 있다. 따라서 전 세계 생물 종의 절반 이상이 분포하는 열대림을 개발하면 생물 다양성이 줄어 인간의 생존을 위협할 수 있다.

생물은 식량을 비롯하여 의약품, 인간의 삶에 유익한 물질 등을 제공해.

05 영역을 둘러싼 갈등

오늘날 세계 곳곳에서는 영역을 둘러싼 갈등이 나타나고 있는데, 영역 분쟁은 국경선 설정이 모호하거나 한 국가가 다른 국가의 영역을 무력으로 점령한 곳에서 주로 발생한다. 그 중에서도 육상 자원의 고갈로 해양 자원의 가치가 커지면서 바다를 둘러싼 갈등이 증가하고 있다. 더욱이 과학 기술의 발달로 심해에 대한 연구가 진행되면서 세계 각국의 해양 개발 경쟁은 더욱 빈번해지고 있다.

바로알기 ① 해상 교통의 요지 확보 및 해양 자원의 개발과 이용 등을 목적으로 영해와 배타적 경제 수역을 둘러싼 갈등이 발생하고 있다.

06 팔레스타인 분쟁

팔레스타인 지역은 원래 이슬람교를 믿는 지역이었으나 제2차 세계 대전 이후 유대교를 믿는 이스라엘이 세워지면서 원래 거주하던 팔레스타인 사람들은 삶의 터전을 잃게 되었다. 팔레스타인 사람들이 영토를 회복하기 위해 저항하면서 전쟁이 계속되고 있다.

07 아프리카의 영역 갈등

아프리카는 과거 유럽 강대국의 이해관계에 따라 국경선이 설정되었는데 독립 이후 국경과 부족 경계가 달라서 분쟁과 내전, 그리고 난민 발생이 끊이지 않고 있다.

바로알기 ㄱ. 아프리카는 다른 대륙에 비해 국경선이 직선인 경우가 많다. ㄴ. 국경선의 설정으로 과거에 비해 부족 간의 이동이 줄어들었을 것이다.

08 난사 군도와 센카쿠 열도

제시된 지도의 A는 남중국해의 난사 군도(스프래틀리 군도), B는 동중국해의 센카쿠 열도(댜오위다오)이다. 난사 군도는 인도양과 태평양을 잇는 교통상의 요지로, 중국, 필리핀, 말레이시아, 베트남, 브루나이 등 주변 국가들이 영유권을 주장하고 있다. 센카쿠 열도는 1895년 청일 전쟁에서 승리한 일본이 자국의 영토로 편입하여 점유하고 있지만, 중국과 타이완 등이 영유권을 주장하고 있다. 난사 군도와 센카쿠 열도 인근 해역에서 석유 매장이 확인된 후 이를 둘러싼 갈등이 더욱 심해지고 있다.

바로알기 ③ 난사 군도(A)의 영유권을 중국, 필리핀, 말레이시아, 베트남, 브루나이 등이 주장하고 있다. 센카쿠 열도(B)의 영유권을 일본, 중국, 타이완 등이 주장하고 있다. 따라서 난사 군도의 영유권을 주장하는 국가의 수가 센카쿠 열도보다 더 많다.

09 쿠릴 열도

태평양 북서부 캄차카 반도와 일본 홋카이도 사이에 걸쳐 있어.

1951년 연합국과 일본이 체결한 샌프란시스코 강화 조약에 의해 일본은 사할린과 쿠릴 열도를 구소련에 넘겨주었는데, 그중 북방 4도는 반환 영토에 포함되지 않는다고 주장하고 있어 러시아와 영역 갈등을 겪고 있다. 쿠릴 열도는 해저에 많은 양의 석유와 천연가스가 매장되어 있다. 러시아는 이 지역의 자원 개발을 위해 많은 돈을 투자하기도 하였다.

서술형 문제

299쪽

01 카슈미르 지역을 둘러싼 갈등

① 카슈미르, ② 파키스탄, ③ 인도

02 기아 문제의 발생 원인

예시답안 기아. 기아는 자연재해, 농작물 병충해 등의 자연적 요인과 전 세계적으로 불공평한 식량 분배, 잦은 분쟁에 따른 식량 생산량 감소 등 인위적 요인에 의해 발생한다.

채점 기준	점수
기아라고 쓰고, 기아의 발생 원인 두 가지를 정확히 서술한 경우	상
기아라고 썼으나, 기아의 발생 원인을 한 가지만 서술한 경우	중
기아라고만 쓴 경우	하

02 저개발 지역의 발전을 위한 노력 ~ 03 지역 간 불평등 완화를 위한 노력

301, 303쪽

A 1 (1) ○ (2) ○ (3) × 2 ㉠ 인간 개발 지수 ㉡ 삶의 질 3 남북 문제

B 1 빈곤 2 (1) × (2) ○

C 1 (1) ㄴ (2) ㄱ (3) ㄷ 2 공적 개발 원조 3 (1) ○ (2) ○

D 1 ㄱ, ㄴ 2 공정 무역 3 적정 기술

실력탄탄 핵심 문제

304~305쪽

01 ④ 02 ③ 03 ③ 04 ③ 05 ③ 06 ④ 07 ⑤ 08 ⑤ 09 ④ 10 ②

01 지역별로 발전 수준이 다른 이유

국가마다 자연환경, 자원의 보유량, 기술, 자본, 토지, 학력 수준 등 경제 환경에 영향을 주는 다양한 요소가 지역마다 다르기 때문에 발전 수준의 지역 차가 발생한다.

바로알기 ④ 국제 연합은 개발 도상국 및 선진국 구분 없이 세계 대부분의 국가가 가입하여 활동중이다. 지역별 발전 수준 차와는 거리가 멀다.

02 발전 수준의 지역 차

A에는 선진국보다 개발 도상국에서 높게 나타나는 항목인 영아 사망률, 교사 1인당 학생 수가 들어갈 수 있다. B에는 개발 도상국보다 선진국에서 높게 나타나는 항목인 기대 수명, 성인 문자 해독률이 들어갈 수 있다.

03 인간 개발 지수

인간 개발 지수의 수치가 높을수록 발전 수준이 높아.

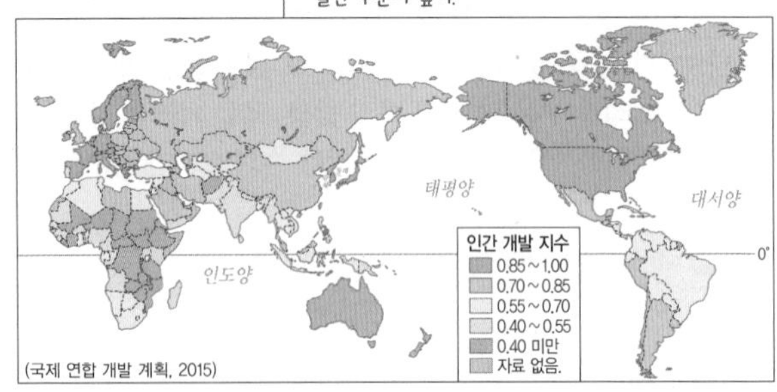

국제 연합 개발 계획(UNDP)에서는 매년 각국의 1인당 국민 총소득, 기대 수명, 교육 수준 등을 기준으로 하여 국가별로 국민의 삶의 질을 평가한다. 유럽과 앵글로아메리카 등 북반구에 위치한 선진국에서 인간 개발 지수가 상대적으로 높게 나타난다.

바로알기 ③ 아프리카, 동남아시아, 남아메리카의 국가들은 인간 개발 지수가 낮은 편이다.

04 저개발 지역의 빈곤 해결을 위한 노력

저개발 국가들은 빈곤 문제를 해결하기 위해 다양한 노력을 기울이고 있다. 먼저 관개 시설을 확충하여 식량 생산을 늘리고, 위생

및 보건 환경을 개선하여 질병 문제를 해결하고 있다. 공공 교육 서비스를 강화하여 인적 자원 개발에도 힘쓰고 있다. 또한 국외의 자본과 기술 투자를 유치함으로써 국내 산업 향상을 꾀하고 있다.

바로알기 ≫ ㄴ. 저개발 국가들은 인구 부양력이 낮기 때문에 출산 장려 정책 대신 출산 억제 정책을 실시해야 한다.

05 지역 간 불평등 완화를 위한 국제 연합(UN)의 노력

제시된 내용은 국제 연합(UN)에 대한 설명이다. 국제 연합 산하에는 어린이를 돕는 국제 연합 아동 기금(UNICEF), 난민들을 지원하는 국제 연합 난민 기구(UNHCR)가 있다. 이 밖에도 세계의 질병 문제를 해결하는 세계 보건 기구(WHO), 기아와 빈곤으로 고통받는 지역에 식량을 지원하는 세계 식량 계획(WFP) 등이 있다.

바로알기 ≫ ③ 개발 원조 위원회는 경제 협력 개발 기구 산하의 국제기구로, 공적 개발 원조(ODA)를 담당한다.

06 지역 간 불평등 해결을 위한 국제적 협력

제시된 국제기구들은 국가 및 지역 간 경제적 격차 해소를 위한 활동을 한다는 공통점이 있다.

└ 어떤 국제적인 목적이나 활동을 위해 두 국가 이상으로 구성된 조직체야.

07 공적 개발 원조(ODA)

공적 개발 원조는 선진국의 정부 또는 국제기구가 개발 도상국의 경제 발전과 복지 증진을 목적으로 재정 및 기술, 물자, 개발 경험 등을 지원하는 제도이다.

바로알기 ≫ ①, ③ 원조를 주는 국가는 미국과 독일 등의 선진국이 주를 이루며, 아프리카와 남아시아의 여러 국가가 원조를 받고 있다. ② 오늘날 세계의 공적 개발 원조 금액은 증가하고 있다. ④ 공적 개발 원조는 경제 협력 개발 기구(OECD) 산하의 개발 원조 위원회(DAC)가 주도하고 있다.

08 공정 무역의 특징

공정 무역은 저개발 국가의 생산자가 경제적으로 자립할 수 있도록 정당한 가격을 지급하는 무역 방식이다. 저개발 국가 생산자는 안전하고 친환경적인 방식으로 상품을 생산하여 소비자에게 공급한다. 그렇기 때문에 생산자와 소비자는 물론 환경에도 이로운 지속 가능한 발전을 추구한다.

바로알기 ≫ ① 공정 무역은 생산자와 소비자 간 동등한 위치에서 이루어진다. ② 개발 도상국의 상품에 관세를 부과하면 상품의 판매 가격이 높아지므로 이는 공정 무역으로 보기 어렵다. ③ 공정 무역은 선진국과 저개발 국가 사이의 불공정한 무역을 개선하기 위한 방안 중 하나로 국제적으로 장려되는 사회 운동이다. ④ 공정 무역은 저개발 국가에서 선진국으로 수출되는 커피, 코코아, 면화, 수공예품 등을 주요 대상품으로 한다.

09 적정 기술

㉠은 적정 기술이다. 적정 기술은 인간이 누려야 할 최소한의 권리조차 누릴 수 없는 사람들에게 인간의 권리를 누릴 수 있게 해 주는 기술이다. 지역의 문화적·경제적·환경적 조건을 고려하여 해당 지역에서 지속해서 생산, 소비할 수 있도록 만들어졌다. 단순하면서도 현지에서 사용하기 쉬워 저개발 지역 주민들의 삶에 도움을 준다.

비교알기 ≫ ④ 적정 기술은 저개발 지역이나 소외된 계층을 배려하여 만든 기술이라는 뜻으로 사용되고 있다.

10 지역 간 불평등을 완화하기 위한 노력

지역 간 불평등을 완화하려면 공적 개발 원조를 통한 경제적 지원뿐만 아니라 민간 또는 개인 차원에서도 다양한 노력을 해야 한다.

바로알기 ≫ ② 자유 무역이 확대될 경우 지역 간 경쟁이 더욱 치열해지면서 경제 기반이 부족한 저개발 국가의 경제 사정이 더욱 악화될 수 있다.

서술형 문제

305쪽

01 공정 무역

① 공정 무역, ② 정당한 가격, ③ 경제적

02 국제 비정부 기구의 활동

예시답안 ▶ 그린피스는 지구의 환경을 보존하는 활동을 한다. 국경 없는 의사회는 인종, 종교, 성, 정치적 성향과 관계없이 도움이 필요한 사람들에게 의료 서비스를 지원한다.

채점 기준	점수
국제 비정부 기구를 두 가지 쓰고, 각 단체가 하는 활동을 정확히 서술한 경우	상
국제 비정부 기구를 한 가지만 서술한 경우	하

시험 적중 마무리 문제 308~311쪽

01 ① 02 ① 03 ② 04 ③ 05 ① 06 생물 다양성 협약
07 ④ 08 ③ 09 ② 10 ⑤ 11 ⑤ 12 ② 13 ③ 14 ①
15 ② 16 ⑤ 17 ② 18 ④ 19 ④

01 지구상의 지리적 문제

세계가 하나의 지구촌으로 변화해 가면서 다양한 가치관과 생활 양식을 가진 사람들이 어우러져 살아가고 있어 지리적 문제가 발생하고 있다. 대표적인 지리적 문제로는 기아 문제, 생물 다양성 감소, 영역 분쟁, 불균등한 발전에 따른 경제적 격차 심화 등이 있다.

바로알기 » ① 세계 곳곳에서 지역 간 분쟁과 갈등이 계속되고 있다.

02 지리적 문제의 발생 원인

지구상의 지리적 문제는 국가 및 지역 간 경제 격차의 심화, 서로 다른 종교 또는 민족 간의 대립, 영토 및 자원을 둘러싼 국가 간의 이해관계 대립, 환경 오염 물질의 장거리 이동 등 여러 원인이 있다.

바로알기 » ① 국제기구는 국가 간 협력을 효과적으로 유도하기 위한 기구로, 오늘날 다양한 지리적 문제를 해결하는 데 앞장서고 있다.

03 기아 문제의 발생 원인

제시된 내용은 기아에 대한 설명이다. 기아의 발생 원인은 자연적 요인과 인위적 요인으로 구분할 수 있는데 인구 급증, 잦은 분쟁으로 식량 생산 및 공급 차질, 전 세계적으로 불공평한 식량 분배, 식량 작물의 용도 변화 등은 인위적 요인에 해당한다.

바로알기 » ② 가뭄, 홍수 등의 자연재해, 농작물 병충해 등은 기아 문제를 일으키는 자연적 요인이다.

04 세계의 기아 현황

오늘날 40여 개국 8억 명 이상의 인구가 굶주림으로 고통을 겪고 있어.

지도는 세계적으로 기아 문제가 심각한 지역을 나타낸 것이다. 기아는 식량이 부족하여 충분한 영양을 섭취하지 못할 때 발생하며, 특히 성장하는 어린이들에게 큰 피해를 주고 결국은 사망에 이르게 한다. 기아는 자연재해나 분쟁이 잦아 식량을 원활하게 공급받을 수 없는 지역에서 심각하게 나타난다. 사하라 이남 아프리카와 남부 아시아 지역, 남아메리카 일부 지역에서 기아 문제가 심각하다.

바로알기 » ③ 지리적 문제 중 영역을 둘러싼 갈등에 대한 것이다.

05 생물 다양성 감소의 영향

인간은 살아가는 데 필요한 자원의 많은 부분을 다양한 생물 자원에 의존하고 있다. 그러나 오늘날 환경 오염, 무분별한 남획 등으로 매년 2만 5천여 종의 동·식물이 지구상에서 사라지고 있다. 생물 종이 감소하면 인간이 이용 가능한 생물 자원의 수 자체가 감소할 뿐만 아니라 먹이 사슬이 끊겨 생태계가 빠르게 파괴된다.

06 생물 다양성 감소를 막기 위한 대책

국제 연합(UN)은 1992년 생물 다양성 협약을 채택하여 생물 종을 보호하고 생물 다양성을 유지하기 위해 노력하고 있다.

07 난사 군도를 둘러싼 갈등

지도의 A는 아프리카의 에티오피아, B는 팔레스타인 지역, C는 카슈미르 지역, D는 난사(스프래틀리) 군도, E는 센카쿠 열도(댜오위다오)이다. 난사 군도는 인도양과 태평양을 잇는 교통상의 요지이며, 주변 바다에 천연가스와 석유 등이 풍부하게 매장되어 있어 현재 중국, 베트남, 필리핀, 말레이시아, 브루나이 등이 영유권을 주장하고 있다.

08 영역을 둘러싼 갈등

카슈미르 지역(C)은 1947년 인도가 영국으로부터 독립하는 과정에서 이슬람교도가 많아 파키스탄으로 귀속될 예정이었다. 그러나 이곳을 통치하던 힌두교 지도자가 인도에 통치권을 넘기면서 파키스탄과 인도 간의 갈등이 시작되었다. 국제 연합(UN)의 중재로 정전 협정이 체결되고 카슈미르의 영토가 분할되었으나 오늘날까지 갈등이 지속되고 있다.

바로알기 » ① 아프리카의 에티오피아에서는 국경선과 민족 경계선이 달라 한 국가 안에 여러 민족이 살거나, 한 민족이 여러 국가에 나뉘어 살게 되면서 국가 간 영역 갈등이 발생하고 있다. ② 팔레스타인 지역은 원래 이슬람교를 믿는 지역이었으나 제2차 세계 대전 이후 유대교를 믿는 이스라엘이 건국하면서 갈등이 발생하였다. ④ 쿠릴 열도에 대한 설명이다. ⑤ 센카쿠 열도(댜오위다오)는 청일 전쟁에서 이긴 일본이 점유하고 있다.

09 지역 간 발전 수준의 차이

지역 간 발전 수준은 국가마다 자연환경, 기술 및 교육 수준, 천연자원의 보유량 등이 다르고, 사회적·경제적 제도와 불공정한 국제 무역 구조가 다르기 때문에 차이가 난다.

바로알기 » ② 경도는 지역 간 발전 수준의 차이에 영향을 미치지 못한다.

10 발전 수준의 지역 차

인간 개발 지수(HDI)는 국제 연합 개발 계획(UNDP)에서 매년 각국의 1인당 국민 총소득, 기대 수명, 교육 수준 등을 기준으로 하여 국가별로 국민의 삶의 질을 평가한 지표이다. 인간 개발 지수가 높은 선진국은 주로 서부 유럽, 앵글로아메리카 등 북반구에 있고, 인간 개발 지수가 낮은 개발 도상국은 주로 아프리카, 동남아시아, 남아메리카 등 적도 주변 및 남반구에 있다.

바로알기 » ㄱ. 인간 개발 지수는 지역의 발전 수준과 격차를 나타내는 지표 중 하나이다. ㄴ. 인간 개발 지수 최상위 5개국 중 오스트레일리아는 오세아니아에 위치한다.

11 선진국과 개발 도상국의 발전 수준

1인당 국내 총생산이 높게 나타나는 A는 선진국, 1인당 국내 총생산이 낮게 나타나는 B는 개발 도상국이다. 개발 도상국은 선진국에 비해 성인 문자 해독률과 행복 지수가 낮다. 선진국과 개발 도상국 간 발전 수준의 격차는 국가 간 협력과 무역을 통해 좁힐 수 있지만, 최근 세계화의 확산과 더불어 더욱 벌어지는 경향을 보인다.

바로알기 » ㄱ. A는 선진국으로 소득과 발전 수준이 높은 지역이다. ㄴ. B는 개발 도상국으로 대부분 사하라 이남 아프리카와 남아시아 등지에 집중되어 있다.

12 빈곤 문제의 해결 방안

제시된 내용은 빈곤 문제를 보여 준다. 빈곤 문제를 해결하기 위해서는 관개 시설을 확충하고 수확량이 많은 품종을 개발해야 한다.

13 저개발 지역의 빈곤 극복 노력의 한계

저개발 지역은 뒤늦게 산업화가 이루어지고, 의료 기술이 발달하면서 인구가 급격히 증가하였다. 그러나 낮은 인구 부양력과 불안정한 정치 상황으로 식량 부족 문제가 심각하다.

14 지역 간 불평등 문제를 해결하기 위한 국제기구

지역 간 불평등을 완화하고, 지구촌 곳곳에서 발생하는 다양한 지리적 문제를 해결하기 위해서는 국제적 협력이 필요하다. 기아와 빈곤 문제 해결을 위해 국제 연합(UN) 산하에 있는 세계 식량 계획(WFP)이 활동하고 있다.

바로알기 》 ② 개발 원조 위원회(DAC)는 개발 도상국에 도움을 주는 공적 개발 원조를 위한 기구이다. ③ 국제 연합 평화 유지군(PKF)은 분쟁 지역의 질서 유지를 위해 노력하는 국제기구이다. ④ 국제 연합 난민 기구(UNHCR)는 난민을 보호하고 난민 문제를 해결하기 위해 노력하는 국제기구이다. ⑤ 국제 연합 아동 기금(UNICEF)은 아동의 복지를 향상하기 위한 활동을 하는 국제기구이다.

15 개발 원조

개발 원조란 개발 도상국의 빈곤 문제를 해결하기 위해 국제 사회가 재정 및 기술, 물자 등을 지원하는 것으로, 공적 개발 원조와 민간 개발 원조가 있다. 개발 원조는 경제 협력 개발 기구(OECD) 산하의 개발 원조 위원회(DAC)가 주도하고 있다.

바로알기 》 ㄴ. 우리나라는 광복 이후 원조를 받던 수혜국이었지만, 지속적인 경제 성장을 이룩하여 2009년 이후 개발 원조 위원회에 가입한 이후 꾸준하게 원조액의 규모를 늘리고 있다. ㄹ. 국제 비정부 기구는 세계 시민들의 자발적인 모금으로 운영하는 단체이다.

16 국제 원조의 한계

국제 원조는 개발 도상국의 빈곤 감소와 삶의 질 향상에 이바지하고 있다. 그러나 원조를 받는 지역에 재해나 분쟁이 발생하면 장기적인 지원을 받기 어렵고, 원조 대상 지역의 경제적 자립 토대를 무너뜨릴 수도 있다. 제시문은 지역의 문화적·경제적 특성을 파악하지 않은 지원은 해당 지역의 자발적인 성장을 저해할 수 있음을 보여 준다.

17 공정 무역

오늘날 공정 무역이 세계 무역에서 차지하는 비중이 늘고 있어.

제시된 그림에서 (가)는 일반 무역, (나)는 공정 무역이다. 공정 무역은 생산자와 소비자 간 동등한 위치에서 이루어지는 무역이다. 생산자의 노동력이 착취되지 않도록 시장 가격보다 높은 일정 수준의 최저 가격을 보장하면서, 중간 상인의 개입을 줄여 유통 비용을 낮춘 공정한 가격으로 소비자에게 공급한다. 공정 무역은 일반 무역보다 유통 단계가 단순하여 저개발 지역의 생산자에게 돌아가는 이익이 많다.

18 국제 비정부 기구

국제 비정부 기구(NGO)는 정부 간의 협정이 아닌, 민간단체가 중심이 되어 만들어진 조직으로 범세계적인 문제를 해결하기 위해 국가 간의 이해관계를 넘어 인도주의적인 차원에서 구호 활동을 한다. 이들은 자체 활동을 하면서 국제 연합(UN)의 공식적 활동을 보조하기도 하는데, 최근 그 역할이 커지고 있다. 대표적인 예로 환경 보호 단체인 그린피스, 의료 구호 조직인 국경 없는 의사회가 있다.

바로알기 》 다현. 개발 원조 위원회(DAC)는 경제 협력 개발 기구(OECD)의 산하 기관으로, 개발 도상국에 도움을 주는 공적 개발 원조를 위한 정부 간 국제기구이다.

19 적정 기술

'적정 기술'은 지역의 경제적·문화적·환경적 조건을 고려하여 해당 지역에서 지속적인 생산과 소비가 가능하도록 만들어진 기술을 말한다. 대표적으로 큐 드럼(Q drum)과 라이프 스트로 등이 있다.

Memo

visang

발행일 2019년 2월 1일
펴낸날 2022년 10월 1일
펴낸곳 (주)비상교육
펴낸이 양태회
신고번호 제2002-000048호
출판사업총괄 최대찬
개발총괄 채진희
개발책임 송경화
디자인책임 김재훈
영업책임 이지웅
마케팅책임 이은진
품질책임 석진안
대표전화 1544-0554
주소 서울특별시 구로구 디지털로33길 48
대륭포스트타워 7차 20층

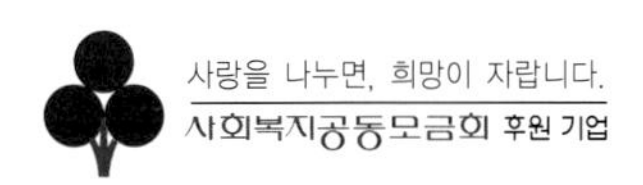